제 4 판

株式會社法大系

株式會社法大系

I

[한국상사법학회 편]

총 설
주식회사의 설립
주식과 주주

法 文 社

발 간 사

　　『주식회사법대계』의 편찬사업은 한국상사법학회가 상법제정 50주년 기념사업으로 2013년 1월 초판을 출간하면서 시작되었습니다. 상법 회사편 중 주식회사의 각 조문에 관해 축조의 형식으로 중요 쟁점을 중심으로 학설 및 판례를 망라하여 해설한 것입니다. 이 해설서를 통해 기업실무나 법조실무에 종사하는 실무가나 대학원생 등 연구자에게 종합적이고 체계적인 이론을 제공하여 도움을 주고자 함이 본 사업의 취지였습니다. 특히 주식회사법 영역에서는 자본시장법, 공정거래법 등과 같은 관련법령은 물론이고 거래소의 상장규정이나 스튜어드십 코드처럼 기업실무에 영향을 미칠 수 있는 연성규범이나 거래 관행도 매우 중요합니다. 본서에는 주식회사법뿐만 아니라 이러한 관련법령 등에 대해서도 충실하게 다루고 있습니다. 그런 점에서 주식회사 관련법제 전반에 관한 해설서라고 자부해봅니다.

　　초판이 발간된 이래 지금까지 총 4판이 출간되었습니다. 특히 제4판은 제3판 이후 축적된 판례와 학설 그리고 2020년 상법개정에서 새로 도입된 다중대표소송, 감사위원분리선출제도 등에 관한 해설을 추가하고 기존의 내용을 수정·보완한 것입니다. 2020년 상법개정에서는 주주총회 분산개최와 소수주주권 행사에 관한 개정도 함께 이루어졌습니다. 이러한 사항들은 기업실무나 법무실무에 지대한 영향을 미칠 수 있는 내용들이어서 서둘러 출판을 하기에 이르렀습니다.

　　제4판의 경우 집필위원만 85분이 참여하였습니다. 이러한 방대한 분량의 해설서 편찬에는 많은 분들의 헌신과 열정이 없이는 불가능합니다. 특히 초판의 기획에서부터 제4판의 발간에 이르기까지 제22대 회장으로서 그리고 '주식회사법대계 간행위원회' 위원장으로서 많은 수고를 해주신 최준선 전 회장님을 비롯한 간행위원님, 간사로서 어려운 일을 도맡아 해주신 김영주 교수님, 그리고 짧은 집필기간임에도 불구하고 본서의 발간 취지에 동의해주시고 옥고를 집필해주신 집필위원 여러분에게 제31대 회장으로서 심심한 감사의 말씀을 드립니다.

앞으로도 지금처럼 『주식회사법대계』가 우리나라 주식회사 법제의 발전에 기여하고 기업실무와 법조실무 그리고 연구에 있어서 큰 도움이 되는 지침서로서 그 역할과 기능을 다 하기를 소망합니다. 아울러 존경하는 회원님 여러분들의 많은 관심과 성원을 부탁드립니다.

2022년 2월
제31대 회장 권종호

머 리 말

이 책은 2012년 한국상사법학회가 상법제정 50주년을 기념사업으로 시작하여 2013년 1월에 초판이 발간되었습니다. 필자가 제22대 학회장으로 선임되어 상법 제정 50년을 맞이하였으며, 이에 학회는 상법제정 이후 50년의 역사를 정리하는 것, 상법제정 50주년 기념 국제학술대회를 개최하는 것, 그리고 우리 학계의 50년간의 연구성과를 본서 『株式會社法大系』로 집대성하는 작업을 진행하였습니다. 『株式會社法大系』는 상법학계의 50년간의 총결산이자 대통합의 상징입니다. 대통합의 상징이란, 이 책의 초판을 저술함에 있어서는 이 시대 한국을 대표하는 학자 77명이 집필에 참여하였다는 것을 말합니다.

2015년 2월 이 책에 출판된 지 3년이 되자 그간의 개정 법률과 새로 나온 판례를 반영한 개정판을 발간할 필요가 생겼습니다. 이에 우리학회 제25대 학회장이신 신현윤 회장께서는 이사회를 거쳐 학회의 산하기관으로 항구적인 조직으로서 '주식회사법대계 간행위원회'를 설치하시고 본인을 초대 위원장으로 임명하셨습니다. 제2판에는 집필위원의 소폭 교체가 있었고, 총 79명의 집필위원이 참여하였습니다.

2018년에 이르러 간행위원회는 그간에 생산된 중요한 판례를 반영하여 제3판을 발간하기로 결의하고 우리학회 제28대 학회장이신 김선정 회장님의 승인에 따라 2019년 제3판을 발간하게 되었습니다. 제3판의 집필에는 총 80명의 집필위원이 참여했습니다.

2020년 12월 9일 국회는 상법 일부 개정안을 통과시켰고, 이 법률은 같은 달 29일 공포 즉시 시행되었습니다. 이번 개정에서는 다중대표소송제도, 감사위원 분리선임과 같은 매우 중요한 제도들이 도입되었습니다. 간행위원회는 개정상법의 주요 내용과 2018년 이후 생산된 중요 판례를 반영한 제4판을 간행하기로 결의하였으며, 2021년 우리 학회 제31대 권종호 회장님의 승인하에 2022년 제4판을 발간하게 되었습니다. 제4판에는 집필위원이 소폭 교체되었고 공동집필위원 포함 총 85명의 집필위원이 참여하였습니다.

이 책을 출판함에 있어서 가장 어려운 점은 원고 내용의 균질성을 확보하는 것이었습니다. 이를 위하여 우리 학회의 중견 학자들로 편집위원회가 구성되었으며, 편집위원들이 각 논문을 철저히 심사하여 '게재가능' 판정을 받은 논문만을 게재하였습니다. 이번 제4판에도 원고를 철저히 심사해 주신 간행위원 여러분께 깊이 감사드립니다. 한편, 집필에 참여하지 못한 회원들께서도 차후 개정판에서 집필기회를 드릴 것을 약속드립니다. 기존의 주제에 대하여 보다 참신하고 수월성 있는 논문을 제공해 주셔도 좋고, 신규 주제를 개발하여 참여하여 주셔도 좋습니다.

이 책은 상법 회사편 중 주식회사에 관한 거의 모든 조문을 빠짐없이 해설하고, 동시에 주식회사법에 관한 거의 모든 논의를 포괄하여야 한다는 목표하에 집필되었습니다. 이에 따라 현대 주식회사법의 쟁점이 되는 모든 분야에 걸쳐 주요판례와 논문, 저서 등을 종합하여 충실한 해석론을 전개하고 있습니다. 이 책은 로스쿨 학생보다는 실무가 및 대학원생 이상의 연구자를 독자로 상정하고 집필되었습니다. 따라서 회사법 실무나 학술연구에 매우 유용할 것으로 생각되며, 활용도는 매우 클 것으로 자부합니다.

臨事而懼!

孔子가 말한 '임사이구'는 '어려운 때일수록 신중하고 치밀하게 지혜를 모아 일을 성사시킨다'는 뜻입니다. 많은 분들이 자발적으로 도와주시지 않으셨다면, 이 일은 완성될 수 없었을 것입니다. 그러므로 이 작품은 집필위원 및 도움을 주신 여러분 모두의 것입니다. 집필위원 여러분께 감사를 드립니다. 무엇보다도, 2012년 상법제정 50주년을 기념사업 수행과 2013년 이 책의 초판 및 2016년 제2판을 출판함에 있어서 원고료를 포함한 재정문제의 해결에 큰 도움을 주신 전국경제인연합회, 한국상장회사협의회의 서진석 상근부회장님, 한국예탁결제원 김경동 사장님, 김·장법률사무소의 한상호 대표변호사님, 현대자동차(주), 법무법인(유) 정률의 김교창 고문변호사님, 한국해사문제연구소의 박현규 이사장님, 한국거래소의 김봉수 이사장님, 국민대학교 전총장이신 김문환 교수님, 건국대학교 이철송 석좌교수님께 깊이 감사드립니다. 법무부 상사법무과에 감사드리고, 일일이 열거하지는 않지만 많은 도움을 주신 여러분께 진심으로 감사드립니다. 끝으로 주식회사법 대계 간행위원회 간사로서 초판부터 제3판까지 온 힘을 기울여 주신 성균관대학교 한석훈 교수와 제4판 발간에 있어 최선의 노력을 기

울여 주신 김영주 대구대학교 교수님께 아무리 말해도 모자랄 만큼의 감사를
드립니다. 법문사 편집부 김제원 이사님과 기획영업부 장지훈 부장님의 노고에
도 깊은 감사를 표합니다.

2022. 2.
주식회사법대계 간행위원장
성균관대학교 법학전문대학원 명예교수 최준선 근배

[집필진] (가나다 순)

강대섭(姜大燮)
　부산대학교 법학전문대학원 교수
고창현(高昌賢)
　김·장 법률사무소 변호사
곽관훈(郭管勳)
　선문대학교 경찰행정법학과 교수
구대훈(具坮勳)
　법무법인(유) 광장 변호사
구회근(具會根)
　서울고등법원 부장판사
권윤구(權倫九)
　김·장 법률사무소 변호사
권재열(權載烈)
　경희대학교 법학전문대학원 교수
권종호(權鍾浩)
　건국대학교 법학전문대학원 교수
김건식(金建植)
　서울대학교 법학전문대학원 명예교수
김교창(金敎昌)
　법무법인(유) 정률 고문변호사
김동민(金東民)
　상명대학교 지적재산권학과 교수
김두환(金斗煥)
　한경대학교 법경영학부 교수
김범진(金範鎭)
　법무법인(유) 광장 변호사
김병연(金炳淵)
　건국대학교 법학전문대학원 교수
김병태(金秉台)
　법무법인(유) 세종 변호사, 미국(뉴욕주)
　변호사
김병태(金炳泰)
　영산대학교 법학과 교수, 미국(뉴욕주)
　변호사
김상규(金相圭)
　한양대학교 법학전문대학원 명예교수
김선정(金善政)
　동국대학교 법무대학원 명예교수

김성용(金性龍)
　성균관대학교 법학전문대학원 교수, 변호사
김순석(金淳錫)
　전남대학교 법학전문대학원 교수
김연미(金延美)
　성균관대학교 법학전문대학원 부교수,
　변호사
김영주(金暎住)
　대구대학교 경영학부 교수
김재범(金在範)
　경북대학교 법학전문대학원 교수
김정호(金正皓)
　고려대학교 법학전문대학원 명예교수
김주영(金柱永)
　법무법인 한누리 변호사
김지환(金知煥)
　경남대학교 법학과 교수
김태진(金兌珍)
　고려대학교 법학전문대학원 교수, 변호사
김홍기(金弘基)
　연세대학교 법학전문대학원 교수, 한국 및
　미국(뉴욕주) 변호사
김효신(金孝信)
　경북대학교 법학전문대학원 교수
김희철(金希哲)
　원광대학교 법학전문대학원 교수
남궁주현(南宮珠玄)
　성균관대학교 법학전문대학원 조교수,
　변호사
노혁준(魯赫俊)
　서울대학교 법학전문대학원 교수, 변호사
맹수석(孟守錫)
　충남대학교 법학전문대학원 교수
문상일(文翔日)
　인천대학교 법학부 교수
박세화(朴世和)
　충남대학교 법학전문대학원 교수
박수영(朴洙永)

전북대학교 법학전문대학원 교수

박영욱(朴㹏昱)

　법무법인(유) 광장 변호사

박철영(朴哲泳)

　한국예탁결제원 전무이사, 법학박사

서완석(徐琓錫)

　가천대학교 법과대학 교수

손영화(孫永和)

　인하대학교 법학전문대학원 교수

송종준(宋鍾俊)

　충북대학교 법학전문대학원 명예교수

신현탁(申鉉卓)

　고려대학교 법학전문대학원 교수, 변호사

심 영(沈 㴑)

　연세대학교 법학전문대학원 교수

안성포(安成鉋)

　전남대학교 법학전문대학원 교수

안수현(安修賢)

　한국외국어대학교 법학전문대학원 교수

안택식(安澤植)

　동국대학교 대학원 대우교수,

　전 강릉원주대학교 교수

오성근(吳性根)

　제주대학교 법학전문대학원 교수

유주선(俞周善)

　강남대학교 공공인재학과 교수

육태우(陸泰旴)

　강원대학교 법학전문대학원 교수

윤영신(尹榮信)

　중앙대학교 법학전문대학원 교수

이동건(李銅鍵)

　법무법인(유) 세종 변호사

이미현(李美賢)

　연세대학교 법학전문대학원 교수

이수균(李秀均)

　법무법인(유) 세종 변호사

이숙미(李淑美)

　법무법인(유) 세종 변호사

이영철(李泳喆)

　전 한국열린사이버대학교 교수

이재혁(李在赫)

　한국상장회사협의회 정책2본부장, 법학박사

이철송(李哲松)

　건국대학교 법학전문대학원 석좌교수

이형규(李炯珪)

　한양대학교 법학전문대학원 명예교수

이형근(李亨根)

　법무법인(유) 광장 변호사

이효경(李孝慶)

　충남대학교 법학전문대학원 교수

임재호(林載鎬)

　부산대학교 법학전문대학원 명예교수

임정하(林廷昰)

　서울시립대학교 법학전문대학원 교수

임중호(林重鎬)

　중앙대학교 법학전문대학원 명예교수

장경찬(張慶贊)

　변호사장경찬법률사무소 변호사

장근영(張根榮)

　한양대학교 법학전문대학원 교수

정 대(丁 大)

　국립한국해양대학교 해사법정학부 교수

정명재(鄭楡在)

　김·장 법률사무소 변호사

정수용(鄭秀蓉)

　법무법인(유) 세종 변호사

정준우(鄭埈雨)

　인하대학교 법학전문대학원 교수

정준혁(鄭俊爀)

　서울대학교 법학전문대학원 교수,

　미국(뉴욕주) 변호사

정진세(鄭鎭世)

　전 홍익대학교 법학과 교수

정찬형(鄭燦亨)

　고려대학교 법학전문대학원 명예교수

정쾌영(鄭快永)

　신라대학교 공무원법학과 교수

조성호(趙成昊)

　한국상장회사협의회 변호사

천경훈(千景壎)

　서울대학교 법학전문대학원 교수, 한국 및

　미국(뉴욕주) 변호사

최문희(崔文僖)

　강원대학교 법학전문대학원 교수

최민용(崔玟龍)
  경북대학교 법학전문대학원 교수
최병규(崔秉珪)
  건국대학교 법학전문대학원 교수
최수정(崔琇晶)
  중소벤처기업연구원 연구위원, 법학박사
최승재(崔昇宰)
  세종대학교 법학부 교수, 변호사
최완진(崔完鎭)
  한국외국어대학교 법학전문대학원

명예교수
최준선(崔埈璿)
  성균관대학교 법학전문대학원 명예교수
한석훈(韓晳薰)
  성균관대학교 법학전문대학원 교수, 변호사
황남석(黃南奭)
  경희대학교 법학전문대학원 교수, 변호사
황현영(黃鉉英)
  대법원 재판연구관, 법학박사

[편집위원] (가나다 순)

권재열(權載烈)
  경희대학교 법학전문대학원 교수
김태진(金兌珍)
  고려대학교 법학전문대학원 교수, 변호사
김홍기(金弘基)
  연세대학교 법학전문대학원 교수
  한국 및 미국(뉴욕주) 변호사
노혁준(魯赫俊)
  서울대학교 법학전문대학원 교수, 변호사

서완석(徐琓錫)
  가천대학교 법과대학 교수
장근영(張根榮)
  한양대학교 법학전문대학원 교수
최준선(崔埈璿)
  성균관대학교 법학전문대학원 명예교수
한석훈(韓晳薰)
  성균관대학교 법학전문대학원 교수
  변호사

[편집간사]

한석훈(韓晳薰)
  성균관대학교 법학전문대학원 교수, 변호사

[범 례]

○ 본문 중 목차번호는 [장, 절, Ⅰ. 1. 가. 1) 가) (1) (가) ① ㉮]의 순으로 한다.

○ 국내법령 인용시 '상법' 표기는 생략하며, 그 밖의 법령은 공식 법령 명칭을 표기한다. 다만, 법령 명칭이 긴 경우에는 재인용을 위하여 약어를 사용할 수 있다. 이 경우에는 처음 인용할 때 괄호 안에 약어를 표기한다.

  예: * 상법 제123조 제1항→ 제123조 제1항

   * 민법 제123조 제1항 제1호

   * 자본시장과 금융투자업에 관한 법률(이하 '자본시장법'이라 한다) 제12조 제1항 제1호 … → … 자본시장법 제15조 제1항 제1호

○ 문헌 인용시 공저자는 '·'(가운데 점)을 사용하여 표기하고 주 저자를 앞에 기재한다.

○ 각주에서 동일 논문을 재인용할 때에는 [전게서, 전게논문, 전게 "논문명"]으로 표기한다.

○ 각주 번호는 각 집필자의 집필부분별로 독립적으로 일련번호를 붙인다.

○ 국내 판례는 예컨대 '대법원 1995.1.1. 1993다1111' 방식으로 표기하고, 각주에서 판례를 연속하여 표기할 경우에 같은 법원 표시는 생략한다.

○ 외국 문헌 또는 외국 판결을 인용할 때에는 그 나라의 표준적인 방법에 따라 표기하는 것을 원칙으로 한다.

○ 일본의 논문명, 서명(書名), 법령 명칭은 원어로 표기하고, 면수는 '面'으로 표기한다.

○ 일본 판례의 연호는 서기 연도로 환산하여 표기하는 것을 원칙으로 한다.

총 목 차

세부 목차

제 1 장 총　설

제2장 주식회사의 설립

제 3 장 주식과 주주

제 **1** 장

총 설

제 1 절   회사법의 변천사

임 재 호*

I. 머 리 말

1880년대 초기 우리나라에서도 商會·商會社 등의 명칭으로 영업활동을 하는 일종의 합자회사 형태의 회사조직이 나타났으나, 이들은 어떤 법적 뒷받침을 받고 설립되어 영업활동을 한 것은 아니었다. 회사에 대한 우리나라 최초의 법제는 1905년에 제정된 私設鐵道條例이며, 이어서 1906년에는 農工銀行條例가 그리고 1908년에는 東洋拓植株式會社法이 제정되어 해당분야에 적용되었다.[1]

그 후 우리나라의 주권이 일본에 의해 찬탈당한 1910년 8월 29일 이후부터 해방을 맞이한 1945년 8월 15일까지의 일제강점기에는 朝鮮民事令에 의해서, 그 이후 대한민국 정부가 수립된 1948년 8월 15일까지의 미군정기에는 미군정 당국의 조치에 의하여, 일본의 상법이 우리나라에 의용되었다. 대한민국정부가 수립된 1948년 8월 15일 이후부터 우리나라 제정상법이 시행된 1963년 1월 1일 이전까지는 대한민국 헌법 제100조의 "현행 법령은 이 헌법에 저촉되지 아니하는 한 효력을 가진다"에 근거하여 일본의 상법이 그대로 우리나라에 의용되었다.[2] 이처럼 1912년부터 1962년 말까지 약 반세기에 걸쳐서 우리나라에 의용된 일본의 상법(이하 '의용상법')은 주로 독일의 상법과 독일의 주식법을 계수한 것인데, 역시 주로 독일의 유한회사법을 계수하여 입법한 일본 유한회사법과 함께, 대한민국 상법이 제정·시행되기 전까지는 우리나라 회사법의 법원으로 기능하였다.

이후 1962년에는 우리 상법이 제정되었고, 그로부터 50여년이 흐르는 동안

---

* 부산대학교 법학전문대학원 명예교수
1) 정희철·양승규, 「상법학원론(상)」 보정판(박영사, 1986), 255면.
2) 손주찬, "한국상법개정의 회고," 「상사법연구」 제10집(한국상사법학회, 1992), 28면.

우리 상법 그 중에서도 특히 제3편은 1984년, 1995년, 1998년, 1999년, 2001년 (7월), 2001년(12월), 2009년(1월), 2009년(5월), 2011년, 2014년(5월), 2014년 (12월), 2020년의 개정에 이르기까지 12차에 걸친 빈번한 개정을 거치면서 그 모습을 변화시켜 왔다.

　　이하에서는 1962년의 제정으로부터 2020년의 개정에 이르기까지 우리 회사법 이 어떤 입법적 의도 아래 어떤 경위를 거쳐 어떤 내용으로 변천하여 왔는지를 法制史的 觀點에서 通史的 方法으로 고찰하여 본다.

Ⅱ. 1962년 제정 회사법

1. 제정 경위

　　1948년 8월 15일 대한민국 정부가 탄생한 이후 상법전의 제정을 담당한 최 초의 기관은 1948년 9월 15일 대통령령 제4호에 의하여 설치된 「법전편찬위원 회」였다. 법전편찬위원회의 상법분과위원회는 이상기·홍진기·최병주·김준평 의 4인으로 하는 기초위원과 이순택·이명섭·최태영·김우열·한적만·현상윤 의 6인으로 하는 일반위원으로 구성되었다.[3]

　　이렇게 구성된 법전편찬위원회의 상법분과위원회[4]는 1949년 2월 10일 상법 안의 기초에 착수하여 1957년 11월 21일에는 초안 작성을 완료하고,[5] 1958년 3월 3일에는 이를 정부에 이송하였다. 정부는 법전편찬위원회의 안에 약간의 자 구 수정만 가한 정부안을 만들어 이듬해인 1960년 1월 30일 국회에 제출하였

---

3) 최종고, "한국상법전의 제정경과," 「상사법연구」 제9집(한국상사법학회, 1991), 211면.
4) 상법분과위원회는 각 위원별로 사무분장이 이루어졌는데 회사법은 당시 법무부 조사국장으 로 있던 홍진기 위원이 담당하게 되었다. 홍진기 위원에 따르면, 당시 법전편찬위원회의 최 고이념은 법전편찬의 시급성에 있었기 때문에 이를 손쉽게 성취하기 위해서는 당시의 일본 상법을 토대로 하여 이것을 번역하는 정도라도 빨리 기초하자는 실천방침이 당시의 법전편 찬위원회에서 결정되었다고 한다. 홍진기, "새 회사법의 요강해설," 「법정」 제3권 제11호 (법정사, 1948), 13면.
5) 이 상법 초안에는 제안이유서가 첨부되어 있지 아니하여 그 입법 취지를 알 수 없다. 이를 지적한 글로는 서돈각, "상법안과 제안이유서," 「고시계」 제48호(국가고시학회, 1961), 14~ 19면; 손주찬, "상법전 제정에 관한 소견," 「법조」 제10권 제1호(법조협회, 1961), 11~17 면이 있다.

다. 그러나 국회에 제출된 「상법안(원안)」은 심의에 착수해 보지도 못하고 1961
년 1월 1일에 폐기되어 정부에 반송되었다. 그리고 1961년 1월 31일에 정부는
다시 위 상법안(원안)을 국회에 제출하였으나, 심의에 착수하기도 전에 5.16이
발생하여 국회가 해산됨으로써 자동적으로 폐기되고 말았다.

5.16 이후 새로 집권한 군사정부는 「舊法令整理事業」에 착수하여, 일제강점
기 및 미군정기 시절에 제정된 모든 법령을 1961년 연말까지 정리하도록 하고,
그때까지 정리되지 않은 법령은 1962년 1월 20일부터 효력을 상실한다는 내용
이 담긴 특별조치법을 1961년 7월 15일에 공포하였다. 이 특별조치법에 따라
정리대상이 된 법령이 많았는데, 의용상법은 여기에 해당되는 대표적인 법률이
었다. 1961년 9월 19일 군사정부의 국가재건최고회의 법제사법위원회는 당시
법제처 차장이었던 유민상을 위원장으로 하고 상법학자 정희철(총칙·상행위)·
서돈각(회사)·박원선(보험)·손주찬(해상)·박영화(증권)·차낙훈·조규대의 7인
을 심의위원으로 하는 상법안심의소위원회를 구성[6]하고 즉각 상법안의 심의에
착수하게 하였다. 상법안심의소위원회의 심의대상으로 회부된 상법안은 앞의 법
전편찬위원회가 1957년 11월에 기초하여 1960년 1월에 국회에 제출된 전문
1016조 부칙 47개조로 된 상법안(원안) 바로 그것이었다.[7]

그런데 법전편찬위원회가 상법안(원안)의 기초를 시작할 때에 대본(台本)으로
한 것은 1938년에 개정된 일본의 상법(의용상법)이었기 때문에,[8] 1960년과 1961년
에 국회에 제출된 상법안(원안)의 내용은 의용상법의 내용과 대부분 비슷하였다.[9]

---

6) 1961년의 법제사법위원회 상법안심의소위원회는 1948년의 법전편찬위원회가 실무가 중심
   으로 구성되었던 것과는 달리 위원장을 제외하고는 모두 상법학자들로만 구성되었다.
7) 손주찬, 전세 "한국상법개정의 회고," 29면.
8) 홍진기, 전게논문, 13면.
9) 1960년의 상법안(원안)은 의용상법(유한회사법 포함)과는 다음과 같은 점에서 중요한 차이
   를 보이고 있다. ① 의용상법의 특별법으로 존재하던 유한회사에 관한 규정을 상법 제3편
   (회사)에 편입시켰다. 그리고 유한회사의 사원의 수에 대한 제한을 철폐하고, 감사를 필요
   상설기관으로 하였다. ② 주식합자회사제도는 폐지하였다. ③ 합명회사에 사원총회에 관한
   규정을 신설하고, 합명회사에서 회사재산으로서 회사의 채무를 완제할 수 없는 경우에 각
   사원이 연대하여 변제책임을 진다고 하던 것을 사원은 회사채무에 대하여 회사와 연대하여
   변제할 책임이 있다고 변경하였다. 그리고 합명회사의 내부관계에 관하여는 조합에 관한 민
   법 규정을 준용한다는 규정을 삭제하였다. ④ 주식회사의 발기인의 수를 7인 이상인 것을
   5인 이상으로 하였다. ⑤ 위임주식(수권자본) 개념을 도입하고, 설립시에는 인수주식 주금
   의 4분의 1 이상을 납입하게 하던 것을 2분의 1 이상 납입하도록 변경하였다. ⑥ 상환주식
   의 발행을 허용하면서 전환사채제도는 삭제하였다. ⑦ 주식회사에서 이사회를 법정기관으로
   하고, 이사회는 대표이사가 소집한다고 하였다. 그리고 대표이사를 필요기관으로 하여 대표

법제사법위원회 상법안심의소위원회는 법전편찬위원회에서 작성한 위 상법안(원안)을 대상으로, 1961년 9월 20일[10]의 첫 회의를 시작으로 같은 해 12월 29일까지 3개월여 동안 49차에 걸쳐 집중 심의를 한 결과,[11] 전문 874개조와 부칙 12개조로 구성된 「상법안(수정안)」을 완성하였다. 상법안심의소위원회는 상법안(수정안)을 완성하면서 법전편찬위원회의 상법안(원안)을 대폭 수정[12][13]하였을

이사가 사무집행과 회사대표를 하도록 규정하는 한편 대표이사가 없는 경우에는 이사가 각자 회사를 대표하도록 하였다. ⑧ 사채모집을 위한 주주총회의 결의는 특별결의사항에서 보통결의사항으로 변경하고, 사채권자집회에 관한 규정을 전부 삭제하였다. 정희철, "현행상법과 상법안의 비교검토(一),"「법조」제9권 제11호(법조협회, 1963), 41~49면; 손주찬, "법전편찬위원회의 주식회사법 초안에 대한 관견,"「법조」제7권 제4·5호(법조협회, 1961), 17~31면.

10) 상법안심의소위원회의 첫 번째 회의일자에 대하여 서돈각 위원은 1961년 9월 20일이었다고 적고 있으나, 정희철 위원은 1961년 9월 27일이었다고 적고 있어 1주일의 차이가 있다. 서돈각, 전게 "상법안의 심의경과와 신상법의 특색," 14면; 정희철, "상법안심의중간보고(一),"「고시계」제58호(국가고시학회, 1961), 95면.

11) 3개월 안에 새 상법전을 만들지 못하면 의용상법이 무효가 되어 법률의 공백이 생기게 된다는 긴박함 속에 주야를 가리지 않고 49차의 심의 끝에 상법안을 마련한 것을 두고 법사학자 최종고는 "우리나라 상법전은 난산 속에서의 조산이었다."고 표현한 바 있다. 최종고, 전게논문, 232면.

12) "법전편찬위원회에서 작성한 상법안(원안)은 법전편찬위원들의 수고로 이루어진 것이기는 하나 상법의 기반인 경제·사회생활의 변천에 유의하지 아니하고 19세기 후반기의 독일상법을 계수한 의용상법을 따랐을 뿐만 아니라 달라진 점이 오히려 시대에 역행하고 있으므로 … 심의를 거듭함에 따라 조문마다 수정을 가하지 아니할 수 없어 축조심의를 하였고, 어떠한 부분에서는 원안의 흔적을 찾기 어려울 정도로 수정을 하였다." 서돈각, "상법안의 심의경과와 신상법의 특색,"「법제월보」제4권 제1호(법제처, 1962), 14~15면.

13) 상법안(수정안)은 상법안(원안)과는 다음과 같은 점에서 중요한 차이를 보이고 있다. 합명회사·합자회사와 관련 부분에서는, ① 원안에 있던 합명회사의 사원총회에 관한 규정을 삭제하고, ② 합명회사 사원의 대외적 책임과 관련하여 원안에서 사원은 회사채무에 대하여 회사와 연대하여 변제할 책임이 있다고 규정하고 있던 것을, 수정안에서는 의용상법에서와 마찬가지로 사원은 회사재산으로 회사의 채무를 완제할 수 없는 때에 연대하여 변제할 책임이 있는 것으로 다시 환원하는 등 대체적으로 의용상법과 다른 원안의 내용을 다시 의용상법과 같은 내용으로 되돌려 놓았다. 이렇게 한 이유는 이 부분에 관한 원안의 내용 자체가 상당히 조잡하고 또한 입안자의 입법취지가 뚜렷하지 않을 뿐만 아니라 위원회에서 의문이 가는 부분은 현행법(의용상법)과 같이 규정하는 것이 낫다는 의견이 지배적이었기 때문이었다. 정희철, 전게 "상법안심의 중간보고(一)," 100면.
　그리고 주식회사와 관련한 부분에서는 ① 발기인의 수를 원안에서는 5인으로 하고 있던 것을 수정안에서는 다시 의용상법과 마찬가지로 7인으로 하였으며, ② 주금납입과 관련하여 원안에서는 의용상법과 마찬가지로 분할납입을 허용하고 있었으나 수정안은 전액납입제도를 채택하였으며, ③ 원안이 상환주식제도를 신설하면서 대상 주식에 제한을 두지 않았으나 수정안에서는 우선주에 한하여 상환주식을 발행할 수 있다고 제한을 가하였고, ④ 회사의 대표와 관련하여 원안에서 대표이사가 없는 경우에는 이사가 각자 회사를 대표한다고 하였으나 수정안에서는 이를 삭제하였다. 그리고 ⑤ 원안에서 이사회의 소집은 대표이사가 한다고 되어 있었으나 수정안에서는 각 이사가 한다고 하였으며, ⑥ 원안에서는 사채권자집회제도를 삭제하기로 하였으나 수정안에서는 그대로 유지하기로 하였다. 정희철, "상법안심의

뿐만 아니라 초안에 비교하여 영미회사법상의 제도를 많이 수용하였다.[14] 그리고 제정상법이 영미회사법상의 제도를 수용하는 방식은 직접수용의 방식보다는 대부분 간접수용의 방식, 즉 제2차 세계대전 후 미군정사령부의 강력한 영향력 하에서 미국 회사법의 내용을 대폭 계수하여 개정한 1950년의 일본 상법(회사편)을 모방하여 수용하는 방식을 취하였다. 상법안(수정안)에서 미국 회사법상의 제도를 대폭 수용하게 된 이유는, 종전 후 최대 우방국으로 등장한 미국의 영향을 광범위한 분야에서 강하게 받고 있던 그 당시의 우리나라 실정에 비추어 볼 때, 장래에는 미국 회사법도 더욱 많은 영향력을 행사할 것이라고 판단하였기 때문이었다.[15]

1962년 1월 19일 상법안(수정안)은 당시의 국가재건최고회의 상임위원회를 통과하여, 1962년 1월 20일 법률 제1000호로 공포되었고, 시행일은 1963년 1월 1일이었다. 그러나 상법이 시행되기도 전에 용어와 인용조문의 착오 등이 발견되어 1962년 12월 12일 이를 바로잡는 개정이 있었으며, 같은 날에 상법시행법이 따로 제정되어서 신·구 상법의 교체시행에 따른 경과조치사항을 규정하기도 하였다. 이렇듯 상법안의 기초에 착수한 지 13년 만에 우리 손으로 제정된 상법이 비로소 시행을 보게 된 것이었다.[16]

2. 주요 내용

"조선민사령 제1조에 의하여 의용된 일본상법은 헌법 제100조에 의하여 시행되고 있는 구법령인바 이는 현 실정에 부합되지 않는 점이 허다하므로 이와 대체되는 새로운 상법을 제정하여 국민경제의 발전에 기여하려는 것"[17]에 목적을 두고 제정된 대한민국 상법 제3편(회사)의 내용 중 의용상법의 내용을 크게 변경하였거나 새로운 제도를 신설한 것을 중심으로 살펴보면 다음과 같다.

중간보고(一)·(二)·③(완)," 고시계 제58호·제59호·제60호(국가고시학회, 1961).

14) 정희철, 전게 "상법안심의 중간보고(一)," 100면.

15) 손주찬, 전게 "한국 상법개정의 회고," 「상사법연구」 제10집(한국상사법학회, 1992), 30면; 정희철, "한국상법학의 회고와 전망," 「사법행정」 제26권 제2호(한국사법행정학회, 1985), 39면.

16) 손주찬, 상게 "한국상법개정의 회고," 29면; 최기원, "상법개정의 문제점에 관한 연구," 「법학」 제18권 제2호(서울대학교 법학연구소, 1978), 5면.

17) 국회 홈페이지, 〈국회정보시스템〉 의안정보, 상법안(AA0404호) 제안이유.

가. 수권자본제도의 도입

상법의 제정 당시 우리나라는 36년이라는 일제의 강점에 의한 통치와 6.25 전쟁으로 황폐하여진 국가 경제를 반석 위에 올려놓는 것이 급선무였다. 이를 위해서는 외자 특히 미국의 풍부한 민간자본의 도입이 필요하였음은 물론이고 자본조달의 편의와 기동성이 보장된 법률제도의 뒷받침 또한 절실하게 요청되었다. 그러나 의용상법에서 채택하고 있던 자본제도는 독일법상의 확정자본제도였기 때문에 그 수요를 충족시킬 수 없었다.

그래서 제정상법은 확정자본제도를 폐지하고 자본조달의 기동성이 보장되는 미국 회사법상의 수권자본제도[18]를 도입하였다. 그런데 제정상법이 「회사가 발행할 주식의 총수」와 「회사의 설립 시에 발행할 주식의 총수」를 구분하고, 후자에 대한 주식의 인수·납입만 있으면 회사가 성립한다고 한 점에서는 미국 회사법상 수권자본제도의 내용과 차이가 없다. 그러나 대부분의 미국 주회사법에서는 각 발기인이 1주 이상 인수·납입한 이외의 주식은 모두 미발행주식으로 하여 회사성립 후의 이사회에 그 발행을 위임하고 있지만, 제정상법에서는 회사의 설립 시에 발행하는 주식의 총수는 회사가 발행할 주식의 총수의 2분의 1 이상일 것을 요구하여(제289조 제2항), 성립 후의 이사회에 그 발행을 위임하는 부분에 제한을 두었다는 점에서 미국 회사법과는 차이가 있었다.[19] 이는 상법 제정 당시 우리나라 주식회사의 빈약한 자본구성과 신용도를 고려한 것으로, 거대한 수권자본을 내걸고 회사 설립을 남발하는 것을 방지하는 데에 목적이 있었다.[20]

---

18) 법전편찬위원회가 작성한 상법안(원안)에서는 수권자본을 이사회가 주주총회로부터 일정한 수의 신주를 발행할 수 있는 권한을 위임받았다(授權)는 의미 즉 위임주식의 의미로 사용하고 있었다(제293조 제4호 참조). 그러나 영미법상 수권주식(authorized shares)에서 수권의 의미는 상법안(원안)에서 의미하는 것처럼 회사기관내에서의 위임 즉 주주총회와 이사회 사이의 위임이 아니고 국가(주정부)와 회사 사이의 위임을 뜻하는 것이다. 박원선, "상법초 안상의 위임주식제도," 「고시계」 통권 제50호(국가고시학회, 1961), 61면.

19) 수권자본제도를 수용한 1950년의 일본 개정상법은 설립 시에 발행하는 주식의 총수는 회사가 발행할 주식의 총수의 4분의 1 이상일 것을 요구하고 있었는데(제166조, 제170조), 이 점에서 보면 우리 제정상법은 내용면에서 일본 개정상법의 수권자본제도와 차이를 보였다.

20) 서돈각, "상법안의 심의경과와 신상법의 특색," 「법제월보」 제4권 제1호(법제처, 1962), 21면; 서병기, "신상법상의 위임주식(수권자본)제도," 「법정논총」 제15집(중앙대학교 법정대학, 1962), 136면.

나. 주금의 전액납입제도의 도입

회사 자본조달의 편의를 위하여 법전편찬위원회가 상법안(원안)에서 채택한 방법은 의용상법의 내용과 마찬가지로, 회사의 설립 시에 또는 신주의 발행 시에는 주식인수인이 인수한 주식에 상당하는 주금의 전부가 아닌 일부만을 납입하게 하고 그 나머지는 회사가 성립한 후 또는 신주의 효력 발생 후에 분할하여 납입하게 하는 주금의 분할납입제도였다. 그러나 제정상법은 자본조달의 기동성을 도모하기 위하여 수권자본제도를 도입하였으므로 분할납입제도는 더 이상 유지할 명분을 잃게 되었다. 뿐만 아니라 분할납입제도하에서는 회사의 장래가 불안할 때에는 미납입한 주금의 징수가 어렵고, 회사가 호황일 때에는 주가의 인상으로 분할납입이 투기의 대상으로 악용되기도 하는 등 그 폐단이 적지 아니하였다.[21]

이에 제정상법은 주금의 분할납입제도를 폐지하고 전액납입제도를 도입하여, 「회사설립 시에 발행하는 주식의 총수가 인수된 때에는 발기인은 지체없이 주식인수인에 대하여 각 주식에 대한 인수가액의 전액을 납입시켜야 한다」거나 「이사는 신주의 인수인으로 하여금 그 배정한 주수에 따라 납입기일에 그 인수한 각주에 대한 인수가액의 전액을 납입시켜야 한다」고 정하였다(제305조 제1항, 제421조).

다. 주주의 신주인수권 법정

자본확정의 원칙을 채택하였던 의용상법에서의 신주발행은 주주총회의 특별결의사항이었기 때문에 신주를 누구에게 인수시킬 것인가의 문제는 주주총회에서 주주들이 결정하였으므로, 주주의 신주인수권은 법적으로 특별히 문제되지 아니하고 주주총회를 통하여 적절하게 보장되고 있었다. 의용상법에서는 주주의 신주인수권에 대하여 특별히 규정을 두고 있지 아니하였던 것도 같은 맥락에서 이해할 수 있다. 그러나 수권자본제도를 도입한 제정상법에서는 신주의 발행은 정관이 주주총회에서 정한다고 규정하고 있는 경우를 제외하고는 원칙적으로 이사회가 결정하였으므로, 기존주주의 이익을 보호하기 위하여 주주의 신주인수권

---

21) 강위두, "한국 상법에 있어서의 영미회사법의 계수에 관한 연구," 법학박사학위 청구논문 (동아대학교 대학원, 1979), 37면.

을 보장할 필요성이 있었다. 그렇지만 주주에게 신주인수권을 기계적으로 인정하게 되면, 신주발행에 대한 이사회의 권한을 제한하게 되고 나아가 자본조달의 기동성 확보를 위하여 도입한 수권자본제도의 장점을 감쇄시키게 된다. 따라서 제정상법에서는 주주의 신주인수권은 수권자본제도의 취지와 기존주주의 이익보호를 조화롭게 조정하여 결정하여야 할 문제로 되었다.[22]

이를 반영하여 제정상법은 「주주는 정관에 다른 정함이 없으면 그가 가진 주식의 수에 따라서 신주의 배정을 받을 권리가 있다」고 하여 주주의 신주인수권을 법정하였다(제418조).

라. 주식의 할인발행제도 도입

법전편찬위원회에서 작성한 상법안(원안)에서는 회사의 자본조달의 기동성을 확보하기 위하여 수권자본제도를 채택하면서도 회사의 자본충실을 위하여 「주식은 액면 미만의 가액으로 발행하지 못한다」(제344조)고 정하여, 주식의 액면미달발행을 금지하였다. 그런데 이와 같은 액면미달발행 금지는 회사의 영업이 호황을 이루어 주가가 액면 이상을 유지하고 있을 때에는 회사의 자본조달에 영향을 미치지 아니하겠지만 회사의 영업이 부진하여 주가가 액면을 하회할 때에는 회사의 자본조달을 방해하는 장애물이 될 수 있다. 이렇게 되면 자본조달의 편의와 기동성을 확보하고자 채택한 수권자본제도의 기능을 감쇄시킬 뿐만 아니라 영업이 부진한 회사에게는 기사회생의 길을 막아 회사의 자멸을 강요하는 것이 될 수 있다.[23] 이를 반영하여 상법안심의위원회에서는 상법안(원안)의 심의과정에서 원안에 없던 주식의 할인발행제도를 도입하였다.[24] 그런데 주식을 할인발행하게 되면 회사의 자본충실을 해칠 염려가 적지 않다. 그래서 제정상법은 이를 보완하기 위하여 주식청약서와 신주발행으로 인한 변경등기에 액면액과 발행가액의 총액 중 미상각액을 기재하고 이를 등기하도록 하였고(제420조 제4항, 제426조), 또한 대차대조표의 자산의 부에 액면미달금액의 총액을 이연자산으로 기재하되 이것을 주식의 할인발행 후 3년 이내에 매 결산기에 균등액 이상의

---

22) 강위두, 상게논문, 41면.
23) 임홍근, "영국 주식회사법상의 자본구성에 관한 연구(二)," 「법조」 제16권 제11호(법조협회, 1967), 74면.
24) 정희철, 전게 "상법안심의 중간보고③(완)," 14면.

상각을 하여야 하는 것으로 정하였다(제455조).

마. 상환주식제도의 도입

의용상법에서도 정관으로 정한 경우에는 이익으로서 주식을 소각하는 것이 허용되었으나(제212조), 이 경우에는 주주평등의 원칙이 적용되었으므로 일부의 주식만을 대상으로 하는 이익소각은 인정되지 않았다. 그런데 회사가 일시 자금이 필요할 때 우선주를 발행하여 용이하게 자본을 조달하고 장래 일정한 시기에 회사의 이익으로써 그 주식을 소각할 수 있게 하면, 회사로서는 자본조달의 편의를 도모하면서도 경리 상의 부담을 덜 수 있어 편리하고, 주주의 입장에서도 일정한 기간의 경과 후에 액면 또는 그 이상의 금액으로 상환을 받을 수 있어 유리하다.

이를 반영하여 제정상법은 「이익배당에 관하여 우선적 내용이 있는 종류의 주식에 대하여 이익으로써 소각할 수 있는」 상환주식제도를 도입하였다(제345조). 제정상법의 상환주식제도는 영미회사법상의 상환주식제도를 수용한 상법제정 당시의 일본 개정상법을 참고하여 도입한 제도이다. 그러나 상환주식으로 할 수 있는 주식의 종류를 제한하지 않고 있던 당시 일본의 개정상법과는 달리, 우리 제정상법에서는 이익배당우선주에 한하여 상환주식으로 발행할 수 있게 한 점에서 차이를 보였다.

바. 주식의 양도성 확보

의용상법에서는 주식의 양도는 원칙적으로 자유이나 정관으로 제한할 수 있었다(제204조 단서).

그러나 주식의 양도성은 주식회사의 본질적 요소이며,[25] 주식이 유가증권과 결합하여 거래의 대상이 되는 것은 근대 주식회사제도의 경제적 특질의 하나라고 보아,[26] 제정상법에서는 「주식의 양도는 정관에 의하여도 이를 금지하거나 제한하지 못한다」(제335조)고 규정하여 주식의 양도성을 확보하였다.

---

25) 정희철, 전게 "중간보고(二)," 103면.
26) 서돈각, 전게 "상법안의 심의경과와 신상법의 특색," 22면.

사. 주식회사 기관구조의 변경

1) 이사회와 대표이사제도의 도입

주주총회를 최고 만능의 기관으로 하고 이사와 감사를 정립(鼎立)시킴으로써 3기관의 권한남용을 상호견제하고 조화를 도모하였던 의용상법의 기관체제는 논리체계상 정연하고 삼권분립의 이론에 기반을 둔 것이었다. 그러나 경제의 발전으로 주식회사의 규모가 거대해지고 주식의 분산으로 기업의 소유와 경영이 분리됨에 따라 경영의 효율화 내지 합리화의 면에서는 현실성이 부족하였다.[27] 더욱이 제정상법은 수권자본제도를 수용함에 따라 자본조달에 관한 권한이 주주의 손을 떠나 이사의 손으로 넘어가게 됨으로써 이사의 권한이 강화되어 이사의 권한행사에 신중을 기하게 할 필요성이 요청되었다.

이에 제정상법은 의용상법의 이사단독기관제를 지양하고 영미회사법상의 이사회제도를 수용하고, 이사회가 회사의 업무집행 기타 주주총회의 권한 외의 사항을 모두 결정할 수 있도록 하는 이사회중심주의로 나아가게 되었다(제393조).[28] 그리고 다수의 이사가 있는 경우에 모든 이사가 회사를 대표하고 업무집행을 할 수는 없으므로 이사회제도와 한 묶음으로 대표이사제도도 수용하여 대표이사에게 이러한 권한을 부여하였다(제389조). 또한 제정상법은 방대한 권한을 갖게 된 이사회로 하여금 그 권한을 신중하게 행사할 수 있게 하기 위하여 「이사회의 결의는 이사 전원의 과반수로 한다」(제391조 제1항)고 정하였다. 이는 이사회제도의 발원지인 영미회사법에서는 회사의 기본정관에 다른 규정이 없는 한 이사회의 결의는 출석이사의 과반수로 정하고 있던 것에 비교하면 제정상법의 이사회 결의정족수는 엄격한 편이었다.

2) 주주총회의 권한 축소

제정상법이 미국 회사법상의 이사회제도를 수용하여 이사회를 법정기관으로 하고 주식회사의 업무집행과 관련한 대부분의 권한을 이사회에 위임하는 등 일대 변혁을 시도한 결과 자연스럽게 주주총회의 지위에도 큰 영향을 미쳤다.

---

27) 이범찬, "주식회사의 구조적 변혁과 상법개정에 있어서의 문제점," 「고시계」 제47호(국가고시학회, 1961), 87~88면.
28) 강위두, 전게논문, 70면.

그래서 제정상법은 「주주총회는 본법 또는 정관에 정하는 사항에 한하여 결의할 수 있다」(제361조)는 규정을 신설하여 주주총회의 지위를 명백히 하고, 그 권한은 대폭 축소시켰다.

3) 감사의 권한 축소

의용상법에서는 감사에게 업무감사권과 회계감사권을 모두 부여하고 있었으나, 제정상법은 감사의 권한을 축소하여 업무감사권은 이사회에 넘겨주고 회계감사권만 행사할 수 있게 하였다(제412조 제1항). 이와 같이 감사의 권한을 회계감사권에 한정한 것은, 경제의 발달로 기업경영이 극히 복잡하고 광범위해졌기 때문에 평소 회사의 업무집행에서 소외되어 있는 감사에게 회사의 업무집행의 합목적성에 대한 판단을 기대하는 것은 무리이고, 또 사실상 이사의 추천에 의하여 감사로 선임된 자에게 이사의 업무집행에 대한 감독을 하게 하는 것은 모순이며, 더욱이 제정상법이 수용한 이사회제도 아래서는 이사회가 대표이사의 업무집행을 감독하게 하는 것이 합리적이라고 판단하였기 때문이었다.[29]

아. 주주의 지위 강화

제정상법이 의용상법상의 주주총회중심주의를 지양하고 이사회중심주의를 채택함에 따라 주주총회의 권한이 대폭 축소되었으므로, 제정상법은 이에 대응하여 주주가 직접 이사의 회사 운영에 대한 감독과 시정에 관한 권한을 행사할 수 있도록 하기 위하여, 미국 회사법상의 주주의 위법행위유지청구권(제402조)과 대표소송제도(제403조)를 도입하였다. 그 외에 소수주주에게 회계장부의 열람·등시청구권(제466조)과 회사해산판결청구권(제520조)도 인정하여 주주의 지위를 강화하였다. 그리고 의용상법에서는 1주1의결권의 원칙에 대하여 법으로 정한 대주주와 일시적 주주(명의개서 후 6월이 경과하지 않은 주주)에 대해서는 정관으로 의결권을 제한할 수 있었으나(제241조), 제정상법은 주주의 의결권이 주주의 본질적 권리라는 이유로 그 제한을 금지하였다(제369조). 그리고 제정상법은 소수주주권의 행사자격을 의용상법에 비교하여 완화하였다.[30] 즉, 의용상법에서는 소수주주권을 행사하는 주주에게 회사 자본의 100분의 10 이상에 해당하는 주

---

29) 정희철, "한국상법의 특색," 「사회과학」 제10집(성균관대학교 사회과학연구소, 1971), 94면.
30) 서돈각, 전게 "상법안의 심의경과와 신상법의 특색," 22면.

식을 소유할 것을 요구하고 있던 것을 제정상법에서는 발행주식총수의 100분의 5 이상만 소유하면 소수주주권의 행사가 가능하도록 하였다(제402조, 제403조, 제466조, 제520조 등).

3. 특 색

이상에서 살펴본 바와 같이 1962년에 제정된 상법 제3편(회사) 즉 한국 회사법은 독일 회사법을 계수한 의용상법을 대본(台本)으로 하면서 그 위에 영미회사법상의 제도를 일부 수용하여 만들어진 법이다. 그리고 상법의 제정 시에 수권자본제도를 비롯한 영미회사법상의 제도를 일부 수용하였지만, 그 수용의 방식은 직접수용이라기보다는 1933년의 Illinois주 회사법(1933 Illinois Business Corporation Act)의 제도를 계수하여 미국법에의 접근을 꾀한 1950년의 일본 개정상법을 모방하여 수용한 방식 즉 간접수용의 방식이었다.[31]

한편 제정상법은 1950년의 일본 개정상법이 도입한 영미회사법상의 제도인 무액면주식제도나 집중투표제도 또는 주식배당제도 등은 수용하지 않았다. 또한 제정상법은 수권자본제도를 수용하면서도 발행자본을 수권자본의 4분의 1이 아닌 2분의 1로 하여 최저한을 높이고, 준비금의 자본전입에 대한 권한을 이사회 대신 주주총회의 권한으로 하였고, 주주의 위법행위유지청구권은 단독주주권이 아닌 소수주주권으로 규정하였다. 이처럼 일본 상법을 통하여 미국 회사법의 내용을 수용하면서도 일본 상법과는 차별적인 태도를 보이기도 하였다. 그리고 감사 선임 시에 발행주식총수의 100분의 3 이상을 가진 주주에게 그 초과주식에 대하여 의결권을 제한한 규정(제410조 제1항)을 설치한 것은 우리 제정상법만이 채택한 독특한 입법태도이었다.

---

31) 최준선, "한국과 일본의 미국 회사법 계수과정에 관하여," 「저스티스」 제111호(한국법학원, 2009), 124면; 최준선, 「회사법」 제16판(삼영사, 2021), 62면.

Ⅲ. 1984년의 개정 회사법

1. 개정 경위

우리 손으로 제정한 상법이 시행된 1963년 이후, 1960~1970년대의 급속한 경제성장에 따른 기업의 팽창과 거대화 그리고 자본시장의 발전은 상법 특히 회사편의 규정과 기업현실 사이에는 극심한 괴리를 보였으나, 그동안 상법은 한 번도 개정된 바가 없었고 다만 특례법의 제정으로 괴리의 일부를 부분적으로 메워왔을 뿐이었다.[32] 이러한 가운데 학계·실무계·법조계 등 각계에서는 상법개정이 필요하다는 의견을 계속하여 제기하였다. 그 당시에 제기되었던 상법개정 의견은, 1974년 10월 재무부의 「상법개정 건의안」이나 1975년 9월 대한상공회의소의 「현행상법의 개정방향의견 조사보고」 그리고 1981년 9월 한국상사법학회의 「상법개정의 논점」[33] 등에 잘 나타나 있다.[34]

이와 같은 상황 속에서 법무부는 1981년 12월 민법·상법개정특별위원회를 설치하였다. 이 위원회는 법무차관을 위원장으로 하는 교수·판사·검사·변호사·공인회계사·경제관계 인사·경제관료 등 48명의 위원으로 구성되었다. 활동은 민법분과위원회와 상법분과위원회로 나뉘어 이루어졌는데 상법분과위원장은 손주찬 교수가 맡게 되었다.[35] 상법분과위원회에서는 활동의 편의상 다시 손주찬·이범찬·양승규·박길준·이균성 교수를 위원으로 하는 소위원회를 구성하여 본격적인 개정작업에 착수하였다. 그 결과 상법분과위원회는 1982년 6월에 1차로 「상법개정시안」을 작성하고, 이것을 토대로 관계기관의 의견을 수렴하고 공청회를 개최하는 등 필요한 과정을 거쳐, 1982년 9월에는 최종안을 마련하였다. 1982년 12월 9일 국무회의에서는 이 안을 그대로 정부안인 「상법중 개정법률안」으로 확정하였다.

이 정부안은 1983년 1월 국회에 제출되었으나 그 당시 국내외의 어려운 사

---

32) 최기원, 「신회사법론」 제14대정판(박영사, 2012), 24면.
33) 한국상사법학회 편, 「상법개정의 논점」(삼영사, 1981), 32~134면 참조.
34) 손주찬, 「개정상법 축조해설」(한국사법행정학회, 1984), 15면.
35) 정희철, 전게 "한국상법학의 회고와 전망," 40면.

정으로 본격적으로 심의하지 못하고 있다가, 1984년 1월 말에 이르러 법제사법 위원회 주도로 상법개정을 위한 공청회가 열리는 등 정부안을 대상으로 활발한 논의가 이루어졌다.[36) 법제사법위원회는 최종적으로 정부안에 주식의 상호보유 규제와 관련한 규정(제342조의2, 제369조 제3항, 제625조의2, 부칙 제9조)만 새로이 추가한 「상법중 개정법률안(대안)」(제110597호)을 본회의에 제출하였다.[37) 이 법 률안은 1984년 3월 17일에 본회의의 가결을 거쳐, 1984년 4월 10일에는 법률 제3724호 「상법중 개정법률」로 공포되고, 1984년 9월 1일부터 시행되었다.

2. 주요 내용

"1963년 1월 상법이 시행된 이래 기업의 규모와 경제적 여건의 급속한 변화 에도 불구하고 20년간이나 개정되지 아니하여 기업현실과 상법규정간의 괴리가 극심하고, 기업사회의 새로운 요구에 부응하지 못하고 있는바, 이에 최근의 경 제적 여건과 기업의 실태를 참작하여 회사제도의 남용에 의한 부실기업의 발생 을 원천적으로 제거하고, 기업의 자본조달의 편의와 재무구조의 개선을 촉진하 고, 주식회사기관의 합리적인 재편과 운영의 효율화를 도모하며, 투자자의 이익 보호를 위한 제도적 장치를 마련함과 아울러 주식의 상호보유를 제한함으로써 우리의 기업현실에 적합한 기업기본법으로서의 체제를 갖추기 위함"[38)에 목적 을 두고 개정된 1984년 개정상법의 중요한 내용을 제3편(회사)에 한정하여 살펴 보면 다음과 같다.

---

36) 국회 홈페이지, 〈의안정보시스템〉, 상법중 개정법률안(대안)(110597) 제안이유.
37) 주식의 상호보유를 규제하기 위하여 모회사와 자회사 개념을 도입하여 자회사의 모회사 주 식의 취득을 금지하면서, 다른 회사(자회사)가 발행한 주식의 몇 %를 초과하여 주식을 보 유한 회사를 모회사로 볼 것인가 하는 것과 관련하여 ① 50%이상 출자 기준안(류상호의원 외 109인), ② 30%이상 출자 기준안(신철균의원 외 24인), ③ 10%이상 출자 기준안(고영 구의원 외 80인)의 세 가지 안이 의원안으로 제시되어 활발한 논의가 이루어졌으나, 40%이 상 기준으로 절충을 보았다. 그리고 주권발행 전의 주식양도제한과 관련하여서는 제335조 제2항에 단서를 신설하여 회사성립 후 또는 신주의 납입기일 후 6월이 경과하면 주권 없이 주식을 양도할 수 있다는 내용을 규정하는 것에 대해서는 정부안에 반대가 없었지만, 이 때의 주식양도방법에 관하여는 상당한 논란이 있었다. 즉, 주권이 없으면 양도증서의 작성 을 통하여 양도하되 공증인의 공증을 받도록 하자는 새로운 제안이 있었고, 이 안은 거의 채택 직전까지 갔으나, 이 내용을 입법화하는 경우에는 양도증서 없이 이루어진 양도의 효 력이 다시 문제된다는 이유로 최종적으로는 채택하지 아니하였다. 손주찬, 전게 "한국상법 개정의 회고," 133면.
38) 국회 홈페이지, 〈의안정보시스템〉, 상법중 개정법률안(110424) 제안이유.

가. 기업자본조달의 편의도모

제정상법은 자본조달의 편의를 위하여 수권자본제도를 도입하면서도 수권주식수와 설립시에 발행하는 주식수의 비율을 반드시 2 대 1 이상을 유지하게 하고 또한 사채의 발행을 허용하면서도 그 발행한도를 자본과 준비금의 총액 범위 내로 제한하는 등 기업자본의 조달에 지나치게 엄격한 태도를 견지하였다는 비판을 받아 왔다.

이에 개정법은 ① 수권자본과 발행자본의 비율을 2 대 1에서 4 대 1로 확대하고(제289조 제1항, 제437조), ② 사채발행한도를 자본금과 준비금의 총액의 범위 내로 정하고 있던 것을 2배까지 확대하고(제470조), ③ 기명주식의 양도는 주권의 배서 또는 주권과 이에 주주로 표시된 자의 기명날인 있는 양도증서의 교부에 의하여서만 가능하도록 하던 것을 주권의 교부만에 의하여 가능하도록 변경하고(제336조, 제359조), ④ 이익배당총액의 2분의 1의 한도 내에서 주식으로도 이익배당을 할 수 있는 주식배당제도를 새로이 도입하고(제462조의2), ⑤ 주주총회의 결의사항으로 되어 있던 준비금의 자본전입을 이사회결의사항으로 변경하고(제461조 제1항), ⑥ 주주에게 전환사채인수권을 부여하는 경우에는 이사회결의만으로 전환사채 발행을 가능하도록 하고(제513조 제2항, 제516조의2), ⑦ 신종사채인 신주인수권부사채의 발행을 허용하는(제516조의2~제516조의10) 등으로 기업자본조달의 편의를 도모하였다.

나. 투자자 등 이해관계인의 이익보호

기명주식의 이전은 주주명부에 취득자의 성명과 주소를 기재하여야 회사에 대항할 수 있는데 제정상법상 주주명부는 회사 본점에 비치하게 되어 있었으므로(제396조 제1항), 명의개서를 위하여 주주가 본점에 직접 가지 않는 한 주권을 송부하여야 하는데, 이것은 불편할 뿐만 아니라 위험이 따르는 일이었다.

이에 개정법은 기명주주의 편의를 도모하기 위하여 ① 자본시장육성에 관한 법률의 규정(제11조의6)에 의하여 상장법인에 한하여 적용하던 명의개서대리인제도를 상법에 신설하여 주식회사 일반에 적용되는 제도로 하였다(제337조). 그리고 개정법은 ② 회사성립 후 또는 신주의 납입기일 후 6월이 경과한 때에는 주권발행 전이라도 주식을 양도하여 회사에 그 효력을 주장할 수 있게 하였고(제

335조 제2항 단서), ③ 자본시장육성에 관한 법률의 규정(제11조의7)에 의하여 상장법인에 한하여 적용하던 주권불소지제도를 상법에 신설하여 주식회사 일반에 적용되는 제도로 하였고(제358조의2), ④ 실질주주의 이익보호를 위해 종래 학설상으로만 논의되고 있던 의결권의 불통일행사를 명문으로 인정하였고(제308조, 제368조의2), ⑤ 신주인수권의 양도성과 신주인수권증서에 의한 양도방법을 법정하였고(제347조, 제416조), ⑥ 신주발행과 준비금을 자본 전입할 때 배정일제도를 신설하였고(제418조 제2항), ⑦ 현저히 불공정한 가액으로 주식을 인수한 자의 책임을 정하였고(제424조의2), ⑧ 준비금을 자본 전입할 때에 발생하는 단주의 처리방법을 정하였고(제447조의2), ⑨ 재무제표와 그 부속명세서를 주주총회일 1주전부터 지점에도 비치·공시하게 하였고(제448조), ⑩ 영업보고서의 기재사항을 대통령령으로 정하도록 하였고(제447조의2), ⑪ 배당금의 지급시기를 재무제표의 승인이 있는 날부터 2월이내로 법정하는(제464조의2) 등으로 투자자나 이해관계인의 이익보호를 도모하기 위하여 노력하였다.

다. 주주총회 운영의 합리화

제정상법은 총회결의부존재확인의 소에 관하여 아무런 규정도 두지 아니하였기 때문에 확인의 소에 관한 일반원칙의 적용되어, 총회결의부존재확인의 확정판결의 효력은 제3자에게는 미치지 않았다.[39] 그러나 결의부존재확인의 판결에도 결의무효확인의 판결과 마찬가지로 대세적 효력을 인정하여 법률관계를 획일적으로 처리할 수 있도록 하여야 한다는 입법론이 꾸준히 제기되어 왔다.[40]

이에 개정법은 ① 주주총회결의 무효확인의 소 이외에 주주총회결의부존재확인 소도 회사법상의 소로 인정하는 규정을 신설하였다(제380조 후반부). 또한 주주총회 운영의 합리화를 도모하기 위하여 ② 주주명부의 폐쇄기간을 2월을 초과하지 못하게 하던 것을 3월을 초과하지 못하게 기간을 연장하였고(제354조 제2항), ③ 주주의 권리행사와 관련하여 회사가 이익공여를 하는 것을 금지하고 위반자를 처벌하는 규정을 신설하였다(제467조의2, 제634조의2).

---

39) 대법원 1969.5.13. 69다279.
40) 손주찬, 전게 『개정상법 축조해설』, 103면.

라. 이사·이사회의 권한강화와 효율화

이사의 임기는 의용상법에서는 3년으로 되어 있었으나 제정상법에서 2년으로 단축하였다. 그러나 특히 초임이사가 직무에 숙달되고 그 직무를 능률적으로 수행하기에는 임기 2년은 너무 짧다는 지적이 있어 왔다.[41]

이에 개정법은 ① 이사의 임기를 2년에서 3년으로 연장하였다(제383조 제2항). 동시에 이사와 이사회의 권한을 강화하고 효율화를 도모하기 위하여 ② 이사회의 회사업무집행에 관한 결의권의 범위(제393조 제1항) 및 업무집행이사에 대한 이사회의 업무감독권(제393조 제2항)을 명문화하였고, ③ 이사회의 결의요건을 이사 전원의 과반수에서 이사 과반수의 출석과 출석이사의 과반수로 완화하였고(제391조), ④ 준비금의 자본전입을 주주총회결의사항에서 이사회결의사항으로 변경하였다(제461조 제1항).

마. 감사의 권한 강화·확대

의용상법에서는 감사에게 업무감사권과 회계감사권을 모두 부여하였으나, 이사회제도를 도입한 제정상법은 이사회가 업무감사권을 행사하고 감사에게는 원칙적으로 회계감사권만 인정하였다. 그러나 이사회가 업무감사권을 행사하는 데는 현실적으로 한계가 있음이 노출되었고 또 주식회사의 건전한 운영을 제도적으로 보장하고 나아가서 주주 및 채권자의 이익을 보호하기 위해서는 감사권을 보다 강화할 필요성이 있었다.

이에 개정법은, 감사의 권한을 강화·확대하고 이에 부수하여 실효성 있는 감사를 위한 제도적 장치도 마련하기 위하여 ① 감사에게 회계감사권 이외에 업무감사권까지 부여하여 감사의 권한을 강화하였고(제412조 제1항), ② 이와 관련하여 감사에게 업무조사권(제412조 제2항), 이사회출석·의견진술권(제391조의2), 재무제표·영업보고서의 감사권(제447조의3, 제447조의4), 회사·이사간의 소에 대한 회사대표권(제394조), 이사위법행위유지청구권(제402조)을 인정하였고, ③ 또한 각종의 소권, 즉 신주발행무효의 소권(제328조)·주주총회결의취소의 소권(제376조)·신주발행무효의 소권(제429조)·회사합병무효의 소권(제529조) 등을

---

41) 손주찬, 상게 「개정상법 축조해설」, 105면.

인정하여 감사의 권한을 확대하였고, ④ 감사의 임기를 1년에서 2년으로 연장(제410조)하고, ⑤ 감사에 의한 재무제표의 감사기간을 2주간에서 6주간으로 연장(제447조의3)하는 등 감사가 실효성 있게 감사권을 행사할 수 있도록 보장하는 규정을 신설하였다. 한편 감사의 권한확대에 대응하여 감사에게 ⑥ 이사가 법령 또는 정관에 위반한 행위를 하거나 그 행위를 할 염려가 있다고 인정한 때에는 이사회에 이를 보고하여야 할 의무(제391조의2 제2항), ⑦ 감사록의 작성의무(제413조의2), ⑧ 감사보고서를 작성하여 이사에게 보고할 의무(제447조의4)를 부과하였다.

바. 회사제도의 남용금지

원래 회사법상의 주식회사제도는 어느 정도 규모가 큰 기업조직에 적합하도록 마련된 것이지만, 우리나라 현실에서는 주식회사의 대부분이 중소기업조직으로 되어 있고, 또한 적지 않은 수의 주식회사가 사실상의 개인기업 내지 가족회사로 이용되고 있었다. 이러한 실정은 주식회사법상의 각종 제도는 법률상의 장식물에 불과하고 현실에서는 제대로 작동이 안되는 무용지물에 불과하다는 혹독한 비판을 받기에 이르렀다. 이에 주식회사제도를 본래의 입법취지에 맞게 제대로 운용하기 위해서는 독일 등의 입법례를 참고하여 최저자본금을 법정하는 것이 가장 바람직하다는 주장이 설득력을 얻게 되었다.[42]

이에 개정법은 이를 받아들여, ① 물적회사 중 유한회사에만 최저자본을 제한하고 있던 것을 주식회사에도 이를 수용하여 주식회사의 최저자본금을 5천만원 이상으로 하는 규정을 신설함과 동시에 1주의 금액은 5백원(舊貨 5千圜) 이상으로 하던 것을 5천원 이상으로 변경하였다(제329조 제1항, 제4항). 그리고 ② 회사제도의 남용에 따른 폐해를 방지하기 위하여 휴면회사의 정리에 관한 규정을 신설하고(제520조의2), ③ 유한회사의 최저자본금을 10만원(舊貨 100萬圜) 이상으로 하던 것을 1천만원 이상으로, 출자 1좌의 금액은 1천원(舊貨 萬圜) 이상으로 하던 것을 5천원 이상으로 변경(제546조)하는 등 관련 규정을 신설하거나 변경하였다.

---

42) 손주찬, 상게 「개정상법 축조해설」, 54면.

사. 상호출자의 규제

주식의 상호보유는 실질상 출자의 환급이 되어 회사의 자본충실을 해치고 주주총회의 결의를 왜곡하여 회사의 지배권을 유지하는 수단으로 악용되는 폐단이 있으므로 이를 시정하기 위하여 일정범위의 주식의 상호보유를 규제함으로써 회사의 자본충실을 기할 필요성이 있었다.

이에 개정법은, ① 자회사에 의한 모회사 주식의 취득을 금지하는 규정을 신설하고(제342조의2), ② 10% 초과 출자를 받은 회사가 출자회사의 주식을 소유하는 경우에 의결권을 박탈하는 규정(제369조 제3항)을 신설하여, 주식회사 상호간의 출자를 규제하려고 하였다.

3. 특   색

1984년의 개정법에서는 의용상법의 내용으로 회귀한 규정이 상당수 존재한다. 예컨대 주식회사 이사의 임기는 의용상법에서 3년이던 것이 제정상법에서 2년으로 단축되었다가 개정법에서 다시 3년으로 늘어났다. 또한 감사의 임기는 의용상법에서 2년이던 것이 제정상법에서 1년으로 단축되었다가 개정법에서 다시 2년으로 늘어났다. 감사의 권한도 의용상법에서 업무감사권과 회계감사권을 인정하던 것을, 제정상법에서 대폭 축소하여 회계감사권만 한정하였다가, 개정법에서는 다시 업무감사권을 회복시켜 줌으로써 감사는 의용상법에서와 같이 회계감사권과 업무감사권 모두를 행사할 수 있게 하였다.[43] 그리고 1984년의 개정법에서는 제정상법이 영미회사법을 수용하면서도 영미회사법의 내용을 수정하여 수용하였던 것을 다시 영미회사법의 내용과 일치시킨 것도 있다. 예컨대, 제정상법이 발행자본을 수권자본의 2분의 1로 하였던 것을 개정법은 4분의 1로 하였고, 제정상법이 준비금의 자본전입에 대한 권한을 주주총회의 권한으로 하였던 것을 개정법은 이사회의 권한으로 정한 것이 여기에 해당한다.

1984년의 회사법 개정은 1981년 개정의 일본 상법을 다분히 참고하여 이루어진 결과, 일본법의 내용에 숫자만 약간 수정하여 규정한 것도 상당수 존재한

---

43) 손주찬, 전게 "한국상법개정의 회고," 34면.

다. 예컨대, 자회사의 모회사 주식취득을 금지하는 규정을 신설하면서 모자회사 관계의 설정기준으로 일본법은 다른 회사 발행주식총수의 과반수의 보유를 요구하고 있었지만 개정법은 40% 이상 보유를 요구하였고(제342조의2), 주식의 상호보유에 따른 의결권 행사를 제한하는 규정을 신설하면서 주식의 보유기준으로 일본법은 다른 회사 발행주식총수의 4분의 1을 기준으로 하고 있었지만 개정법은 10분의 1로 규정하였다(제369조 제3항). 또한 주식배당의 요건에서 일본법은 이익배당액의 전부 또는 일부를 주식으로 배당할 수 있다고 정하고 있었지만 개정법은 이익배당액의 2분의 1에 상당하는 금액을 초과하지 못한다고 규정하였다(제462조의2 제1항).

1984년 개정법에는 일본상법이 아닌 다른 입법례를 참고하여 신설한 규정도 있다. 예컨대 개정법은 주식회사의 남설을 방지할 목적으로 독일·프랑스·스위스 등의 입법례를 참고하여 주식회사의 최저자본액을 5천만원으로 법정하였는데(제329조 제1항), 이것은 당시 일본 상법에는 규정이 되어 있지 않던 내용이었다.

1984년 개정법에는 외국의 입법례를 참고하지 않고 독자적인 시각에서 입법화한 규정도 있다. 예컨대 개정법은 회사성립 후 또는 신주의 납입기일 후 6월이 경과한 후에 이루어진 주권발행 전의 주식양도의 효력을 당사자간의 관계에서는 물론이고 회사와의 관계에서도 인정하는 규정을 신설하였는데(제335조 제2항). 이 규정은 외국의 입법례를 참고한 것이 아니고 국내 학계의 다수 입장을 개정법이 수용한 예에 해당한다.[44] 물론 신설된 제335조 제2항 단서와 같은 내용도 당시 일본상법에서는 찾아 볼 수 없는 내용이다.[45]

---

44) 주권발행 전의 주식양도에 대해서는 "대법원 1957.4.6. 4290민상10"이 「주권 발행 전에 한 주식의 양도는 당사자 사이에서만 유효하고 회사에 대해서는 전혀 무효이다」라고 판시한 이후 "대법원 1963.11.7. 62다117"과 "대법원 1975.4.6. 64다205" 그리고 "대법원 1980.3.11. 78다1793(전원합의체)" 등에서 절대적무효설을 취하는 대법원 판례가 확립되었으나, 이러한 판례의 태도에 대하여는 학계에서 많은 비판론이 제기되었다. 이와 같이 주권발행전의 주식양도의 효력에 대해서는 학설·판례의 태도가 엇갈리고 있었고, 그 거래에서 오는 여러 가지 부작용을 제거하기 위해서는 입법에 의하여 해결할 수밖에 없었다. 이러한 분위기 속에서 1984년의 개정법은 제335조 제2항에 「회사성립 후 또는 신주납입기일 후 6월이 경과하면 그러하지 아니하다」라는 단서조항을 신설함으로써 종전의 판결에 대한 비판론을 입법적으로 받아들이게 된 것이다. 정희철, 전게 "한국상법학의 회고와 전망," 41면; 손주찬·이범찬·양승규·박길준·이균성, 「상법개정안 해설」(삼영사, 1984), 51면.

45) 정희철, 전게 "한국상법학의 회고와 전망," 41면.

Ⅳ. 1995년의 개정 회사법

1. 개정 경위

1984년 상법이 제3편(회사)을 중심으로 개정된 이후에도 우리나라의 사회·경제는 양적으로나 질적으로 급속한 변화가 진행되었고 국제적으로도 WTO체제의 출범으로 세계경제질서가 재편되면서 국제경쟁이 심화되는 등 국내외적으로 기업환경이 급속하게 변화하였다. 이와 같은 새로운 기업환경의 변화 추세에 발맞추어 기업이 능동적이고 탄력적으로 대응할 수 있도록 비능률적인 제한요소를 과감하게 철폐하고, 상거래의 국제화 추세에 부응하여 다양한 국제적 상거래에 신속하고 탄력성 있게 대응할 수 있는 새로운 법률적·제도적 기반을 마련하여야 한다는 욕구가 경제계를 중심으로 강하게 분출되었다.

이에 정부는 1984년의 개정 이후 새로운 회사기업 환경의 변화에 부응할 법제를 정비하고, 아울러 1984년 개정 당시에 논의는 있었지만 완전한 합의를 얻지 못하여 개정법에 반영하지 못한 문제들[46]을 재검토하기 위하여, 1990년 4월에 법무부의 법무자문위원회 내에 손주찬 교수를 위원장으로 하는 상법개정특별분과위원회를 설치하였다. 상법개정특별분과위원회가 마련한 개정안은 1994년 10월 29일 국무회의에서 정부안으로 확정된 후, 1994년 11월에는 「상법중 개정법률안」으로 국회에 제출되었다.[47]

그런데 위 정부안을 넘겨받은 국회의 법제사법위원회는 몇 차례의 토론·심의 끝에 정부안에 있는 발기인 수를 2인 이상에서 3인 이상으로 조정하는 등 몇 가지를 수정[48]하여 「상법중 개정법률안에 대한 수정안」을 작성하였다.[49] 이

---

46) 예컨대 이사회의 승인에 의한 주식양도의 제한 등이 여기에 해당한다.

47) 박길준, "개정상법과 주식회사의 자금조달," 「인권과 정의」 제236호(대한변호사협회, 1996), 37면; 이균성, "개정 회사법의 문제점," 「현대상사법의 제문제」(박상조교수 화갑기념논문집 간행위원회, 1998), 264면.

48) 법제사법위원회는, ① 상법에서 7인 이상으로 되어 있는 발기인의 수를 정부안에서 2인 이상으로 축소하기로 정한 것을 수정안에서는 다시 3인 이상으로 변경하고(제288조), ② 전표 또는 이와 유사한 서류에 대해서는 청산된 회사의 경우에도 존속하는 회사와 마찬가지로 5년간 보존의무를 부담하도록 하는 내용을 수정안에서 새로이 추가하고(제266조 제1항 및 제541조 제1항), ③ 주식회사의 설립경과조사에 참여할 수 없는 이사 및 감사의 범위에 현물출자자인 이사 및 감사를 새로이 추가하고(제355조의4 제2항), ④ 주식의 양도를 이사

수정안은 1995년 11월 30일 국회 본회의의 의결을 거쳐, 1995년 12월 29일 법률 제5053호 「상법중 개정법률」로 공포되었다. 이렇게 개정된 상법은 1996년 10월 1일부터 시행되었다.

2. 주요 내용

1995년의 상법 개정에는 총칙과 상행위편의 내용도 일부 포함되어 있지만, 대부분은 주식회사편에 관한 내용이었다. 1995년의 상법 개정은 "불필요하게 복잡한 기업설립절차를 간소화하고 기업운영에 있어서의 비능률적인 제한요소를 철폐하여 탄력성과 신축성을 부여함으로써 기업활동의 전반적인 활성화를 도모하고, 자본시장 증대에 부응하여 주주들의 권익을 보장하며, 1984년 개정이후 10여년간 급속히 진전된 사회·경제적 여건변화를 능동적으로 수용하여 현실적이면서도 국제화된 상거래를 정착시킴으로써 궁극적으로 우리 기업의 국제경쟁력을 제고하려는 것"에 목적을 두고 있었다.[50][51] 1995년 상법 개정의 중요한 내용을 제3편(회사)에 한정하여 살펴보면 다음과 같다.

가. 주식회사 설립절차의 간소화

1) 발기인의 수를 3인 이상으로 축소

1995년의 개정상법에서는 주식회사의 설립에 필요한 발기인의 수를 이전의 7인 이상에서 3인 이상으로 축소하였다(제288조). 그 이유는 주식회사의 발기인의 수를 7인 이상으로 고집할 합리적인 이유가 없고, 발기인 7인 이상은 주식회사의 성립요건일 뿐이지 존속요건도 아니다. 그러나 설립 후에 1인회사로 되는 것은 어쩔 수 없지만 처음부터 발기인 1인만으로 주식회사를 설립할 수 있도록

회의 승인을 얻도록 제한하는 경우 그 이사회의 승인을 얻지 아니한 주식양도는 회사에 대하여 효력이 없도록 하는 내용을 새로이 추가할 뿐만 아니라(제355조 제2항), 양도상대방으로 지정된 자가 법정기간 내에 양도상대방의 지정청구를 한 주주에 대하여 선매권을 행사하지 아니한 때에는 주식의 양도에 관하여 이사회의 승인이 있는 것으로 의제하는 규정(제335조의4 제2항)도 추가하는 등의 수정을 가하였다.

49) 국회 홈페이지, 〈의안정보시스템〉 회의록, 제177회 국회본회의 회의록 제14차부록(상법중 개정법률안 심사보고서), 9면.

50) 국회 홈페이지, 〈의안정보시스템〉, 상법중 개정법률안(140913) 제안이유.

51) 손주찬, "회사법개정의 방향," 「인권과 정의」 제236호(대한변호사협회, 1996), 15면; 이균성, 전게 "개정 회사법의 문제점," 264면.

하는 것은 법감정에 맞지 아니하고, 유한회사의 사원이 2인 이상이기 때문에 주식회사는 그보다 많아야 하는데[52] 발기인의 의사결정기능 등을 고려하여 이사회의 이사 수와 마찬가지로 3인 이상으로 정하는 것[53]이 합리적이라는 등의 이유로, 발기인의 수를 3인 이상으로 변경하였다.[54][55]

2) 현물출자자의 자격을 제한한 규정의 삭제

현물의 과대평가 등으로 인한 폐해가 수반되는 경우에, 현물출자자에게 주식회사의 설립에 있어서 무거운 책임을 지게 되어 있는 발기인으로서의 책임을 묻기 위하여, 기존법에서는 현물출자자의 자격을 발기인에 한정하고 있었다(제294조). 그러나 현물출자를 발기인만이 할 수 있다고 하면 현물출자가 쉽게 이루어지지 아니하여 회사의 자본조달을 침해하게 되고, 비교법상으로도 현물출자자의 자격을 제한하고 있는 입법례는 당시의 일본 상법(제168조 제2항) 정도에 불과하였으므로, 개정법은 현물출자자의 자격 제한에 관한 제294조를 삭제하였다.

3) 변태설립사항에 대한 간이한 증명방법의 인정

기존법에서는 발기설립의 경우이든 모집설립의 경우이든 발기인의 특별이익, 현물출자, 재산인수, 설립비용, 발기인의 보수 등 변태설립사항에 관한 사항은 반드시 법원 선임의 검사인에 의한 조사를 받게 하고 있었다(제299조, 제310조) 현물출자나 재산인수의 경우에 목적재산이 과대평가될 수 있고 발기인의 특별이익·설립비용·발기인의 보수에 대하여는 이를 무제한으로 인정하게 되면 회사의 자본충실을 침해하게 되어 주주나 회사채권자 등의 이익을 해치기 때문에 엄

---

52) 김교창, "회사편에 대한 발표의견," 「상법개정공청회 자료집」(법무부, 1994. 5. 25.), 35면.
53) 국회 홈페이지, 〈국회정보시스템〉 회의록, 제177회 국회본회의 회의록 제14차부록(상법중 개정법률안 심사보고서), 14면.
54) 1995년의 상법개정 당시에도 발기인의 수를 1인 이상으로 하여 1인회사의 설립을 허용하여야 한다거나[박진태, "주식회사의 설립절차," 「상법개정안에 관한 심포지움 자료집」(한국상사법학회, 1994. 7. 1.), 3~20면; 임재호, "주식회사 설립제도의 개정방향," 「법학연구」 제35권 제1호(부산대학교 법학연구소, 1994), 246면], 발기인의 수에 관한 규정이 주식회사의 성립요건에 불과할 뿐 존속요건이 아닌 상황에서 굳이 발기인의 수에 대한 제한을 둔다는 것은 의미 없는 것이므로 차라리 발기인의 수에 관한 규정을 삭제하는 것이 바람직하다는 견해도 제시되었다[이용환, "회사편에 관한 토론의견," 「상법개정공청회 자료집」(법무부, 1994. 5. 25.), 64면].
55) 1995년의 회사법 개정 당시에도 발기인의 수를 제한하는 것은 현실성이 없으므로 발기인의 수를 제한하여서는 안된다는 주장도 제기되었다. 최기원, "상법개정안에 대한 문제점의 재고," 「상사법논총(상)」(강위두박사 화갑기념논문집 간행위원회, 1996), 11~15면.

격한 조사를 할 필요성이 있다고 보았기 때문이었다. 그러나 변태설립사항에 대한 검사인의 필수적 조사제도는 신속한 회사 설립에는 큰 장애요인이 되고 있어 이를 개선하여 회사설립의 편의를 도모할 필요가 있고, 한편 변태설립사항에 대하여 반드시 검사인의 조사를 거칠 필요 없이 공인된 감정인의 감정이나 공증인의 공증만으로도 회사의 자본충실은 꾀할 수 있다.

이에 1995년의 개정법은 제299조의2를 신설하여 현물출자·재산인수가 있는 경우에는 공인된 감정인의 감정으로, 발기인의 특별이익과 설립비용·발기인의 보수에 관하여서는 공증인의 조사로 검사인의 조사에 갈음할 수 있게 하였다.

4) 발기설립에서 검사인의 필수적 조사제도 폐지

주식회사의 설립시 발기인 이외의 제3자로부터 출자를 받을 필요가 없는 경우는 발기설립의 방법이 적당하고 또한 기존법상으로도 발기설립은 모집설립에 비교하여 그 절차가 아주 간단하였다. 그리고 우리나라 주식회사의 대부분은 실질적으로는 주주 1인이나 소수의 가족이 출자하는 자본에 의하여 설립되고 있었기 때문에 실질적으로는 발기설립에 해당되는 경우가 절대다수였다.[56] 그런데도 이전까지 우리나라에서 주식회사를 설립하는 경우 거의 대부분 모집설립의 형식을 이용하여 왔는데, 그 주된 이유는 기존법에서 발기설립의 경우에는 법원 선임의 검사인에 의한 설립조사절차(제299조~제300조)를 필수적으로 거치게 하고 있었기 때문이었다.[57]

이에 개정법은 발기설립시 검사인에 의한 필수적 설립조사제도를 폐지하여, 발기설립 시에도 모집설립 시와 마찬가지로 변태설립사항이 없는 한 법원 선임의 검사인에 의한 설립조사절차를 거칠 필요 없이 이사·감사에 의한 설립조사절차를 거치게 함(제299조)으로써, 주식회사의 설립절차를 간소화하였다.

---

56) 이철송, "회사법 개정논리의 검토,"「상법개정에 관한 연구」(한국증권업협회, 1994), 106면.
57) 기존의 상법에서는 발기설립의 방법으로 회사를 설립하려면 반드시 법원에 설립경과의 조사를 위한 검사인의 선임을 청구하고 그에 의하여 출자유무의 조사를 받아야 한다고 정하고 있었다. 그런데 발기인회에서 선임된 이사가 법원에 검사인의 선임을 청구하고, 법원에서 선임된 검사인이 설립절차를 조사하고, 또 검사인은 이를 바탕으로 법원에 보고서를 제출하는 등 일련의 절차를 거치는데 보통 몇 개월이 소요되었다. 이는 신속히 개업을 하여 영업이윤을 획득하려고 회사를 설립하려는 자의 입장에서는 참을 수 없는 장기간이었기 때문에 주식회사의 설립 시에 발기설립을 기피하였다.

나. 주주총회 운영의 원활화

1) 주주총회의 의사정족수 폐지, 의결정족수 완화

점차 주식의 소유가 다수의 주주에게 폭넓게 분산되고 또한 주주들의 주식보유 목적이 투기화되면서 주주들의 주주총회 출석률은 저조하여지고, 동시에 주주총회는 의사정족수 미달로 성립조차 못하는 경우가 늘어갔다.

이러한 문제를 해결하기 위하여 1995년의 개정법에서는 주주총회에서 보통결의·특별결의를 하기 위해서는 일단 발행주식총수의 과반수에 해당하는 주식을 가진 주주의 출석이 있어야 한다는 의사(성립)정족수 요건을 별도로 요구하지 않고,[58] 의결정족수 요건만 충족하면 그 결의가 가능한 것으로 변경하였다. 그리고 의결정족수는 상법 또는 정관에 다른 정함이 있는 경우를 제외하고는, 보통결의의 경우에는 출석한 주주의 의결권의 과반수와 발행주식총수의 4분의 1 이상의 수로 하고(제368조 제1항), 특별결의의 경우에는 출석한 주주의 의결권의 3분의 2 이상의 수와 발행주식총수의 3분의 1 이상의 수로 하는 것(제434조)으로 변경하여 주주총회 운영의 원활을 도모하였다.[59]

2) 주주총회 운영의 합리화

주주총회 소집의 통지가 주주명부상의 주주의 주소지에 3년간 도달하지 않는 경우 회사는 그 주주에게 소집통지를 하지 않아도 되는 것으로 정하고(제363조 제1항 단서), 주주총회결의 하자의 소에서 확정판결에 불소급효를 인정하던 것을 소급효를 인정하는 것으로 변경하고(제376조 제2항, 제380조), 결의내용이 정관에 위반한 경우를 주주총회결의 무효의 소의 원인으로 하던 것을 주주총회결의 취소의 소의 원인으로 변경하는(제376조 제1항) 등 주주총회 운영의 합리화를 도모하였다.

---

58) 기존법에서는 보통결의와 특별결의를 불문하고 의사(성립)정족수는 발행주식총수의 과반수로 정하고 있었다. 그러나 개정법하에서의 의사정족수는, 출석주주 전원이 의안에 대해 찬성한다고 가정할 때, 보통결의는 발행주식총수의 4분의 1 이상으로 그리고 특별결의는 발행주식 총수의 3분의 1 이상으로 변경되었다고 볼 수 있다. 이철송, "95년 개정상법의 형평성," 「신세기 회사법의 전개」(이병태교수 화갑기념논문집 간행위원회, 1996), 3면.

59) 1995년의 개정회사법이 의사(성립)정족수 요건을 폐지한 것(제368조 제1항, 제434조)은 단체적 의사결정의 조리에 반한다는 이유로 비판을 받기도 하였다. 이철송, 전게 "95년 개정상법의 형평성," 5면.

다. 주주 등 이해당사자의 이익보호

개정법은 주주와 주주 사이 또는 주주와 채권자 사이 등 이해당사자의 이익을 보장하거나 조정하기 위하여, ① 영업의 양도·양수·임대, 회사의 합병 등 회사의 주요사안에 대한 주주총회의 결의에 반대하는 소수주주 또는 회사로부터 주식양도승인의 거부를 당한 주주에게 회사를 상대로 한 주식매수청구권을 인정하고(제374조의2, 제522조의3, 제355조의2 제4항), ② 정관에 의한 주식양도의 제한을 인정하고(제335조 제1항 단서, 제2항), ③ 이익배당우선주에 최저배당률을 정관에 정하게 하는 등 이익배당제도를 개선하는 규정을 설치하고(제344조 제2항, 제350조 제3항, 제423조 제1항 후단, 제516조의9), ④ 주주명부폐쇄기간 중(제354조 제1항)에는 전환주식의 전환을 금지하고 있던 규정(제349조 제3항)을 삭제함으로써 언제든지 전환권을 행사할 수 있도록 하고(전환사채의 경우도 동일, 제516조 제2항, 제349조 제3항), ⑤ 신주에 대한 이익이나 이자의 배당과 관련하여 각종 신주발행의 효력발생시기를 직전 영업연도 말로 소급할 수 있도록 하는 규정(제350조 제1항, 제423조 제1항 후단, 제461조 제6항, 제462조의2 제4항, 제516조 제2항, 제516조의9, 제350조 제3항) 등을 설치하였다.

라. 감사의 지위강화

1984년의 개정법은 감사의 임기를 1년에서 2년으로 연장하는 등 감사의 지위를 강화하기 위하여 노력을 하였지만, 1995년의 개정법은 다시 감사의 지위강화를 통하여 주식회사의 건전한 경영을 보장한다는 취지에서 ① 감사의 임기를 2년에서 3년으로 연장하고(제410조), ② 감사에게 임시주주총회 소집요구권을 인정하고(제412조의3), ③ 모자회사간에 실질적 감사권을 보장하기 위하여 모회사 감사에게 자회사의 영업보고요구권 및 업무재산상태조사권을 허용하고(제412조의4), ④ 감사 해임에 관한 의견진술권을 보장하고(제409조의2), ⑤ 회사에 현저하게 손해를 미칠 염려가 있는 사실을 발견한 이사에게 감사에 대한 보고의무(제412조의2)를 부과하였다.

마. 회사자본조달의 편의도모

개정법은 회사가 발행할 주식의 총수를 증가하는 경우에는 발행주식총수의 4배를 초과하지 못하도록 제한하고 있던 기존 규정(제437조)을 삭제함으로써 회사가 편리하게 자기자본을 조달할 수 있게 하였다. 그리고 사채의 총액은 최종의 대차대조표에 의하여 회사에 현존하는 순자산액의 2배를 초과하지 못하게 하고 있던 것을 4배를 초과하지 못하게 개정하고(제470조 제1항), 최종의 대차대조표에 의하여 회사에 현존하는 순자산액이 자본과 준비금의 총액에 미달할 때에는 사채의 총액은 그 재산액의 2배를 초과하지 못하도록 제한하고 있던 기존의 규정(제470조 제2항)을 삭제함으로써 회사가 편리하게 타인자본을 조달할 수 있게 하였다.

바. 회사합병절차의 간소화

개정법은 회사합병절차를 간소화하기 위하여, 흡수합병의 경우 소멸회사의 총주주의 동의가 있거나 소멸회사가 존속회사의 100% 자회사인 경우에는 소멸회사의 합병승인총회결의 대신에 그 이사회의 승인결의로 갈음할 수 있게 하고(제522조 제1항 단서), 흡수합병의 경우 존속회사의 보고총회를 유지하되(제526조 제1항) 이사회의 공고로써 주주총회에 대한 보고에 갈음할 수 있게 하였다(제526조 제2항).

3. 특 색

전체적으로 볼 때 1995년의 회사법 개정에서는, 국내외적으로 급변하는 기업환경에 맞추어 기업에 대한 회사법상의 각종 규제를 대폭 완화하였다는 점이 두드러지게 나타난다. 예컨대 개정법이 주식회사 설립절차를 간소화하기 위하여 발기인의 수를 줄이고(제288조), 현물출자·재산인수 등에 간이한 증명방법을 인정하고(제299조의2), 발행예정주식총수에 대한 제한[60]을 폐지한 것(제437조의 삭

---

60) 상법 제437조에서는, 회사가 발행할 주식의 총수를 발행주식 대비 제정상법에서는 2배 그리고 1984년의 개정법에서는 4배를 초과하지 못하게 제한하고 있었는데, 1995년의 개정법에서는 이 규정을 삭제하였다.

제) 등이 여기에 해당된다.

그리고 1995년의 개정에서는 위의 경우와는 반대로 기업에 대한 규제강화라는 측면에서 입법이 이루어지기도 하였다. 예컨대 감사에게 주주총회 소집요구권(제412조의3)을 인정하고, 모회사 감사에게 자회사의 영업보고요구 및 업무재산상태조사권(제412조의4)을 허용하는 등 감사의 권한을 강화한 것이 여기에 해당된다. 이러한 것들은 규제 완화에 따라 일어날 수 있는 문제에 대처하는 의미와 더불어 출자자 및 회사 채권자의 보호를 위하여 필요한 입법조치라는 차원에서 이해할 수 있을 것이다.

그리고 1995년의 개정은 1984년 개정의 연장선상에서 이루어진 것도 있다. 1984년 개정 당시에 논의는 있었지만 완전한 합의를 얻지 못하여 당시의 개정법에 반영하지 못한 문제를 다시 논의하여 1995년의 개정법에서 반영한 것으로, 예컨대 개정법이 정관에 의한 주식양도의 제한을 인정하여 정관이 정하는 바에 따라서 이사회의 승인을 얻도록 할 수 있음을 규정(제335조 제1항 단서)하고 이에 부수적인 제도(제335조의2~제335조의7)를 마련한 것이 여기에 해당된다.

또한 1995년의 개정에는 해석상의 문제로 의견대립이 있던 사항을 입법적으로 해결하였다고 볼 수 있는 것도 있다. 예컨대 주주총회결의 하자의 소에서는 회사설립 무효의 판결에 관한 제190조의 '본문'만 준용됨을 명확히 규정한 것(제376조 제2항, 제380조)이 여기에 해당된다.[61]

V. 1998년의 개정 회사법

1. 개정의 경위

우리나라는 1997년 말 통칭 「IMF 사태」로 불리는 외환위기 사태를 맞이하여 급속한 경제질서의 변화를 겪게 되었다. 이 과정에서 자연스럽게 등장한 화두가 경제제도의 과감한 개혁이었다. 이러한 분위기 속에서 우선적으로 요청되어진 것이, 경제에 관한 기본법이라고 할 수 있는 상법 그 중에서도 공동기업의 전형적 형태인 회사제도의 신속한 개정이었다.

---

61) 손주찬, 전게 "회사법개정의 방향," 15면.

이러한 시대적 요청에 따라, 정부는 1997년 12월 양승규 교수를 위원장으로 하는 상법개정특별분과위원회를 설치하여 1998년 3월 31일까지 상법개정요강안을 작성하고, 이 요강안을 대상으로 1차례의 공청회(1998. 4. 1.)를 거쳐, 1998년 6월 30일 정부안으로 확정한 후, 1998년 7월 7일 이 법률안을 「상법중 개정법률안」으로 하여 국회에 제출하였다. 이 법률안은 1998년 12월 2일 법률 제5591호 「상법중 개정법률」로 국회에서 가결되고, 1998년 12월 28일 공포·시행되었다.

2. 주요 내용

1998년의 상법개정은 제3편(회사편)에 한정되었는데, 개정의 목적은, "최근의 경제위기에 대응함과 아울러 원활하고 합리적인 경제구조개편의 필요성이 제기됨에 따라, 회사합병절차의 간소화와 회사의 분할제도의 도입 등을 통하여 기업의 구조조정을 제도적으로 지원하고, 주식 최저액면액의 인하, 주식분할제도 및 중간배당제도의 도입 등을 통하여 자본조달의 편의를 제공하며, 소수주주권의 강화 및 누적투표제도의 도입 등을 통하여 기업경영에 대한 감시제도와 기업경영자의 책임을 강화하고 기업경영의 투명성을 보장함으로써 건전한 기업발전을 도모하고 궁극적으로 우리 기업의 국제 경쟁력을 제고하려는 것"[62]이었다. 이러한 목적 아래 이루어진 회사편 개정의 중요한 내용은 다음과 같다.

가. 합병절차의 간소화(간이합병의 확대, 소규모합병의 신설)

회사의 합병절차를 간소화하려는 노력은 1995년의 개정법에서도 이루어진 바 있으나, 1998년이 개정법에서는 그긴 실무계에서 상하게 요정하여 오던 소규모합병을 신설하고 종전의 간이합병을 확대하는 등 합병절차의 간소화를 위하여 더욱 노력함으로써, 기업의 구조조정 및 M&A의 활성화를 위한 제도적 장치를 마련하였다.

구체적으로는, ① 소규모합병제도를 도입하여, 합병후 존속하는 회사가 합병으로 인하여 발행하는 신주의 총수가 그 회사의 발행주식총수의 100분의 5를 초과하지 아니하는 때에는 그 존속하는 회사의 주주총회의 승인은 이를 이사회

---

62) 국회 홈페이지, 〈의안정보시스템〉, 상법중 개정법률안(151090) 제안이유.

의 승인으로 갈음할 수 있게 하였다. 다만, 합병으로 인하여 소멸하는 회사의 주주에게 지급할 금액을 정한 경우에 그 금액이 존속하는 회사의 최종 대차대조표상으로 현존하는 순자산액의 100분의 2를 초과하는 때에는 소규모합병절차가 아닌 정식 합병절차에 의하도록 하였다(제527조의3 제1항). 그리고 소규모합병에 있어서는 피합병회사의 규모의 영세성을 감안하여 합병반대주주의 주식매수청구권을 인정하지 아니하였다(제527조의3 제2항). ② 1995년의 상법개정에서 신설하였던 제522조 제1항 단서는 삭제하는 대신 그 내용을 수정하여 「발행주식총수를 합병후 존속하는 회사가 소유하고 있는 경우」를 「발행주식총수의 100분의 90 이상을 합병후 회사가 소유하고 있는 경우」로 완화하여 제527조의2를 신설하였다.

나. 회사분할제도의 도입

기존법이 회사합병은 인정하면서 회사분할은 인정하지 않았던 데서 오는 실무계의 오랜 불만을 해소하고, 한편으로 IMF사태 이후 그 필요성이 강력하게 요청되어 온 기업의 구조조정을 적극적으로 지원하기 위하여, 개정법은 주식회사에 한하여 주주총회결의로 회사를 분할할 수 있도록 허용하였다(제530조의2). 그리고 개정법은 ① 회사분할에 따른 분할전 회사의 주주를 보호하기 위하여 분할전 회사의 지분비율을 분할후에도 유지할 수 있도록 하고(제530조의10), ② 분할전 회사의 채권자를 보호하기 위하여 분할전 회사의 채무에 대하여 분할후의 각 회사가 연대책임을 지도록 하며(제530조의9 제1항), ③ 분할전 회사의 주주와 회사채권자를 보호하기 위하여 분할전 회사의 이사에게 분할대차대조표를 공시할 의무를 부과하였다(제530조의7).

다. 주식분할제도 도입 및 주식의 최저액면금 인하

회사의 합병 준비단계에서 합병 당사자 회사의 주가의 차를 조절하고 고가주의 유통성을 회복시키기 위하여 주주총회의 특별결의에 의한 주식분할제도(제329조의2)를 도입하였다. 그리고 주식분할을 자유롭게 하고 신주발행 시에 기업 자금조달의 편의를 돕기 위하여 1주의 최저액면금을 종전의 5천원에서 100원으로 하향 조정하였다(제329조 제4항).

라. 주주제안제도의 신설

주주의 적극적인 경영참여와 경영감시를 강화하기 위하여 발행주식총수의 100분의 3 이상의 주식을 보유한 주주에게 주주총회의 목적사항(의제 또는 의안)을 이사회에 제안할 수 있는 주주제안권을 부여하고, 이 권한의 행사와 관련한 절차 및 주주제안을 받은 이사의 의무에 대하여 규정하였다(제363조의2).

마. 집중투표제도의 도입

소수주주의 이익을 대표하는 이사의 선임이 가능하도록 하기 위하여, 2인 이상의 이사 선임을 목적으로 하는 주주총회의 소집이 있을 때에는 의결권있는 발행주식총수의 100분의 3 이상의 주식을 보유한 주주의 청구로, 1주마다 선임할 이사의 수만큼의 의결권을 갖도록 하고 이를 선임하고자 하는 이사후보자에게 집중하여 행사할 수 있는 집중투표제도를 도입하였다(제382조의2). 그러나 개정법은 모든 회사에게 집중투표의 방법에 의하여 이사를 선임하도록 강제하는 것은 아니고, 회사가 원하는 경우에는 정관의 규정으로 집중투표제에 의한 이사 선임을 배제할 수 있는 길을 열어 두었다(제382조의2 제1항).

바. 이사의 충실의무 신설

이사의 책임 강화를 통한 건전한 기업운영을 촉진하기 위하여 그동안 학설상으로 논란이 되어 온 충실의무를 명시적으로 부과하여, 이사에게 법령과 정관의 규정에 따라 회사를 위하여 충실히 그 직무를 수행하도록 하였다(제382조의3). 그런데 개정법이 이사의 중실의무를 법정하였음에도 불구하고, 이사에게 수임인으로서의 선관주의의무 이외에 특별히 가중된 의무로서 충실의무를 규정한 것으로는 보기 어렵고 또 추상적인 선관주의의무를 주식회사 이사의 의무로서 구체적으로 명확하게 표현한 규정에 불과하다는 이유로, 일부에서는 이를 법정한 것은 상징적 의미밖에 없다는 평가를 내리기도 하였다.

사. 이사수의 자율화

소규모의 중소회사에까지 3인 이상의 이사를 두도록 의무화한 기존법의 비현실성을 개선하여, 발행주식의 액면총액(자본금)이 5억원 미만인 회사에 대하여는 1인 또는 2인의 이사를 둘 수 있도록 자율화하고(제383조 제1항 단서), 1인 이사의 회사에 대하여는 이사회의 권한사항의 대부분을 주주총회의 권한사항으로 하는(제383조 제4항) 한편, 1인 이사가 단독으로 행사할 수 있는 권한을 구체적으로 열거하였다(제383조 제6항).

아. 업무집행지시자 등의 책임 강화

이사가 아니면서도 회사에 대한 자신의 영향력을 이용하여 이사에게 업무집행을 지시한 업무집행지시자나 이사의 이름으로 직접 업무를 집행한 업무집행대행자 또는 이사가 아니면서 명예회장·회장·사장·부사장·전무·상무·이사 기타 회사의 업무를 집행할 권한이 있는 것으로 인정될 만한 명칭을 사용하여 회사의 업무를 집행한 표현이사 즉 사실상의 이사는 그 지시하거나 집행한 업무에 관하여 회사와 제3자에 대한 책임문제의 적용(제399조, 제401조, 제403조)에 있어서는 이를 이사로 의제한다고 규정하였다(제401조의2). 기존법 하에서는 이들 사실상의 이사는 실제로는 법률상의 이사 이상으로 회사의 경영에 관여하고 있으면서도 법률상의 이사가 아니라는 이유로 법적책임의 사각지대에 놓여 있어 정의와 형평의 이념에 반한다는 지적을 많이 받아왔는데, 1998년의 개정법에서 이들을 이사로 의제하여 이사와 연대배상책임을 부담하도록 함으로써, 이를 입법적으로 해결하였고 또한 이로 인하여 주식회사의 건전한 경영을 도모할 수 있게 하였다.[63]

자. 소수주주권의 행사요건 완화

기존법에서는 소수주주권을 행사하기 위한 요건으로서 대체로 발행주식총수의 100분의 5 이상에 해당하는 주식을 가질 것을 요구하였으나, 개정법에서는 주주총회소집청구권이나 이사해임청구권 등 대부분의 소수주주권 행사에서는 이 지주수를 100분의 3 이상으로 완화하고(제366조, 제385조 제2항, 제415조, 제466

---

63) 1998년의 개정법에 의하여 신설된 업무집행지시자 등의 책임에 관한 규정은 그 의미·내용이 불명확할 뿐만 아니라 종래의 문제 해결이 아니라 다시 새로운 문제를 제기하고 있는 것이라는 비판을 받기도 하였다. 이균성, "주식회사의 사실상의 이사의 책임," 「21세기 한국상사법의 진로」(우홍구박사 정년기념논문집 간행위원회, 2002), 26면.

조 제1항, 제467조 제1항, 제539조 제2항), 이사위법행위청구권이나 대표소송제기권의 경우에는 100분의 1 이상으로 대폭 낮추었다(제402조, 제403조). 그러나 해산청구권을 행사하기 위한 소수주주권의 지주 수는 기존법과 마찬가지로 100분의 10 이상을 그대로 유지하였다(제520조).

차. 중간배당제도의 도입

기존법에서는 모든 회사에 영업년도 말의 이익배당만 인정하여 왔다(제462조). 그러나 개정법에서는 연 1회의 결산기를 정한 회사에 대하여, 당시의 증권거래법(제192조의3)에서 상장회사에 인정하여 오던 중간배당제도를 상법에 도입하여, 정관이 정하는 바에 따라서 이사회의 결의를 거쳐 영업년도 중 1회에 한하여 중간배당으로 금전배당을 할 수 있게 하였다(제462조의3).

3. 특 색

1998년의 회사법 개정의 의의를 실질적으로 파악하면, 1997년 12월 우리 정부가 외환위기 타개를 위하여 국제통화기금(IMF)의 긴급자금지원을 받으면서 합의한 이행조건 즉 「IMF 자금지원 합의내용」을 실천하기 위한 방안을 회사법 안에 구체적으로 나타내었다는 성격이 강하다.[64]

이처럼 1998년의 회사법 개정은 IMF 사태로 발생한 경제위기를 극복하기 위하여 기업구조조정의 지원을 위한 제도개선에 초점을 맞추었기 때문에 이와 관련한 주식회사 설립절차의 간소화, 회사분할제도의 도입, 이사수의 자율화 등에 관한 사항은 신속하고 과감하게 개정이 이루어졌다. 그러나 신속한 개정의 필요성이라는 절박함에 묻혀 그동안 꾸준히 제기되어 오던, 주식회사 최저자본금의 폐지(또는 인하)와 자기주식 취득의 제한적 허용에 관한 문제,[65] 이사회의 법정결의사항의 확대, 우선주의 최저배당율의 표시방법, 서면투표제도의 도입문제[66] 등 많은 사항들이 이번에는 논의의 대상에도 오르지 못하고 회사법 개정이 이루어졌다.

---

64) 김성태, "상법개정의 방향과 내용," 「기업구조의 재편과 상사법(1)」(박길준교수 화갑기념논문집 간행위원회, 1998), 163면.
65) 최기원, 전게 "상법개정안에 대한 문제점의 재고," 18~21면.
66) 김성태, 전게 "상법개정의 방향과 내용," 180면.

Ⅵ. 1999년의 개정 회사법

1. 개정의 경위

1999년의 상법 개정은 1998년의 상법 개정과 연장선상에서 이루어진 개정으로, 개정 대상도 제3편(회사)에 한정되었다. 1999년 11월 12일 정부가 국회에 제출된 「상법중 개정법률안」은 동년 12월 7일 법률 제6086호 「상법중 개정법률」로 가결되어, 동년 12일 31일 공포와 동시에 시행되었다.

2. 주요 내용

1999년의 회사법 개정은, "국제경쟁시대에 기업의 국제화 필요성이 제기됨에 따라, 이사회의 기능과 역할을 강화하여 기업경영의 효율성을 제고하고, 감사위원회제도의 도입을 통하여 기업경영의 투명성을 보장하며, 주주총회 및 이사회의 운영방법을 정비하는 등 기업지배구조를 개선함으로써 건전한 기업발전을 도모하고 궁극적으로 우리 기업의 국제경쟁력을 강화하려는 것"[67]에 목적을 두고 있었다. 이러한 목적 아래 이루어진 1999년 개정의 중요한 내용은 다음과 같다.

가. 주식매수선택권제도의 도입

개정법은 장래에 주가가 하락할 것이라는 예측보다는 상승할 것이라는 전망을 전제로, 이사·감사·피용자 등에 대하여 인센티브를 주거나 혹은 보수를 보완해 주는 주식매수선택권(stock option)제도를 도입하여, 주식회사의 이사·감사 또는 피용자가 회사의 설립·경영과 기술혁신 등에 기여하는 경우에는 미리 정한 가액으로 회사의 주식을 매수할 수 있게 하였다(제340조의2~제340조의5).

나. 자기주식 취득제한의 완화

주식매수선택권제도를 도입함에 따라, 주식매수선택권을 가진 자가 그 권한

---

67) 국회 홈페이지, 〈의안정보시스템〉, 상법중 개정법률안(152271) 제안이유.

을 행사하여 오는 경우에 이 자에게 자기주식을 양도할 목적으로 취득하거나 퇴직하는 이사·감사 또는 피용자의 보유주식을 양수할 목적으로 취득하는 경우에는 발행주식총수의 100분의 10의 범위 안에서 회사가 자기주식을 별도로 취득할 수 있도록 함으로써, 자기주식의 취득제한을 완화하였다(제341조의2).

다. 주주총회와 이사회 운영방법의 개선

개정법은 주주총회 및 이사회의 운영방법을 개선하기 위하여, ① 주주총회의 질서유지를 위하여 주주총회장에서 고의로 의사진행을 방해하는 자에 대하여는 주주총회 의장이 발언의 정지나 취소 또는 퇴장을 명할 수 있는 질서유지권을 행사할 수 있게 하고(제366조의2), ② 의결권행사의 편의를 도모하기 위하여 주주에게 주주총회에 출석하지 아니하고 서면에 의하여 의결권을 행사할 수 있는 서면투표제를 허용하고(제368조의3), ③ 이사가 직접 이사회에 출석하지 아니하고 동영상 및 음성을 동시에 송·수신하는 통신수단에 의하여 이사회의 결의에 참가하는 것을 인정하였다(제391조 제2항).

라. 이사회 내 위원회제도의 도입

주식회사의 업무가 복잡하고 전문화되어 감에 따라 이사회가 모든 업무를 독점적으로 행사하는 것보다 각종 위원회에 위임하여 결정하게 하는 것이 더 합리적이고 효율적이라는 판단하에 1999년의 개정법에서는 미국의 이사회제도를 도입하여,[68] 이사회 내에 2인 이상의 이사로 구성되는 각종 위원회를 설치하여 이사회로부터 위임받은 권한을 행사할 수 있도록 하였다(제393조의2).

마. 감사위원회제도의 도입

기업경영 특히 대기업 경영자의 독단적인 경영에 대한 효과적인 통제장치를 마련하여 기업경영의 투명성을 보장하기 위해서는 미국회사법상의 감사위원회제도를 도입할 필요성이 있다는 요청을 받아들여 개정법은 감사위원회제도를 도입하고, 주식회사는 기존의 감사제도와 신설된 감사위원회제도를 선택하여 운영할 수 있도록 하였다. 그리고 주식회사가 감사에 갈음하여 감사위원회를 설치하는

---

68) 강위두·임재호, 「상법강의(상)」 제4전정(형설출판사, 2011), 858면.

경우에는 3인 이상의 이사로 구성하되, 위원 3분의 2 이상은 반드시 사외이사로 구성하도록 하였다(제415조의2).

바. 소규모 분할합병의 요건 완화

기업구조조정의 편의를 위하여 회사를 발행주식총수 100분의 5 이하의 소규모로 분할합병하는 경우에는, 간이합병(제527조의2) 및 소규모합병(제527조의3)에 관한 규정을 준용하여, 주주총회의 결의에 갈음하여 이사회의 결의로 이를 분할합병할 수 있도록 분할합병요건을 완화하였다(제530조의11 제2항).

사. 유한회사의 소수사원권 강화·중간배당제도 도입

유한회사의 경우 소수사원의 대표소송제기요건을 자본총액의 100분의 5에서 100분의 3으로 인하하는 등 소수사원권을 강화하고(제565조 제1항, 제572조, 제581조, 제582조 제1항), 주식회사와 같이 중간배당제도를 도입(제583조 제1항)하는 등 유한회사와 관련된 규정을 정비하였다.

3. 특 색

1999년의 개정은 1998년의 개정의 연장선에서 이루어진 것으로 볼 수 있는데, 1998년의 개정이 주로 기업구조조정의 지원에 초점을 맞춘 것이라면 1999년의 개정은 주로 기업지배구조의 개선에 초점을 맞춘 것이었다.

Ⅶ. 2001년 7월의 개정 회사법

1. 개정 경위

1998년과 1999년의 2년에 걸친 회사법 개정을 통하여 기업의 구조조정을 지원하고 기업의 지배구조를 개선하기 위한 입법적 노력을 기울인 바 있지만, 2000년 12월에도 "기업경영의 투명성을 제고하고 국제경쟁력을 강화하기 위하여 주주총회의 결의사항을 확대하고 이사회제도를 개선하며 주주의 신주인수권을 강화하는 등 기업지배구조를 개선하고, 지주회사 설립을 위한 주식의 포괄적 교환·이전제도를 도입하여 기업의 구조조정을 지원하려는 것"[69]에 목적을 둔 「상법중 개정법률안」이 정부안으로 국회에 제출되고, 이 정부안에 일부 수정을 가한 수정법률안이 2000년 12월 30일 법률 제6488호 「상법중 개정법률」로 가결되어, 2001년 7월 24일 공포와 동시에 시행되었다.

2. 주요 내용

2001년 7월의 상법 개정은 제3편(회사)에 한정되었는데, 중요한 내용은 다음과 같다.

가. 기업지배구조의 개선

개정법은 기업지배구조를 개선하기 위하여, ① 주주총회의 결의에 의한 주식의 이익소각을 인정하고(제343조의2), ② 회사경영의 중요사항에 대한 주주의 의결권을 강화하여 회사 영업의 중요부분을 양도하는 경우만이 아니라 회사 영업에 중대한 영향을 미치는 다른 회사의 영업 일부의 양수에 대하여도 주주총회의 특별결의를 얻도록 하는 규정을 신설하는(제374조 제1항 제4호) 등 주주총회 결의사항을 확대하였다. 또한 이사회의 활성화를 위하여 ③ 이사회 결의사항의 범위를 중요한 자산의 처분 및 양도나 대규모 재산의 차입 등으로 구체화하고(제393조 제1항), ④ 이사의 요구가 있으면 대표이사로 하여금 다른 이사 또는 피용자의 업무에 관하여 이사회에게 보고할 것을 요구할 수 있는 권한을 부여하여 이사의 회사업무에 관한 정보접근권을 강화하고(제393조 제2항), ⑤ 업무집행을 담당하는 이사로 하여금 업무집행상황을 3월에 1회 이상 이사회에 보고하도록 하여(제393조 제4항) 이사회제도를 개선하였으며, ⑥ 주주외의 자에게 신주를 배정하는 경우에는 정관에 의하도록 하되 신기술의 도입, 재무구조의 개선 등 회사의 경영목적상 필요한 경우로 제한함으로써 주주의 신주인수권을 강화하였다(제418조).

---

69) 국회 홈페이지, 〈의안정보시스템〉, 상법중 개정법률안(160586) 제안이유.

나. 주식의 포괄적 교환·이전제도 도입

기존에는 지주회사를 통하여 경제력 집중이 심화된다고 하여 지주회사의 설립이 금지되었으나, IMF사태 이후 기업집단의 소유구조를 단순화할 수 있다는 이유에서 설립이 다시 허용되었다.

이에 맞추어 개정법은 모회사인 완전지주회사의 설립을 용이하게 하기 위하여 그 수단으로서 주식의 포괄적 교환 또는 포괄적 이전제도를 신설하였다. 즉 회사는 주식의 포괄적 교환에 의하여 다른 회사가 발행한 총주식을 소유하는 완전모회사가 될 수 있고(제360조의2~제360조의14), 또 주식의 포괄적 이전에 의하여 완전모회사를 신설할 수도 있게 하여(제360조의15~제360조의23), 기업이 구조조정을 원활하게 할 수 있도록 법제적으로 지원하였다.

다. 1인회사 설립의 인정

1인의 발기인이나 사원으로도 주식회사나 유한회사를 설립할 수 있도록 하고 (제288조, 제543조), 주식회사와 마찬가지로 유한회사의 경우에도 사원이 1인으로 되어도 해산사유에 해당하지 않는 것으로 하였다.

라. 주식매수가액 산정절차의 합리화

주주가 주식매수청구권을 행사함에 있어서 주식의 매수가액은 회사 또는 주식매수를 청구한 주주간의 협의가 이루어지지 아니한 경우, 기존법에서는 회계전문가에 의한 산정을 거친 후 법원에 매수가액 결정을 청구하도록 하였으나, 개정법에서는 곧바로 법원에 매수가액의 결정을 청구할 수 있도록 하였다(제374조의2 제4항, 제5항).

Ⅷ. 2001년 12월의 개정 회사법

1. 개정 경위

국회 법제사법위원회는, "주식회사 및 유한회사의 이사·감사·청산인에 관하여는 그 선임결의 무효의 소 등을 제기하면서 직무집행정지·직무대행자선임 가처분을 신청할 수 있고, 그 명령이 발령된 때에는 이를 등기하도록 규정하고 있으며, 이사와 청산인의 경우에는 가처분명령에서 정함이나 법원의 허가가 있어야만 상무를 벗어난 행위를 할 수 있도록 규정하고 있으나, 합명회사와 합자회사에 관하여는 명문의 규정이 없어 가처분이 허용될 것인가의 여부와 직무대행자의 업무범위를 어떻게 정할 것인가에 대하여 학설과 판례에 맡겨져 왔던 바 이를 정비할 필요성"[70]이 있다고 판단하고 「상법중 개정법률안」을 마련하여 2001년 12월 5일 법제사법위원회안으로 본회의에 회부하였다. 이 법률안은 다음날인 12월 6일 원안 그대로 본회의 가결을 거쳐, 동년 12월 29일 법률 제6545호 「상법중 개정법률」로 공포되어, 2002년 7월 1일부터 시행되었다.

2. 주요 내용

2001년 12월의 상법개정은 제3편(회사)에 한정되었는데, 주식회사 및 유한회사의 이사의 직무집행정지 및 직무대행자 선임규정(제407조, 제567조)과 직무대행자의 권한규정(제408조, 제567조)에 균형을 맞추어 그동안 입법의 무관심 속에 있던 합명회사의 관련규정을 정비한 것에 불과하다. 즉, 개정법은 ① 합명회사 사원의 업무집행을 정지하거나 직무대행자를 선임하는 가처분을 하거나 그 가처분을 변경·취소하는 경우에는 본점 및 지점이 있는 곳의 등기소에서 이를 등기하도록 하고(제183조의2), ② 이 경우의 직무대행자는 가처분명령에 다른 정함이 있는 경우와 법원의 허가를 얻은 경우 외에는 법인의 통상업무에 속하지 아니한 행위를 하지 못함을 규정하였다(제200조의2).

IX. 2009년 1월의 개정 회사법

1. 개정 경위

앞서 살펴본 바와 같이, 1997년 말의 소위 IMF 사태 이후에는 경제 위기상

---

70) 국회 홈페이지, 〈의안정보시스템〉, 상법중 개정법률안(161284) 제안이유.

황에서 IMF 등의 요구를 수용하기 위하여 우리나라 회사법은 1998년과 1999년 및 2001년에 걸쳐 거의 매년이다시피 타의에 의한 개정이 이루어진 바 있었다. 그 후 2005년에 법무부는, 지난 수차의 개정과는 달리 우리나라 회사법을 타의에 의한 아무런 제약 없이 우리의 실정을 잘 반영하고 또한 국제기준에 부합하는 회사법제로 재편하기 위하여, 정동윤 교수를 위원장으로 하는 회사법개정특별분과위원회71)를 구성한 후 회사법 개정안의 작성에 착수하였다. 그리고 법무부는 동 위원회가 마련한 개정안(정부안)을 2007년 9월 제17대 정기국회에 제출하였으나, 이 개정안은 제17대 정기국회에서 처리되지 못하고 국회의원의 임기만료로 자동 폐기되었다. 정부는 2008년에 종래의 개정안을 부분적으로 수정하고 상장회사의 지배구조에 관한 특례규정과 자본금 총액 10억원 미만의 소회사에 관한 특례규정을 추가한 「상법일부 개정법률안」(제1801566호)을 2008년 10월 제18대 국회에 제출하였다.72)

정부가 제출한 회사법 개정안을 국회 법제사법위원회에서 심사한 결과, 이 개정안은 상법 회사편을 전면적으로 개정하는 것이어서 그 내용이 방대하여 공청회를 거치는 등 시간을 두고 심도 있는 심사를 할 필요성이 있지만, 개정안 중 상장회사에 관한 특례부분은 2009년 2월부터 시행되는 「자본시장과 금융투자업에 관한 법률」로 폐지되는 구 증권거래법 제9장 제3절73)의 내용을 반영하는 것으로서 자본시장과 금융투자업에 관한 법률의 시행시기에 맞추어 상법에 포함시켜 법적용의 계속성을 유지하고 회사법제의 완결성을 추구할 필요성이 있다74)고 판단하였다. 그래서 법제사법위원회는 위 개정법률안 중 상장회사의 지배구조에 관한 특례규정만을 발췌하여 상법 내에 신설하는 「상법일부 개정법률안」(제1803424호)을 법제사법위원회안으로 제안하였다.75) 이 개정안은 2009년

---

71) 회사법개정특별분과위원회는 다시 정찬형 교수를 위원장으로 하는 제1소위원회와 김건식 교수를 위원장으로 하는 제2소위원회로 나누어 회사법 개정작업을 하였는데, 제1소위원회는 주식회사의 지배구조·이사(집행임원)의 의무와 책임·주식회사 경영의 IT화·외국회사 등을 주로 담당하였고, 제2소위원회는 회사의 재무관리·새로운 회사형태의 도입 등을 주로 담당하였다. 정찬형, "주제발표(1)," 「상법(회사편) 개정 공청회자료집」(법무부, 2006. 7. 4.), 3면.

72) 정찬형, "주식회사법 개정제안," 「선진상사법률연구」 제49호(법무부, 2010), 2~3면.

73) 상장회사에 적용되는 상법에 관한 각종의 특례규정을 두고 있었다.

74) 국회 홈페이지, 〈의안정보시스템〉, 상법 일부개정법률안(1803424) 제안이유.

75) 구 증권거래법은 제9장 제3절에서 상법에 대한 다수의 특례를 두고 있었다. 외국의 입법례와는 달리 증권거래법에 상법에 대한 특례규정이 다수 포함된 것은 1997년 자본시장육성에 관한 법률이 폐지되면서 그 법의 많은 규정이 증권거래법으로 이관되었기 때문이었다. 증권

1월 8일 원안 그대로 본회의에서 가결되어, 동년 1월 30일 법률 제9362호 「상법일부 개정법률」로 공포되고, 동년 2월 4일부터 시행되었다.

2. 주요 내용

2009년 1월의 회사법 개정에서는, (구)증권거래법 제9장 제3절에서 규정하고 있던 상장법인에 관한 특례규정 중 지배구조에 관한 특례규정만 상법 제3편(회사) 제4장(주식회사)의 제13절에 옮겨 놓았는데, 중요한 내용은 다음과 같다.

가. 주식매수선택권의 행사에 관한 특례

주식매수선택권의 행사와 관련하여, 상장회사의 경우에는 주식매수선택권을 그 회사 외에 관계회사 이사 등에게도 부여할 수 있도록 하고, 범위도 발행주식총수의 100분의 10 이하에서 100분의 20 이하로 확대하며, 주주총회 결의 없이 이사회 결의만으로도 발행주식총수의 100분의 10 이하 범위에서는 주식매수선택권을 부여할 수 있도록 하였다(제542조의3).

나. 주주총회 소집공고 등에 관한 특례

주주총회의 소집공고 방법과 관련하여, 상장회사의 경우에는 일정한 지분율 이하의 소수주주에 대하여는 일간신문에 공고하거나 전자적 방법에 의한 공고로 주주총회 소집통지에 갈음할 수 있도록 하였다(제542조의4).

거래법의 고유영역에 속하지 않는 특례규정을 계속해서 증권거래법에 두는 것이 바람직한지에 관하여 논란이 되어 오던 차에 구 증권거래법 등 자본시장 관련 6개 법률을 통합하는 「자본시장과 금융투자업에 관한 법률」이 제정됨에 따라 동법 부칙 제2조의 규정에 의하여 동법 시행일에 증권거래법은 폐지될 운명에 놓여 있었다. 이 과정에서 구 증권거래법의 상장법인에 관한 특례규정이 「자본시장과 금융투자업에 관한 법률」에 포함되지 않았고, 이 특례규정을 어떠한 형식으로 규정할 것인가에 대하여는 각계에서 다양한 의견이 제안되었고, 상법의 소관부처인 법무부와 자본시장과 금융투자업에 관한 법률의 소관부처인 재경부 사이에도 이견을 보였다. 이러한 사정 속에서 법무부는 상장회사에 관한 특례규정 중 자금조달에 관한 특례규정은 제외하고 지배구조에 관한 특례규정만 상법에 규정하기로 하고 개정법률안을 제안하였다. 임재연, "상장회사 및 소규모회사에 관한 상법개정시안," 「상법 회사편 개정시안 공청회자료집」(법무부, 2007. 9. 5.), 4면; 정경영, "상장법인의 특례규정에 관한 입법적 과제," 「상법3개학회 및 법무부 공동학술대회 자료집 - 상법특례법제정의 법적쟁점과 과제」(2007. 6. 29.), 21~29면.

다. 소수주주권의 행사에 관한 특례

소수주주권의 행사와 관련하여, 상장회사의 경우에는 주주총회 소집청구권과 검사인선임청구권을 위한 소수주주의 지분율을 1천분의 30에서 1천분의 15로 낮추는 한편, 상장회사의 주식을 6개월 이상 보유한 자만 행사할 수 있도록 하였다(제542조의6).

라. 집중투표에 관한 특례

집중투표 청구권의 행사요건과 관련하여, 대통령령으로 정하는 대규모 상장회사에 대하여는 집중투표 청구권의 행사요건을 완화하는 한편, 집중투표를 도입하거나 배제하려는 경우에는 의결권 없는 주식을 제외한 발행주식총수의 100분의 3을 초과하는 주식에 대해서는 의결권을 행사할 수 없도록 하였다(제542조의7).

마. 사외이사의 선임에 관한 특례

사외이사의 선임과 관련하여, 상장회사 중 대통령령으로 정하는 경우를 제외하고는 사외이사가 이사 총수의 4분의 1 이상이 되도록 하고, 대통령령으로 정하는 대규모 상장회사의 사외이사는 3명 이상으로 하되, 이사 총수의 과반수가 되도록 사외이사 설치를 의무화하였다(제542조의8).

바. 주요주주 등 이해관계자의 거래에 관한 특례

상장회사는 주요주주 등 특수관계인을 상대방으로 하거나 그를 위하여 신용공여를 할 수 없도록 하되, 일정한 규모 이하의 거래나 약관 등에 의하여 정형화된 거래는 이사회 승인을 받거나 사후에 주주총회에 보고하도록 하는 방식으로 거래를 할 수 있도록 허용하였다(제542조의9, 제624조의2).

사. 상근감사·감사위원회의 설치에 관한 특례

상장회사의 경우에 감사위원회 위원의 선임·해임권이 주주총회에 있음을 명문으로 규정하고, 선임방식을 일괄선출방식으로 통일하며, 위원 선임시 의결권 없는 주식을 제외한 발행주식총수의 100분의 3을 초과하는 주식에 대하여는 의결권을 제한하였다(제542조의12). 아울러 대통령령으로 정하는 상장회사에 대하여는 1명 이상의 상근감사를 두어야 하고, 대통령령으로 정하는 대규모 상장회사에 대하여는 감사위원회를 의무적으로 설치하도록 하였다(제542조의10, 제542조의11).

X. 2009년 5월의 개정 회사법

1. 개정 경위

2009년 4월 23일 국회 법제사법위원회는, "경제활성화를 위하여 소규모회사의 창업이 용이하도록 회사설립시 자본금의 규모나 설립형태를 불문하고 정관에 대하여 일률적으로 공증인의 인증을 받게 하던 것을 발기설립시 정관에 대한 인증의무를 면제하고, 주주총회의 소집절차를 간소화하는 등 창업절차를 간소화하며, 전자주주명부, 전자문서에 의한 소수주주의 주주총회소집청구를 인정하여 기업경영의 IT화를 실현하는 등 기업활동의 편의를 도모"[76]하려는 데 목적을 두고 「상법일부 개정법률안」(제1804676호)을 제안하였다. 이 개정안의 내용은 2008년 10월 제18대 정기국회에 제출되었던 「상법일부 개정법률안」(제1801566호)의 내용 중 자본금 총액 10억원 미만의 소규모회사에 관한 특례규정과 주주총회의 전자투표제에 규정만 발췌한 것이었다. 이 개정안은 2009년 4월 29일 원안 그대로 국회에서 법률 제9746호 「상법일부 개정법률」로 가결되고, 2009년 5월 28일 공포되이, 2010년 5월 29일부터 시행되었다.

2. 주요 내용

소규모회사의 창업을 용이하게 하고 기업경영의 IT화를 실현하는 등 기업활동의 편의를 도모하려는 데 목적을 둔 2009년 5월의 상법 개정은 제3편(회사)에 한정되었다. 개정의 중요한 내용은 다음과 같다.

---

76) 국회 홈페이지, 〈의안정보시스템〉, 상법일부 개정법률안(1804676) 제안이유.

가. 소규모 주식회사의 발기설립절차의 간소화

기존법에 의하면 주식회사를 설립하는 경우에는 자본금의 규모나 설립 형태를 불문하고 설립등기 시에 첨부하는 정관에 대하여 일률적으로 공증인의 인증을 받도록 강제하고 있어 창업에 불필요한 시간과 비용이 드는 경우가 있었는데, 개정법에서는, 자본금 총액이 10억원 미만인 회사를 발기설립하는 경우에는 창업자들의 신뢰관계를 존중하여 발기인들의 기명날인 또는 서명만 있으면 공증인의 인증이 없더라도 정관에 효력이 발생하도록 하였다(제292조).

그리고 기존법에 의하면 소규모 주식회사를 설립하는 경우에도 금융기관이 발행한 주금납입금 보관증명서를 제출하여야 하는데 그 발급절차가 번거로워 신속한 창업에 지장을 초래하고 있었는데, 개정법은 자본금 10억원 미만인 주식회사를 발기설립하는 경우에는 주금납입금 보관증명서를 금융기관의 잔고증명서로 대체할 수 있도록 허용하여, 주식회사의 발기설립 절차를 간소화시킴으로써(제318조) 소규모 주식회사의 신속한 창업을 가능하게 하였다.

나. 소규모 주식회사의 주주총회 소집절차 간소화

기존법이 가족기업처럼 운영되는 소규모 주식회사에 대하여도 복잡한 주주총회 소집절차를 준수하도록 요구하고 있던 것은 회사의 운영에 과도한 부담으로 작용하고 있었다.

이에 개정법은 소규모 주식회사의 주주총회 소집절차를 간소화하기 위하여, 개정법에서는 자본금이 10억원 미만인 주식회사의 주주총회 소집통지 기간을 10일 전으로 단축하고, 주주 전원이 동의하면 소집절차를 생략할 수 있도록 허용하며, 서면에 의한 주주총회 결의도 허용하여(제363조 제4항, 제5항, 제6항), 소규모 주식회사가 주주총회 개최와 관련된 비용 및 시간을 절약할 수 있게 하였다.

다. 소규모 주식회사의 감사 선임의무 면제

기존법은 회사를 설립하는 경우에는 반드시 감사를 선임하게 하였으나 실제로는 소규모의 가족기업에서는 감사가 그 기능을 제대로 수행하지 못하고 법률상의 장식물에 불과한 경우가 많았다.

이에 맞추어 개정법에서는, 자본금 총액이 10억원 미만인 회사를 설립하는 경우에는 감사 선임 여부를 회사가 임의적으로 선택할 수 있도록 하고, 감사를 선임하지 아니할 경우에는 주주총회가 이사의 업무 및 재산상태에 관하여 직접 감독·감시하도록 하며, 이사와 회사 사이의 소송에서 회사·이사 또는 이해관계인이 법원에 회사를 대표할 자를 선임하여 줄 것을 신청하도록 하여(제409조 제4항, 제5항, 제6항), 소규모 주식회사의 창업과 기관운영의 편의 및 비용절감을 도모할 수 있게 하였다.

라. 주식회사 최저자본금제도의 폐지

주주의 유한책임 하에서 회사채권자를 보호하기 위해서는 주식회사에 최저자본금제도를 둘 필요성이 있다고 보는 것이 종래의 일반적 견해였다. 그러나 근래에 와서는 주식회사의 신용도는 자본금의 규모가 아니라 재무상태로 판단되는 것이므로 자본금의 채권자보호기능의 실효성에 의문이 있고, 현실적으로 채권자 보호에 필요한 최소한도의 금액은 업종별로 차이가 있으므로 일률적으로 최저자본금을 정하는 것은 부적절하며, 특히 아이디어나 기술만을 가진 사람이 주식회사를 설립함에 있어 최저자본금제도는 진입장벽으로 작용함으로써 사회적으로 바람직한 기업활동을 위축할 수 있다는 등 최저자본금제도의 효용에 대해서는 회의론이 다양하게 주장되어 왔다.[77]

이에 소규모 주식회사의 창업활성화를 개정이유로 내건 2009년 5월의 개정법은 상법 제329조 제1항을 삭제함으로써 주식회사의 최저자본금제도를 폐지하였다.

마. 주주총회의 전자투표제 도입

정보통신 환경의 발달로 전자적 방법에 의한 주주총회 개최가 사실상 가능해졌으나, 기존법은 이를 입법적으로 뒷받침하지 못하고 있었다.

이에 개정법은 주주가 현장 주주총회에 출석하지 아니하고도 전자적 방법으로 의결권을 행사할 수 있는 전자투표제를 도입하여(제368조의4), 소수주주의 총

---

77) 권종호, "2006년 회사법 개정시안의 주요 내용," 「상사법연구」 제25권 제2호(한국상사법학회, 2006), 306면; 김건식, "주제발표(2)," 「상법(회사편) 개정 공청회자료집」(법무부, 2006. 7. 4.), 31면; 송옥렬, "자본제도의 개정방향," 「상사법연구」 제28권 제3호(한국상사법학회, 2009), 270면; 최완진, "상법개정의 방향에 관한 고찰," 「외법논집」 제25집(한국외국어대 법학연구소, 2007), 13면.

회 참여를 유도하였다.

XI. 2011년의 개정 회사법

1. 개정 경위

2005년에 구성되어 활동을 시작한 회사법개정특별분과위원회가 마련한 2007년의 회사법개정안이 제17대 정기국회에서 처리되지 못하고 자동폐기된 후, 정부는 이 개정안을 부분적으로 수정하고 상장회사의 지배구조에 관한 특례규정과 자본금 총액 10억원 미만의 소회사에 관한 특례규정을 추가한 「상법일부 개정법률안」(제1801566호)을 2008년 10월 제18대 국회에 다시 제출하였고, 국회는 상장회사의 지배구조에 관한 특례규정만을 발췌하여 2009년 1월의 상법개정으로 그리고 소규모주식회사에 관한 특례규정만을 발췌하여 2009년의 5월의 상법개정으로 처리하였음은 앞에서 소개한 바와 같다.

2009년 5월의 상법개정 이후에도, 2008년 10월에 제안되었던 위의 「상법일부 개정법률안」(제1801566호)에 일부 수정을 가한 국회의원 발의의 개정안이 수차례 제안되었으나, 2011년 3월 초에 개최된 법제사법위원회에서는 이들 모두를 통합한 위원회 대안을 마련하여 국회 본회의에 발의하기로 결정하였다.

이렇게 하여 2011년 3월 10일에는, "기업경영의 투명성과 효율성을 높이기 위하여 자금 및 회계관련 규정을 정비하고, 정보통신 기술을 활용하여 주식·사채(社債)의 전자등록제를 도입하며, 합자조합과 유한책임회사 등 다양한 기업 형태를 도입함으로써 국제적 기준에 부합하는 회사법제로 재편하는 한편, 이사의 자기거래 승인 대상범위를 확대하고 이사의 회사기회 유용금지 조항을 신설하여 기업경영의 투명성을 높임으로써 활발한 투자여건을 조성하고 급변하는 경영환경에 기업이 적절히 대응할 수 있는 법적 기반을 마련하는 것"[78]에 목적을 둔 「상법일부 개정법률안(대안)」(제1811092호)이 본회의에 발의되었고, 이 법률안은 다음날인 3월 11일 본회의 가결을 거쳐, 2011년 4월 14일 법률 제10600호 「상법일부 개정법률」로 공포되고, 2012년 4월 15일부터 시행되었다.

---

78) 국회 홈페이지, 〈의안정보시스템〉, 상법일부 개정법률안(대안)(1811092) 제안이유.

2. 주요 내용

2011년 4월의 상법개정은 제1편(총칙)에 관한 내용도 일부 포함되어 있지만, 대부분은 제3편(회사)에 관한 것이었다. 2011년 4월의 상법개정의 중요한 내용을 제3편(회사)에 한정하여 살펴보면 다음과 같다.

가. 유한책임회사제도의 도입

인적 자산의 중요성이 높아짐에 따라 인적 자산을 적절히 수용(收用)할 수 있도록 공동기업 또는 회사형태를 취하면서 내부적으로는 조합의 실질에 맞게 운영하면서도 외부적으로는 사원의 유한책임이 확보되는 기업 형태에 대한 수요가 늘어났다.[79]

이에 개정법은, 제1편(총칙)에 업무집행조합원과 유한책임조합원으로 구성된 합자조합을 신설하고(제86조의2~제86조의9), 제3편(회사)에는 사원에게 유한책임을 인정하면서도 회사의 설립·운영과 기관 구성 등의 면에서 사적 자치를 폭넓게 인정하는 유한책임회사제도를 신설하였다(제287조의2~제287조의45).

나. 무액면주식제도의 도입

기존법에서는 무액면주식의 발행은 허용하지 않고 액면주식의 발행만 허용하여 왔다. 그러나 액면주식제도하에서는 자본금을 충실하게 하여 채권자를 보호한다는 이유로 액면미달 발행을 엄격히 제한하고 있었기 때문에, 부실기업이 유상증자로 자기자본을 조달할 수 있는 길은 원천적으로 봉쇄되어 있었다.[80]

이를 보완하기 위하여 개정법은 회사 자본조달의 편의를 위하여 기존의 액면주식제도 외에 무액면주식제도를 새로이 도입하여, 회사가 액면주식과 무액면주식 중에서 한 종류를 선택하여 발행할 수 있도록 회사에 선택권을 부여하였다(제291조, 제329조 및 제546조).

---

79) 정대익, "상법개정안상 새로운 기업유형에 대한 검토," 「상사법연구」 제28권 제3호(한국상사법학회, 2009), 81면; 안경봉, "합자조합, 유한책임회사의 도입과 법적 문제점," 「상사법연구」 제25권 제4호(한국상사법학회, 2007), 151면.

80) 김건식, 전게 "주제발표(2)," 33면; 안상현, "개정상법상 무액면주식의 도입," 「BFL」 제51호(서울대학교 금융법센터, 2012), 87면; 양동석·서성호, "주식회사 자본관련제도 개선에 관한 연구," 「기업법연구」 제21권 제3호(한국기업법학회, 2007), 178면.

다. 자기주식 취득의 허용

회사의 자기주식 취득은 위험성과 편의성의 이중성을 지니고 있다는 기본적 인식하에 기존법은 자기주식의 취득을 원칙적으로 제한하고 예외적으로만 허용하여왔다. 그러나 최근 자기주식 취득의 경제적 본질은 이익배당과 마찬가지로 회사의 재산을 주주에게 반환하는 한 방법에 불과하기 때문에 이익배당이 허용되는 이상 배당가능이익을 재원으로 하는 자기주식의 취득이 금지되어야 할 이유가 없다는 점이 강조되어지기 시작하였다.[81]

이에 개정법에서는 이익배당의 효과를 가지는 자기주식 취득을 허용하여 자기주식취득의 요건이나 결정권한을 이익배당과 동일하게 맞추고(제341조), 특별한 목적에 의한 자기주식 취득제도는 종래대로 유지하되(제341조의2), 주식소각 목적에 의한 취득과 주식매수선택권 부여를 위한 취득은 폐지하였다. 그리고 기존법에서는 자기주식 취득을 예외적인 현상으로 보고 지체없이 처분하도록 하였으나, 개정법에서는 (형식상으로는) 이를 보유할 수 있도록 하면서 그 처분은 이사회가 재량으로 정하도록 하였다(제342조).

라. 종류주식의 다양화

기존법에서는 종류주식으로 이익배당이나 이자지급 또는 잔여재산의 분배에 관하여 내용이 우선주·보통주·후배주의 발행이 인정되고 있었지만, 실제로 기업이 이용 가능한 종류주식은 이익배당을 우선적으로 받을 수 있는 주식 즉 이익배당우선주 하나뿐이었기 때문에, 기업측에서 보면 그만큼 자금조달에 제한을 받고 있었다.[82] 그리고 기존법은 이익배당우선주를 발행하는 경우에는 정관으로 최저배당률을 정하게 되어 있었는데, 최저배당률을 높게 정하고 있는 회사의 경

---

81) 송옥렬, "개정상법상 자기주식취득과 주식소각," 「BFL」 제51호(서울대학교 금융법센터, 2012), 116~117면.

82) 권종호, "2006년 회사법 개정시안의 주요 내용," 「상사법연구」 제25권 제2호(한국상사법학회, 2006), 316면; 김순석, "주식제도의 개선," 「상사법연구」 제28권 제3호(한국상사법학회, 2009), 134면; 박세화, "주식회사 자금조달의 활성화를 위한 새로운 주식 제도," 「상사법연구」 제24권 제3호(한국상사법학회, 2005), 185~190면; 박철영, "종류주식의 활용과 법적 과제," 「기업법연구」 제25권 제4호(한국기업법학회, 2011), 9면; 양만식, "종류주식의 다양화가 기업지배에 미치는 영향," 「상사법연구」 제30권 제2호(한국상사법학회, 2011), 38면; 정수용·김광복, "개정상법상 종류주식의 다양화," 「BFL」 제51호(서울대학교 금융법센터, 2012), 98면.

우에는 저금리 상황하에서는 우선주 발행이 불가능하다는 문제가 있었다.

이러한 문제점을 개선하기 위하여 개정법은 기존에 인정되고 있는 종류주식 중 이익배당과 잔여재산분배에 관한 종류주식(제344조의2)은 남겨 두고, 건설이 자배당에 관한 종류주식은 종류주식에서 제외하였다. 그리고 새로이 「의결권의 배제 · 제한에 관한 종류주식」 즉 의결권이 없는 종류의 주식 또는 정관이 정하는 사항에 관하여 의결권이 없는 종류의 주식(제344조의3)을 추가하고, 여기다가 종래 종류주식에 포함되지 않았던 특수한 주식으로서의 상환주식과 전환주식을 「주식의 상환에 관한 종류주식」(제345조)과 「주식의 전환에 관한 종류주식」(제346조)으로 하여 종류주식에 포함시켰다.

마. 주식 · 사채 · 신주인수권의 전자등록제 도입

IT기술의 발달과 유가증권 무권화의 추세에 따라 주권 · 채권 · 신주인수권 증권을 실물로 직접 발행하는 대신에 전자등록기관의 전자등록부에 등록하여 주권 · 채권 · 신주인수권을 소지하지 않고도 권리의 양도, 입질 및 권리행사를 가능하도록 하면 실물증권의 발행과 유통에 따른 비용을 줄이고 기업과 증권시장의 효율성을 높일 수도 있다. 그리고 유가증권의 전자등록제도의 도입은 세계적인 추세이기도 하였다.[83]

개정법은 회사의 정관으로 정하는 바에 따라 전자등록기관의 전자등록부에 주식이나 사채를 등록할 수 있고 이 경우 전자등록부를 주주명부 또는 사채원부로 간주하며, 또한 회사는 신주인수권증권을 발행하는 대신 전자등록부에 신주인수권을 등록할 수 있게 하는 회사법상 유가증권의 전자등록제도를 도입하였다. 그리고 개정법은 전자등록부에 등록된 주식이나 사채 또는 신주인수권의 양도나 입질은 전자등록부에 등록하여야 효력이 발생하고, 전자등록부에 주식이나 사채 또는 신주인수권을 등록한 자는 그 주식이나 사채 또는 신주인수권을 적법하게 소유한 것으로 추정한다고 하였다(제356조의2, 제420조의4, 제478조 제3항).

---

83) 정경영, "IT화 관련 회사법 개정의견," 「상사법연구」 제24권 제2호(한국상사법학회, 2005), 261~263면; 정완용, "회사법의 IT화 관련 개정사항에 관한 고찰," 「상사법연구」 제25권 제2호(한국상사법학회, 2006), 211면; 심인숙, "주식 및 사채의 전자등록제 도입에 관한 상법 개정안 고찰," 「상사법연구」 제28권 제3호(한국상사법학회, 2005), 216면.

바. 소수주식의 강제매수제도 도입

특정주주가 주식의 대부분을 보유하는 경우에는 회사법이 상정하는 정상적인 동업관계를 유지하지 어렵고, 회사로서는 주주총회의 운영 등과 관련하여 소수주주의 관리비용이 들고, 소수주주로서는 정상적인 출자회수의 길이 막히기 때문에, 대주주나 소수주주 모두에게 그 동업관계를 해소할 수 있는 길을 열어 줄 필요가 있었다.[84]

이에 개정법은 지배주주가 발행주식총수의 95% 이상을 보유하는 경우에는 공정한 가격을 지불하고 소수주주의 주식을 강제로 매수할 수 있도록 하는 한편, 소수주주도 지배주주에게 강제로 주식을 매도할 수 있도록 하였다(제360조의24~제360조의26).

사. 사업기회 유용금지제도 도입

상법상의 이사의 경업금지와 이사와 회사 간의 거래금지에 관한 규정만으로는 대표이사나 지배주주가 회사의 사업기회를 유용하여 지배력을 강화하거나 경영권을 승계하는 방법으로 악용하는 사례에 효율적으로 대처할 수 없었다. 그리고 기존법이 이사에게 추상적이고 포괄적인 내용의 충실의무를 부과하는 규정을 두고 있었으나, 그 개념의 모호성으로 이사가 회사의 사업기회를 유용하여도 충실의무 위반으로 책임을 물은 사례 또한 없었다.[85]

이에 맞추어 개정법은, 이사가 직무상 알게 된 회사의 정보를 이용하여 개인적인 이익을 취득하는 행위를 규제할 목적으로, '이사가 직무를 수행하는 과정에서 알게 되거나 회사의 정보를 이용한 사업기회' 또는 '회사가 수행하고 있거나 장래 수행할 사업과 밀접한 관계가 있는 사업기회'를 자기 또는 제3자의 이익을

---

84) 정동윤 감수, 「상법 회사편 해설」(법무부, 2012), 178면; 김효신, "소수주주축출제도의 도입 방안에 관한 연구," 「선진상사법률연구」 제50호(법무부, 2010), 41면; 서완석, "상법상 소수주주 축출제도," 「상사법연구」 제30권 제2호(한국상사법학회, 2011), 388~399면; 송종준, "소수주식 전부취득제의 입법의도와 해석방향," 「기업법연구」 제26권 제1호(한국기업법학회, 2012), 79면; 이병기, "개정상법상 지배주주에 의한 소수주식의 전부취득," 「BFL」 제51호(서울대학교 금융법센터, 2012), 124면.

85) 김홍기, "회사기회의 법리와 우리나라의 해석론, 입법방안에 대한 제안," 「상사판례연구」(한국상사판례학회, 2008), 119~120면; 장재영·정준혁, "개정상법상 회사기회유용의 금지," 「BFL」 제51호(서울대학교 금융법센터, 2012), 33면; 천경훈, "개정상법상 회사기회유용 금지규정의 해석론 연구," 「상사법연구」 제30권 제2호(한국상사법학회, 2011), 178~182면.

위하여 이용하고자 하는 경우에는 이사회에서 이사 3분의 2 이상 찬성으로 승인을 받아야 하고, 이에 위반하여 손해를 발생시킨 이사 및 승인한 이사는 연대하여 손해를 배상할 책임이 있으며, 이로 인하여 이사 또는 제3자가 얻은 이익은 회사의 손해로 추정한다고 규정하였다(제397조의2).

아. 이사의 자기거래 승인대상 확대

기존법상 이사의 자기거래 승인 대상은 이사가 회사와 거래하는 경우로 한정되어 있었기 때문에, 이사가 배우자나 직계존비속 또는 그들의 개인회사를 내세워 회사와 거래를 하는 경우는 실질상으로는 이사의 자기거래에 해당하나 형식상으로는 이에 해당하지 않는 거래가 되어 규제의 대상에서 제외되어 있었으므로, 이사의 이러한 사익추구를 위한 탈법적 거래를 규제할 필요성이 있었다.[86]

개정법은 이사회 승인대상범위를 이사의 배우자 등 주변 인물이나 주요주주와 회사의 거래에까지 확대하고, 이사회 정족수 요건을 강화하였다. 또한 이사의 자기거래에는 이사회의 사후추인을 불허하며, 이사의 사전정보 개시의무를 명시하고, 거래의 공정성 요건도 추가하였다(제398조).

자. 이사의 책임 감경

유능한 경영인을 쉽게 영입하여 보다 적극적인 경영을 할 수 있도록 하기 위하여 이사의 회사에 대한 책임을 완화할 필요성이 있으나, 기존법은 총주주의 동의로만 이사의 책임을 면제할 수 있도록 하고 있어(제400조) 실질적으로는 책임면제를 인정하지 않는 것과 같았기 때문에 이를 보완할 필요성이 있었다.[87]

개정법은 기존법의 내용에 추가하여, 이사의 고의·중과실로 인한 경우와 경업금지·회사기회유용금지·자기거래금지에 관한 규정(제397조, 제397조의2, 제398조)을 위반한 경우를 제외하고는, 이사의 회사에 대한 책임을 이사의 최근 1년간의 보수액의 6배(사외이사는 3배) 이내로 제한하고 이를 초과하는 금액에 대하여는 면제할 수 있도록 하여, 이사의 책임제도를 개선하였다(제400조 제2항).

---

86) 정동윤 감수, 「상법 회사편 해설」(법무부, 2012), 228면; 홍복기, "주식회사의 지배구조에 관한 2006년 회사법 개정시안," 「상사법연구」 제25권 제2호(한국상사법학회, 2006), 178~179면.

87) 권재열, "상법 개정안상 이사의 의무와 책임규정에 관한 비판적 검토," 「상사법연구」 제28권 제3호(한국상사법학회, 2009), 196~197면; 홍복기, 전게논문, 182~183면.

차. 집행임원제도 도입

기존법하에서도 대부분의 금융기관과 대규모 상장회사의 경우에는 회사의 내규나 정관에 규정을 두고 집행임원제도를 활용하여왔으나, 이러한 회사의 회사 내규 등에서도 집행임원의 선임에 관하여만 규정하였고 그의 지위·직무·책임에 대하여는 명확하게 규정하지 아니하여 집행임원의 지위·책임 등과 관련하여 법률상의 다툼이 있어 왔고,[88] 이러한 현실을 반영하여 집행임원을 법률상의 제도로 규정하여야 한다는 주장 또한 꾸준히 제기되어 왔다.[89]

개정법은 이사회의 감독하에 회사의 업무집행을 전담하는 기관인 집행임원에 대한 근거 규정을 마련하되 제도의 도입 여부는 개별 회사가 자율적으로 선택할 수 있도록 하면서(제408조의2 제1항), 집행임원의 회사 및 제3자에 대한 책임구조는 이사의 책임구조와 같게 하고(제408조의8), 집행임원에 대하여는 상법상 이사에 관한 규정이 대부분 준용되도록 하였다(제408조의9).

카. 상법상 회계 관련 규정과 기업회계기준의 조화

근래 기업회계기준은 국제적인 회계규범의 변화에 맞추어 꾸준히 변모하고 있으나 상법의 회계규정은 이를 제대로 반영하지 못하여 기업회계기준과 상법의 회계규정 사이에 상당한 차이가 있었다. 그리고 오늘날의 자본시장은 어느 한 나라에 국한되는 것이 아니라 국경을 넘어 글로벌화 되는 추세에 있고 따라서 국제적으로 단일·통합된 회계처리기준의 등장이 절실하게 되었다.[90]

이에 개정법은 회사의 회계는 일반적으로 공정·타당한 회계관행에 따르도록

---

88) 대법원 2003.9.26. 2002다64681; 2005.5.27. 2005두524 등.

89) 집행임원제도의 도입찬성론으로는 강희갑, "집행임원제도의 도입과 기업환경,"「상사법연구」 제25권 제4호(한국상사법학회, 2007); 김문재, "비등기임원의 법적 지위,"「상사판례연구」 제16집(한국상사판례학회, 2004); 정찬형, "한국 주식회사에서의 집행임원에 관한 연구,"「고려법학」 제43호(고려대학교 법학연구원, 2004); 홍복기, "주식회사의 지배구조에 관한 2006년 회사법 개정시안,"「상사법연구」 제25권 제2호(한국상사법학회, 2006) 등이 있다. 도입비판론으로는 최완진, "상법개정의 방향에 관한 고찰,"「외법논집」 제25집(한국외국어대 법학연구소, 2007); 최준선, "2006년 회사법개정안의 논점,"「기업법연구」 제20권 제4호 (한국기업법학회, 2006); 최준선, 전게서, 594면 등이 있다.

90) 권기율,「상법 일부개정법률안 검토보고(회사편)」(국회 법제사법위원회, 2008), 86~87면; 심영, "우리나라 회사회계제도의 현황과 발전방향,"「상사법연구」 제28권 제3호(한국상사법 학회, 2009), 369면; 양기진, "개정상법과 국제회계기준의 조화문제,"「상사법연구」 제30권 제2호(한국상사법학회, 2011), 106면.

원칙 규정을 신설(제446조의2)하는 한편, 구체적인 회계처리에 관한 규정들 즉 기존법 제452조(자산의 평가방법), 제453조(창업비의 계상), 제453조의2(개업비의 계상), 제454조(신주발행비용의 계상), 제455조(액면미달금액의 계상), 제457조(건설이자의 계상), 제457조의2(연구개발비의 계상)는 삭제하고, 상법에서는 대차대조표와 손익계산서만을 규정하고 그 밖의 회계서류는 대통령령에서 정하도록 위임함(제447조)으로써 국제적인 회계규범의 변화에 신속하게 대응하도록 하였다.

타. 법정준비금제도의 개선

기존법에서는 주식발행초과금, 감자차익금 등을 자본준비금이라고 하여 구체적으로 열거하고 있었으나(제459조), 열거하고 있는 자본준비금의 항목이 기업회계기준에 따라 실제로 이용되고 있는 회계장부상의 자본잉여금 항목과 일치하지 않았다. 또한 자본준비금의 종류를 구체적으로 열거하고 있는 것은 변화하는 회계 관행에 신속히 대응하기 위하여 법률에 구체적인 회계규정을 두지 않는 세계적 추세와도 맞지 않았다. 그리고 현실적으로 법정준비금의 채권자 보호 역할이 감소되었을 뿐만 아니라 기존 상법에서는 이익준비금의 적립한도가 주요 선진국에 비하여 지나치게 높게 설정되어 있었고, 자본준비금은 한도 없이 계속 적립하게 되어 있어 그 용도와 무관하게 과도한 적립이 이루어질 수 있는 등 법정준비금의 운용이 지나치게 경직되어 있었다.[91] 또한 기존법 제460조에서는 법정준비금을 자본의 결손전보에만 충당하도록 하고 그 외에는 이를 처분하지 못한다고 규정하였으나, 제461조에서는 법정준비금을 자본에 전입할 수 있다고 규정함으로써 논리적인 모순도 범하고 있었다.[92]

이에 개정법은 ① 사본순비금으로 적립하여야 할 종류를 상법에서 구체적으로 열거하지 아니하고 대통령령으로 정하는 바에 따라 규정하도록 위임하였고(제459조 제1항), ② 현금배당을 하는 경우에는 당해 결산기의 이익배당액의 1/10 이상을 이익준비금을 적립한 후 배당가능이익을 정하여야 하나, 현금의 사외유출을 수반하지 않는 주식배당을 하는 경우에는 당해 결산기의 이익준비금의 적립을 강요할 필요가 없으므로 이를 이익준비금 적립대상에서 제외하고 배당가

---

91) 김건식, 전게 "주제발표(2)," 41면; 송종준, "회사법상 회계관련규정의 개정 및 새로운 제도의 도입," 「상사법연구」 제25권 제2호(한국상사법학회, 2006), 269면.
92) 권기율, 전게논문, 95~96면; 이형규, "상법 중 회사편(일반)에 대한 개정의견," 「상사법연구」 제24권 제2호(한국상사법학회, 2005) 206면.

능이익을 정할 수 있도록 하였고(제458조 단서), ③ 법정준비금을 자본결손전보에 충당할 때 이익준비금과 자본준비금의 차례로 사용할 수 있도록 순서를 정하고 있던 기존법 제460조 제2항을 폐지하여 준비금의 운용을 유연화하였다. 그리고 ④ 자본금의 150퍼센트를 초과하는 법정준비금에 대하여는 주주총회의 결의에 따라 법정준비금을 감액하여 배당 등의 용도로 사용할 수 있도록 허용하였다 (제460조, 제461조의2).

파. 이익배당제도 개선

기존법에서는 배당액의 결정은 정기주주총회에서만 할 수 있었으므로 배당기준일인 사업연도 말일부터 정기주주총회까지는 배당액이 확정되지 아니하여 투자자들이 주식가치를 판단하는 데 어려움이 있었다.[93] 이에 개정법은 재무제표를 이사회의 결의로 확정하는 회사의 경우(제449조의2)에는 이익배당도 이사회의 결의로 가능할 수 있게 허용함으로써(제462조 제2항), 회사의 자금조달을 결정하는 기관인 이사회가 이익배당도 결정할 수 있게 되어 자금운용의 통일성을 기할 수 있게 되었다.

그리고 기존법에서 명문의 규정으로 제한하고 있지는 않았으나 통설은 주식배당 이외의 현물배당은 허용하지 않는다고 보고 있었고 또한 이것이 실무관행이기도 하였다. 그러나 회사가 보유하고 있는 그 회사의 주식, 자회사의 주식, 사채, 옵션 등과 같은 현물을 배당할 수 없는 데서 오는 불편함이 컸다. 이에 개정법은 금전배당 외에 현물배당도 허용함으로써(제462조의4) 이러한 불편을 해소하였음은 물론이고 배당에 관한 선택의 폭을 넓힘으로써 재무관리에 대한 회사의 자율성도 높였다.

하. 사채제도의 개선

기존법에서 사채의 발행한도를 제한한 것은 비현실적이고, 법에서 허용하는 사채 종류가 지나치게 제한적이며, 수탁회사에 의한 사채관리제도는 이론상으로도 문제가 있고 사채권자 보호에도 미흡하다는 지적이 있어 왔다.[94]

---

93) 김건식 외 6인, 「21세기 회사법개정의 논리」(소화, 2007), 248면; 정동윤 감수, 전게서, 337면; 송종준, 전게논문, 261면.
94) 김순석, "주식회사 법정준비금제도의 재검토," 「상사법연구」 제23권 제3호(한국상사법학회,

이에 개정법은 사채의 발행총액·사채의 모집·사채의 금액·권맨액의 초과상환 등 사채발행에 대한 제한 규정을 폐지하고(제470조~제473조 삭제), 이익배당참가부사채 등 다양한 형태의 사채를 발행할 수 있는 법적 근거를 마련하였으며(제469조 제2항), 수탁회사의 권한 중 사채관리에 관한 부분을 분리하여 사채관리회사가 담당하도록 하였다(제480조의2, 제480조의3 신설). 그리고 개정법은 사채권자집회도 개선하여, 법원의 허가 없이도 사채권자집회를 개최할 수 있게 하였고(제490조), 의결권의 산정은 잔존채권액에 따라 의결권을 가지는 것으로 하였으며(제492조), 사채권자집회에도 서면투표제도를 도입하였다(제495조).

히. 합병대가의 유연화와 소규모합병 요건의 확대

기존법은 흡수합병 시에 존속회사는 합병의 대가로서 소멸회사의 주주에게 존속회사 주식을 주는 것을 원칙으로 하고, 예외적으로 합병비율을 조정하거나 소멸회사의 최종영업연도의 배당에 대신하기 위한 경우에 한정하여 현금교부가 허용된다고 보고 있었다. 그러나 이러한 합병대가의 지급방법으로는 소규모 흡수합병의 경우에 실효성이 거의 없었다.[95]

이에 개정법은 회사의 합병 시에 소멸회사의 주주에게 그 대가의 전부를 금전이나 그 밖의 재산을 제공할 수 있도록 허용하고(제523조 제4호), 특히 소멸회사의 주주에게 제공하는 재산이 존속회사의 모회사주식인 경우에는 그 지급을 위하여 모회사주식 취득을 허용하였다(제523조의2). 그리고 개정법은 주주총회 대신 이사회의 승인으로 가능한 소규모합병의 요건을 합병 후 존속하는 회사가 합병으로 인하여 발행하는 신주의 총수기준을 5%에서 10%로 완화하고, 이사회의 승인만으로 가능한 합병교부금 지급가능 기준도 순자산액의 2%에서 5%로 완화하였다(제527조의3 제1항).

2004), 350~354면; 손영화, "상법상 자본제도의 개선방안," 「상사법연구」 제25권 제2호(한국상사법학회, 2006), 390~392면; 윤영신, "상법개정안과 사채제도의 개선방향," 「상사법연구」 제28권 제3호(한국상사법학회, 2009), 309면; 이형규, "상법 중 회사편(일반)에 대한 개정의견," 「상사법연구」 제24권 제2호(한국상사법학회, 2005), 208면.

95) 권기율, 전게논문, 119면; 문호준·이승환, "개정상법상 합병대가의 유연화와 현물배당," 「BFL」 제51호(서울대학교 금융법센터, 2012), 151~153면.

후. 유한회사에 대한 각종 제한 규정 철폐

기존법에서 유한회사에 관한 규정은 폐쇄적으로 운영되는 소규모 기업을 전제로 한 것이었으나, 이 폐쇄적 운영을 위한 규정들은 유한회사에 대한 각종 제한으로 비춰져 유한회사제도의 이용에 장애요소로 작용하고 있었다.

이에 개정법은 유한회사의 사원 총수의 제한에 관한 규정(제545조)을 삭제하고, 유한회사 사원의 지분 양도를 원칙적으로 자유롭게 하되 정관으로 지분 양도를 제한할 수 있도록 하였다(제556조). 또한 사원총회의 소집방법으로 서면에 의한 통지 외에도 각 사원의 동의를 받아 전자문서로 통지를 발송할 수 있도록 하고(제571조), 유한회사를 주식회사로 조직을 변경하는 사원총회의 결의요건을 정관에서 완화할 수 있도록 하였다(제607조).

3. 특   색

2011년의 회사법 개정은 1962년 대한민국 상법이 제정된 이래 가장 많은 사항을 개정한 것으로, '개정의 형식을 빌리고 있지만 실질적으로는 회사법을 제정하는 수준'이라는 평가를 받을 정도의 대개정이었다. 2011년의 개정에서 유한책임회사제도와 무액면주식제도 그리고 집행임원제도를 새로이 도입하고, 주식회사의 설립절차를 대폭 간소화하고, 종류주식을 다양화하였으며, 자기주식취득을 원칙적으로 자유화하고, 이익배당제도를 현대화하고, 준비금제도를 합리화하였으며, 그리고 자본금제도의 개선·기업회계기준과의 조화를 꾀하는 회계제도의 개선·교부금합병과 삼각합병의 인정 등으로 합병제도를 개선한 것은 획기적이었다. 그리고 2011년의 회사법 개정에서는 기업의 자율성을 최대한 보장하려는 데 입법정책적 기조를 두고 있는 미국 회사법과 많은 부분에서 보조를 맞춘 내용이 많았다.

XII. 2014년 5월의 개정 회사법

1. 개정 경위

　무기명주식이란 주주의 성명이 주권과 주주명부에 기재되지 않는 주식을 말하는데, 우리나라에서는 제정상법에서부터 인정하여왔다. 그러나 무기명주식은 그동안 발행된 사례를 거의 찾아보기 힘들어 기업의 자본조달에 기여하지 못하였고, 발행되었다고 하더라도 소유자 파악이 곤란하여 양도세 회피 등 과세사각지대를 발생케 할 우려가 있으며, 또한 조세 및 기업 소유구조의 투명성 결여로 인하여 국가의 대외신인도를 저하시키는 원인이 될 수 있다는 문제점을 지니고 있었다. 그리고 프랑스, 일본, 미국, 독일 등 주요 선진국들이 위와 같은 문제점을 인식하여 무기명주식 제도를 폐지하는 추세임을 감안하면, 우리나라도 무기명주식제도를 더 이상 유지할 실익이 없다는 지적을 받아왔다.[96]

　이와 같은 상황 속에서, 무기명주식 제도를 폐지하고 주식을 기명주식으로 일원화하여 조세 및 기업 소유구조의 투명성 제고를 위한 법적 기반을 마련할 목적으로 「상법일부 개정법률안」(제1910349호)이 2014년 1월 일부 의원의 발의로 제안되었고, 2014년 4월 29일 국회의 의결을 거쳐 동년 5월 20일 법률 제12591호 「상법중 개정법률」로 공포·시행되었다.

2. 주요 내용(무기명주식제도의 폐지)

　무기명주식제도를 폐지함에 따라 기존법상의, 무기명식 주권의 발행에 관한 제357조, 무기명 주주의 권리행사방법에 관한 제358조, 무기명주식의 주식병합 시 단주의 처리에 관한 제444조를 삭제하였다. 그리고 기명주식의 특유성 때문에 기명주식제도에만 적용될 것이 예정되어 있던 제337조, 제338조, 제352조, 제358조의2 중에 있던 '기명주식'을 '주식'으로 변경하였다. 또한 무기명식 주주에 대한 특유한 공시방법인 '공고'가 불필요하게 됨에 따라, 주주총회의 소집에

---

96) 국회 홈페이지, 〈의안정보시스템〉, 상법일부 개정법률안(1910349) 제안이유.

관한 제363조나 주주제안권의 행사에 관한 제363조의2 제2항 그리고 전자적 방법에 의한 의결권의 행사에 관한 제368조의4 제2항 등의 규정에 있는 '통지와 공고'는 '통지'로, '(소집)통지 또는 공고'는 '공고'로, '통지하거나 공고하여야'는 '통지하여야'로 변경하였다.

XⅢ. 2015년의 개정 회사법

1. 개정 경위

정부는 M&A 활성화를 위한 개선과제를 추진하기로 하고, 2014년 3월 28일 법무부 내에 최준선 교수를 위원장으로 하는 상법회사법특별분과위원회를 발족하여 개정시안을 마련한 후 입법예고 등 소정의 절차를 경유하여, "기업 인수·합병 시장의 확대 및 경제 활성화를 도모하기 위하여 기업의 원활한 구조 조정 및 투자 활동이 가능하도록 다양한 형태의 기업 인수·합병 방식을 도입하는 한편, 반대주주의 주식매수청구권 제도를 정비하는 등 현행 제도의 운영상 나타난 일부 미비점을 개선·보완하는 것"[97]에 목적을 둔 「상법일부 개정법률안」 (제1912002호)을 마련하여 2014년 10월 6일 국회에 제안하였다. 이 개정안은 2015년 11월 12일 국회의 의결을 거쳐 동년 12월 1일 법률 제13523호 「상법일부 개정법률」로 공포되고, 2016년 3월 2일부터 시행되었다.

2. 주요 내용 및 특색

2015년 개정법의 주요한 내용은 삼각재편제도에 속하는 삼각주식교환과 역삼각합병 및 삼각분할합병 제도의 도입, 반대주주의 주식매수청구권 제도의 정비, 소규모 주식교환 요건의 완화, 간이한 영업의 양도·양수 및 임대 제도의 도입, 회사의 분할·합병 관련 규정의 정비 등이다.

---

97) 국회 홈페이지, 〈의안정보시스템〉, 상법일부 개정법률안(11912002) 제안이유.

가. 삼각주식교환 및 삼각분할합병 제도의 도입

2011년 개정 이전의 법에서는 흡수합병시 합병의 대가로서 존속회사는 소멸회사의 주주에게 존속회사의 신주를 발행하여 교부하는 것을 원칙으로 하고, 예외적으로 합병비율을 조정하거나 소멸회사의 최종영업연도의 배당에 대신하기 위한 경우에 국한하여 현금 교부가 허용되었다. 그러나 이와 같은 내용의 합병대가 지급방법으로는 소규모 흡수합병의 경우에는 실효성이 없었다. 이에 2011년의 개정법은 흡수합병 시 소멸회사의 주주에게 그 대가의 전부 또는 일부를 금전이나 그 밖의 재산을 제공할 수 있도록 허용하였다. 특히 소멸회사의 주주에게 제공하는 재산이 존속회사의 모회사 주식인 경우에는 그 지급을 위하여 모회사 주식의 취득을 허용함으로써 삼각합병이 가능하도록 하였다. 그런데 회사가 조직재편 시에 신주를 발행하지 않고 이미 취득한 모회사의 주식을 대가로 지급하는 방식은 흡수합병 이외의 경우에도 요구되는 바이었다.

이러한 요구를 수용하여 2015년의 개정법에서는, ① 주식의 포괄적 교환 시에 모회사 주식을 지급할 수 있도록 하는 삼각주식교환제도를 도입하여 삼각주식교환을 통하여 역삼각합병도 가능하도록 하였으며, ② 회사 분할합병 시에도 분할회사의 주주에게 모회사 주식의 지급을 허용함으로써 삼각분할합병도 가능하도록 하였다(제360조의3, 제530조의6 등). 이로써 개정법은 자회사를 활용한 삼각조직재편제도인 삼각합병·삼각주식교환·삼각분할합병을 모두 마련함으로써 기업 인수 합병에 대한 경제적 수요를 보다 원활히 뒷받침할 수 있게 되었다.

나. 반대주주의 주식매수청구권 제도의 정비

회사 합병 등과 관련하여 주주총회의 결의에 반대하는 주주에게 주식매수청구권을 인정할 때 의결권이 없거나 제한되는 종류주식을 소유하고 있는 주주도 포함되는가에 대하여 상법은 명문의 규정을 두고 있지 아니하였지만, 자본시장과 금융투자업에 관한 법률 제165조의5 제1항에서는 의결권이 없거나 제한되는 종류주식의 주주도 주식매수청구권을 행사할 수 있는 것으로 규정하고 있었다. 통설은 상장회사와 비상장회사를 불문하고 의결권이 없거나 제한되는 주식을 소유하고 있는 주주에게도 주식매수청구권을 인정하여야 하는 것으로 해석하고 있었다.

그러나 상법상 명문 규정의 흠결로 인하여 비상장 주식회사의 기업 인수·합병 과정에서 의결권이 없거나 제한되는 주식을 가진 주주에게도 주식매수청구권을 인정하여야 하는지의 여부를 두고 법적 혼란은 해소되지 않고 있었다.

이와 같은 혼란을 해소하기 위하여 2015년 개정법은, ① 주식교환이나 영업양도 등에 반대하여 주식매수청구권을 행사할 수 있는 주주에는 '의결권이 없거나 제한되는 주주를 포함한다.'는 내용을 명문으로 규정하였다(제360조의5 제1항). 그리고 ② 기존법에서는 주식매수청구권의 행사에 따른 회사의 매수의무 발생시점을 '주주로부터 매수청구를 받은 날'로 정하고 있었기 때문에 주식매수청구권을 행사한 주주 별로 회사의 매수의무 기간이 달라진다는 문제점[98]을 지니고 있었는데, 개정법에서는 회사의 매수의무 발생시점을 '주주총회 결의일로부터 20일이 경과한 날'로 변경함으로써 회사의 매수의무 기간이 해당 주주 모두에게 통일적으로 적용할 수 있게 되었다(제374조의2 등).

다. 소규모 주식교환의 요건 완화 등

2011년의 회사법 개정 시 소규모 합병의 요건은 완화되었다. 그러나 경제적 기능과 효과가 소규모 합병과 실질적으로 동일한 소규모 주식교환의 요건은 그대로 유지되고 있어 소규모 주식교환을 활용하는 데 어려움이 있었다. 그리고 소규모 합병이나 소규모 주식교환의 경우 신주를 발행하는 대신 자기주식을 교부하는 것이 가능한가에 대해서 상법은 명확히 규정하고 있지 아니하여 실무상 혼란이 있었다.

이를 해소하기 위하여 2015년 개정법은, ① 소규모 합병과 소규모 주식교환의 요건을 동일하게 정하고, 동시에 ② 소규모 합병이나 소규모 주식교환의 경우 모두 신주발행과 자기주식의 교부가 가능하도록 함으로써(제360조의10 제1항, 제527조의3 제1항 등) 기업 인수 및 합병 거래의 안정성을 도모하였다.

라. 간이한 영업의 양도·양수·임대 등의 도입

영업의 양도나 양수 및 임대 등 상법 제374조 제1항 각호의 어느 하나에 해당하는 행위를 하려는 회사의 총주주의 동의가 있거나, 주식 90퍼센트 이상을

---

98) 강희주, "2015년 개정 상법의 주요 내용과 기업의 실무 대응," 「상사법연구」 제35권 제2호 (한국상사법학회, 2016), 286면.

그 행위의 상대방이 소유하고 있는 경우에는 그 행위를 하려는 회사의 주주총회 승인은 이사회의 승인으로 갈음할 수 있는 제도를 도입함으로써(제374조의3 신설), 기업구조 재편에 효율성과 유연성을 부여하였다.

마. 회사의 분할·합병 관련 규정의 정비

회사의 분할 시 분할하는 해당 회사를 분할회사로, 분할을 통하여 새로 설립되는 회사를 단순분할신설회사로, 분할흡수합병의 존속회사를 분할승계회사로, 분할신설합병으로 새로 설립되는 회사를 분할합병신설회사로 용어를 명확하게 정비하였다. 2011년의 개정법에서는 교부금만으로 하는 합병을 허용하면서 분할합병에는 이를 허용하는 규정을 두지 않았었는데, 2015년의 개정법에서는 교부금만의 분할합병을 허용하는 등 회사 분할 및 합병과 관련한 제도를 정비하였다(제530조의5 등).

XIV. 2020년의 개정 회사법

1. 개정 경위

다중대표소송에 관해서는 1998년에 독점규제법상 지주회사의 해금 이후 그 대응책으로서 논의가 일부 있었다가 2003년 다중대표소송을 인정한 하급심 판결[99]과 이를 부인한 대법원 판결[100]을 계기로 상법 내 도입 여부를 두고 학계 및 재계는 물론이고 정치권에서도 뜨거운 관심을 보여 왔다.[101] 입법 활동의 면에서도 2006년과 2013년 정부가 발의한 상법개정안을 비롯하여 의원 발의의 다수의 상법개정안에서도 다중대표소송의 도입은 단골손님처럼 등장하였지만, 찬반 논의만 거듭하였지 입법으로까지 연결되지는 못하였다.

그리고 2020년의 개정법 이전의 상법에서는 대규모상장회사에서 감사위원을 선임할 때에는 주주총회에서 모든 이사를 일괄적으로 선임한 후에 그 선임된 이

---

99) 서울지방법원 2002.1.31. 98가합112403.
100) 대법원 2004.9.23. 2003다49221.
101) 김재형·조형래, "2016년 이후 다중대표소송에 관한 의원발의안의 비교,"「기업법연구」제31권 제3호(한국기업법학회, 2017), 234면.

사 중에서 감사위원을 선임하는 일괄선출방식에 의하도록 되어 있었는데, 감사위원회 독립성 확보를 위해서는 감사위원을 담당할 이사와 일반 이사를 분리하여 선임(분리선출방식)하여야 한다는 주장이 꾸준히 제기되어 왔다. 감사위원 전원을 일반 이사와 분리하여 선임하는 내용을 담은 상법 개정안은 2013년의 정부안을 시작으로 그동안 의원 발의안도 다수 제안되었지만 지주회사의 지배력 약화를 우려한 재계 등의 반대에 부딪혀 국회의 의결을 보지 못한 채 폐기되었다.

21대 국회(2020년-2024년)에서도 다중대표소송과 감사위원 분리선임을 도입하는 내용을 담은 상법 개정안은 다수 제안되었는데 이를 법제사법위원회에서 병합 심의한 결과, 다중대표소송과 감사위원 분리선임 이외에도 전자투표 실시 회사에서의 의결정족수 완화 등과 관련한 내용까지 포함하고 있는 정부안을 대안으로 한 법제사법위원회안을 제안하기로 하였다.

이렇게 하여 2020년 12월 8일에는, "다중대표소송제와 감사위원회위원 분리선출제를 도입함으로써 기업의 불투명한 의사결정 구조 개선을 통해 기업과 국가경제의 지속가능한 성장구조를 마련하는 한편, 신주의 이익배당기준일에 대한 실무상 혼란을 초래한 규정을 정비하여 신주의 발행일에 상관없이 이익배당기준일을 기준으로 구주와 신주 모두에게 동등하게 이익배당을 할 수 있음을 명확히 하고, 전자투표를 할 수 있도록 한 경우에는 감사 등의 선임 시 발행주식총수의 4분의 1 이상의 결의 요건을 적용하지 않도록 주주총회 결의요건을 완화하며, 상장회사의 소수주주권의 행사 요건에 대한 특례 규정이 일반규정에 따른 소수주주권 행사에는 영향을 미치지 않음을 명확히 하는 등 현행 제도의 운영상 나타난 일부 미비점을 개선·보완하려는 것"102)에 목적을 둔 「상법일부 개정법률안(대안)」(제2106223호)이 본회의에 발의되었고, 이 법률안은 다음 날인 12월 9일 원안 그대로 가결을 거쳐, 동년 12월 29일 법률 제17764호 「상법일부 개정법률」로 공포되고, 공포 후 즉시 시행되었다.

---

102) 국회 홈페이지, 〈의안정보시스템〉, 상법일부 개정법률안(2106223) 제안이유.

2. 주요 내용 및 특색

가. 다중대표소송의 도입

법 이론상으로는 자회사 이사의 임무해태로 자회사에 손해가 발생한 경우 모회사는 대표소송을 제기하여 자회사가 입은 손해를 회복할 수 있다. 하지만 자회사는 모회사의 지배를 받고 또한 모회사는 지배주주의 영향을 받는 상황을 고려할 때, 모회사의 대표이사가 자회사의 이사를 상대로 대표소송을 제기하는 것은 사실상 기대하기 어렵다. 이는 우리나라 기업집단의 운영 실태를 살펴보아도 쉽게 이해할 수 있다. 그런데 자회사 이사의 임무해태로 인하여 발생한 자회사의 손해는 법적으로는 자회사의 손해이지만 경제적으로는 모회사 및 그 주주에게 귀속되는 손해이기도 하므로 모회사의 주주는 자회사가 입은 손해의 궁극적 당사자라고 할 수 있다. 특히 모회사의 소수주주는 자신의 이익보호를 위해서는 대표소송을 제기할 인센티브를 가진다고 볼 수 있지만 이를 보장할 수 있는 근거 규정은 흠결되어 있는 상태였다. 그리고 통설과 대법원 판례[103]는 대표소송을 제기할 수 있는 주주는 책임추궁을 당하는 이사가 속한 회사의 주주로 한정하여 해석하는 입장을 따름으로써 모회사의 소수주주가 자회사의 이사를 상대로 한 이중대표소송 내지 다중대표소송을 제기하는 것은 상법의 해석론 상으로는 불가능하다고 풀이하고 있었다.

이 문제를 해결하기 위하여 2020년 개정법은 다중대표소송을 도입하면서, ① 원고적격자가 되기 위해서는, 모회사가 비상장회사인 경우에는 모회사 발행주식 총수의 100분의 1이상을 보유한 주주일 것을 요구하고, 모회사가 상장회사인 경우에는 모회사 발행주식 총수의 1만분의 50 이상을 6개월 이상 보유한 주주일 것을 요구하는 한편, ② 제소 후 모회사의 지분율이 자회사 주식의 50% 이하로 감소한 경우에도 제소의 효력에는 영향이 없으나 모회사가 자회사 주식을 전혀 보유하지 아니하게 된 경우는 예외로 한다고 규정하였다(제406조의2, 제542조의6 제7항).

그런데 개정법은 모회사 소수주주는 자회사가 자회사의 이사를 상대로 직접

---

103) 대법원 2004.9.23. 2003다49221.

소송을 제기할 것과 모회사가 자회사의 주주로서 대표소송을 먼저 제기할 것을 요구하지 않고 바로 자회사를 상대로 자회사 이사의 책임을 추궁할 소의 제기가 가능하도록 설계되어 있다. 이러한 입법 태도에 대해서는 주주대표소송이 회사가 활용가능한 모든 구제수단을 다 동원한 후에도 회사의 손해가 회복되지 않고 있는 경우에 주주가 회사를 대위하여 행사할 수 있는 최후 구제수단이라는 점을 간과한 것이라는 비판을 받고 있다.[104]

그리고 개정법은 다중대표소송에서의 모자회사 개념을 따로 정하고 있지 않기 때문에, 상법 제342조의2에서 규정하는 모회사와 자회사 관계가 설정되는 경우에는 그 모회사의 소수주주는 자회사 이사만이 아니라 손자회사의 이사는 물론이고 경우에 따라서는 모회사와 자회사가 합산하여 50%를 초과한 지분을 가진 계열회사의 이사를 상대로 대표소송을 제기하는 것도 가능하게 설계되어 있다. 그 결과 모회사의 실질지분이 최대 4분의 1로 희석되는 자회사의 이사까지 모회사 소수주주로부터 책임 추궁을 당해야 하는 경우가 생기게 된다.[105] 이는 대해서는 모회사 주주에게는 지나친 특권을 부여하는 것이고 또한 모회사와 자회사 주주 간 소 제기의 평등권을 침해하게 된다는 비판이 뒤따르고 있다.[106]

나. 감사위원회 위원 일부의 분리 선출과 선임·해임 규정의 정비

2020년 개정법 이전의 상법에서는 자산총액 2조원 이상의 대규모상장회사는 주주총회에서 먼저 이사를 선임한 후 그 이사 중에서 감사위원을 선임하여야 한다고 규정(542조의12 제2항)하여 일괄선출방식을 따랐는데, 이러한 선출방식은 이사 선임단계에서 대주주의 의결권이 제한되지 않으므로 대주주의 의사에 부합하는 이사만이 감사위원이 될 수 있어 감사위원회 직무의 독립성을 해칠 수 있다는 지적을 받아 왔다.

이에 개정법에서는 542조의12 제2항 단서에 "다만, 감사위원회위원 중 1명(정관에서 2명 이상으로 정할 수 있으며, 정관으로 정한 경우에는 그에 따른 인원으로 한다)은 주주총회의 결의로 다른 이사들과 분리하여 감사위원회위원이 되는 이사를 선임하여야 한다."는 내용을 새롭게 설치함으로써 일종의 절충형 분리선출

---

104) 권재열, "2020년 상법 개정안의 주요 쟁점 검토,"「상사법연구」제39권 제3호(한국상사법학회, 2020), 8면.
105) 이철송, 「회사법강의」, 제29판(박영사, 2021), 845면.
106) 최준선, 전게서, 588면.

방식을 도입하였다.

그리고 기존법에서는 대규모상장회사에서 사외이사가 아닌 감사위원과 사외이사인 감사위원의 선임을 분리하여, 전자의 경우에는 최대주주는 특수관계인의 지분까지 합산하여 3%를 초과하는 주식에 관하여 의결권을 제한하는 Rule(합산 3% Rule)을 적용하지만, 후자의 경우에는 최대주주를 포함한 모든 대주주에게 단순 3% Rule을 적용하였다(제542조의12 제3항). 또한 전자의 최대주주에게 적용하는 합산 3% Rule은 사외이사가 아닌 감사위원의 경우는 선임과 해임 모두에 적용하였지만, 후자의 단순 3% Rule은 사외이사인 감사위원의 선임에만 적용하였다(제542조의12 제4항). 이처럼 기존법 상의 3% Rule은 사내이사와 사외이사, 선임과 해임, 최대주주와 나머지 대주주, 자산총액 2조원 이상의 대규모상장회사와 나머지 상장회사를 구별하여 취급하고 있었지만, 그 구별에는 합리적 이유가 없이 복잡하기만 하고 해석상 혼란만 야기한다는 지적을 받아 왔다.[107]

개정법에서는 ① 대규모상장회사의 감사위원은 주주총회의 특별결의로 해임할 수 있음과 분리선출방식으로 선임된 감사위원을 해임한 경우에는 감사위원의 지위는 물론 이사의 지위도 상실함을 규정하고(제542조의12 제3항), ② 대규모상장회사에서 감사위원을 선임·해임할 때에는 모든 대주주에게 단순 3% Rule을 적용하되, 최대주주에 대해서는 사외이사가 아닌 감사위원을 선임·해임할 때 합산 3% Rule을 적용한다고 규정하였다(제542조의12 제4항). 그리고 ③ 상장회사가 감사를 선임·해임할 때에는 모든 대주주에게 단순 3% Rule을 적용하되, 최대주주에 대해서는 합산 3% Rule을 적용한다고 규정하였다(제542조의12 제7항 신설).

그러나 개정법은 여전히 합산 3% Rule을 최대주주와 그 이외의 내주수를 구분하여, 최대주주에게만 그것도 사외이사가 아닌 감사위원의 선임과 해임에만 적용하고 있다. 이러한 차별적 취급에는 합리적 이유가 없다는 비판이 뒤따르고 있다.[108]

---

107) 법무부, 「보도자료(법무부는 회사의 건강하고 투명한 성장을 위한 「상법 일부개정안」을 입법예고합니다)」(2020. 6. 10.), 4면.
108) 송옥렬, 「상법강의」 제11판(홍문사, 2021), 1130면; 정준우, "2020년 개정상법상 감사기관에 관한 개정내용 검토," 「상사법연구」 제39권 제4호(한국상사법학회, 2021), 144면.

다. 전자투표 실시회사에서의 의결정족수 완화

감사나 감사위원의 선임 시에 최대주주 또는 대주주의 의결권 행사가 제한되고, 또한 2017년 12월에 Shadow Voting 제도가 폐지됨에 따라 감사나 감사위원의 선임이 의결정족수 부족으로 무산되어 회사가 감사기구를 구성하지 못하는 어려움을 맞이하는 사례가 종종 발생하였다.

이에 개정법은 주주의 주주총회 참여를 유도하고 회사 의결기구의 원활한 운영을 지원하기 위해서,[109] 전자투표를 실시하여 주주의 주주총회 참여를 제고한 회사에 한하여 감사 및 감사위원 선임 시의 결의요건을 출석한 주주 의결권의 과반수로 한정함으로써, 발행주식총수 4분의 1 이상의 결의요건을 감사나 감사위원 선임 시에는 적용하지 않도록 하였다(제409조 제3항, 제542조의12 제8항).

그런데 개정법이 회사가 전자투표를 실시하는 것을 전제로 의결정족수의 대폭 완화한 것은, 대주주의 주식 소유비율이 지극히 높다거나 3% 의결권 제한 Rule의 적용을 받는 대주주의 수가 다수인 회사에서는 상대적으로 소수의 주식 보유만으로도 감사나 감사위원을 선임할 수 있게 되어, 선임된 자의 주주 대표성 내지 선임행위 자체의 정당성이 문제될 수 있다.

라. 신주와 구주 간의 균등배당

영업연도의 중간에 신주가 발행된 경우 신주는 구주에 비해 자본기여도가 낮으므로 구주와 동액배당을 하지 않고 신주의 발행일로부터 결산일까지의 일수를 계산하여 이익을 배당하는 것(일할배당)을 배당원칙으로 삼는 것이 기존 상법의 입법 의도라고 볼 수 있고 이는 배당실무의 관행이기도 하였다. 그러나 일할배당은 주식이 빈번하게 유통되고 있는 상황에서 신주와 구주를 구별할 방법을 찾기 쉽지 않다는 등의 이유로 배당실무에서는 어려움이 많았다.

그래서 1995년의 개정법은 일할배당을 원칙으로 하면서도, 회사가 전환주식을 발행한 경우에 전환권의 행사로 발행하는 신주의 이익배당과 관련하여서는 영업연도의 말에 전환된 것으로 본다고 하든가 정관에 규정을 둔 경우에는 직전 영업연도 말에 전환된 것으로 할 수 있다고 규정함으로서 신주를 구주와 동일하

---

109) 법무부, 전게 「보도자료」, 5면.

게 배당할 수 있는 길을 열어 놓았다(제350조 제3항). 그리고 이 규정을 신주발행, 준비금의 자본전입, 주식배당, 신주인수권부사채의 신주인수권 행사 등에 준용하였다.

그런데 개정 전 상법 제350조 제3항이 균등배당의 취지를 정하면서 영업연도의 말에 전환된 것으로 본다고 하거나 직전 영업연도 말에 전환된 것으로 할 수 있다고 규정함으로써 「결산기 말일＝배당 기준일」이라는 해석의 여지를 주어 12월 결산 회사의 3월 말 정기주주총회 집중현상의 주된 원인[110]이 되어, 이 문제를 입법으로 해결할 필요성이 있었다.

이에 2020년의 개정법은 12월 결산 회사의 3월 말 이후 정기주주총회 개최가 가능하도록 하고 일할배당에 따른 실무상의 어려움도 해소할 목적으로, 개정 전 상법 제350조 제3항 및 이를 준용하는 규정을 모두 삭제함으로써, 회사가 신주를 언제 발행하든 신주와 구주의 균등배당이 이루어지게 하였다. 다만 개정법하에서도 일할배당이 가능할 것인가에 대해서는, 일반론은 회사가 정관에 규정을 두거나 또는 주주총회의 결의로 일할배당을 하는 것은 가능하다고 풀이한다.[111]

마. 소수주주권에 관한 상장회사특례규정의 효력

상법은 일반규정으로 소수주주권 행사요건을 규정하고 있으나(제363조의2, 제403조 등), 상장회사 특례 규정에서는 6개월 전부터 계속하여 특정 비율 이상 주식을 보유한 경우 소수주주권 행사가 가능하도록 정하고 있다(제542조의6). 이에 일반규정에 따른 소수주주권 행사요건 지분율 이상의 주식을 보유하고 있으나 6개월의 보유기간을 갖추지 못한 상장회사의 주주가 소수주주권을 행사할 수 있는지의 여부와 관련하여 해석상 논란이 되고 있었다.

이에 개정법은 주주의 이익을 도모하고 기업 실무의 혼란을 해소하기 위해서, 제542조의6 제10항을 신설하여, 소수주주권행사와 관련한 상장회사의 특례규정은 「이 장의 다른 절에 따른 소수주주권의 행사에 영향을 미치지 아니한다」고 규정함으로써, 소수주주권을 행사하는 주주는 일반규정에 의해 부여된 권리와 특례규정에 의한 권리를 선택적으로 적용할 수 있음을 명확히 하였다.

---

110) 법무부, 상게 「보도자료」, 5면.
111) 이철송, 전게서, 1014면; 정찬형, 「상법강의(상)」 제24판(박영사, 2021), 1227면; 최준선, 전게서, 743면.

제 2 절 회사의 의의

Ⅰ. 1인 회사

유 주 선*

1. 도입부분

주식회사 및 유한회사는 물적회사이자 법인이다. 물적회사는 인적회사와 달리 회사의 존속이 2인 이상의 유지를 요건으로 하지 않고 있다. 주식회사 및 유한회사에서 지분의 전체가 한 사람의 사원이나 주주에 의하여 소유되고 있는 상태가 바로 1인 회사이다. 1인 회사는 사원이나 주주가 전체 지분을 가지고 있으면서 동시에 업무집행자나 이사가 되어 업무집행을 하기도 하고, 타인의 업무집행자나 이사를 선임하기도 한다.

1인 회사를 허용할 것인가에 대하여 다툼이 있었다.[1] 1인 회사의 허용을 금지하는 입장은, 1인 회사라고 하는 형태가 법률적으로 규정된 물적회사 형태의 본질과 합치되지 않고, '지배와 책임'의 원칙이 물적회사에서 지켜져야 한다는 주장을 내세웠다. 만약 회사를 인적인 결합체로서 정의를 내린다면, 1인 회사의 개념에 대하여 논리불합치성이 발생하게 된다. 하지만 공동구성원이 가지고 있던 영업지분의 전부를 취득한 경우, 혹은 2인의 주식회사나 유한회사에서 1인이 사망하고 남은 다른 사람이 사망한 사원의 지분을 상속하는 경우에, 회사가 해산되지 않고 그 독립성을 유지하며 존속해야 할 필요성이 있다.

다수의 사원을 가진 회사와 마찬가지로, 1인 회사 역시 회사재산을 근거로 하여 법적인 독립성을 갖는다. 하지만 1인 사원이 주식회사나 유한회사의 지분 전체를 가지고 있다는 점에서, 1인 회사는 '제한된 책임을 갖는 자영업자'와 다를 바가 없다는 점을 우리는 유의해야 한다. 1인의 주식회사나 유한회사에서 사원이자 이사 또는 업무집행자가 회사와 법률행위를 함으로써 '주주의 개인재산'

---

* 강남대학교 공공인재학과 교수
1) 학설다툼에 대하여는 정동윤, 「회사법」 제6판(법문사, 2000), 14면 이하.

과 '회사재산'의 혼용이 종종 발생하기도 한다.[2] 1인 주식회사나 유한회사는 '관찰할 수 없는 재산상태 때문에 우리 경제생활의 '악성의 종양'으로 발전된 경제법학자의 창조물'이라 주장하는 학자도 있고,[3] 때때로 '지킬박사와 하이드'의 모습으로 기술되기도 한다.[4] 특히 1인 회사의 이중적 존재인 '사원 겸 업무집행자'는 여러 가지 부도덕성을 제공하기도 한다는 점에서 문제점이 발생하고 있다. 단일한 참가, 단일한 지배와 분리된 재산귀속의 결합이 악용될 수 있고, 다수사원이 존재하는 회사에서와 같은 단체내적인 통제장치가 존재하지 않는다. 1인 회사에서 예기치 못한 많은 문제들이 발생한다 할지라도, 결코 1인 회사를 법률생활로부터 배제할 충분한 근거는 되지 못한다.

본 집필에서 1인 회사는 주식회사와 유한회사를 포함하여 설명하되, 1인 회사의 문제가 독일 민법 제181조, 우리 민법 제124조와 밀접하게 연관되어 있다는 판단 하에, 우선 양 국가에서 규정되어 있는 자기거래의 규정에 대한 탐색을 한다. 자기거래의 고찰이 끝난 후 1인 회사에 대한 탐구를 하되, 1인 회사가 우리나라에서는 주로 주식회사에서 논의되고 있고, 독일에서는 유한회사에서 논의되고 있다는 점을 고려하여, 우리나라의 논의는 주식회사에서 다루고, 독일의 논의는 유한회사에서 다루고자 한다. 1인 회사를 논함에 있어 양국의 회사형태를 구분하여 기술하는 것이 보다 더 논의의 실익이 있다고 판단된다.

2. 자기행위와 1인 회사의 관련성

가. 사법상 대리와 자기행위

분업화와 전문화를 지향하는 현대경제는 경제주체 간 법적 접촉이 점점 늘어가고 있다. 거래관계가 발전하고 복잡해지면 기업주는 다양한 분야에서 대처해야 할 업무가 발생하게 되는데 이러한 모든 것을 기업주가 해나간다는 것은 무

---

2) 재산혼용에 대하여는 유주선, "법인에서 사원의 실체파악책임 – 독일법상 재산혼용을 중심으로 –," 「상사법연구」 제25권 제2호(한국상사법학회, 2006), 501면 이하.

3) Berg Hans, Schadensersatzanspruch des GmbH-Gesellschafters bei einem Schadens der Gesellschaft, NJW 1974, 933 (935).

4) Meyer-Cording, JZ 1978, 10. 1886년 스티브 로버트슨에 의하여 저술된 '지킬박사와 하이드'에서 지킬박사는 학식이 높고 자비심이 많은 인간상을 가지고 있지만, 특별한 약품을 복용한 후 악성을 지닌 추악한 하이드로 변신하게 된다. 인간이 가질 수 있는 선악의 모순된 이중성을 표현하고 있다.

리이다. 그러므로 기업주는 타인의 협력을 필요로 하게 되는데, 이를 가능하게 하는 것이 대리제도이다.5) 대리제도는 타인이 본인의 이름으로 의사표시를 하거나 또는 의사표시를 받음으로써 그 법률효과가 직접 본인에게 발생하게 된다. 이러한 대리제도는 사적자치의 확장과 사적자치의 보충이라는 기능을 담당함으로써 근대사법에서 아주 중요한 위치를 차지하고 있다. 오늘날 사회가 발전함에 따라 복잡화되고 인간의 활동범위가 증대됨에 따라 대리제도가 갖는 기능은 더욱 더 중요시되어가고 있다. 하지만 대리제도의 역할과 기능이 크면 클수록 여기에 수반하여 부작용이 발생할 수도 있다. 이런 부작용 가운에 대표적인 것이 본인의 이익이 침해되는 사항이다. 우리나라는 2인 이상이 업무를 집행하게 하는 공동대리제도를 두어 대리권을 제한하고 있고, 누구도 동일한 법률행위에 관해서는 그 상대방의 대리인이 되거나 당사자 쌍방의 대리인이 될 수 없도록 하는 자기행위의 금지를 규정하고 있다.

독일은 자기계약(Selbstkontrahieren)과 쌍방대리(Mehrvertretung)를 포함하는 자기행위(Insichgeschäft)를 금지하는 규정을 독일 민법 제181조에 두고 있다. 자기행위의 금지는 개인법적인 측면에 한정되는 것이 아니라, 단체법적인 영역에서도 적용된다. 특히 문제가 되는 것은, 1인 유한회사에서 일인사원 겸 업무집행자가 회사와 법률행위를 하는 경우이다.6) 이하에서는 독일 민법 제181조와 독일의 1인 유한회사에 초점을 두고 있다. 우선 독일 민법 제181조의 유래와

〈독일 민법 제181조〉

독일 민법 원문	번 역
§181 (Insichgeschäft) Ein Vertreter kann, soweit nicht ein anderes ihm gestattet ist, im Namen des Vertretenen mit sich im eigenen Namen oder als Vertreter eines Dritten ein Rechtsgeschäft nicht vornehmen, es sei denn, dass das Rechtsgeschäft ausschließlich in der Erfüllung einer Verbindlichkeit besteht.	제181조(자기행위) 대리인은 달리 허용되지 아니하는 한, 본인을 대리하여 자신과 법률행위를 하거나 제3자의 대리인으로서 법률행위를 하지 못한다. 그러나 법률행위가 채무의 이행을 하는 경우에는 그러하지 아니하다.

---

5) 대리에 대하여는 곽윤직, 「민법총칙(민법강의Ⅰ)」 제7판(박영사, 2007), 252면 이하; 이영준, 「민법총칙」(박영사, 2007), 486면 이하.

6) 유주선, "독일 유한회사에서 회사와 사원 겸 업무집행자의 법률행위-독일 민법 제181조를 중심으로-," 「비교사법」 제14권 제4호(한국비교사법학회, 2007), 251면 이하.

목적을 간략하게 고찰한다.

나. 자기행위의 개념

우리 민법 제124조는 '자기계약과 쌍방대리'라는 제목 아래 '대리인은 본인의 허락이 없으면 본인을 위하여 자기와 법률행위를 하거나 동일한 법률행위에 관하여 당사자 쌍방을 대리하지 못한다'고 규정하고 있다.[7]

〈우리 민법 124조〉

조 문	내 용
민법 제124조(자기계약, 쌍방대리)	대리인은 본인의 허락이 없으면 본인을 위하여 자기와 법률행위를 하거나 동일한 법률행위에 관하여 당사자쌍방을 대리하지 못한다. 그러나 채무의 이행은 할 수 있다.

어떤 사람 을이 한편으로는 대리인의 자격으로 본인 갑을 대리하여 행위하고 다른 한편으로 스스로 당사자가 되어 행위하는 것을 '자기계약(자기대리)'이라 한다. 그리고 어떤 사람 을이 본인 갑의 이름으로 본인 갑을 대리하고 동시에 상대방인 병을 대리하여 본인 갑과 상대방 병 사이에 법률행위를 하는 것을 '쌍방대리'라고 하는데, 이 양자를 포괄하여 우리는 '자기행위'라고 한다. 우리 민법은 독일 민법과 마찬가지로 자기행위를 금지하고 있다. 양국의 입법자가 자기행위를 금지하고 있는 것은, 법률행위에 있어서 본인(갑)과 대리인(을) 사이에, 그리고 양 당사자(갑과 병) 사이에 동일한 사람(을)이 그 거래에 개입하게 됨으로써 발생하는 이해관계의 충돌을 예방하기 위함이라고 한다. 하지만 이를 달리 생각한다면, 즉 본인과 대리인 사이에 이해충돌이 발생하지 않는다면 자기행위는 인정될 수 있다는 여지가 발생하게 되는데, 그것의 대표적인 사례가 '단지 법률적으로 이익이 되는 법률행위'와 '1인 사원 겸 업무집행자가 유한회사와 행하는 법률행위'이다.

다. 자기행위 규정의 유래

자기행위라고 하는 개념을 인정할 것인가에 관한 문제가 19세기 독일에서

---

7) 양창수, "자기계약의 금지-유래와 규정목적-,"「고시계」(고시계사, 1988. 4.), 68면 이하.

다투어졌다.[8] 일부의 학설에 의하면, 계약이라고 하는 것은 대립하는 두 당사자를 전제로 하는 것인데 자기행위의 경우에 당사자는 하나이고 그의 내심에서 의사결정이 일어날 뿐 의사표시가 교환되는 일이 없다는 점에서, 자기계약을 인정할 수 없다고 주장한다. 독일 민법 제정과정에서 제1위원회는 자기계약이 논리적으로 허용여부에 관한 문제를 다루었다. 동 위원회는 대리인이 내심으로만 양당사자의 의사결정을 하였거나 독백의 방식으로 이것을 구두 또는 서면으로 표현하였을 때에는 그것은 계약의 개념에 반하지만, 계약체결을 제3자로 하여금 인식할 수 있게 하는 "외적인 사실"이 부가되었을 때에는 계약의 성립을 인정하였다. 하지만 독일 민법 제1초안은 자기계약에 관한 규정을 두지 않았다. 기본적으로 자기행위를 허용하려는 태도를 가졌던 제1위원회는, 단지 특정한 사례에 있어서만 자기계약을 금지하고자 하였던 것이다. 그 이유는 이러한 대리행위도 반사회적인 법률행위를 무효로 하는 제1초안 제106조에 반하지 않는 한 허용된다고 보았기 때문이다. 물론 이러한 경우 이익충돌의 가능성이 존재하나, 그것은 특별규정을 두는 것으로 해결하려고 하였는데, 그러한 입장은 '거래의 안전'을 고려한 것이다.[9] 결국 자기계약을 부정할 필요가 있는 사안에 대해서는 특별규정을 통하여 문제를 해결하려고 한 것이다.

1888년 뤼멜린은 그의 저서에서 '자기계약(자기대리)을 계약과 개념적으로 합치될 수 있는가', '실정법에서 자기계약이 존재해야 하는지', 그리고 '존재해야 한다면 어느 범위까지 인정해야 하는가'에 대한 것은 실정법의 문제라는 것을 제기하였다.[10] 이러한 견해를 명백하게 받아들인 제2위원회는 '그것을 허용하는 것이 거래안전과 조화될 수 있는가, 혹은 거래를 행함에 있어 이것이 요청되고 있는가'라는 문제에 접근하게 되었고, 결국 '자기계약(자기대리)는 여러 이익이 서로 충돌할 위험과 일방 또는 상대방에게 해를 끼칠 위험을 그 자체 항상 안고 있으므로 법률이나 대리권수여에 의하여 허용되지 않은 이상 금지되어야 한다'는 결론에 도달한 것이다. 이와 같이 제2위원회는 제1위원회와는 달리, 현재의 독일 민법 제181조에 두 가지 일반적인 예외 — 허락과 채무의 이행 — 를 바탕으로 원칙적인 금지를 결정하였다.

---

8) Flume, Die juristische Person, 1983, §48 1, S. 815.
9) Staudinger/Schilken, BGB, §181 Rdn. 3 b).
10) Rümelin, Das Selbstkontrahieren nach gemeinem Recht, 1888, S. 27 f.

한편 자기계약의 금지를 임의대리에 한정하자는 제안에 대하여 제2위원회가 검토를 하였다. 하지만 이익충돌의 위험을 회피하여야 한다는 점은 임의대리와 법정대리에서 모두 동등하게 인정되어야 한다는 점에서 받아들여지지 않았다. 이러한 결과 제2위원회는 독일 민법 제2초안 제149조에 자기행위를 규정하였고, 동 규정이 현행 독일 민법 제181조로 변경되었다. 이는 우리 민법 제124조와 거의 일치하는 구조를 이루고 있다.

라. 자기행위 규정의 과제

독일 민법 제181조는 어떠한 목적을 가지고 있는가에 대한 물음이 제기된다. 우선적으로 이익충돌로 인한 본인의 이익보호가 주장된다. 하지만 판례와 일부 학설은 법적 안정성이라는 측면을 간과하지 않고 있다.

1) 본인의 이익보호

동일한 사람이 양 당사자를 대리하는 법률행위(대리인과 본인 사이에 발생하는 자기대리, 그리고 동일한 사람을 통하여 서로 다른 본인을 대리하는 쌍방대리)를 함으로써, 본인이나 혹은 서로 다른 한쪽 당사자의 재산손상에 대한 위험을 야기하는 명백한 이해충돌이 발생할 수 있다. 특히 계약을 체결함에 있어 서로 다른 양당사자의 이해관계는 대립할 수밖에 없게 된다.[11] 이러한 경우에 대리인이 자신의 이익을 고려하거나, 그에 의하여 대리되는 쌍방의 본인에 대하여 어느 한쪽에 현저하게 더 유리하게 행해질 수 있는 위험이 도사리고 있는 것이다. 적어도 대리인은 자신의 판단력이나 비판능력에서, 무의식적으로 자신의 이익이나 혹은 한 당사자의 이익으로 개입될 수밖에 없는 여지가 존재한다.[12] 그 결과 자기대리에서는 본인과 대리인 사이, 쌍방대리에서는 양 본인의 이익충돌이 나타나게 된다. 그러므로 독일 민법 제181조가 추구하고자 하는 우선적인 목적은 양 당사자 사이에서 발생할 수 있는 이해충돌의 위험을 예방하는 것에 있다는 주장[13]은 타당하다.

---

11) Kreutz, §181 BGB im Licht des §35 Abs. 4 GmbHG, Festschr. Mühl, 1981, S. 409 (410 f.).

12) Stürner, Der ledigliche rechtliche Vorteile, AcP 173, 402 (442).

13) MünchKomm/Thiele, BGB, §181 Rdn. 2; Soergel/Leptien, BGB, §181 Rdn. 3.

2) 법적 안정성

독일 민법 제181조는 본인의 이익에 대한 보호의 측면이 있는 것뿐만이 아니라, 동 규정은 형식적인 형성(formale Ausgestaltung)을 통하여 법적 안정성과 법적 명확성에도 기여한다.[14] 누구나 법률행위성립의 종류로부터, 자기행위가 존재하는지 아니면 하지 않는지를 판단할 수 있어야 한다. 독일 민법 제181조를 입법화함에 있어 제2위원회는, 구체적인 사례에서 '이해충돌'과 본인의 '재산이익의 위험'에 놓여 있는가의 여부와 관계없이 단지 '계약체결의 방식'만을 규정한 것이다.[15] 즉 제2위원회는 대리관계에서 파악할 수 있는 이해충돌이 우려되는 사례가 존재할 수 있는바, 독일 민법 제181조에서는 단지 양 당사자에 대하여 법률행위를 함에 있어 동일인이 그 행위를 하는 것은 효력이 없어야 한다는 것을 입법화한 것이다. 결국 그 이외의 것에 대해서는 본 규정에 기술하는 것을 도외시한 것이다.[16]

제2위원회는 이와 같이 '한 가지 유형의 규정목적에 지향되는 배타적인 표현'(eine ausschließlich am materiellen Normzweck orientierte Fassung)을 규정하지 않았다.[17] 이는 "행위의 효력은 '특정되지 않은 것'과 '인식 불가능한 것'을 통하여, 제3자의 '거래안전'이 위협받는 '순간'에 종속되어서는 아니 된다(Die Wirksamkeit des Aktes sollte nicht von einem Moment abhängig gemacht werden, welches durch seine Unbestimmtheit und durch die Unerkennbarkeit für Dritte die Verkehrssicherheit gefährdet würde)."는 제1초안서의 기술된 내용을 받아들인 것이다.[18] 이런 측면에서 독일 민법 제181조는 거래안전이라는 측면을 고려했던 것이고, 대리권에 대한 현명주의 원칙과의 관계 속에서 독일 민법 제181조가 존재하고 있다는 주장은 설득력을 잃지 않는다.[19] 결국 독일 민법 제181조는 '형식적 질서규정'(Formale Ordnungs-Vorschrift)이라는 점을 부인할 수 없을 것이다.

---

14) Schubert, Die Einschränkung des Anwendungsbereichs des §181 BGB bei Insich-geschäften, WM 1978, S. 290.
15) RGZ 157, 24 (31); BGHZ 33, 189; BGHZ 56, 97 (101).
16) RGZ 103, 417; RG JW 1931, 2229.
17) Hübner, Grenzen der Zulässigkeit von Insichgeschäften, Jura 1981, 288 (289).
18) Prot. I. S. 75.
19) Soergel/Leptien, BGB, §181 Rdn. 4.

3. 물적회사에서 1인 회사의 인정

가. 입법적 연혁

인적인 결합체로서 회사는 사단성을 갖는다. 일반적으로 회사는 사단이므로 다수의 구성원을 존재하는 조건으로 설립된다. 인적회사인 합명회사와 합자회사는 모두 2인 이상의 구성원이 있어야 설립이 가능하다(제178조, 제269조). 2인 이상이 있어야 회사설립이 가능할 뿐만 아니라, 회사가 계속적으로 유지되기 위해서도 2인 이상의 구성원이 존재해야 한다. 그러므로 인적회사의 구성원이 1인으로 남아 있게 된다면, 그 인적회사는 소멸하게 된다(제227조 제3호, 제269조).

인적회사와 달리 물적회사에서 설립요건이나 존속요건이 필요한가에 대한 논의가 있었다. 1995년 상법이 개정되기 전 주식회사를 설립하기 위해서는 7명의 발기인을 요건으로 하고 있었고, 1995년 상법을 개정하면서 설립 시 3인 이상의 발기인을 요구하였다. 그러나 주식회사를 설립할 때에는 인적인 결합체로서 사단성을 요구하였지만, 주식회사의 구성원이 1인으로 된 때에는 인적회사와 같은 해산사유로 규정하고 있지 않았기 때문에 1인의 주주로 이루어진 주식회사를 인정할 가능성이 존재하고 있었다.[20]

나. 1인 회사의 인정근거

종래 1인 주식회사는 회사의 본질인 사단성에 반하고, 지배에 따르는 책임부담의 원칙에 위배되며, 유한책임의 개인회사를 인정하는 것과 같은 결과가 되기 때문에 1인 회사의 손속을 부정하는 견해도 있었다.[21] 그러나 우리나라 통설과 판례는 모두 1인 주식회사의 유효성을 인정하고 있었다. 그 근거로, 첫째 주식회사에서 주주가 1인으로 되어도 해산사유가 되지 않는 점, 둘째 주식회사의 기초는 인적 요소에 있는 것이 아니라, 오히려 회사의 재산에 있으므로 회사의 재산이 유지되는 한 회사의 존재를 인정하여도 채권자 등의 보호에 지장이 없다는 점, 셋째 1인 회사는 금지하더라도 실익이 없고, 형식은 1인 회사가 아니면서도 실질적으로 1인 회사를 운영할 수 있다는 점, 넷째 1인 회사를 인정하는 것이

---

20) 최기원, 「신회사법론」 제14판(박영사, 2012), 138면.
21) 김정호, 「회사법」 제7판(법문사, 2021), 10면.

상법 이념의 하나인 기업유지의 정신에도 합치된다는 점, 다섯째 특히 회사의
사단성과의 모순은 주식의 양도가 자유로우므로 언제든지 사원이 복수로 회복될
가능성이 있기 때문에 문제되지 않는다는 점 등이 유력한 근거로 제시된다.

다. 주요국의 입법태도

외국의 입법례를 보면 대부분의 국가에서 1인 회사를 인정하고 있다. 영미법
계에서는 오래전부터 1인에 의하여 이루어진 회사의 설립을 인정하고 있었다.[22)
유럽연합에서도 1인 회사에 대한 논의가 있었다.[23) 1989년 12월 20일 유럽공동
체이사회는 1인 회사에 관한 제12지침을 의결하였다. 이 지침은 강행적으로 유
한회사만을 규율하였다. 그러나 이 지침의 규정은 공동체회원국에서 주식회사도
1인 회사로서 허용되는 한 주식회사에 대하여 적용되도록 하였다. 이 지침에 의
하여 1인 회사의 설립이 유럽연합에서 가능하게 되었다.

독일은 유럽연합지침에 따라 주식회사와 유한회사에 대하여 1인 회사의 설립
을 인정하고자 하였다. 독일의 경우 주식법과 유한회사법에서 회사설립에 있어
서 구성원의 인적요건을 요구하지 않게 됨에 따라,[24) 물적회사에서 명백하게 1
인에 의한 자본회사의 설립을 인정하게 되었다. 우리나라와 유사하게 일본 역시
과거에 주식회사를 설립함에 있어 7인 이상의 발기인을 요구하고 있었다. 그러
나 1990년 상법개정을 통하여 1인 회사의 설립을 가능하도록 하였다.[25)

2001년 우리 상법이 개정되면서 주식회사의 설립 시 요구되었던 발기인의
수가 삭제되었다. 그 결과 1인의 발기인을 통하여 주식회사가 설립될 수 있게
되었다(제288조). 주식회사와 더불어, 상법 제543조 제1항의 개정을 통하여 유한
회사에서도 역시 1인 사원만으로 회사설립이 가능하게 되었다.

---

22) MBCA §2.01; Del. Gen. Corp. Law §101.
23) 유럽연합의 1인 회사지침에 대하여는 이기수·최병규, 「회사법(상법강의 Ⅱ)」 제11판(박영
사, 2019), 29면.
24) 독일 주식법 제2조는 '설립의 수'에 대하여 규정하고 있다. 출자에 대한 대가로 주식을 인
수한 1인이나 다수의 자는 회사계약(정관)의 확정에 참가해야 한다. 동 조문에서 '1인이나
다수의 자'의 문구에서 1인 회사의 설립의 가능성을 볼 수 있다. 유한회사법 제1조는 유한
회사의 설립목적에 대하여 규정하고 있다. '유한회사는 각각의 법규에서 허용된 목적에 대
한 유한회사법의 규정에 따라 1인이나 다수를 통하여 설립될 수 있음'이 규정되어 있다. 여
기서 '1인이나 다수'의 표현에서 1인의 설립가능성을 엿볼 수 있다.
25) 일본 회사법 제26조.

라. 1인 회사와 사단성

2011년 4월 11일 상법이 개정되기 전 상법 제169조는 '본법에서 회사라 함은 상행위 기타 영리를 목적으로 하여 설립한 사단을 이른다'고 규정하고 있었고, 제171조 제1항은 '회사는 법인으로 한다'라는 규정을 통하여, 회사는 영리성, 법인성 및 사단성의 성질을 갖는다고 보았다. 일반적으로 사단성이란 복수의 결합체를 의미한다. 복수의 결합체를 갖지 못하는 1인 회사에게 사단성을 인정할 수 있을 것인가에 대한 물음이 제기되었다.

1인 주식회사가 사단성의 성질은 배제되지 않는다고 하면서 다음과 같은 주장이 제기된다. 첫째, 주식회사의 사단으로서의 특징은 '사람의 결합'이 아니라 '자본의 결합'이라는 점을 제시한다. 자본은 주식으로 균일하게 분할되어 있으므로(제329조 제2항 제3호), 사원의 개념은 주식의 개념으로 대체된다고 한다. 따라서 주식회사는 사원의 복수가 아니라 주식의 복수의 측면에서 사단성을 설명한다. 둘째, 사원지위의 이전에 증권화된 주권에 유통됨에 따라 주식전부가 1인의 소유로 될 수 있으며, 이로 인하여 복수주식이 소멸되는 것은 아니라고 한다. 또한 이것은 회사성립 후에 있어서의 일시적이고 잠재적이라는 점을 들어 주식회사의 사단성을 설명한다.

우리 상법상 주식회사·유한회사에서는 1인 설립이 가능하고(제288조, 제543조), 또한 존속요건으로서 2인 이상의 주주 또는 사원을 요구하고 있지 않다(제517조 제1호, 제609조 제1항 제1호). 따라서 1인 회사는 사단성에 합당하지 않기 때문에 회사의 의의에서 사단성을 삭제해야 한다는 주장이 제기되었다.[26] 외국의 입법례를 살펴보면 모든 회사를 일률적으로 사단으로 정하고 있는 국가는 존재하지 않았다. 단지 일본만이 사단성을 인정하고 있었으나, 2005년 회사법을 개정하면서 사단성을 삭제하였다.[27] 우리나라 역시 2011년 상법 개정 시 상법 제169조를 개정하여 사단이라는 용어를 삭제하였다.[28] 우리 개정 상법은 일본 회사법을 본받은 것이다.

---

26) 정찬형, 주제발표(1), 22면, 상법(회사편) 개정 공청회, 2006. 7. 4. 여의도 증권선물거래소 국제회의장(1층).
27) 일본 회사법 제3조, 제5조.
28) 상법 제169조(회사의 의의) 본법에서 회사라 함은 상행위 기타 영리를 목적으로 하여 설립한 법인을 이른다.

사단성이라는 용어를 삭제한 것이 타당한 것인가에 대한 비판이 있다.[29] 1인 회사란 입법 정책적으로 허용하는 회사의 존재상황이고, 회사란 복수의 사원이 인적 또는 자본적으로 결합하는 방법으로서 인정되는 법인형태이므로 여전히 그 본질은 사단이라는 것이다. 1인 회사가 허용된다고 하더라도 여전히 회사의 법률관계는 사단성에 기초해서 설명하고 규율해야 할 점들이 많으므로 회사를 사단이라고 하는 것은 실용적인 차원에서 의미가 있다는 것이다.[30]

4. 우리나라 1인 주식회사의 법률관계

가. 상법 규정의 적용배제

1인 회사도 주식회사로서 법인에 해당한다. 그러므로 1인 주주의 개인재산과 회사재산은 분리되어야 하고, 다수의 사원으로 이루어진 회사와 마찬가지로 원칙적으로 주주총회, 이사회, 대표이사 그리고 감사를 두어야 한다. 그러나 1인 회사는 모든 주식이 1인 주주에게 집중되기 때문에, 상법상의 주식회사에 관한 다수의 규정들 가운데 다수인의 집단으로서의 사단성을 전제로 하고 있는 규정이 그대로 적용되지 않을 수도 있다. 따라서 1인 회사에 대한 상법규정의 적용에는 어느 정도의 수정이나 제한 또는 적용의 배제가 불가피하게 된다.

나. 주주총회에서 발생하는 문제

1) 1인 회사와 주주총회의 운영

주주총회에 관하여 상법은 소집의 결정(제362조, 제366조, 제412조의3, 제467조 3항), 소집의 통지와 공고(제363조), 소집지(제364조), 결의방법과 의결권의 행사(제368조, 제369조, 제370조, 제371조), 의사록(제373조) 등에 관하여 여러 규정을 두고 있다. 이러한 규정들 중 주주총회의 소집과 결의에 관한 규정은 복수의 주주를 전제로 하여 그들의 이익을 보호하기 위하여 제정된 규정들이므로 1인 회사의 실질에 적합하도록 제한적으로 적용될 수밖에 없다.

---

29) 최기원, 전게서, 45면; 최준선, 「회사법」 제16판(삼영사, 2021), 75면; 개정에 동의하는 입장으로는 손진화, 「상법강의」(신조사, 2012), 302면; 송옥렬, 「상법강의」(홍문사, 2021), 717면; 이기수·최병규, 전게서, 67면; 정찬형, 「상법강의(상)」 제24판(박영사, 2021), 463면.
30) 이철송, 「회사법강의」 제29판(박영사, 2021), 46면.

2) 주주총회의 소집

상법상 주주총회의 소집은 상법에 다른 규정이 있는 경우를 제외하고는 이사회가 이를 결정하며(제362조), 이사회는 상법 및 정관에 정한 절차에 따라 주주총회를 소집한다. 이러한 주주총회 소집절차에 하자가 있는 경우 그 총회의 결의는 취소 또는 부존재의 사유가 있게 된다. 그러나 1인 회사의 경우는 소집절차에 흠결이 있어도 결의자체는 유효하며, 소집절차에 관한 규정은 주주의 이익을 보호하기 위한 것이기 때문에 1인 주주의 동의만 있으면 생략할 수 있다고 할 것이다.

〈대법원 1967.2.28. 63다981〉
"1인 주주회사에서 주주총회의 소집절차가 흠결이 있어 위법인 경우에도 그 주주가 주주권을 행사 소집된 주주총회에 참석하여 총회개최에 동의하고 아무 이의 없이 한 결의는 다른 특별사정이 없는 한 위법이라고 할 수 없다."

대법원은 소집권한이 없는 자가 주주총회를 소집하거나 소집결정을 위한 이사회결의에 하자가 있다고 하더라도 1인 주주가 참석하여 이의 없이 결의를 하였다면 적법한 주주총회의 결의가 있다고 판시하였다.[31]

〈대법원 1966.9.20. 66다1187, 1188〉
"주주총회의 소집절차에 관한 법의 규정도 각 주주의 이익을 보호하려는데 그 목적이 있는 것이므로, 주주총회가 소집권한 없는 자의 소집에 의하여 소집키로 한 이사회의 정족수와 결의절차에 흠결이 있어 주주총회소집절차가 위법한 것이라고 하더라도 1인 주식회사로 그 주주가 참석하여 총회개최에 동의하고 아무 이의 없이 결의한 것이라면, 그 결의 자체를 위법한 것이라 할 수 없다."

그뿐만 아니라 전원출석총회에 대하여도 "주주총회의 특별결의 시 그 주주총회가 상법 소정의 적법한 소집절차를 경유하지 않았다고 하더라도 주주전원이 출석하여 만장일치로 결의한 경우라면 위 주주총회는 이른바 전원출석총회로서 그 결의는 주주총회결의로서 유효하다"고 하여 그 효력을 인정하고 있다.

---

31) 대법원 1968.2.20. 67다1979, 1980.

특히 1인 주식회사에서 주주총회의 소집과 결의와 관련된 최근의 판례는 의미가 있다. 실질적으로 주주 1인이 회사의 주식 전부를 소유하고 있는 1인 회사로서 단독주주인 1인의 의사로 이루어진 경우라도, 그것은 그 주주의 의사가 바로 주주총회의 결의이므로 실제로 주주총회가 개최된 바 없다 하더라도, 1인 주주의 의사에 기하여 주주총회의 의사록이 작성된 이상, 위 결의 자체가 존재하지 않는 경우에 해당한다고 볼 수 없다고 서울고등법원은 판시를 하였다.[32] 대법원 역시 고등법원의 판단을 인정하였다.[33]

〈대법원 1993.6.11. 93다8702〉

"주식회사에서 총주식을 한 사람이 소유하고 있는 1인 회사의 경우에는 그 주주가 유일한 주주로서 주주총회에 출석하면 전원총회로서 성립하고, 그 주주의 의사대로 결의될 것임이 명백하므로 따로 총회소집절차가 필요없다 할 것이고, 실제로 총회를 개최한 사실이 없다 하더라도 1인 주주에 의하여 의결이 있었던 것으로 주주총회의사록이 작성되었다면 특별한 사정이 없는 한 그 내용의 결의가 있었던 것으로 볼 수 없어, 형식적인 사유에 의하여 결의가 없었던 것으로 다툴 수 없다."

3) 의사록 작성

비록 1인 회사라 하더라도 주주총회의 의사에는 의사록을 작성하여야 하며(제373조 제1항), 의사록에는 의사의 경과와 그 결과를 기재하고 의장과 출석한 이사가 기명날인 또는 서명하여야 한다(제373조 제2항). 또한 이사는 총회 의사록을 본점과 지점에 비치하여야 하며, 회사채권자는 영업시간 내에는 언제든지 의사록의 열람 또는 등사를 청구할 수 있다(제396조). 주주총회에서의 의사결정은 회사 및 회사채권자와 이해관계가 있기 때문에 의사록 작성은 회사의 법률관계를 제3자에 대해서까지 명확하게 하기 위한 것이고, 따라서 의사록의 작성은 주주의 이익보호만을 위한 것은 아니기 때문이다.

그러나 실제로 주주총회를 개최한 사실이 없고 1인 주주에 의하여 결의가 있었던 것처럼 주주총회의사록이 작성되었다 할지라도 특별한 사정이 없는 한 결의가 있었던 것으로 볼 수 있다.[34] 대법원은 2004년에도 역시 동일한 선상에

---

32) 서울고등법원 1992.12.15. 92나543.
33) 대법원 1993.6.11. 93다8702.

서 판단하였다.

〈대법원 2004.12.10. 2004다25123〉

"소위 1인 회사의 경우에는 그 주주가 유일한 주주로서 주주총회에 출석하면 전원총회로서 성립하고, 그 주주의 의사대로 결의가 될 것임이 명백하므로 따로 총회소집절차가 필요 없다. 실제로 총회를 개최한 사실이 없었다 하더라도 그 1인 주주에 의하여 의결이 있었던 것으로 주주총회의사록이 작성되었다면, 특별한 사정이 없는 한 그 내용의 결의가 있었던 것으로 볼 수 있다. 이는 실질적으로 1인 회사인 주식회사의 주주총회의 경우도 마찬가지이며, 그 주주총회의사록이 작성되지 아니한 경우라도 증거에 의하여 주주총회 결의가 있었던 것으로 볼 수 있다."

즉 1인 회사의 경우에는 주주총회를 개최한 사실이 없더라도 특별한 사정이 없는 한 의사록의 작성을 결의의 유효요건으로 보고 있다. 그렇다고 할지라도 다수로 분산된 회사의 경우는 상법의 규정이 적용되어야 할 것이다.

〈대법원 2007.2.22. 2005다73020〉

"주식의 소유가 실질적으로 분산되어 있는 경우에는 상법상의 원칙으로 돌아가 실제의 소집절차와 결의절차를 거치지 아니한 채 주주총회의 결의가 있었던 것처럼 주주총회의사록을 허위로 작성한 것이라면 설사 1인이 총주식의 대다수를 가지고 있고, 그 지배주주에 의하여 의결이 있었던 것으로 주주총회의사록이 작성되어 있다 하더라도 도저히 그 결의가 존재한다고 볼 수 없을 정도로 중대한 하자가 있는 때에 해당하여 그 주주총회의 결의는 부존재하다고 보아야 한다."

4) 이사의 출석

이사가 주주총회에 출석하여야 한다는 명문의 규정은 없으나 상법은 그 출석을 당연한 것으로 전제하고 있다(제373조 제2항, 제449조). 이사는 주주총회에 출석하여 제출한 의안의 제안이유를 설명하고, 출석한 주주의 질문에 답변하는 것이 그의 임무라고 할 것이다.

그러나 이것은 어디까지나 주주총회의 원활한 운영을 기하자는데 그칠 뿐이

---

34) 대법원 1976.4.13. 74다1755.

지 그렇다고 하여 이사의 출석이 총회성립의 요건이라고 할 수 없다. 따라서 1 인 회사의 경우에 이사들이 전원 결석하더라도 그 1인 주주 단독으로 의안을 내어 결의하였으면 이로써 충분히 유효한 총회 결의가 성립된다고 할 것이다.

5) 기타사항

영업양도에 있어서도 다수의 사원을 상정한 상법상 규정은 적용되지 않는다. 1인 주주이자 대표이사인 사람의 동의가 있었다면, 영업양도에 있어서(제374조 제1항 제1호) 요구되는 주주총회의 특별결의는 존재하지 않아도 가능하다는 것이 대법원의 입장이다.[35]

〈대법원 1974.4.23. 73도2611〉
"실질적인 1인 회사에 있어서는 다른 주주들이 주식인수의 형식을 갖춰 그 지위를 보지하고 있는 경우에는 그 회사의 중요 영업재산을 양도하려면 주주총회의 특별결의를 필요로 하지만, 이러한 결의 없이 임의처분한 경우에 도 실질적인 1인 회사의 1인 주주로서 회사의 손해는 바로 그 주주 한 사람 의 손해인 것임에 비추어 회사에 손해를 가하려는 범의가 없어 회사에 대한 업무상 배임죄는 성립될 수 없다."

다. 1인 회사와 이사의 자기거래

1인 회사에서도 다수의 이사를 구성원으로 하는 이사회가 존재하는 경우가 발생할 수 있다. 그 경우 이사가 자기거래를 하기 위해서는 이사회의 승인을 받 아야만 하는가에 대한 논의가 있다.[36]

1) 부정설

부정설의 입장에서는 이사와 회사 간의 거래의 제한에 관한 상법 제398조의 규정이 1인 주주가 이사인 경우에는 그 적용이 없다고 보는 입장이다.[37] 상법 제398조의 보호범위를 회사의 이익으로 보고 1인 회사의 경우 1인 주주의 재산 과 회사재산의 귀속주체가 동일함을 내세워 이러한 결론을 제시한다.[38] 이러한

---

35) 대법원 1976.5.11. 73다52.
36) 김정호, 전게서, 12면 이하.
37) 대법원 1992.3.31. 91다16310; 정동윤, 전게서, 17면, 440면.

해석은 기관분화를 본질로 하는 주식회사제도에 반한다고 하는 이유로 이에 반대하는 견해에 대하여, 이사의 자기거래를 제한하는 취지는 기본적으로 회사의 이익을 보호하기 위한 것이고, 주식회사의 기관분화와 밀접하게 관련되는 것이라고는 보기 어렵다고 주장하면서, 독일 연방대법원이 '이사의 자기거래에 관하여 처음에는 그것이 자기계약·쌍방대리를 금지하는 독일 민법 제181조에 해당하는 것'으로 풀이하였으나, 뒤에 태도를 바꾸어 '이사의 자기거래는 위 금지규정에 해당하지 않는다'고 판시한 사항을 제시한다.

2) 긍정설

긍정설의 입장에서는 회사재산은 모든 채권자에 대한 담보가 되므로 1인 주주의 이사라 하더라도 회사와 이해관계가 일치된다고 할 수 없다고 주장한다. 상법 제398조의 보호범위를 회사의 이익뿐만 아니라 회사채권자의 보호에까지 확장시키면서 1인 회사에도 그 적용가능성을 부정하지 않는 입장이다.[39] 상법 제398조는 회사재산의 보호와 더불어 채권자보호도 동시에 꾀하고 있음을 알 수 있다. 하지만 1인 주주의 실질적인 지배하에 있을 이사회가 실질적인 통제기능을 수행할지에 대하여는 의문이 제기된다.

3) 파생되는 문제점

자기거래의 문제는 주주와 채권자, 회사거래의 상대방 등 이해관계인 보호의 필요성과 회사자본유지의 이념 등 여러 가지 고려사항 속에서 이사의 자기거래를 허용하는 거래의 공정성을 확보할 수 있도록 자기거래를 어떤 방법으로 적절하게 규제할 것인가가 해결하여야 할 중요한 과제이다.[40] 문제는 주주가 1인이면서 그가 업무집행을 한다면 그 승인에 대한 통제의 의구심이 제기된다.[41]

회사의 구성원이 1인으로 이루어진 회사의 경우 주주가 그 자신만으로 회사의 대표이사를 겸하는 경우가 대부분이다. 이 경우에는 이사회의 승인을 받을 수 없고, 주주이자 대표이사가 자기거래를 할 수밖에 없는 상황이 발생한다. 즉 제398조의 통제를 받음이 없이 이사의 자기거래행위가 발생하는 것이다.

---

38) 독일의 유사한 판례로는 BGHZ 56, 97.
39) 독일 연방대법원이 제시한 BGHZ 33, 189의 결론과 유사하다.
40) 김정호, 전게서, 13면 이하.
41) 임재연, 「회사법 I」 개정판(박영사, 2013), 49면 이하.

라. 의결권의 제한

상법 제368조 제4항은 특별한 이해관계가 있는 주주에게 의결권을 제한하고 있다. 그러나 1인 주주로 이루어진 1인 회사에서 특별한 관계를 갖는 주주가 존재하지 않기 때문에 동 규정은 적용의 가치가 없다.[42] 감사의 선임 시에도 마찬가지이다. 즉 감사의 선임 시 100분의 3 이상을 가진 주주의 의결권은 100분의 3으로 제한되지만(제409조), 1인 회사에서 동 규정은 아무런 가치를 주지 못한다.

마. 주식의 양도규정

우리 상법은 규모가 작은 회사에 대하여, 주식양도에 있어서 정관에서 이사회의 승인을 받도록 할 수 있음을 인정하고 있다(제335조 제1항 단서). 동 규정역시 1인 회사에도 적용된다. 이사가 1인으로 이루어진 회사에 대하여는 이사회의 승인에 갈음하여 주주총회의 승인을 받아야 하는 것으로 하고 있다(제383조제4항, 제335조 제2항). 그러나 주주가 1인으로 이루어진 1인 회사의 경우에는 그 주주 자신이 임의로 주식을 양도할 수 있는 가능성이 발생하게 된다. 정관에 의한 주식양도제한의 경우에, 회사채권자를 보호해야 할 것인가의 다툼이 있다. 정관에 의한 주식양도제한은 1인 회사에도 적용되어야 한다는 견해와,[43] 제335조의 규정은 기존 주주가 원치 않는 주주가 들어오는 것을 예방하기 위한 규정이므로 1인 회사에는 적용의 필요성이 없다는 주장[44]이 있다.

바. 회사에 대한 배임죄와 횡령죄 여부

1) 배임죄 여부

1인 주식회사에서 1인 주주 겸 대표이사가 회사에 손해를 가한 경우에 회사에 대한 배임죄가 성립되는가에 대한 물음이 제기된다.[45] 과거 판례는 회사의 손해는 바로 1인 주주의 손해라고 보고, 회사에 손해를 가하려는 범위를 인정하

---

42) 이철송, 전게서, 47면.
43) 이철송, 전게서, 47면.
44) 최준선, 전게서, 82면.
45) 유주선, "주주총회결의의 한계와 배임죄-1인 주식회사를 중심으로-,"「경영법률」제30집 제3호(한국경영법률학회, 2020), 49면 이하.

지 않았다. 그러므로 회사에 대한 배임죄를 부정하는 결과를 초래하였다.

〈대법원 1974.4.23. 73도2611〉

"위 회사는 피고인이 모든 자금을 출자하여 설립한 회사로서 회사설립시 발기인으로 되어 있는 다른 사람들은 실제 출연을 하지 아니하고 법적요건을 구비하기 위하여 피고인에게 형식적으로 이름만 빌려준 사람들일 뿐 아니라 그 후에도 위 회사의 주식은 실제 모두 피고인이 소유하고 있어 실질적인 1 인회사라고 한 원판시 인정사실을 긍인할 수 있다할 것이고 이러한 1인회사 인 경우라도 다른 주주들이 주식인수의 형식을 갖춰 그 지위를 보지하고 있 음이 인정되는 이 사건 회사에 있어 피고인이 위 회사의 중요한 영업재산을 양도하는 경우에도 따라 주주총회의 특별결의를 거칠 필요가 없다고 하였음 은 표현상 미비점이 있기는 하나 위와 같이 실질적인 1인회사의 1인주주인 피고인으로서 회사의 손해는 바로 그 주주 한사람의 손해인 것에 비추어 회 사에 손해를 가하려는 의사 즉 범의가 없어 회사에 대한 배임죄는 성립할 수 없다."

그러나 주주의 유한책임으로 인하여 회사의 재산은 회사채권자에 대하여 유 일한 책임재산을 구성하게 된다. 그러므로 1인 주주라고 할지라도 회사와의 이 해관계가 일치할 수 없다고 하겠다. 회사의 손해는 주주의 손해일 뿐만 아니라 회사채권자의 손해이기도 함을 간과해서는 아니 된다. 현재 대법원은 1인 주주가 임무에 위배하여 회사에 손해를 야기한 경우에 있어서 배임죄를 인정하고 있다.

〈대법원 1983.12.13. 83도2330 전원합의체〉

"배임의 죄는 타인의 사무를 치리하는 사람이 그 임무에 위배하는 행위로 써 재산상의 이익을 취득하거나 제3자로 하여금 취득하게 하여 본인에게 손 해를 가함으로써 성립하여 그 행위의 주체는 타인을 위하여 사무를 처리하는 자이며 그의 임무위반 행위로써 그 타인인 본인에게 재산상의 손해를 발생케 하였을 때 이 죄가 성립되는 것인 즉 주식회사의 주식이 사실상 1인 주주에 귀속하는 소위 1인 회사에 있어서도 행위의 주체와 그 본인은 분명히 별개의 인격이며 그 본인인 주식회사에 재산상 손해가 발생하였을 때 배임죄의 죄는 기수가 되는 것이다."

〈대법원 2005.10.28. 2005도4915〉

"배임죄는 재산상 이익을 객체로 하는 범죄이므로, 1인 회사의 주주가 자신의 개인채무를 담보하기 위하여 회사 소유의 부동산에 대하여 근저당권설정등기를 마쳐 주어 배임죄가 성립한 이후에 그 부동산에 대하여 새로운 담보권을 설정해 주는 행위는 선순위 근저당권의 담보가치를 공제한 나머지 담보가치 상당의 재산상 이익을 침해하는 행위로서 별도의 배임죄가 성립한다 할 것이다."

〈대법원 2006.6.16. 2004도7585〉

"1인회사에 있어서도 행위의 주체와 그 본인은 분명히 별개의 인격이며, 그 본인인 주식회사에 재산상 손해가 발생하였을 때 배임죄는 성립하는 것이므로 궁극적으로 그 손해가 주주의 손해가 된다 하더라도 이미 성립한 죄에는 아무 소장이 없다 할 것인바, 피고인이 다른 주주들의 주식을 모두 취득하려 하였다는 사정만으로 배임죄의 성립에 영향을 미치는 것도 아니다."

2) 횡령죄 여부

1인 주주가 회사재산을 영득한 경우에 대법원은 횡령죄를 인정하고 있다.[46]

〈대법원 1989.5.23. 89도570〉

"주식회사의 주식이 사실상 1인주주에 귀속하는 1인회사에 있어서도 회사와 주주는 분명히 별개의 인격이어서 1인회사의 재산이 곧바로 그 1인 주주의 소유라고 볼 수 없으므로 사실상 1인주주라고 하더라도 회사의 금원을 임의로 처분한 소위는 횡령죄를 구성한다."

〈대법원 1999.7.9. 99도1040〉

"주식회사의 주식이 사실상 1인의 주주에 귀속하는 1인회사의 경우에도 회사와 주주는 별개의 인격체로서 1인회사의 재산이 곧바로 그 1인 주주의 소유라고 볼 수 없으므로, 그 회사 소유의 금원을 업무상 보관 중 임의로 소비하면 횡령죄를 구성하는 것이다."

---

46) 유주선, "1인 주식회사의 횡령죄에 관한 연구," 「비교사법」 제27권 제2호(한국비교사법학회, 2020), 213면 이하.

〈대법원 2007.6.1. 2005도5772〉

"1인 회사에 있어서도 행위의 주체와 그 본인은 분명히 별개의 인격이며 1인 회사의 주주가 회사 자금을 불법영득의 의사로 사용하였다면 횡령죄가 성립하고, 불법영득의 의사로써 업무상 보관중인 회사의 금전을 횡령하여 범죄가 성립한 이상 회사에 대하여 별도의 가수금채권을 가지고 있다는 사정만으로 금전을 사용할 당시 이미 성립한 업무상횡령죄에 무슨 영향이 있는 것은 아니다."

〈대법원 2011.2.10. 2010도1292〉

"위 피고인의 국민은행 계좌나 차명계좌에 입금된 금액들도 대부분 피고인 1이 지배하고 있는 ○○○그룹 계열회사들에 자금을 지원하는 등 위 피해회사들과는 무관한 용도로 사용된 사실을 충분히 인정할 수 있다. 위 사실에 의하면, 위 피고인들은 위와 같은 피해 회사들과는 무관한 용도로 사용할 목적으로 피해회사들의 자금을 위와 같은 방법으로 인출하여 부외자금을 조성하였다고 봄이 상당하므로, 위에서 본 법리에 비추어 이 부분 부외자금 조성행위 당시 위 피고인들의 불법영득의사가 실현된 것으로 볼 수 있고, 상고이유 주장과 같이 위 계열회사 전부가 피고인 1의 1인회사라 하더라도 달리 볼 수 없다."

3) 검 토

1인회사의 1인 주주인 대표이사의 배임죄에 대한 사건은 지속적으로 등장하고 있다.[47] 대법원은 83도2330 전원합의체 판결 이후로 꾸준히 배임죄 성립을 인정하고 있다.[48] 30년 이상 계속 인정되어 온 관행처럼, 별다른 비판[49]없이 적용하고 있는 것이 현실이다. 그러나 83도2330 전원합의체 판결을 자세히 보

---

47) 유주선·이정민, "1인 주식회사와 배임죄,"「경영법률」제28집 제4호(한국경영법률학회, 2018), 97면 이하.

48) 대법원 2014.2.21. 2011도8870; 2012.6.14. 2010도9871; 2006.11.10. 2004도5167; 2006.6. 16. 2004도7585; 2005.10.28. 2005도4915; 1996.8.23 96도1525; 1989.5.23. 89도570; 1985. 10.22. 85도1503; 1984.9.25. 84도1581; 1983.12.13. 83도2330 전원합의체.

49) 1인 회사의 배임죄나 횡령죄 인정에 대한 법원의 입장을 비판하는 견해로, 송옥렬, "주주의 부와 회사의 손해에 관한 판례의 재검토,"「사법」제2호(사법발전재단, 2007), 51면 참조; 김일수, "1인회사의 주주겸 대표이사의 업무상 배임,"「주제별 판례연구」8(법원공보사, 1993), 318면 참조.

면, 배임죄 성립의 구성요건 존재조차 무시하는 오류를 범하고 있다. "1인 회사에 있어서도 행위 주체와 그 본인은 분명히 별개의 인격이며, 그 본인인 주식회사에 재산상 손해가 발생하였을 때 배임죄는 기수가 되는 것이므로, 궁극적으로 그 손해가 주주의 손해가 된다고 하더라도 이미 성립한 죄에는 아무 소장이 없다고 할 것이며, … 배임죄의 범의는 자기의 행위가 그 임무에 위배한다는 인식으로 족하고, 본인에게 손해를 가하려는 의사는 이를 필요로 하지 않는다."50)

한편 이 판례는 1인 회사와 주주가 "별개의 인격"51)이라는 관점에서 "법인이익독립론"52)을 취하고 있다고 볼 수 있다.53) 법인이익독립론이란, ① 회사는 주주 기타 이해관계자로부터 구분된 법인격을 가지는 별개의 존재이고, ② 손해 여부를 판단할 때 주주 기타 이해관계자와 구분된 회사 자체만을 기준으로 판단하여야 하며, ③ 이사는 회사에 대하여 선관주의의무 및 충실의무를 부담하므로 회사 그 자체에 손해가 발생할 때 임무위배행위가 있다고 본다.54) 그러나 "법인이익독립론"을 취하게 된다면, 최근 인정되고 있는 합병형 LBO사례55) 등에서 배임죄 문제를 해결하는데 있어서 모순이 발생하게 된다.56) 이를 해결하기 위해

---

50) 대법원 1983.12.13. 83도2330 전원합의체 참조. 이에 대한 문제제기로, 김일수, 상게논문, 318면.

51) 이른바 1인 회사에 있어서도 행위의 주체와 그 본인은 분명히 별개의 인격이며, 그 본인인 주식회사에 재산상 손해가 발생하였을 때 배임죄는 성립하는 것이므로, … 피고인이 다른 주주들의 주식을 모두 취득하려고 하였다는 사정만으로 배임죄의 성립에 영향을 미치는 것도 아니다. 대법원 2006.6.16. 2004도7585.

52) 회사는 독립된 법인격을 가지므로, 회사의 손해와 주주의 손해는 다른 것이고, 전체 주주에게 손해가 없더라도 회사에게 손해가 발생할 수 있다고 본다. 김태병, "회사의 손해와 주주의 손해,"「재판실무연구」(수원지방법원, 2012), 211면 참조.

53) 만일 주주자본주의 입장이라면 1인 회사의 경우 배임죄가 성립하지 않을 것이다. 미국의 판례법에서는 이사는 회사 및 그 주주들에게만 신인의무를 부담할 뿐 채권자에 대하여는 신인의무를 부담하지 않으며, 채권자는 법이 인정하고 있는 절차적인 보호장치 외에 추가적인 보호를 받을 당연한 자격이 있는 것은 아니라고 한다. 김병연, "LBO와 채권자보호에 대한 검토,"「기업법연구」제26권 제2호(한국기업법학회, 2012), 84면 참조.

54) 조성훈, "계열사 간 내부거래와 배임,"「선진상사법률연구」제76호(법무부, 2016. 10.), 121면 참조.

55) 일반적으로 회사가 타인의 채무를 보증하거나 담보를 제공하는 경우 주주에게도 손해가 되는데, 이러한 주주의 손해는 일반적으로 간접손해의 형태를 취하고, 일단 회사에 생기는 손해에 주목하여 이사에게 배임죄 적용하는 것이 가능하다. 그러나 1인 회사라면, 1인 주주의 채무에 회사가 담보를 제공하는 것은 주주에게 손해가 되거나 임무위배에 해당할 소지가 없지만, 1인 회사의 법리에 의하면 배임죄가 성립한다. 다만, 회사＝주주전체라고 이해한다면 배임죄 성립이 부정될 여지도 있다. 나아가 100% 지배와 합병의 경우, 즉 LBO거래에서 피인수회사가 SPC와 합병하는 경우, 합병형 LBO의 경우, 배임죄 성립이 부정될 수 있다. 송옥렬, "신주의 저가발행에서 이사의 임무위배,"「민사판례연구」제33집(상)(박영사, 2011), 724면 참조.

서는 법인의 성격[57])과 1인회사의 법리를 재검토할 필요가 있다고 하겠다.

2017년 기업집단의 계열사 지원에 있어서 배임죄 성립의 기준을 제시한 판례[58])에서 대법원은 'SPP조선이 SPP그룹 계열사들의 생산활동에 필요한 철강재 등 원자재를 통합구매해 어음 결제 방식으로 계열사에 공급한 것은 그 지원행위의 성격에 비추어 특정인 또는 특정회사의 사익을 위한 것으로 보기 어렵고, SPP조선에 손해를 가한다는 인식하에 한 의도적 행위라고 단정하기 어렵다'고 판시하였다.[59]) 이는 다시 말해 배임죄의 주관적 구성요건요소인 이익취득의 인식과 의욕이 없고, 손해를 가한다는 인식과 의욕이 없는, 즉 배임죄의 고의가 없는 행위였다는 점으로 이해될 수 있다. 대법원은 여기서 기업집단 내 계열회사 사이의 지원행위가 ① 계열회사들이 실체적 측면에서 결합되어 공동이익을 추구하는 관계에 있는지(기업집단기준), ② 지원행위가 특정인이나 특정회사를 위한 것이 아니라 계열회사들의 공동이익을 도모하기 위한 것인지(공동이익기준), ③ 지원할 회사의 선정이나 지원 규모가 객관적이고 합리적인지(선정·규모 기준), ④ 지원행위가 정상적이고 합법적인 방법으로 시행되었는지(방법 기준), ⑤ 지원하는 회사가 그에 상응한 적절한 보상을 객관적으로 기대할 수 있는 상황이었는지(보상 기준)[60])를 파악하여, 경영판단의 재량범위 내에서 행해진 행위로 볼 수 있다면, 가해의사가 부정되어 배임죄가 성립하지 않는다고 판단한 것으로, 이는

---

56) 여기에 대해 천경훈 교수는 "LBO에 관한 형사판결들은 회사의 손익을 판단함에 있어 배후의 실체를 외면하고, 법인 그 자체라는 관념만을 고수하는 것이 과연 가능하고 타당한가라는 의문을 더 이상 피해갈 수 없게 만들었다."라고 서술하고 있다. 천경훈, "LBO판결의 회사법적 의미-이사는 누구의 이익을 보호해야 하는가?-,"「저스티스」통권 제127호(한국법합원, 2011. 12.), 212면 참조.

57) 법인을 왜 만드는가에 대해서 두 가지 생각을 해 볼 수 있다. 첫째 복잡한 법률관계를 단순화할 수 있도록 법적 권리 의무이 귀속 주체가 필요해서, 둘째 영업주의 재산과 영업재산을 구분함으로써 영업과 관련된 채권자가 안심하고 거래할 수 있도록 하기 위해서라고 할 수 있다. 자세하게 송옥렬, "주주의 부와 회사의 손해에 관한 판례의 재검토,"「사법」 제2호(사법발전재단, 2007), 47면 참조.

58) 대법원 2017.11.9. 2015도12633.

59) 이에 대해 대법원 관계자는 기업이 사업확장을 하면서 단일한 법인격을 유지하며 신설 사업부문을 확장하는 방식을 택할 것인지 아니면 모기업 100% 지분을 가지는 자회사를 설립해 신설 사업을 맡도록 할 것인지는 기업활동의 자유에 해당하는 영역이라며, 세계적인 글로벌 기업들이 기업집단을 구성해 사업영역을 다양화하고 있는 현실을 법리에도 반영할 필요가 있다고 설명했다. 이세현 기자, "[판결] 그룹 내 계열사 간 지원, 배임 단정은 잘못," 법률신문, 2017.11.15.

60) 이완형, "배임죄에서 계열사 지원행위와 경영판단의 한계," 대법원 형사법연구회 공동학술대회 발표문, 22면 참조; 이완형, "기업집단 내 계열회사 간 지원행위의 업무상배임죄 성립 여부,"「사법」 제43호(사법발전재단, 2018. 3.) 참조.

1인 회사 관련 사례는 아니지만 배임죄 성립 여부에 중요한 의미를 준다.[61]

5. 독일 1인 유한회사의 법률관계

가. 1인 유한회사의 조직과 책임구조

1) 1인 유한회사에서 사원총회

다수의 사원을 가지고 있는 유한회사에 대하여 유한회사법이 적용되는 것과 마찬가지로, 1인 유한회사 또한 동일한 책임구조를 가지고 있다. 즉 유한회사는 두 가지 기관을 갖고 있는데, 업무집행자(Geschäftsführer)와 사원총회(Gesamtheit der Gesellschafter)가 그것이다. 제3의 기관으로서 감사(Aufsichtsrat)는 존재하기는 하지만 필수적인 기관이 아니라 임의적인 기관으로서 인정된다.[62] 1인 유한회사는 구성원이 1인이므로, 단지 한 사람의 구성원을 가진 기관으로서 사원총회가 발생하게 된다. 그러므로 사원결의는 그의 각각의 사안에 대한 자신의 결정에 의하여 정해지게 되는 것이다.[63] 독일 유한회사법 제48조 제3항은 1인 유한회사에 대한 사원결의에 관하여 규정하고 있다. 즉 의결 후에 사원은 지체 없이 의사록을 작성하고 서명해야 한다고 규정함으로써, 법적 안정성과 법적 명확성을 도모하고자 하였다. 이러한 의사록의 작성은 입증의 목적에 기여하게 된다.

2) 1인 유한회사에서 업무집행과 대리

일반적으로 다수의 사원으로 이루어진 회사의 경우에 있어, 회사는 그것 자체로서 결정할 수 없기 때문에 어떠한 목적을 추구할 것인가에 대하여는 사원들이 결정해야만 할 것이다. 회사목적에 지향된 행위를 우리는 업무집행(Geschäftsführung)이라고 한다.[64] 이러한 업무집행은 법률행위를 체결하는 것뿐만 아니라, 사실행위를 포함한다. 하지만 영업의 존재를 전제로 하여 통상의 영업상의 사무를 집행함을 뜻하기 때문에, 회사 존립의 기초가 되는 정관변경, 영업양도, 해산 및 조

---

61) LBO와 관련하여 회사의 손익을 판단함에 배후의 실체를 외면하고 법인 그 자체라는 관념만을 고수하는 것이 불가능하다는 전제하에 논의를 전개하고 있는, 천경훈, 전게논문, 212면 참조.

62) Schmidt, Gesellschaftsrecht, 4. Aufl., Carl Heymanns Verlag, 2002, S. 983 ff.

63) Windbichler, Gesellschaftsrecht, 23. Aufl., Verlag C.H.Beck, 2013, S. 235.

64) Grunewald, Gesellschaftsrecht, 6. Aufl., Mohr Siebeck, 2005, S. 339 f.

직변경 등은 여기에 해당되지 않는다.[65] 여기에서 업무집행과 대리의 차이가 구분된다. 업무집행은 하나의 사원이 다른 사원에 대하여 의무를 손상하지 않고 행위가 허용되는가에 대한 물음, 즉 내부적인 권한과 책임의 문제이다. 반면에 대리는 외부에 대한 효과에 관련된 것인데, 회사의 행위가 제3자에 대하여 효력이 있는가에 관한 물음에 관한 것이다. 1인 유한회사에서 그 1인 사원은 대리행위를 하는 동시에 업무집행자가 될 수 있다.[66] 1인 사원은 혼자서 사원총회를 구성하고, 자기대리에 대한 허용을 자기 자신이 할 수 있는 독립적 기관이 되는 통제불가능한 형태로 발생가능하다.

〈독일 유한회사법 제48조〉

독일 조문 원문	번 역
§48 (Gesellschafterversammlung) (1) Die Beschlüsse der Gesellschafter werden in Versammlungen gefaßt. (2) Der Abhaltung einer Versammlung bedarf es nicht, wenn sämtliche Gesellschafter in Textform mit der zu treffenden Bestimmung oder mit der schriftlichen Abgabe der Stimmen sich einverstanden erklären. (3) Befinden sich alle Geschäftsanteile der Gesellschaft in der Hand eines Gesellschafters oder daneben in der Hand der Gesellschaft, so hat er unverzüglich nach der Beschlußfassung eine Niederschrift aufzunehmen und zu unterschreiben.	제48조 (사원총회) (1) 사원의 결의는 총회에서 이를 한다. (2) 사원전원이 텍스트형식으로써 결의사항에 동의를 표하고 또는 서면에 의한 결의에 동의를 표한 때에는 총회의 개최를 필요로 하지 않는다. (3) 회사의 지분 모두가 1인 사원에게 집중되거나 그 1인 이외에 회사에 속한 때에는 그 1인 사원은 결의 후 지체 없이 그 사실을 기록을 하고 서명을 하여야 한다.

3) 책임재산으로서 회사재산의 유지

다수의 사원을 가지고 있는 유한회사가 자연인과 분리된 법인인 것과 마찬가지로, 1인 회사 역시 독자적인 권리능력을 행사하는 법인이다. 회사자본금의 존재는 1인 유한회사를 설립함에 있어서도 요구되는 조건이다. 그러므로 1인 사원은 자본을 납입해야 할 의무를 부담하게 된다. 다수의 사원을 가진 유한회사에게 회사채권자를 위하여 회사재산이 있어야 하는 것과 마찬가지로, 1인 유한회

---

65) RGZ 162, 370 (372); BGHZ 76, 160 (164); BGH NJW 1995, 596.
66) Windbichler, Gesellschaftsrecht, 23. Aufl., Verlag C. H. Beck, 2013, S. 235.

사 또한 1인 사원의 재산과 분리되는 회사재산을 가지고 있어야 함은 당연하다.[67] 이른바 자연인이 하나의 사람으로서 권리능력을 행사하듯, 법인 역시 자연인과 분리된 하나의 인으로서 독자적인 권리능력을 행사하게 된다. 자연인과 같은 포괄적인 권리능력을 행사하기 위하여, 법인 역시 개인재산과 분리된 법인재산이 요구되어지는 것이다. 독일 유한회사법이 규정하고 있는 '자본유지의무'(독일 유한회사법 제30조와 제31조) 또한 1인 유한회사의 1인 사원에게 해당된다.

〈독일 유한회사법 제30조〉

독일 조문 원문	번 역
§30 (Kapitalerhaltung) (1) Das zur Erhaltung des Stammkapitals erforderliche Vermögen der Gesellschaft darf an die Gesellschafter nicht ausgezahlt werden. Satz 1 gilt nicht bei Leistungen, die bei Bestehen eines Beherrschungs– oder Gewinnabführungsvertrags (§291 des Aktiengesetzes) erfolgen oder durch einen vollwertigen Gegenleistungs– oder Rückgewähranspruch gegen den Gesellschafter gedeckt sind. Satz 1 ist zudem nicht anzuwenden auf die Rückgewähr eines Gesellschafterdarlehens und Leistungen auf Forderungen aus Rechtshandlungen, die einem Gesellschafterdarlehen wirtschaftlich entsprechen. (2) Eingezahlte Nachschüsse können, soweit sie nicht zur Deckung eines Verlustes am Stammkapital erforderlich sind, an die Gesellschafter zurückgezahlt werden. Die Zurückzahlung darf nicht vor Ablauf von drei Monaten erfolgen, nachdem der Rückzahlungsbeschluß nach §12 bekanntgemacht ist. Im Fall des §28 Abs. 2 ist die Zurückzahlung von Nachschüssen vor der Volleinzahlung des Stammkapitals unzulässig. Zurückgezahlte Nachschüsse gelten als nicht eingezogen.	제30조 (자본유지) (1) 자본금의 유지를 위하여 필요한 회사재산은 사원에게 지급할 수 없다. 지배계약이나 이익공여계약(주식법 제291조)상 이루어진 지급이거나 또는 그 지급이 사원에 대한 완전한 반대급부청구권이나 상환청구권을 통해 그 반환이 담보되는 경우에는 제1문은 적용되지 않는다. 또한 사원소비대차금액의 반환 또는 경제적으로 보아 사원소비대차와 유사한 법률행위로 인해 발생하는 청구권에 대한 변제에는 제1문이 적용되지 아니한다. (2) 추가납입된 자본금은 기본자본의 결손을 충당하는데 필요하지 않으면 사원에게 반환할 수 있다. 반환결의가 제12조에 따라 공고된 후 3개월이 경과하기 전에는 반환은 허용되지 않는다. 제28조 제2항의 경우 추가출자금의 반환은 기본자본 전액이 납입되기 전에는 허용되지 않는다. 반환된 추가출자금은 납입되지 않은 것으로 본다.

---

67) Zu Durchgriffslehre Raiser/Veil, Recht der Kapialgesellschaften, 5. Aufl., Verlag Vahlen, 2010, S. 399 f.

〈독일 유한회사법 제31조〉

독일 조문 원본	번 역
§31 (Erstattung verbotener Rückzahlungen) (1) Zahlungen, welche den Vorschriften des §30 zuwider geleistet sind, müssen der Gesellschaft erstattet werden. (2) War der Empfänger in gutem Glauben, so kann die Erstattung nur insoweit verlangt werden, als sie zur Befriedigung der Gesellschaftsgläubiger erforderlich ist. (3) Ist die Erstattung von dem Empfänger nicht zu erlangen, so haften fur den zu erstattenden Betrag, soweit er zur Befriedigung der Gesellschaftsgläubiger erforderlich ist, die übrigen Gesellschafter nach Verhältnis ihrer Geschäftsanteile. Beitrage, welche von einzelnen Gesellschaftern nicht zu erlangen sind, werden nach dem bezeichneten Verhältnis auf die übrigen verteilt. (4) Zahlungen, welche auf Grund der vorstehenden Bestimmungen zu leisten sind, können den Verpflichteten nicht erlassen werden. (5) Die Ansprüche der Gesellschaft verjähren in den Fallen des Absatzes 1 in zehn Jahren sowie in den Fallen des Absatzes 3 in fünf Jahren. Die Verjahrung beginnt mit dem Ablauf des Tages, an welchem die Zahlung, deren Erstattung beansprucht wird, geleistet ist. In den Fallen des Absatzes 1 findet §19 Abs. 6 Satz 2 entsprechende Anwendung. (6) Für die in den Fallen des Absatzes 3 geleistete Erstattung einer Zahlung sind den Gesellschaftern die Geschäftsführer, welchen in betreff der geleisteten Zahlung ein Verschulden zur Last fällt, solidarisch zum Ersatz verpflichtet. Die Bestimmungen in §43 Abs. 1 und 4 finden entsprechende Anwendung.	제31조 금지된 지급액의 반환 (1) 제30조의 규정에 반하여 지급된 금액은 회사에게 반환하여야 한다. (2) 수령자가 선의인 경우 회사채권자에 대한 변제를 위해 필요한 경우에만 지급된 금액의 반환을 요구할 수 있다. (3) 수령자로부터 지급된 금액의 반환을 받지 못하는 경우 반환받지 못하는 금액이 회사채권자의 변제를 위하여 필요한 금액인 경우 다른 사원이 지분에 비례하여 반환받지 못한 금액에 대해 책임을 진다. 개별 사원들로부터 반환받지 못하는 금액은 기타 사원이 그 지분에 비례하여 분담한다. (4) 전항의 규정들에 따른 지급의무에 대해서는 지급의무자를 면책할 수 없다. (5) 제1항에 따른 회사의 청구권은 10년의 시효로, 제3항에 따른 회사의 청구권은 5녀의 시효로 소멸한다. 소멸시효는 반환청구권이 발생하는 지급이 이루어진 날로부터 진행된다. 제1항의 경우에 제19조 제6항 제2문이 준용된다. (6) 제3항에 따른 지불된 금액의 반환과 관련하여 이사에게 지불된 금액에 대한 과실이 있는 경우 이사는 사원에 대해 연대하여 배상할 책임을 부담한다. 제43조 제1항과 제4항을 준용한다.

독일의 입법자는 유한회사법 제30조를 통하여 사원에게 회사재산이 회사채권자로 이전하는 것을 예방하고자 하였고, 동법 제31조를 통하여 사원이나 사원에

게 귀속될 수 있는 제3자가 급부를 수령한 경우에 회사에 반환하도록 하고 있다.

나. 1인 회사에서 채권자보호

독일 민법 제181조와 관련하여, 1인 유한회사에서 회사채권자를 보호해야 하는가의 문제에 대하여 판례의 추이를 고찰하는 것은 상당히 큰 의미가 있다.[68]

1) 판례의 경향

"유한회사의 업무를 집행하는 1인 사원이 그의 개인 자유로부터 회사에게 여러 번에 걸쳐서 자금을 공급하였고, 그 공급된 것은 업무장부에 소비대차로 기입하였다. 유한회사의 파산과정에서 파산관재인이 이러한 소비대차행위를 제181조에 의하여 무효를 주장한" 사례에서 제국법원은, 1인 사원은 독일 민법 제181조에 의하여 유한회사의 이름으로 그 사원과 자기대리행위를 금지하는 것으로 보았다.[69] 민법 제181조의 연혁적인 측면에서, 민법 제181조의 금지가 이해의 충돌에 놓여 있지 않음으로서 민법 제181조가 엄격히 고려되어질 수 있다고 주장한 것이다.

연방재판소는 우선적으로 제국재판소의 판례를 계승하였다. "유한회사의 업무를 집행하는 1인 사원이 이 회사에 속하는 자동차를 인도하였다. 유한회사는 파산되었고, 파산관재인이 자동차의 반환을 요구하였다. 인도 시에 제181조에 의한 허락되지 않은 자기행위에 관련된 것이라는 근거로 소송을 제기한" 사례에서 연방대법원은 제181조의 금지로부터 1인 유한회사의 업무집행자이면서 사원을 통한 허락을 배제하는 것이 필요불가결하다고 보지 않고, 민법 제181조를 1인 유한회사의 사원이자 업무집행자의 법률행위에 대하여 적용하였다.[70] 연방대법원에 따르면, 사원이자 업무집행자는 순수한 사원결의를 통해서가 아니라, 이전에 회사계약에서, 그리고 나중에 정관변경을 통하여 자기대리를 허용될 수 있다고 주장하였다.[71] 학자들의 비판이 제기되자 연방대법원은 예전의 입장을 수정하였다. 연방대법원은 제181조에 대한 이전의 견해를 수정한바, 자기행위의

---

68) 판례의 분석에 대하여는 유주선, "1인 회사에서 자기대리의 문제," 「경영법률」 제16집 제2호(한국경영법률학회, 2006), 259면 이하.

69) RGZ 68, 172 ff.

70) BGHZ 33, 189.

71) BGHZ 33, 189 (191).

금지는 형식적인 질서규정이 아니라, 오히려 한 사람이나 다른 사람의 손상을 이끌 수 있는 대리인과 본인의 이해관계의 충돌을 예방하여야 한다고 주장하였다.72) 그러나 1인 유한회사에서는 이러한 전제조건이 존재하지 않는데, 그것은 회사의 이익과 업무를 집행하는 사원의 이익이 일치하기 때문이라는 것이다.73) 새로운 판결에서 연방대법원은 지금까지의 판례를 포기하고 학설의 견해를 연결시켰다. 독일 민법 제181조는 1인 회사의 업무를 집행하는 사원과 그 자신과의 법률행위에 대하여 적용되지 않는 것으로 판단한 것이다. 이 규정의 목적으로부터 1인 유한회사에서 하나의 유일한 사원의 자기대리의 경우에, 회사의 의사형성과 사원의 의사형성이 동시에 발생하기 때문에 본인과의 이해충돌은 발생하지 않을 수 있다는 것이다.

2) 입법적 논의

학설과 판례의 입장과 평행하여 1971년과 1977년 유한회사법의 개정논의가 있었다. 유한회사법의 개혁에 관한 정부초안서에 따르면, 독일 민법 제181조는 1인 유한회사에서 자기행위에 대하여 적용하지 않을 것을 제시하였다.74) 이와는 명백하게 다른 입장에서 1981년 독일의 입법자는 1인 사원이자 업무집행자의 법률행위에 대하여 유한회사법 제35조 제4항을 새로이 입법하였다. 유한회사의 입법자는 새로이 규정된 제35조 제4항에서, 유한회사와 업무집행을 위하여 존재하는 1인 사원의 법률행위에 대하여 제181조가 적용된다고 규정하였다. 예전과 마찬가지로 민법 제181조는 형식적 질서규정으로서 1인 회사에 대하여 적용되어야 한다. 자기거래의 면제는 단순한 결의를 통해서가 아니라 단지 회사계약에서 원시적이면서 명백한 허락을 통하거나 또는 후발적인 정관변경을 통하여 가능해야만 한다. 여기서 주된 관심사는 채권자보호가 회사계약의 공시를 통하여 이행되어야 한다는 점이다. 지금까지 효력을 가졌던 판례로부터 변경과 함께 특히 등기공시의 고려하에 채권자보호의 개선을 목적으로 하고 있다는 것을 추측할 수 있다.75) 유한회사법의 개정으로 인하여, 이제 1인 사원은 회사계약을 통하여 명백하게 권한을 부여받은 경우에만, 그는 자기행위를 할 수 있게 되었다.

---

72) BGHZ 56, 97; BGHZ 59, 236 (239 f.); BGHZ 75, 358 (360 ff.).
73) BGHZ 56, 97 (101).
74) BR-Drucksache 595/71; BT-Drucksache 8/1347.
75) BT-Drucksache 8/3908 vom 16. 4. 1980.

다. 유한회사법 제35조 제3항의 의미

1) 자기거래의 목적론적인 축소해석

독일 민법 제181조와 관련하여 독일의 다수의 학자들은 두 가지 사례에서 민법 제181조의 목적론적 축소해석의 방법(teleologische Reduktion)이 제기될 수 있다고 주장하였다. 하나는 단지 본인에게 법률적인 이익으로 하는 대리인의 자기행위이고,[76] 다른 하나는 1인 회사의 사원이자 업무집행자가 그의 회사와 거래하는 경우가 그것이다.[77] 그러한 1인 유한회사의 사원이자 업무집행자와 그 자신과의 법률행위는 1980년 유한회사법의 개정을 통하여 새로운 규정이 입법되기 전까지 민법 제181조의 제한이 종속되지 않았다.[78] 유한회사의 업무집행 사원 사이에 이해관계의 충돌은 발생하지 않는데, 왜냐하면 1인 사원은 경영적인 측면에서 언제나 그 재산을 관련시키고, 이해의 동일성이 발생하기 때문이다. 민법 제181조는 단지 본인을 보호하고자 하는 것이었지, 제3자 특히 채권자를 보호하고자 한 것이 아니었고, 또 할 수도 없다는 것이다.

2) 제181조와 채권자보호의 관련성

민법 제181조가 본인을 보호하고자 하는 규정이라고 하였던 견해와 반대로, 연방대법원은 1971년 4월 19일의 전환되는 판결에서 채권자보호를 인정하였다.[79] 이 판례에서 연방대법원은 민법 제181조는 1인 유한회사의 사원이자 업무집행자의 자기행위에서 채권자보호를 위하여 본질적인 의미를 갖지 않는다고 주장하였다. 그러면서 연방대법원은 회사재산의 혼용을 통하여 채권자의 불이익의 위험을 인정하기는 하였지만, 그것의 위험은 민법 제181조를 통해서가 아니라 유한회사법 제30조와 제31조 또는 실체파악의 원칙을 통하여 해결하고자 하였다.[80] 게다가 1인 사원은 그가 원하는 결과를 그에게 종속되는 유한회사의

---

76) 특히 Hübner, Interessenkonflikt und Vertretungsmacht, C.H.Beck, 1977, S. 139 f.
77) MünchKomm/Thiele, BGB, §181 Rdn. 16; Soergel/Leptien, BGB, §181 Rdn. 24.
78) So BGHZ 56, 97 = NJW 1969(gegen BGHZ 33, 189); Blomeyer, Die telologische Korrektur, AcP 172, 1; Plander, Geschäfte des Gesellschafter-Geschäftsführers der Einmann-GmbH mit sich selbst, Köln Diss, 1969; ders., Insichgeschäfte des Alleingesellschafters, GmbHR 1971, 151 (154).
79) BGH NJW 1971, 1355 (1357).
80) BGHZ 56, 97 (103 f.) = NJW 1971, 1355; Leßmann, Teleologische Reduktion des

업무집행자의 선임을 통하여 도달할 수 있다고 한다. 결국 민법 제181조는 이러한 사례에서 채권자의 보호에 대한 도구로서 필요하지도 않고 적당하지도 않다고 한다.

3) 유한회사법 제35조 제3항

1980년 1월 1일 이래 유한회사법 제35조 제1항에 의하여, 동시에 유한회사 1인의 업무집행자이면서 동시에 1인 유한회사 사원의 자기행위는 민법 제181조의 제한이 지배하에 있게 된다는 것이 이제는 명백해졌다.[81]

그것에 따르면, 채무의 배타적인 이행의 사례를 벗어나는 자기행위에 대하여는, 사원이자 업무집행자에게 자기행위가 허락되는 경우에만 효력이 있게 된다. 그러므로 독일의 입법자는 민법 제181조의 목적론적인 축소해석의 대표적인 두 사례 중의 하나에 대하여 그 견해를 뒤집었다.[82] (구)유한회사법 제35조 제4항(현재 동 조항은 유한회사법 제3항에 해당한다)의 명백한 규정에 따라,[83] 민법 제181조는 유한회사의 1인 업무집행자인 1인 사원의 법률행위에 대하여 유한회사에 적용된다고 하는 점은 더 이상 다투어지지 않는다. 개정 전 제35조는 다음과 같다.

《(구)독일 유한회사법 제35조》

독일 조문 원문	번 역
§35 (Vertretung durch Geschäftsführer) (1) Die Gesellschaft wird durch die Geschäftsführer gerichtlich und außergerichtlich vertreten. (2) Dieselben haben in der durch den Gesellschaftsvertrag bestimmten Form ihre	제35조 (업무집행자에 의한 대표행위) (1) 회사는 이사가 재판상 재판 외에서 대표한다. (2) 회사는 회사계약에 따라 정해진 형식으로 자신의 의사표시를

§181 BGB beim Handeln des Gesellschafter-Geschäftsführers der Einmann- GmbH, BB 1976, 1377 (1379).

81) Zur Bedeutung der Gesetzesänderung für die Anwendung von §181 Kreutz, §181 BGB im Licht des §35 Abs. 4 GmbHG, Festschr. Mühl, S. 409 (410 f.).

82) 이에 대한 비판적인 견해로는 Jäger, Telologische Reduktion des §181 BGB, Giessen Uni., Diss. S. 3.

83) 한편 유한회사법은 2008년 대폭적인 개정을 하게 되는데, 유한회사법 제35조 역시 일부 변경이 이루어졌다. 최병규, "독일의 유한회사법 개정과 비교법적 고찰," 「기업법연구」 제21권 제4호(한국기업법학회, 2007), 27면 이하; 유주선, "2008년 독일 유한회사법의 개정과 시사점," 「상사판례연구」 제22권 제3호(한국상사판례학회, 2009), 109면 이하.

Willenserklärungen kundzugeben und für die Gesellschaft zu zeichnen, Ist nichts darüber bestimmt, so muss die Erklärung und Zeichnung durch sämtliche Geschäftsführer erfolgen. Ist der Gesellschaft gegenüber eine Willenserklärung abzugeben, so genügt es, wenn dieselbe an einen der Geschäftsführer erfolgt.

(3) Die Zeichnung geschieht in der Weise, dass die Zeichnenden zu der Firma der Gesellschaft ihre Namensunterschrift beifügen.

(4)Befinden sich alle Geschäftsanteile der Gesellschaft in der Hand eines Gesellschafters oder daneben in der Hand der Gesellschaft und ist er zugleich deren alleiniger Geschäftsführer, so ist auf seine Rechtsgeschafte mit der Gesellschaft §181 des Bürgerlichen Gesetz-buchs anzuwenden. Rechtsgeschäfte zwischen ihm und der von ihm vertretenen Gesellschaft sind, auch wenn er nicht alleiniger Geschäftsführer ist, unverzuglich nach ihrer Vornahme in eine Niederschrift aufzunehmen.

교부하고 서명해야 한다. 만약 이에 대한 사항이 정해지지 않은 경우라면, 업무집행자 모두의 의사와 서명이 이루어져야 한다. 회사에 대한 의사표시가 교부되는 경우라면, 업무집행자 중 한 명에게 이행되는 것으로 충분하다.

(3) 서명은 서명자가 회사의 상호에 이름을 기입하는 방식으로 이루어진다.

(4) 회사의 지분 전부가 1인 사원이 가지고 있거나 또는 그 1인 사원 이외에 회사가 가지고 있으며, 그 1인 사원이 유일한 이사인 경우에는 그 1인 사원과 회사 간의 법률행위에는 민법 제181조를 적용한다. 1인 사원과 1인 사원에 의해 대표되는 회사사이의 법률행위는 비록 1인 사원이 유일한 이사가 아니라 하더라도 그 법률행위 이후 지체 없이 기록을 남겨야 한다.

《(현)독일 유한회사법 제35조》

독일 조문 원문	번 역
§35 (Vertretung der Gesellschaft) (1) Die Gesellschaft wird durch die Geschäftsführer gerichtlich und außergerichtlich vertreten. Hat eine Gesellschaft keinen Geschäftsführer (Führungslosigkeit), wird die Gesellschaft fur den Fall, dass ihr gegenuber Willenserklärungen abgegeben oder Schriftstücke zugestellt werden, durch die Gesellschafter vertreten. (2) Sind mehrere Geschäftsführer bestellt, sind sie alle nur gemeinschaftlich zur Vertretung der Gesellschaft befugt, es sei denn, dass der Gesellschaftsvertrag etwas anderes bestimmt. Ist der Gesellschaft gegenuber eine Willenserklärung abzugeben, genugt die Abgabe gegenuber einem Vertreter der Gesellschaft	제35조 (회사의 대표) (1) 회사는 이사가 재판상 재판 외에서 대표한다. 회사에 이사가 없을 때에는 회사에 대한 의사표시가 이루어지거나 서류가 회사에 송부된 경우에는 회사의 사원이 대표한다. (2) 복수의 이사가 선임된 경우 공동으로만 회사를 대표할 권한이 있다. 다만 정관이 달리 정한 경우는 그러하지 아니하다. 회사에 대하여 의사표시를 하여야 하는 경우에는 제1항에 의한 회사의 대표자 1인에게 하면 족하다. 제1항의 회사의 대표자에게는 상업등기부에 등기된 영업상 주소로 의사표시를

nach Absatz 1. An die Vertreter der Gesells-
chaft nach Absatz 1 können unter der im
Handelsregister eingetragenen Geschäftsanschrift
Willenserklärungen abgegeben und Schriftstücke
fur die Gesellschaft zugestellt werden. Unabhängig
hiervon können die Abgabe und die Zustellung
auch unter der eingetragenen Anschrift der
empfangsberechtigten Person nach §10 Abs. 2
Satz 2 erfolgen.

(3) Befinden sich alle Geschäftsanteile der
Gesellschaft in der Hand eines Gesellschafters
oder daneben in der Hand der Gesellschaft
und ist er zugleich deren alleiniger Geschäfts-
führer, so ist auf seine Rechtsgeschafte mit der
Gesellschaft §181 des Bürgerlichen Gesetzbuchs
anzuwenden. Rechtsgeschäfte zwischen ihm
und der von ihm vertretenen Gesellschaft sind,
auch wenn er nicht alleiniger Geschäftsführer
ist, unverzuglich nach ihrer Vornahme in eine
Niederschrift aufzunehmen.

하고 회사를 위한 서류를 송부할 수 있다. 이와는 별도로 제10조 제2항 제2문에 의한 수령권한 있는 자의 등기된 주소로 의사표시를 하거나 서류를 송부할 수 있다. (3) 회사의 지분 전부가 1인 사원이 가지고 있거나 또는 그 1인 사원 이외에 회사가 가지고 있으며, 그 1인 사원이 유일한 이사인 경우에는 그 1인 사원과 회사 간의 법률행위에는 민법 제181조를 적용한다. 1인 사원과 1인 사원에의해 대표되는 회사 사이의 법률행위는 비록 1인 사원이 유일한 이사가 아니라 하더라도 그 법률행위 이후 지체 없이 기록을 남겨야 한다.

개정 전과 비교하여 (현)유한회사법 제35조 제1항 2문이 신설되었고, 개정 전 제2항은 새로운 내용을 대체되었다. 개정 전 제3항은 삭제되었고, 제4항에 있었던 내용은 (현)유한회사법 제3항으로 자리를 이동하게 되었다. (현)유한회사법 제35조 제3항 원문에 의하면, 민법 제181조는 단지 1인 사원이자 업무집행자와 회사의 법률행위에 대하여 적용된다. 그러므로 그것은 자기대리의 영역이지, 쌍방대리를 포함하는 것은 아니다.

라. 예방조치와 규칙의 예방가능성

1) 예방조치

형식적 분리원칙의 엄격한 주의가 제181조의 적용가능성을 열었음에도 불구하고, 제181조의 가치는 1인 사원의 적용영역에 대한 직접적인 성취를 갖는다. 제181조의 적용은 1인 회사에 대하여 효력을 미치는 분리원칙을 전제로 하고 있다.[84] 하지만 동시에 그것을 무시하고 자기거래의 범위에서 법인과 자연인

---

84) 분리원칙에 대하여는 RGZ 169, 240 (247); BGHZ 10, 205 (207); 15, 27 (30); 17, 19

사이에 놓여 있는 장막을 투과하게 된다. 이러한 실상과 유한회사와 1인 사이에 경제적인 이해의 동일성이 예방적인 조치와 규칙위반의 구성요건을 필연적으로 고찰하게 된다. 민법 제181조가 유한회사법 제35조 제3항의 참조를 통하여 적용되는 경우에, 설립 시에 회사계약에서 면제약관을 받아들이지 않았던 1인 유한회사에 대하여 예방적인 조치에 대한 물음이 제기된다.

2) 예방가능성

의결권의 가능성이 1인 유한회사에서 사원의 결의에 우선해야 하고, 허락의 의사표시가 그것을 뒤따른다. 우리가 이것은 세 가지 행위의 측면을 구분하고자 한다면, 투표·결의 그리고 허락의 의사표시로 순서가 이루어질 것이다.

〈독일 유한회사법 제46조〉

독일 조문 원문	번 역
§46 (Aufgabenkreis der Gesellschafter) Der Bestimmung der Gesellschafter unterliegen: 1. die Feststellung des Jahresabschlusses und die Verwendung des Ergebnisses; 1a. die Entscheidung über die Offenlegung eines Einzelabschlusses nach internationalen Rechnungslegungsstandards (§325 Abs. 2a des Handelsgesetzbuchs) und über die Billigung des von den Geschäftsführern aufgestellten Abschlusses 1b. die Billigung eines von den Geschäftsführern aufgestellten Konzernabschlusses 2. die Einforderung der Einlagen 3. die Rückzahlung von Nachschüssen 4. die Teilung, die Zusammenlegung sowie die Einziehung von Geschäftsanteilen 5. die Bestellung und die Abberufung von Geschäftsführern sowie die Entlastung derselben 6. die Maßregeln zur Prüfung und Überwachung der Geschäftsführung 7. die Bestellung von Prokuristen und von Handlungsbevollmachtigten zum gesamten Geschäftsbetrieb	제46조 (사원의 업무범위) 다음의 사항은 사원의 결의에 의한다. 1. 재무제표의 확정 및 이익의 활용 1a. 국제회계기준(상법 제325조 제2a항)에 의한 개별재무제표의 공시에 대한 결정 및 이사가 제출한 재무제표의 승인 1b. 이사가 제출한 콘체른재무제표의 승인 2. 출자에 대한 납입청구 3. 추가출자의 반환 4. 지분의 분할, 병합 및 소각 5. 이사의 선임 및 해임과 그 책임해제 6. 업무집행의 검사 및 감독을 위한 조치 7. 지배인 및 영업전반에 관한 상업대리인의 선임 8. 설립 또는 업무집행과 관련하여 회사가 업무집행자 또는 사원에 대하여 갖는 손해배상청구권

---

(23); 25, 115 (117); 26, 31 (33).

8. die Geltendmachung von Ersatzanspruchen, welche der Gesellschaft aus der Gründung oder Geschäftsführung gegen Geschäftsführer oder Gesellschafter zustehen, sowie die Vertretung der Gesellschaft in Prozessen, welche sie gegen die Geschäftsführer zu führen hat.	의 행사 또는 회사가 이사에 대해 제기한 소송에서 회사의 대리

유한회사법 제47조와 결합한 유한회사법 제46조 제5호에 의하여 사원총회는 허락의 결정을 하여야 한다. 이러한 근거로부터 그것이 1인 사원에게 유한회사법 제47조 제4항 제2문에 의하여 이러한 결의에 참여하는 것이 금지되는지가 우선적으로 설명되어야 한다. 이러한 금지가 유효하다면, 1인 유한회사의 경우에 그것은, 1인 사원이 그의 회사와 전적으로 법률행위를 체결할 수 없다는 것을 의미하게 될 것이다. 유한회사 제47조는 개념상 적어도 두 명의 사원으로부터 출발한다는 사실은 유한회사법 제47조 제4항 제2문의 적용을 처음부터 배제하는 것으로 이끌지는 못한다. 그러므로 그 규정에 대한 의미와 목적을 탐색해 보아야 한다. 유한회사법 제47조 제4항 제2문은 법인으로서 유한회사를 형성하고 있는 전체적인 재산의 침입에 대하여 사원을 보호하고자 한다. 유한회사법 제47조 제4항 제2문은 유한회사의 영역에서 회사의 고유한 이익을 위한 것이지, 채권자의 이익을 위한 것이 아니다. 더군다나 자기거래의 허락은 1인 사원의 기관적인 권한의 확대와 다른 것이 아니다.[85] 그러므로 순수한 회사의 조직체업무로서 자기거래의 허락은 유한회사법 제47조 제4항의 의결권금지에 의하여 파악되지 않을 것이다. 원문과 의미와 목적에 따라서 유한회사법 제47조 제4항 제2문은 1인 유한회사에 대하여 적용될 수는 없다.[86] 우리가 판례를 가지고 순수한 조직업무로서 투표를 분류하는 경우에, 1인 사원에게 투표권이 남아 있게 된다.

〈독일 유한회사법 제47조〉

독일 조문 원문	번 역
§47 (Abstimmung) (1) Die von den Gesellschaftern in den	제47조 (결의) (1) 사원이 회사의 업무와 관련

---

85) Boesebeck, Insichgeschäfte des Gesellschafter-Geschäftsführers einer Einmann-GmbH, NJW 1961, 481 (485).
86) Scholz/Schmidt, GmbHG, §47 Rdn 155; Scholz/Winter, GmbHG, §13 Rdn. 85.

Angelegenheiten der Gesellschaft zu treffenden Bestimmungen erfolgen durch Beschlußfassung nach der Mehrheit der abgegebenen Stimmen.
(2) Jeder Euro eines Geschäftsanteils gewährt eine Stimme.
(3) Vollmachten bedurfen zu ihrer Gültigkeit der Textform.
(4) Ein Gesellschafter, welcher durch die Beschlußfassung entlastet oder von einer Verbindlichkeit befreit werden soll, hat hierbei kein Stimmrecht und darf ein solches auch nicht fur andere ausuben. Dasselbe gilt von einer Beschlußfassung, welche die Vornahme eines Rechtsgeschafts oder die Einleitung oder Erledigung eines Rechtsstreits gegenuber einem Gesellschafter betrifft.

하여 하는 결정은 행사한 의결권의 다수에 의한 결의로써 한다.
(2) 지분의 매1유로 당 1개의 의결권이 있다.
(3) 대리권이 유효하기 위해서는 텍스트형식을 갖추어야 한다.
(4) 결의에 의해 책임의 해제를 받거나 의무를 면하게 되는 사원은 그러한 결의에 관하여 의결권이 없으며 타인을 위하여서도 이를 행사할 수 없다. 특정 사원과 법률행위를 하거나 또는 특정사원에 대해 소송을 개시하거나 소송을 종료하는 결의에 관하여도 동일하다.

의결권의 가능성에 관한 물음이 유한회사법 제47조 제4항 제2문에 의하여 좌초되지 않는다면, 그 가능한 의결은 허락되지 않는 자기행위를 설명할 수 있을 것이다. 연방대법원[87]과 학설의 일부[88]가, 그 결의는 법률행위에 관한 규정을 적용할 수 없는 '사회행위'를 기술한다고 하는 근거를 가지고 이것을 거부하였다. 하지만 연방대법원의 '사회행위이론'은 많은 비판을 받았다.[89] 오히려 그 자체가 제181조를 적용해야만 하는 법률행위라고 하는 주장은 일면 타당하다고 하겠다.

그 결의가 법률적인 효과를 가지면서 성립되었다는 가능성이 발생하면, 허락의 효력을 발생하기 위하여 회사로부터 사원에게 주어지는 고지를 필요로 한다.[90] 이러한 의사표시가 법률행위로서 간주되는 경우라면, 구성요건에 합치하게 되어 회사와 1인 사원 사이에 자기행위가 존재하게 된다. 왜냐하면 사원은 유한회사의 이름으로 교부되는 의사표시를 동시에 자기의 이름으로 수령하기 때

---

87) BGHZ 33, 189 (191); BGH DNotZ 1970, S. 298.
88) Boesebeck, Insichgeschäfte des Gesellschafter-Geschäftsführers einer Einmann-GmbH, NJW 1961, 481 (485).
89) Winkler, Insichgeschäfte des Gesellschafter-Geschäftsführers einer Einmann-GmbH, DNotZ 1970, 470 (484 f.).
90) Aigner, Die Selbstermächtigungserklärung der Gesellschafter-Geschäftsführer einer Einmann-GmbH, Diss. München, 1965, S. 31 ff. und 35.

문이다. 제181조에 의하면 '고지'는 지체 없이 효력이 발생되는 것은 아니다. 연방대법원은 이러한 어려움에 대하여 간과하지 않았다. 왜냐하면 연방대법원은 단지 회사계약(등기소의 공시), 즉 원시적인 회사계약을 통하거나 또는 후발적인 정관변경을 통하여 제181조로부터 면제를 허락하였기 때문이다.[91] 입법자가 새로 개입되는 유한회사법 제35조 제3항의 영역에서 동일한 의도를 가지고 있었다. 허락의 의사표시의 수준에서 보이는 불가량성으로 인하여, 실무에서는 단순한 결의에 대한 자기거래금지의 면제를 초래하는 것을 하지 않도록 요청하고 있는 것이다. 단순한 결의가 등기를 통한 공시를 제공하지 못한다. 이것을 입법자가 유한회사법 제35조 제3항의 개정을 통하여 의도하고 있는 것이다.

유한회사법 제35조 제3항의 새로운 규정으로부터, 어떠한 형태에서 유한회사의 업무를 집행하는 1인 사원의 면제가 제181조의 제한에서 허락되어야 하는가에 대하여는 직접적으로 나타나지 않는다.[92] 여기서 '입법자는 자기거래가 회사계약을 통하여 1인 사원이자 업무집행자에게 명백하게 허락되는 경우에, 자기거래는 단지 효력이 있다는 것을 의도하고 있음'을 추측할 수 있다.[93] 새로 규정된 유한회사법 제35조 제3항의 목적은 회사계약의 공시(제9조)를 통하여 사원과 회사 사이의 법률거래와 재산이동의 가능성에 대하여 회사의 채권자에게 참조할 수 있도록 하는 것에 있다.

그러므로 자기거래의 허락은 언제나 회사계약의 형태거나 정관변경을 통하여 이행되어야 한다. 동시에 그 면제는 회사계약의 고유한 원문에 받아들여져야 한다. 그렇지 않은 경우에 이러한 규정은 후발적인 정관변경에서 제시되는 원뜻(유한회사법 제5조 제1항 제2문)에 더 이상 포함되지 않을 것이다.

〈독일 유한회사법 제5조〉

독일 조문 원문	번 역
§5 (Stammkapital; Geschäftsanteil) (1) Das Stammkapital der Gesellschaft muß mindestens fünfundzwanzigtausend Euro betragen. (2) Der Nennbetrag jedes Geschäftsanteils muss auf volle Euro lauten. Ein Gesellschafter kann bei	제5조 (자본금; 지분) (1) 회사의 자본금은 25,000유로 이상이어야 한다. (2) 지분의 액면가는 유로단위 이하여서는 안 된다. 회사의

---

91) BGHJZ 33, 189.
92) BayObLG, DB 1981, S. 1127.
93) BT-Drucks. 8/3908, S. 74 Nr. 17.

Errichtung der Gesellschaft mehrere Geschäftsanteile ubernehmen. (3) Die Hohe der Nennbetrage der einzelnen Geschäftsanteile kann verschieden bestimmt werden. Die Summe der Nennbetrage aller Geschäftsanteile muss mit dem Stammkapital übereinstimmen. (4) Sollen Sacheinlagen geleistet werden, so müssen der Gegenstand der Sacheinlage und der Nennbetrag des Geschäftsanteils, auf den sich die Sacheinlage bezieht, im Gesellschaftsvertrag festgesetzt werden. Die Gesellschafter haben in einem Sachgrundungsbericht die fur die Angemessenheit der Leistungen fur Sacheinlagen wesentlichen Umstände darzulegen und beim Übergang eines Unternehmens auf die Gesellschaft die Jahresergebnisse der beiden letzten Geschäftsjahre anzugeben.	설립 시 사원은 다수의 지분을 인수할 수 있다. (3) 각 지분의 액면가는 상이하게 정해질 수 있다. 전체 지분의 액면금액의 합계는 자본금과 일치하여야 한다. (4) 현물출자를 하여야 하는 경우에, 현물출자의 대상과 현물출자의 대가로 받는 지분의 액면가는 정관에 기재하여야 한다. 사원은 현물출자 설립보고서에 현물출자 이행의 타당성 판단에 중요한 사항을 명시하여야 하고, 현물출자로 영업을 양도하는 경우 최근 2영업년도 결산내역을 기재하여야 한다.

그러므로 입법자에 의하여 의도된 경계기능(자기거래의 허락의 공시)은 좌절될 수 없다. 입법자에 의하여 요구된 회사계약의 순수한 공시를 넘어서는, 자기거래금지의 면제를 상업등기소에 등기를 하고, 그것이 알려져야 하는 것이 업무를 집행하는 1인 사원에게 긴급하게 요청된다.

6. 양국의 1인 물적회사와 유한책임의 남용

가. 권리주체의 분리원칙

유한회사는 법인으로서 권리와 의무의 귀속주체이며(독일 유한회사법 제1조 제1항 제1문, 유한회사법 제13조 제1항), 기관을 통하여 그들의 권리를 행사하게 된다.

법인의 권리능력은 법인과 그 구성원의 법적 분리를 제공하게 된다. 또한 회사재산과 개인재산은 서로 다른 권리주체에게 귀속된다. 그러므로 회사채무에 대해서는 단지 유한회사에 귀속되고, 사원의 개인적인 채무에 대해서는 단지 그 사원만이 책임을 다하게 되는 것이다. 만약 주식회사와 유한회사가 대지를 취득하였다면, 주식회사나 유한회사가 소유권자이고 점유자가 될 것이다. 사원들은 권리자도 아니고 실질적인 권리행사를 할 수 있는 소유자로서 참여할 수도 없

다. 그에 상응하여 대지에 대한 매매대금은 유한회사에 의하여 지불되어져야 하
는 것이지, 사원이 책임을 부담하지 않는다. 이미 언급한 바대로, 분리원칙은 권
리주체의 분리만을 의미하는 것은 아니다. 자연인과 법인은 법적인 독립성을 가
지고 있으므로, 양자의 재산 또한 분리되어야만 한다. 유한회사는 회사채권자를
위한 책임재산으로서 회사재산을 가지고 있어야 하고, 그러한 회사재산은 회계
장부를 통하여 명확히 사원의 개인재산과 분리되어 있어야만 하는 것이다.

〈독일 유한회사법 제1조〉

독일 조문 원문	번 역
§1 (Zweck; Grunderzahl) Gesellschaften mit beschränkter Haftung können nach Maßgabe der Bestimmungen dieses Gesetzes zu jedem gesetzlich zulässigen Zweck durch eine oder mehrere Personen errichtet werden.	제1조 (목적; 발기인 수) 유한책임회사는 본 법의 규정에 따라 적법한 목적을 위하여 1인 또는 2인 이상에 의해 설립될 수 있다.

〈독일 유한회사법 제13조〉

독일 조문 원문	번 역
§13 (Juristische Person; Handelsgesellschaft) (1) Die Gesellschaft mit beschränkter Haftung als solche hat selbstandig ihre Rechte und Pflichten; sie kann Eigentum und andere dingliche Rechte an Grundstücken erwerben, vor Gericht klagen und verklagt werden. (2) Für die Verbindlichkeiten der Gesellschaft haftet den Gläubigern derselben nur das Gesellschaftsvermögen. (3) Die Gesellschaft gilt als Handelsgesellschaft im Sinne des Handelsgesetzbuchs.	제13조 (법인; 상사회사) (1) 유한회사는 그 자체 독립적으로 권리와 의무의 주체가 된다. 유한회사는 토지에 대한 소유권 및 기타 물권을 취득할 수 있고 법원에 제소하거나 피소될 수 수 있다. (2) 회사채무에 대해서는 회사재산만으로 회사채권자에게 책임을 부담한다. (3) 유한회사는 상법상의 상사회사이다.

나. 유한회사 독립성의 한계

만약 1인 유한회사의 1인 사원이자 업무집행자의 자기행위가 효력이 있다면,
그러한 행위가 그에게 허락되는 한, 효과적인 수여에 대한 어떠한 요구조건이
있어야 하는가에 대한 물음이 제기된다. 일반적으로 다수사원의 유한회사와 마

찬가지로 1인 유한회사에서도 업무집행자이면서 유한사원에게 자기대리와 쌍방대리는 정관에서 일반적으로 또는 개별적인 사례에 대하여 수여될 수 있다. 유한회사법 제35조의 근거에 대하여 유한회사법 개정위원회는 명확하게 보고하고 있다. 즉 자기행위는 1인 사원이자 업무집행자에 대하여 회사계약을 통하여 허락되는 경우에만 단지 그것이 유효하다. 만약 그러한 정관규정이 없다면, 앞으로는 자기대리는 정관변경을 통하여 허락될 수 있다. 정관에서 자기대리의 허락을 통하여, 또는 회사계약(제9조)의 공시를 통하여 회사의 채권자는 그러한 법률행위의, 그리고 사원과 회사의 재산확대의 가능성을 인식하게 되고, 그것에 대하여 준비를 할 수 있다.[94] 그것을 통하여 조심스러운 채권자는 특히 융자의 협상에 있어서 회사에 대하여 불이익을 미치게 할 수 있는 회사와의 법률행위체결로부터 벗어나게 한다.[95] 1인 사원이자 업무집행자가 회사계약을 통하여, 또는 후발적인 정관변경을 통하여 자기대리의 금지로부터 벗어나지 않게 된다면, 여전히 제3자를 개입하게 하는 가능성이 존재한다. 자기대리를 피하기 위하여 1인 사원은, 그와 함께 의도되는 법률행위를 체결하기 위하여 또 다른 대리권의 자격이 있는 업무집행자를 선임할 수 있다.[96] 한편 1인 유한사원은 독립적인 제3자의 선임을 통하여 제181조의 제한을 벗어날 수 있다. 이른바 사원의 뒤에 있는 사원으로서 실질적인 업무집행자의 행위가 그것이다.[97] 그러한 상황은 업무집행자로서 선임되는 것 없이 하나의 업무집행자와 마찬가지로 유한회사의 업무를 실질적으로 이끄는 그러한 자이다. 만약 1인 사원의 업무집행자가 그 1인의 업무집행자가 아닌 경우에는, 유한회사법 제35조 제4항의 새로운 규정은 효력을 발생하지 못하게 된다. 비록 1인 유한회사가 존재한다고 할지라도, 동시에 업무집행자인 1인 사원에 대한 법률 원문에 따라, 제3자의 업무집행자가 전적으로 존재하는 한, 민법 제181조의 면제를 필요로 하지 않는다.[98] 그러므로 효과적인 채권자보호가 민법 제181조의 적용을 가지고 1인 회사에 대하여 도달하지 못한다. 자기대리의 금지가 1인 회사에서 오히려 회사채권자의 불이익으로 작용

---

94) BT-Drucksache 8/3908, S. 74.
95) Kreutz, §181 BGB im Licht des §35 Abs. 4 GmbHG, Festschr. Mühl, S. 409 (427).
96) Kreutz, §181 BGB im Licht des §35 Abs. 4 GmbHG, Festschr. Mühl, S. 409 (428).
97) BGHZ 104, 44 (46).
98) Buchmann, Registerpublizität und Gläubigerschutz bei der Einmanngesellschaft, 1984, S. 41.

할 수 있다.[99] 이것이 1인 유한회사에 대하여 민법 제181조의 적용되지 않음의 요구를 이끈다.[100] 이제 1인 유한회사에서 특별히 채권자보호의 문제가 등장하게 된다.

어느 회사가 1인 주식회사라고 하는 단순한 이유만으로 그 구성원인 1인 사원의 유한책임이 부정될 수는 없다. 왜냐하면 독자적인 법인으로서 1인 주식회사의 적법성이 인정되는 한 1인 회사의 사원도, 다수의 사원을 갖는 회사와 마찬가지로 사원과 법률적으로 독립되어 있기 때문이다. 또한 회사재산과 개인재산은 상이한 권리주체로서 귀속되어 있어서, 회사채무에 대하여 단지 주식회사만이 책임을 부담하고, 사원의 인적인 채무에 대하여는 사원이 책임을 지게 된다.[101] 그러나 회사와 그 구성원 사이의 분리원칙, 즉 회사에 대하여 구성원과 별개의 주식회사가 언제나 독립성을 유지하는 것은 아니다. 그러므로 독일의 경우와 같이 마찬가지로 1인 회사가 충분한 자본을 가지지 못하거나, 주주총회·이사회·회사의 회계의 유지 등 회사법적 형식을 준수하지 못하는 등 1인 주주에 의하여 완전히 지배되고, 마침내 채권자의 책임재산으로 회사재산이 존재하지 못하는 경우에는 회사채권자를 보호해야만 하는 필요성이 제기된다. 유한회사는 자연인과 분리된 독립된 권리주체이다. 원칙적으로 이러한 법인의 독립성은 지켜져야 한다. 하지만 예외적인 상항에서 법인의 독립성이 박탈될 수 있는 상황이 발견되어진다.

다. 실체파악의 등장

독일 연방대법원은 법인은 권리담당자로서 그의 독립성은 쉽게 박탈될 수는 없으나, 만일 '생활의 실제·경제적인 필요성·사실이 힘이 이를 넝할 때에는 독립성이 인정되지 않는다'고 하면서, 법인과 구성원(유한회사와 사원)의 분리원칙이 인정될 수 없음을 다루었다.[102] 독립성을 부정하는 것이 쉽게 받아들여져서는 아니 된다. 문제의 해결을 우선적으로 실정법에서 해결의 모색을 해야 된다.

유한회사법은 제30조와 제31조에서 채권자를 위한 유일한 책임근거가 되는

---

99) BGHZ 75, 358 (360).
100) BGHZ 56, 97; BGHZ 75, 358.
101) 분리원칙(Trennungsprinzip)에 대하여는 Windbichler, Gesellschaftsrecht, 23.Aufl., C.H. Beck, 2013, §24 Rdn. 27, S. 280.
102) BGHZ 22, 226(230): BGH WM 1958, 460(461).

자본금의 지급금지를 규정하고 있다. 다수의 유한회사에서 다른 사원들의 지급불능의 경우에, 만약 유일한 자본이 다른 사원들에게 반환되는 경우에, 이 사람이 다른 회사와 함께 자기행위를 통하여 부당한 이익을 창출하는 경우에, 유한회사법 제31조 제3항에 의하여 그 유일한 사원은 줄어든 자본의 충실을 위하여 상환되어야 한다. 반면에 1인 유한회사에서는 다른 사원의 교정수단이 없어서, 자본유지규정에 대한 위반이 전혀 확인될 수 없거나, 아니면 너무 늦게 확인된다. 만약 민법 제181조가 생각할 수 없는 위험상황에 직면하는 동안 하나의 위반이 확인되는 경우에, 바로 사원의 실체파악의 책임이 고려된다. 연방대법원이 이에 대하여 1인 사원의 자기대리의 제한은 1인 유한회사에서 민법 제181조의 방법에서 '재산혼용의 사례',[103] '과소자본화의 사례'[104] 및 '회사의 존재를 무효화하는 사례'[105]의 경우에 미국식의 법인격부인론, 이른바 실체파악책임을 인정하게 되었다.[106]

II. 법인격부인

김 정 호*

1. 서   설

회사는 상법상 법인으로 다루어진다. 이러한 법인격의 부여는 회사법상 법인과 그 구성원 간 분리의 원칙을 파생시킨다. 그러나 양자 간 분리가 언제나 관철되는 것은 아니다. 법인격의 부여 역시 신의칙이나 권리남용금지법리의 지배를 받기 때문이다. 세계의 각 법계들은 일정 요건 하에 회사의 법인격을 무시하고 그 배후자에게 책임을 묻는 등 법인격부여의 원칙적 의미를 수정해 왔다. 이

---

103) 유주선, "법인에서 사원의 실체파악책임-독일법상 재산혼용의 사례를 중심으로-,"「상사법연구」제25권 제2호(한국상사법학회, 2006), 501면 이하.

104) 유주선, "독일법상 유한회사의 실질적 과소자본화로 인한 사원의 인적책임,"「상사판례연구」제20집 제3권(하)(한국상사판례학회, 2007), 687면 이하.

105) 유주선, "독일 유한회사 사원의 개인책임법리-회사존재 자체를 침해하는 행위를 중심으로-,"「상사법연구」제27권 제1호(한국상사법학회, 2008), 9면 이하.

106) Kreutz, §181 BGB im Licht des §35 Abs. 4 GmbHG, Festschr. Mühl, S. 409 (429); Buchmann, Registerpublizität und Gläubigerschutz bei der Einmanngesellschaft, 1984, S. 95.

* 고려대학교 법학전문대학원 명예교수

하 우리는 법인격부여의 의미를 먼저 살핀 후 그 예외를 구성하는 법인격부인론을 심층 탐구하기로 한다.

2. 법인격의 부여와 그 의미

가. 법인격부여와 각국의 법정책

우리 상법상 회사들은 모두 법인격을 부여받고 있다(제169조). 법인격을 향유하느냐 여부는 사단이나 조합의 구별과는 관계없이 각국이 법정책적으로 결정할 사안이다. 우리 상법은 일본이나 프랑스와 궤를 같이하면서 모든 종류의 회사에 대해 법인격을 부여하고 있다. 그러나 영미법이나 독일법에서는 물적 회사에 대해서만 법인격을 부여하고 인적 회사에 대해서는 법인성을 인정하지 않는다.

나. 분리의 원칙

법인격이 부여되면 회사는 그 구성원인 사원의 인격과는 구별되는 독자적인 권리주체성을 갖게 되고 스스로 권리와 의무의 주체가 된다. 나아가 소송상으로도 독자적인 당사자적격을 향유한다. 나아가 법인의 독자적 인격성은 그 구성원인 사원의 인격과 법적으로 구별되며 법인인 회사는 자신의 고유한 특별재산을 갖게 된다. 이러한 법적 독립성(rechtliche Trennung)과 특별재산(Sondervermögen)의 형성이 법인격부여의 원칙적 의미이다.

다. 주주의 유한책임

특히 주식회사에 있어 회사의 채무는 회사이 자산민으로 남보되고 주주는 오로지 경제적으로 이익배당의 감소 또는 주가 하락 등으로 간접손해를 입을 뿐이다. 이하 주주의 유한책임에 대해 좀 더 자세히 살피기로 한다.

1) 주주 유한책임의 의미(제331조)

주식회사에서는 모든 주주가 회사에 대해서 주식의 인수가액을 한도로 유한의 출자의무를 부담할 뿐 회사의 채권자에 대해서 아무런 직접 책임을 지지 않는다(제331조). 합자회사의 유한책임사원 역시 출자가액을 한도로 책임지는 점에서 주주가 부담하는 간접책임과는 성질이 다르다. 즉 주주는 회사에 대해서 주금납입의무를 부담할 뿐 직접 회사 채권자를 상대로 책임지는 일이 없다.

2) 주주유한책임제도의 존재근거

이에 대해서는 여러 가지 논의가 있을 수 있겠으나 이하 이스터브룩과 피셸의 주장을 요약, 소개하기로 한다.[1]

가) 경영자감시비용의 절감

주주유한책임제도로 경영자감시비용이 줄어든다. 모든 투자자들은 그들의 대리인인 경영자의 행동여하에 따라 이익을 보기도 하고 손실을 경험할 수도 있다. 투자위험이 크면 클수록 투자자들은 더 열심히 경영자를 감시하려 할 것이다. 이러한 감시는 비용을 낳게 되고, 감시의 정도가 커질수록 비용도 증가하겠지만 일정 단계에 이르면 비용이 감시의 효과를 반영하지 못하는 한계점에 이르게 된다. 주주유한책임제도는 이러한 투자자들의 감시성향과 이에 따른 비용문제를 합리적으로 해결한다. 처음부터 주식인수금액만큼만 책임지면 되기 때문에 투자자들은 투자위험과 감시비용간의 합리적인 조절을 꾀할 수 있게 된다.

나) 경영자들에 대한 경영의욕의 고취

주주유한책임제도는 자유로운 주식양도가능성을 뒷받침한다. 회사의 경영성과가 나쁘면 주주들은 보유주식을 매각하게 될 것이고 이는 주가 하락으로 이어진다. 이렇게 되면 경영진은 투자자들의 신임을 잃어 교체될 가능성이 커진다. 따라서 현 경영진들은 주가 하락을 막기 위해 효율적인 경영에 진력하게 될 것이다.

다) 기업가치산정의 용이

만약 주주들이 회사채무에 대해 무한책임을 진다면 주식은 자본시장에서 더 이상 동질적인 재화가 아니며 동일한 가격을 가질 수도 없다. 이 경우 투자자들은 주가의 적정성을 파악하기 위하여 회사의 사업계획서 등 많은 요소들을 분석해야 할 것이다. 따라서 주주유한책임제도는 기업가치산정을 용이하게 하여 불특정다수 투자자들에게 용이한 투자기회를 제공한다.

---

1) Frank Easterbrook/Daniel Fischel, Limited Liability and the Corporation, 52 U. Chi. L. Rev. 89, at pp. 94~97.

라) 투자위험의 최소화

투자자들은 투자위험을 최소화하기 위해 투자대상을 분산시킨다. 만약 주주유한책임제도가 존재하지 않는다면 투자대상의 분산은 투자위험의 감소가 아니라 오히려 투자위험의 증대로 이어질 가능성이 높다. 따라서 주주유한책임제도는 투자대상의 분산을 통한 최적의 포트폴리오를 창출할 수 있게 한다.

3) 주주유한책임의 예외(유한책임의 한계)

이러한 주주유한책임의 원칙이 언제나 관철되는 것은 아니다. 다음의 예외를 생각해보기로 한다.

가) 주주의 동의

주주유한책임의 원칙에도 불구하고 주주들이 자발적으로 회사채무를 분담할 수는 있다. 비록 주주유한책임의 기본원칙이 주식회사의 본질에 관한 것이어서 정관으로 달리 정할 수는 없지만 회사와 주주간 약정에 의하여 본 원칙을 포기하고 개별적으로 회사의 채무를 분담하거나 추가출자를 부담할 수는 있는 것이다. 판례도 이를 긍정하고 있다; "제331조의 주주유한책임원칙은 주주의 의사에 반하여 주식의 인수가액을 초과하는 새로운 부담을 시킬 수 없다는 취지에 불과하고 주주들의 동의 아래 회사채무를 주주들이 분담하는 것까지 금하는 취지는 아니다."[2]

나) 특별법상의 예외

위에서 본 주주의 동의라는 이론적 예외 이외에도 아래와 같이 실정 성문 규정이 주주유한책임의 예외를 구성하기도 한다.

(1) 상호저축은행법 제37조의3 [임원들의 연대책임]

"(2) 상호저축은행의 과점주주는 상호저축은행의 경영에 영향력을 행사하여 부실을 초래한 경우에는 상호저축은행의 예금 등과 관련된 채무에 대하여 상호저축은행과 연대하여 변제할 책임을 진다."

(2) 국세기본법 제39조 및 지방세법 제22조

비상장 회사의 재산이 회사가 납부할 국세를 징수하기에 부족한 경우 납세의

---

2) 대법원 1989.9.12. 89다카890; 동지: 대법원 1983.12.13. 82도735.

무성립일 현재 그 회사의 과점 주주는 그 부족액에 대한 제2차 납세의무를 진다. 여기서 과점주주란 발행주식총수의 100분의 50을 초과하여 소유한 자를 이른다.

(3) 채무자회생 및 파산에 관한 법률 제205조 제4항

"주식회사인 채무자의 이사나 지배인의 중대한 책임이 있는 행위로 인하여 회생절차개시의 원인이 발생한 때에는 회생계획에 그 행위에 상당한 영향력을 행사한 주주 및 그 친족 그 밖에 대통령령이 정하는 범위의 특수관계에 있는 주주가 가진 주식의 3분의 2 이상을 소각하거나 3주 이상을 1주로 병합하는 방법으로 자본을 감소할 것을 정하여야 한다."

3. 법인격부인론

가. 개   념

1) 개념정의

법인과 그 구성원간의 법적 분리의 원칙을 관철하게 되면 정의와 형평의 이념에 반하여 법률상 용납될 수 없는 부당한 결과를 가져올 경우 그 특정 사안에 한하여 일시적으로 법인격을 부인하고 그 배후의 실체를 파악하여 구체적으로 타당한 결과를 모색하는 법이론을 법인격부인론(doctrine of disregard of the corporate entity; piercing the corporate veil; lifting the corporate veil)이라 한다. 이러한 법인격부인의 기법은 개개 사안에서 일시적으로 법인격을 부인하여 구체적 타당성을 실현하는 방법이므로 이는 회사의 해산명령(제176조)이나 회사의 해산판결(제241조)과는 구별하여야 한다.

2) 법인격부인이냐? 아니면 법인격무시냐? (용어의 문제)

다수의 학설들은 법인격'부인'(否認)이란 용어를 사용함에 반하여 일부 학자들은 법인격'무시'(無視)라는 용어를 사용한다.[3] 이에 따르면 본 법리는 형해화한 회사의 법인격 자체를 부정하는 것이 아니라 개별 사안에서 구체적 타당성을

---

3) 정동윤, 「상법(상)」 제6판(법문사, 2012), 341면 이하; 남장우, 「회사법인격무시의 법리」(고려대학교 박사학위논문, 1995. 12.), 8~9면.

실현하기 위하여 해당 회사의 법인격을 일시적으로 무시하는 법리이므로 법인격부인보다는 법인격무시가 정확한 표현이라는 것이다. 즉 법인격 '부인(否認)'이라는 용어는 영구적으로 법인격을 부정하는 어감이 있어 '무시(無視)'라는 용어가 더 적절하다고 한다.4) 그러나 '부인'이라는 용어를 항상 법인격의 영구적 부정으로 인식할 필요는 없다고 느껴진다. 본서에서는 전래적으로 다수의 학자들에 의하여 사용되고 있는 '법인격부인'이라는 용어를 이하 통일적으로 사용하기로 한다.

3) 인정근거

가) 학설들

(1) 대륙법계 국가에서의 상황

대표적인 대륙법계 국가라 할 만한 독일에서는 주관적 남용설과 객관적 남용설이 주창되었는바 전자에 따르면 법인제도를 예정된 목적에서 벗어나 의도적으로 부당하게 이용하였을 경우 법인격부인이 가능하다고 하며,5) 후자에 의하면 법질서에 반하는 제도남용의 경우 법인격부인이 가능하다고 한다. 일본에서도 독일의 객관적6) 및 주관적 남용설7)이 주축이 되어 법인격부인론의 논거로 인정되었다. 국내에서도 다수의 학설이 회사의 법인성을 선언한 제169조와 권리남용금지의 원칙에 관한 민법 제2조 제2항을 법인격부인론의 성문법적 근거로 들고 있다.8) 일부 학설은 법인격부인론의 정당화논거를 제169조의 내재적 한계9) 또는 신의칙으로 설명하기도 한다.10) 대체로 이들 법전법국가에서는 신의칙이나 권리남용금지의 원칙과 법인제도의 본질에서 본 제도의 근거를 찾으려 한다.11)

---

4) 남장우, 상게논문, 9면.

5) Rolf Serick, Rechtsform und Realität juristische Personen, 2. Aufl., 1980, S. 203; Thomas Raiser, Recht der Kapitalgesellschaften, Vahlen, 1992, S. 328.

6) 田中, 「全訂會社法詳論」, 上卷, 102면 등.

7) 江頭憲治郎, 「會社法人格否認の法理」(東京大出版部, 1980), 60面 等(日本 多數說).

8) 정동윤, 전게서, 330면; 최준선, 「회사법」 제16판(삼영사, 2021), 68면; 홍복기·박세화, 「회사법강의」 제8판(법문사, 2021), 34면.

9) 정찬형, "법인격부인이론(Ⅰ)," 「백산상사법논집」(박영사, 2008), 72~119면, 특히 109면.

10) 송옥렬, 「상법강의」 제11판(홍문사, 2021), 710면; 권기범, 「현대회사법론」 제8판(삼영사, 2021), 100면.

11) 이철송, 「회사법강의」 제28판(박영사, 2020), 52면; 김건식·노혁준·천경훈, 「회사법」 제5판(박영사, 2021), 61면; 김홍기, 「상법강의」 제6판(박영사, 2021), 299~300면; 임재연, 회사법(I), 제7판(박영사, 2020), 64면; 김정호, 「회사법」 제7판(법문사, 2021), 18~19면.

(2) 커먼로 국가에서의 상황

특히 미국판례법에서는 아래의 네 가지 근거가 주장되었고 특히 그 중에서도
前 3자가 강력히 주장되었다. 첫째, 대리설(代理說; agency theory)에서는 회사가
주주의 대리인이기 때문에 주주는 회사의 채무에 대하여 대리관계상 본인으로서
책임져야 한다고 한다.[12) 둘째, 분신설(分身說; alter ego doctrine) 또는 동일체설
(同一體說; identity theory)에서는 회사와 주주가 실질상 동일하다고 평가되는 경
우에는 그 회사와 주주는 하나이므로 주주는 회사의 채무에 대하여 마치 자기의
채무와 같이 책임져야 한다고 한다.[13) 셋째, 도구이론(道具理論; instrumentality
theory)에서는 회사가 주주의 단순한 도구로 전락한 경우 주주는 회사의 채무에
대하여 책임진다고 한다.[14) 끝으로 법인격 내재설(法人格 內在說)에서는 자연인이
법인이라는 제도를 통하여 유한책임의 혜택을 누리는 것은 법에 의하여 부과된
특권인데 이 특권을 사해행위 등 부당한 목적을 위하여 이용하는 것은 허용되지
않는다고 한다.[15)

나) 비판 및 결론

법인격부인의 법리는 법의 수렁(legal quagmire)으로 표현될 정도로[16) 그 적
용요건의 제시가 용이하지 않고 나아가 그 성문화도 어려운 특수영역이다. 영미
법에서도 형평법상의 판례법으로 발전해 왔으며 적용사례들을 일정한 기준에 따
라 분류할 수는 있지만 그 적용요건을 통일적으로 제시하는 것은 거의 불가능에
가깝다. 그야말로 개별 사안에서 구체적 타당성을 실현하기 위하여 필요하다고
느끼면 법관들은 주저 없이 법인격을 무시 또는 부인해왔던 것이다.[17) 따라서

---

12) Cardozo in Berkey v. Third Ave. Ry. Co. 244 N. Y. 84 at 85 (1926).
13) Luckenbach S. S. Co., Inc. v. W. R. Grace & Co., Inc., 267 F. 676, at 681 (4th Cir. 1920).
14) Lowendahl v. Baltimore & Ohio Railroad Co., 287 N. Y. Supp. 62 (1936). 본 판례의 이름을 따서 도구이론의 적용요건을 'Lowendahl test'라 부르기도 한다(Allen-Kraakman-Subramanian, Commentaries and Cases on the Law of Business Oraganization, 2nd ed., p. 151.
15) Grotheer v. Meyer Rosenberg, Inc., 11 Cal. App. 2d 268, at 271 (1936).
16) Ballantine, "Parent and Subsidiary Corporations," 14 California Law Review 15 (Nov. 1925).
17) 영미의 판례(Macaura v. Northern Assurance Co. [1925] A.C. 619)에서는 '회사의 법인 격 뒤에 가려 있는 인간의 실존'(human reality behind the company) 또는 독일 판례 (BGHZ 22, 226, 230)에서는 '사회의 현실, 경제적 필요 및 사실의 힘'(die Wirklichkeiten des Lebens, die Bedürfnisse und die Macht der Tatsachen) 등으로 표현하며 법인격을

법인격부인의 기법은 거의 모든 법역에서 나타났고 그 법적 인정근거 역시 모든
법영역에 공통될 수 있는 신의칙 및 권리남용금지의 원칙 나아가 법인제도에 내
재한 한계라고 할 수 있겠다. 다소 표현이 다르기는 하지만 세계 각 법계에서
주장되는 내용들은 결국 이러한 내용으로 수렴될 수 있다고 생각된다.

나. 법인격부인론의 발전사

1) 영미법계

영미의 커먼로 국가에서는 본 제도에 대한 법발전이 가장 융성하게 이루어
졌다. 우선 19세기말 빅토리아 시대[18]의 판례로서 살로몬 사건에서 영국의 최
고법원(House of Lord)은 회사의 독립된 법인격을 부인하는 것은 매우 신중하
게 접근하여야 한다고 판시하면서 법적 분리의 원칙이 회사법의 근간임을 천명
하였다.[19] 본 제도는 주로 미국에서 수많은 판례를 남기며 오늘의 위상을 갖추
게 되나[20] 영국을 위시한 커먼로 국가[21]의 어디에서나 다양하게 법인격부인이
시도되었다.[22] 우선 미국에서는 채권자사해,[23] 계약상의 의무회피,[24] 탈법행
위,[25] 신의칙상 법인격을 인정할 수 없는 경우,[26] 1인회사[27] 및 모회사가 자회
사의 채권자로 등장하는 경우[28] 등에 본 이론이 적용되어 왔다.[29] 사례에 나타

부인해 왔다.
18) Victoria 여왕의 재위 기간이었던 1837년부터 1901년까지를 의미한다.
19) Salomon v. Salomon & Co. Ltd. [1897] A. C. 22 [법인격존중].
20) 위에서 본 대리설, 분신설 및 도구설 등은 이러한 장구한 판례법 발전에 기초하고 있다. 미
    국이야 말로 법인격부인이론의 종주국이라 할 만하다(독일 쾰른대 비더만 교수의 표현이다;
    Wiedemann, Gesellschaftsrecht I, 1980, §4 III 1, S. 223).
21) 커먼로 국가라 함은 영국의 식민지개척과정에서 나타난 jurisdiction으로서 영국, 미국, 캐
    나다, 호주, 뉴질랜드, 싱가포르, 홍콩, 인도, 남아프리카공화국 등 과거 영국의 식민지 지
    배를 받았던 아프리카 제국 등을 이른다.
22) 뉴질랜드의 사례로는 Lee v. Lee's Air Farming Ltd. [1961] A. C. 12.
23) Booth v. Bunce 33 N. Y. 139 (1865).
24) Beal v. Chase 31 Mich. 490 (1875).
25) U. S. v. Lehigh Valley Railroad Co., 220 U. S. 257 (1911).
26) Keokuk Electric Railway Co. v. Weisman, 146 Iowa 679 (1910).
27) Pepper v. Litton, 308 U. S. 295 (1939).
28) Taylor v. Standard Gas & Elec. Co. 306 U. S. 307 (1939) [이 판례는 사실관계에 등장
    하는 자회사 'Deep Rock Oil Corp.' 때문에 추후 설명할 'Deep Rock Doctrine'의 출처가
    된다].
29) 이에 대해 자세히는 정동윤, "주식회사의 법형태의 남용의 규제와 법인격부인이론," 「저스
    티스」 제10권 제1호(한국법학원, 1972), 95~156면, 99~109면 참조.

나는 사실관계를 중심으로 보면 주로 사원에 의한 회사의 완전지배(complete dominion), 회사와 개인 간 업무나 재산의 상호혼융(相互混融; commingling), 저자본(undercapitalization) 등의 경우에 주로 본 이론이 적용된 것으로 파악된다. 영국에서도 미국에서만큼 사례의 숫자가 많지는 않으나 다수의 판례가 'veil-piercing'을 시도하고 있고 주주의 이익을 위한 법인격 부인 등 다양한 경우가 망라되고 있다.30)

법인실재설을 근간으로 하는 대륙법계 국가와 달리 커먼로 계열의 국가에서는 법인의제설에 바탕으로 둔 결과, 보다 유연하게 개별사안의 구체적 타당성을 실현하기 위하여 법인격부인이 현란하게 시도되고 있다. 특히 법인격부인의 가장 전형적 사례군인 책임실체파악의 좁은 울타리를 일찌감치 청산하고 법인격의 역부인(逆否認; reverse piercing)31) 등 주주를 위한 법인격부인, 나아가 개별사안의 구체적 내용을 반영한 다수의 판례가 전 세계적으로 만들어지고 있다. 나아가 'veil-piercing'에 관한 영미의 판례법은 이미 전 세계적인 영향력을 가져 대륙법계 국가에서도 유사한 시도가 나타나고 있다는 점이다.32) 가히 커먼로계열의 국가에서 시도된 법인격부인의 기법은 법인격의 한계를 금긋는 신의칙적 제도로서 세계적 보편성을 가지게 되었다 할 수 있겠다.

2) 독   일

독일에서 법인격부인론이 발전되는 상황은 한마디도 실체파악론(Durchgriffslehre)과 규범적용설(Normanwendungslehre)의 대립으로 표현될 수 있다.33) 전자는 다시 주관적 남용설과 객관적 남용설로 나누어질 수 있다. 주관적 남용설의 대표적 주창자는 Rolf Serick인데 그는 법인형태의 이용이 법질서가 예정한 목적을 벗어나 의도적으로 부당하게 이용될 때 법인격부인이 가능하다고 주장한다.34) 그러나 그가 법인격남용의 주관적 요소를 지나치게 강조한 나머지 많은 비판을 받게 되었고, 그런 맥락에서 객관적 남용설이 제기되었다. 객관적 남용

---

30) Dine, Company Law, 5th ed., Palgrave, pp. 30~32.
31) 이에 대해서는 별도로 아래 [3. 사.]에서 자세히 다룬다.
32) 특히 사원에게 유리한 법인격부인의 예로 독일 판례 BGHZ 61, 380을 들 수 있다.
33) 독일에서의 법발전에 대한 자세한 소개로는, Ju Seon Yoo, Durchgriffshaftung bei Vermögensvermischung in der GmbH im deutschen und koreanischen Recht, jur. Diss., Univ. Marburg, Logos Verlag, 2005.
34) Serick, Rechtsform und Realitaet, S. 38.

설은 제도설 내지 제도적 접근이라 할만한데, 법질서 및 경제질서에 매몰된 제도로서 법인의 내재적 한계를 발견하고 그러한 한계를 넘어선 경우 제도적 남용으로 파악하여 법인격부인의 가능성을 인정한다.[35] 따라서 객관적 남용설에서는 법 및 목적에 반하는 법인격의 이용이 요건이지 법인격남용의 주관적 요소는 적용요건에서 제외된다.[36]

한편 규범적용설(Normanwendungslehre)에서는 실체파악론과 달리 법인격부인을 법인에 관한 일반적 문제에서 해방시킨 뒤 개별규범의 적용문제로 파악한다.[37] 즉 아무리 제도적 남용이 있다 할지라도 회사의 법인격 자체를 부인할 필요는 없으며, 개별 사안에 적용 가능한 규범의 해석결과로 구체적 타당성을 실현하고자 한다. 오늘날 독일의 판례법은 객관적 남용설의 입장에 기초해 있는 것으로 파악된다.[38] 물론 규범적용설의 입장을 고려하여 법인격을 부인함에 있어서는 매우 신중한 자세를 취한다.[39] 이러한 테두리 속에서 주로 일인회사,[40] 제도적 남용[41] 및 저자본[42] 등에서 법인격부인이 시도되고 있다. 적용사례군들은 적용효과면에서 크게 책임실체파악(Haftungsdurchgriff)과 귀속실체파악(Zurechnungsdurchgriff)으로 양분될 것이다.

3) 일 본

일본에서도 미국, 독일 등의 영향하에 법인격부인의 다기한 논의가 진행되었다. 결정적인 것은 1969년 일본최고재판소판례로서 이를 통하여 판례법의 골격이 만들어졌다. 본 판례는 법인격부인이 가능한 사례들을 법인격이 형해화된 경우와 법인격을 남용한 경우로 양분한다.[43] 이러한 리딩케이스를 중심으로 법인

---

35) Rehbinder, Festschrift R. Fischer (1979), S. 96 f.
36) BGHZ 20, 4.
37) Müller=Freienfels, AcP 156 (1957), S. 522.
38) BGHZ 20, 4.
39) BGHZ 20, 11; BGHZ 26, 37. 이러한 독일 판례의 입장은 위에서 본 영국 대법원의 Salomon사건을 연상시킨다. 결국 법인격부인에 관한 판례법은 세계적으로 통일되어 있는 느낌이다.
40) BGHZ 89, 162.
41) BGHZ 31, 258; BGHZ 81, 315; BGHZ ZIP 1992, 694(소위 'Strohmanngesellschaft'의 경우).
42) BGHZ 68, 312(그러나 저자본 하나만으로 법인격을 부인하는 것이 아니라 개별 사안의 종합적 정황을 고려하는 신중한 입장을 취하고 있다).
43) 日本最高裁判所(第1小法廷)判決, 1969년 2월 27일 선고, 判例時報 551號, 80面, 民事判例集 23卷 2號, 551面 등.

격부인론이 전개되고 있으며 본 판례는 우리 대법원판례에도 그대로 수용된 것으로 파악된다.[44] 즉 우리 대법원 역시 법인격부인의 가능성을 형해화사례와 남용사례로 양분하고 있다.

위 1969년 2월 27일의 최고재판소 판례의 사실관계 및 판시내용은 아래와 같다. 甲(원고)은 전기기구류판매업을 하는 피고 乙(주)에게 점포를 임대하였는데 乙(주)은 실질적으로 그 대표이사인 A의 개인기업으로서 단지 세금관리 차원에서 회사조직을 갖추고 있을 뿐이었다. 甲 역시 상대인 乙(주)가 회사인지, 개인인지 크게 신경 쓰지 않았고, 이런 상태에서 A와 임대차계약을 체결하였다. 약정 임대차기간이 종료했음에도 A가 점포를 비우지 않자 甲은 명도(明渡)소송을 제기하였다. 소송 계속 중 A는 甲이 주장하는 내용의 명도에 대해 和解를 하였다. 그러나 A는 차후 화해의 당사자는 A였으므로 乙(주)이 사용하는 부분은 점유를 반환할 수 없다며 화해내용의 이행을 거부하였다. 이에 甲이 乙(주)을 상대로 명도청구소송을 제기한 것이 본 사건이다. 이에 대해 일본최고재판소는 법인격의 형해화와 법인격의 남용시 법인격부인이 가능한바 형해화의 경우는 법인은 곧 개인, 개인은 곧 법인일 정도로 동일체인 경우를 뜻한다며 이러한 경우 법인격부인이 가능한데 본 사안에서는 乙(주)과 A간에 이러한 관계가 성립하고, 따라서 甲과 A간에 성립한 화해가 비록 A 개인 명의로 되어 있더라도 그 행위는 乙(주)의 행위이므로 A는 점포공간을 임대인에게 명도하여야 한다고 결론지었다.

4) 우리나라

우리나라에서의 법인격부인론은 다음과 같은 단계를 거쳐 진행되었다.

가) 차영일 대 김봉길 사건 [제1단계; 심사숙고기]

첫 단계는 본 이론의 적용을 심사숙고한 단계이다. 즉 차영일 대 김봉길 사건에서 서울고등법원은 우리 판례법상 처음으로 법인격부인을 시도하였다.[45] 그러나 이 사건의 상고심에서 대법원은 '문제된 회사('주식회사 오리진'[46])의 법인격이 진정으로 형해화하였는가'라는 물음을 부정하면서 원심을 파기 환송하였

---

44) 대법원 2008.9.11. 2007다90982.
45) 서울고등법원 1974.5.8. 72나2582.
46) 나중에 상호는 '태원주식회사'로 바뀜.

다.[47] 본 판례의 입장에 대해서는 '진정으로 법인격무시이론에 의한 해결이 필요하고 적절한 사안임에도 불구하고 기묘한 인연으로 그에 의한 판결을 거부한 불행한 사건'이라는 코멘트가 나올 정도로 해당 회사의 법인격은 형식화하였다고 보아야 할 것이다. 다만 최고법원으로서 대법원이 이러한 소극적인 자세를 취한 것은 그때까지 국내에서 진행된 논의만으로는 법인격부인라는 새로운 길을 선택하는 것이 용이하지 않았다고 생각된다.[48] 본 사건은 어쨌든 많은 코멘트를 낳으면서 국내 법인격부인론의 제1라운드를 장식하였다.

나) 현대미포조선소 사건 [제2단계; 최초의 적용]

1988년에 이르러 대법원은 마침내 편의치적회사인 그랜드 하모니 인코퍼레이티드가 현대 미포조선소를 상대로 제기한 제3자 이의의 소(Drittwiderspruchsklage)에서 원고의 형해화된 법인격을 부인하고 제3자 이의의 소를 기각한 원심을 확정하였다.[49] 본 판례에 대해서는 본격적인 법인격부인의 사례로 보기 어렵다는 평도 있었으나[50] 다수의 학설들은 이 판례를 우리나라 법원이 내린 법인격부인의 최초사례로 보고 있다.[51] 비록 법인격부인의 가장 전형적인 책임실체파악의 경우는 아니지만 강제집행법의 영역에서 이루어진 법인격부인의 값진 사례였다. 이 판례를 필두로 해상법에서 자주 등장하는 편의치적의 상관행을 다룬 후속판례도 등장하였다.[52] 나아가 이 판례는 법인격부인의 적용요건상 심각히 다투어지는 보충성요건의 필요성에 대한 논의의 불을 당겼다. 즉 본 사

---

47) 대법원 1977.9.13. 74다954 [형해화된 법인격의 존재를 부정함].

48) 이러한 대법원의 입장은 이중대표소송에 관한 판례에서도 확인되고 있다. 사실 해당 판례 (대법원 2004.9.23. 2003다49221)의 사실관계를 보면 모회사가 자회사 주식의 80% 이상을 소유하여 자회사의 독립성은 형식화하였다고 판단된다. 이러한 경우라면 자회사의 법인격을 부인하고 모회사 소수주주에게 자회사 이사를 피고로 한 이중대표소송을 허용할 만한 사안 이었다(원심인 서울고등법원 2003.8.22. 2002나13746 참조). 아마도 법인격부인론 부분에서 그러하였듯이 머지않아 대법원이 법인격부인의 방법을 경유하여-그 결과 제403조를 유추적용하게 될 것이다-모회사 소수주주에게 이중대표소송을 허용할 것으로 생각된다.

49) 대법원 1988.11.22. 87다카1671 [법인격부인].

50) 정찬형, "법인격부인론," 「판례월보」 제226호(판례월보사, 1989. 7.), 35~36면.

51) 정영환, "민사소송에 있어서의 법인격부인론," 「고시계」 통권 제522호(고시계사, 2000. 8.), 72면, 각주 10번 참조.

52) 대법원 1989.9.12. 89다카678 [법인격존중] (편의치적회사가 선박의 실제소유자와 외형상 별개 회사라 해도 그 선박소유권을 주장하여 선박가압류집행을 불허하는 것은 편의치적이라는 편법행위가 용인되는 한계를 넘어서 채무면탈이라는 불법목적을 추구하는 것으로서 신의칙상 허용될 수 없음을 판시함. 그러나 현대미포조선소 사건에서와는 달리 형해화의 정도가 미약하여 법인격의 부인에는 이르지 못하고 대신 신의칙을 적용하여 해결함).

안은 선박우선특권이라는 해상법상의 특수제도로도 문제를 해결할 수 있었다. 그러나 대법원은 선박우선특권제도와 더불어 법인격부인도 시도하였다. 따라서 우리 판례의 입장은 보충성 요건을 절대시하지 않는 것으로 풀이된다.

다) 오피스텔 분양사건 [제3단계; 본격적인 적용]

마침내 21세기의 첫해인 2001년에 이르러 대법원은 법인격부인의 가장 전형적 사례인 책임실체파악을 시도하였다.[53] 즉 유한책임의 남용을 통한 개인책임의 회피문제를 법인격부인의 기법으로 해결한 첫 대법원판례가 되었다. 판시내용은 다음과 같다; "회사가 외형상으로는 법인의 형식을 갖추고 있으나 이는 법인의 형태를 빌리고 있는 것에 지나지 아니하고 그 실질에 있어서는 완전히 그 법인격의 배후에 있는 타인의 개인기업에 불과하거나 그것이 배후자에 대한 법률적용을 회피하기 위한 수단으로 함부로 쓰여지는 경우에는, 비록 외견상으로는 회사의 행위라 할지라도 회사와 그 배후자가 별개의 인격체임을 내세워 회사에게만 그로 인한 법적 효과가 귀속됨을 주장하면서 배후자의 책임을 부정하는 것은 신의성실의 원칙에 위반되는 법인격의 남용으로서 심히 정의와 형평에 반하여 허용될 수 없고, 따라서 회사는 물론 그 배후자인 타인에 대하여도 회사의 행위에 관한 책임을 물을 수 있다고 보아야 한다."

라) 토탈미디어안건사 사건 [제4단계; 최초의 역부인시도]

2004년에 이르러 대법원은 '토탈미디어안건사 사건'에서 이른바 법인격의 역부인(逆否認; reverse piercing)을 시도하고 있다.[54] 기존의 안건사가 여러 거래관계에서 채무를 부담하였는바 그 지배주주가 채권자 사해의 의도로 새로운 회사(토탈미디어안건사)를 설립하여 기존 안건사의 재산을 거의 전부 신 회사로 빼돌린 사건이다. 그러나 새로운 회사의 주주구성이나 주소나 업종이나 고객관계는 거의 기존의 안건사와 동일하였다. 이러한 사실관계에서 대법원은 '토탈미디어안건사'라는 신회사의 설립이 법인격남용에 해당하여 그 독립성을 부인한 후 원고

---

53) 대법원 2001.1.19. 97다21604 [법인격부인].
54) 대법원 2004.11.12. 2002다66892. "기존회사가 채무를 면탈할 목적으로 기업의 형태·내용이 실질적으로 동일한 신설회사를 설립하였다면, 신설회사의 설립은 기존회사의 채무면탈이라는 위법한 목적달성을 위하여 회사제도를 남용한 것이므로, 기존회사의 채권자에 대하여 위 두 회사가 별개의 법인격을 갖고 있음을 주장하는 것은 신의성실의 원칙상 허용될 수 없다 할 것이어서 기존회사의 채권자는 위 두 회사 어느 쪽에 대하여서도 채무의 이행을 청구할 수 있다."

의 청구를 인용하였다. 대법원이 설시한 법인격부인의 논거는 회사제도의 '남용'이었다. 그러나 이는 법인격의 '형해화'사례로도 볼 수 있을 것이다. 즉 토탈미디어 안건사의 법인격 역시 형식화하여, 기존 안건사의 지배주주였던 개인의 영업과 사실상 동일체였기 때문이다. 즉 법인격의 형해화와 명확히 구분되는 '법인격의 남용'사례로 보기는 어렵다고 판단된다. 어쨌든 전형적인 법인격부인이 채무자인 회사의 법인격이 형식화하였을 때 이를 부인하고 그 배후자에게 책임을 묻는 것임에 반하여 본 사건에서는 법인격이 부인된 (주)토탈미디어안건사는 본시 채무자가 아니었기에 법인격의 역부인 내지 법인격부인론의 역적용이 시도된 최초의 사례가 된 것이다.[55] 좀 더 부연하면 먼저 '안건사'의 법인격을 책임실체파악의 기법으로 부인한 후 그 배후자의 책임을 묻고, 다시 그 배후자의 책임을 묻기 위하여 신설된 '토탈미디어안건사'의 법인격을 역부인의 기법으로 부인한 사안이다. 즉 전래적인 법인격부인과 역부인이 순차적으로 나타난 사례로 보면 될 것이다.

마) 콘체른에서의 법인격부인 [제5단계; 콘체른에서의 가중된 요건제시]

(1) 판시내용

2006년에 이르러 대법원은 콘체른에서의 법인격부인을 시도하고 있다.[56] 즉 모자회사간 법인격부인의 가능성을 탐구하고 있는 것이다. 즉 "자회사는 상호간에 상당 정도의 인적·자본적 결합관계가 존재하는 것이 당연하므로, 자회사의 임·직원이 모회사의 임·직원 신분을 겸유하고 있었다거나 모회사가 자회사의 전 주식을 소유하여 자회사에 대해 강한 지배력을 가진다거나 자회사의 사업 규모가 확장되었으나 자본금의 규모가 그에 상응하여 증가하지 아니한 사정 등만으로는 모회사가 자회사의 독자적인 법인격을 주장하는 것이 자회사의 채권자에 대한 관계에서 법인격의 남용에 해당한다고 보기에 부족하고, 적어도 자회사가 독자적인 의사 또는 존재를 상실하고 모회사가 자신의 사업의 일부로서 자회사를 운영한다고 할 수 있을 정도로 완전한 지배력을 행사하고 있을 것이 요구되며, 구체적으로는 모회사와 자회사 간의 재산과 업무 및 대외적인 기업거래활동 등이 명확히 구분되어 있지 않고 양자가 서로 혼용되어 있다는 등의 객관적 징

---

55) 2006년에 이르러서는 같은 취지의 후속판례도 나왔다(대법원 2006.7.13. 2004다36130).
56) 대법원 2006.8.25. 2004다26119 [법인격존중].

표가 있어야 하며, 자회사의 법인격이 모회사에 대한 법률 적용을 회피하기 위한 수단으로 사용되거나 채무면탈이라는 위법한 목적 달성을 위하여 회사제도를 남용하는 등의 주관적 의도 또는 목적이 인정되어야" 자회사의 법인격을 부인할 수 있다는 판례이다.

이 판례에서 대법원은 콘체른 관계에서 자회사의 법인격을 부인하기 위한 일종의 가중된 형해화 내지 남용요건을 설시하고 있다. 이 판례에서 대법원은 형해화와 남용의 구성요건이 동시에 충족될 경우 비로소 자회사의 법인격을 부인할 수 있다는 판시를 한 점이 주목된다.

(2) 코멘트

본 판결은 법인격부인의 요건 부분에서나 사실관계상 외국회사가 등장한 점에서 많은 법률적 논의가 이어졌다. 우선 요건 설시부분에서 대법원은 주관적 남용설에 기초한 판시를 하였다. 즉 "… 채무면탈이라는 위법한 목적달성을 위하여 회사제도를 남용하는 등의 주관적 의도 또는 목적이 인정되어야 한다."는 부분에 대해서는 다수의 비판이 있었다. 즉 법인격 남용의 주관적 의도 등은 입증이 어려워 본 제도의 실효성을 반감시킬 우려가 있는데 이를 본 제도의 적용요건으로 적극 요구하는 것은 적절치 않다는 비판이 있다.[57] 즉 객관적 남용설의 견지에서 비판이 가능할 것이다.

나아가 법인격부인의 대상이었던 본 사건의 자회사가 한국통신(KT)의 필리핀 법인이어서 국제사법적 문제도 제기되었다. 대법원은 섭외사법적 문제를 선결과제로 제기하지 않았으나 다수의 학설들은 법인격부인의 전제요건을 논하기 전에 먼저 적용할 준거법을 확정했어야 한다고 주장한다.[58] 이 문제에 대해서는 별도로 항을 두어 다루기로 한다.[59]

---

57) 신은영, "모자회사간 법인격부인의 요건," 제736차 판례연구발표회 발표문, 17면; 원용수, 「상사판례연구」 제20집 제1권(상사법학회, 2007. 3.), 45면 참조.
58) 석광현, "외국회사의 법인격부인," 「법률신문」 제3680호(2008. 9.), 15면; 김태진, "법인격부인론에 관한 국제사법적 검토," 「국제사법연구」 제14호(한국국제사법학회, 2008. 12.), 209~242면, 특히 210면.
59) 본서 180~182면 참조.

바) 법인격부인의 요건을 형해화와 남용으로 양분한 사례[60]
[제6단계; 형해화와 남용으로 법인격부인의 사례군 제시]

(1) 판시내용

"회사가 외형상으로는 법인의 형식을 갖추고 있으나 법인의 형태를 빌리고 있는 것에 지나지 아니하고 실질적으로는 완전히 그 법인격의 배후에 있는 사람의 개인기업에 불과하거나, 그것이 배후자에 대한 법률적용을 회피하기 위한 수단으로 함부로 이용되는 경우에는, 비록 외견상으로는 회사의 행위라 할지라도 회사와 그 배후자가 별개의 인격체임을 내세워 회사에게만 그로 인한 법적 효과가 귀속됨을 주장하면서 배후자의 책임을 부정하는 것은 신의성실의 원칙에 위배되는 법인격의 남용으로서 심히 정의와 형평에 반하여 허용될 수 없고, 따라서 회사는 물론 그 배후자인 타인에 대하여도 회사의 행위에 관한 책임을 물을 수 있다고 보아야 한다. 여기서 회사가 그 법인격의 배후에 있는 사람의 개인기업에 불과하다고 보려면, 원칙적으로 문제가 되고 있는 법률행위나 사실행위를 한 시점을 기준으로 하여, 회사와 배후자 사이에 재산과 업무가 구분이 어려울 정도로 혼용되었는지 여부, 주주총회나 이사회를 개최하지 않는 등 법률이나 정관에 규정된 의사결정절차를 밟지 않았는지 여부, 회사 자본의 부실 정도, 영업의 규모 및 직원의 수 등에 비추어 볼 때, 회사가 이름뿐이고 실질적으로는 개인영업에 지나지 않는 상태로 될 정도로 형해화되어야 한다.

또한, 위와 같이 법인격이 형해화될 정도에 이르지 않더라도 회사의 배후에 있는 자가 회사의 법인격을 남용한 경우, 회사는 물론 그 배후자에 대하여도 회사의 행위에 관한 책임을 물을 수 있으나, 이 경우 채무면탈 등의 남용행위를 한 시점을 기준으로 하여, 회사의 배후에 있는 사람이 회사를 자기 마음대로 이용할 수 있는 지배적 지위에 있고, 그와 같은 지위를 이용하여 법인 제도를 남용하는 행위를 할 것이 요구되며, 위와 같이 배후자가 법인 제도를 남용하였는지 여부는 앞서 본 법인격 형해화의 정도 및 거래상대방의 인식이나 신뢰 등 제반 사정을 종합적으로 고려하여 개별적으로 판단하여야 한다."

(2) 코멘트

2008년에 이르러 대법원은 1969년의 일본최고재판소판례의 판시내용을 재연

---

60) 대법원 2008.9.11. 2007다90982.

하는 듯한 판례를 내놓았다.[61] 즉 이 판례는 법인격을 부인할 수 있는 경우를 법인격의 형해화와 법인격의 남용의 두 가지로 양분하면서 이 중 어느 하나의 요건이 충족될 경우 법인격을 부인할 수 있다고 하였다. 이러한 판시내용은 1969년의 일본최고재판소판례의 내용과 사실상 완전히 같다. 문제는 과연 형해화사례와 남용사례를 대법원의 판시내용처럼 쉽게 구별할 수 있느냐는 것이다. 사실상 대부분의 법인격부인사례에서 양자가 동시에 나타나고 있다. 나아가 법인격의 형해화사례군에서는 불법목적의 추구 등 추가적인 요건 없이도 법인격을 부인할 수 있다고 하고 있다. 이 부분 역시 문제이다. 개인은 법인, 법인은 개인의 등식(等式)이 성립할 정도로 양자가 하나로 파악되는 경우일지라도 — 이런 경우를 외국에서는 '회사가 제2의 자아(alter ego; zweite ich)가 되었다'라 하겠지만 — 채무면탈, 불공정한 목적의 추구나 탈법 등 불법요소가 나타나지 않는 한 법인격부인은 불가하다.[62]

나아가 남용사례에서도 지배주주가 자기 마음대로 회사를 좌지우지할 수 있다면 형해화는 이미 상당한 정도로 진행된 상태이다. 오히려 어떠한 형해사례에서보다도 더 법인격이 형해화한 상황이라 아니할 수 없다. '자기 마음대로'라는 판시 문언을 어떻게 읽을 것인가? 일반적인 지배상황을 '자기 마음대로' 회사를 조정한다고 할 수는 없다. 즉 판시내용대로라면 이렇게 지배주주가 자기 마음대로 회사를 움직일 수 있을 때에만 남용사례도 성립한다는 것이다. 어찌 본다면 형해화 단계에서도 최상단계라 아니할 수 없다. 그렇지 않으면 아무리 불법목적 추구 등 법인격이 남용되어도 법인격을 부인할 수 없다는 얘기다. 그렇다면 형해사례와 남용사례가 무엇이 다른가? 과연 구별의 필요는 있는 것인가?

후술할 법인격부인의 요건 부분에서 자세히 보겠지만 형해사례나 남용사례는 형태요건(formalties requirement)으로 통일하고 이어 법인격부인의 필요성 내지 당위성을 제2의 요건으로 추가하여야 할 것이다. 남용사례군에서 대법원은 사원의 회사에 대한 완전지배를 형태요건으로 제시하고 있고, 제2의 요건으로 법인제도의 남용을 언급하고 있다. 결국 형해화사례와 남용사례에 있어 차이를 두고 있는데 이러한 판례의 입장은 비판의 여지가 있어 보인다.

---

61) 대법원 2008.9.11. 2007다90982.
62) 형해화한 법인격이라도 법질서가 그 존재를 합법적으로 인정할 수 있는 영역에 있는 한 어떻게 그 존재를 부인하겠는가?

사) 특수목적회사에서의 법인격부인 [제7단계; 특수영역-주관적 남용설에 기초함]

2010년에 이르러 대법원은 특수목적회사에서의 법인격부인요건에 대하여 다음과 같이 설시하고 있다: "특수목적회사(SPC)는 일시적인 목적을 달성하기 위하여 최소한의 자본출자요건만을 갖추어 인적·물적 자본 없이 설립되는 것이 일반적이다. 따라서 특수목적회사가 그 설립목적을 달성하기 위하여 설립지의 법령이 요구하는 범위 내에서 최소한의 출자재산을 가지고 있다거나 특수목적회사를 설립한 회사의 직원이 특수목적회사의 임직원을 겸임하여 특수목적회사를 운영하거나 지배하고 있다는 사정만으로는 특수목적회사의 독자적인 법인격을 인정하는 것이 신의성실의 원칙에 위배되는 법인격의 남용으로서 심히 정의와 형평에 반한다고 할 수 없으며, 법인격 남용을 인정하려면 적어도 특수목적회사의 법인격이 배후자에 대한 법률적용을 회피하기 위한 수단으로 함부로 이용되거나, 채무면탈, 계약상 채무의 회피, 탈법행위 등 위법한 목적달성을 위하여 회사제도를 남용하는 등의 주관적 의도 또는 목적이 인정되는 경우라야 한다."[63]

아) 채무면탈목적으로 기존 회사를 이용한 경우 [제8단계: 역부인의 적용범위 확장]

2011년에 이르러 대법원은 위에서 본 토탈미디어 안건사 사건의 판시내용을 채무면탈목적의 신설법인 설립 시 뿐만 아니라 이미 설립되어 있는 기존 회사를 이용한 경우에도 확장 적용하였다: "기존회사가 채무를 면탈할 목적으로 기업의 형태·내용이 실질적으로 동일한 신설회사를 설립하였다면, 신설회사 설립은 기존회사의 채무면탈이라는 위법한 목적달성을 위하여 회사제도를 남용한 것이므로, 기존회사의 채권자에게 위 두 회사가 별개의 법인격을 갖고 있음을 주장하는 것은 신의성실 원칙상 허용될 수 없다 할 것이어서 기존회사의 채권자는 위 두 회사 어느 쪽에 대하여서도 채무 이행을 청구할 수 있고, 이와 같은 법리는 어느 회사가 채무를 면탈할 목적으로 기업의 형태·내용이 실질적으로 동일한 이미 설립되어 있는 다른 회사를 이용한 경우에도 적용된다."[64]

---

63) 대법원 2010.2.25. 2007다85980.
64) 대법원 2011.5.13. 2010다94472. 본 사건에 대한 평석으로는 김수학, "기존의 다른 회사를 이용하는 경우와 법인격부인의 법리," 「재판과 판례」 제21집(김수학 대구고등법원장 퇴임기념)(대구판례연구회, 2012).

자) 일제 강점기 징용피해자들의 일본 회사를 상대로 한 미지급임금 및
손해배상청구사건 [제9단계: 외국회사의 법인격부인][65)

2012년에 이르러 대법원은 강제징용의 수혜자였던 미쓰비시중공업(주) 및 일본제철(주)(이하 이들을 '구회사'라 한다)이 징용피해자들에 대해 민사상 채무를 부담했다면 이들 구회사로부터 현물출자를 받아 신설된 현재의 미쓰비시중공업(주) 및 신일본제철(주)(이하 이들을 '신회사'라 칭한다)이 이에 대해 책임지느냐의 문제를 다루었다. 대법원은 구회사와 신회사가 '실질적으로 동일'하여 법적으로도 동일한 주체로 평가될 수 있다고 하면서 원고의 청구를 인용하였다:

"일제강점기에 국민징용령에 의하여 강제징용 되어 일본국 회사인 미쓰비시중공업 주식회사(이하 '구 미쓰비시'라고 한다)에서 강제노동에 종사한 대한민국 국민 갑 등이 구 미쓰비시가 해산된 후 새로이 설립된 미쓰비시중공업 주식회사(이하 '미쓰비시'라고 한다)를 상대로 국제법 위반 및 불법행위를 이유로 한 손해배상과 미지급 임금의 지급을 구한 사안에서, 일본법을 적용하게 되면, 갑 등은 구 미쓰비시에 대한 채권을 미쓰비시에 대하여 주장하지 못하게 되는데, 구 미쓰비시가 미쓰비시로 변경되는 과정에서 미쓰비시가 구 미쓰비시의 영업재산, 임원, 종업원을 실질적으로 승계하여 회사의 인적·물적 구성에는 기본적인 변화가 없었음에도, 전후처리 및 배상채무 해결을 위한 일본 국내의 특별한 목적 아래 제정된 기술적 입법에 불과한 회사경리응급조치법과 기업재건정비법 등 일본 국내법을 이유로 구 미쓰비시의 대한민국 국민에 대한 채무가 면탈되는 결과로 되는 것은 대한민국의 공서양속에 비추어 용인할 수 없으므로, 일본법의 적용을 배제하고 당시의 대한민국 법률을 적용하여 보면, 구 미쓰비시가 책임재산이 되는 자산과 영업, 인력을 중일본중공업 주식회사 등에 이전하여 동일한 사업을 계속하였을 뿐만 아니라 미쓰비시 스스로 구 미쓰비시를 미쓰비시 기업 역사의 한 부분으로 인정하고 있는 점 등에 비추어 구 미쓰비시와 미쓰비시는 실질적으로 동일성을 그대로 유지하고 있는 것으로 봄이 타당하여 법적으로는 동일한 회사로 평가하기에 충분하고, 일본국 법률이 정한 바에 따라 구 미쓰비시가 해산되고 중일본중공업 주식회사 등이 설립된 뒤 흡수합병의 과정을 거쳐 미쓰비시로 변경되는 등의 절차를 거쳤다고 하여 달리 볼 것은 아니므로, 갑 등은 구 미쓰비시에 대한 청구권

---

65) 대법원 2012.5.24. 2009다22549.

을 미쓰비시에 대하여 행사할 수 있다."66)

차) 광주신세계 사건67) ['내부자역부인' 등 법인격부인론의 적용영역을 확장할 수 있는 사례]

이 사건은 ㈜신세계 주주대표소송으로서 비록 판결문 속에서 재판부가 법인격부인을 시도한 바는 없지만 사실관계의 정황상 법인격부인론의 적용가능성이 예견되는 사건이었다. 이하 이 사건을 법인격부인의 시각에서 조명해 보기로 한다.

① 겸직금지의무 위반의 점에 대하여

㈜신세계(이하 'S社'로 약함)의 이사 'J'(이하 '甲'이라 약함)는 S社의 이사회승인없이 그 당시 완전자회사였던 ㈜광주신세계(이하 'K社'로 약함)의 신주를 인수하여 그 대주주가 됨으로써 상법 제397조상 겸직금지의무를 위반하였을 가능성이 있다. 동조가 규정하는 겸직금지의무는 '다른' 회사의 '이사'가 되는 경우 적용되지만 그 '다른' 회사의 '지배주주'가 되는 경우에도 그 준용가능성을 부정할 수 없다. 대법원은 본 사건에서 그렇게 상법 제397조의 적용범위를 확장하였다. 다만 "경업대상 여부가 문제되는 회사가 실질적으로 이사가 속한 회사의 지점 내지 영업부문으로 운영되고 공동의 이익을 추구하는 관계에 있다면 두 회사 사이에는 서로 이익충돌의 여지가 있다고 볼 수 없고, 이사가 위와 같은 다른 회사의 주식을 인수하여 지배주주가 되려는 경우에는 상법 제397조가 정하는 바와 같은 이사회의 승인을 얻을 필요가 있다고 보기 어렵다"라고 판시하고 있다. 상법 제397조의 확장해석과 이에 이은 축소해석으로 구체적 타당성을 실현하였다.

그러나 법인격부인의 방법으로도 같은 결과를 도출할 수 있었다고 생각된다. 법인격부인의 적용요건 부분(아래 '3. 마.' 부분)에서 자세히 나오겠지만 법인격부인은 ① 법인격의 형해화와 ② 법인격부인의 필요성 내지 당위성의 두 요건이 충족되면 가능하다. 본 사선에서 상법 제397조의 적용가능성을 논함에 있어 이러한 요건들은 충족된다고 생각된다. 그 결과 K의 형해화된 법인격을 부인하면 위 상법 제397조의 문언 중 '다른 회사'가 존재하지 않게 되어 甲의 겸직금지의무 역시 존재하지 않게 된다.68)

---

66) 이 판례에 대한 자세한 평석으로는 천경훈, "전후 일본의 재벌해체와 채무귀속－일제강제징용사건의 회사법적 문제에 관한 검토－,"「서울대학교 법학」제54권 제3호(서울대학교 법학연구소, 2013. 9.), 433~470면.
67) 대법원 2013.9.12. 2011다57869.

② 자기거래금지의무 위반여부에 대하여

甲이 K가 발행한 신주를 인수한 것이 S社의 이사회 승인을 필요로 하는 S社
와 甲간의 자기거래(自己去來)였는지 문제이다. 분명 외형상으로 甲은 K의 신주
를 인수하면서 K와 거래한 것이지 S와 거래한 것은 아니었다. 외형상으로는 일
단 그렇다. 그러나 만약 K의 법인격이 형해화하였고 법인격부인의 필요성 내지
당위성도 존재한다면 K의 법인격을 부인할 수 있을 것이다. K의 법인격을 부인
해버리면 이제 甲과 K간의 거래는 甲과 S간의 거래가 되고 그런 경우라면 甲은
S社 이사회의 승인을 얻어야 한다. 과연 그러한 법인격부인이 가능한가? 본 사
건에서 법원은 그러한 시도를 하지는 않았다. 간단히 甲은 K와 거래한 것이지 S
와 거래한 것이 아니니 S社 이사회의 승인도 필요없다고 결론지었다.[69] 그러나
과연 그러한 방식이 타당한 것인지는 의문이다.

본 사건에서는 법인격의 역부인(아래 '3. 사.' 부분 참조) 중에서도 내부자 역부
인(內部者 逆否認; insider reverse veil-piercing)의 기법으로 K의 법인격을 부인
할 수 있었다고 생각된다. 내부자 역부인에서는 형해화된 법인의 내부 주체―
지배주주 내지 1인주주―를 위한 법인격부인도 가능하다. 구체적 타당성의 실
현을 위하여 그러한 법인격부인도 허용하는 것이다. 본 사안에서 분명 甲은 외
형상 K와 거래한 것이지만 K의 법인격이 형식화한 사정을 고려하면 실질적으로
는 S와 거래한 것이다. 즉 K의 1인주주인 S의 이익을 위하여 K의 법인격을 부
인할 수 있는 것이다. 이렇게 甲이 S와 거래한 것으로 본다면 그는 이에 있어 S
사 이사회의 승인이 필요하였다. 물론 사실관계의 해석상 이에 대한 S사 이사회
의 승인은 실권결의가 이루어지던 그 시점에 이미 이루어졌다고 보아야 할 것이
다. 그렇게 본다면 결국 상법 제398조의 적용대상이 아니라는 판례의 입장과 결
론은 같아진다.[70]

---

68) 김정호, "광주신세계사건과 모회사 이사의 충실의무―법인격부인론의 시각에서 본 대판 2013.
9.12. 2011다57869―,"「경영법률」제25집 제2호(한국경영법률학회, 2015. 1.), 87~119면,
특히 97~104면.
69) 상법 제398조의 경우 S社 이사회의 승인이 요구되지 않았다고 보면서 판례의 결론에 동조
하는 견해로는, 천경훈, "신세계 대표소송의 몇가지 쟁점―경업, 회사기회유용, 자기거래―,"
「상사법연구」제33권 제1호(한국상사법학회, 2014), 133~175면, 특히 169면.
70) 김정호, 전게논문, 87~119면, 특히 106~110면.

③ 회사기회유용금지의무 위반여부

2011년 개정 상법에 신설된 상법 제397조의2를 직접 적용할 수는 없었지만 그럼에도 불구하고 대법원은 회사기회유용금지의무를 이사의 충실의무(제382조의3)의 일부로 보아 이를 본 사안에 적용하였다. K의 신주를 인수한 것을 S의 사업기회로 보았지만 S 이사회가 실권결의를 하면서 甲에 의한 기회이용을 승인한 것으로 보아 의무위반을 부정하였다. 회사기회유용금지 부분에서는 상법 제397조나 상법 제398조의 경우와 달리 K의 법인격부인에 대한 당위성 내지 필요성이 감지되지 않는다. K의 법인격을 부인하건 그대로 두건 S의 사업기회는 존재하며, S 이사회는 실권결의를 통해 甲의 신주인수를 허용하였기 때문이다. 겸직금지나 자기거래시와는 달리 기회유용부분에서는 구체적 타당성 실현을 위하여 K의 법인격을 반드시 부인할 필요가 없었다.[71] 본 사건에서는 하나의 이사회결의로 겸직금지, 자기거래 및 기회유용의 승인이 동시에 이루어졌다고 해석하는 것이 타당할 것이다.[72]

카) 채무면탈을 목적으로 한 신회사의 설립 [기존회사의 채무를 면탈할 의도로 다른 회사의 법인격이 이용되었는지를 판단하는 기준][73]

이 사건은 위에서 본 (주)토탈미디어안건사 사건의 연장선에서 파악할 수 있는 사례로서 "...기존회사가 채무를 면탈할 목적으로 기업의 형태·내용이 실질적으로 동일한 신설회사를 설립하였다면, 신설회사의 설립은 기존회사의 채무면탈이라는 위법한 목적달성을 위하여 회사제도를 남용한 것이므로 기존회사의 채권자에 대하여 두 회사가 별개의 법인격을 갖고 있음을 주장하는 것은 신의성실의 원칙상 허용될 수 없고, 기존회사의 채권자는 두 회사 어느 쪽에 대하여서도 재무의 이행을 청구할 수 있다"고 하면서 "...기존회사의 채무를 면탈할 의도로 다른 회사의 법인격이 이용되었는지는 기존회사의 폐업 당시 경영상태나 자산상황, 기존회사에서 다른 회사로 유용된 자산의 유무와 그 정도, 기존회사에서 다른 회사로 이전된 자산이 있는 경우 그 정당한 대가가 지급되었는지 등 제반

---

71) 이에 대해 보다 자세히는 김정호, 전게논문, 110면 이하.
72) 同旨, 천경훈, 전게논문, 170면.
73) 대법원 2016.4.28. 2015다13690. 이 사건에 대한 평석으로는 정완용, "법인격부인론의 적용요건과 법인격의 남용 - 대법원 2016.4.28. 선고 2015다13690 판결 -,"「경희법학」제52권 제3호(경희대학교 법학연구소, 2017), 401~438면 참조.

사정을 종합적으로 고려하여 판단하여야 한다"고 판시하고 있다. 이러한 법리는 어느 회사가 이미 설립되어 있는 다른 회사 가운데 기업의 형태·내용이 실질적으로 동일한 회사를 채무를 면탈할 의도로 이용한 경우에도 적용된다.[74]

타) 외부자 역부인의 인정 [개인의 대외적 채무에 대하여 새로이 설립된 회사의 이행의무를 인정한 사례][75]

2021년 들어 대법원은 회사 설립전에 개인이 부담한 채무에 대해서도 일정 요건하에 회사의 책임을 인정한 외부자 역부인(外部者 逆否認; outsider reverse veil-piercing)을 단행하였다: " ... 나아가 그 개인과 회사의 주주들이 경제적 이해관계를 같이하는 등 개인이 새로 설립한 회사를 실질적으로 운영하면서 자기 마음대로 이용할 수 있는 지배적 지위에 있다고 인정되는 경우로서, 회사 설립과 관련된 개인의 자산 변동 내역, 특히 개인의 자산이 설립된 회사에 이전되었다면 그에 대하여 정당한 대가가 지급되었는지 여부, 개인의 자산이 회사에 유용되었는지 여부와 그 정도 및 제3자에 대한 회사의 채무 부담 여부와 그 부담 경위 등을 종합적으로 살펴보아 회사와 개인이 별개의 인격체임을 내세워 회사 설립 전 개인의 채무 부담행위에 대한 회사의 책임을 부인하는 것이 심히 정의와 형평에 반한다고 인정되는 때에는 회사에 대하여 회사 설립 전에 개인이 부담한 채무의 이행을 청구하는 것도 가능하다고 보아야 한다." 이는 아래에서 논의할 외부자 역부인의 전형적인 사안이다.

다. 적용범위

이하 본 이론의 적용상 문제시 될 수 있는 몇 가지 문제점을 먼저 살펴보기로 한다.

1) 소위 "보충성"의 문제

법인격부인론은 구체적인 성문규정 등 개별 사안의 해결을 위해 필요한 수단이 이미 존재하는 경우에는 적용되지 않는가? 이러한 의문은 법인격부인론의 적용범위를 논함에 있어서 항상 초두에 제기될 수 있다. 예컨대 우리가 이미 위에서 살펴본 현대미포조선소 사건에서 상법상 선박우선특권의 적용으로 문제를 해

---

74) 대법원 2019.12.13. 2017다271643.
75) 대법원 2021.4.15. 2019다293449.

결하면 족하지 굳이 편의치적회사의 법인격을 부인할 필요가 있는가? 나아가 '(주)토탈미디어안건사' 사건에서도 상호 속용 영업양수인의 책임(제42조 제1항)이나 건설산업기본법 제17조 등을 적용하면 되지 굳이 법인격의 역부인(또는 '법인격부인론의 역적용')이라는 용어까지 만들어가며 법인격을 부인하여야 하나? 등의 의문에 부딪히게 된다.

가) 학설들

(1) 긍정설

이 입장은 보충성요건을 긍정한다. 법인격부인론은 종래의 사법이론으로 적절히 해결할 수 없는 범위에 국한시켜야 한다고 주장한다. 그 근거로 (i) 계약과 법률의 합리적 해석에 의하여 문제해결이 가능한 경우 법인격부인의 기법까지 동원해서는 아니 되며,[76] (ii) 주주유한책임의 법리는 회사법의 근본이기 때문에 함부로 이를 부정할 수 없고, 종래의 이론으로 해결이 가능한 부분에서는 이에 따라 해결하는 것이 타당하며, 정의와 형평의 관념상 이러한 기존 이론으로 적절한 해결책을 찾을 수 없을 때에만 본 이론에 호소하는 것이 옳다고 한다.[77] 나아가 (iii) 본 이론은 성문법상의 기본질서(예컨대 제331조상의 유한책임의 원칙)에 대한 부정으로서 법공동체 구성원들에게 예측불가의 법적 불안정을 야기하므로 기존 제도로 해결되지 않는 예외적인 경우에만 적용할 것을 역설한다.[78]

(2) 부정설

이 입장은 보충성요건을 부정한다. 그 논거로는 (i) 만약 이 이론의 적용을 기존제도로 해결할 수 없는 예외적 상황에만 국한시키면 무리한 사실인정 또는 기존 조문의 무리한 해석을 낳을 가능성이 있고 당사자의 권리행사에 대한 무리한 제약이 되어 부당하며,[79] (ii) 본 이론의 적용이 가능한 영역에서는 다른 법이론과 명백히 충돌하지 않는 한 그 적용을 부정할 수 없으며 나아가 기존제도로 해결이 불가한 영역에서만 그 적용을 인정한다면 이 법리는 사실상 이론을 위한 이론으로 남을 수밖에 없다고 한다.[80] 나아가 (iii) 대안적 법리에 의하여

---

76) 정동윤, 전게논문, 95~156면, 특히 151~152면; 이기수·최병규, 「회사법」 제11판(박영사, 2019), 75면.
77) 송상현, 「법률신문」 제1061호(1974. 5. 27.), 8면.
78) 이철송, 「회사법강의」 제29판(박영사, 2021), 56면(긍정설이 "일반적인 견해"라고 평가함); 송옥렬, 전게서, 712면.
79) 김교창, 「회사법의 제문제」(육법사, 1982), 203면; 홍복기·박세화, 전게서, 39면.

당사자를 구제할 수 있다는 이유만으로 법원이 법인격부인의 법리를 거부한다면 이 또한 온당치 않으며 법원이 그런 경우에도 본 법리를 적용하는 경우 이를 탓할 필요도 없다고 한다.[81]

나) 비판 및 결론

보충성의 문제는 이른바 특정 제도를 적용함에 있어 다른 법질서와의 관계가 무엇이냐 하는 문제이다. 사실 법인격부인의 기법은 사법의 근간인 법인격의 독립성을 부수는 것이기 때문에 매우 근본적 파괴에 해당한다. 사법의 기초를 허물어 가면서까지 문제를 해결해야 할 정도로 사실관계의 정황이 다급하고 위중한가? 묻지 않을 수 없다. 그리하여 독일에서도 규범적용설을 주장하는 학자들은 법인격부인 대신 실정조문의 적용과 그 해석학을 통하여 문제해결을 꾀하고 있다. 사실 이러한 접근 자세는 매우 칭송할 만하다.

그러나 실정조문이 존재한다하여 무조건 그 규범의 틀 속에서만 문제를 해결한다는 것은 지나치게 협소한 자세라고 생각된다. 또 해석학이란 매우 상대적인 것이어서 그 조문을 조망하는 입장에 따라 천차만별의 해석결과를 내놓을 수 있다. 나아가 해당 사실관계에 정확히 적용시킬 법조문이 없는 경우도 매우 많다. 조문이 있으면 그 틀에 갇히고 조문이 없으면 일반 신의칙이나 권리남용금지의 원칙에 터 잡아 법인격부인기법을 동원한다면 오히려 그러한 조문이 없는 경우 더 용이하게 구체적 타당성을 실현할 수 있게 될 것이다. 이러한 점들을 종합해 볼 때 보충성요건을 법인격부인의 요건으로 절대시하는 것은 적절치 않아 보인다. 구체적 타당성 실현을 위해서라면 실정 조문의 존부에 불구하고 법인격부인의 가능성을 열어 둘 필요가 있을 것이다.

2) 적용가능성이 문제시되는 영역

가) 불법행위책임의 경우(involuntary creditor)

법인격부인론은 계약상 책임만을 대상으로 하지 않는다. 물론 가장 전형적인 책임실체파악의 경우 회사의 법률행위적 책임을 대상으로 하는 경우가 태반일 것이다. 그러나 불법행위상의 손해배상책임 등에 대해서도 법인격부인은 가능할 것이다. 아래에서 살필 Walkovszky v. Carlton[82]사건에서 그 좋은 예를 찾을

---

80) 정찬형, "법인격부인론 (I)," 栢山商事法論集, 72~119면, 특히 107면.
81) 김건식·노혁준·천경훈, 전게서, 68면.

수 있다. 이 이론의 적용에 대하여 회의적인 입장도 있다(일본의 다수설). 이 입장에서는 당해 회사의 실체와 능력에 대한 신뢰가 불법행위책임의 경우 배반된 일이 없다는 논거이다. 그러나 법인격부인이론은 외관신뢰주의가 아니라 권리남용금지의 원칙에서 비롯된 것으로서 외관법리적 접근으로 본 이론을 계약책임에만 한정시킬 일은 아닐 것이다. 오히려 불법행위책임의 경우 이 이론의 적용필요성은 더 강하게 나타난다. 피해자는 가해자를 선택할 기회가 없었으므로 가해 회사의 진면목을 파악할 가능성은 전무였다. 그리하여 불법행위책임의 경우에는 법인격부인이론의 적용요건을 계약책임에서보다 더욱 탄력성 있게 다룰 필요가 있을 것이다.[83] 특히 위험사업을 수반하는 회사에 있어서는 피해자 보호를 강화하기 위하여 책임보험에의 가입을 강제해야 한다는 주장도 있다.[84]

나) 인적회사의 경우

본래 법인격부인이론은 사원의 유한책임이 존재하는 물적회사에서 주로 시도되고 있다. 따라서 사원의 인적 무한책임이 지배하는 합명, 합자회사 등 인적회사에서는 본 이론의 적용은 무의미하다.

다) 귀속실체파악(Zurechnungsdurchgriff)

법인격부인의 전형적 사례는 책임실체파악이다. 즉 외부 채권자에 대하여 채무를 부담하고 있는 회사가 법인격이 형해화하였을 경우 그 법인격을 부인하고 사실상의 소유자 즉 배후자에게 회사채무에 대한 개인책임을 묻는 것이 가장 빈번한 법인격부인의 사례유형이다. 그러나 간혹 이러한 대외적인 책임문제가 아니라 일정 사실에 대한 지(知) 또는 부지(不知)의 문제나 회사이름으로 부담한 경업금지의무를 지배사원도 부담하여야 하는지 등 책임과 무관한 사안들이 있다. 이러한 경우에는 회사대표기관의 지, 부지가 아니라 그 배후자 즉 지배주주의 주관적 용태를 기준으로 판단하여야 하고,[85] 회사이름으로 경업금지의무를 부담하였더라도 이러한 의무는 지배주주에게도 확장된다.[86] 독일법에서 다수의

---

82) 18 N. Y. 2d 414, 223 N. E. 2d 6(1966).
83) 남장우, 전게논문, 223면.
84) 정찬형, "법인격부인론,"「現代民商法研究」(李在澈博士華甲紀念論文集), 371면 이하, 405~406면(본 논문은 栢山商事法論集(박영사, 2008), 72~119면 이하에도 '법인격부인론(Ⅰ)'로 게재됨).
85) Thomas Raiser, Recht der Kapitalgesellschaften, Vahlen, 1992, S. 329 f.
86) BGHZ 59, 64, 67 f.; BGHZ 89, 162, 165.

사례를 발견할 수 있다.

라) 공개회사

회사를 공개회사(publicly held corporation)와 폐쇄회사(closed corporation)로 양분한다면 법인격부인론은 대부분 후자에 대해 적용된다. 공개회사의 경우 사원의 회사에 대한 완전한 지배나 재산 내지 업무의 혼용 등 이른바 형해요건이 충족되기 어렵기 때문이다. 물론 대법원은 이렇게 법인격이 형해화한 경우가 아닐지라도 법인격을 남용한 경우 법인격부인이 가능하다고 설시하고는 있지만[87] 지금까지 전혀 형해화하지 않고 순수히 남용되기만 한 사례를 발견할 수는 없다. 따라서 공개회사에 대한 법인격부인 가능성은 부정적으로 판단해도 좋을 것이다.

마) 주주를 위한 법인격부인

전래적으로 법인격부인론은 채권자 사해 등에 대비하여 회사채권자를 보호하기 위한 법률 도구였다. 그러나 간혹 채권자보호와는 무관한 다수의 법인격부인 사례가 존재한다. 법인격부인론이라는 것이 이른바 개별 사안의 정의와 형평을 실현하고 이러한 목적을 달성하기 위하여 원칙을 부수고 예외를 인정하는 제도이므로 사실상 채권자보호만으로 이 제도의 존재목적을 한정할 필요는 없는 것이다. 그리하여 다수의 판례에서 법원은 채권자가 아닌 형해화된 법인격의 배후자를 위하여 법인격의 껍데기(shell)를 부수기도 한다. 예컨대 영국판례를 보면 미망인과 유자녀를 보호하기 위하여 망인이 된 남편이 1인사원으로 설립한 회사의 법인격을 부인한 예가 있고,[88] 농장회사를 설립한 부부의 생존권을 보호하기 위하여 그들이 설립한 회사의 법인격을 부인한 예도 있다.[89] 이러한 사례들을 통칭하여 내부자 역부인(內部者 逆否認; inside reverse veil-piercing)이라 한다. 법인격의 역부인에 대해서는 별도의 항(3. 사.)에서 살펴보기로 한다.

라. 법인격부인론의 법영역별 적용사례들

법인격부인론의 적용가능범위는 실로 넓다. 거의 모든 법영역에서 법인격부

---

87) 상기 대법원 2008.9.11. 2007다90982.

88) Marylon v. Plummer [1963] 2 All. E. R. 344. [법인격부인의 예].

89) Cargill Inc. v. Hedge & Hedge Farm Inc. 375 N. W. 2d 477 [Supreme Court of Minnesota]. [법인격부인의 예].

인이 시도되고 있다.

1) 민법영역

가) 민법총칙관련(민법 제124조[자기대리금지]관련 사례)

민법 제124조에 의하면 대리인이 계약쌍방을 대리하지 못한다고 되어 있다. 하기의 케이스는 이와 관련된 것이다.

〈Harrods, Ltd. v. Lemon [1931] 2 KB 157〉[법인격존중의 예]

본 건에서는 원고 Harrods사가 피고에게 부동산중개수수료를 청구하였는바 부동산매매계약과정에서 원고가 매도인과 매수인을 동시에 대리한 것 때문에 문제가 되어 소송에 이른 사건이다. 피고는 자신 소유의 가옥을 매도함에 있어서 원고의 부동산중개팀에 이를 맡기게 되었다. 얼마 후 매수희망자가 나타났고 계약이 협상되던 중 매수희망자가 부동산의 정밀측량을 원하여 이를 의뢰한 결과 역시 같은 Harrod사의 부동산측량팀이 이를 수임하게 되었다. 측량 후 하자가 발견되어 가격감액협상이 진행되던 중 피고는 해로드사의 쌍방대리사실을 발견하였다. 원고의 측량팀이 매수인도 대리함으로써 원고가 쌍방대리금지의 형태로 부동산중개계약을 위반하였다고 주장할 수도 있는 사안이었다. 그러나 피고는 이러한 사실을 알면서도 계약을 해지하지 아니하고 원고에게 부동산중개의 수임을 속행시켰다. 해로드사 내부에서 부동산중개팀과 측량팀 양 부서는 완전히 독립적으로 운영되고 있었다. 법원은 원고의 청구를 인용한다. 비록 부동산중개부서와 측량부서가 완전히 독립적으로 운영되었더라도 법률적으로 이들은 하나의 인격체인 Harrod사에 소속되어 있어 부동산중개계약이 위반된 것은 사실이지만 피고가 이런 사실을 적극적으로 인지하면서도 계약의 해지나 실효를 주장함이 없이 수임의 속행을 지시하였으므로 중개수수료지급의무로부터 벗어날 수 없게 되었다.

본 사안에서 법인격부인은 처음부터 불가하였다. 법인격의 남용이나 형해화가 사실관계에서 전혀 나타나지 않았기 때문이다. 설사 원고의 중개부서와 측량부서가 완전히 독립적으로 운영되었더라도 그들은 하나의 인격체인 Harrod사에 소속되어 있었으므로 쌍방대리의 형태로 매도인과의 계약을 위반한 결과가 되었다. 그러나 피고가 이를 알면서도 수임을 속행시킨 결과 신의칙상 수수료지급의무에서 벗어날 수 없었던 사안이다. 만약 피고가 쌍방대리사실을 안 후 중개계약을 즉시 해지하였다고 가정하면 그 결과는 어떻게 예측되는가? 이러한 경우에도 법원이 양 부서의 독립성을 강조하여 원고의 법인격을 부인한 후 수수료청구를 인용하였을까? 그렇지는 않다고 본다. 그럴만한 법인격의 남용이나 형해화가 사실관계에서 전혀 감지되지 않기 때문이다.

    나) 불법행위상의 책임 관련: 불법행위법에서도 법인격부인론은 적용가능하다.
    이에 관한 사례를 보기로 한다.

〈Walkovszky v. Carlton, 18 N. Y. 2d 414, 223 N. E. 2d 6(1966)〉

원고는 뉴욕시에서 피고 Seon Cab Corporation이 운영하는 택시에 치어 중상을 입었다. 개인 피고(individual defendant)인 Carlton은 Seon사를 포함한 10개사의 주주였는데 이 회사들은 각 2개의 택시만을 그들의 이름으로 등록하고 있었고 각 택시는 법정최저한도인 10,000불의 책임보험에 가입되어 있을 뿐이었다. 겉보기에는 이 10개사가 각각 독립된 것처럼 보였지만 그들은 자금조달면뿐만 아니라 수리, 부품공급, 기사고용 나아가 야간주차에 이르기까지 마치 일개의 기업처럼 통일적으로 운영되고 있었다. 이들 모두가 본건의 피고로 거명되었다. 원고는 이러한 기업구조자체가 불법이고 나아가 부상을 입은 일반 공중에게 사기적 내지 사해적이므로 이 회사들의 주주도 본건 손해배상에 대해 책임이 있다고 주장하였다. 피고 Carlton은 원고의 청구에 소의 원인(a cause of action)이 없으므로 원고의 청구를 기각해줄 것을 청구하였다. The Court of Special Term의 항소부는 원고의 청구를 인용하였다. 이에 피고가 항소한 것이 본 사건이다.

Fuld판사의 견해는 다음과 같다.90) "사원의 개인책임을 피하기 위하여 유한책임회사를 설립하는 것을 법은 허용하지만 여기에 아무런 한계가 없는 것은 아니다. 광범하게 표현할 때 법원은 사기를 방지하고 형평을 복원하기 위하여 법인격을 부인할(꿰뚫을) 수 있다(pierce the veil). 자기의 개인사업을 추진하기 위하여 회사라는 법형태를 이용하는 자는 회사의 행위에 대하여 respondeat superior의 법리91) — 사용자책임의 법리 — 를 경유하여 개인책임을 질 수 있다.

---

90) Seligman, Corporation, Cases & Materials, Little, Brown & Company, Boston, New York, Toronto, London, 1995, pp. 88~91.
91) respondeat superior는 라틴어로 영어로 바꾸면 "let the superior answer"(상위자가 대답하게 하라!)는 의미인데 이는 '사무집행과 관련한 피용자의 불법행위에 대해서는 사용자가 책임져야 한다.' 사용자책임의 법리를 의미한다. cf. Dictionary of the Law, Random

대리인이 자연인인 경우도 같다. 나아가 회사가 계약적으로 책임지는 경우뿐만 아니라 불법행위를 저지른 경우에도 같다. 그런데 원고는 본 사안에서 그러한 사용자책임을 주장한 것이 아니라 피고의 사기(fraud)를 주장하고 있는바 원고의 주장내용만으로는 소의 원인이 적정히 개진되었다고 할 수 없어 원고의 청구를 기각하는 바이다."[92]

판시내용을 보면 개인이 회사를 도구로 이용할 때 도구가 행한 것에 대해 이를 이용한 자가 책임져야 한다는 사용자책임의 법리를 간접적으로 끌어들이고 있다. 법인격 배후에 숨어 있는 지배사원의 개인책임을 사용자책임의 형식을 빌어 도출하고 있는 것이다. 즉 지배사원이 사용자요, 회사가 그의 피용자로 인식될 정도로 법인격이 형해화한 경우라면 지배사원의 개인책임을 인정할 여지가 있다는 것이다. 그리하여 이를 도구이론(instrumentality doctrine)이라 부르기도 한다.

나아가 회사의 거래적 책임뿐만 아니라 불법행위책임에 대해서도 법인격부인이 가능하다고 하고 있는데 이는 매우 타당한 결론이라고 생각된다. 법인격부인이란 외관책임제도도 아니고 법인격의 남용시 형평과 신의칙의 관점에서 법인격의 허용한계를 금긋는 제도이므로 굳이 계약적 책임의 경우에만 이를 인정해야 할 이유는 없을 것이다.

2) 회사법의 영역

모회사 주주의 회계장부열람권을 인정하기 위한 자회사의 법인격부인

⟨Martin v. D. B. Martin Co., 88 A. 612 (1913)[93]⟩[법인격부인론을 경유하여 모회사 주주의 자회사 회계장부열람권을 인정한 사례]

본 사건에서 원고들은 다른 8개 회사를 지배하는 순수지주회사(이하 '甲'이라 한다)의 주주들이다. 이 8개 종속회사들의 영업목적은 동일하며 이 중 4개 회사의 이사진 구성은 甲과 전적으로 같고 나머지 4개사의 이사진 역시 甲과 대동소이(大同小異)하다. 피고는 甲이었고 甲의 회장(president) 및 甲과 종속회사의

House of the Webster's, New York, 2000, p. 374.

92) 본 판결 이후 원고는 소장의 내용을 변경하여 피고 칼튼이 개인 자격에서 택시회사의 영업을 수행한 점을 명백히 주장, 입증하였다(Walkovszky v. Carlton, 29 A. D. 2d 763 [1968]). 그 결과 항소심에서는 원고의 청구를 인용하였다(244 N. E. 2d 55, [1968]).

93) 10 Del. Ch. 211, 220.

겸직이사 중 2인이 공동피고가 되었다. 원고 측 주장을 요약하면 피고들이 업무집행을 태만히 하였고 甲과 그 종속회사의 재산을 빼돌려 개인적인 치부를 하였다고 한다. 재판부는 아래와 같이 종속회사의 법인격을 부인하면서 모회사 주주들의 자회사에 대한 회계장부열람권을 인정하였다:

"비록 한 사람이 다른 회사의 주식 전부를 가지고 있어도 법인격의 독립이 부정되는 것은 아니지만 … 사기적이고 불법적인 목적을 위하여 회사 법인격의 허상을 이용하는 경우 회사의 독자적 법인격은 부정될 수 있다. … 피고 회사가 사실상 종속회사들의 주식을 전부 소유하고 있고 나아가 피고회사의 이사 및 집행임원들이 동시에 종속회사의 임원진을 구성할 경우에는 종속회사들은 사실상 피고 회사(甲)의 도구에 불과하며 이러한 경우라면 모회사의 주주는 자기 회사뿐만 아니라 종속회사에 대한 회계장부에 대하여도 열람청구권을 갖는다."94)

3) 보험계약법의 영역 [보험계약의 유효요건으로서의 피보험이익관련 사례]

보험계약법에서도 아래와 같은 사례에서 피보험이익의 존부를 가림에 있어 법인격부인의 가능여부가 논의되고 있다.

〈Macaura v. Northern Assurance Co. [1925] A. C. 619〉[법인격존중의 예]

1919년 12월 30일 Macaura는 북아일랜드 Tyrone郡 Killymoon estate에서 자신이 소유하고 있던 임야의 나무들을 목재회사인 Irish Canadian Saw Mills, Ltd.에 매각하였다. 양도대금은 벌목된 것과 그렇지 않은 것을 합하여 27,000파운드, 나아가 추가벌목비용 15,000파운드, 도합 42,000파운드였고, 매도인은 현금 대신 액면가가 1파운드인 이 회사 주식 42,000주를 배정받았다. 즉 Macaura는 이 회사의 1인 주주가 되었다. 이 주식들은 매도 당시 그 회사의 주식 전부였고, 그 이후 유상증자는 없었다. 그 후 추가적인 벌목작업이 이어졌고 1921년 8월 마침내 임야의 모든 나무가 벌목되어 제재소에 보내졌다. 이 과정에서 회사

---

94) "The fact that one person owns all the stock in a corporation does not merge his identity with that of the corporation." … "The fiction of a legal corporate entity will be ignored, when used to shield fraudulent or illegal acts." … "Certain subsidiary corporations, whose stock was substantially owned by defendant corporation, and whose directors and principal officers were practically the same as defendant's, held mere instrumentalities of defendant, so that, in a suit by defendant's stockholders to compel it to produce the corporate books for discovering whether it was fraudulently mismanaging its corporate affairs, defendant will be compelled to produce the books of such companies, as well as its own."

는 추가로 19,000파운드의 부채를 지게 되었고 그 채권자 역시 Macaura였다. 1922년 1월과 2월에 Macaura는 매각한 목재를 보험의 목적으로 하고 스스로를 피보험자로 하여 5개의 보험회사와 화재보험계약을 체결한다. 1922년 2월 22일 상당 부분의 목재가 화재로 소실되자 Macaura는 화재보험금을 요구하였으나 거절되자 동년 6월 북아일랜드의 King's Bench部에 상기 5개의 보험회사를 상대로 화재보험금청구소송을 제기한다. 1심에서는 보험약관상의 중재합의에 따라 중재인이 선임되었고 중재판정에 따라 원고의 청구는 기각되었다.[95] 청구기각사유는 피보험이익의 부재였다. 2심에서도 원고의 청구를 기각한 원심을 확정하였다. House of Lord 역시 원심을 확정하였다.[96] Macaura는 매각된 목재에 대하여 보험기간 내내 피보험이익(insurable interest)을 갖지 않았으므로 보험계약은 무효라고 판시하였다.

　　Macaura는 1인 주주로서 이 목재회사의 사실상의 소유자였지만 형식적으로는 회사만이 임목(立木)과 벌목(伐木)의 소유자로서 그만이 피보험이익의 주체이므로 이를 이유로 보험금청구를 기각한 사안이다. 법원이 목재회사의 법인격을 고수함으로써 Macaura의 재산은 연기와 더불어 사라지고 말았다. 본 사안에서 주목할 만한 것은 왜 법원이 본 사안에서 법인격을 부인하지 않고 그 독립성을 고수하였는지 이다. 위에서 소개한 사례들을 포함하여 많은 판례들이 위와 유사한 사안에서 법인격의 독립성을 부인하여 왔기 때문에 이 사건의 결과에 대하여 그 당위성을 쉽게 발견할 수 없게 된다. 더욱이 본 사안의 목재회사는 그 주식을 Macaura가 모두 가지고 있는 1인 회사였기 때문에 법인격의 형해화는 명약관화하였다. 그럼에도 불구하고 법원이 목재회사의 법인격을 고수한 후 원고가 피부험 이익이 주체가 아님을 들이 본건 청구를 기각한 데에는 다음과 같은 이유가 있지 않았나 생각된다.

　　본 사례의 사실관계를 자세히 보면 원고는 5개의 보험회사와 동일한 보험의 목적에 대하여 화재보험계약을 체결하였는데 비록 이들이 중복보험이나 초과보험은 아니었다 해도 그 중 마지막 계약의 체결 일자는 불과 보험사고 발생 2주전이었고, 나아가 심리과정에서 원고 측의 사기(fraud)나 부정직(dishonesty)이

---

95) 만약 보험계약이 피보험이익의 부재로 무효라면 보험계약상의 중재합의 역시 무효가 되므로 중재에 회부하는 것 자체가 불가하지 않는가 하는 의문이 제기된다. 본 사건에서도 역시 이러한 문제가 다루어졌다. [1925] A.C. 622 참조.

96) Macaura v. Northern Assurance Co. [1925] A. C. 619, at 623, 624.

포착되고 있었다.97) 이러한 정황들을 종합하면 원고는 처음부터 보호가치 없는 자였다. 따라서 법원은 목재회사의 법인격을 고수한 채 이를 근거로 원고의 피보험이익을 부정한 후 바로 청구를 기각한 것으로 보인다.

이러한 처리방식을 보면 판례는 그때그때 개별사안의 정황과 필요에 따라 법인격을 부인하고 있음을 알 수 있다. 법인격부인의 뚜렷한 당위성을 논거 속에 제시하거나 그 성립요건을 객관화시키고 있지는 않은 것이다. '회사의 법인격 뒤에 가려 있는 인간의 실존'(human reality behind the company)을 직시하고 있다고 묘사할 수 있을 것이다.98)

4) 해상법상의 법인격부인가능성

해상법상으로도 아래와 같이 다기하게 법인격부인이 시도되고 있다.

가) 현대미포조선소 사례 (대법원 1988.11.22. 87다카1671) [법인격부인]

본 판례를 통하여 대법원은 처음으로 법인격부인론을 정식으로 수용하였다. 물론 일부 학설은 본 판례를 법인격부인론의 수용예라기보다는 신의칙 내지 권리남용금지원칙의 적용사례로 보기도 하였다. 그러나 위에서 살펴본 국외판례의 다양성을 고려하건대 법인격부인론의 적용대상이 아니라고 단정하기는 어려울 것이다.

나) 선박가압류 사건 (대법원 1989.9.12. 89다카678)

아래 사건 역시 위 사건과 마찬가지로 제3자 이의의 소를 다루고 있다. 다만 라이베리아 국적선이 키프러스(Cyprus) 국적선으로 바뀐 점이 다를 뿐이다.

[편의치적을 위하여 설립된 회사의 선박소유권 주장과 신의칙; 법인격부인]

"선박을 편의치적시켜 소유, 운영할 목적으로 설립한 형식상의 회사(Paper Company)가 그 선박의 실제소유자와 외형상 별개의 회사이더라도 그 선박의 소유권을 주장하여 그 선박에 대한 가압류집행의 불허를 구하는 것은 편의치적이라는 편법행위가 용인되는 한계를 넘어서 채무를 면탈하려는 불법목적을 달성하려고 함에 지나지 아니하여 신의칙상 허용될 수 없다."

---

97) 위 사건 [1925] A.C. 625면 중간부분 참조.
98) Dine, Company Law, 3rd ed., p. 26.

다) 운송인의 법인격이 부인되면서 포장당 책임제한이 배제된 사례
(대법원 2006.10.26. 2004다27082)

① 판시내용

"원심이, 소외 1 회사(이하 '甲'회사라 한다)는 해상운송에서 운송인의 책임을 부당하게 회피할 목적으로 피고와 영업상 실질이 동일함에도 불구하고 형식상으로만 브리티쉬 버진 아일랜드에 설립된 회사(소위 paper company)로서 피고와 동일한 법인격처럼 운영되어 왔다고 인정한 다음, 이 사건 제2운송계약이 외견상 원고와 소외 1 회사 사이에 체결되었다고 하더라도 소외 1 회사의 배후자인 피고(이하 '乙'회사라 한다)는 소외 1 회사와 별개의 법인격임을 주장하며 이 사건 제2운송계약에 따른 채무가 소외 1 회사에만 귀속된다고 주장할 수는 없고, 피고 역시 이 사건 제2운송계약에 따른 채무를 부담한다고 판단한 조치는 기록에 비추어 정당하다. 원심판결에 상고이유의 주장과 같은 채증법칙 위반으로 인한 사실오인 내지는 심리미진 등의 위법이 없다."

"해상운송인의 책임제한의 배제에 관한 상법 제789조의2 제1항의 문언 및 입법 연혁에 비추어, 단서에서 말하는 '운송인 자신'은 운송인 본인을 말하고 운송인의 피용자나 대리인 등의 이행보조자를 포함하지 않지만, 법인 운송인의 경우에 그 대표기관의 고의 또는 무모한 행위만을 법인의 고의 또는 무모한 행위로 한정한다면 법인의 규모가 클수록 운송에 관한 실질적 권한이 하부의 기관으로 이양된다는 점을 감안할 때 위 단서조항의 배제사유가 사실상 사문화되고 당해 법인이 책임제한의 이익을 부당하게 향유할 염려가 있다. 따라서 법인의 대표기관뿐만 아니라 적어도 법인의 내부적 업무분장에 따라 당해 법인의 관리 업무의 전부 또는 특정 부분에 관하여 대표기관에 갈음하여 사실상 회사의 의사결정 등 모든 권한을 행사하는 사람은 그가 이사회의 구성원 또는 임원이 아니더라도 그의 행위를 운송인인 회사 자신의 행위로 봄이 상당하다."

② 사건 해설

본 사안에서 甲은 British Virgin Island 국적의 편의치적 회사요 乙은 실질적 배후자이다. 甲과 乙은 정기용선계약(time charter)을 체결하였고, 본 사안의 원고인 하주 丙은 乙과 해상물건운송계약을 체결하였으나 소위 甲板積에 대한 합의는 없었다. 그럼에도 불구하고 甲의 피용자가 약정된 운송화물을 갑판적으로 운송하다가 하물(荷物)이 손상된 사건이다. 丙은 乙을 상대로 손해배상청구소송을 제기하였으나, 乙은 자신은 운송계약상의 당사자가 아니므로 손해배상청구는 甲을 상대로 하여야 한다고 주장하면서 면책을 주장하였다. 그러나 재판부는 甲이 乙의 법률적 그림자에 불과한 'paper company'이므로 그의 법인격을 부인하고 그 배후의 실재자인 乙을 피고로 한 원고의 손해배상청구를 인용하였다. 나아가 운송인의 무모한 행위(recklessness)를 인정하여 피고의 포장당 책임제한의 항변도 배척하였다.

5) 세법상의 법인격부인 [국세기본법상 실질과세의 원칙을 법인격부인을 경유하여 인정한 사례] [법인격부인]

가) 스타타워 빌딩 사건(서울행정법원 2007.9.28. 2007구합5332) [국세기본법상 실질과세의 원칙을 법인격부인을 경유하여 인정한 사례] [법인격부인]

① 판시내용

"국세기본법 제14조는 '과세의 대상이 되는 소득·수익·재산·행위 또는 거래의 귀속이 명의일 뿐이고 사실상 귀속되는 자가 따로 있는 때에는 사실상 귀속되는 자를 납세의무자로 하여 세법을 적용한다.'고 규정하고 있고, 같은 법 제15조는 '납세자가 그 의무를 이행함에 있어서는 신의에 좇아 성실히 하여야 한다.'고 규정하고 있으며, 국세기본법은 구 지방세법 제82조에 의하여 지방세의 부과에 관하여도 준용된다. 이러한 세법상의 실질귀속의 원칙과 신의성실의 원칙에 비추어 보면, 회사가 외형상으로는 법인의 형식을 갖추고 있으나 실제로는 법인의 형태를 빌리고 있는 것에 지나지 아니하고, 과세의 대상이 되는 거래의 당사자도 형식상으로는 그 회사이나 실질에 있어서는 그 법인격의 배후에 있는 자가 자신에 대한 조세법령의 적용을 회피하기 위한 수단으로 그 법인격을 이용한 것이어서 사실상 그 회사의 거래가 배후자에게 귀속되는 경우, 과세관청으로서는 실질귀속의 원칙에 따라 사실상 거래가 귀속되는 배후자를 납세의무자로 하여 세법을 적용할 수 있고, 이 경우에 그 배후자가 회사와는 별개의 인격체임을 내세워 거래의 형식상 당사자인 회사에게만 그로 인한 법적 효과가 귀속됨을 주장하면서 자신의 조세법령상의 책임을 부정하는 것은 신의성실의 원칙에도 위반되는 것이어서 허용될 수 없다고 할 것이다. 이러한 법리에 비추어 이 사건을 살피건대, 앞서 인정한 사실관계에 의하면 ① 원고는 애초부터 이 사건에서의 주장과 같은 논리로 이 사건 부동산의 취득에 대한 취득세 부과를 면할 목적으로 관련 기관에의 자문을 거쳐 A법인과 B법인을 설립한 점, ② 이들 회사는 이 사건 회사의 발행주식을 취득한 것 이외에는 표면적인 사업실적도 전무할 뿐만 아니라 그 인적·물적 조직도 전혀 갖추지 못하여 그 자체로서는 독자적으로 의사를 결정하거나 사업목적을 수행할 수 없는 명목상의 회사(paper company)에 불과한 점, ③ 이들 회사는 모두 원고가 100% 출자하여 설립한 자회사로서 이들 회사가 이 사건 회사의 발행주식을 매수한 것은 그 경제적 효과에 있어서 원고가 이를 매수한 것과 동일하고 이후 이 사건 회사의 주식배당 등을 통하여 그 사업수익의 전부도 그대로 원고에게 귀속되게 되어 있는 점 등을 알 수 있다. 이와 같은 원고의 자회사 설립 경위, 원고의 자회사에 대한 지배의 형태와 정도, 자회사의 사업 목적과 실적 및 자회사의 주식취득으로 인한 이득의 귀속 주체 등 제반 사정에 비추어 보면, A법인과 B법인은 외형상 회사의 형태를 갖추고 있으나 이는 회사의 형식을 빌린 것에 불과하고 이 사건 회사의 발행주식을 그 명의로 취득한 것 역시 명목에 불과하며, 실질에 있어서는 그 모회사인 원고가 자신에 대한 취득세 부과를 회피할 수단으로 A법인과 B법인의 법인격(매수인 명의)을 이용하여 이 사건 회사의 발행주식을 취득하였다고 봄이 상당하다. 따라서 원고가 이 사건 회사의 발행주식을 실질적으로 취득한 자로서 이 사건 회사의 과점주주에 해당한다고 보아 이루어진 이 사건 처분은 적법하다고 할 것이고, 이와 다른 전제에서 선 원고의 주장은 모두 받아들일 수 없다."

② 사건 해설

국세기본법, 법인세법 등은 그 조문상 이미 실질과세(實質課稅)의 원칙을 천명하고 있다(국세기본법 제14조, 법인세법 제3조 및 제20조 참조). 과세물건의 귀속 주체가 형식상 귀속하는 자와 실질상 귀속하는 자간에 차이가 있을 때 실질상 귀속하는 자에게 과세한다는 원칙이다. 영미의 판례법도 같은 취지로 나아가고 있다.[99] 특히 본 사안에서는 실정 성문규정에 실질과세주의가 천명되어 있기 때문에 굳이 법인격부인이라는 방식을 경유하지 않고도 위 규정의 해석상 같은 결론에 도달하였을 것으로 생각된다. 여기서 소위 보충성요건을 법인격부인의 적극적 요건으로 볼 것인지의 문제가 제기될 가능성이 있다. 아래에서 자세히 다

---

[99] Fin Hay Reality Co. v. United States, F. 2d 694 (3rd Cir.), 1968.

루겠지만 실정조문의 존재가 있다하여 법인격부인의 가능성을 원천봉쇄하는 것은 적절치 않아 보인다.

나) 세법관련 외국사례: 회사의 국적 결정[세법적 사실관계] [법인격부인]

⟨Unit Construction Co. Ltd. v. Bullock(Inspector of Taxes), [1960] A. C. 351⟩

이 사례는 해외에 본거지를 둔 영국의 100% 자회사들의 법인격을 무시하고 그 실질적인 영업주체라 할 수 있는 영국의 모회사를 기준으로 회사의 국적을 판단하여 결론을 내린 사건이다. 그 사실관계를 보면 다음과 같다.

Alfred Booth & Co. Ltd.는 영국회사로서 3개의 자회사를[100] 거느리고 있는바 이들은 모두 100% 모회사의 출자에 의해 설립된 회사들이다. 3개의 자회사들은 아프리카의 케냐에서 케냐법에 따라 설립등기를 필하였다. 이 3개 회사의 이사회는 그 구성상 모회사의 이사진과 전혀 다른 구성을 하고 있었으나 일반적인 이사회와 달리 업무집행에 대해 독자적인 의사결정을 한 바 없으며 정기적으로 소집되지도 않았다. 업무집행의 의사결정은 전적으로 모회사인 Alfred Booth & Co. Ltd.가 주도하였다. 자회사의 기본정관이나 부속정관에 이러한 업무집행방식에 대한 수권규정이 있는 것도 아니었다.

1952년과 1953년 원고회사는 상기 3개의 자회사에 대하여 일정액의 금전지급을 하였는바 원고회사는 이 액수를 소득세법상의 공제항목으로 처리해줄 것을 해당 세무관서에 요구하였다. 그런데 해당 세법규정[101]을 보면 금전을 지급받은 세 회사가 영국국적 회사이고 나아가 부분적으로라도 영국에서 영업활동을 하는 경우에만 공제가 가능하다고 되어 있었다.[102]

본 사건에서 House of Lord는 만장일치로 원고의 상고를 받아들여 원심을 파기하였다. Alfred Booth & Co. Ltd.의 3개의 자회사는 외형상으로는 케냐의 나이로비에서 설립등기를 필한 케냐국적의 회사였지만 그 이사회는 업무집행의 의사결정을 방기하였고 정기적으로 소집된 적도 없었다. 이들 3개 회사는 모회사의 단순한 매장(賣場)에 불과하며 비록 형식적으로는 독립된 법인격을 향유하

---

100) [제1회사] Booth & Co. (Africa) Ltd., [제2회사] Booth & Co. Ltd. 그리고 [제3회사] Bulleys Tanneries Ltd.가 그들이다.

101) §20 (9) Finance Act 1953.

102) "It was common ground that it was entitled to do so only if those companies were then 'resident in the United Kingdom and carrying on a trade wholly or partly in the United Kindom'."

지만 이는 지극히 형해화된 상태라 아니할 수 없었다. 그렇다면 본 건에서 Alfred Booth & Co. Ltd.의 또 다른 자회사인 원고의 주장을 받아들여 이들 3개 자회사의 법인격을 무시하고 그 실질적 영업주체 겸 소유자인 모회사를 기준으로 회사의 국적을 판단한 것은 매우 타당하다고 생각된다.

6) 행정법상의 법인격부인: 행정보상청구 관련 외국사례

⟨DHN Food Distributors v. Tower Hamlets Borough Council [1976] 1 W.L.R. 852⟩[토지수용에 따른 행정보상문제와 관련된 법인격부인가능성; 법인격부인]

본 사건의 원고는 3개의 유한책임회사로 구성된 기업집단(group)이다.103) 그 명칭은 D.H.N.이며 업종은 야채도매업(a wholesale grocery business)이다. 1963년 모회사인 D.H.N.社는 새로운 점포부지를 물색 중 London 동부의 Malmesbury Road에 소재한 부동산을 매입하기로 하였다. 그러나 매입자금의 조달을 위하여 금융지원이 필요하였다. 그리하여 D.H.N.(甲)은 Palestine British Bank(乙)와 1963년 12월 2일 융자계약을 체결하였다. 그 내용은 아래와 같다.

"[제1조] 乙은 부동산매매대금 11만 5천 파운드를 甲에게 융자한다.

[제2조] 부동산소유권은 乙이 전액 출자한(즉 유일한 주주인) Bronze Investments Ltd.(이하 '丙'이라 한다)이 취득한다.

[제3조] 丙은 본건 부동산을 甲에게 12만 파운드에 재매각한다. 甲과 丙간의 계약은 丙이 본건 부동산의 물권을 취득한 후 1년내에 체결하여야 한다. 12만 파운드의 대금 중 2만 파운드는 계약서 교환직후, 나머지 10만 파운드의 잔대금은 등기이전과 더불어 지급한다.

[제4조] 甲은 乙에게 10만 파운드의 잔대금에 대하여 연 12%의 이자를 지급한다.

[제5조] 甲은 丙이 물권을 취득하는 일자로부터 본건 부동산을 점유하고 이를 사용한다."

1964년 1월 6일 본건 부동산의 소유권은 11만 5천 파운드에 丙에게 이전되었다. 甲은 이 날짜로부터 본건 부동산을 점유, 사용하기 시작하였다. 한편 甲과

---

103) D. H. N. Food Distributors Ltd.(제1회사), Bronze Investments Ltd.(제2회사), D. H. N. Food Transport Ltd.(제3회사).

丙간의 부동산매매계약은 1964년 5월 27일 체결되었으며 이에 따라 1965년 1월 6일까지는 물권취득이 완료되도록 약정되었다. 1964년 12월 물권취득완료시한을 1년 연장하는 합의가 甲과 丙간에 체결되었고 그 대가로 丙은 1150파운드를 지급키로 하였다. 물론 甲은 본건 부동산의 점유를 계속할 수 있었다.

1965년 甲은 Credit for Industry Ltd.와 향후 취득할 부동산을 목적물로 하여 11만 파운드의 근저당권설정계약을 체결한다. 1966년 2월 8일 甲은 乙이 보유한 丙의 주식 전부를 乙로부터 3,597파운드에 매수한다. 나중에 丙이 乙에게 11만 6,403파운드를 지급하여 12만 파운드를 채우기로 하였다. 이러한 조건하에 丙이 등기부상 본건 부동산의 소유자로 계속 남게 되었다.

한편 D.H.N. Transport사(이하 '丁'이라 한다) 역시 甲의 100% 출자에 의하여 설립된 회사로서 그 업무영역은 갑의 취급상품을 운송하는 것이었고 여타의 독립적인 영업활동은 하고 있지 않았다. 1969년 런던시는 본건 부동산을 수용하기로 결의하고 강제수용 및 철거처분을 내린다. 1961년의 토지수용법 제5조 제2항에 의거 수용가액은 36만 파운드로 합의되었다. 적정한 영업부지를 물색하지 못한 3社는 해산결의와 더불어 청산법인이 되고 만다. 甲, 丙, 丁 3사는 토지보상위원회에 토지수용에 따른 행정보상을 청구한다. 이에 런던시 당국은 등기부상의 소유자인 丙만이 보상청구의 주체라고 항변한다.

법원은 甲이 丙과 丁의 유일한 주주로서 甲은 丙, 丁을 완전히 지배하고 있으므로 법률상 명목적 소유자인 丙의 법인격을 부인하고 甲, 丙, 丁 3사를 사실상의 단일체(a single economic entity)로 보아[104] 그에게 행정보상청구권을 인정하였다.

본 판례의 사실관계와 판시내용을 종합하면 그 결론에 대해서 누구도 반감을 느끼지 않을 것이다. 결국 본건 부동산의 명목적 (법률적) 소유자인 Bronze社는 독자적으로 영업을 해오지 않은 법률적 껍데기에 불과하였다. 따라서 이렇게 형해화한 법인격을 무시하고 보상청구주체로서 甲, 丙, 丁 3社를 인정한 것은 지극히 타당하였다.

중요한 것은 丙만을 청구주체로 보는 것과 甲, 丙, 丁 모두를 청구주체로 보는 것 사이에 어떤 차이가 있는지이다. 여기에는 큰 차이가 있다. 영국의 행정

---

104) "three in one, one in three," Lord Denning in: [1976] 1 W. L. R. 852 at 857.

보상에서는 부동산가격도 중요하지만 영업의 방해도를 고려하여 보상액수를 산정하기 때문이다. 만약 본건 토지의 명목적 소유자인 Bronze사만을 보상청구주체로 인정한다면 그에게는 영업의 방해(disturbance of business)가 나타나지 않았기 때문에 부동산 가액으로 보상의 범위가 제한된다. 그러나 만약 명목적 소유자에 불과한 Bronze사의 법인격을 부인하고 그 배후의 실질적 소유자인 D.H.N.사, D.H.N. Transport Ltd. 그리고 Bronze사까지 포함한 3사를 하나로 다루어 이를 보상청구주체로 보면 수용대상부동산의 경제적 평가액 이외에도 D.H.N社의 영업중단에 따른 경제적 손해를 모두 보상청구할 수 있어 양자간에는 커다란 차이가 난다. 본 판결에서 Denning경이 설파하였듯이[105] 모회사가 자회사를 전적으로 소유하고 자회사가 모회사의 손발처럼 움직이는 경우 자회사의 법인격을 부인하고 모자회사를 하나의 기업으로 보아 후속처리를 하는 것이 바람직할 것이다.

7) 노동법상의 법인격부인

가) 대법원 1991.3.22. 90다6545

"[판례요지] 별도의 법인체인 본사와 그 계열기업간의 조직변경 등에 따라 회사의 운영상 편의를 위하여 형식적으로 사직서를 제출하고 별도의 법인체에 입사하는 등 형식을 취하면서 실질적으로는 조직변경 전후에 걸쳐 동일한 업무에 종사하여 왔다면 위 중간퇴직은 통정허위표시로서 무효라고 할 것이고, 기업의 인적·물적 조직이 흡수 통합되거나 조직변경이 있었다고 하더라도 그 기업자체가 폐지됨이 없이 동일성을 유지하면서 존속되고 있는 한 이는 경영주체의 교체에 불과하여 근로관계는 새로운 경영주체에게 승계된다 할 것이므로 실질적 근로관계는 그 중간퇴직에 의해 단절됨이 없이 계속되었다고 보아야 할 것이다."

"[이유 중 발췌] … 원고 차채철은 1968.7.20. 피고 산하의 별도 조직인 삼표운수에 조수로 입사하였다가, 피고 회사가 그 소속의 운수과 조직을 떼어내어 별도 조직이던 위 삼표운수조직을 흡수 통합하여 삼강운수주식회사를 설립함에 따라 1971.1.1.자로 삼강운수주식회사 운수과 소속 정식사원으로 발령받아 근무하였고, 피고가 기존의 누진 퇴직금 지급율을 1974.8.1.자로 근로기준법 소정의 지급율에 의한 단순지급율로 낮추는 시기에 맞추어 일괄사직서 제출을 요구하여

---

105) Lord Denning in: [1976] 1 W. L. R. 852 at 860, especially from B to E.

위 원고는 1974.7.31.자로 사직서를 제출하였으나 다음날인 1974.8.1.자로 재입
사한 것으로 처리되어 계속 삼강운수주식회사 운수과 직원으로 근무하다가, 피
고가 1978.3.1.자로 피고 회사 내에 삼표레미콘사업소 운수부를 만들면서 위 원
고 등 이미 삼표레미콘사업소 현장에 파견 근무 중이던 10여명을 그 소속으로
흡수시키는 과정에서 그들에게 그 하루 전인 1978.2.28.자로 일괄사직서를 제출
하도록 요구하여 위 원고도 사직서를 제출하였으나, 다음날인 1978.3.1.자로 재
입사한 것으로 처리되어 같은 운수부에 계속 근무하다가 1988.1.31.자로 퇴직한
사실, 위 원고가 근무하던 운수과는 그 소속이 위와 같이 삼표운수에서 삼강운
수주식회사로 다시 피고 회사로 변경되기는 하였으나 위 원고를 포함한 운수과
직원들은 조직변경 전후에 걸쳐 동일한 업무에 종사하여 왔고, 피고의 요구에
따라 위 원고가 사직서를 제출하고 그때마다 바로 재입사하는 형식을 취해 오기
는 하였으나 이는 원고의 자유의사와는 상관없이 피고의 운영상 편의를 위한 것
으로 재입사에 따른 입사시험을 치르는 등의 실질적인 입사절차를 거친 바 없는
사실, 위 삼강운수주식회사(1984.11.20. 삼표산업주식회사로 상호 변경)는 피고 회
사와 형식상 별도의 법인체이기는 하나 그 산하의 계열기업체로서 퇴직금 지급
율 및 근로조건 등은 피고 회사와 동일한 기준이 적용되고 있으며, 인사 및 자
금관리 등도 본사인 피고가 통합 관리해 온 사실 등을 알 수 있다. 위와 같은
사실은 특히 갑 제9호증의 1,2, 갑 제14호증, 갑 제15호증, 을 제7호증의 2의
각 기재와 제1심증인 이기영, 제1심 및 원심증인 김상혁의 각 증언에 의하여 뚜
렷하다.

 이상과 같은 사실관계를 토대로 하여 볼 때 위 원고의 1974.7.31.자 및 1978.
2.28.자 중간퇴직은 어느 것이나 통정허위표시로서 무효라고 하여야 할 것이다.
한편 기업의 인적, 물적 조직이 흡수 통합되거나 조직변경이 있었다 하더라도 그
기업 자체가 폐지됨이 없이 동일성을 유지하면서 존속되고 있는 한 이는 경영주
체의 교체에 불과하여 근로관계는 새로운 경영주체에게 승계된다 할 것이므로
위 원고와 피고와의 실질적 근로관계는 위 퇴직날짜 전후하여 단절됨이 없이 계
속되었다고 보아야 할 것이다. 따라서 원고 차채철에 대한 퇴직금 계산에 있어서
의 근속기간은 최초 입사시인 1968.7.20.부터 최종 퇴직시인 1988. 1.31.까지 19
년 7개월이라고 보아야 할 것임에도 원심이 이와 달리 위 원고의 근속기간은
1978.3.1.부터 1988.1.31.까지 9년 11개월이라고 판단한 것은 채증법칙위배로 인

한 사실오인 내지 퇴직금 계산에 있어서의 근속기간 산정에 관한 법리오해의 결과라고 아니할 수 없다. 논지는 이유 있다."

나) 노동법적 사실관계에 관한 외국사례

〈National Dock Labour Board v. Pinn & Wheeler Ltd. & Others [1989] B. C. L. C. 647〉 [법인격존중]

Pinn & Wheeler Ltd.사(이하 'P'라 한다)는 부두관리회사인바 그 부두에서 Sabah Timber Co. Ltd사(이하 'S'라 한다) 소유의 목재를 하역하여 K&B Forest Products Ltd.(이하 'K&B'라 한다)의 제재소로 운송해주고 있었다. 1987년 7월 P사가 미등록 인부들을 하역작업에 투입하자 항만노조는 경고파업을 하였고 그 결과 P사의 하역작업에 대해 법원이 중지명령(injunction)을 내리게 되었다. 전국항만노동위원회(National Dock Labour Board)는 P가 수행하는 작업이 전국항만노동규정(National Dock Labour Scheme)의 적용을 받는 항만작업(dock work)이라고 보는 반면 P사는 이를 부정한다.[106) 동 규정상 연안제조업체(waterside manufacturer)의 경우를 제외하고는 모든 항만작업(dock work)시 '등록된 하역근로자'(registered dock labour)만을 사용하여야 하는데 P의 경우 이를 위반하였다는 것이다. 그러나 P는 자신의 영업이 동 규정의 적용상 예외에 해당하는 연안제조업이므로 등록인부사용조항으로부터 면제된다고 주장하였다. 산업중재판부(industrial tribunal)는 1987년 12월 9일 P사, S사 및 K&B사는 일체로 다루어야 하며 그들을 일체로 볼 때 연안제조업체이므로 동 규정의 적용을 받지 않는다고 결정하였다. 이에 전국항만노동위원회가 본 중재결정에 대해 Queen's Bench部에 항소한 것이 본 사건이다.

재판부는 P가 'waterside premise'이긴 하나 'waterside manufacturer'가 아니며 K&B는 'manufacturer'이긴 하나 'waterside'에 있지 않다고 하면서 이러한 사실관계를 뒤집을 만한 법인격의 형해화도 나타나지 않고 있다고 하였다. 즉 동 재판부는 본 사례와 상기의 D.H.N. 사건을 비교하면서 본 사건에서는 3개 회사의 법인격을 무시하고 이를 하나로 볼 수 있을 정도로 법인격이 형해화하거나 형식화하지는 않았으므로 이들을 연안제조업을 수행하는 하나의 경제주체로 단정할 수 없다고 하였다. 비록 S의 P나 K&B에 대한 주식소유 및 지배력

---

106) 실제 K&B는 연안에서 500야드 가량 떨어져 있었다.

(control)이 감지되기는 하나 법인격을 부인할 정도로 P나 K&B가 형해화한 것은 아니라는 얘기이다.[107]

8) 경제법상의 법인격부인

독점금지법 등 경제행정법의 영역에서도 법인격부인이 시도된 예가 있다.[108] 특히 영미에서는 모자회사간 단일체론(a single entity theory)을 적용하여 구체적 타당성을 실현한 예가 있다.

〈Copperweld Corp. v. Independence Tube Corp. 104 S. Ct. 2731 (1984)〉

"모회사와 100% 완전자회사는 셔먼법 제1조의 적용에 관하여 單一體(a single entity)를 구성하며 따라서 그들 사이에서는 공모가 불가하다"고 판시함으로써 이러한 모자회사간 공모능력이 존재하지 않는다고 판시한 사례이다.

마. 법인격 부인의 적용요건

1) 적용요건 관련 학설들

법인격부인론 중 가장 학설이 분분한 곳이 바로 적용요건 부분이다. 우선 아래의 여러 학설대립을 보기로 한다.

가) 제1설(二分說): 법인격의 남용 및 법인격의 형해화로 이분(二分)하는 입장

이는 우리나라 판례[109] 및 일본 판례[110]의 입장이기도 하며 다수의 학자들도 이를 따르고 있다.[111]

---

107) MacPherson J. in: National Dock Labour Board v. Pinn & Wheeler Ltd & Others [1989] BCLC 647, 650 at g, h.
108) 이에 대해 자세히는 이문지, "법인격부인론과 독점금지법,"「사회과학연구」제13집(배재대 사회과학연구소, 1996), 315면 이하.
109) 대법원 2008.9.11. 2007다90982.
110) 日本最高裁判所(第 1 小法廷)判決, 1969년 2월 27일 선고, 判例時報 551號, 80면, 民事判 例集 23卷 2號, 551면 등.
111) 강종쾌(姜種快), "법인격부인," 재판자료 제37집「회사법상의 제문제(상)」(법원행정처, 1987), 1~36면, 특히 20~31면; 이균성, "회사법인격부인의 법리,"「고시계」(고시계사, 1983. 5.), 45면; 서헌제,「상법강의(상)」제2판(법문사, 2007), 463~464면; 안동섭,「상법 강의(II): 회사법」(법률행정연구원, 1999), 41면; 이기수・최병규, 전게서, 75면; 채이식,「상법강의(상)」개정판(박영사, 1997), 384면; 김건식・노혁준・천경훈, 전게서, 62면 이하; 송옥렬, 전게서, 710~712면; 홍복기・박세화, 전게서, 35~37면; 김홍기, 전게서, 300~303면.

〈대법원 2008.9.11. 2007다90982〉

"회사가 외형상으로는 법인의 형식을 갖추고 있으나 법인의 형태를 빌리고 있는 것에 지나지 아니하고 실질적으로는 완전히 그 법인격의 배후에 있는 사람의 개인기업에 불과하거나, 그것이 배후자에 대한 법률적용을 회피하기 위한 수단으로 함부로 이용되는 경우에는, 비록 외견상으로는 회사의 행위라 할지라도 회사와 그 배후자가 별개의 인격체임을 내세워 회사에게만 그로 인한 법적 효과가 귀속됨을 주장하면서 배후자의 책임을 부정하는 것은 신의성실의 원칙에 위배되는 법인격의 남용으로서 심히 정의와 형평에 반하여 허용될 수 없고, 따라서 회사는 물론 그 배후자인 타인에 대하여도 회사의 행위에 관한 책임을 물을 수 있다고 보아야 한다. 여기서 회사가 그 법인격의 배후에 있는 사람의 개인기업에 불과하다고 보려면, 원칙적으로 문제가 되고 있는 법률행위나 사실행위를 한 시점을 기준으로 하여, 회사와 배후자 사이에 재산과 업무가 구분이 어려울 정도로 혼용되었는지 여부, 주주총회나 이사회를 개최하지 않는 등 법률이나 정관에 규정된 의사결정절차를 밟지 않았는지 여부, 회사 자본의 부실 정도, 영업의 규모 및 직원의 수 등에 비추어 볼 때, 회사가 이름뿐이고 실질적으로는 개인영업에 지나지 않는 상태로 될 정도로 형해화되어야 한다.

또한, 위와 같이 법인격이 형해화될 정도에 이르지 않더라도 회사의 배후에 있는 자가 회사의 법인격을 남용한 경우, 회사는 물론 그 배후자에 대하여도 회사의 행위에 관한 책임을 물을 수 있으나, 이 경우 채무면탈 등의 남용행위를 한 시점을 기준으로 하여, 회사의 배후에 있는 사람이 회사를 자기 마음대로 이용할 수 있는 지배적 지위에 있고, 그와 같은 지위를 이용하여 법인 제도를 남용하는 행위를 할 것이 요구되며, 위와 같이 배후자가 법인 제도를 남용하였는지 여부는 앞서 본 법인격 형해화의 정도 및 거래상대방의 인식이나 신뢰 등 제반 사정을 종합적으로 고려하여 개별적으로 판단하여야 한다."

나) 제2설: 법인격의 형해화와 남용 중 어느 하나로 통일하려는 학설(통일설)

이 입장은 위의 이분설과 달리 형해화 사례 및 남용사례를 그 어느 하나로 통일하려는 성향을 보인다. 이 입장에 속하는 학설들도 세부적으로는 다시 아래와 같이 견해가 나누어진다.

(1) 법인격의 남용으로 통일하려는 견해

이 입장에서는 법인격의 형해화사례 역시 남용의 한 형태에 불과하다고 보는 입장이다.[112]

(2) 법인격의 형해화로 통일하려는 견해

이 입장에서는 거꾸로 법인격의 남용사례 역시 법인격의 형해화군에 포섭될 수 있다고 본다.[113]

다) 제3설: 형태요건과 공정요건의 이분설(二分說)

David Barber의 주장에 기초하여[114] 형태요건과 공정요건으로 나누어 설명하는 견해가 있다. 이 견해 중에도 형태요건(formalties requirement)으로서 ① 주주나 친회사에 의한 완전한 지배와 ② 주주와 회사 간 또는 친회사와 자회간의 이해 및 소유의 일치 내지 상호혼용이 있는 경우를 들고, 공정요건(fairness requirement)으로 ① 자본불충분과 ② 계약, 신의칙, 법령위반 등의 불공정행위를 드는 견해[115] 및 위와 같이 두 가지로 분류하되 그 중 '자본불충분'을 형해요건에 포함시키는 견해가 있다.[116]

라) 제4설: 지배기준, 불의기준 및 손해기준으로 나누어 설명하는 견해

끝으로 Powell의 발전적 도구이론에 기초하여 ① 사원에 의한 회사지배, ②

---

112) 강위두, "법인격부인의 법리의 적용절위와 적용요건," 「상사판례연구」 제3집(한국상사판례학회, 1989); 최기원, 「신회사법론」 12대정판(박영사, 2005), 57면(법인격의 형해화도 법인격남용으로 생기는 현상에 불과하다고 보면 이 법리는 광의로 법인격이 남용되는 경우에 적용된다); 송승훈, "법인격부인론의 適用要件에 있어 법인격 形骸化 및 濫用의 구분문제," 「재판실무연구 2009」(광주지방법원, 2009. 1.), 25~58면, 43면.

113) 김정호, 「회사법」 제4판(법문사, 2015), 20~21면. "판례가 이야기하는 두 가지 유형, 즉 법인격의 형해화와 법인격의 남용은 엄격히 살펴보면 구별할 수 없거나 구별의 필요가 없는 것이라고 생각된다. 회사의 배후자가 남용행위의 시점에 회사를 자기 마음대로 이용할 수 있는 지배적 지위에 있고, 이러한 지위를 이용하여 법인제도를 남용한 것이라면 이미 해당 회사의 법인격은 형해화한 것이기 때문이다. 즉 법인격의 형해화와 뚜렷이 구별되는 법인격 남용의 요건이 제시되지 못하는 한 양자는 법인격의 형해요건으로 통일될 수밖에 없는 것이 아닌가 생각된다."; 일부 학설 역시 '판례에 따라서는 두 유형의 구별이 다소 모호하게 행해지는 경우가 없지 않다'고 지적하면서 위 대법원 2008.9.11. 2007다90982를 그 예로 들고 있다(김건식·노혁준·천경훈, 전게서, 63면, 각주 2 참조).

114) David Barber, "Incorporation Risks: Defective Incorporation and Piercing the Corporate Veil in California," 12 Pacific Law Journal 829 (1981).

115) 정찬형, "법인격부인론," 이재철박사화갑기념논문집, 371면 이하(본 논문은 栢山商事法論集[백산정찬형교수화갑기념], 72~119면 이하에도 '법인격부인론(Ⅰ)'로 게재됨).

116) 정동윤, 전게서, 344면.

부정한 목적을 위한 지배력 행사 및 ③ 이로 인한 손해발생 또는 그 가능성의 세 가지로 적용요건을 설명하려는 견해가 있다.[117] 이 세 가지 요건이 모두 충족되었을 때 회사의 법인격을 무시할 수 있다고 한다.[118]

마) 제5설: 책임실체파악과 귀속실체파악의 이분법[119]

법인격부인을 책임실체파악의 유형과 귀속실체파악의 유형으로 양분하여 전자에서는 법인격부인론을 적극 적용하고, 후자에서는 실정법규나 계약내용의 합리적 해석 또는 사법의 일반이론을 통하여 해결하고, 이러한 방식이 여의치 않을 경우에만 법인격부인의 법리를 적용해야 한다고 한다.

바) 제6설: 객관적 요건과 주관적 요건의 이분설[120]

이 입장은 법인격을 부당하게 이용하려는 부정목적의 주관적 의사가 요구되는가를 논하면서 이에 추가하여 객관적 요건으로서 형태요건, 공정요건, 지배요건을 들고 있다. 객관적 요건은 형태요건으로 치환할 수 있고 주관적 요건은 공정요건으로 바꿀 수 있다고 본다. 그렇게 보면 제3설과 유사해진다. 주관적 의도 등을 절대시하지 않을 경우 이 학설은 독일의 객관적 남용설과 유사해질 것이다.

2) 비판 및 결론

가) 요건제시의 어려움

위에서 보았듯이 법인격부인의 적용요건에 대해서는 어느 국가에서건 백가쟁명식의 학설대립이 존재하며 소위 통설이라고 부를 만한 것이 없다. 이러한 현상은 오히려 당연한 것으로 보인다. 본 제도는 영미에서도 형평법(equity)의 소산이며[121] 오로지 개별 사안에서 구체적 타당성의 실현을 위하여 법적 분리원칙에 대한 예외를 만들어 왔기 때문에 이를 일반적 법률요건으로 통일화하여 체계

---

117) 권기범, "법인격부인의 법리," 「고시계」 제473호(고시계사, 1996. 6.); 남장우, 전게논문, 215면.
118) 남장우, 전게논문, 215면.
119) 송호영, "법인격부인론의 요건과 효과," 「저스티스」 제66호(한국법학원, 2002).
120) 최준선, 전게서, 70~71면; 이철송, 주78) 전게서, 54~56면; 오성근, 「회사법」 제2판, 40~42면.
121) Fletcher Cyc. Corp. §§41.25, 41.28, 41.29; Schultz v. General Elec. Healthcare Financial Services Inc., 2012 WL 593203(Ky. Feb. 23, 2012); Daniels v. CDB Bell, LLC 300 S.W. 3d 204 (Kentucky App. 2009).

있게 설명하기가 쉽지 않다. 오로지 수많은 처방전들 즉 지나간 판례들의 분류 작업만이 가능할 뿐이다. 그 결과 적용사례군의 분류는 가능하지만 이를 일반적 법률요건으로 체계화하거나 나아가 이를 성문법률로 구성요건화하는 것은 불가능하다고 생각된다.[122] 보통법(law)의 세계에서는 엄격한 적용요건의 설시가 가능할 것이나, 형평법(equity)의 세계에서는 그러한 가능성이 존재하지 않는다. 마치 이중대표소송(double derivative suit)에서 제소요건을 성문화하기 어려운 것과 같다.[123]

위에서 제시된 여러 학설들 역시 상당 부분은 법인격부인의 전제요건이라기보다는 그 적용사례들의 유형화 내지 분류시도에 불과하다. 다른 법률제도에서의 적용요건과는 거리가 멀다. 나아가 본 제도의 적용범위에서도 이미 밝혔듯이 거의 모든 법영역에서 법인격부인이 시도되고 있으므로 여러 법역에 공통된 적용요건으로 굳이 제시한다면 형해화된 법인격과 이러한 형해화된 법인격을 부인하지 않으면 안되는 개별사안의 당위성 내지 필요성이 아닐까 생각한다.

나) 대법원 2008.9.11. 2007다90982에 대한 비판점

이에 있어 법인격의 형해사례와 법인격의 남용사례로 양분하여 적용가능성을 설명하는 대법원의 입장[124]에 대해서는 아래와 같은 비판이 가능하다고 본다. 대법원은 형해화와 남용 이렇게 두 가지 가능성을 병존시키고 있다. 그러면서 법인격이 형해화된 경우로 인정될 수 있는 여러 정황들―재산과 업무의 상호 혼융, 의사결정절차의 무시, 회사의 자본부실 등―을 설명한 후, 법인격남용의 가능성을 언급하면서 비록 형해화된 경우는 아니지만 일정 정황이 나타나는 경우 법인격을 추가적으로 부인할 수 있다고 한다. 그런데 남용의 경우는 형해화의 지경에 까지 이르지는 않았지만 그래도 "… 회사의 배후에 있는 사람이 회사를 자기 마음대로―[필자주] 즉 자신의 수족처럼―이용할 수 있는 지배적 지위에 있고, 그와 같은 지위를 이용하여 법인제도를 남용할 것이 요구"된다고 하고 있다. 즉 배후자가 회사를 자신의 수족처럼 지배할 수 있는 정도에는 이르러

---

122) 최근 중국에서 법인격부인의 구성요건을 성문화한 사례는 있다. 그러나 이는 결국 책임실체파악의 좁은 울타리를 넘어서지 못할 것이며 결국 이 제도를 그 속에 가두는 결과가 될 것이다.

123) 주요 문명국에서 이중대표소송의 제소요건을 성문화하자는 논의가 있었으나 실현되지 못한 이유도 바로 여기에 있다. 이중대표소송제도 역시 형평법의 소산이기 때문이다.

124) 대법원 2008.9.11. 2007다90982.

야 남용 요건도 충족된다는 얘기다. 이런 정도의 상태라면 이미 법인격은 심각하게 형해화된 상황이 아닌가? 즉 배후자가 회사를 자신의 수족처럼 움직일 수 있는 상황이라면 법인격도 이미 껍질만 남은 것이 아닌가? 의심할 수밖에 없다. 즉 대법원 판례는 형해화 사례에서는 주로 사원과 회사의 뒤섞임(intermingling) 사례군과 저자본(undercapitalization) 사례군을 설명하고 있고, 남용사례에서는 사원의 회사에 대한 완전지배(complete dominion) 사례군을 묘사하고 있는 것이 아닌가 생각된다. 그런데 이러한 사례군들은 미국의 판례법을 따를 경우에는 모두 형해화의 대표적 사례로 거론되고 있다. 즉 법인격이 형해화하지 않고 단지 남용되기만 하는 사례는 찾기 어렵고 나아가 우리 대법원도 이러한 가능성을 인정하고 있는 것 같지는 않다. 그렇다면 위의 대법원판례의 문언에도 불구하고 법인격부인의 가능성은 법인격이 형해화된 경우로 통일시킬 수 있다고 본다.[125] 물론 형해사례로 통일될 수 있다 해도 형해요건의 충족만으로 법인격을 부인할 수는 없을 것이다.[126] 이에 추가하여 법인격부인의 필요성 내지 당위성의 요소가 나타나야 한다.

다) 법인격부인의 제 형태를 망라하는 통일적 요건론의 모색

결국 법인격부인의 요건으로서 통일적으로[127] 설명할 수 있는 것은 형해화된 법인격[128]과 법인격부인의 필요성 내지 당위성[129]이다. 일부 학자는 전자를 형태요건, 후자를 공정요건,[130] 또 일부의 학자는 전자를 객관적 요건, 후자를 주관적 요건으로 부른다.[131] 그러나 명칭이야 어떻건 결국 전자의 요건은 형해 내지 형태요건으로 쉽게 통일시킬 수 있지만, 후자의 요건은 법인격부인의 유형이

---

125) 이 판결에 대한 일부의 평석에서도 역시 형해사례와 남용사례간 명확한 구별이 어렵다는 비판이 있다(송승훈, 전게논문, 25~58면, 42면); 同旨, 이철송, 주 77) 전게서, 55면("...형해화와 남용의사를 각각 독립적인 선택지로 삼은 것인지 의문이다.").
126) 남장우, 전게논문, 175면 참조.
127) 이하의 서술상 전래적인 책임실체파악 이외에도 귀속실체파악, 법인격의 역부인 등 법인격부인과 관련된 모든 영역이 망라된다.
128) 이를 캘리포니아주 최고법원은 "회사의 독립된 법인격이 주주개인과 분리하여 존재하지 않는다는, 이해 및 소유의 일치가 있을 것"으로 설명한다[Automotriz del Golfo de Cal. v. Resnick, 45 Cal. 2d 792, 796, 306 P. 2d 1, 3 (1957)].
129) 이를 캘리포니아주 최고법원은 "그 행위가 회사의 행위로 인정되면 형평에 어긋나는 결과가 발생할 것"으로 표현한다[Automotriz del Golfo de Cal. v. Resnick, 45 Cal. 2d 792, 796, 306 P. 2d 1, 3 (1957)].
130) 정찬형, 「栢山商事法論集」, 103~104면 참조.
131) 임재연, 「회사법 I」(박영사, 2014), 59~60면 참조.

다양함에 비추어 쉽게 통일시킬 수 없다. 전래적인 법인격부인의 사례군인 책임실체파악의 경우 이 후자의 요건은 불공정요건과 인과요건으로 구체화된다. 반면 주주를 위한 법인격부인 등 책임실체파악 이외의 유형에서는 개별 사안에서 왜 법인격이 부인되어야 하는가에 대한 다양한 접근이 나올 수 있다. 그러한 법인격부인의 필요성과 당위성은 개별 사안의 내용에 맡겨야 한다. 더 구체화시키기가 어렵다는 말이다.[132]

바. 법인격부인의 효과

1) 책임실체파악(Haftungsdurchgriff)

가장 전형적이고 전래적인 법인격부인의 효과는 책임실체파악이다. 위의 요건이 갖추어져 법인격이 부인되면 회사의 채권자는 사원에 대하여도 회사채무에 대한 이행을 요구할 수 있다.[133] 그러나 이러한 효과가 도래한다 하여도 해당 회사의 법인격 자체가 소멸하는 것은 아니며 계류 중인 사안의 해결을 위하여 필요한 범주 내에서 법인격의 독립성이 부인(또는 무시)될 뿐이다.

2) 귀속실체파악(Zurechnungsdurchgriff)

회사가 지배사원의 지시에 좇아 계약을 체결할 경우 일정 사항에 대한 지, 부지 등은 회사의 대표기관을 기준으로 판단하는 것이 아니라 그 지배주주나 일인 사원의 주관적 용태를 기준으로 판단하게 된다.[134] 나아가 영업양도 회사가 부담하는 경업금지의무(제41조)는 그 지배사원도 부담하며,[135] 회사와 계약을 체결한 상대방이 지배사원의 신용에 대한 착오를 이유로 회사와의 계약을 취소할 수 있다.[136]

---

132) 현대미포조선소사건에서는 홍콩소재 칩스테드사의 채무면탈을 막기 위한 편의치적회사의 법인격부인이 이루어졌고, 외국판례에 나타난 것을 보면 유족보호를 위한 법인격부인 (Marylon v. Plummer [1963] 2 All. E. R. 344), 농장회사를 설립한 농부들의 최저생계보장(Cargill Inc. v. Hedge & Hedge Farm Inc., 375 N.W. 2d 477)을 위한 법인격부인 등 다양하였다.

133) 대법원 2001.1.19. 97다21604.

134) Thomas Raiser, Recht der Kapitalgesellschaften, Verlag Franz Vahlen GmbH (1992), S. 329 f.

135) 독일연방법원의 판례이다; BGHZ 59, 64, 67 f.; BGHZ 89, 162, 165.

136) 독일제국법원의 판례이다; RGZ 143, 429.

3) 파산법상의 효과

회사의 지배사원(보통 1인 주주가 되겠지만)이 회사의 파산을 막을 목적으로 회사에 금전소비대차형태로 자금을 반입시켰다면 그러한 자금은 회사의 자본으로 다루어져 여타 채권자들의 채권보다 우선하지 못한다. 즉 열후적(劣後的)지위로 처리된다. 이를 영미법에서는 형평법상의 열후화(劣後化; equitable subordination)이라 하고 독일법에서는 '자기자본(自己資本)을 대체(代替)하는 사원의 소비대차'라 한다. 이하 이들을 자세히 살피기로 한다.

가) 영미법상의 'equitable subordination'

미국의 파산법은 제510조 (c)항에서 "파산법원은 사원의 금전소비대차계약상 원리금 상환채권의 전부나 일부를 타 파산채권보다 후위(後位)에 두도록 조정할 수 있다"는 규정을 두고 있다. 이러한 입법취지는 'Deep Rock Doctrine'으로도 불리운다.[137] 이러한 파산법원의 결정은 파산채권 상호간 우선순위의 재조정에 불과한 것으로서 파산채권을 전면적으로 부인하거나 청구를 기각하는 판결이 아님을 유의하여야 한다.

나) 독일법상 '자기자본을 대체하는 사원의 소비대차'

독일 도산법 제90조는 과거 독일 유한회사법 제32a조에 규정되어 있던 'eigen-kapitalersetzende Gesellschafterdarlehen'에 관련된 규정들을 승계하였다. 즉 사원이 해당 회사의 자본을 보충하여야 할 정도로 저자본이거나 재무상황이 악화되었을 때 회사에 대하여 금전소비대차 형태로 납입한 자금에 대해서는 해당 사원은 회사의 파산시 다른 채권자와 동열에서 그 반환을 청구하지 못하며 납입한 대여금은 자본금으로 다루어져 다른 채권자들과의 관계에서는 최후순위 채권으로 다루어진다.

4) 이중대표소송의 허용[138]

이중대표소송을 허용한 다수의 판례에서 모회사 주주의 제소권의 근거가 법

---

137) Taylor v. Standard Gas & Elec. Co., 306 U. S. 307. 이 판례의 사실관계 등장하는 子會社 'Deep Rock Oil Corp.'의 명칭에서 유래한다.

138) 이 부분의 서술은 김정호, "이중대표소송에 대한 연구,"「경영법률」제17집 제1호(한국경영법률학회, 2006. 10.), 248~250면에서 전재함.

인격부인론임을 발견하게 된다.[139] 즉 형해화된 자회사의 법인격을 부인하면 모회사 주주의 자회사 이사에 대한 대표소송은 모회사 차원에서 단순대표소송이 되고 만다. 즉 모회사의 소수주주를 보호할 필요가 있는 경우에는 모회사와 자회사 간의 법적 독립성을 부정하고 모회사 소수주주에게 자회사 이사를 피고로 한 대표소송을 허용할 수 있다.[140] 이러한 접근방법은 이미 위에서 살핀 사례들에서 감지되고 있지만 다수의 미국 판례에서 쓰여지고 있다.[141] 그러나 법인격부인론(veil-piercing-doctrine)으로 이중대표소송을 단순대표소송으로 전환시키려면 법인격부인의 까다로운 전제요건이 충족되어야 하므로 이중대표소송을 제기한 원고에게 입증상 무거운 부담이 되고 그 결과 상당한 법률적 비용을 발생시킬 여지도 있다.[142] 이러한 이유에서 법인격부인론을 통한 접근방법은 이중대표소송의 발전을 가로막는다는 우려섞인 목소리도 나오고 있는 것이다.[143]

나아가 법인격부인이 가능하려면 대부분 모회사가 자회사의 주식을 전부 혹은 거의 대부분 소유하는 경우여야 할 것이므로 이 이론에만 의지하여 이중대표소송을 정당화하는 것은 한계가 있다고 아니할 수 없다.[144] 실제 미국 판례에서도 다른 회사의 지배주식을 소유하지 않은 회사의 소수주주가 그 다른 회사의 이사진을 피고로 이중대표소송을 제기하였고 재판부는 이를 인용한 예가 있다.[145] 따라서 이중대표소송이 항상 두 회사의 지배-종속관계를 전제로 해서만 정당화된다고 단정할 일은 아니며 나아가 일방이 타방의 단순한 도구 내지 수단일 때에만 정당화되는 것도 아니라는 것을 인식하여야 한다. 그런 면에서 이중대표소송을 법인격부인의 시각에서만 접근하는 것은 매우 위험한 자세라 아니할 수 없다.

---

139) Hirshhorn v. Mine Safety Appliances Co., 54 F. Supp. 588, 592 등.
140) Painter, Notes, [1951] 64 Harvard Law Review 1313; Locascio, [1989] 83 North Western Law Review 729, 743; Painter, Double Derivative Suits and Other Remedies with Regard to Damaged Subsidiaries, [1961] 36 Indiana Law Review 143, 147.
141) Martin v. Martin Co., 10 Del. Ch. 211, 220, 88 A. 612, 613-614 (1913); Hirshhorn v. Mine Safety Appliances Co., 54 F. Supp. 588, 592.
142) Locascio, *ibid.*, p. 745.
143) Locascio, *ibid.*, p. 745; Painter, [1951] 64 Harv. L. Rev. 1313.
144) 우리 대법원 판례 역시 모자회사관계에서 자회사의 법인격을 부인하려면 (i) 모회사에 의한 자회사의 완전한 지배, 나아가 (ii) 법인격남용의 주관적 의도가 있어야 한다고 판시하고 있다(대법원 2006.8.25. 2004다26119). 이러한 객관적 및 주관적 구성요건을 명확히 입증하기는 쉽지 않을 것이다. 특히 후자의 주관적 요소에 대한 입증은 매우 어려울 것으로 생각된다. 거의 불가에 가까울 수도 있다.
145) United States Lines, Inc. v. United States Lines, Co., 96 F. 2d 148.

나아가 법인격부인론을 통한 접근은 이중대표소송제도를 단순대표소송(single derivative suit)으로 변환시키므로 본 제도의 독자성을 살리지 못한다는 비난을 면키 어렵다. 이중대표소송 내지 삼중대표소송 등 이른바 다중대표소송제도 (multiple derivative suit)의 독자성은 오늘날의 기업문화를 고려할 때 당연히 존중되어야 한다. 오늘날의 경제사회에서 너무도 흔한 콘체른구조를 경제주체들이 떨쳐 버릴 수 없는 한 있는 그 자체로서 존중되어야 하고 또 제도적으로도 스스로 존립할 수 있어야 한다. 이에 대한 이론적 접근 및 판례법의 발전은 험난하지만 그렇다고 이를 단순대표소송으로 변환시켜 그 틀 속에 안주시키려는 입장은 너무도 안이한 자세라고 아니할 수 없다. 이렇게 단순대표소송으로 치환하는 접근 방식은 콘체른대위소권제도(代位訴權制度; actio pro concerno)의 독자성을 침해한다는 점에서 또 다른 한계를 드러내고 있다.

5) 모회사 주주의 자회사에 대한 회계장부열람권[146)

가) 미국법에서 논의되는 상황

미국에서는 모회사 주주의 자회사 회계장부열람가능성에 대해 다음과 같은 접근방식이 모색되고 있다.

(1) 법인격부인론을 통한 접근

모회사 주주는 자회사의 주식을 갖고 있지 않기 때문에 공익권에 기해 회계장부열람을 청구할 수는 없지만 이중대표소송을 제기할 수 있는 상당 사례에서 자회사의 법인격이 형해화하기 때문에 법인격부인의 기법을 동원하여 모회사 주주에게도 자회사의 회계장부에 대한 접근가능성을 인정할 수 있다고 한다.[147) 그러나 이러한 이론구성이 가능하려면 자회사의 법인격이 형해화히여 모회사의 도구에 이를 정도로 형식화해야 하므로 본 요건을 충족시키지 못하는 경우에는 모회사 주주의 회계장부열람권에 한계가 드러날 수 있다. 미국의 학설들은 모회사가 자회사의 주식 중, 절대부분을 소유하지 않는 경우에도 이른바 'working control'이론(업무상의 완전지배론) 등을 동원하여 법인격부인의 범위를 확대할 수 있다고 주장하기도 한다.[148)

---

146) 이 부분 서술은 김정호, 전게논문, 273~276면까지의 내용을 전재함.
147) Painter, *ibid.*, [1951] 64 Harv. Law Rev. 1313, p. 1324.
148) Painter, *ibid.*, [1951] 64 Harvard Law Review 1313, p. 1325.

(2) 신탁이론의 유추에 의한 특정이행청구

본 이론에 의하면 모회사는 모회사 주주와의 관계에서는 신인관계상 수임자(trustee)에 비유되지만 자회사에 대해서는 재차 수익자이므로 이 두 관계를 연결시키면 모회사의 주주도 자회사에 대하여 어떠한 형태로든 수익자의 지위를 갖는다고 아니할 수 없다. 이러한 접근방식은 Goldstein사건에서 확인되고 있다.149) 이렇게 양차에 걸친 신탁관계 속에서 충실의무의 주체가 의무이행을 게을리하는 경우 이를 강제하는 것이 이중대표소송이라고 풀이하면 모회사의 주주는 비록 자회사의 주주는 아니지만 신탁계약상의 이행을 청구할 수 있을 것으로 생각된다. 영미법상으로는 특정이행청구권의 행사(specific performance)가 될 것이다.

(3) 모회사를 상대로 단순대표소송을 제기하는 방법

형평법(equity)상으로는 회계장부열람을 원하는 모회사 주주를 위하여 지극히 예외적인 구제수단이 주어질 가능성이 있다. 즉 형식적 법원칙을 떠나 회계장부열람을 인정하지 않을 경우 모회사 주주를 보호할 다른 방법이 없는 특수한 경우라면 형평법적 구제수단도 동원될 수 있을 것으로 보인다.

주주대표소송은 대부분 회사의 부정행위자에 대한 손해배상청구권을 대위행사하기 위하여 쓰이지만 회사가 가진 여타의 권리 ― 여기서는 모회사가 자회사의 주주이므로 자회사의 주주로서 가지는 공익권의 일종인 회계장부열람권 ― 150)도 대표소송의 대상이 될 수 있을 것이다. 따라서 모회사의 주주는 단순대표소송에 의하여 모회사의 회계장부열람권을 대위행사 할 수 있다고 한다. 그러나 페인터에 의하면 미국 판례에서 이러한 접근을 시도한 예는 없다고 한다.

(4) 자회사 주식의 소량매입

모회사의 주주가 자회사의 회계장부열람을 위하여는 아예 자회사의 주식을 소량매입하는 방법도 생각해 볼 수 있다. 이로써 모회사 주주가 동시에 자회사의 주주가 되어 직접적으로 자회사로 하여금 회계장부를 공개하도록 요구하자는 것이다.

그러나 이러한 방법에는 다음과 같은 한계가 있을 수 있다. 우선 이중대표소

---

149) Goldstein v. Groesbeck, 142 F. 2d 422, 425.
150) Painter, Notes, [1951] 64 Harvard Law Review 1313, p. 1327.

송이 허용되는 대부분의 경우가 자회사의 법인격이 형해화한 경우여서 모회사가 자회사의 유일한 주주이거나 자회사 주식을 대부분 소유하는 경우여서 모회사 소수주주가 회계장부열람의 목적으로 자회사의 주식을 취득하는 것은 불가능에 가깝다는 것이다. 나아가 설사 주식을 취득했더라도 오로지 회계장부열람목적의 주식취득이어서 법원에 청구하여 회계장부열람을 강제한다는 것은 매우 비현실적이라고 한다.[151]

나) 우리나라에서 논의되는 상황

우리나라에서도 모회사 주주가 자회사의 회계장부열람을 청구할 수 있는지에 대해 논의가 진행되고 있다.[152]

(1) 판례의 입장

이와 관련된 서울고등법원 및 대법원의 입장을 차례로 알아본다.

① 서울고법 1999.9.3. 99다카187

"제3자인 다른 회사의 회계장부나 서류의 원본을 열람·등사하겠다는 것이 아니라 피신청인이 보관하고 있는 제3자인 다른 회사의 회계서류 등을 열람하겠다는 것임이 변론의 전 취지에 의하여 명백할 뿐만 아니라 모회사의 주주는 모회사가 자회사의 주식의 전부를 소유하는 경우 또는 자회사가 실질상 모회사의 일부라고 인정될 정도로 양자가 재산적 일체관계에 있는 경우에는 자회사의 회계장부·서류를 열람할 수 있다고 보아야 할 것이다."

② 대법원 2001.10.26. 99다58051

"열람·등사제공의무를 부담하는 회사의 출자 또는 투자로 성립한 자회사의 회계장부라 할지라도 그것이 무자관계에 있는 모회사에 보관되어 있고 또한 모회사의 회계상황을 파악하기 위한 근거자료로서 실질적으로 필요한 경우에는 모회사의 회계서류로서 모회사 소수주주의 열람·등사청구의 대상이 될 수 있다".

(2) 학설의 입장

대다수의 학설 역시 서울고등법원의 판시내용과 유사하게 종속회사가 모회사의 완전자회사이거나 자회사가 실질상 모회사의 일부로 인정될 정도로 양자가

151) Painter, *ibid.*, Notes [1951] 64 Harv. L. R. 1313, p. 1327.
152) 김대연, "모회사 주주의 자회사 회계장부열람권," 「법조」 통권 제561호(법조협회, 2003. 6.); 대법원 2001.10.26. 99다58051.

재산적 일체관계에 놓여 있을 때에는 모회사주주의 자회사 회계장부에 대한 열람청구를 허용하여야 한다는 입장이다.[153] 이는 법인격부인론이 적용될 정도의 사실관계에서만 모회사주주에게 자회사의 회계장부열람청구를 허용하자는 뜻으로 풀이된다.

사. 법인격의 역부인[154]

1) 적용사례들

가) 안건사 사건 (대법원 2004.11.12. 2002다66892) [외부자 역부인]

(1) 사실관계 및 판시내용

이 판례에서 대법원은 주식회사 '안건샤'(이하 '甲'이라 한다)와 주식회사 '토탈미디어안건샤'(이하 '乙'이라 한다) 모두에 대해 甲의 영업상의 채무(임차보증금지급채무)에 대한 이행을 명하였다. 甲은 실내건축업을 하는 회사였고 乙은 이 회사와 상호, 상징, 영업목적, 주소, 해외제휴업체등이 동일하거나 비슷하였다. 乙의 이사진이나 지배주주는 대부분 甲의 그것과 같았다. 나아가 제3자들이 이들두 회사를 동일한 회사로 인식해온 것도 사실이다. 나아가 1999년 10월 甲은 乙에게 실내건축공사업을 양도하였다. 이러한 정황을 종합적으로 고려한 후 재판부는 "기존회사(甲)가 채무를 면탈할 목적으로 기업의 형태·내용이 실질적으로 동일한 신설회사(乙)를 설립하였다면 신설회사의 설립은 기존회사의 채무면탈이라는 위법한 목적달성을 위하여 회사제도를 남용한 것이므로 기존회사의 채권자에 대하여 위 두 회사가 별개의 법인격을 갖고 있음을 주장하는 것은 신의성실의 원칙상 허용될 수 없다 할 것이어서 기존회사의 채권자는 위 두 회사 어느 쪽에 대해서도 채무의 이행을 청구할 수 있다"고 볼 것이므로 甲의 채권자인 원고는 乙에 대해서도 임대차보증금의 지급을 구할 수 있다고 결론지었다.

(2) 코멘트

이 사례는 외부자 역부인의 사례로 볼 수 있을 것이다.[155] 그런데 사실관계

---

153) 정동윤, 전게서, 794면; 곽병훈, "주주의 회계장부열람, 등사청구권,"「사법연구자료」제25집(1999), 66면; 안동섭, "주주의 회계장부열람청구권," 이병태교수화갑기념논문집(신세기 회사법의 전개) (1996. 12.), 314~315면; 홍복기, "주주의 회계장부열람권," 이병태화갑기념논문집(신세기 회사법의 전개) (1996. 12.), 283~308면, 특히 296면.

154) 이 부분의 서술은 김정호, "법인격의 역부인,"「경영법률」제16집 제2호(한국경영법률학회, 2006. 4.), 235~257면에서 부분 전재함.

의 내용상 특별법의 내용이나 영업양도의 법리로 해결할 수 있어 보충성 요건의 문제가 남는다. 위의 사실관계에서 나타나듯 甲과 乙간에 영업양도가 이루어진 것이라면 특별법에 따라 양수인은 양도인의 영업상의 채무를 승계하게 되어 있고(구 건설산업기본법 제17조 제2항)156) 나아가 '안건사'라는 상호와 '토탈미디어 안건사'라는 두 상호가 '안건사'이라는 상호의 요부(要部)에 있어서 동일하다면 본 영업양도는 상호속용조의 영업양도가 될 것이고 그렇다면 제42조 제1항상 영업양수인은 양도인의 채권자에 대해 영업상의 채무를 이행하게 되어 있으므로 굳이 乙의 독립된 법인격을 부인하지 않아도 乙의 책임을 인정할 가능성은 있다. 그러나 위에서 보았듯이 보충성원칙을 절대시하지 않을 경우 이러한 실정조문의 적용가능성을 떠나 법인격의 역부인, 그것도 외부자 역부인의 형태로 乙회사의 책임을 인정할 수 있게 될 것이다.

나) Cargill Inc. v. Hedge & Hedge Farm Inc.157)
[법인격의 역부인을 허용한 예; 내부자 역부인]

1973년 10월 24일 Hedge부부(Sam, Annette)는 160에이커에 달하는 농장을 매입한다. 1974년 3월 1일 그들은 미네소타주법에 따라 가족농장회사(Family Farm Corporation)를 설립한 후 농지매수인의 지위를 이 회사에 양도하고 본 농

---

155) 좀 더 부연하면 기존의 '안건사'에 대해서는 전래적인 법인격부인, 즉 책임실체파악을 하여 배후자의 책임을 묻고, 다시 그 배후자의 책임을 묻기 위하여 신설된 '(주)토탈미디어안건사'의 법인격을 부인하는 방식이었다. 즉 전래적인 법인격부인과 역부인이 순차적으로 일어난 경우였다(同旨, 송옥렬, 「상법강의」 제11판(홍문사, 2021), 713면).

156) 제17조(건설업의 양도 등) ① 일반건설업자 또는 전문건설업자는 다음 각호의 1에 해당하는 경우에는 건설교통부령이 정하는 바에 의하여 건설교통부장관 또는 시·도지사에게 신고하여야 한다.
  1. 일반건설업자 또는 전문건설업자가 건설업을 양도하고자 하는 경우
  2. 일반건설업자 또는 전문건설업자인 법인과 일반건설업자 또는 전문건설업자가 아닌 법인이 합병하고자 하는 경우(일반건설업자 또는 전문건설업자인 법인이 일반건설업자 또는 전문건설업자가 아닌 법인을 흡수 합병하는 경우를 제외한다)
  ② 제1항의 규정에 의한 건설업양도의 신고가 있은 때에는 건설업을 양수한 자는 건설업을 양도한 자의 건설업자로서의 지위를 승계하며, 법인합병신고가 있은 때에는 합병에 의하여 설립되거나 존속하는 법인은 합병에 의하여 소멸되는 법인의 건설업자로서의 지위를 승계한다.
  ③ 제1항 및 제2항의 규정은 일반건설업자 또는 전문건설업자의 건설업을 상속받는 경우에 이를 준용한다. 이 경우 상속인이 제12조 제1항 각호의 1의 결격사유에 해당하는 때에는 3월이내에 그 건설업을 다른 사람에게 양도하여야 한다.

157) 375 N.W. 2d 477 (Supreme Court of Minnesota); 358 N.W 2d 490 (Court of Appeals of Minnesota).

장을 점유하기 시작하였다. 1976년부터 1979년까지 Sam Hedge는 원고 Cargill 사로부터 농장경영에 필요한 많은 물건들을 사들였고 나아가 이 회사의 용역도 이용하였다. 그 결과 약 17,000달러에 달하는 채무를 부담하게 되었다. 1980년 이후에도 Sam Hedge가 채무를 변제하지 못하자 Cargill사는 소를 제기하여 약 12,000불에 상당하는 이행판결을 법원으로부터 얻어 내었다. 그럼에도 불구하고 채무자 Sam Hedge가 지급자력이 없었으므로 채권자 Cargill사는 Hedge사가 소유하고 있던 농장을 강제집행하여 매수인으로 낙찰 받는다. 추후 Hedge 부부 는 미네소타주법상 가족경영농장에 대해 적용되는 가족면제(a homestead exemption)를 주장한다. 이에 따르면 가족이 경영하는 농장이 강제집행되는 경우 에는 미네소타주 농촌에서는 80에이커의 토지와 지상건물에 대해서는 강제집행 을 면제해주는 제도였다. 그런데 본 농장회사의 1인주주는 Sam의 배우자였던 Annette Hedge였다. 미네소타주 항소법원은 가족농장회사(Family Farm Corporation)의 법인격을 부인한 후 농장의 실질적인 소유자는 Hedge 부부이므로 80에이커에 이르는 농장토지와 지상건물에 대해 강제집행면제조치를 내렸다. 미 네소타주 최고법원 역시 상고를 기각하면서 원심을 확정하였다. 원심 및 상고심 모두 채무자가 자신에게 유리하게 가족농장회사의 법인격을 부인하는 것을 허용 한 것이다.

다) Litchfield Asset Management Corp. v. Mary Ann Howell[158)]
[역부인을 허용한 예; 외부자 역부인]

(1) 사실관계

Mary Ann Howell(M; 피고)은 약 30년간 실내디자인을 해왔다. 1993년 피 고는 지금은 없어진 Mary Ann Howell Interiors, Inc.사(Interiors)를 운영하면 서 텍사스에 있는 원고측 시설을 위한 용역계약을 체결한다. 1985년 원고는 상 기 계약상의 채무불이행을 이유로 텍사스주의 법원에 손해배상청구소송을 내게 되었고 M과 Interiors사는 패소하여 약 65만불의 손해배상채무를 지게 되었다. 1996년 12월 원고는 코네티컷주 최고법원에 텍사스주법원의 이행판결을 강제집 행케 할 목적으로 소를 제기하였다. 이에 코네티컷주 법원은 1997년 2월 원고 의 청구를 인용하면서 피고에게 65만불의 지급을 명하였고 항소심 역시 원심과

---

158) 799 A. 2d 298(Appellate Court of Connecticut).

같이 1997년 12월 원고의 청구를 인용하였다.[159)]

상기와 같은 소송이 진행되던 중 M과 그의 가족들은 2개의 유한회사(Limited Liability Company)를 설립하였는바 하나는 Mary Ann Howell Interiors and Architectural Design, LLC(이하 'Design'이라 약칭한다)이고 다른 하나는 Antiquities Associates LLC(이하 'Antiquities'라 약칭한다)이다. 1996년 5월 M은 그녀의 생명보험증서를 담보로 14만 4,679불을 은행에서 빌린 후 이 돈으로 Design의 주식 97%를 사들인다. 나아가 M의 남편인 Jon Howell(이하 'J'라 한다)과 M의 두 딸인 Marla와 Wendi가 각 10달러로 Design의 주식 1%씩을 사들인다. 1997년 11월 Design은 10만 2,901달러를 출연하여 Antiquities의 주식 99%를 사들이고 M은 10불을 출연하여 나머지 1%의 주식을 사들인다.

1998년 5월 11일 원고는 M, J, Design 및 Antiquities를 상대로 본건 소송을 시작하였는바 그 청구취지로 M과 J가 Design을 단지 껍데기("mere shell")로 설립하였고 이를 통하여 원고의 권리행사를 방해하여 부당한 채무면탈을 기도하였다고 주장하였다. 나아가 원고는 M과 J는 Design의 자금 10만 2901불을 Antiquities에게 출연케하여 아무런 합법적인 설립목적 없이 원고의 채권행사만을 방해하는 껍데기법인 Antiquities를 하나 더 설립하였다고 주장한다. 끝으로 M과 J는 양사를 설립한 후 M의 개인재산을 이들 회사에 출연함으로써 원고가 이에 접근할 수 없게 하였고 이로써 원고에게 손해를 입혔다고 주장한다. 원고는 두 회사는 단지 M의 분신(分身; alter ego)으로 그 유일한 존립목적은 원고에 대한 채무면탈임을 확인해줄 것을 청구하였고 나아가 이러한 채무면탈 행위로 자신이 손해를 입었으므로 그 손해의 배상을 청구하였다.

본건은 2000년 5월 25일과 5월 31일에 각 심리가 진행되었고 아래와 같은 내용에 대해서는 딩사사산에 다툼이 없어 사실관계가 확정되었다.

M은 Design과 Antiquities의 대표이사를 겸직하였으나 어느 회사에도 피용자는 없었으며 이들 회사에 대하여 용역을 제공하는 독립계약자(independent contractor)가 있을 뿐이었다. 양 회사의 사무공간은 M과 J소유의 개인가옥에 위치하였으나 어느 회사도 그들에게 임차료를 지급한 바 없다. 나아가 M은 양 회사의 경영정책, 자금조달 및 사무처리를 전적으로 장악하고 있었고 이들 회사의

---

159) Litchfield Asset Management Corp. v. Howell, 47 Conn. App. 920, 703 A. 2d 1192 (1997).

여타 주주인 J나 Marla나 Wendi는 두 회사의 업무집행 내지 의사결정에 참여
한 바 없었다. 그럼에도 불구하고 M은 두 회사로부터 보수를 수령한 바 없으며
이익배당을 받은 적도 없었다. 단지 회사자금을 개인용도로 계속 사용하거나 가
족에게 회사돈을 무이자로 빌려주거나 그들에게 증여해왔다.

1997년과 2000년 사이 두 회사의 자금에서 M의 개인의료비용조로 17,000달
러가 지출되었고 M의 형제에게 개인용도로 11,450달러가 지급되었다. 이 중 지
금까지 상환된 액수는 2,200달러에 불과하다. 나아가 M의 딸인 Marla Howell
의 컴퓨터 구입용으로 1,409달러가, 나아가 M의 신용카드결제액으로 3,500달러
가 각 회사돈에서 지급되었다. 또한 M의 둘째 딸인 Wendi에게 5,000달러가 나
아가 그의 남편인 J에게 1,500달러가 회사돈에서 각 무이자로 대출되었다. 비록
두 회사는 은행에 별도의 구좌를 갖고 있긴 하였으나 Antiquities가 올린 매출
액은 유보 없이 Design의 계좌에 입금되었다.

(2) 법원의 판단

재판부는 모든 거증자료를 종합한 후 Design과 Antiquities는 단지 M의 분
신에 불과하므로 M이 원고들에 대하여 부담하고 있는 개인채무를 변제함에 있
어 양 회사의 자산은 독립성을 인정받지 못하므로 원고는 두 회사에 대해서도
이행을 청구할 수 있다고 판단하였다.[160]

이러한 판단을 함에 있어 코네티컷주 항소법원은 이른바 도구이론(instru-
mentality rule)을 채용하였는바[161] 법인격이 부인되려면, 첫째 주주가 회사를 완
전히 지배하여야 하고, 둘째 피고는 이러한 지배관계를 채권자에 대한 채무면탈
등 이른바 불법목적에 사용해야 하며, 셋째 피고의 이러한 법인격 남용이 상당
인과관계의 범위 내에서 원고에게 손해를 야기하여야 하는데 본 사건에서는 이
세 요건이 모두 충족되므로 법인격의 역부인이 가능하다고 결론지었다.

본 사건에 대해서는 미국법상 폐쇄회사요 우리 회사법상으로는 유한책임회사
에 해당하는 Limited Liability Company에 대해서도 Corporation에서와 같이

---

160) 본 사건에 있어 제1심 법원은 원고의 청구를 인용하려면 법인격의 역부인 외에도 피고의
공모(conspiracy)에 의한 손해의 발생이 요구된다고 보았고 제1심은 이 두 가지 요건이 모
두 충족된다고 보아 원고의 청구를 인용하였으나 제2심 법원은 전자는 인정하면서도 후자
는 이를 인정하지 않고 원심을 파기환송하였다.

161) Davenport v Quinn, 53 Conn. App. at 300: Angelo Tomasso, Inc. v. Armor
Construction & Paving Inc. 187 Conn. at 553.

법인격을 부인한 점에서 그 의미가 추가된다고 보아야 할 것이다.

2) 역부인 일반론

가) 역부인의 개념

각국의 판례에 등장하는 법인격의 역부인(reverse veil-piercing)은 대체로 다음 두 경우로 나누어질 수 있다. 하나는 외부자 역부인이고, 다른 하나는 내부자 역부인이다.[162] 이미 우리는 이 두 가지 경우를 상기의 여러 사례에서 살펴본 바 있다.

(1) 외부자 역부인

외부자 역부인(外部者 逆否認; outsider reverse veil-piercing)이란 기존의 전통적인 법인격부인과 달리 주주(혹은 사원) 개인이 부담한 채무를 회사재산으로 변제하게 할 때 이용되는 법인격 부인의 기법이다. 기존의 전통적인 법인격부인에서는 회사가 대외적으로 채무를 지되 그 변제자력이 없을 경우 회사의 법인격을 부인하고 지배사원에게 회사의 채무에 대한 책임을 지우는 방식이었다. 그러나 역부인에서는 이것이 정반대로 바뀐다. 즉 개인이 진 채무에 대해 회사의 책임을 인정하는 방식이다. 주주가 회사의 주식을 거의 다 소유하고 회사의 경영도 완전히 장악하고 있을 때 그 주주가 자신의 채권자에 대한 채무를 불법적으로 면탈하기 위하여 회사를 설립한 후 개인재산을 그곳으로 이전시키는 경우 역부인의 기법은 채권자를 보호하기 위한 유용한 방법이 된다. 위에서 본 Litchfield Asset Management v. Mary Ann Howell사건 또는 First Flight사건이 좋은 예가 될 것이다. 최근 우리 대법원 역시 이를 인정하였다.[163]

(2) 내부자 역부인

내부자 역부인(內部者 逆否認; insider reverse veil-piercing)이란 회사채권자의 이익이 아니라 주주(혹은 사원) 개인의 이익을 위한 법인격부인이다. 외부자 역부인에서 보았듯이 법인격부인은 전래적으로 회사채권자에 대한 보호장치였음은 두말할 필요가 없다. 즉 유한책임의 법리를 악용하여 회사재산을 황폐화하게 한

---

162) 역부인을 외부자 역부인과 내부자 역부인으로 나누는 것은 이미 미국 회사법상으로는 보편적인 분류가 되었다. cf. Elham Youabian, (2004) 33 Sw. U. L. Rev. (Southwestern University Law Review) 573, at p. 577; Leslie Heilman, (2003) Del. J. Corp. L. 619, at pp. 622 ff. Susan Kraemer, [1999] 76 Denv U. L. Rev. 729, at pp. 735 ff.

163) 대법원 2021.4.15. 2019다293449.

후 채무면탈을 꾀하는 채무자를 상대로 회사채권자를 구하는 제도였다. 그러나 우리가 위에서 보았듯이 법인격부인의 주체가 채무자이건 채권자이건 가리지 않고 때로는 주주(사원)의 이익을 위해서 회사의 법인격이 부인되는 경우가 있다. 위에서 본 Cargill v. Hedge사건이 좋은 예가 될 것이다.

(3) 두 가지 경우의 구별필요성

전 이자를 구별하여야 하는 이유는 법인격의 역부인을 시도할 때 그 전제요건을 논함에 있어 나타난다. 외부자 역부인에서는 채권자에 대한 불법적인 채무면탈이 주된 예이므로 이에 기초하여 요건이 설시되겠지만 내부자 역부인에서는 불법적인 채무면탈 등의 요소가 요구되지 않으므로 법인격부인의 전제요건도 이와는 달리 설명되어야 한다.

전통적인 법인격부인은 외부자 부인(outsider veil-piercing)에서 시작되었고 이를 책임실체파악(Haftungsdurchgriff)이라 한다. 외부자 역부인은 책임실체파악의 방법을 개인채무에 대한 불법적 채무면탈에 적용시키기 위하여 적용방향을 반대로 바꾼 것에 불과하다. 따라서 외부자 역부인은 외부자 부인과 성립요건면에서 크게 다를 것이 없다. 그러나 내부자 역부인에서는 개별 사안의 구체적 타당성을 실현하기 위하여 해당 회사의 주주가 스스로 법인격을 부인하는 것이므로 책임실체파악의 요소는 나타나지 않는다. 그런 면에서 양자는 개념상 구별의 가치가 있다.

나) 역부인의 허용성 여부

법인격의 역부인을 회사법상의 제도로 허용할 수 있는지에 대해서는 아래와 같은 입장대립이 있다.

(1) 소극설(부정설)

일부 학설에서는 법인격의 역부인을 부정한다. 법인격의 역부인에 대하여 일반적으로 회의적인 시각을 갖는 견해가 있는가 하면[164] 주주의 채무를 회사에 부담시키기 위하여 법인격을 부인할 필요는 없으며 주주의 소유주식에 대한 강제집행을 하면 된다고 한다.[165]

---

164) Robert W. Hamilton, The Law of Corporations, §6.11, p. 157 ("All in all, this doctrine should be viewed to have doubtful validity"); 사원의 이익을 위한 법인격부인 가능성을 부정하는 학설로는, 권기범, 전게서, 105면.

165) 이철송, 주78) 전게서, 58면; 오성근, 전게서, 43면.

(2) 적극설(긍정설)

그러나 다수의 학설은 역부인의 필요성과 가능성을 부정하지 않는다. 법인격이 형해화된 회사의 채권자가 회사채무의 이행을 위하여 사원에게 책임을 묻는 것이나 주주의 채무를 회사에 부담시키기 위하여 형해화한 회사의 법인격을 부인하는 것이나 법인제도의 남용을 방지한다는 시각에서는 하등 차이를 둘 필요가 없다고 한다.[166)]

(3) 사 견

생각건대 법인격의 역부인을 부정할 이유는 없다. 이미 살펴보았듯이 법인제도의 남용은 여러 가지 방향으로 나타날 수 있는바 회사재산의 의도적 유출을 통하여 이를 황폐하게 한 후 법인격의 독립과 유한책임제를 악용하여 회사채무의 면탈을 꾀할 수 있고 역으로 개인채무의 면탈을 위하여 새로운 회사를 설립한 후 이 회사에 개인재산을 이전시켜 책임재산을 고의로 황폐화시킬 수도 있다. 어느 것이나 법인제도에 대한 남용이고 동시에 신의칙위반이 된다. 구체적 타당성의 실현면에서 양자를 구별할 이유는 없다. 이러한 필요성은 위에서 본 외부자 역부인을 정당화한다. 나아가 내부자 역부인은 주주의 이익을 위하여 형해화된 회사의 법인격을 부인하는 기법인바 개별 사안의 구체적 타당성을 실현하기 위해서는 경우에 따라 피할 수 없는 제도이다. 법인격의 역부인은 내부자 역부인과 외부자 역부인을 모두 포섭하는 개념으로서 제도적 필요성에 대해서는 국내외적으로 이미 공감대가 형성되었다고 생각된다.

다) 역부인의 요건

(1) 외부자 역부인

법인격을 역부인하기 위한 전제요건은 전래적인 법인격부인의 경우와 크게 다르지 않다. 판례에 나타난 바를 종합하면 미국에서는 주로 분신이론(alter-ego-theory)이나 도구이론(instrumentality rule)을 적용하고 있는데 이 경우 이들 이론의 적용요건이 충족되어야 하며 나아가 이러한 이론적용의 결과가 구체적 타당성을 실현하는 데 도움이 되어야 한다.

---

166) 최준선, 전게서, 73~74면; 홍복기·박세화, 전게서, 39~40면; 송옥렬, 전게서, 713~714면; 김건식·노혁준·천경훈, 전게서, 68~69면.

① 도구이론이나 분신이론의 요건충족

Mary Ann Howell사건에 보았듯이 분신이론이나 도구이론의 요건이 충족되면 역부인도 가능하다고 할 수 있다. 첫째, 법인격의 역부인이 가능하려면 주주가 회사를 완전히 지배하여야 한다(complete dominion). 여기서 주주에 의한 회사의 완전지배는 주식소유를 전제로 하며 이러한 소유관계를 바탕으로 회사의 업무집행을 좌지우지하는 상태를 이른다. 둘째, 채무자가 이러한 지배관계를 이용하여 채권자에 대한 채무면탈 등 이른바 불공정한 목적에 이용하여야 한다. 셋째, 피고의 이러한 법인격남용과 원고측의 손해간에 상당인과관계(proximate cause)가 나타나야 한다.[167)]

② 구체적 타당성의 실현을 위하여 역부인이 필요할 것

나아가 개별 사안에서 법인격의 역부인이 가능하려면 상기의 도구이론이나 분신이론상의 요구조건이 충족되는 것 외에도 개별적 정의의 실현을 위하여 법인격 부인이 요구되는 경우여야 한다. 법인격부인을 통해서 형평이 실현되고 불공정한 결과를 시정할 수 있는 경우여야 한다.[168)]

〈대법원 2021.4.15. 선고 2019다293449 판결 관련〉

이는 개인사업체의 법인전환과 관련하여 발생한 사건으로서 개인사업체를 운영하던 甲이 원고에게 채무(이하 '이 사건 채무'라 한다)를 부담하고 있던 중 영업목적이나 물적 설비, 인적 구성 등이 동일한 피고 회사를 설립하여 개인사업체의 모든 자산이 법인으로 이전되었지만 甲은 법인의 주식 50%를 취득한 외에 아무런 대가를 지급받지 않았다. 甲의 사업장 주소지와 피고의 본점소재지는 동일한 주소지이고 나아가 피고 회사의 나머지 주식 50% 역시 법인설립전 개인사업에서 별다른 기여를 한 바 없는 甲의 아버지(父)와 형(兄) 등 가족구성원에게 배정되었다. 피고 회사는 자본금 3억원의 소규모회사로서 위 3인의 가족 구성원이 이사로 되어 있었지만 원심은 甲이 피고 회사를 실질적으로 운영하면서 마음대로 이용할 수 있는 지배적 지위에 있었다고 보았다. 나아가 유독 '이 사건 채무'만 포괄양수도계약에서 제외한 점도 채무면탈의 의도로 의심받기에 충분하였다. 이 정도의 사실관계라면 피고 회사는

---

167) 이를 'Lowendahl test'라 한다(Allen-Kraakman-Subramanian, Commentaries and Cases on the Law of Business Oragarization, 2nd ed., p. 151).

168) Litchfield Asset Management Corp. v. Mary Ann Howell, 799 A. 2d 298, at p. 312.

사실상 甲의 도구에 불과하며 甲에 의하여 완전히 지배되고 있었고 여타 채무면탈의 의도 등 위에서 열거되고 있는 외부자 역부인의 모든 요건이 충족된다고 생각된다. 대법원 역시 이와 같이 판단한 원심을 그대로 확정하였다.

(2) 내부자 역부인의 경우

사원이 자신의 이익을 위하여 법인격을 부인하는 경우에는 역시 다음의 두 요건이 충족되어야 한다. 하나는 법인격의 형해화요, 다른 하나는 구체적 타당성의 실현이다.

① 법인격의 형해화

Cargill v. Hedge사건이나 Marylon v. Plummer사건에서 보여주듯 대부분 1인회사나 사실상의 1인회사에서 이러한 법인격의 형해화가 자주 나타난다. 사원에게 유리한 법인격부인의 경우에는 위에서 본 불공정한 목적의 추구나 채권자의 손해와 불공정행위간의 인과관계 등은 요구되지 않는다. 오로지 객관적인 법인격의 형해화만 나타나면 된다.

② 구체적 타당성의 실현

그러나 법인격이 형해화한 경우라도 개별정의의 실현에 도움이 될 경우에만 법인격의 역부인이 가능하다. 따라서 법인격이 형해화하였다고 모두 역부인이 가능한 것은 아니다. Cargill v. Hedge사건에서 보았듯이 신용불량의 가족농장이 최소한의 토지 등 삶의 기초를 잃지 않으려면 가족농장의 법률적 소유자인 회사의 법인격을 부인하여야 Family Farm Exemption을 통하여 가족농장의 실질적 소유자인 Hedge 부부의 보호가 가능해진다. 법인격을 부인하지 않으면 이러한 강제집행의 면제는 불가하였다.

반면 법인격이 형해화한 경우라도 법인격부인이 구체적 타당성의 실현에 도움이 되지 않는 경우에는 법인격의 역부인은 일어나지 않는다. 위에서 본 Lee v. Lee's Air Farming Ltd.사건에서 보았듯이 회사의 법인격을 부인하는 경우 사망한 남편과 회사간의 고용계약이 성립될 수 없어 망인의 피용자성이 부정되고 그렇게 되면 뉴질랜드 근로자 보상법상 사망보상금지급이 어려워진다. 이 경우 법인격부인은 유족보호라는 바람직한 결과를 도출하는데 방해가 될 뿐이다. 따라서 법원은 이 길을 택하지 않았다.

라) 역부인의 효과

외부자 역부인에서는 주주(지배사원)의 개인채무를 회사가 부담하게 된다. 즉 역부인의 요건이 충족되는 경우 회사의 재산은 지배주주의 개인채무변제에 제공될 수 있다. 나아가 내부자 역부인(사원에 유리한 법인격부인)에서는 형해화한 법인격이 부인됨으로써 나타나게 될 다양한 법률효과가 도래할 수 있다. Cargill사건에서처럼 80에이커 상당의 토지 및 지상가옥에 대한 강제집행이 면제되기도 하고,[169] Marylon사건에서처럼 가해자에 대한 손해배상청구액에 변화가 야기될 수도 있다.[170] 그러나 어떠한 경우이든 해당 법인격은 개별 사안의 해결을 위하여 또 그 한도에서 일시적으로 부정되는 것이지 객관적으로 법인격이 소멸하여 회사의 존재 자체가 부정되는 것이 아님은 정상적인 법인격부인의 경우와 다를 바 없다.

아. 법인격부인소송(Alter-Ego-Claim)

1) 총 설

법인격이 형해화하거나 남용될 경우 해당 법인격이 부인될 가능성이 있음은 전술한 바와 같다. 이렇게 법인격이 형해화한 회사와 관련된 소송은 전래적인 책임실체파악의 경우 다음 세 가지 유형으로 제기될 수 있을 것으로 생각된다. 첫째는 채권자가 법인격이 형식화한 회사만을 피고로 이행청구의 소 등 권리를 주장하는 경우이다. 둘째는 법인격이 형해화한 회사가 아니라 그 배후자만을 피고로 소송을 제기하는 경우이다. 셋째는 회사와 배후자를 공동 피고로 하여 소를 제기하는 경우이다. 협의의 법인격부인소송은 둘째와 셋째의 경우이다. 이러한 경우에는 원고에게 법인격부인의 요건에 대한 입증이 요구될 것이다. 이렇게 법인격이 형식화한 회사가 관련된 소송에서는 아래와 같은 여러 문제가 소송법적으로 문제시될 수 있다.

우리의 판례법은 지금까지는 전통적인 책임실체파악의 좁은 울타리를 크게 벗어나지 못하고 있다.[171] 그러나 앞으로는 위에서 언급한 역부인의 케이스도

---

169) 375 N.W. 2d 477 (Supreme Court of Minnesota); 358 N.W 2d 490 (Court of Appeals of Minnesota).

170) Marylon v. Plummer, [1963] 2 All. E. R. 344.

171) 현대미포조선소 사건이 거의 유일한 예외로 생각된다.

많이 다루게 될 것으로 보인다. 미국의 경우 법인격부인을 다룬 사례 중 원고가 승소하여 법인격이 부인되는 비율은 전체 사건 중 약 40% 정도라 한다.172) 이러한 Alter-Ego-Claim은 점점 더 다양하게 전개되고 있다. 따라서 전래적으로 쓰이던 법인격부인 이외에도 위에서 언급한 역부인의 방식도 점점 더 일반화할 것으로 보인다. 1980년대 현대 미포조선소사건을 필두로 우리 대법원도 Alter-Ego-Claim을 적극적으로 받아들이고 있으므로 우리의 판례법도 활발하게 발전해 갈 것으로 전망된다. 향후 이 분야에서 외부자 역부인뿐만 아니라 내부자 역부인 등 다양한 법인격부인의 기법이 우리 판례법상으로도 숙성하기를 기대한다.

2) 당사자능력

당사자능력이란 민사소송의 당사자, 즉 원고, 피고 또는 참가인이 될 수 있는 능력이다. 이는 민법상 권리능력에 대응하는 소송법적 개념으로서 권리능력이 없는 자는 원칙적으로 당사자능력도 없다. 법인격이 부인되는 회사도 소송상 당사자능력을 인정할 수 있는가?

가) 부정설

실체법상 법인격부인론이 적용되면 법인격이 형해화한 해당 회사는 그 실체가 존재하지 아니하므로 당사자능력도 인정할 수 없다고 한다.173)

나) 긍정설

이에 대해 다수설은 법인격이 부인될 회사 역시 당사자능력이 있다고 본다.174) 그 근거로는 법인격부인론은 (i) 일반적인 것이 아니고 '특정한 사안'에 한하여 해당 법인의 법인격이 부인되는 것이고, (ii) 특히 적용의 주된 목적이 특정 법인의 법인격을 특정 사인과 관련지어 부인함으로써 배후자에게 책임을 추궁하기 위한 도구라는 점에서 해당 법인의 당사자능력을 특정한 경우와 관계 없이 전면적으로 부정할 필요가 없다고 한다. 이를 전면적으로 부인하면 책임을

---

172) Thompson, 'Piercing the Corporate Veil; An Empirical Study', 76 Cornell University Law Review (1991), 1036, at p. 1048 (Table 1), Brown, A Guide to Winning Alter Ego Claim, [1996]15-5 A.B. I. J. 15.
173) 김용욱, "민사소송에 있어서의 법인격부인의 법리,"「고시계」통권 제417호(고시계사, 1991. 11.), 34~44면, 특히 38면.
174) 임재연,「회사법」개정7판, 68~69면; 정영환, 전게논문, 83면; [반대설] 김용욱, 상게논문, 34~44면, 특히 38면.

부담하여야 할 법인이 전혀 책임을 지지 않는 결과가 되므로 오히려 부당하다고 한다. 따라서 법인격이 부인된다 하여도 해당 법인의 당사자능력을 전면적으로 부인하는 것은 타당하지 않다고 한다.[175]

다) 사 견

생각건대 법인격부인론이란 주어진 사안에서 구체적 타당성의 실현을 위하여 필요한 범주 내에서 한정적으로 회사의 법인격을 잠시 부정하는 것이다. 따라서 긍정설에 동조한다. 우리나라나 일본 나아가 세계 각국의 법인격부인관련 소송에서도 법인격을 부인당하는 회사가 당사자가 되는 것을 당연히 전제한 것으로 보아야 할 것이다.

3) 당사자적격

당사자적격이란 특정 소송물에 관하여 당사자로서 소송을 수행하여 본안판결을 구할 수 있는 자격이다. 법인격부인론에 의하여 법인격을 부인당한 법인이 당사자적격을 갖는지에 대해서도 아래와 같은 다툼이 있다.

가) 적극설

당사자적격의 개념이 특정한 소송사건에 있어서 소송물인 권리 또는 법률관계에 관하여 당사자로서 소송을 수행하고 본안판결을 받을 수 있는 자격을 말하는 것인데, 실체법상 인격이 부정된 자의 당사자적격을 인정하는 것은 논리적으로 모순이 되고, 실체적 법률관계에서 인격이 부정되었다면 그 자의 실체는 존재하지 않는다고 한다.[176]

나) 소극설

적극설의 입장과 달리 소극설은 당사자적격을 부정하지 않는다. 적극설의 입장이 논리적으로 상당히 설득력이 있기는 하지만 법인격부인론을 전개하는 이유가 문제된 법인의 법인격을 부인함으로써 그 배후에 있는 자에게 책임을 추궁하기 위한 것이지, 법인격을 부인당하는 자에게 권리능력 내지 당사자적격을 상실시켜 그 자 명의로 된 법률행위의 책임을 면제하기 위한 것은 아니라고 한

---

175) 정영환, 전게논문, 83면; 정동윤·유병현·김경욱, 「민사소송법」 제5판(법문사, 2016), 182 ~183면; 정영환, 「신민사소송법」(세창출판사, 2009), 217면; 이시윤, 「신민사소송법」 제9 판(박영사, 2015), 74면.
176) 김용욱, 전게논문, 38~39면.

다.[177] 이 입장에 동조한다.

4) 당사자확정

당사자확정이란 현실의 소송에서 누가 당사자인가를 명확히 하는 것이다. 특히 법인격부인론이 적용되는 경우에는 법인격이 형해화한 회사와 그 배후자 중 1인을 상대로 소를 제기하는 경우 특히 회사와 주주를 별개의 실체로 보기 어려울 경우 또는 신회사와 구회사를 별개의 실체로 보기 어려울 경우 현실의 소송에서 누구를 당사자로 보아야 할 것인지의 문제가 있다. 당사자확정의 기준에 대해서는 실체법설, 의사설, 거동설, 표시설, 적격설, 병용설 및 규범분류설 등 다양한 주장이 있는바 일반 민사소송에서와 같은 기준을 적용하면 될 것이다.[178]

5) 소송의 형태

회사의 채권자가 법인격이 형해화한 회사와 그 배후자에 대해 공동으로 소를 제기할 경우 이러한 소제기는 가능한가? 가능하다면 이 경우 소송형태는 어떻게 되는가? 법인격을 부인당한 법인에게 당사자능력, 당사자적격을 인정한다면 채권자는 법인격이 부인될 법인 및 그 배후자를 공동 피고로 하여 소를 제기할 수 있다고 보아야 할 것이다. 이 경우 그 소송 형태는 어떻게 되는가? 이에 대해서는 통상공동소송설과 유사필요적 공동소송설의 대립이 있으나 다수설인 전자를 따르기로 한다.[179]

6) 당사자변경

소송 중 문제된 회사로부터 그 배후자로 또는 배후자로부터 법인격이 형해화한 회사로 당사자를 바꾸는 경우 어떤 방식이 가능한가? 당사자의 변경인가 아니면 당사자표시정정인가? 이에 대해서도 아래와 같은 다툼이 있다.

가) 당사자변경설

두 인격체는 적어도 소송절차 중에는 별개의 독립된 인격을 가지므로 당사자의 동일성을 인정하기 어렵고 따라서 당사자변경에 해당한다고 한다.[180]

---

177) 정영환, 전게논문, 84면; 김용진, 「민사소송법」 제5판(신영사, 2008), 758면.
178) 정영환, 전게논문, 85~86면.
179) 정영환, 전게논문, 87면; 김용진, 전게서, 758면.
180) 김용진, 전게서, 758면.

나) 구별설

이 입장에서는 당사자의 동일성이 인정되는 경우와 그렇지 않은 경우를 구분하여 전자(동일성이 인정되는 경우)의 경우에는 당사자표시정정으로 보고 후자(동일성이 인정되지 않는 경우)의 경우에는 당사자변경으로 보아야 한다고 한다. 그리하여 "법인 즉 배후자, 배후자 즉 법인"과 같은 경우에는 당사자변경이 아니라 당사자표시정정의 절차로 당사자를 고칠 수 있다고 한다. 반면 법인과 배후자가 동일한 것으로 평가되는 경우 외에는 원칙적으로 당사자변경에 해당하므로 이에 따라 문제를 해결하면 된다고 한다.[181]

7) 입증책임

법인격이 형해화한 회사와 관련된 소송은 아마도 다음 세 가지 유형으로 제기될 수 있을 것으로 생각된다. 첫째는 채권자가 법인격이 형식화한 회사만을 피고로 이행청구의 소 등 권리를 주장하는 경우이다. 둘째는 법인격이 형해화한 회사가 아니라 그 배후자만을 피고로 소송을 제기하는 경우이다. 셋째는 회사와 배후자를 공동피고로 하여 소를 제기하는 경우이다. 이 중 둘째와 셋째의 경우에는 법인격의 형해화 내지 법인격남용관련 입증이 요구된다. 그 입증책임은 누가 지는가? 법인격부인을 시도하는 당사자가 법인격의 형해화 내지 법인격이 남용되었음을 적극 주장, 입증하여야 할 것이다.[182]

8) 법인격부인의 소송상의 효과

형해화된 법인격을 가진 회사만을 피고로 이행의 소를 제기하여 이행판결을 얻었을 경우 회사에 대한 이러한 판결의 효력으로 배후자에 대한 강제집행이 가능한가라는 문제가 있다.[183] 이에 대해서는 다음과 같이 긍정설, 부정설 및 절충설의 대립이 있다.

가) 긍정설

긍정설에 따르면 기판력과 집행력은 배후자인 사원에로 확장될 수 있다고 한

---

181) 정영환, 전게논문, 87~88면.
182) 대법원 2011.12.22. 2011다88856; 정찬형, "법인격부인론(Ⅰ)"(백산상사법논집, 2008), 109면.
183) 이에 대해 자세히는 정규상, "법인격부인법리와 판결의 효력의 확장문제(일본의 논의를 중심으로),"「성균관법학」제2호(성균관대학교 법학연구소, 1988. 12.).

다.184)

나) 부정설

반면 부정설에 따르면 회사를 피고로 얻은 이행판결로 배후자에 대한 집행이 불가하다고 한다. 절차의 형식성, 명확성 및 안정성의 요청상 기판력과 집행력의 범위를 사원에게까지 확장하는 것은 허용되지 않는다고 한다. 다만 제3자이의의 소에서는 예외를 인정할 수 있다고 한다. 우리 대법원 판례의 입장이며 국내 다수설의 입장이다.185)

〈대법원 1995.5.12. 93다44531〉

"甲회사와 乙회사가 기업의 형태·내용이 실질적으로 동일하고, 甲 회사는 乙회사의 채무를 면탈할 목적으로 설립된 것으로서 甲회사가 乙회사의 채권자에 대하여 乙회사와는 별개의 법인격을 가지는 회사라는 주장을 하는 것이 신의성실의 원칙에 반하거나 법인격을 남용하는 것으로 인정되는 경우에도, 권리관계의 공권적인 확정 및 그 신속·확실한 실현을 도모하기 위하여 절차의 명확·안정을 중시하는 소송절차 및 강제집행절차에 있어서는 그 절차의 성격상 乙회사에 대한 판결의 기판력 및 집행력의 범위를 甲회사에까지 확장하는 것은 허용되지 아니한다."

다) 절충설(제한적 긍정설)

이 입장에서는 형해사례와 남용사례로 나누어 전자에 대해서는 배후자에게 독자적인 소송수행을 보장하여 그의 절차권을 보장할 필요가 없다고 하면서 이 경우에는 기판력의 확장을 허용한다. 반면 남용사례 및 여타 적용 군에서는 회사와 남용자는 별개로 존재하고 다른 출자자 등의 절차권을 보장해야 하므로, 남용자가 받은 판결의 효력은 회사에 미치지 않는다고 한다. 나아가 이 입장에서는 위에서 소개된 대법원판결186)도 형해사례가 아니라 남용사례이므로 판례

---

184) 미국판례 및 일본 하급심 판례의 입장이다. Booth v. Bunce, 33 N. Y. 139 (1865); 일본 오사카고등법원판결 1975.3.28, 판례시보 781, 101; 오사카지방법원판결 1974.2.13, 판례시보 735, 99; 센다이(仙台)지방법원판결 1970.3.26, 판례시보 588, 52.

185) 정찬형, 「상법강의(상)」 제24판(박영사, 2021), 470~471면; 이철송, 주11) 전게서, 58면; 홍복기·박세화, 전게서, 41면; 송옥렬, 전게서, 714면; 김건식·노혁준·천경훈, 전게서, 69면.

186) 대법원 1995.5.12. 93다44531.

역시 이 입장이라고 주장한다.[187]

자. 외국회사의 법인격부인

1) 총 설

외국회사가 사실관계에 등장하는 경우 국제사법적 문제가 법인격부인론과 더불어 제기될 수 있다. 지금까지 우리 대법원판례에는 이러한 섭외사법적 고려는 나타나지 않고 있다. 우리 판례는 해상법에서 자주 나타나는 편의치적 회사의 법인격부인에서나 최근의 한국통신 필리핀 법인사건에서나 국제사법적인 준거법 확정에 대해서는 언급이 없었다. 당연히 우리 법의 적용을 전제로 한 판결들이었다. 그러나 근자에 들어 이러한 법원의 자세를 비판하며 외국회사가 관련되는 법인격부인 케이스라면 준거법 확정이 선결문제임을 강조하는 학계의 주장이 있어 주목을 끈다. 아래에서는 법인격부인론의 국제사법적 관점을 살펴보기로 한다.

2) 학설들

가) 속인법 원칙설

외국회사의 법인격부인이 문제시되는 사안이라면 법인격부인의 준거법을 결정하고 그 준거법에 따라 법인격부인의 요건과 효력을 판단하여야 하는바 종래 법인격부인은 법인과 그 배후자간의 '법적 분리의 원칙에 대한 예외'이므로 법인이라는 단체의 조건—예컨대 법인격취득, 법인의 설립, 내부조직 및 법인격의 소멸 등—을 설정한 법질서가 이를 결정하여야 한다고 한다. 결국 외국회사가 관련된 법인격부인의 사례라면 문제된 회사의 설립준거법이 원칙적으로 적용되어야 한다는 것이다.[188] 이 입장에 따라 우리 국제사법 규정을 보면 법인 또는 단체는 속인법을 따르는 한 원칙적으로 그 설립준거법을 따르게 되고(국제사법 제16조 본문), 예외적으로 외국에서 설립된 법인 또는 단체가 대한민국에 주된 사무소가 있거나 대한민국에서 주된 사업을 하는 경우에는 대한민국 법에 따르게 될 것이다(본거지법주의: 국제사법 제16조 단서). 물론 법인의 속인법이 법인격부인을 전혀 허용하지 않는다면 공서(公序; ordre public)가 개입할 가능성이 있

---

187) 정동윤, 「상법(상)」 제3판(법문사, 2008), 332면 참조.
188) 전통적인 영미법과 스위스의 입장이며 일본 다수설, 독일 판례(BGH WM 1957, 1047, 1049)의 입장이다. 현재 우리 판례도 이 입장을 취하고 있는 것으로 파악된다(대법원 2012. 5.24. 2009다22549).

다(국제사법 제10조).

나) 유형설(사안별 유형화를 주장하는 학설)

독일과 일본에서는 종래 실질법상 법인격부인론의 유형론이 유력한바,[189] 특히 독일에서는 ① 회사법적 이익보호에 봉사하는 경우―특히 회사의 자본불충분이나 재산혼융 등에서 자주 등장하는 회사 채권자보호의 경우―, ② 규범충돌을 해결하기 위한 경우(사원이 회사에 물건을 양도하였을 경우 선의취득 가능성 등), ③ 회사와 거래한 채권자 보호 등 (예컨대 사원의 외관책임 등) 민사법적 이익보호에 봉사하는 경우 등으로 나누어, 첫째의 경우에는 당해 회사의 속인법을, 둘째의 경우에는 효력준거법(물권행위의 경우 물건소재지법)을, 셋째의 경우에는 당해 법률관계의 준거법을 선택하여야 한다는 유형론이 유력하다고 한다.[190]

이러한 경향을 살핀 후 우리나라에서도 대체로 책임실체파악의 경우에는 속인법을 따르고, 반면 귀속실체파악의 경우에는 실정법규범이나 계약내용의 합리적 해석 또는 사법(私法)의 일반이론 등을 적용하여 다양한 연결원칙을 개발하자고 한다.[191] 이 부류에 속하는 다른 입장을 보면 우선 주주의 유한책임을 부정하고 회사채권자를 평등하게 다루어야 할 사안(과소자본, 재산혼융, 파산 등)이라면 회사의 속인법으로 해결하고, 나아가 특정 거래관계에서 발생한 분쟁이라면 당해 행위의 준거법으로, 끝으로 법의 적용을 회피하기 위하여 법인격이 남용되는 경우라면 형해 사례에서처럼 설립준거법에 의하는 것이 타당하다고 한다.[192]

3) 향후의 전망

우리나라는 한-미 FTA나 한-EU FTA를 통하여 타 경제권과 활발히 교류를 하고 있으므로 전통적으로 편의치적 문제를 잉태하고 있는 해싱법의 영역 이외에서도 외국회사의 법인격부인문제는 매우 빈번히 등장할 가능성이 있다. 위에서 소개한 유형설은 매우 유력하게 주장되고 있다. 향후 섭외적 요소가 존재하는 법인격부인의 사실관계에 있어서는 유형론에 따른 다양한 논의가 시도될 것

---

189) 이에 대해서 자세히는 김태진, 전게논문, 209~242면, 특히 독일에서의 상황은 216~222면, 일본의 상황은 222~233면 참조.
190) Zimmer, Internationales Gesellschaftsrecht (1995), S. 344~349; 석광현, 「법률신문」 제3680호(2008. 9. 8.), 15면; 김태진, 전게논문, 216면 참조.
191) 석광현, 「법률신문」 제3680호(2008. 9. 8.), 15면 참조.
192) 김태진, 전게논문, 235~236면 참조.

으로 전망된다. 다양한 판례법의 형성을 기대해 본다.

다만 지금까지 살핀 각 문명국(文明國)에서의 법인격부인이 통일세계법으로 수렴되어 가는 현상은 부인할 수 없을 것이다. 즉 영미법계 국가에서 행해지는 사원의 이익을 위한 법인격부인이나 법인격의 역부인 등 다양한 법인격부인의 기법이 독일 등 대륙법계 국가에도 전파되고 있으며 우리나라나 일본도 예외는 아니다. 법인격부인의 전제요건부분에서도 영미의 도구이론이나, 독일의 실체파악론이나 우리나라・일본의 법인형해론은 결국은 유사하며 신의칙적 관점에서는 사실 다 같은 제도이므로 각국의 법이 달라 결과가 달라지는 경우는 — 최소한 전래적인 책임실체파악의 경우에는 — 그 가능성이 매우 낮다고 판단된다.[193] 결국 법인격부인론은 현대적 의미의 lex mercatoria(국제불문법)로서 통일세계법으로 발전해 갈 것으로 전망된다. 그런 면에서 각국은 외국판례의 공동연구와 연구결과의 상호교환을 통하여 통일세계법 형성을 앞당기는 국제적 노력을 게을리하지 말아야 할 것이다.

Ⅲ. 기업의 사회적 책임 안 택 식*

1. 서 언

기업은 재화와 서비스를 생산함으로써 인류생활의 향상에 크게 기여해 오고 있다. 기업이 새로운 제품과 서비스를 창조할 때마다 인류의 생활지평은 한 단계씩 업그레이드되어 가고 있다. 그러나 이와 같이 기업이 인류생활에 기여해 오고 있음에도 불구하고 기업으로 인한 사회적 부작용도 간과할 수 없는 수준에 이르렀다. 갈수록 심해지는 빈익빈 부익부 현상, 저임금근로자의 양산, 환경공해의 심화 등 열거하기 어려울 정도로 기업이 일반사회에 발생시키는 폐해가 크다고 할 수 있다. 이러한 사회적 부작용을 치유하기 위하여 기업은 일찍부터 사회공헌활동으로서의 기부문화를 확산시켜 왔다. 미국의 경우 많은 기업가들이 사

---

193) 적어도 본고에서 제시한 통일요건론을 따를 경우 법인격부인의 어떤 형태에서도 세계 각국의 법인격부인을 위한 전제요건은 사실상 같아진다.

* 동국대학교 대학원 대우교수, 전 강릉원주대학교 교수

후에 자신의 전 재산을 사회에 환원하는 사례가 증가해 왔다.

　그러나 현대에 이르러서는 기업의 기부행위로 사회적 부작용을 치유하는 데에는 근본적인 한계가 있다는 인식이 확산되고 있다. 기업이라는 사회적 제도가 진정으로 우리 사회에 유익한 존재라고 한다면 더 이상 기업으로 인한 부작용이 발생되지 않아야 할 것이다. 만약 기업으로 인하여 부작용이 계속하여 발생한다면 기부문화라는 임시방편적인 치유책으로는 한계가 있기 때문에 근본적으로 그러한 부조리가 발생되는 원인을 제거해야 한다는 것이다. 결국 기업의 부조리는 기업 내에서 분배정의의 부재에 그 원인이 있는 것으로 진단할 수 있다. 기업이 인류생활에 필요한 재화와 서비스를 창조하는 기능을 담당하고 있다면 그러한 창조행위에 참여한 이해당사자들에게 공평한 분배가 선행되어야 하는데, 현행법은 자본가인 주주에게만 과도한 분배를 해주고 있기 때문에 기타의 이해당사자들에게 폐해가 발생한다고 보는 것이다. 기업의 사회적 책임은 이해당사자 자본주의를 전제로 기업을 둘러싼 이해관계자들에 대한 정당한 대우를 통해 기업이 발생시킨 사회적 폐해를 제거하자는 이론이라고 요약할 수 있다.

　그러나 기업의 사회적 책임론을 둘러싸고 아직까지도 찬성론과 반대론이 팽팽히 대립하고 있다. 본고에서는 이러한 현실을 감안하여 기업의 사회적 책임론에 관한 근본적인 논의를 전개하고자 한다. 즉 찬성론과 반대론의 논점을 깊이 명상함으로써 그 대립의 현주소를 파악하고 그에 대한 올바른 해결책이 무엇인가를 궁구해보고자 한다. 이를 위하여 우선 기업의 사회적 책임의 개념을 살펴보고자 한다. 다음 기업의 사회적 책임에 관한 찬반양론의 논점을 자세히 밝히고자 한다. 반대론에서 제시하는 회사의 본질에 관한 입장, 이사의 지위에 관한 입장 및 사회적 책임개념의 불명확성에 관한 주장의 요지를 살펴본 이후에 그에 대한 찬성론의 해명을 자세히 서술하고자 한다. 이러한 논리전개에 있어서 필요한 경우 우리나라와 외국의 입법 및 판례의 입장도 서술하고자 한다. 그러한 전제에서 우리나라에서 기업의 사회적 책임의 실현방향에 대하여 살펴보고자 한다.

2. 기업의 사회적 책임의 개념

가. 기업의 개념

기업의 개념에 관한 통일적인 이론이 정립되어 있지 않다. 기업이라는 개념이 법률적 개념으로 형성된 것이 아니고 경제학에서 정립된 후 법학에서 수용한 것이므로 법체계 내에서 통일적 이론으로 정립하기가 대단히 어렵다. 상법학에서 기업개념은 전통적인 상의 개념으로는 민법과의 관계에서 상법대상의 자주성을 확보하기 어렵기 때문에 경제학의 기업개념으로 상법대상을 확정함으로써 그 자주성을 확실히 하는 데 기여하였다.[1] 결국 독일에서 정립된 기업개념은 그대로 일본과 한국에 도입되어 오늘날 상법은 기업법이라는 것이 정설로 정착되기에 이르렀다.

20세기 초에 독일에서 정립된 상법의 대상으로서의 기업의 개념에 따르면 기업이란 물적·인적 설비를 투입하여 영리활동을 실현하는 경제적 조직체로 정의하였다. Wieland에 따르면 기업이란 불특정의 재산증가를 실현하기 위하여 경제상의 힘인 자본과 노동력을 투입하는 것이라고 하였다.[2] 이러한 Wieland의 정의는 경제학상의 기업개념을 그대로 상법에 도입하는 데 그치고 있을 뿐 법률상의 기업개념을 정립하지는 못하였다고 평가되고 있다. 법률상의 기업개념을 보다 체계적으로 정립한 사람은 J. v. Gierke로 알려지고 있다. 그에 따르면 기업에는 주관적 요소로서의 경영활동, 객관적 요소로서 경영활동에 의하여 취득된 재화와 권리 및 기업주와 노동자 사이의 경영공동체가 존재해야 한다고 정의하였다.[3] 우리나라와 일본에서는 독일에서 정의된 기업개념을 상법의 해석학에서 수용하였다. 그에 따르면 대체로 상인적 설비와 방법에 의하여 영리활동을 수행하는 경제적 단일체로 정의되고 있다. 이에 따르면 영리목적이 기업의 요소이며, 기업주와 근로자의 결합체인 독립한 사업체로 파악되지 못하고 자본 또는 그의 소유자인 기업가의 측면에서 파악되고 있다. 결국 우리 상법학에서 기업개념은 주체적 측면과 객체적 측면의 양 측면에서 파악되고 있는데, 주체적 측면

---

1) 정희철, "기업개념의 상법적 의의," 「기업법의 전개」(박영사, 1979), 10면.
2) K. Wieland, Handelsrecht, 1921, S. 145.
3) J. v. Gierke, Das Handelsunternehmen, ZHR(111), 1948, SS. 7~11.

에서는 상인 또는 자본가의 영리활동이 강조되고 있으며, 객체적인 측면에서는 영리활동의 결과 형성된 유기적 일체로서의 기업재산으로 파악되고 있다.[4] 이러한 측면에서 보면 자본가와 노동자의 사회적 공동체로서의 유럽에서 형성되어 가고 있는 새로운 기업개념과는 거리가 있다고 본다.[5]

　우리 상법의 해석학에서 정의되고 있는 이러한 기업개념에 따르면 기업의 주체는 자본가이고 기업의 의사결정권한은 전적으로 자본가에게만 귀속되었다. 기업의 물적 설비는 동산, 부동산 기타 경영에 필요한 유형, 무형의 재산을 포함하며 인적 설비에는 상인, 상업사용인, 노동자 등이 포함된다. 기업을 광의로 정의할 때에는 노동자가 포함되나 상법상 기업은 노동자가 포함되지 않은 협의의 기업을 말한다. 전통적인 상법의 대상으로서의 기업은 그 주체가 자본가인 주주이며 경영자와 노동자는 기업에서의 주체적 지위를 인정받지 못하고 있다. 우리 상법상의 의사결정절차를 살펴보아도 주주총회에서 경영자인 이사와 대표이사를 임명하고 있으며 경영자가 대부분의 기업의사결정을 담당하고 있다. 경영자인 이사와 대표이사에게 일정한 권한이 위임되어 있기는 하나 이사의 선임권과 해임권이 주주총회에 있기 때문에 그 권한행사에 있어서의 독립성이 보장되기 어렵다. 우리나라 기업에 있어서 현행법제는 경영전권이 주주총회에 귀속되어 있고 그 중에서도 집중적인 지주비율을 갖고 있는 대주주 또는 지배주주에게 귀속되어 있다고 볼 수 있다. 이러한 기업개념 또는 기업법제 하에서는 기업경영상의 결정이 대주주에게 이익이 되는 방향으로만 이루어지기 때문에 채권자, 노동자, 소비자 등의 이해당사자의 이익 또는 피해에 대한 요구가 기업 내에서 반영되기 어렵다.

나. 사회적 책임의 의의

　기업의 사회적 책임의 개념에 관하여는 대단히 다의적으로 정의되고 있다. 기업의 사회적 책임론이 대두된 것은 1890년대로 거슬러 올라갈 수 있으나, 1970년대까지만 하더라도 이 책임은 도덕적 또는 윤리적 책임을 강조하는 경향

---

　4) 정찬형, "상법학상의 기업개념,"「기업법의 행방」(박영사, 1991), 257면; 정희철, 전게논문, 27면.
　5) 안택식, "기업의 사회적 책임의 실현방향,"「상사법연구」제19권 제1호(한국상사법학회, 2000), 147면.

을 나타내고 있다. 그러나 1980년대 이후 사회적 책임은 윤리적 책임이면서도 또한 법적 책임으로 정초하려는 노력이 나타나기 시작하였다. 본고에서는 사회적 책임의 정의를 윤리적 책임을 강조하는 경우와 법적 책임으로 보는 경우로 나누어 살펴보고자 한다.[6)]

사회적 책임을 법적인 측면을 배제하지는 않으나 윤리적 측면을 강조하여 파악하는 입장에서는 다음과 같은 여러 가지 정의를 내리고 있다. 우선 기업의 사회적 책임이란 기업의 활동으로 인하여 영향을 받는 범위의 이해관계인의 이익을 고려하여 기업자체의 원래의 목적인 이윤추구와의 조정의 꾀해야 할 의무로 파악하는 견해가 있다.[7)] 또 기업의 사회적 책임이란 단순한 이윤원칙을 초극하여 기업활동이 사회의 복지에 기여하게끔 경영관리를 수행해 나가는 것이라 하여 그 구체적인 내용은 공해방지, 환경개선, 지역사회 주민에의 복지를 위한 노력, 국민사회복지를 위한 공헌, 소비자이익의 보호, 종업원의 복지 등의 요구의 충족 등을 들 수 있다는 견해도 있다.[8)] 한편 기업의 사회적 책임이란 기업 고유의 기능인 이윤추구를 통한 부의 축적과 함께 사회문제해결에의 보다 많은 기여라고 하는 견해도 있다.[9)]

기업의 사회적 책임을 법적 책임으로 보는 입장에 따르면 기업은 하나의 부분사회이므로 전체사회의 발전을 위하여 행동하여야 할 의무가 있으며, 따라서 사회적 책임이란 기업이 다른 사회적 실재와의 연대에 있어서 전체사회의 발전을 위한 행동원리로 보고 있다. 이것을 법적으로 취급하면 첫째, 행위규범으로서의 책임으로 본다. 이러한 규범위반의 경우에는 일정한 불이익이 주어질 수 있다고 본다. 둘째, 제재적 개념으로서의 책임으로 본다. 사회적 책임을 공서양속으로 보아 이에 위반한 때에는 기업의 일정한 법률행위의 효과를 부정하는 방향으로 작용하는 경우도 있다고 본다. 기관의 책임이 문제된 경우 법률요건으로서 '법령위반' 내지 '부정행위' 중에 '사회적 책임의 위반'이 포함된다고 본다.[10)]

---

6) 안택식, 전게논문, 149면.
7) 손주찬, "기업의 사회적 책임,"「법조」제25권 제11호(법조협회, 1976. 11.), 37면; 土屋守章,「企業の社會的責任」(稅務經理協會, 1980), 2面.
8) 占部都美, "企業の社會的責任にたいする經營學的 接近方法," 企業の社會的 責任(日本京營學會, 1975), 77面.
9) 손국호,「기업의 사회적 책임에 관한 법적 연구」, 성균관대학교 박사논문(1983), 19면.
10) 한철, "주식회사의 사회적 책임,"「상사법연구」제7집(한국상사법학회, 1989), 563면; 김성현·정환담, "기업의 사회적 책임론의 법적 서설,"「전남대논문집」제29호(1984), 31면.

다. 당 사 자

기업의 사회적 책임을 누가 부담하는가에 대하여는 명확하게 통일된 견해가 없다. "주식회사는 사회적 책임을 부담한다"는 말과 같이 책임의 주체를 기업으로 하는 것도 물론 가능하다. 그러나 Berle와 Means 이래 사회적 책임을 둘러싼 경영학 및 법률학 등에 있어서 다년간에 걸친 논쟁을 살펴보면 기업의 담당자인 이사를 책임의 주체로 하는 것이 보다 중요하다고 본다. 경영학에서 기업의 사회적 책임은 경영자의 사회적 책임과 동일한 의미내용으로 취급되고 있다. 기업 그 자체의 의사 내지 방침을 결정하는 것은 현실적으로 경영자라는 것이 그 이유이다. 기업에 대한 비판적 여론이 높으며, 기업의 사회적 책임에 대한 요청이 높으므로, 기업이 그것을 수용한다는 것은 경영자가 그것을 수용한다는 것과 동일한 의미이다. 일본의 경제동우회는 "사회와 기업의 상호신뢰의 확립을 촉구한다"는 제언에서 "기업의 행동은 경영자 자신의 의사에 의하여 결정되는 것이므로 기업의 사회적 책임이란 그 이념에 있어서 경영자의 사회적 책임과 동일한 의미로 자각하지 않으면 안된다"라고 언급하고 있다.11)

기업의 사회적 책임은 이와 같이 대부분 경영자의 사회적 책임이라는 의미로 통용되고 있으나, 별개의 의미를 나타내는 경우도 있다. 우선 경영자를 기업의 의사를 대표하는 기관으로 볼 경우 기업의 사회적 책임은 경영자의 사회적 책임과 동일한 의미이다.12) 이때에는 경영자의 결정에 의한 행위에 대하여 기업 자체가 그 책임을 부담하며, 경영자가 개인적으로 책임을 부담하지는 않는다. 그러나 경영자에게 부과된 사회적 의무를 위반하여 기업이나 제3자에게 손해배상 책임을 지게 된 경우 기업의 책임과는 별도로 경영자가 개인적인 책임을 부담하게 된다. 예컨대 공해방지시설설치의무의 이행은 경영자의 결정에 의하여 그 책임을 기업 자체가 부담하나, 방지시설설치의무의 불이행으로 인하여 제3자에게 손해를 발생시킨 경우 불법행위이론에 따라 기업과 경영자는 제3자에게 손해배상책임을 부담한다(민법 제35조). 이 경우 경영자가 선관주의의무를 해태한 경우 기업은 경영자에 대한 구상권을 행사할 수 있다. 결국 기업의 사회적 책임에는 그 중심에 이사의 사회적 책임이 있다고 보는 것이 타당하다. 한편 경영자나 기

---

11) 中村一彦, 企業の社會的責任と會社法(信山社, 1997), 229面.
12) 손국호, 전게논문, 24면.

업이 누구에 대하여 어떠한 내용의 책임을 부담하는가가 문제된다. 기업의 사회적 책임의 객체 내지 상대방으로서는 주주, 채권자, 종업원, 소비자, 지역주민 등을 생각할 수 있다. 이러한 당사자들은 기업에 대하여 깊은 이해관계를 갖게 되었기 때문에 기업은 자신의 이익추구와 동시에 그들의 이해를 적정하게 고려할 책임이 있다고 보기 때문이다.[13]

3. 기업의 사회적 책임에 관한 찬반논쟁

기업이 사회적 책임을 부담하는가에 대하여는 1930년대 Berle와 Dodd간의 논쟁[14] 이래로 결론이 내려지지 않은 채 계속되어 오고 있다. 기업의 사회적 책임을 부정하는 부정론에 따르면 기업의 목적을 주주이익의 극대화에 두는 견해로서 주주중심주의를 취하고 있다. 반면 기업의 사회적 책임을 찬성하는 찬성론에 따르면 기업은 주주의 이익을 추구할 뿐만 아니라 기업을 둘러싼 다른 이해관계자의 이익까지도 고려해야 한다는 주장이다. 기업의 사회적 책임에 관한 찬반논쟁은 회사의 이사가 누구의 수탁자인가에 관한 논의와 그 기조를 같이한다. 부정론에서는 이사는 주주의 이익을 대변하는 수탁자라고 주장하나, 찬성론에서는 이사는 주주뿐만 아니라 노동자, 소비자, 채권자, 지역주민 등 회사와 관련된 다른 이익집단의 이익도 대변해야 한다고 주장한다. 미국의 경우에는 이러한 찬반논쟁이 꾸준히 지속되다가 1980년대와 1990년대에 기업의 인수합병과 구조조정의 물결 속에서 주주들의 부가 천문학적으로 증가되는 반면 근로자들은 거리로 내몰리는 사태가 계속되자 기업의 사회적 책임론으로 이를 해결하고자 하는 논의가 증대되었다.[15] 이러한 논의에 힘입어 1980년대부터 현재까지 캘리포니아, 펜실베이니아 및 약 30여개 주의 회사법에서 회사의 이사가 주주의 이익뿐만 아니라 종업원, 고객, 채권자 및 지역사회 등의 이익을 고려할 것을 규정하였다.[16] 그러나 이러한 입법이 기업의 사회적 책임을 완전히 인정하는 입법이라

---

13) 안택식, 전게논문, 151면.

14) Adolf A. Berle, "Corporate Power as In Trust," 44 Harv. L. Rev. 1049(1931); E. Merrick Dodd, "For Whom Are Corporate Managers Trustees?," 45 Harv. L. Rev. 1145(1932).

15) 최준선, "기업의 사회적 책임론," 「성균관법학」 제17권 제2호(성균관대학교 법학연구소, 2005), 490면; 최준선, 「회사법」 제16판(삼영사, 2021), 47면.

16) 최준선, 상게 「성균관법학」, 491면; 최준선, 상게서, 47면; 안택식, 전게 「상사법연구」, 165

고 단언할 수는 없으며, 그 이후에도 꾸준히 기업의 사회적 책임을 반대하는 주장이 계속되고 있다.

우리나라의 경우에는 기업의 사회적 책임에서는 찬성론과 반대론의 주장이 팽팽하게 대립하고 있다. 다만 기업의 부정과 비리가 심각한 사회문제가 되고 있는 현실을 감안하여 기업의 사회적 책임을 정면에서 부인하는 견해는 드물지만, 그 책임을 상법상의 책임으로 인정하고 도입하자는 견해가 많지 않은 것이 현실이다. 물론 기업의 사회적 책임 자체를 정면에서 부인하는 견해도 존재한다.[17] 본고에서는 이와 같이 다기하게 나누어진 기업의 사회적 책임에 관한 견해들을 정리하여 상법상의 제도로 인정하자는 찬성론과 이를 반대하는 부정론으로 분류하고자 한다. 그리고 그 찬성론과 부정론의 논거를 비교하고 그에 대한 필자의 견해를 부가하고자 한다. 이러한 논의의 과정에서 우리나라와 외국의 판례에서 나타난 견해도 참고하고자 한다.

가. 회사의 본질에 관한 논쟁

기업의 사회적 책임에 관한 찬반논쟁의 핵심은 기업 내지 회사의 본질이 무엇이냐는 물음에 있다. 반대론은 "회사가 순수한 이익단체라는 것은 회사의 전통적이고 고유한 본질이다. 그리고 회사가 이 본질을 계속 간직한 때만이 자본주의적 산업사회에서 기업수단으로서의 구실을 할 수 있다. 회사의 사회적 책임을 회사법이 수용하였을 때 자칫하면 회사법구조를 점차 공익적 성격으로 변색시켜 갈 것이며, 결과적으로 기업들의 부의 축적에 대한 일반대중의 반감에 정치권력이 영합할 때 회사의 영리성을 제어하는 구실이 될 수도 있다, 자유주의 경제학자인 프리드만이 "기업의 사회석 책임은 이윤을 증가시키는 것이다.'라고 한 말은 많은 것을 시사해 주는 바 있다"고 주장한다.[18] 회사의 본질이 주주의 이윤추구의 극대화에 있다는 논지이다. 기업의 사회적 책임을 부정하는 것은 아니지만 회사의 본질에 관하여는 부정론의 논지에 동조하면서 "회사법은 영리를 목적으로 하는 기업의 역량이 극대화되도록 조장하고 경제성장을 진작시키는 것에 있다는 것을 우리는 염두에 두어야 할 것입니다. 다시 한번 강조하자면 회사

면.

17) 이철송, 「회사법강의」 제29판(박영사, 2021), 69면.

18) 이철송, 상게서, 70면.

법의 목표는 능률성(efficiency)에 있다고 봅니다. … 회사법에 공법적 영역이 점차 확대되어 회사법으로써 세계를 구하려 드는 것은 가능하지 않습니다. 이는 세금을 피하여 국적을 이탈하는 현상을 심화시킬 것이며, 우리나라에서 기업의 퇴출을 장려하는 결과가 될 것입니다. 오늘날 사회적 부의 창출에 대한 기업의 역할이 강조되고 있고, 이것은 이해관계자에 우호적인 방향으로 개혁이 이루어져야 한다는 정치적이고 사회적인 분위기에서 비롯된 것입니다. 그리고 이해관계자의 보호도 주주중심의 목적을 조장함으로써 오히려 가장 잘 달성될 수 있다고 봅니다"라고 설명한다.[19]

우리나라에서 기업의 사회적 책임을 부정하는 논거는 1930년대 Berle와 Dodd의 논쟁에서 Berle교수가 취했던 논지와 유사하다. 이에 더해서 1970년대 시카고 대학의 Friedman교수는 "기업의 사회적 책임은 오로지 이윤을 증식시키는 것이며, 기타 이해관계자에 대한 의무는 정부가 기업으로부터 세금을 받고 있으므로 정부가 해야 할 일이다. 기업의 이윤극대화 추구가 결과론적으로 국민의 경제적 복지를 최고도로 실현할 수 있는 원동력이 된다"고 주장하였다.[20] 앞에서 언급한 바와 같이 우리나라에서 기업의 사회적 책임을 인정하는 학자들이 다수이나, 이를 상법상의 제도로 수용하는 견해는 소수이다. 이러한 견해는 앞에서 인용한 부정론과 같은 견해는 피력하지 않고 있으나, 넓은 의미에서 사회적 기업 병리현상을 타개하기 위하여 기업의 사회적 책임을 인정해야 하나 이를 회사법상의 일반규정으로 수용할 것이 아니라 관련되는 특별법에서 개별적으로 규정하는 것이 타당하다고 주장한다. 그러므로 이러한 주장은 기업의 사회적 책임을 회사법상의 의무로서 파악하는 것에 대해서는 유보적인 입장을 취하고 있다.

우리나라에서 사회적 책임을 긍정하는 찬성론은 부정론에 대한 비판으로서 기업의 공공적 의무에서 찾는 것이 대부분이다. "현대사회에서 대기업의 권력이 강대하므로 그에 상응하는 사회적 책임을 부담해야 한다는 것이다. 대기업이 그 권력에 상응하게 사회적 공익을 위하여 행사하지 않고 남용하게 되면 정부가 개입하게 되어 사기업의 자율성을 상실하게 된다"는 것이다.[21] "기업의 사회적 책

---

19) 최준선, "회사법의 방향-취임사에 갈음하기 위하여-," 「상사법연구」 제31권 제1호(2012), 30면.

20) M. Friedman, "The social responsibility of business is to increase its profit," New York Times, 1970, p. 13.

21) 송호신, "기업의 사회적 책임에 대한 배경과 회사법적 구현," 「한양법학」 제21권 제1집(한

임은 현대자본주의 경제사회에 있어서 주식회사기업의 권력에 대하여 그 기업이 사회적 요구를 수용하면서 영원히 존속할 수 있는 수단적 개념으로 보는 것이 타당한 것이다"라고 주장하기도 한다.[22) 이러한 찬성론의 견해를 요약해보면 대기업의 사회적 영향력이 증대되었으므로 주주의 이윤추구의 목적을 넘어서 사회에 대한 일정한 책임을 부담해야 한다는 논지이다. 그러나 이러한 견해에서 회사가 영리단체라는 부정론의 논거를 정면으로 반박하는 근거를 명확하게 제시하지는 못하고 있다는 점을 부인할 수 없다. 사회적 책임의 찬성론에서는 회사가 영리단체가 아닌가의 여부에 대한 답변을 하지 못하고 있으며, 또한 만약 회사가 영리단체가 아니라면 회사의 본질은 무엇인가에 대한 직접적인 답변을 하지 않고 있다. 이러한 점에서 기업의 사회적 책임의 찬성론이 그 이론을 전개함에 있어서 난점을 가지고 있다고 본다.

최근에 미국에서 회사 내지 기업의 본질을 생산공동체론으로 파악하는 견해가 대두되었다. 생산공동체론은 Blair와 Stout교수가 주장하는 것으로서 Team Production Theory라고 한다. 이에 따르면 회사란 주주의 이익추구만을 목적으로 하는 것이 아니며 회사를 둘러싼 다양한 이해관계자의 공동이익을 추구하는 것으로 본다. 회사란 주주, 노동자, 경영자, 채권자 등의 이해관계자들이 제품과 서비스를 생산하기 위하여 공동 투자한 이해관계자들의 집합체로 파악한다. 회사의 목적은 새로운 부가가치의 창조이며 주주를 비롯한 이해관계자들은 그러한 회사의 구성원이다. 그러므로 회사는 주주의 이익만이 아니라 회사에 투자한 이해관계자의 이익을 공평하게 조정하여 분배해야 한다는 것이다. 주주는 자본으로 투자하나 노동자는 노동으로 투자하고 경영자는 자신의 경영노하우를 회사에 투자한 것으로 파악해야 한다는 것이다.[23) 결국 Team Production이론에서는 회사를 하나의 생산공동체로 파악하는 점에서 주주의 영리추구단체로 파악하는 부정론의 입장과는 크게 다른 점이라 하겠다. 한편 Mitchell의 공동체론은 기업을 상호의존과 신뢰 그리고 상생적 편익을 갖춘 공동체로 파악하고 있다. Stout의 Team Production Theory는 경제학과 윤리를 접목함으로써 자본주의의 냉

양법학회, 2010), 149면.

22) 안동섭, 전게논문, 446~447면. 기타 찬성론의 견해는 최준선, 전게 「성균관법학」, 487면에 자세하게 소개되어 있음.

23) Margaret M. Blair & Lynn A. Stout, "A Team Production Theory of Corporate Law," 85 Va. L. Rev. 247, 276~287(1999).

혹한 측면을 순화하려고 한 반면에, Mitchell의 공동체론은 대체로 경제학적 방법론을 회피하면서 윤리 및 공정성에 초점을 두고 있는 점에서 차이가 있다. 그러나 양 이론은 모두 기업이 기본적으로 회사를 둘러싼 이해관계의 균형을 도모함으로써 사회적 형평과 기업에 대한 외부의 부정적인 효과를 내부적으로 순화하는 기능을 도모해야 한다는 점에서는 차이가 없다.[24]

이상의 논점을 정리해보면 회사의 본질을 주주의 이익추구단체로 보느냐 아니면 주주를 포함한 다양한 이해관계자의 공동이익의 추구단체로 보느냐의 문제이다. 사회적 책임부정론의 입장에서는 회사의 본질을 주주의 이익추구단체로 보면서 찬성론의 논거와 같이 다양한 이해관계자의 공동이익추구단체로 볼 경우 발생할 수 있는 사회적 폐해를 우려하고 있다.

첫째, 회사를 이해관계자의 공동이익추구단체로 보아 기업의 사회적 책임을 인정할 경우 회사법구조를 공익적 성격으로 변색시켜 회사의 영리성을 제어하는 역할을 한다는 우려이다. 그러나 기업의 사회적 책임을 회사법에서 논할 때에는 회사법이라는 사법의 영역 안에서 이 사안을 논하고 있음을 상기해야 할 것이다. 기업의 사회적 책임을 환경법이나 소비자보호법 등의 공법적 영역에서 논하는 경우에는 기업이 유발하는 사회적 폐해에 대한 직접규제를 목적으로 하고 있다. 그러나 수평적 법률관계를 논하는 사법영역의 하나인 회사법에서 기업의 사회적 책임을 논하는 경우에는 사법의 분과에 맞게 회사를 둘러싼 다양한 이해관계자의 수평적 이해관계를 조정하는 것으로 목적으로 하고 있다. 회사법은 기본적으로 사법의 한 분과이므로 그러한 목적에서 벗어나지 않아야 할 것이다. 물론 일부의 규정이 공법적 성격을 띨 수 있다는 것은 법기술적으로 불가피하다고 본다.

회사에 대한 공법상 규제는 회사로 인하여 일반공중에게 폐해가 나타날 경우 이러한 폐해를 방지하기 위하여 가하는 규제이다. 그러나 회사법상의 기업의 사회적 책임은 앞에서 살펴본 바와 같이 회사에 참여하는 다양한 이해관계자에 대한 책임을 의미한다. 그러므로 공법상의 규제와는 그 성격을 달리한다. 그러면 본론으로 돌아와서 기업의 사회적 책임을 인정하는 것이 회사법구조를 공익적

---

24) 이동승, "지속가능발전이념의 회사법적 의의," 「강원법학」 제35권(강원대학교 비교법학연구소, 2012), 715면; Lawrence E. Mitchell, "A Theoretical and Practical Framework for Enforcing Corporate Constituency Statutes," 70 Tex. L. Rev. 579(1992). 다만 이동승 교수는 Team Production Theory를 "이해관계자론"으로 명명하고 있다.

성격으로 변색시키는가를 살펴보아야 할 것이다. 공법적 규제는 회사가 사회에 대한 폐해를 크게 일으킬수록 그 규제의 강도가 높아질 것이다. 그러나 회사가 사회에 대하여 아무런 폐해를 일으키지 않고 사회에 대하여 유익한 효과만을 발생시킨다면 회사에 대하여 공법적 규제를 가할 아무런 이유가 없다. 이러한 이치에서 생각해보면 기업의 사회적 책임을 인정하면 오히려 공법적 규제가 축소될 수 있다고 본다.

오늘날 회사를 경영하는 경영자들은 국가가 회사에 대한 규제를 너무 많이 하기 때문에 기업경영의 어려움이 배가된다고 호소하면서 기업규제의 완화를 강력하게 요구하고 있다. 그러나 한편으로 생각해보면 회사가 공법적 규제를 가해야 할 일을 하지 않으면 공법적 규제가 증가될 수 없다는 것이 당연한 이치이다. 이러한 측면에서 기업의 사회적 책임을 회사법에서 인정하는 것이 공법적 규제를 축소하는 길이 될 수도 있다. 회사의 목적은 주주의 이익을 추구하는 것이라기보다는 오히려 국가의 경제구조에서 생산주체이기 때문에 좋은 제품과 서비스를 창조하는 것을 최우선의 임무로 하고 있다. 무한경쟁에 노출되어 있는 국제시장에서 기업이 생존하기 위해서는 경쟁력이 있는 제품과 서비스를 생산하지 않으면 안된다. 그리고 그러한 기업제품의 생산에는 주주만이 참여하는 것이 아니다. 주주, 노동자, 경영자, 채권자 등이 일정부분 생산에 기여하면서 완성품이 생산된다. 기업활동이 다양한 이해관계자의 협력에 의해서 이루어지는데 회사의 본질이 그 이해관계자 중의 하나에 불과한 주주의 이익만을 위한 것이라고 개념지운다면 다른 이해관계자가 회사의 존재에 대하여 만족할 리가 없다. 회사의 존재에 대하여 만족하지 않는 많은 이해당사자가 나타난다면 그러한 당사자들은 어떠한 형태로든지 회사에 대하여 이의를 제기할 것이다. 다시 말하면 회사에 불만을 가진 이해당사자로 인하여 회사에 바람직하지 못한 현상이 발생할 수밖에 없다. 회사라는 사적 단체 내에서 정의와 공평이 실현되지 못한다면 그러한 부조리는 결국 회사 외부로 비화되어서 사회적 병폐로 나타날 수밖에 없다.[25] 제품과 서비스의 창조라는 회사의 목적이 주주, 노동자, 채권자 등 다양한 이해관계자의 협력에 의하여 달성되고 있음에도 불구하고 주주의 이익만이 가장 주요시된다면 이에 대하여 다른 이해당사자들은 크게 불만을 표출할 수밖

---

25) 안택식, "기업의 사회적 책임론과 회사법의 변화," 「재산법연구」 제28권 제3호(한국재산법학회, 2011), 394면.

에 없을 것이다. 회사가 사회적 책임을 수용하여 회사 내에서 다양한 이해관계
자의 이익을 공평하게 조정하는 기능을 담당한다면 더 이상 회사로 인한 불협화
음이 외부로 비화되는 일은 없을 것이며 기업을 규제해야 한다는 목소리도 줄어
들 것이다. 결국 회사가 사회적 책임을 인정하지 않음으로 인하여 회사법에 공
법적 규정이 증가될 수밖에 없다고 생각한다.

둘째, 기업의 사회적 책임을 인정할 경우 회사의 능률성이 저하되어 기업의
퇴출을 장려하는 결과가 된다고 주장한다. 결국 기업의 사회적 책임을 인정하는
경우 기업의 경쟁력이 약화된다는 논리이다. 회사가 주주의 이익만 고려하면 되
는데 사회적 책임을 인정하면 그 밖에 다양한 이해관계자의 이익까지 고려해야
하므로 기업경쟁력이 약화된다는 것이다. 그러나 이러한 견해는 관점을 어디에
두는가에 따라서 그 결과가 달라진다. 주주의 이익 이외의 다른 이해관계자에
대한 배려가 비용으로 파악되고 그 비용이 증가되므로 기업코스트가 증가되고
기업코스트가 증가되면 제품의 가격이 상승하므로 경쟁력이 약화된다는 방식으
로 생각하면 부정론의 논거가 타당성이 있다. 그러나 생각을 바꾸어 Stout교수
의 주장과 같이 회사를 생산공동체로 파악하고 생산에 기여한 당사자에 대한 정
당한 보상을 해야 한다는 측면에서 생각하면 그러한 이해관계자에 대한 배려는
비용이 아니라 주주에 대한 이익배당과 같이 당연한 권리의 귀속이 된다. 다양
한 이해당사자가 생산에 참여하는데 주주에게는 정당한 몫이 분배되고 다른 이
해관계자에게는 정당한 몫이 분배되지 않는다면 이는 옳은 일이 아니다. 기업의
경쟁력은 경쟁력이 있는 제품을 생산하느냐의 여부에서 결정되는데 생산에 참여
하는 이해당사자가 그 기업의 행위에 대하여 불공정하게 생각하다면 제품의 생
산행위에 최선의 노력을 경주하리라는 것을 기대하기 어렵다. 제품의 생산에 최
선의 노력을 경주하지 않은 상황에서 경쟁력이 있는 제품의 생산되리라는 기대
는 가질 수 없다. 다시 말하면 기업의 사회적 책임을 인정하여 이해당사자에 대
한 정당한 분배를 하는 것이 기업경쟁력을 강화하는 길이 된다고 본다. 물론 회
사의 상황에 따라서는 이해당사자에 대한 분배를 축소할 수 있다. 이러한 상황
은 주주에 대한 이익배당을 축소하는 것이나 마찬가지이다. 회사의 상황이 어렵
다면 이해당사자의 동의를 구하여 회사의 상황이 호전될 때까지 공평하게 분배
를 축소하면 당사자 간의 불협화음을 줄일 수 있을 것이다. 상황이 어려움에도
불구하고 주주의 이익은 최대한 확장해야 한다는 논리는 기업경영에 더 이상 통

용될 수 없을 것이다. 회사를 생산공동체로 파악하고 기업의 경쟁력을 경쟁력이 있는 제품의 생산에 있다는 현실을 직시한다면 이해당사자들에 대한 정당한 분배를 추구하는 기업의 사회적 책임의 실현은 기업경쟁력 강화의 첩경이 될 것이다.[26]

나. 이사의 지위에 관한 논쟁

기업의 사회적 책임을 부정하는 부정론과 이를 찬성하는 찬성론의 또 다른 쟁점은 이사의 지위를 어떻게 보느냐에 관한 논쟁이다. 이 논쟁은 1930년대 Berle과 Dodd의 논쟁 이래로 계속되어 오고 있는 쟁점인데, 그 이후에 이를 둘러싸고 각국의 판례와 입법 및 학설이 많이 진행되어 왔기 때문에 이러한 논쟁의 과정이 살펴보고 필자의 소견을 피력하고자 한다. 기업의 사회적 책임을 부정하는 Berle은 이사가 섬겨야 할 사람은 주주라고 주장하였다. 이는 Principal-Agent이론으로서 이사는 주주의 대리인의 지위에 있다는 주주중심주의의 논리이다.[27] 이에 반하여 기업의 사회적 책임의 찬성론자인 Dodd는 경영자인 이사는 주주가 아닌 법인인 회사 자체의 수탁자라고 주장하였다. Dodd는 회사는 그 자체가 독립된 인격이고, 경영자는 주주가 아닌 회사 자체를 섬겨야 할 회사의 수탁자라는 것이다. Dodd는 소유와 경영의 분리는 소유자로부터 회사를 분리시키고 법인인 회사는 다양한 주체에게 봉사할 수 있는 선택권을 갖는다는 견해를 피력하였다.[28] 이사가 회사의 수탁자라고 할 때 회사의 의미는 주주만이 아니고 회사를 둘러싼 다양한 이해관계자의 총화를 의미하는 것이다.

1) 판례의 동향

초기의 미국판례는 이사는 주주의 대리인이라는 입장을 견지하였다. 1919년 Dodge v. Ford Motors Co.판결은 이사가 주주의 대리인이라는 입장을 견지하고 있다.[29] Ford Ford자동차(주)의 소수파주주인 Dodge는 이 사건의 원고로서 이사로 하여금 배당금의 지급을 강제할 것을 요구하는 소송을 제기하였다. 지배

---

26) 안택식, 전게 「재산법연구」, 398면.
27) 최준선, 전게 「성균관법학」, 475면; Adolf A. Berle, Jr., "Corporate Powers as Powers in Trust," 44 Harv. L. Rev. 1049(1931).
28) 최준선, 전게 「성균관법학」, 476면; E. Merrick Dodd, Jr., "For Whom Are Corporate Managers Trustees?," 45 Harv. L. Rev. 1145(1932).
29) 170 N. W. 668(Mich. 1919); 안택식, 전게 「재산법연구」, 385면.

주주인 Henry Ford는 이 사건에 관하여 언론에 다음과 같이 그의 견해를 표명 하였다. 그가 회사의 수익을 일부를 사내유보로 배정한 것은 제철소(smelting plant)를 건립하여 고용을 증진시키고 사원들의 생활수준을 향상시키기 위한 것 이라는 것이다. Dodge는 이러한 Ford의 발언을 근거로 제철소의 건립을 중단 시키고 이익배당을 강제할 것을 그 소송에서 요구하였다. 하급심은 원고의 요구 를 수용하여 Ford로 하여금 이익잉여금으로 추진하는 사업확장을 중단하고 주 주에게 특별배당을 실시할 것을 명하였다.30) 항소심에서 Michigan대법원은 Henry Ford의 증언과 재판절차를 검토하여 다음과 같은 견해를 표명하였다. "Ford씨 및 그의 주주가 일반공중에 대하여 책무를 부담한다는 것과 그에 반대 하는 소수파주주에 대해서도 책무를 부담한다는 것은 의문의 여지가 없다. 그리 고 기업은 주주의 이익을 우선적으로 증진시키기 위하여 조직되었고 영업을 수 행하게 된다. 이사의 권한은 그러한 목적을 위하여 행사된다. 이사의 재량권은 그 목적을 달성하기 위하여 행사되어야 하며, 그 목적을 변경하거나 이익을 감 소시키거나 그 이익을 다른 목적을 위하여 사용함으로써 주주의 배당금을 감소 시키는데 재량권을 남용하여서는 안된다."31) 법원은 Ford사의 사업확장의지에 따라 약 2천만 달러의 이익잉여금의 일부를 그 용도로 사용할 수 있다고 할지 라도, 그 가운데 대부분은 주주에 대한 이익배당금으로 할당해야 하는 것이 이 사의 의무라는 점을 확인하였다. 그러므로 Dodge판결은 이사의 주의의무는 주 주를 위하여 회사이익을 극대화하는 것이라는 점을 표명한 것이라고 볼 수 있 다.32)

미국의 판례는 기본적으로 이사는 주주의 대리인이라는 주주중심주의 입장을 견지하다가 서서히 이사는 주주의 대리인이 아니라 회사 자체의 수탁자라는 입 장으로 변화되었다. 이러한 논리에 따라 이사는 주주에게는 손해가 될지라도 회 사에게 이익이 된다면 회사의 이익을 위해서 행동해야 한다는 입장을 취하게 되 었다. 미국의 판례는 주주중심주의에서 이해관계자중심주의로 이동하는 경향을 띠게 되었는데, 그 대표적인 징표는 적대적 기업매수의 경우에 이사의 재량권을 인정한 1980년대의 판례에서 찾아볼 수 있다. 이러한 판례에서 적대적 기업매수

---

30) 170 N. W. 677-678(Mich. 1919).
31) 170 N. W. 684(Mich. 1919).
32) William T. Allen, "Our Schizophrenic Conception of the Business Corporation," 14 Cardozo L. Rev. 261, 268 (1992); Marks & Miller, op. cit., p. 12.

자가 현재의 주가보다 높은 프리미엄을 붙여 주식의 매수를 제안한 경우에, 이러한 제안이 주주에게 이익이 된다 할지라도 회사의 이익에 반한다면 이사회는 이를 거절할 수 있다. 이러한 이사회의 결정은 경영판단의 원칙에 의하여 법의 보호를 받게 된다. 시가보다 높은 가격으로 제안한 주식매수를 거절한 사유가 기업매수자가 검토하는 기업규모축소, 자본조정 및 경영진의 교체 등으로 인하여 회사의 장기적인 이익에 반한다고 판단하는 경우에 이사회의 결정이 보호를 받는다. 또한 이러한 이사회의 결정으로 인하여 적대적 기업매수 후에 부수적으로 겪게 될 회사의 종업원, 채권자, 경영자 및 다른 이해관계자의 손해를 방지하는 효과도 있다. 적대적 기업매수를 거절함으로 인하여 경영권을 방어하게 되어 이사회에게도 이익이 될 수 있으므로 이사회와 주주 및 이사회와 다른 이해관계인간에 갈등이 발생할 수도 있다.[33]

델라웨어 대법원은 1985년의 Unocal Corp. v. Mesa Petroleum Co.사건[34]에서 적대적 기업매수를 거절한 이사회의 결정에 대하여 특별한 조건을 붙였다. 즉, 이사회의 적대적 기업매수 거절결정이 경영판단의 원칙에 의하여 보호를 받기 위해서는 그러한 기업매수제안이 회사의 존속에 위협이 된다는 것을 이사회가 입증하여야 한다는 것이다.[35] Unocal사건에서 법원은 이사회가 적대적 기업매수제안의 회사에 대한 위협 여부를 판단함에 있어서 채권자, 고객, 종업원 및 지역사회 등에게 위협이 되는지의 여부도 판단하여야 한다는 것이다. 다시 말하면 Unocal판결은 회사의 이익에는 주주뿐만 아니라 그 밖의 회사 이해관계자의 이익이 포함되어야 한다는 견해를 지지한 것으로서, 주주중심주의를 거부한 것으로 이해하여야 한다. 한편 Revlon Inc. v. MacAndrews & Forbes Holdings 사건 판결에서도 Unocal판결에서와 동일하게 적대적 기업매수를 거질한 이사회의 경영판단을 인정하고 있는데 그러한 이사회의 결정이 주주의 이익이 아니라 회사의 이익에 합치하기 때문이며, 그러한 회사의 이익에는 종업원, 고객, 지역사회 등의 이해관계자의 이익이 포함되어야 한다는 것이다.[36] 학설에서도 회사

---

33) Blair/Stout, *op. cit.*, p. 308: 안택식, 전게 「재산법연구」, 403면.
34) 493 A. 2d 946(Del. 1985); 이사는 그가 적대적 기업매수제안을 거절하는 방어적 조치가 그 위협과 관련하여 합리적이라는 것을 소명하여야 한다(Blair/Stout, *op. cit.*, p. 308; 안택식, 전게 「재산법연구」, 404면).
35) Unocal Corp. v. Mesa Petroleum Co. 493 A. 2d 954~955(Del. 1985).
36) Revlon Inc. v. MacAndrews & Forbes Holdings, 506 A. 2d 173, 176(Del. 1986); 이영봉, 「경영판단의 법칙에 관한 연구」, 성균관대 박사논문(1999), 127면.

의 이익은 회사의 다양한 이해관계자들의 이익의 총화로 보는 것이 타당하다는 견해가 있다.[37]

우리나라의 대법원은 회사의 이익과 주주의 이익은 다르다는 견해를 표명하고 있다. 주주에게 이익이 된다 할지라도 회사에게 손해가 된다면 이러한 손해를 방지할 의무가 이사에게 부과되는 것이고, 이를 위반한 경우에는 손해배상책임 또는 배임죄의 구성요건에 해당한다. 이러한 사례를 다룬 몇 가지의 대법원판례가 있는데 우선 한 판례의 원심판결의 요지는 다음과 같다. 즉 "A회사는 피고인 혼자서 주금을 납입한 피고인 1인주주회사이고 그 외 B, C, D 등의 회사도 사실상 피고인 1인주주회사 이었는데 1인회사에 있어서는 회사의 모든 재산은 주식이라는 형식으로 모두 그 1인주주에게 귀속되고 회사의 재산감소는 결국 1인주주 자신의 재산감소와 같게 된다고 볼 수 있는 점에 비추어 그 일인주주가 실질적으로 자신의 소유와 같이 취급하는 재산을 회사용이 아닌 개인적 용도를 위하여 사용하는 경우라 하더라도 그에게 타인의 재물을 불법적으로 영득한다는 의사 즉 횡령의 범위가 있다고 할 수 없으니 본건에 있어서 피고인이 일인주주로서 회사재산을 소비한 것임이 분명한 공소사실부분에 대하여는 그 범의에 대한 입증이 없다"고 판시하여 무죄를 선고하고 있다. 이러한 원심판결에 대하여 대법원은 "원심판시는 법률상 권리의무의 주체로서의 법인격을 갖추고 있는 영리법인을 이윤귀속주체로서의 주주와 동일시하여 자칫 영리법인의 법인격을 부인하는 결과를 초래할 위험이 있을뿐더러 기업경영의 자치적 집단의 무규율성과 기업의 사유화문제가 거론되고 기업 내지 기업인의 사회적 책임이 제고되는 점에서 원심판시는 수긍하기 어려운 것이라고 하지 않을 수 없다"고 판시하고 있다.[38] 이 판결은 1인주식회사라 할지라도 주주의 이익과 회사의 이익을 다른 것이므로 1인주주가 회사재산을 개인적인 용도로 사용하는 경우에는 횡령죄의 구성요건에 해당한다고 판시한 것이다. 이러한 판결의 이유로서 대법원은 기업의 사회적 책임을 거론한 점에 특색이 있다고 하겠다.

이와 유사한 판결로서 삼성에버랜드 전환사채 저가발행에 관한 판결을 들 수 있다. 대법원은 회사가 전환사채를 제3자에게 배정하면서 시가보다 현저하게 저가로 발행한 이사에 대하여 회사의 재산보호의무를 위반한 것으로 인정하여 배

---

37) 이동승, 전게논문, 717면.
38) 대법원 1982.4.13. 80도537.

임죄가 성립하는 것으로 보았다. 동 판결에서 대법원은 "제3자에게 시가보다 현저하게 낮은 가액으로 신주 등을 발행하는 경우에는 시가를 적정하게 반영하여 발행조건을 정하거나 또는 주식의 실질가액을 고려한 적정한 가격에 의하여 발행하는 경우와 비교하여 그 차이에 상당한 만큼 회사의 자산을 증가시키지 못하게 되는 결과가 발생하는데, 이 경우에는 회사법상 공정한 발행가액과 실제 발행가액과의 차액에 발행주식수를 곱하여 산출된 액수만큼 회사가 손해를 입은 것을 보아야 한다. 이와 같이 현저하게 불공정한 가액으로 제3자 배정방식에 의하여 신주 등을 발행하는 행위는 이사의 임무위배행위에 해당하는 것으로서 그로 인하여 회사에 공정한 발행가액과의 차액에 상당하는 자금을 취득하지 못하게 되는 손해를 입힌 이상 이사에 대하여 배임죄의 죄책을 물을 수 있다"고 판시하고 있다. 다만 대법원은 "회사가 기존 주주들에게 지분비율대로 신주 등을 인수할 기회를 부여하였는데도 주주들이 그 인수를 포기함에 따라 발생한 실권주 등을 제3자에게 배정한 결과 회사지분비율에 변화가 생기고, 이 경우 신주 등의 발행가액이 시가보다 현저하게 낮아 그 인수권을 행사하지 아니한 경우 주주들이 보유한 주식의 가치가 희석되어 기존 주주들의 부가 새로이 주주가 된 사람에게 이전되는 효과가 발생하더라도, 그로 인한 불이익은 기존 주주들 자신의 선택에 의한 것뿐이다. 또한 회사의 입장에서 보더라도 … 회사에 유입되는 자금의 규모에 아무런 차이가 없을 것이므로, 이사가 회사에 대한 관계에서 어떠한 임무에 위배하여 손해를 끼쳤다고 볼 수는 없다"고 부기하였다. 39)

대법원의 판결요지는 회사의 이익과 주주의 이익은 다르며 이사는 회사의 이익을 보호하기 위한 임무를 부담한다고 본다. 다만 회사의 이익이란 전체주주의 이익과 동일시해야 하며 제3지에 대한 저가발행으로 주주가 특별한 손해를 본 것이 없으므로 회사의 손해가 없고 따라서 배임죄의 죄책을 물을 수 없다는 의견도 있다.40) 이러한 학설에서는 회사의 이익과 주주의 이익을 동일하게 보는 점에 특색이 있다고 하겠다. 또한 회사의 이익과 주주의 이익이 다르다는 대법원의 입장을 비판하면서 자기거래의 경우 이사회의 승인을 총주주의 승인으로 대체할 수 있다는 판례41)에서는 총주주의 이익을 회사의 이익으로 본 것이므로

39) 대법원 2009.5.29. 2007도4949.
40) 최문희, "주식회사의 법인격의 별개성재론," 「한양법학」 제20권 제4집(한양법학회, 2009), 43면.
41) 대법원 1992.3.31. 91다16310.

대법원의 선례인 회사의 이익과 주주의 이익이 다르다는 입장과는 모순된다고 주장하고 있다.[42] 그러나 자기거래의 경우 이사회의 승인을 주주총회 내지 총주주의 승인으로 대체할 수 있다는 대법원의 판례가 반드시 회사의 이익과 주주의 이익을 동일시한다는 입장을 표명한 것이라고 보기는 어렵다. 주주총회가 이사회의 상부기관이라고 한다면 상부기관의 승인으로 하부기관의 행위를 대체할 수 있는 것이 조직구조에서 가능한 일이기 때문이다. 주주총회 또한 회사의 기관이라고 한다면 주주의 이익만을 위해서 행위할 것이 아니라 회사의 이익을 위해서 행위해야 할 법률적 책임이 있기 때문이다. 주주총회의 의결권은 상법 제361조에 따라 법령과 정관의 범위 내에서 효력을 갖기 때문이다.

2) 입법의 동향

각국의 입법동향을 살펴보면 이사가 회사에 대하여 선관주의의무 또는 충실의무를 부담한다는 의미의 규정을 두고 있다(제382조 제2항, 제382조의3 참조). 이러한 법문의 표현에서 각국의 입법은 주주만이 아니라 회사 자체 또는 회사를 둘러싼 다양한 이해관계자들에게 일정한 의무를 부담하고 있음을 알 수 있다. 다만 이러한 법문의 표현에도 불구하고 이사가 주주의 대리인이고 여기서 회사란 전체주주를 의미한다고 주장하는 학자들도 있다. 그러므로 선관의무 또는 충실의무의 규정만으로는 이사가 주주의 대리인인지 아니면 회사 자체 또는 회사를 둘러싼 다양한 이해관계자들의 수탁자인지가 분명하지 않다. 이러한 논란을 의식하여 각국의 입법은 이사가 회사를 둘러싼 다양한 이해관계자들의 이익을 보호해야 한다는 직접적인 규정을 설정하기 시작하였다. 그 대표적인 예를 살펴보면 다음과 같다.

1983년 캘리포니아주 회사법에서 "이사회, 이사회에 설치된 각종위원회, 개개의 이사 및 임원은 그 지위에 기하여 업무를 집행하는 경우, 회사의 최선의 이익을 검토함에 있어서 회사의 종업원, 거래처, 고객, 회사의 영업소 또는 시설이 있는 지역주민 및 다른 모든 요인을 고려하여야 한다"(§1B)라는 규정이 신설된 것이 그 최초이다. 또 미국의 조지아주 회사법은 다음과 같이 규정하였다. "이사가 각자의 지위에 기하여 의무를 이행하는 경우, 무엇이 회사에 최선의 이익이 되는가를 결정함에 있어서, 이사회, 이사회의 각종 위원회 및 개개의 이사

---

42) 최문희, 전게논문, 31면.

는 회사 또는 주주에 대한 어떠한 행동의 영향을 고려함과 동시에, 종업원, 고객, 거래처, 회사 및 종속회사의 채권자, 회사의 영업소 또는 다른 설비 및 종속회사가 존재하는 지역사회의 이익 및 이사가 적절하다고 생각하는 다른 모든 요인을 고려할 수 있다"(§14-2-202 b 5, 1990).

대부분의 주법은 "고려할 수 있다"(may consider)라는 조문상의 표현에서도 알 수 있는 바와 같이 이사에 대하여 주주 이외의 이해관계자의 이익을 고려할 수 있는 자유재량권을 준다는 점에 특징이 있다. 이에 대한 유일한 예외는 코네티컷주의 규정이다. 즉 "이사는 무엇이 회사에 최선의 이익이 되는가를 합리적으로 결정함에 있어서 다음 사항을 고려하여야 한다(shall consider). (1) 회사의 단기적 이익과 동시에 장기적 이익, (2) 회사의 계속적 독립성에 의하여 그러한 이익이 최선으로 만족시킬 가능성을 포함하여 단기 및 장기의 주주의 이익, (3) 회사의 종업원, 고객, 채권자 및 거래처의 이익, (4) 회사의 영업소 또는 다른 설비가 존재하는 지역사회의 주민을 포함하여 지역사회 및 사회적 요인(Connecticut General Statutes Ann. §33-756, 1997)"이라고 규정하여 이사에게 회사의 이해관계자의 이익을 고려할 것을 강제하고 있다. 그 결과 이해관계자의 이익이 적절히 고려되지 않는 경우 이해관계자는 이사에 대하여 소송을 제기하는 것이 인정된다.[43] 코네티컷주의 입장은 이사의 이해관계자에 대한 책임을 이사의 경영판단의 원칙 내의 자유재량권의 문제로 보지 않고, 경영자의 직무의 사회성을 근거로 경영자에게 사회로부터 기대되는 역할을 부과하는 것이라고 본다.[44]

2006년 영국회사법 제172조는 이사가 이해관계자의 이익을 고려해야 할 것을 규정하고 있다. 그 법문의 내용은 다음과 같다. 즉, "이사는 신의성실에 입각하여 전체로서의 구성원의 이익을 위하여 회사의 성공을 촉진시켜야 하며, 이를 수행함에 있어서 장기적으로 어떤 결정이든 발생할 수 있는 효과들을 고려하여야 한다. 즉, 회사의 종업원의 이익, 공급자 고객 기타의 자와의 회사의 거래관계를 촉진시킬 필요, 지역사회와 환경에 대하여 회사의 활동이 미치는 영향, 회사의 높은 행동기준에 맞는 명성유지의 의향, 그리고 기업의 구성원 간에서 이루어지듯이 공정하게 행동할 필요 등이다." 이러한 영국회사법의 규정을 계몽적

---

43) M.A. Eisenberg, Corporations and Business Associations, 1997, p. 741.
44) 안택식, 전게 「상사법연구」, 167면.

주주중심주의라고 해석하는 견해도 있다. 왜냐하면 "영국 회사법의 규정은 경제
적 효율성과 주주의 투자수익을 강조하는 주주중심주의의 패러다임의 틀 속에
근거하고 있기 때문"이라고 한다. 다만 "전통적인 주주중심주의와 달리 영국의
입법은 이사들이 이해관계자의 이해관계 측면에서 자신들의 의사결정을 정당화
하도록 하고 있고, 영향을 받는 이해관계자의 위험을 공시하도록 하고 있다는
점에서 미국의 이해관계자법보다 진일보한 것으로 보인다"고 주장하고 있다.[45]

　　독일의 경우에는 일반적으로 이사가 주주, 종업원, 채권자 등의 이해관계자
의 이익을 고려하는 것이 당연하다는 견해이다. 1937년 독일주식법에는 "이사는
자기의 책임으로 영업 및 종업원의 복지 또는 국민 및 국가의 공동이익이 요구
하는 바에 따라 회사를 지휘해야 한다"(제70조 제1항)라고 규정하여 이른바 이사
의 기본의무를 명시하고 있다. 그런데 1965년 주식법에 의하여 이것을 "이사는
자기책임으로 회사를 지휘하여야 한다"(제76조 제1항)로 개정하였다. 1937년의
규정이 우연히 나치즘의 지도자원리(Führerprinzip)와 일치하였기 때문에 그 오
해를 피하기 위한 것이 그 개정의 배경이 되고 있다.[46] 그러나 이사의 기본적
의무가 불필요한 것이 아니라, 회사가 이윤추구 이외에 그 주주 및 종업원의 복
지를 고려해야 한다는 것은 복지사회적인 법 및 국가에서는 당연하고 자명한 것
이라는 이유가 그 개정의 실질적 이유가 되고 있다.[47]

　　일본상법 제254조의3(현행 회사법 제355조)의 가안에 따르면 "이사는 주주 및
채권자의 이익을 고려하여 회사를 위하여 성실히 업무를 수행할 의무를 부담한
다"고 규정하였다. 다만 이사가 직접적으로 법률관계를 갖지 않은 주주와 채권
자에 대하여도 충실의무를 부담한다는 것은 상법의 해석으로서는 무리라는 이유
로 최종안에는 "주주 및 채권자의 이익을 고려하여"라는 문구가 삭제되었다. 우
리나라의 1998년 개정상법에서도 이러한 일본 상법을 참고하여 "이사는 법령과
정관의 규정에 따라 회사를 위하여 그 직무를 충실하게 수행하여야 한다"고 정
하였다(제382조의3). 이 규정의 해석에 있어서 이사의 주주, 종업원, 채권자 등의

---

45) 이동승, 전게논문, 721~722면.
46) 정동윤, 전게「회사법」, 6면; Wiedemann, Gsesllschaftsrecht(I), 1980, S. 30.
47) Hefermhl, Leitung der Aktiengesellschaft, Komm. AktG §76, S.23; 慶應義塾大學商法研
　　究會譯, 西獨株式法(Aktiengesetz mit Begründung des Regrierungsentwurfs, Bericht des
　　Rechtsausschusses des Deutschen Bundestags, Verweisungen und Sachverzeichnis),
　　1965, 105面.

이해관계자에 대한 이익보호의무를 규정한 것이라고 보는 견해와[48] 이를 부정하는 견해로[49] 나뉘어 있다.

4. 기업의 사회적 책임의 실현방향

기업의 사회적 책임에 관한 찬반논쟁이 지속되고 있음에도 불구하고 세계 각국의 입법과 국제협약 및 판례 등에서는 기업의 사회적 책임을 실현하기 위한 여러 가지 행보들이 전개되고 있다. 기업의 사회적 책임에 관한 국내외적인 이러한 조류가 형성되어 가고 있는 이유는 기업 내에서 부조리가 제거되지 않고 있고, 이러한 부조리는 기업 외부의 사회에까지 일정한 영향을 미치고 있으므로 이에 대한 대책은 반드시 마련되어야 한다는 것이 국내외적인 여론의 입장이다. 기업 자체가 가지고 있는 사회에 대한 순기능을 부인하는 것은 아니나, 그에 못지않은 부조리가 확대 재생산되고 있다면 그에 대한 대책마련은 기업과 사회의 발전을 위하여 반드시 필요한 조치라고 사료된다. 결국 이러한 대책의 근본에는 기업 내에서 만인이 공감할 수 있는 정의를 이루어야 하며, 그러한 정의가 이루어진다면 기업으로 인한 부조리는 더 이상 사회문제가 될 수 없다고 보는 것이다. 우리나라의 현실에서 기업의 사회적 책임의 실현방향을 살펴보면 다음과 같다.

가. 기업의 사회적 책임에 관한 일반규정의 신설

기업의 사회적 책임에 관한 찬성론과 부정론의 담론은 이제 거의 결론에 이르렀다고 본다. 그 부정론의 논거는 오늘의 기업현실에서 설득력을 갖기 어렵다. 기업이 오로지 주주의 이윤을 추구하기 위한 단체로 보기에는 기업이 차지하는 사회적 역할이 너무 방대해졌기 때문이다. 그러므로 이제는 기업이 이윤추구를 넘어 사회를 이롭게 하고 고양시키기 위한 일정한 역할을 담당해야 한다는 기업의 사회적 책임에 관한 일반규정을 설정해야 한다고 본다. 기업의 사회적 책임 제고를 위한 일반규정의 신설방안으로서는 상법 내에 CSR일반규정을 신설하는 방안이 유력하다.[50] 물론 이사의 책임규정에 이사의 의무의 하나로서 기업의

---

48) 안택식, 전게「상사법연구」, 166면.
49) 최준선, 전게「성균관법학」, 500면.
50) 송호신, 전게논문, 154~156면.

사회적 책임을 삽입하는 방안도 그 대안이 될 수 있다. 이사의 책임에 관한 일반규정으로는 선관주의의무(제382조 제2항), 충실의무(제382조의3)을 들 수 있는데, 이 규정에 빠져 있는 "주주 및 채권자, 지역주민 등의 이익을 고려하여"라는 문구를 삽입하는 방식도 고려할 수 있다.[51]

기업의 사회적 책임에 관한 일반규정의 신설로 기업의 개념에 관한 획기적인 변화를 기대할 수 있다. 오늘날 기업으로 인한 사회문제는 현실에 맞지 않는 낡은 기업개념에 관한 집착하기 때문이다. 기업이 이윤추구단체이기 때문에 이윤추구가 유일한 기업의 사회적 책임이라는 낡은 기업개념은 기업이 사회 속의 일원이며 사회발전을 위한 일정한 책임이 있다는 당연한 사리마저 외면한 무책임하고 부도덕한 발상이다. 기업의 목적은 사회발전을 위하여 새로운 상품과 서비스의 창조에 있으며 이윤은 그러한 인류발전을 위한 창조에 대한 대가이다. 인류발전을 위한 창조에 성공한 기업은 존속할 수 있으나 진부한 상품과 서비스에 고착된 기업은 도태되는 것이 기업의 현실이다. 또한 기업이 그 목적대로 새로운 상품과 서비스의 창조에 성공했다고 할지라도 그로 인하여 사회전반에 피해를 유발하였다면 당연히 그러한 피해에 대한 치유책을 마련하는 것이 기업의 의무이자 책임일 것이다. 또한 기업 본연의 목적인 상품과 서비스의 창조에 기여한 자본가, 노동자 및 경영자에 대하여 그 기여도에 따른 정의로운 분배가 이루어지는 시스템을 마련하는 것도 기업에 부과된 사회적 의무일 것이다. 기업이 그 목적수행에 기여한 지분에 상응하는 분배를 하지 않는다면 그 자체가 정의와 진리에 반하는 것이고 또 하나의 적폐에 불과할 것이다. 이와 같은 비진리와 부정의가 오래 지속되지 않는다는 것은 고금의 이치에 살펴볼 때 당연한 것이다.

한국의 재벌기업은 막강한 기업권력을 가진 사회의 상류층이다. 그러므로 그 권력에 상응하는 사회적 책임 내지는 기업윤리를 실천해야 할 것이다. 그러나 한국의 재벌기업에 대하여 국민들은 대단한 반감 내지는 반기업정서를 가지고 있다. 최근 대한항공의 그 직원에 대한 갑질 및 위법적인 약국경영으로 인한 부당이득에 대한 보도는 국민들을 경악하게 했다. 또한 금호그룹의 부당한 기내식 결손사태[52] 또한 국민들은 실망시키는 갑질에 해당한다. 그 밖에도 대기업의 부

---

51) 정운용, "기업의 사회적 책임제고를 위한 입법론적 제언," 「기업법연구」 제25권 제3호(한국기업법학회, 2011), 191면.
52) 2018. 7. 1. 아시아나 국제선 항공기 51편이 잇따라 지연 운항했는데 그 원인은 항공기에 기내식을 싣지 못했기 때문이었다. 이러한 기내식 결손사태는 기내식 공급업체를 교체하는

당행위는 그 도를 넘어 대개혁을 요구하는 사태로 발전하고 있다. 이러한 기업의 부당행위의 근본적인 원인은 기업이 영리단체라는 법률적 규정에도 기인하고 있음을 부인하기 어렵다. 그러므로 기업이 그 사회적 권력에 상응하는 사회적 책임을 부담해야 한다는 획기적인 발상을 갖도록 기업의 사회적 책임에 관한 일반규정을 설정해야 할 사회적 당위성이 있다고 본다.

나. ESG경영의 정착

기업의 사회적 책임이란 기업이 주주의 영리추구를 넘어서 기업을 둘러싼 이해관계자들의 이해를 고려하는 것이라고 할 수 있다. 기업의 일차적인 목적은 인류에게 이익이 되는 제품과 서비스를 창조하는 것이며 이어서 그러한 창조에 기여한 여러 이해관계자에게 정당한 분배를 하는 것이라고 할 수 있다. 그러나 주주중심주의는 창조에 기여한 여러 당사자 가운데 자본가인 주주에게만 최상의 대우를 하는 것으로서 이는 창조에 기여한 다른 당사자의 이익을 침해하는 것으로서 정의에 반한다 할 것이다.

역사적으로 살피건대, 정의에 반하는 이론은 그 수명이 그리 길지가 못하는 것이 필연적인 귀결이라고 할 수 있다. 최근에 주주중심주의는 그 이론의 부조리에 대하여 많은 반론이 제기되고 있다. 주주중심주의는 기업의 본분인 창조와 생산에 기여한 당사자 가운데 주주의 이익만을 최상으로 도모하고 다른 당사자의 기여분을 인정하지 않는 것으로서 진실에 반한다. 그러나 주주 가운데에서도 다른 주주의 이익을 도외시하고 오로지 지배주주나 지배주주가 선임한 대표이사의 이익만을 도모할 뿐 다른 소수주주의 이익은 존중되지 않고 있다. 그간 주주중심주의에 대하여 꾸순히 반론을 제기해온 이해당사자주의는 주주중심주의의 이러한 부조리에 대하여 통렬히 비판하고 있다.

다음으로 주주중심주의에 대하여 비판하고 있는 최근의 조류 중의 하나는 기관투자자의 행동주의를 들 수 있다. 주주중심주의에서는 지배주주의 이익만을

과정에서 아시아나항공의 준비부족사태로 발생했다. 7월 1일 0시부터 아시아나항공은 기내식 공급업체를 기존 독일 루프트한자 소속 LSG 스카이셰프 코리아에서 소규모기내식업체 샤프트 엔코로 바꾸었다. 신규업체의 업무미숙으로 기내식결손사태가 발생하였는데, 이러한 미숙한 업체를 선정하게 된 것은 박회장이 금호홀딩스가 발행한 1,600억원 규모의 BW의 매입과 관련이 있다고 알려지고 있다. 기내식 사업을 빌미로 금호홀딩스 지원을 요구한 것이 불공정거래행위 및 계열사부당지원행위의 법위반이 될 가능성이 있는 사안이다(김영민, "중국돈 1,600억원 욕심내다가 … 아시아나 희대의 결식사태," 중앙일보, 2018. 7. 2.).

도모할 뿐 다른 소수주주의 이익을 존중되지 않고 있다. 그러나 최근 기관투자자의 지분이 크게 증가함에 따라 기관투자자의 이익을 수호하기 위하여 기관투자자 행동주의가 등장하게 되었다. 주주중심주의에서 지배주주의 이익만을 보호하므로 상대적으로 기관투자자의 이익이 침해를 당하므로 소수주주의 이익을 보호하기 위하여 기관투자자 행동주의가 등장하게 된 것이다. 기관투자자 행동주의는 단순히 보유한 주식의 의결권행사에만 머무르는 것아 아니라 자신이 투자한 기업의 경영활동과 지배구조 개선을 위해 적극적으로 주주권을 행사하는 것을 말한다.53) 기관투자자들은 지배주주의 전횡에 맞서서 지배구조의 투명성을 추구함으로써 주주평등을 추구하고자 하였다. 뿐만 아니라 지배주주의 전횡으로 인한 회사의 리스크를 미연에 방지함으로써 회사의 지속가능성을 추구하고자 하였다.

그러나 기관투자자 행동주의의 이러한 취지에도 불구하고 헤지펀드는 일반적인 기관투자자들과는 달리 몇 몇 회사의 주식을 집중적으로 보유하고 증권규제와 공시의무 등을 회피하며 법적 규제의 외곽에서 활동하는 경향이 있다는 비판이 제기되고 있다.54) 헤지펀드는 경영진에 압력을 가하여 고액배당을 끌어내고, 이를 통해 단기주가를 상승시킨 후 보유주식을 매각하여 투자수익을 취득하는 것을 목적으로 하는 경우가 다수이므로 장기적 기업가치성장에 부정적 영향을 미칠 수 있다. 즉 단기수익 창출을 위해 R&D투자를 줄이도록 요구하는 등 장기적 관점에서의 기업이익을 희생시키며 단기실적주의성향을 가속화시키고 있다.55)

헤지펀드는 투자기업의 지속가능경영에 관심을 갖기 보다는 경영결정에 대한 자신의 피해를 주장하면서 과도한 손해배상을 청구하는 사례가 발생하고 있다. 이러한 헤지펀드의 행동주의는 경영의 지속가능성에 도움이 되지 않고 오히려 경영의 큰 부담으로 작용하고 있다. 벨기에에 본사를 둔 론스타는 지난 2007년 HSBC를 외환은행 매각상대로 삼았지만 무산되자 2012년 하나금융에 외환은행

53) 신석훈, "기관투자자의 ESG(Environment, Social, Governance)요구 강화에 따른 회사법의 쟁점과 과제,"「상사법연구」제38권 제2호(한국상사법학회, 2019), 4면.
54) 신석훈, 상계논문, 4면.
55) 신석훈, 상계논문, 5면; John C. Coffee, "The wolf at the door: The impact of hedge fund activism on corporate goverance," Annals of Corporate Governance, vol.1, no.1, 47(2016).

보유지분 전체를 넘겼다. 론스타는 금융당국이 HSBC에 대한 매각승인을 규정된 심사시간을 넘기도록 부당하게 지연시켰고 하나금융에 매각했을 당시에는 가격을 깎도록 압력을 가했다며 이로 인한 손실 약 46억 8000만달러(약 5조 1,480억원)을 배상하라는 취지의 ISDS 소송을 2012년 11월 제기했다. 미국계 사모펀드 엘리엇(약 8,470억원)과 메이슨(약 2,200억원)이 삼성물산 합병으로 피해를 입었다며 제기한 ISDS의 경우 서면공방을 마쳤다. 이들 사모펀드는 삼성물산과 제일모직 합병과정에서 정부가 부당하게 개입했다고 주장하고 있다.[56]

헤지펀드 행동주의의 문제점을 인식하고 이러한 폐해를 극복하기 위하여 회사가치증진과 장기이익 극대화를 위하여 이사회와 지속적으로 대화하며 주주권한을 적극적으로 행사하는 행동주의가 등장하였다. 이러한 행동주의는 2010년 영국에서 도입하여 전세계적으로 확산되고 있는 스튜어드십 코드현상을 들 수 있다. 그 가운데 미국은 블랙록(Blackrock), 뱅가드(Banguard), 스테이트 스트리트 글로벌 어드바이저스(SSGA) 등 대형 글로벌 자산운용사를 중심으로 구성된 Invester Stewardship Group(ISA)를 통해 2017년 스튜어드십 코드를 도입하였다. 스튜어드십 코드에 따른 관여활동에는 의결권행사, 경영사항에 대한 점검과 이사회 등과의 협의, 주주제안과 소송참여, 회사와의 대화가 포함된다.[57] 우리나라는 2016년 12월 16일 '기관투자자의 수탁자책임에 대한 원칙'이라는 명칭의 한국형 스튜어드십 코드가 민간자율규범 형태로 제정되었다.[58]

스튜어드십 코드를 통하여 헤지펀드와는 달리 기관투자가의 경영관여를 통하여 이해관계자들에 대한 정당한 대우와 기업의 지속가능한 성장을 도모할 수 있다. 사실 그간 기업부조리는 모두 지배주주의 독단적인 전횡에 기인했다고 하여도 과언이 아니다. 최근 남양유업은 동물시험이나 임상시험 등을 서지지 않았음에도 불구하고 불가리스가 코로나19 억제효과가 있는 것처럼 발표하여 파문을 일으켰다. 뿐만 아니라 고위임원인 기획마케팅 총괄본부장은 회사돈을 유용한 혐의로 조사를 받았다.[59] 이러한 기업비리는 모두 지배주주의 비민주적인 전횡

---

56) 서울경제신문, 2021. 9. 14.
57) 김경일, "스튜어드십 코드(Stewardship Code)에 대한 연구," 「상사법연구」 제37권 제3호(한국상사법학회, 2018), 230면; 스튜어드십 코드 제정위원회, "기관투자자의 수탁자 책임에 관한 원칙," 2016. 12. 16., 1면.
58) 김경일, 상게논문, 242면.
59) 뉴시스, 2021. 5. 4.

에서 비롯된 것이라고 할 수 있다. 또한 네이버, 카카오 등 플랫폼 기업의 독과점으로 인하여 서민경제와 골목상권을 침해하고 있는 것이 사회문제가 되고 있다. 이로 인하여 정부가 플랫폼기업의 독과점에 대하여 조사절차에 들어갔고 카카오 이사회 의장이 지주회사격인 케이큐브홀딩스 관련 자료를 제대로 신고하지 않은 정황을 포착했다.[60] 이로 인하여 카카오주식이 폭락했으며 이러한 주가폭락은 결국 소수주주, 근로자 등 이해관계자들의 피해로 이어지고 있다. 이와 같이 지배주주의 전횡은 기업자체의 손실뿐만 아니라 기타의 이해관계자들의 피해를 유발하고 있는 것이다.

스튜어드십 코드에서 한단계 발전한 이론이 ESG경영이론이라고 할 수 있다. ESG경영이론이란 회사의 지배구조(Governance)와 다양한 경영활동과정에서 수반되는 사회적(Social) 및 환경적(Environment) 이슈와 같은 비재무적 요소들이 회사의 재무적 성과에 영향을 미치므로 회사의 경영에 이를 고려하여야 한다는 이론이다. ESG경영이론에서는 ESG를 고려하지 않을 경우 기업의 재무적 실패를 초래할 수도 있다고 본다. 그러므로 기관투자가들은 기업들에게 완전한 ESG 정보공시를 요구하고, 부족한 부분이 나타나면 기업과 대화하거나 주주권에 기초해서 보다 강력한 추가적 조치를 취하기도 한다.

기업의 사회적 책임은 이제 경영에서 선택적 고려사항이 아니라 필수적 고려사항이 되었다. 소비자를 비롯한 거래처 및 일반대중이 일반기업을 바라보는 눈이 과거에 비하여 진실에 가까운 쪽으로 레벨업이 되었다. 기업이 사회의 발전에 도움이 되는 것이 아니라 사회에 해를 끼치는 행동을 할 경우 단순히 비난 가능성만이 있는 것이 아니라 현실적으로 재무적 손실을 가져온다는 것이다. 이러한 현실은 기업에 대한 민도의 향상에 기인한 것이다. 과거에 주주중심주의에서는 주주 이외의 이해당사자를 고려해야 하는 것이 이론적인 수준에 머물렀다면, ESG경영에서는 현실적으로 재무적 리스크를 피하기 위해서는 반드시 이해관계자의 이익을 고려해야 한다는 것이다.

주주중심주의로 인하여 기업은 정상적인 경영상태를 유지하지 못하고 있다. 오늘날 사회에서 발생되고 있는 모든 기업비리는 주주중심주의로 인하여 발생하는 것이라고 하여도 과언이 아니다. 기업은 이제 영리추구와 더불어 환경, 사회

---

60) 조선일보, 2021. 9. 20.

및 지배구조(ESG)문제에 대한 일정한 기여를 하여야 할 것이다. 이것이야말로 미래사회에서 기업이 사회에 정착하여 발전해 나갈 수 있는 방향이다. 최근 연구에 따르면 재무상태가 좋은 기업 가운데 ESG책임을 다하는 기업이 25%에 달하는데 반하여, 재무상태가 좋지 않은 기업 가운데 ESG책임을 다하는 기업은 20%에 불과하였다.[61] 즉 재무상태가 좋은 기업이 ESG책임을 다하고 있다는 실증적 증거이다. 이러한 사례에서도 알 수 있는 바와 같이 ESG책임을 다하여야 기업의 재무상태가 좋아진다는 것을 알 수 있다. 미래기업의 지속적인 발전을 위해서는 기업의 사회적 책임을 다해야 한다고 본다. 또한 ESG지수가 높은 기업에 대해서는 정부가 일정한 규제를 완화하는 등 지원책을 강화하여야 할 것이다.[62]

---

[61] 민재형·김범석, "기업의 ESG노력은 지속가능경영을 위한 당위적 명제인가?," 한국경영과학회 학술대회논문집(2018. 4.), 2029면.

[62] 정부가 해결하고자 노력해온 빈부격차, 노사갈등, 대중소기업격차, 환경오염 등의 문제의 해결을 위한 기업의 자발적 노력에 대한 지표를 평가하고, 그러한 지표가 일정한 수준 이상의 기업에 대하여 정부가 지원하는 방안도 가능하다고 본다. 이러한 지표의 개발을 위하여 ESG경영지표를 활용하는 방안도 가능하다고 본다. 예컨대 경실련 산하 경제정의연구소에서 개발한 KEJI Index에 따르면 ESG의 평가지표는 다음과 같다(이정기·이재혁, "지속가능경영연구의 현황 및 발전방향: ESG평가지표를 중심으로," 「전략경영연구」 제23권 제2호 2020).
환경부문(E) - 환경개선노력, 환경친화성, 위반 및 오염실적
사회부문(S) - 사회공헌도 - 고용평등확대, 사회공헌활동, 국재재정기여
   - 소비자보호 - 소비자권리보호, 소비자관련법준수, 소비자안전
   - 직원만족 - 작업장보건 및 안전, 인적자원개발, 임금 및 복리후생, 노사관계
지배구조부문(G) - 지배구조의 건전성, 투자지출의 건전성, 자본조달의 건전성, 경제력집중, 협력사관계, 금융관련법규준수, 금산분리, 투명성

제 3 절   회사의 능력

이 효 경*

Ⅰ. 회사의 권리능력

회사는 모두 법인이다(제169조). 회사는 법인으로서의 성질상 당연히 자연인인 것을 전제로 하여 인정되는 권리의무(예를 들면, 생명권, 친권, 부양의 의무 등)의 주체가 될 수 없다. 회사는 이러한 제한 이외에 법령에 의한 제한과 정관소정의 목적에 의한 제한을 받는다.

1. 회사의 권리능력의 제한

가. 성질에 의한 제한

회사는 자연인과 다른 존재이기 때문에 자연인임을 전제로 하는 생명권, 친족권, 신체 자유권 내지 상속권 등을 향유할 수 없지만, 다만 수유자의 자격에는 제한이 없으므로 유증을 받을 수 있다.[1] 회사는 법인이므로 자연인에게 특유한 신분상의 권리를 가질 수 없고, 인적개성이 중시되는 상업사용인이 될 수도 없다(통설). 그러나 유한책임사원은 될 수 있다.[2] 회사는 육체적 노무를 제공할 수 없으므로 지배인이나 그 밖의 상업사용인은 될 수 없다. 그러나 노무를 전제로 하지 않는 대리인은 될 수 있으며, 명예권·상호권·사원권과 같은 인격권도 자연인에 한정된 것이 아니므로 회사도 향유할 수 있다. 대리인이나 발기인 또는 유한책임사원 및 주주 등이 될 수는 있다(통설).[3] 여기에 대해 발기인은 회

---

* 충남대학교 법학전문대학원 교수

1) 이철송, 「회사법」 제29판(박영사, 2021), 77면.
2) 임재연, 「회사법Ⅰ」(박영사, 2016), 73면.
3) 이철송, 전게서, 77면; 정동윤, 「상법(상)」 제3판(법문사, 2008), 340면; 최기원, 「상법학신

사의 설립사무에 실제 종사하는 자이므로 법인은 발기인이 될 수 없다는 소수설도 있다.[4] 회사가 다른 회사의 기관(이사, 감사 등)이 될 수 있느냐에 관하여는 의견이 대립되지만, 어차피 실제로 업무집행을 하는 것은 자연인인데 굳이 배후의 회사를 이사로 삼을 이유가 없고, 대표이사는 자연인이어야 한다는 점에 이론이 없는데 만일 이사 전원이 법인이면 곤란하다는 점에서 부정설이 타당하고 다수설이다.[5] 이에 대하여 업무집행을 담당하지 않는 이사는 될 수 있으나 업무집행을 담당하는 이사는 될 수 없다는 절충설[6]과 이사와 감사는 회사의 인적 개성에 의하여 임면되고 직무를 집행하는 자이므로 자연인에 한정되어야 한다는 부정설[7] 등이 있다.[8]

나. 법률에 의한 제한

회사의 법인격은 법률에 의해서 부여되기 때문에, 회사의 개별적인 권리능력 또한 법률에 의하여 제한된다. 회사는 다른 회사의 무한책임사원이 될 수 없다(제173조). 이는 종래 자기의 운명을 다른 회사에 내맡기는 것을 방지하고, 각 회사의 독립성을 유지할 필요가 있다는 데에 그 취지가 있는 것으로 파악되어 왔다. 그러나 회사가 조합(組合)의 조합원이 될 수 있는 것과도 균형이 맞지 않으므로, 입법론적으로 의문의 여지가 있다.[9] 또한 청산회사라도 청산의 목적범위 내에서 존속하기 때문에, 당해 회사의 권리능력은 청산의 목적범위 내로 한정된다(제245조, 제269조, 제287조의45, 제542조, 제613조 제1항). 채무자회생 및 파산에 관한 법률상 파산회사 또한 파산의 목적범위 내에서 존속한다(파산법 제328조).

한편 회사는 민법상 조합원이 될 수는 있으며, 특별법상 특별한 회사(대개 공익사업회사)에 대해 일정한 행위가 금지되는 경우가 있다(은행법 제27조, 제38조 및 보험업법 제10조, 제11조). 그 성격에 대해서 특별법에 의한 권리능력의 제한이라고 보는 견해도 있으나 그렇게 되면 이러한 규제에 위반한 거래는 항상 무

론(상)」 제17판(박영사, 2008), 515면; 최준선, 「회사법」 제16판(삼영사, 2021), 97면.
4) 정찬형, 「상법강의(상)」 제24판(박영사, 2021), 483면.
5) 임재연, 전게서, 74면.
6) 손주찬, 「상법(상)」 제15보정판(박영사, 2004), 466면.
7) 정찬형, 전게서, 483~484면.
8) 임재연, 전게서, 74면.
9) 최준선, 전게서, 96면.

효가 된다는 문제가 있다. 대부분의 규정들은 행정규제의 목적을 달성하기 위한 단속규정에 불과하므로, 설사 위반하더라도 그 행위가 무효가 되는 것은 아니므로 이를 권리능력의 제한이라고 설명하는 것은 타당하지 않다. 다만 당해 규정이 효력규정이어서 이를 위반한 회사의 행위가 무효가 되는 경우에는 이를 권리능력의 제한이라고 설명하더라도 무방할 것이다.[10] 이들 규정에 대하여 단속법규로 볼 것인지 효력법규로 볼 것인지가 문제가 되는데 판례는 이러한 규정들을 일반적으로는 단속규정으로 보지만,[11] 서민보호나 경제질서유지를 위한 경우에는 효력규정으로 보기도 한다.[12]

〈대법원 1997.8.26. 96다36753(동일인한도초과대출−단속규정)〉

동일인에 대한 일정액을 넘는 대출 등을 원칙적으로 금하고 있는 구 상호신용금고법(1995.1.5. 법률 제4867호로 개정되기 전의 것) 제12조의 규정취지는 원래 영리법인인 상호신용금고의 대출업무 등은 그 회사의 자율에 맡기는 것이 원칙이겠지만 그가 갖는 자금중개기능에 따른 공공성 때문에 특정인에 대한 과대한 편중여신을 규제함으로써 보다 많은 사람에게 여신의 기회를 주고자 함에 있으므로, 이 규정은 이른바 단속규정으로 볼 것이고, 따라서 그 한도를 넘어 대출 등이 이루어졌다고 하더라도 사법상의 효력에는 아무런 영향이 없다.

〈대법원 2004.6.11. 2003다1601(채무부담금지 위반−효력규정)〉

구 상호신용금고법(2001.3.28. 법률 제6429호 상호저축은행법으로 개정되기 전의 것) 제18조의2 제4호는 상호신용금고가 대통령령이 정하는 특수한 경우를 제외하고 "채무의 보증 또는 담보의 제공"을 하는 행위를 금지하고 있는 바, 이는 서민과 소규모기업의 금융편의를 도모하고 거래자를 보호하며 신용질서를 유지함으로써 국민경제의 발전에 이바지함을 목적으로 하는(구 상호신용금고법 제1조) 상호신용금고가 경영자의 무분별하고 방만한 채무부

---

10) 송옥렬, 「상법강의」 제11판(홍문사, 2021), 731면. 단속법규로 볼 경우 결과적으로는 이들 법규가 본래 제한하고자 했던 목적을 달성할 수 없을 뿐만 아니라, 때로 일반 공중에게 손해를 미칠 위험도 있기 때문에 일률적으로 단속법규로 보기는 어려운 점도 있을 것이다. 즉 특별법상 개별적 제한규정에 따라 그 제한목적과 일반 공중의 이익을 고려하여 효력규정으로 해석할 경우도 있을 것인바, 이럴 경우 특별법에 의한 권리능력의 제한으로 보게 될 것이다(대법원 1987.12.8. 86다카1230; 1985.11.26. 85다카122 등 참조).

11) 대법원 1997.8.26. 96다36753.

12) 임재연, 전게서, 75면. 대법원 2004.6.11. 2003다1601.

담행위로 인한 자본구조의 악화로 부실화됨으로써 그 업무수행에 차질을 초래하고 신용질서를 어지럽게 하여 서민과 소규모기업 거래자의 이익을 침해하는 사태가 발생함을 미리 방지하려는 데에 그 입법취지가 있다고 할 것이어서 위 규정은 단속규정이 아닌 효력규정이라고 할 것이다.

다. 목적에 의한 제한

회사는 그 목적을 정관에 기재하고 등기해야 한다. 그리고 회사의 목적에는 회사가 영위하는 사업이 무엇인가를 확실히 알 수 있는 정도로 구체적으로 기재해야 하는 것으로 해석된다. 민법 제34조는 법인은 정관상의 목적의 범위 내에서 권리능력을 가진다고 규정하고 있다. 이 규정은 영국법이 일찍이 채용한「능력 외 이론(Ultra Vires Doctrine)」[13]에서 유래한다. 영미법상의「능력 외 이론(Ultra Vires Doctrine)」은 회사의 실체에 관한 전통적인 이론에 의하면 회사는 인간으로 의제되어 그 정관에 정해진 범위 내에서 생명과 능력을 갖는 것으로 간주되었다. 전통적으로 회사의 능력은 회사의 정관에 명시적으로 규정된 회사의 목적에 의하여 제한되었고, 이에 따라 회사는 오직 허락을 받은 활동만을 할 수 있는 것으로 이해되었다. 허락을 받지 아니한 활동에 대하여는 회사의 능력 외 행위(ultra vires: beyond the corporation's power)로서 법원이 이를 집행을 할 수 없는 것(unenforceable)이라 판단하였다. 집행을 할 수 없다 함은 회사에 대하여 이를 강요할 수 없다는 것이니 그것은 회사의 능력 밖의 행위이기 때문

---

13) 회사의 권리능력에 관한 영미법상의 능력 외 이론(Ultra Vires Doctrine)을 살펴볼 필요가 있다. 왜냐하면, 법인이 행사할 수 있는 권리능력의 범위와 관련된 가장 근본적인 내용을 규정하고 있는 현행「민법」제34조는「구민법」제43조와 동일하고 이러한「구민법」, 즉「의용민법」의 규정은 영미회사법상의 능력 외 이론을 일본민법에 도입한 것에 그 기원을 두고 있어서「민법」제34조가 우리「민법」체계 속에서 극소수에 불과한 영미법적 연원을 가지고 있기 때문이다. 나아가 대륙법 체계를 중심으로 형성된 민·상법에서「민법」제34조가 능력 외 이론이라는 흔치 않은 영미법적 요소를 내포하고 있으면서도 나름대로 대륙법체계와 조화롭게 실제의 문제에 해석·적용되어 결국, 법인 내지 법인과 거래한 상대방 중 누구를 우선적으로 보호할 것인가의 가치판단을 내포하고 있기 때문이다. 현재 이 능력 외 이론이 영미 회사법상 상당한 제한을 받았거나 내지 사실상 폐기되었다고 하더라도 위에서 밝힌바와 같이 우리 현행법상 정관의 목적을 해석함에 있어서 이 능력 외 이론은 여전히 의미가 있고, 우리 대법원 판례를 분석함에 있어서도 그 필요성이 크다고 할 것이다. 박정국, "정관상 목적에 의한 회사의 권리능력제한에 관한 소고 - 영미법상의 능력 외 이론을 중심으로 -,"「법학논총」제32권 제1호(전남대학교법학연구소, 2012), 337면. 정관상의 목적과 ultra vires법리에 대하여, 박찬주, "법인의 능력,"「저스티스」통권 제108호(한국법학원, 2008. 12.), 86면 이하.

이다. 또한 이는 회사에 의하여서도 집행이 불가능한 것이니 그것은 능력 (mutuality)이 없기 때문이다. 비교적 근래에 이르기까지 능력 외 이론이 회사법의 중심을 이루었다. 회사의 능력범위를 정관에 열거함으로써 그 능력을 제한한다는 이 능력 외 이론은 국가가 회사의 능력과 회사의 규모를 제한할 수 있는 수단이면서 동시에 경영상의 권한남용으로부터 주주를 보호하기 위한 중요한 도구로 간주되었다.[14] 미국에서도 초기의 판례는 회사의 권한(corporate power)범위에 대하여 기본정관에 명시적으로 기재된 목적으로 제한된다고 해석하였다. 그러나 그 후 기본정관에 명시적으로 기재되지 않았더라도 기재된 목적의 수행에 합리적으로 필요하다고 인정되는 권한도 묵시적으로 포함된다는 묵시적 권한의 원칙(doctrine of implied powers)이 판례에 의하여 인정되기 시작하였다. 나아가 근래의 제정법은 회사에 적용되는 권한을 상세하고 구체적으로 규정함으로써, 기본정관에 기재되었는지의 여부에 불구하고 회사에 광범위한 권한을 부여한다.[15] 이와 같이 정관소정의 목적조항은 영국회사법 및 미국의 개정모범회사법[16]과 대부분의 주회사법에 아직도 명문으로 규정되어 있으며, 정관소정의 목적의 범위를 매우 넓게 인정하고 있기는 하지만 결코 폐지될 움직임은 없다.[17] 우리 현행상법에서는 이 이론의 명시적인 배제규정이 없고, 특히 회사의 정관상 목적을 해석함에 있어서 민법 제34조를 유추 적용하여 권리능력의 제한을 긍정하는 것이 대법원의 원칙적인 입장으로서 우리법상 이 이론은 현재도 여전히 의미를 갖는다고 볼 수 있다.[18]

상법에서는 동 취지의 규정이 없기 때문에 민법 제34조가 회사에도 적용 내지 유추 적용되는지 여부에 학설이 나누어지고 있다. 실제로는 대표이사가 어떤 거래를 한 후에 회사의 목적 범위외의 행위로 무효라는 이유로 회사가 채무이행을 거절할 수 있는지에 대하여 논의가 많다.

---

14) 최준선, "전통적인 능력 외 이론," 「평성임홍근교수정년퇴임기념논문집」, 2003, 56~57면.
15) 임재연, 전게서, 76면.
16) 영국 Companies Act §35; 미국 RMBCA §§3.01(a), 3.02.
17) 최준선, 전게서, 101면.
18) 박정국, 전게논문, 348면.

1) 학 설

정관목적에 의해 회사의 권리능력이 제한되는지에 대해 국내학설은 크게 제한긍정설[19]과 제한부정설[20]로 나뉘어 있다. 이러한 견해 차이는 상법이 정관목적에 의해 회사의 권리능력이 제한된다는 명문규정을 두고 있지 않아 민법 제34조가 상법상의 회사에도 적용 또는 유추 적용되는지의 여부에 대해 해석이 나뉘지기 때문에 생겼다.[21]

가) 제한긍정설

회사도 민법상의 법인과 같이 그 목적에 의해 권리능력이 제한된다는 입장으로, 법인의제설에 입각한 태도라고 볼 수 있다. 주장근거는 다음과 같다.

(1) 민법 제34조는 회사를 포함한 법인일반에 공통되는 기본원칙이므로 상법에 이를 배제하는 규정이 없는 한 회사에도 동 규정이 적용 또는 유추 적용된다.

(2) 법인은 원래 특정한 목적을 위하여 설립되는 인격자이므로 그 목적범위 내에 있어서만 권리의무의 주체가 된다는 것은 법인의 본질에 속하며, 이러한 법인의 본질이 영리법인인 회사에 있어서도 적용되는 것은 일반법인과 다를 바가 없다.

(3) 회사의 목적은 정관의 필요적 기재사항이고(제179조, 제270조, 제289조, 제543조), 또 등기되는데(제180조 제1항, 제271조, 제317조 제2항, 제549조 제2항 제1호), 그 목적에 의한 제한을 받지 않는다면 상법상 등기제도의 근본원칙이 거래의 안전 때문에 배척되어 정당한 사유가 없는 선의자에 대해서까지 회사가

---

19) 최준선, 전게서, 98면; 바윈선, "회사의 권리능력," 「연세행정논총」 제5집(연세대학교 행정대학원, 1987), 148~149면; 박원선, "회사의 목적범위외의 행위," 「고시계」(고시연구, 1965), 29~30면.

20) 강위두·임재호 공저, 「상법강의(상)」 제3전정판(형설출판사, 2009), 411~412면; 손주찬, 전게서, 449~450면; 이기수·최병규·조지현 공저, 「회사법[상법강의Ⅱ]」 제8판(박영사, 2009), 92면; 이철송, 전게서, 79면; 정동윤, 전게서, 342면; 정찬형, 전게서, 459면; 최기원, 「신회사법론」, 제13대정판(박영사, 2009), 85~88면; 권기범, "회사의 권리능력," 「상법논총(인산정희철선생 정년기념논문집)」(박영사, 1985), 106~109면; 정찬형, "회사의 권리능력," 「고시계」 제430호(국가고시학회, 1992), 24~27면; 정찬형, "회사의 권리능력," 「판례월보」 제217호(판례월보사, 1988), 56~58면.; 박정국, 전게논문, 337면 각주3); 홍복기·박세화, 「회사법」, 제8판(법문사, 2021), 64면; 김건식·노혁준·천경훈, 「회사법」 제5판(박영사, 2021), 58면; 김홍기, 「상법강의」 제6판(박영사, 2021), 316면; 장덕조, 「상법강의」 제4판(법문사, 2021), 255면; 송옥렬, 전게서, 732면.

21) 최병규, "회사의 권리능력," 「고시연구」(고시연구사, 2003. 5.), 195면.

대항하지 못하는 결과가 되어 이론상 시인될 수 없다.

(4) 회사재산이 특정한 목적을 위하여 이용될 것을 기대하는 주주의 이익을 보호하는데 중점을 두어야 한다. 회사설립의 기간이 되는 주주의 이익을 소홀히 하게 되면 일반 공중의 투자심리를 저하시키게 되고 따라서 대자본을 흡수해야 할 회사의 설립자체가 곤란해진다.

(5) 회사의 권리능력을 목적에 의해 제한하지 않는다면 회사는 비영리사업을 할 수 있게 되는데, 이는 민법에서 비영리법인의 설립에 허가주의를 채용한(민법 제32조) 제도적 기능을 상실시킬 우려가 있다.

(6) 제한부정설이 그 근거의 하나로 들고 있는 주주의 이익보호를 위한 "주주의 유지청구권"에 관한 규정은 회사의 목적범위의 제한여부와는 아무런 관계가 없고, 또 제한부정설이 들고 있는 "회사의 권리능력은 목적에 의해 제한되지 않거나 또는 그 제한이 완화되어 가고 있다는 비교법적 고찰"은 입법론으로는 참고할 가치가 있겠지만 이로써 우리 상법의 해석론을 좌우할 수는 없다.

나) 제한부정설

회사는 그 목적에 의해 권리능력이 제한되지 않는다는 입장으로, 법인실재설에 입각한 태도라고 볼 수 있다. 주장근거는 다음과 같다.

(1) 민법상의 법인에 관한 규정은 공익법인에 관한 규정으로서 사법일반에 관한 통칙은 아니다. 민법 제34조의 규정은 공익법인에 대하여 영리활동을 금지하기 위하여 정책적으로 인정한 특칙으로서 활동의 범위가 넓은 영리법인에 유추 적용할 것이 아니며, 상법상 민법 제34조를 준용한다는 명문의 규정이 없는 이상 회사의 목적에 의한 권리능력의 제한은 없다고 해석하는 것이 타당하다.

(2) 회사의 목적에 의해 회사의 권리능력을 제한하면 거래의 안전을 심히 해치게 된다. 회사의 활동범위가 대단히 넓은 오늘날의 현실에서 볼 때 거래의 안전을 희생해서까지 사원을 보호할 필요는 없다.

(3) 회사의 권리능력을 목적에 의해 제한하면, 회사가 목적 외의 행위를 해서 성공하면 그냥 그 이익을 자기의 것으로 하지만 손실이 있으면 그 행위의 효력을 부인하게 되어 불성실한 회사에 대하여 책임을 회피할 수 있는 구실을 주게 되고 불필요한 분쟁이 발생하여 거래의 안전을 해할 위험성이 많다.

(4) 회사의 목적은 등기되지만 제3자가 거래할 때마다 이를 확인한다는 것은

번잡하고 또 목적범위에 속하는지의 여부에 대한 판단이 어려워서 거래의 실정에도 맞지 않는다. 따라서 회사의 목적이 등기된다는 사실만으로 이 목적에 의해 회사의 권리능력이 제한된다고 하면, 회사와 거래하는 상대방에게 불측의 손해를 입힐 염려가 있다.

(5) 비교법적으로 볼 때에도 대륙법계에서는 목적에 의해 회사의 권리능력이 제한되지 않으며, 영미법계에서도 목적에 의한 회사의 권리능력제한은 거의 폐지되고 있다.

2) 판 례

판례는 제한설을 취하면서도 목적범위를 매우 넓게 해석함으로써 사실상 무제한설의 입장을 취하고 있다.[22] 즉, "그 목적 범위 내의 행위라 함은 정관에 명시된 목적 자체에 국한되는 것이 아니라 그 목적을 수행함에 있어 직접·간접으로 필요한 행위는 모두 포함되며, 목적수행에 필요한지의 여부는 행위의 객관적 성질에 따라 판단할 것이고 행위자의 주관적 의사에 따라 판단할 것이 아니다"고 하여,[23] 사실상 그 제한을 부정하고 있는 것과 마찬가지이다.[24]

가) 회사의 권리능력이 없어서 무효라고 본 판례(극장위탁경영 손해배상 연대보증 사건)[25]

이 사건은 원고(상고인) 사단법인 철우회가 소외 김규환(1심 공동피고)에게 극장의 경영을 위탁하고 극장의 위탁경영으로 인해 발생되는 손해배상채무에 대해서는 토건업을 운영하는 피고 서광산업주식회사의 대표이사 서봉수가 피고회사를 대표하여 연대보증을 한 행위가 문제된 사안이다. 대법원은 " … 이는(피고회사의 연대보증은) 피고회사의 사업목적범위에 속하지 아니하는 행위로서 피고회사를 위하여 효력이 있는 적법한 보증으로 되지 아니하므로 손해배상책임이 없다."고 판시하였다.[26] 주식회사의 대표이사가 그 회사를 대표하여 그 회사의 사업목적범위에 속하지 아니하는 타인의 손해배상의무를 연대보증한 경우에는, 동

---

22) 최준선, 전게서, 99면.
23) 대법원 1999.10.8. 98다2488 등 다수.
24) 송옥렬, 전게서, 732면.
25) 대법원 1975.12.23. 75다1479; 서울고등법원 1975.5.30. 75나200.
26) 회사의 정관상 목적에 의한 권리능력의 제한에 관한 우리판례를 검토한 논문으로 박정국, 전게논문, 356면.

보증행위는 위 회사에 대하여 효력이 없고 이는 위 회사의 주주 및 이사들이 위 보증의 결의를 하였다고 하여 달라지지 아니한다.[27)]

나) 연대보증을 회사의 목적범위 내의 행위로 허용한 판례(납세보증보험계약 연대보증 사건)[28)]

이 사건은 원고 동문정보통신 주식회사의 지배주주이자 대표이사이던 이용승 및 그 가족이 전 대표이사이던 망 이갑용의 사망으로 인한 원고회사의 주식 등 상속재산에 부과된 상속세납부의무의 연부연납허가를 받기 위하여 피고 서울보증보험 주식회사와 납세보증보험계약을 체결함에 있어서 원고회사가 위 이용승 등을 위하여 피고회사에 대한 연대보증채무를 부담한 행위(이하 '이 사건 연대보증행위'라 한다)는 원고회사의 정관상 목적범위를 벗어난 권리능력범위 밖의 행위로서 무효인가의 여부가 문제된 사안이다. 항소심법원은 "이 사건 연대보증행위는 그 실질 및 객관적 성질상 원고회사를 위한 측면과 아울러 회사와 거래관계 혹은 자본관계에 있는 주채무자(지배주주이자 대표이사이던 이용승 및 그 가족)를 위하여 보증하는 경우와 유사하게 회사의 목적 수행에 간접적으로 필요한 행위로서 원고회사의 목적범위 내의 것으로 봄이 상당하다."고 판시하였고, 대법원도 " … 목적범위 내의 행위라 함은 … 그 판단에 있어서는 거래행위를 업으로 하는 영리법인으로서 회사의 속성과 신속성 및 정형성을 요체로 하는 거래의 안전을 충분히 고려하여야 할 것인바, 회사가 거래관계 또는 자본관계에 있는 주채무자를 위하여 보증하는 등의 행위는 그것이 상법상의 대표권 남용에 해당하여 무효로 될 수 있음은 별론으로 하더라도 그 행위의 객관적 성질에 비추어 특별한 사정이 없는 한 회사의 목적범위 내의 행위라고 보아야 한다."고 판시하였다.[29)]

다) 회사의 권리능력범위 내라고 본 판례(단기금융회사 대표이사 약속어음배서 사건)[30)]

이 사건은 소외 주식회사 광명건설의 대표이사 이수왕이 원고 이충식으로부터 금원을 차용함에 있어서 그 담보로 약속어음을 발행하고, 피고 경일투자금융

---

27) 최준선, 전게서, 100면.
28) 대법원 2005.5.27. 2005다480; 서울고등법원 2004.12.10. 2004나9345. 박정국, 전게논문, 354~355면.
29) 박정국, 전게논문, 354~355면.
30) 대법원 1987.9.8. 86다카1349; 대구고등법원 1986.5.9. 85나1213.

주식회사의 대표이사 김희창이 위 차용금을 보증하기 위하여 피고회사의 명의로
배서하여 원고에게 교부한 행위가 문제된 사안이다. 항소심법원은 상기 사건 Ⅰ
과는 달리 "피고는 단기금융업법에 규정된 어음의 발행·매매·인수 및 어음매
매의 중개를 행할 수 있고 피고의 정관상 목적도 위 업무에 제한되고 있는 점
에 비추어 보면, 단기금융업을 영위하는 피고가 타인의 차용금채무에 대하여 보
증을 하거나 그 목적으로 어음배서를 하여 채무를 부담하는 행위는 피고의 권리
능력 밖의 법률행위로서 효력이 없다."고 판시하였으나, 대법원은 " … 피고가
단기금융업을 영위하는 회사로서 회사의 목적인 어음의 발행·할인·매매·인
수·보증·어음매매의 중개를 함에 있어서 어음의 배서는 행위의 객관적 성질
상 위 목적수행에 직·간접으로 필요한 행위라고 해야 할 것이다."고 하여 대법
원 1987.10.13. 86다카1522와 동일한 취지의 판시를 하였다.[31]

　라) 회사의 권리능력범위 내라고 본 판례(광주산수시장토지매매사건)[32]

　이 사건은 광주산수시장의 점포관리와 그 부대사업을 목적으로 설립된 원고
합자회사가 건축업 등을 목적으로 하는 피고 1 주식회사에 대하여 광주 동구에
소재한 이 사건 토지를 매매한 행위가 원고회사의 정관(정관 제2조는 "원고 회사
는 민영상설시장을 공동투자로 매수하여 시장점포 관리업무와 그 부대사업업무 일체를
수행함을 목적으로 한다."고 규정하고 있다)상 목적범위를 벗어난 것인가의 여부가
문제된 사안이다. 항소심법원은 " … 「상법」에서는 「민법」 제34조와 같은 규정
은 존재하지 않지만, 법인의 권리능력이 정관의 목적범위에 의해서 제한된다는
능력외 이론을 입법에 도입한 「민법」 제34조는 회사에서도 원칙적으로 그대로
적용된다고 해석함이 상당하다. … 원고의 대표자가 존립의 기초인 이 사건 토
지를 처분하는 행위는 원고의 정관(제2조)에 정해신 복적인 시장의 점포관리업
무를 수행할 수 없게 되거나 원고의 존립을 부정하게 되어 실질적으로 원고가
해산되는 것과 같은 결과를 초래하는 사정에 비추어 보면, 이 사건 토지의 매매
행위는 원고의 정관에서 정한 목적의 기재 자체에 비추어 관찰하더라도 객관적
으로나 추상적으로 시장점포 관리업무와 부대사업업무라는 정관의 목적에 필요
한 행위에 해당한다고 볼 수 없으므로 이는 원고 정관의 목적범위를 벗어난 것

31) 박정국, 전게논문, 351면.
32) 대법원 2009.12.10. 2009다63236; 광주고등법원 2009.7.1. 2008나5867; 광주지방법원 2008.
　　8.28. 2007가합4655.

이다."고 판시하였으나, 이와 달리 대법원은 "… 원고는 영리를 목적으로 하는 상법상의 합자회사로서 그 정관(제2조)에서 목적을 이 사건 토지 위에 존재하는 시장건물의 관리업무로 한정하고 있지 아니하여 이 사건 토지를 매도한 후 새로 시장건물을 매수하는 등의 방법으로 계속하여 존속할 수도 있을 것이므로 이 사건 토지를 매도하는 행위가 원고의 목적범위 내에 포함되지 않는다고 단정하기 어려운 점, 특히 … 이 사건 토지를 둘러싼 다수의 법률관계가 형성되어 있어 거래안전의 보호가 강하게 요구되는 점 등에 비추어 보면 … 이 사건 토지를 매도한 행위는 원고의 목적을 수행하는 데 있어 직·간접으로 필요한 행위에 해당한다."고 판시하였다.[33]

즉, 회사의 권리능력은 회사의 설립근거가 된 법률과 회사의 정관상의 목적에 의하여 제한되나 그 목적범위 내의 행위라 함은 정관에 명시된 목적 자체에 국한되는 것이 아니라 그 목적을 수행하는 데 있어 직접·간접으로 필요한 행위는 모두 포함되고 목적수행에 필요한지의 여부는 행위의 객관적 성질에 따라 판단할 것이고 행위자의 주관적·구체적 의사에 따라 판단할 것은 아니라고 하였다.[34]

3) 보증행위의 효력[35]

회사의 보증행위가 목적범위에 포함되는지 여부가 문제되는 경우는 크게 두 가지로 나눌 수 있는데, 법적 판단에서 차이가 있다. ① 우선 회사와 전혀 상관없는 타인의 채무를 보증한 경우이다. 대표이사가 개인적 이유에서 그렇게 한 것이라면 자기거래나 대표권남용에 해당될 가능성이 높지만, 나아가 회사의 목적범위 외의 행위로서 무효가 될 가능성도 있다.[36] 아직 판례가 변경된 것은 아니고, 이후 목적범위를 유연하게 해석하는 판례의 입장에 따르더라도 이러한 행위가 회사의 목적수행에 필요한 행위라고 판단하기는 힘들 것이다. ② 보다 널리 이루어지는 것으로는 회사와 특수관계에 있는 계열사의 채무를 보증하는 경우가 있다. 이 경우에는 일반적으로 회사의 목적범위 내의 행위로 보는 경향이 있다. 명시적인 판단은 아니지만, 계열사를 위한 보증이 문제된 사안에서 권

---

33) 박정국, 전게논문, 349~350면.
34) 대법원 1987.12.8. 86다카1230; 1988.1.19. 86다카1384 등 참조.
35) 송옥렬, 전게서, 733~734면.
36) 대법원 1974.11.26. 74다310; 1975.12.23. 75다1479.

리능력이 없다는 항변을 배척한 대법원판결도 있고,[37] 회사가 대주주의 채무를 보증한 사안을 두고, "회사와 거래관계 혹은 출자관계에 있는 주채무자를 위해서 보증하는 경우"와 같이 회사의 목적수행에 간접적으로 필요하다면 연대보증도 회사의 목적범위 내에 해당한다고 판시한 경우도 있다. 목적범위의 범위를 유연하게 판단하는 판례의 경향을 고려하면, 기업집단에서 이루어지는 보증행위는 회사의 목적수행에 간접적으로 필요한 행위라고 보는 것이 타당하다. 회사가 기업집단에 포함되는 경우에는 회사의 목적 수행이 다른 계열사의 존속여부나 업무수행의 결과에 영향을 받을 수밖에 없기 때문이다. 실제로 우리나라에서는 기업집단 또는 모자회사 관계에서 계열사 사이에 자주 보증이 이루어진다. 이 경우 그 권리능력이 문제되기보다는 사실상 이사 또는 지배주주의 이해상충이 자주 문제가 된다. 대강의 추세는 이러한 보증행위에 대한 규제가 점차로 강화된다고 보면 된다. 이미 상장회사에 있어서 제542조의9 제1항이 계열사에 대한 보증을 사실상 금지하고 있다. 나아가 비상장회사의 경우에도 2011년 개정상법에서는 자기거래의 범위가 확대되어, 계열사 보증은 대부분 자기거래에 해당되므로 주의를 요한다.

〈대법원 1999.10.8. 98다2488(정리회사 회장 연대보증 사건[38])〉

　　이 사건은 피고 고려시멘트제조 주식회사(이하 '정리회사'라고 한다)의 회장인 소외 정애리씨가 평소 보관하던 정리회사 대표이사와 이사들의 인장을 이용하여 임의로 피고회사의 대출금 채무에 대한 연대보증을 의결하는 내용의 이사회 의사록을 작성하여 원고 제일생명보험 주식회사에게 교부한 행위가 문제된 사안이다. 항소심법원은 "이 사건 연대보증 당시 정리회사의 대표이사는 고려시멘트그룹 및 덕산그룹의 계열회사들 간에 경영상의 공조를 도모하기 위하여 위 정애리씨에게 대표이사로서의 권한 중 일부인 보증행위 등에 관한 권한을 위임한 것이지 그 권한을 포괄적으로 위임하여 위 정애리씨로 하여금 정리회사의 업무를 실질적으로 처리하도록 한 것으로 볼 수는 없고, 이 사건 연대보증도 그러한 권한 범위 내에서 이루어진 것이므로 유효하다."고 판시하였고, 대법원도 원심의 판단을 정당하다고 판시하였다.[39]

37) 대법원 1999.10.8. 98다2488.
38) 대법원 1999.10.8. 98다2488; 광주고등법원 1997.12.12. 96나7860.
39) 박정국, 전게논문, 356면.

4) 정관의 목적의 기재와 그 등기의 실익

정관소정의 목적에 의한 권리능력제한을 부정할 때 정관의 목적에 어떤 법적 의미를 부여할 것인가에 대하여는 다음의 견해가 있다.[40)]

가) 내부적 책임설(다수설)

정관상의 목적은 회사의 권리능력이나 대표기관의 권한을 제한하는 것은 아니고, 회사의 기관의 행동범위에 관한 의무 내지 기관의 직무집행에 관한 회사에 대한 의무를 정하는 데 불과하다. 따라서 목적 외의 대표기관의 행위는 그 주의의무, 특히 충실의무(忠實義務: 제382의3 참조)의 위반이 될 수 있을 뿐이다.[41)] 만일 그에 위반하였을 때에는 유지청구권(留止請求權)의 대상이 되거나 기관 개인의 손해배상책임이 발생한다. 따라서 목적위반의 경우는 회사 내부적 책임문제의 대상이라고 한다.[42)]

나) 대표권제한설

정관상의 목적은 회사의 권리능력을 제한하는 것은 아니고 대표기관의 권한을 제한하는 것에 불과하다(민법 제60조 참조). 따라서 목적 외의 행위에 대하여는 악의자(惡意者)에게 이를 대항할 수 있다.[43)]

일단 회사의 목적은 절대적 상업등기사항이고 그 등기를 하면 제3자의 악의가 의제되는 효력이 있으므로(제37조 제2항), 회사는 항상 대항 가능하다. 그럼에도 불구하고, 정관상의 목적을 대표권에 대한 제한이라고 보면 선의자(善意者)에게는 대항하지 못하는 것이 되는데(제209조 제2항, 제269조, 제389조 제3항, 제567조), 이렇게 해석한다면, 목적의 의미에 관하여 제3자의 선의·악의를 따짐으로써 법률관계의 획일적 처리를 저해하고 오히려 거래안전을 해치게 된다. 또 대표권의 제한은 논리적으로 권리능력을 전제로 하여 그 범위 내에서 문제가 되는 것인데, 목적에 의하여 대표권이 제한된다고 하는 것은 논리의 비약이 아닐 수 없다.[44)]

---

40) 최병규, 전게논문, 197~198면.
41) 이균성 외, 「기업법강의」(인텔에듀케이션, 2004), 296면.
42) 최병규, 전게논문, 197~198면.
43) 이균성 외, 전게서, 296면.
44) 이균성 외, 전게서, 296면.

2. 회사의 정치헌금[45)

정관소정의 목적에 의한 권리능력의 제한과 관련해서 회사가 사회복지, 재해구호, 학술·문화진흥 등에 관련하여 기부·조성을 하거나 정당이나 정치가에 대해 정치헌금을 하는 무상지출행위를 하는 것을 어떻게 생각해야 하는가에 대하여 문제가 된다.

이러한 무상지출행위에 대해서는 ① 회사의 권리능력 범위내의 행위라고 할 수 있는지의 여부(행위의 대외적 효력의 문제), ② 이사의 회사에 대한 충실의무 내지 선관주의의무에 위반하지 않은가(대내적 의무·책임의 문제)를 구별하여 검토해야 한다. ①의 관계에서는 당해 지출이 회사의 원활한 발전을 꾀하고 상당한 가치·효과를 불러오는 경우에는 회사의 권리능력 범위내의 행위라고 해석해도 좋고, ②의 관계에서는 지출액이 회사 규모나 경영상태 기타의 사정을 고려하여 합리적인 범위내의 것이어야 하며 그 범위를 넘는 지출은 이사의 의무위반에 해당한다고 해야 할 것이다. 또 회사의 정치헌금에 대해서는 ①②에 부가하여 ③ 회사의 정치헌금은 참정권에 관한 헌법상의 보장규정에 위반하여 민법 제103조의 공서위반(선량한 풍속 기타 사회질서에 위반한 법률행위를 무효)의 행위가 되지 않을까 하는 논점이 있다.

미국의 경우 회사의 목적은 회사의 수익과 그로 인한 주주의 이익을 위하여 사업을 수행하는 것인데, 회사가 사업수행과 직접 관계가 없는 자선단체나 교육기관 등에 대하여 기부행위를 할 권한이 있는지에 관하여 많은 논란이 계속되어 왔다. 20세기 중반에 들어와서 기부행위가 회사의 이익의 극대화에 기여한다거나, 건전한 사회구조를 유지하는 활동은 회사의 장기적인 목적에 부합한다는 이유로 기부행위 자체가 회사의 적법한 목적에 해당한다는 판례가 등장하였고, 현재의 판례는 기업의 사회적 책임, 이사의 신인의무 위반 등과 관련하여 회사에 대한 직접적 이익이 인정되지 않는 경우에도 광범위하게 기부행위를 인정한다.

---

45) 여기에 대한 국내문헌으로는 문정두, "회사의 정치헌금," 「사법행정」(한국사법행정학회, 1985), 58~65면; 양동석, "정치헌금과 회사의 기부," 「비교사법」 제6권 제2호(한국비교사법학회, 1999), 673~677면; 김건식, "會社의 政治獻金 — 야하다製鐵政治獻金事件 判決을 中心으로 —,"「법조」 제35권 제2호(법조협회, 1986), 81~108면; 박세화, "회사의 정치헌금,"「연세법학연구」 제3권 제1호(연세법학회, 1995), 261~306면 등.

나아가 대부분의 주제정법은 DGCL(Delaware General Corporation Law)과 같이 기부행위를 일반적으로 인정하고, RMBCA(Revised Model Business Corporation Act) §3.02도 기본정관에 명시적 반대규정이 없는 한 공공복지, 자선, 과학 또는 교육목적의 기부행위를 할 수 있다고 규정한다. 물론 회사가 자선단체로 될 수는 없으므로 이때에도 합리성이라는 묵시적 제한(implied limit of reasonableness)을 전제로 하는 것이다. ALI PCG(American Law Institute, Principles of Corporate Governance)도 "합리적 제한범위 내에서 회사의 수익이나 주주의 이익을 향상시키는 것이 아니더라도 공공복지, 인도적·교육적·자선적 목적을 위한 기부행위를 허용한다."고 규정한다(ALI PCG §2.01).[46]

일본에서는 회사의 정치헌금에 대하여 정관위반 및 충실의무위반을 이유로 이사의 책임이 추급된 주주대표소송에 있어서 원고주주의 청구가 기각된 이른바 야하다제철 정치헌금사건(八幡製鐵政治獻金事件)이 유명하다.[47]

가. 야하다제철 정치헌금사건 판결[48]

야하다제철 정치헌금사건의 판결을 둘러싸고는 그 문제의 중요성 때문에 수많은 문헌이 공표되어 있고, 사건의 개요나 재판의 경과에 대해서도 널리 알려져 있으나 논의의 진행상 간결하게 정리한다면 다음과 같다. 야하다제철은 1959년 하반기부터 1960년 상반기에 걸쳐 1년간 자유민주당에 대해 1,950만 엔, 그외의 단체·파벌 등에 대해 1억 2,860만 엔의 기부를 하였다. 이에 대해 지방은행 은행장의 지위에 있는 변호사이며 동회사의 주주이기도 한 X는 1960년 4월 14일자로 자민당에 기부된 350만 엔에 대해, 동회사 대표이사 회장이 동회사의 이름으로 행한 기부는 회사의 정관 소정의 사업목적(정관 2조: "철강의 제조 및 판매와 함께 이에 수반되는 사업을 경영하는 것을 목적으로 한다")의 범위 외의 행위이고, 동시에 상법 제254조의2(현행 회사법 제355조)가 정한 임원의 충실의무에도 위반한다고 하여 위 임원들에의 손해배상청구를 내용으로 하는 주주대표소송(상법 제267조(현행 회사법 제847조))을 제기하였다.

---

46) 임재연, 전게서, 78면.
47) 最大判 昭和45年6月24 日民集24卷6号 625面.
48) 야하다제철정치헌금사건에 대하여, 中島茂樹 著·정종섭 譯, "憲法問題로서의 政治獻金: '目的의 範圍 條項과 會社의 政治獻金," 「법학연구」 제42권 제3호 통권 제120호(서울대학교법학연구소, 2001. 9.), 227~232면.

1) 제1심 판결

제1심인 도쿄지방재판소는 회사의 영리성이라는 관점에서 출발하여 회사의 행위를 거래행위(영리행위)와 비거래행위(비영리행위)로 나누고, 비거래행위에 대해 다음과 같이 판시하여 원고의 청구를 인용했다. 가) 무상으로 재산을 出捐하거나 채무를 부담하는 비거래행위는, "본래 대가를 예상하지 않으므로 그것은 항상 영리의 목적에 반하는 행위라고 해야 할 것이고, 따라서, … 특정의 사업목적이 무엇인가 혹은 당해 비거래행위가 그 사업목적을 수행하는 또는 수행하는데 필요한 행위인가 등에 대해 검토할 것까지도 없이, 모든 비거래행위는 영리의 목적에 반하므로 모든 종류의 사업목적의 범위 외에 있다." 나) 단지 천재지변에 대한 구원자금이나 육영사업에의 기부 등, 비거래행위일지라도 예외적으로 총주주의 동의가 기대되는 행위는 "사회적 의무행위"로서, 그것이 합리적 한도를 넘지 않는 한 예외적으로 임원의 책임이 면책된다. 다) 그러나 "정당은, 민주정치에 있어서는 항상 반대당의 존재를 전제로 하는 것이므로 모든 사람이 어느 특정정당에의 정치자금 기부를 사회적 의무라고 느낀다는 것은 결코 일어날 수 없는 일"이므로, 정당에의 기부는 특정 종교에 대한 기부와 마찬가지이고, 사회적 의무행위와 같이 총주주의 동의를 얻을 수 있는 예외적 경우에 해당하는 것은 아니다.

2) 제2심 판결

제2심 판결은 회사의 사회적 존재에 착안하여 영업생활 이외에도 사회의 성원으로서의 생활영역이 존재한다는 관점에서 원판결을 취소하고, 다음과 같이 판시하여 주주의 청구를 기각하였다.

가) 회사는 독립된 사회적 존재로서 개인과 마찬가지로 일반사회의 구성단위를 이루고, 따라서 "사회에 대한 관계 속에서 유용한 행위는 정관에 기재된 사업목적의 여하 및 그 목적달성을 위해 필요 또는 유익한지 여부에 관계없이 당연히 그 목적의 범위에 속하는 행위로서 이를 행할 능력을 갖는다." 나) 정당에 대한 정치헌금도 그 본래의 성질에서 본다면, "정당의 공적 목적을 위한 정치활동을 조성하는 것"으로서, "사회에 대한 관계 속에서 유용한 행위"이고, 따라서 회사의 목적의 범위 내의 행위이다. 다) 다만 "公黨이어야 할 정당주의 정책을

좌우하는 등의 불법적 목적으로 행해진 정치자금 기부는 기부자의 수에 관계없이 공서에 반하여 무효라고 하는 것은 말할 필요도 없으나", 이러한 일반적 사실의 존재에 대해서는 어떤 주장·입증도 제시되어 있지 않으므로 정치헌금을 무효로 판정할 수 없다.

3) 최고재판소 판결

최고재판소는 제2심 판결에 불복한 주주의 상고를 기각하고, 다음과 같이 판시하였다. 가) 회사는 정관 소정의 목적의 범위 내에서 권리능력을 가지나, 정관 소정의 "목적의 범위 내의 행위라고 하는 것은, 정관에 명시된 목적 자체에 국한되는 것"이 아니라, 그 "목적의 수행상 직·간접적으로 필요한 행위라면 모두 여기에 포함"되며, 따라서 어느 행위가 "목적의 범위 내"에 있는지를 판정하는 기준은 당해 행위가 목적수행상 현실적으로 필요하였는지 여부를 가지고 결정할 것은 아니며 "행위의 객관적인 성질에 입각하여 추상적으로 판단하여야 한다." 나) 회사는 "자연인과 동등하게 국가, 지방공공단체, 지역사회와 마찬가지의 구성단위인 사회적 실재"이므로, "어느 행위가 일견 정관 소정의 목적과 관계없는 것처럼 보이더라도 회사에 사회통념상 기대 내지 요청되는 행위인 한, 그 기대 내지 요청에 부응하는 것은 회사가 당연히 행할 수 있는 바이다." 다) 정당은 헌법상 특별한 지위를 갖는 것은 아니나, "의회제 민주주의를 떠받치는 불가결의 요소"이므로, "그 건전한 발전에 협력하는 것은 회사에 대해서도 사회적 실재로서의 당연한 행위로서 기대되는 바이고, 협력의 한 태양으로서의 정치자금 기부 역시 예외는 아니다." 라) 선거권을 비롯한 참정권은 자연인에게만 인정된 것이나, "회사가 납세자의 입장에서 국가나 지방공공단체의 시책에 대해 의견의 표명 등의 행동을 취하였다고 하여도 이것을 금지해야 할 이유는 없다." 뿐만 아니라 "헌법 제3장에 정한 권리"의 행사로서 "회사는 자연인인 국민과 마찬가지로 국가나 정당의 특정 정책을 지지, 추진 또는 반대하는 등의 정치적 행위를 할 자유를 가진다." 정치자금의 기부도 바로 그 자유의 일환으로, "이것을 자연인인 국민에 의한 기부와 별개의 다른 것으로 취급해야 할 헌법상의 요청이 있는 것은 아니다." 마) 정당 자금의 일부가 매수에 충당되는 경우가 있다고 하더라도 그것은 가끔씩 생기는 병리현상에 지나지 않고, "헌법상으로는 공공의 복지에 반하지 않는 한 회사라고 하더라도 정치자금 기부의 자유를 가지며 그렇게 해석하여도 국민의 참정권을 침해하는 것은 아니고, 따라서 민법 제90조 위반의 주장은 그 전제가 결여되어 있다." 바) 회사 구성원의 정치적 신조가 같지는 않다고 하더라도 회사에 의한 정치자금의 기부가 특정 구성원의 이익을 도모하거나 또는 그 정치적 지향을 만족시키기 위하여서가 아니라 "회사의 사회적 역할을 수행하기 위해 행해진 것이라고 인정되는 한 이는 회사의 정관 소정의 목적의 범위 내의 행위이다."

물론 이러한 최고재판소 판결에 대해서는 헌법학상 가) 법인실재론적 견지에서 권리능력을 넓게 파악하여 법인을 자연인과 동일시하여, 자연인의 '정치적 행위의 자유'를 일반적으로 법인인 회사에 인정하였다는 점, 나) 거대한 경제력·영향력을 갖는 회사가 직접 정치과정에 참가하는 것은 국민주권의 원칙과 모순된다는 점, 다) 원래 가치관이 대립하는 정치의 영역에 있어 다수결이나 업무집행기관의 결의를 통하여 법인이 헌금을 하는 것은 주주개인이 갖는 참정권의 자유와 평등을 침해한다는 등의 점에서 신랄한 비판이 행해지고 있는 것은 주지의 사실이다. 그리고 나아가 법인의 '인권'향유주체성의 문제와도 관련되어 "인권주체로서 자연인과 법인을 … 논리상 동일선상에 놓는 것에 의해 결과적으로는 법인의 법적 권리를 사실상 우선시키고 있는" 전형적 사례로 평가하고 있는 것도 일찍이 잘 알려져 있는 바이다.

아무튼 여기에서 야하다제철 정치헌금사건에 대해 본고의 주제에 입각하여 특징적인 점을 지적한다면, 첫째 당해 소송제기에 있어 문제의 중심에 자리 잡고 있는 것이 임원의 충실의무위반이라고 하는 상법 고유의 문제라고 하는 것도 있고 해서 실제로는 개인의 정치적 자유나 시민의 참정권적 권리라고 하는, 본래적으로 민법·상법의 고유의 영역을 벗어난 정치·공법상의 영역에 속하는 문제가 회사의 권리능력론의 장을 말하자면 차용하는 형태로 다투어졌다고 하는 점, 둘째 그 귀결로서 최고재판소는 회사가 자연인과 동등하게 사회의 구성단위인 "사회적 실재"이므로, "특정 행위가 일견 정관 소정의 목적과 관계없는 것처럼 보이더라도 회사에 사회통념상 기대 내지 요청되는 것인 한 그 기대 내지 요청에 부응하는 것은 회사가 당연히 행할 수 있는 바"이고, 의회제민주주의를 떠받치는 불가결의 요소인 정당의 건전한 발전에 협력하여 정치자금을 기부하는 것도 그 예외는 아니며, 정치헌금도 회사의 권리능력 내의 행위로서 결론지은 점, 그 위에서 특히, 셋째 이 권리능력론의 틀 속에서 얻은 결론을 보강하는 논거로서 회사에 의한 정치헌금이 자연인인 국민에게만 인정된 참정권을 침해하고 민법 제90조에 위반되는 것은 아니라는 것을 말하기 위해 "헌법 제3장에 정해진 권리"도 원용하여 회사가 "자연인인 국민과 마찬가지로" "정치적 행위를 행할 자유"를 가진다고까지 판단을 내리고 있다는 점을 들 수 있을 것이다.

이리하여 최고재판소가 '목적의 범위' 조항에 대해, 종래의 판례에서 전개해온 사법상의 거래행위에 관한 사례에 그치지 않고 개인의 정치적 자유나 시민의 참정권적 권리에 관한 사례에도 확대 적용시킨 한도에서는, 회사의 행위는 원칙적으로 모두 회사의 목적의 범위 내에 속한다고 하는 입장을 명확히 한 것이라고 말할 수 있고, 여기에서 「목적의 범위」 조항=권리능력론은 민법·상법학상 '형해화(形骸化)' 내지 '유명무실화'되어 판례 자체에 의해 "실질적으로 폐기된 것과 같다"고 평가되기에 이르렀으며, 헌법학적인 관점에서 보아도 법인이 향유할 수 있는 '인권'의 범위를 획정하는 틀로서는 완전히 파탄된 것이라고 간주해도 좋을 것이다.

나. 일본의 학설

일본에서는 위의 야하다제철 정치헌금사건에 관한 판결 이후로 회사가 정치헌금을 할 수 있는가에 대하여 긍정론과 부정론이 대립하고 있다. 일본의 다수설은 정당에 대한 회사의 정치헌금은 회사의 능력범위 내의 행위라고 해석하며 최고재판소의 판단을 지지하고 있다. 이에 대하여 소수설은 회사의 정치헌금은 야하다제철 정치헌금사건 제1심판결과 같이 회사의 정치헌금은 권리능력범위 외의 행위라고 하여 이를 부정하는 것이다. 특히 회사의 정치헌금이 반사회적 법률행위로서 사법상의 효력을 부정해야 한다는 견해가 있으며, 교육사업이나 육영사업에 대한 기부는 주주 간에 가치관의 대립이 있을 수 없기 때문에 회사의 목적수행에 필요한 행위라고 할 수 있지만 특정 정당이나 종교단체에 하는 기부는 주주 간에 가치관의 대립이 있고 국민이 자유롭고 평등하게 국가의 정치의사 형성에 참여해야 하는 것과도 모순되므로 허용될 수 없다는 견해도 있다.49)50)

---

49) 학설에는 정당에 대한 정치헌금을 회사의 능력외의 행위로 무효로 해석하는 견해(新山雄三, "株式会社企業の『社会的実在性』と政治献金能力," 「岡山大学法学会雑誌」(1991) 40巻3＝4号, 145面; 藤原俊雄, "会社の寄付・献金と権利能力論," 「岡山大学法政研究」(1994) 42巻2号, 264面), 또는 공서양속위반의 행위로서 무효로 해석하는 견해(富山康吉, 「現代商法学の課題」(成文堂, 1975), 123面; 三枝一雄, "会社ののなす政治献金論について," 「法律論叢」 63巻2＝3

한편, 위의 ① 회사의 권리능력 범위 내의 행위라고 할 수 있는지의 여부(행위의 대외적 효력의 문제)의 논점에 대해서 판지는 정치헌금이 회사의 권리능력의 범위내의 행위라는 근거로 사회의 회사에 대한 기대 내지 요청을 강조하고 있지만, 이 부분에 대해서는 회사의 권리능력 범위는 어디까지나 회사의 이익을 기초로 판단되어야 하며, 정치헌금도 회사의 원활한 발전에 상당한 가치·효과를 인정할 수 있기 때문에 회사의 권리능력 범위내의 행위라고 해석해도 좋다고 하여 비판이 강하게 일었다.

위의 ③ 회사의 정치헌금은 참정권에 관한 헌법상의 보장규정에 위반하여 민법 제103조의 공서위반(선량한 풍속 기타 사회질서에 위반한 법률행위를 무효)의 행위가 되지 않을까라는 논점에 대해서는 판지는 회사도 자연인과 마찬가지로 정치적 행위를 할 자유를 가지며, 또 정치헌금에 폐해가 있다고 하더라도 그 규제는 입법정책에 맡겨야 할 것으로서 정치헌금은 헌법 및 민법 제103(일 민법 제90조)에 위반하지 않는다고 한다. 실정법의 해석론으로서 판지의 결론은 어쩔 수 없는 것이라 하더라도 회사와 자연인을 동일하게 취급하여 그 정치적 행동을 적극적으로 용인하는 것과 같은 판지의 표현에는 의문이 제기되고 있다.

또 위의 ② 이사의 회사에 대한 충실의무 내지 선관주의의무에 위반하지 않는가(대내적 의무·책임의 문제)의 논점에 대해서 판지는 이사의 충실의무가 선관주의의무와 같은 성질이라고 하는 전제에 선 다음, 제반 사정을 고려하여 결정한 합리적 범위를 넘은 불합리한 액수의 기부를 하는 것은 이사의 충실의무위반이 되지만, 본건에서는 합리적인 범위를 넘었다고는 할 수 없다고 하고 있다. 만약 합리적인 범위를 넘은 지출을 하여서 회사의 손해액을 얼마라고 평가할 것인지는 검토할 필요가 있다.

대규모 재해 시에 있어서 긴급한 자금·물자의 원조 등 인도상 요청되는 행위는 회사의 목적달성을 위해서 필요 또는 유익한 행위라고 할 수 있을지 여부는 의문이라고 하더라도 회사의 권리능력의 범위 내의 행위라고 해야 할 것이다.

号(1990), 100面가 적지 않다. 江頭憲治郎編, 「会社法コンメンタール」(商事法務, 2008), 88面.

50) 양동석, 전게논문, 676~677면.

다. 우리나라 학설과 판례

1) 학 설

회사는 증여 내지 기부 등의 무상행위(無償行爲)를 하는 경우 그것으로 직접 이익을 얻을 수는 없다. 따라서 회사의 권리능력의 목적에 의한 제한과 관련하여 널리 무상의 기부행위, 특히 정치헌금도 회사의 권리능력의 범위 내에 속한다고 보아야 할 것인가가 문제가 된다.[51] 우리나라는 정치자금에 관한 법률과 법인세법이 회사의 합리적인 정치헌금을 전제로 하는 명문규정을 두고 있으며, 학설도 일본의 다수설과 마찬가지로 정치헌금이 허용된다고 본다.[52] 앞서 살펴본 바와 같이 정관에서 정한 목적에 의하여 회사의 권리능력이 제한되지 않는다는 무제한설에 의하면 회사의 정치헌금·기부행위는 당연히 허용된다. 다만, 회사의 자본이나 경영상태에 비추어 과도한 기부나 헌금은 이사의 주의의무 또는 충실의무 위반으로 인한 손해배상책임의 원인이 될 수 있다. 그리고 제한설에서도 기업의 사회적 책임 면에서 기부행위는 그 금액이 현저히 불합리한 것이 아닌 한 회사의 목적 범위 내의 것으로 본다.[53]

가) 학설의 대립

(1) 인정설(認定說)

(가) 목적에 의한 권리능력 제한긍정설(制限肯定說)의 경우[54]

① 목적의 범위

목적의 범위 내의 행위란 정관에 명시된 목적 자체에 한정되지 않고 목적 달성에 직접·간접으로 필요·유익한 행위도 포함되고, 무상의 기부행위도 이에

---

51) 이하 학설의 대립부분의 정리는 이균성 외, 전게서, 297~299면 인용.
52) 회사의 정치헌금은 일본의 야하다제철 정치헌금사건에 관한 제1심판결과 일본의 소수설이 주장하는 바와 같이 자선·사회·교육사업 등에 기부하는 것과는 다르다. 왜냐하면 특정 정당만의 불균형한 성장을 초래하기 쉽고, 주주로부터 수탁한 회사재산을 가치관이 서로 다른 주주의 의사의 합치가 없이 정치헌금으로 행하여질 수 있기 때문에 국민이 자유롭고 평등하게 국가의 정치의사형성에 참여해야 한다는 원칙과도 모순되기 때문이다. 양동석, 전게논문, 687면.
53) 임재연, 전게서, 78면.
54) 최준선, 전게서, 102면; 박원선, "회사의 권리능력," 「연세행정논총」 제5집(연세대학교 행정대학원, 1987), 148~149면; 박원선, "회사의 목적범위외의 행위," 「고시계」(고시연구, 1965), 29~30면.

속한다.55)

② 목적 달성을 위한 필요성에 관한 판단

㉮ 제1설(회사의 사회적 존재성)

회사의 목적 달성에 필요한 행위인가의 여부는 그 행위의 객관적 성질에 비추어 추상적으로 판단해야 하는데, 회사는 사회의 구성단위인 실체이기 때문에 사회통념상 회사가 그 행위를 할 것으로 기대되거나 요청되는 한 목적 달성에 필요한 행위로 보아야 한다.

㉯ 제2설(회사의 존재목적의 영리성)

목적 달성을 위한 행위의 필요성은 그 추상적 성질에 의하여서가 아니라 회사의 목적 달성에 관한 현실적 필요에 따라 판단하여야 하며, 회사는 이윤추구를 목적으로 하므로 그 영리성은 어느 행위 하나로만 판단할 것이 아니라 전체로서 판단하여야 하고, 그 의미에서 무상의 기부행위 없이는 널리 영리의 실현에 의한 회사의 존속·발전이 실제로 저해되는 것을 회피할 수 없는 일이기 때문에, 그것은 정관상의 목적 달성에 현실적으로 필요·유익한 행위인 것이다.

③ 행위의 허용한도

㉮ 제한설

회사의 규모·자산상태, 기부 상대방 등의 사정을 고려하여 합리적인 범위 내의 것만 허용 된다.

㉯ 무제한설

㉮설에 의하면, 기부의 상대방으로서는 그러한 사정이나 회사의 기부의 누계액(累計額) 등을 알기 어렵기 때문에 그 지위가 불안정하게 된다. 따라서 기부행위의 허용한도는 원칙적으로 인정되지 않으며, 합리적 범위를 초과한 것이 객관적으로 명백하고 상대방이 이를 인식할 수 있는 경우에만 권리능력 범위의 일탈로 취급하여야 할 것이다.

---

55) 제한긍정설을 취하는 입장도 정관상 목적범위를 해석함에 있어서, 과거에는 거래안전보다 회사사원과 채권자의 보호를 위해 엄격한 해석을 해왔으나 오늘날에는 거래안전을 고려하여 목적달성을 위해 직·간접적으로 관련되는 필요·유익한 모든 행위까지 포함되는 것으로 넓게 해석하고 있어 사실상 제한부정설에 접근하고 있는 실정인데, 현재 제한부정설을 취하여 「민법」 제34조가 회사에 적용되지 않는다고 보는 주장이 다수 견해이다. 박정국, 전게논문, 336면.

(나) 목적에 의한 권리능력 제한부정설(制限否定說)의 경우[56]

정관상의 목적에 의한 회사의 권리능력의 제한이 인정되지 않는 이상, 제한 긍정설에서와 같은 논리구성을 할 필요가 없이 기부행위는 당연히 권리능력의 범위 내의 행위로 인정된다. 다만, 그 범위에 관하여는 견해가 대립된다.

① 제1설

합리적 범위 내에서만 인정된다(다수설).[57]

② 제2설

사회통념상의 합리성 내지 응분의 한도를 초과한 경우에도 유효하고, 다만 대표기관의 내부적 책임의 문제가 될 뿐이다.[58]

(2) 부인설(否認說)[59]

(가) 사회적으로 관행화되어 있는 일반 기부행위(예, 재난구호·각종 복지사업 지원·연구지원 등)는 회사의 목적달성에 기여하는 것이므로 권리능력의 범위 내 에 속한다.

(나) 정치적·종교적 기부는 권리능력의 범위를 일탈한 것으로, 인정할 수 없다. 사원마다 그 정치적 신조(信條)와 신앙이 동일하지 않으며, 특히 정치헌금 의 경우 그 성질에 비추어 사회적 폐해 또는 사회질서(社會秩序) 위반(뇌물성·정 치부패의 조장)의 우려가 높기 때문이다(정치헌금의 경우 「사회질서위반설」). 나아 가 영리법인인 회사는 정치헌금을 포함한 정치적 행위는 그 성질상 처음부터 할 수 없는 것이고, 그것이 정관 소정의 목적의 범위 내인가 아닌가를 문제로 삼을 것까지 없다는 견해도 있다(정치헌금에 관한 「성질에 의한 제한설」). 그러나 상법 은 개체의 이익조정을 목적으로 하는 법이고 회사는 영리를 목적으로 하는 존재 이므로, 회사법상으로는 행위의 사회적인 측면보다 회사의 이윤추구 또는 영리

---

56) 강위두·임재호, 전게서, 411~412면; 손주찬, 전게서, 449~450면; 이기수·최병규·조지 현 공저, 전게서, 92면; 이철송, 전게서, 79면; 정동윤, 전게서, 342면; 정찬형, 전게서, 489 면; 최기원, 전게서, 85~88면; 권기범, 전게논문, 106~109면; 정찬형, 전게논문("회사의 권리능력"), 24~27면; 정찬형, 전게논문("회사의 권리능력," 「판례월보」), 56~58면; 박정 국, 전게논문, 337면; 홍복기·박세화, 전게서, 64면.

57) 정동윤, 「회사법」 제7판(법문사, 2002), 54면; 이철송, 전게서, 79면; 채이식, 「상법강의(상)」 (박영사, 1996), 357면.

58) 앞에 언급한 最大判 昭和45年6月24日 民集24卷6号 625面 판례의 소수의견.

59) 末永敏和, 「会社法 − 基礎と展開 −」(中央経済社, 2002), 13面.

성이라는 목적에의 적합성에 따라 판단하여야 할 것이다. 이 점에서 정치적·종교적인 기부도 일반의 기부와 다르지 않다고 본다.

나) 대표기관의 책임

회사의 기부행위능력의 인정여부는 회사의 외부관계의 문제이므로, 대표기관의 책임과는 별개의 문제이다. 회사에 대한 책임은 대외적인 유효·무효와 상관없는 회사 내부의 문제이기 때문이다.

회사에 그 능력이 인정되더라도, 대표기관이 회사의 규모·경영실적 등에 비추어 합리적인 범위를 넘는 기부행위를 한 경우에는, 회사의 대표기관, 특히 주식회사·유한회사의 대표기관의 경우 그 의무위반으로서 회사에 대한 손해배상책임을 부담하거나(제399조, 제567조), 해임사유(제385조, 제567조) 또는 유지청구의 대상(제402조, 제564조의2)이 된다.

2) 판 례

판례는 기부행위가 배임죄에 해당하려면 실질적으로 주주권을 침해한 것이라고 인정되는 정도에 이를 것을 요한다는 입장이다.[60] 또한 회사의 기부행위에 대해서 그 기부행위가 경영자의 사적 이해가 결부되거나 합리성을 결여하였을 때 문제가 된다.[61] 판례에서는 주식회사 이사들이 이사회에서 회사의 주주 중 1인에 대한 기부행위를 결의하면서 기부금의 성격, 기부행위가 회사의 설립 목적과 공익에 미치는 영향, 회사 재정상황에 비추어 본 기부금 액수의 상당성, 회사와 기부상대방의 관계 등에 관해 합리적인 정보를 바탕으로 충분한 검토를 거치지 않았다면, 이사들이 결의에 찬성한 행위는 이사의 선량한 관리자로서의 주의의무에 위배되는 행위에 해당한다고 판시하였다.[62]

〈대법원 2010.5.13. 2010도568(업무상배임)〉

주식회사가 그 재산을 대가없이 타에 기부, 증여하는 것은 주주에 대한 배당의 감소를 가져오게 되어 결과적으로 주주에게 어느 정도의 손해를 가하는 것이 되지만 그것이 배임행위가 되려면 그 회사의 설립목적, 기부금의 성

---

60) 대법원 2010.5.13. 2010도568(업무상배임); 임재연, 전게서, 78면.
61) 장덕조, 전게서, 256면.
62) 대법원 2019.5.16. 2016다260455. 이철송, 전게서, 73면; 장덕조, 전게서, 256면; 송옥렬, 전게서, 735면; 김건식·노혁준·천경훈, 전게서, 49면; 김홍기, 전게서, 622면.

격, 그 기부금이 사회에 끼치는 이익, 그로 인한 주주의 불이익 등을 합목적적으로 판단하여, 그 기부행위가 실질적으로 주주권을 침해한 것이라고 인정되는 정도에 이를 것을 요한다.[63]

⟨대법원 2019.5.16. 2016다260455⟩

카지노사업자인 갑 주식회사의 이사회에서 주주 중 1인인 을 지방자치단체에 대한 기부행위를 결의하였는데, 갑 회사가 이사회 결의에 찬성한 이사인 병 등을 상대로 상법 제399조에 따른 손해배상을 구한 사안에서, 위 이사회 결의는 폐광지역의 경제 진흥을 통한 지역 간 균형발전 및 주민의 생활향상이라는 공익에 기여하기 위한 목적으로 이루어졌고, 기부액이 갑 회사 재무상태에 비추어 과다하다고 보기 어렵다고 하더라도, 기부행위가 폐광지역 전체의 공익 증진에 기여하는 정도와 갑 회사에 주는 이익이 그다지 크지 않고, 기부의 대상 및 사용처에 비추어 공익 달성에 상당한 방법으로 이루어졌다고 보기 어려울 뿐만 아니라 병 등이 이사회에서 결의를 할 당시 위와 같은 점들에 대해 충분히 검토하였다고 보기도 어려우므로, 병 등이 위 결의에 찬성한 것은 이사의 선량한 관리자로서의 주의의무에 위배되는 행위에 해당한다고 본 원심판단을 수긍한 사례.[64]

Ⅱ. 의사능력과 행위능력[65]

회사는 자연인과 같은 육체적 조건을 갖추지 못하므로 자연인으로 구성된 기관을 통하여 활동한다. 따라서 회사의 의사능력, 행위능력은 기관의 구성인 개인의 의사능력, 행위능력을 의미하는데 기관이 존재하는 한 의사능력은 문제되지 않고, 회사에는 무능력제도가 없으므로 기관구성원이 무능력자라도 회사는 항상 행위능력자이다.

---

63) 대법원 2005.6.10. 2005도946; 1985.7.23. 85도480 참조.
64) 대법원 2019.5.16. 2016다260455.
65) 임재연, 전게서, 80면.

Ⅲ. 불법행위능력

종래 법인실재설의 처지에서는 회사의 불법행위능력을 긍정한다. 이에 의하면, 회사의 기관 구성원이 그 직무집행 상 타인에게 손해를 입힌 경우에는 회사 자체의 불법행위(不法行爲)가 된다. 그 이유는 회사의 행위능력이 인정되는 이상 불법행위능력도 당연히 인정하여야 하기 때문이다. 다만, 대표기관과 회사에 대하여 연대책임을 인정하는 것(제210조, 제269조, 제389조 제3항, 제567조)은 피해자의 구제를 철저히 하기 위한 것이라고 한다. 이에 대하여, 법인부인설 또는 법인의제설의 경우에는 법인 자체의 행위를 인정하지 않기 때문에 불법행위능력 또한 인정하지 않는다.[66]

회사의 권리능력을 인정하고 일정한 활동 범위를 긍정하는 것은 회사에게 불법행위 내지 위법행위까지 할 수 있는 능력을 인정하는 것은 아니다. 따라서 회사의 기관, 대표관계 등의 관념은 회사의 적법한 활동을 합리적으로 설명하기 위한 것이라고 하여야 하고, 이를 위법의 불법행위능력의 긍정에까지 확장시킬 성질의 것이 아니다. 이와 같이 볼 때, 대표기관의 불법행위의 경우 별도로 회사의 연대책임을 인정하고 있는 상법의 규정(제210조, 제269조, 제389조 제3항, 제567조)은 민법의 사용자책임(민법 제756조)에 준하는 불법행위법적(不法行爲法的)인 특별규정이라고 하여야 할 것이다. 그리고 회사의 대표기관이 아닌 사용인의 직무집행상의 불법행위에 대하여는, 물론 회사는 사용자로서 손해배상책임을 부담한다(민법 제756조).[67]

〈대법원 2007.5.31. 2005다55473〉
　　주식회사의 대표이사가 업무집행을 하면서 고의 또는 과실에 의한 위법행위로 타인에게 손해를 가한 경우 주식회사는 상법 제389조 제3항, 제210조에 의하여 제3자에게 손해배상책임을 부담하게 되고, 그 대표이사도 민법 제750조 또는 상법 제389조 제3항, 제210조에 의하여 주식회사와 공동불법행위책임을 부담하게 된다.

---

66) 이균성 외, 전게서, 300면.
67) 이균성 외, 전게서, 300면.

〈대법원 2013.6.27. 2011다50165〉

업무집행과 관련하여 고의 또는 과실로 회사의 불법점유 상태를 발생시킨 대표이사 개인에 대하여 회사와 별도로 손해배상책임을 물을 수 있는지 여부(적극): 주식회사의 대표이사가 업무집행을 하면서 고의 또는 과실에 의한 위법행위로 타인에게 손해를 가한 경우 주식회사는 상법 제389조 제3항, 제210조에 의하여 제3자에게 손해배상책임을 부담하게 되고, 그 대표이사도 민법 제750조 또는 상법 제389조 제3항, 제210조에 의하여 주식회사와 연대하여 불법행위책임을 부담하게 된다(대법원 1980.1.15. 선고 79다1230 판결, 대법원 2007.5.31. 선고 2005다55473 판결 참조). 따라서 주식회사의 대표이사가 업무집행과 관련하여 정당한 권한 없이 그 직원으로 하여금 타인의 부동산을 지배·관리하게 하는 등으로 소유자의 사용수익권을 침해하고 있는 경우, 그 부동산의 점유자는 회사일 뿐이고 대표이사 개인은 독자적인 점유자는 아니기 때문에 그 부동산에 대한 인도청구 등의 상대방은 될 수 없다고 하더라도, 고의 또는 과실로 그 부동산에 대한 불법적인 점유상태를 형성·유지한 위법행위로 인한 손해배상책임은 회사와 별도로 부담한다고 보아야 한다. 대표이사 개인이 그 부동산에 대한 점유자가 아니라는 것과 업무집행으로 인하여 회사의 불법점유 상태를 야기하는 등으로 직접 불법행위를 한 행위자로서 손해배상책임을 지는 것은 별개라고 보아야 하기 때문이다.

Ⅳ. 회사의 공법상 능력

회사는 경우에 따라 공법상 권리와 의무의 주체가 될 수 있는바, 행정소송권, 납세의무 등에 있어서 그렇다. 또한 회사는 소송법상 당사자능력이 인정되는 경우가 있으며(민사소송법 제60조, 형사소송법 제27조), 일반적으로 범죄능력은 인정되지 않고 그 법인을 대표하여 사무를 처리하는 자연인인 대표기관이 범죄의 주체가 된다.

〈대법원 1984.10.10. 82도2595 전원합의체(배임)〉

형법 제355조 제2항의 배임죄에 있어서 타인의 사무를 처리할 의무의 주체가 법인이 되는 경우라도 법인은 다만 사법상의 의무주체가 될 뿐 범죄능력이 없는 것이며 그 타인의 사무는 법인을 대표하는 자연인인 대표기관의 의사결정에 따른 대표행위에 의하여 실현될 수밖에 없어 그 대표기관은 마땅히 법인이 타인에 대하여 부담하고 있는 의무내용대로 사무를 처리할 임무가 있다 할 것이므로 법인이 처리할 의무를 지는 타인의 사무에 관하여는 법인이 배임죄의 주체가 될 수 없고 그 법인을 대표하여 사무를 처리하는 자연인인 대표기관이 바로 타인의 사무를 처리하는 자 즉 배임죄의 주체가 된다.

제 4 절 기업지배구조[*]

김 건 식[**]

I. 서 설

기업지배구조(corporate governance)[1]는 회사법과 밀접한 관련이 있다. 회사법은 기업지배구조를 뒷받침하는 핵심 인프라로서 기업지배구조에 관한 논의에서 빼놓을 수 없는 요소이다. 반면에 특정 국가의 기업지배구조는 회사법의 형성과 기능에 영향을 미치는 환경을 구성한다. 따라서 회사법을 적절히 운용하고 개선해나가려면 기업지배구조를 제대로 이해할 필요가 있다. 기업지배구조에 관한 담론은 세계 각국에서 정치, 경제, 사회, 문화의 관점에서 다양한 모습으로 전개되고 있으며 이미 축적된 논의의 성과는 실로 엄청난 규모에 달한다.[2] 그

---

[*] 이 글은 대체로 기업지배구조에 관한 필자의 기존 논문들을 토대로 작성한 것이다. 이들 논문 중 상당수는 김건식, 기업지배구조와 법(소화, 2010)에 수록되어 있다. 또한 이 글의 요약본은 김건식·노혁준·천경훈, 「회사법」 제5판(박영사, 2021), 31~43면에 포함되었으므로 양자 사이에는 상당 부분 중복이 있음을 밝혀둔다.

[참고문헌] 단행본: 김건식 외 번역, 「회사법의 해부」 개정판(소화, 2020); 김건식, 「기업지배구조와 법」(소화, 2010); 김순석, 「기업지배구조」(전남대 출판부, 2012); 김효신, 「주식회사 지배구조의 법리」(경북대 출판부, 2009); 최완진, 「기업지배구조법강의」(한국외대출판부, 2011).

[논문] 권영애, "상장회사와 기업지배구조," 「법학연구」 제20권(연세대학교 법학연구소, 2010), 39면; 김건식, "삼성물산 합병 사례를 통해 본 우리 기업지배구조의 과제 – 법, 제도, 문화," 「BFL」 제74호(서울대학교 금융법센터, 2015. 11.), 83면; 김건식, "회사법의 구조개혁," 「서울대학교 법학」 제28권 제1호(서울대학교 법학연구소, 1987. 4.)(회사법연구(소화, 2010), 34~50면); 양만식, "사회적 책임투자와 기업지배구조," 「기업법연구」 제24권(한국기업법학회, 2010), 197면; 왕순모, "대주식회사법의 구축과 기업지배구조," 「법학논총」 제17권(조선대학교 법학연구소, 2010), 417면; 이상복, "기업지배구조와 기관투자자의 역할," 「기업법연구」 제22권(한국기업법학회, 2008), 247면; 정준혁, "ESG와 회사법의 과제," 「상사법연구」 제40권 제2호(한국상사법학회, 2021. 8.), 13면; 정찬형, "주식회사의 지배구조," 「상사법연구」 제28권 제3호(한국상사법학회, 2009. 11.), 9면; 한철, "지속가능한 발전을 위한 기업지배구조의 개선," 「기업법연구」 제23권(한국기업법학회, 2009), 35면.

[**] 서울대학교 법학전문대학원 명예교수

1) 경우에 따라 기업통치나 기업통합 등의 역어가 사용되기도 한다.

2) 최근 동향을 집대성한 문헌으로 Jefferey N. Gordon & Wolf-Georg Ringe, *The Oxford*

러므로 기업지배구조에 관한 논의의 전체상을 하나의 글로 담아내는 것은 애당초 무리한 일일 수밖에 없다. 이 글은 기업지배구조에 관한 논의를 이 책의 주된 대상인 "회사법"과의 접점을 중심으로 개괄적으로 조망하는 것을 목적으로 한다. 초점은 우리나라 기업지배구조에 맞추지만 워낙 논의 자체가 외국에서 비롯된 것이므로 국제적인 동향도 필요에 따라 간단히 언급하기로 한다. 또한 기업지배구조는 비단 법에만 국한되지 않는 복합적인 현상이라 할 것이므로 회사법을 비롯한 법제도 뿐 아니라 법제도에 영향을 미치는 경제, 경영, 정치와 같은 법외(法外)적 요소도 중요하다. 이 글에서는 회사법에 속하는 개별 제도에 대한 상세한 설명은 가급적 이 책의 다른 글에 맡기고 기업지배구조에 관련된 여러 쟁점들을 거시적 관점에서 검토하기로 한다.

이 글의 구성은 다음과 같다. II에서는 우리 기업지배구조에 대한 본격적인 논의에 앞서 기업지배구조에 관한 국제적인 논의에서 부각된 주요 논점들을 간단히 소개한다. III에서는 우리 기업지배구조의 형성과 전환을 역사적 관점에서 서술한다. 특히 우리 기업지배구조가 어떠한 환경에서 형성되고 1997년 외환위기를 거치면서 어떻게 변화하였는지를 살펴본다. IV에서는 우리 기업지배구조의 현상과 과제를 소유구조, 자금조달, 통제주체와 기업목적, 통제주체에 대한 견제장치라는 네 가지 사항을 중심으로 검토한 후 최근 각광을 받고 있는 ESG논의에 대해서 간단히 살펴본다. V에서는 기업지배구조의 변화에 관한 주관적인 평가와 전망을 제시한다.

II. 기업지배구조 일반론

1. 광의의 기업지배구조와 협의의 기업지배구조

기업지배구조는 다양한 맥락에서 다양한 의미로 사용되는 다면적인 개념이지만 대체로 회사의 운영시스템을 가리키는 것으로 볼 수 있다. 기업지배구조에 관한 논의는 크게 두 가지 시각으로 나누어 볼 수 있다. 먼저 넓은 의미로는 주주뿐 아니라 채권자, 근로자, 소비자 등 기업의 각종 이해관계자(stakeholder)들

Handbook of Corporate Law and Governance (Oxford, 2018).

의 상호관계에 관한 논의를 가리킨다. 기업의 주인은 누구인가, 기업의 목적은 무엇인가라는 일반적인 물음은 그 논의의 대표적인 예이다. 반면 좁은 의미로는 일단 기업의 주인이 주주라는 전제에 입각하여 소유와 경영의 분리로 인한 경영자(또는 지배주주)와 일반 주주 사이의 이익충돌, 즉 경제학에서 말하는 대리문제(agency problem)의 해결에 관한 논의를 가리킨다.

기업지배구조에 관한 기존 담론은 광의와 협의의 논의, 그리고 규범적 논의와 실증적 논의가 서로 얽히고 섞여 다소 혼란스런 면이 없지 않다. 과거에는 좁은 의미의 기업지배구조에 대한 논의가 큰 줄기를 이루었다. 특히 회사법학계의 연구는 거의 전적으로 좁은 의미의 기업지배구조에 집중해온 것이 사실이다. 그러나 대중의 관심은 오히려 넓은 의미의 기업지배구조 쪽으로 쏠리고 있고 최근 국내외적으로 활발한 ESG(Environmental, Social, Governance)에 관한 논의도 그와 밀접한 관련이 있다.

광의의 기업지배구조에 관한 논의는 다양한 이해관계자들 사이의 갈등을 내포하고 있으므로 정치적 색채가 강하고 가치관의 영향을 받을 수밖에 없다.[3] 한 나라의 광의의 기업지배구조는 경제에 대한 정부의 관여도, 산업구조, 노사관계, 언론, 사법제도 등 여러 생태적 요소의 영향을 받는 종속변수이고 이러한 생태적 요소의 밑바닥에는 정치적 힘이 작용하고 있기 때문이다. 광의의 기업지배구조에 관한 논의는 복잡한 이해관계가 작용할 뿐 아니라 객관적 측정도 어렵기 때문에 학문적 논의는 쉽지 않다. 그러나 최근 ESG에 대한 국내외적인 관심을 고려하여 뒤에 따로 간단히 서술하기로 한다.

2. 기업지배구조에 관한 논의의 전개[4]

가. 논의의 출발

좁은 의미의 기업지배구조에 관한 논의는 이미 1930년대부터 모습을 드러낸 바 있다. 소유자인 주주와 경영자사이의 이익충돌은 Berle와 Means가 1932년에

---

3) 주주와 근로자 사이의 대립이 그 대표적인 예라고 할 수 있다. 정치학적 관점에 입각한 대표적인 연구로는 Peter Gourevitch & James Shinn, *Political Power and Corporate Control: The New Global Politics of Corporate Governance* (Princeton, 2005).

4) 이하의 서술은 주로 김건식, "기업지배구조에 관한 최근의 논의에서 무엇을 배울 것인가," 「기업지배구조와 법」(소화, 2010), 30면 이하에 의존하였다.

출간한 명저, '현대회사와 사유재산'의 주된 테마였다.[5] "이사의 의무는 누구를 위한 것인가"라는 넓은 의미의 기업지배구조에 관련된 물음도 이미 비슷한 시기에 제기된 바 있다.[6]

그러나 발상지인 미국에서도 기업지배구조가 계속 주목을 받았던 것은 아니다. 특히 주주 이외의 이해관계자와 회사의 관계에 관한 논의는 별로 관심을 끌지 못하였다. 회사법학계는 좁은 의미의 기업지배구조에 관한 요소인 이사회, 이사의 신인의무(fiduciary duties), 주주대표소송, 적대적 기업인수 등을 연구대상으로 삼았지만 이익충돌이나 대리문제에 대한 대처라는 관점에서 체계적으로 분석되기 시작한 것은 이르게 잡더라도 1970년대 말부터라고 할 수 있다.[7] 미국에서 기업지배구조에 관한 담론이 불붙은 것은 1980년대부터였다. 1990년대에 유럽으로 확산된 그 담론은 1997년 말에 시작된 외환위기를 계기로 우리나라에도 밀려왔고 우리 기업지배구조의 전환을 뒷받침하는 이론적 토대로 활용되었다. 기업지배구조에 관한 논의가 이처럼 단기간에 세력을 얻게 된 배경에는 기업지배구조가 국가경쟁력 내지 경제발전에 영향을 미친다는 믿음이 작용한 것으로 판단된다.

나. 은행중심모델과 자본시장중심모델

과거에는 기업지배구조가 경제발전의 단계에 따라 단선적으로 발전한다고 보는 것이 일반통념이었다고 할 수 있다. 즉 경제발전의 초기단계에는 회사주식의 소유가 지배주주에 집중되지만 경제가 성숙됨에 따라 주식소유의 분산이 진행되고 그 결과 자본시장이 발달할 것이라는 전망이 우세했다.[8] 이런 통념에 따르

---

5) Adolf Berle & Gardiner Means, *The Modern Corporation and Private Property* (1932).

6) Berle와 Dodd 사이에 벌어진 논쟁이 그것이다. Adolf Berle, "Corporate Powers as Powers in Trust," *44 Harvard Law Review* 1049 (1931); E. Merrick Dodd, "For Whom Are Corporate Managers Trustees?," *45 Harvard Law Review* 1145 (1932); Adolf Berle, "For Whom Corporate Managers Are Trustees: A Note," *45 Harvard Law Review* 1365 (1932).

7) 그러한 변화의 실마리를 제공한 선구적인 경제학 논문으로 Michael Jensen & William Meckling, "Theory of the Firm: Managerial Behavior, Agency Costs, and Ownership Structure," *3 J. FIN. ECON.* 305 (1976). 회사법 문헌으로는 Melvin A. Eisenberg, *The Structure of the Corporation* (1976)(우리말 번역으로 송상현·김건식, 「주식회사법리의 새로운 경향」(경문사, 1983))을 들 수 있다.

8) 앞서 언급한 Berle와 Means의 "현대회사와 사유재산"은 물론이고 Clark가 1981년 발표한

면 주식소유가 집중된 회사가 자금조달을 주식시장대신 은행에 의존하는 현상은 후진국 내지 개발도상국에서나 일어날 현상이었다. 그러나 이런 통념으로 설명할 수 없는 것이 바로 일본과 독일의 경제성장이었다. 두 나라는 미국에 못지않은 경제선진국임에도 불구하고 미국과는 전혀 다른 기업지배구조를 바탕으로 하고 있었다. 미국과 달리 일본과 독일에서는 주식소유 집중도가 상대적으로 더 높을 뿐 아니라 기업에 대한 자금공급의 면에서 은행이 자본시장보다는 훨씬 더 중요한 역할을 수행하였다(은행중심모델[9]). 두 나라의 예에 자극을 받아 기존 통념과는 달리 자본주의가 발전하는 경로는 한 가지가 아니라 다른 대안이 있을 수 있다는 인식이 생겨나게 되었다.[10] 나아가 일본이나 독일의 은행중심모델이 오히려 경영자들을 단기이익에 집착하게 만드는 미국식 자본시장중심모델[11]보다 더 우월하지 않은가 하는 의문까지 제기되었다. 그러나 1990년대 초반부터 미국이 두 나라에 비하여 상대적으로 경제가 더 활기를 찾게 되면서 이제는 거꾸로 미국식 기업지배구조에 대한 평가가 다시 높아지기도 했다.[12] 자본시장중심모델에 대한 믿음은 1997년 시작된 아시아 경제위기를 계기로 한층 강화되었으나 2000년대 초의 엔론(Enron) 사태 등 일련의 스캔들에 이어 2008년 세계금융위기를 겪으면서 다소 수그러든 상태이다.

다. 기업지배구조의 수렴에 관한 논의

은행중심모델에 대한 일시적인 선망이 사라짐에 따라 관심은 상이한 기업지배구조의 모델이 장차 하나로 수렴할 것인가의 문제, 즉 취약성이 드러난 은행

자본주의 발전 4단계론도 이러한 전통에 입각한 것이었다. Robert C. Clark, "The Four Stages of Capitialism: Reflections on Investment Management Treatises," *94 Harvard Law Review* 561 (1981).

9) 요즘에는 은행중심모델이란 표현보다는 주식집중모델이란 표현이 더 많이 사용되고 있지만 이곳에서는 같이 사용하기로 한다.

10) 학계에 커다란 반향을 일으킨 Roe의 저서, '강한 경영자, 약한 소유자'는 바로 각국이 이런 상이한 모델로 나아간 것은 경제적인 요인 때문이 아니라 금융기관에 대한 불신과 같은 정치적요인 때문이라는 점을 논증한 것이다. Mark Roe, *The Strong Managers, Weak Owners* (1994).

11) 요즘에는 주식분산모델이란 용어가 더 많이 사용되고 있지만 이곳에서는 양자를 같이 사용하기로 한다.

12) 일본과 독일의 은행중심모델에 대한 대표적인 비판으로 Jonathan R. Macey & Geoffrey P. Miller, "Corporate Governance and Commercial Banking: A Comparative Examination of Germany, Japan, and the United States," *48 Stanford Law Review* 73 (1995).

중심모델이 우위가 확인된 자본시장중심모델로 수렴할 것인지의 문제로 쏠리게 되었다. 수렴긍정론은 각국의 기업지배구조가 결국 주주이익을 중시하는 영미식 모델로 수렴할 것이라고 주장하였다.[13] 그러나 현재 학계에서는 부정적인 견해가 더 우세한 것 같다. 수렴부정론의 근거로는 경제학에서 말하는 경로의존성 (path dependency)을 드는 것이 보통이다.[14] 일단 우연히 한 가지 형태의 기업지배구조가 정착하고 나면 그것을 뒷받침하는 주변적인 요소들이 생성되게 되는데 이러한 주변적인 요소들이 기업지배구조의 변화를 가로막는 요인으로 작용한다는 것이다.

설사 주식소유가 분산된 구조가 보다 효율적이라고 하더라도 주식소유가 집중된 구조에서 분산된 구조로 이행하는 것이 이른바 "경로의존성"(path dependency) 때문에 어렵다는 논리는 다음과 같이 설명할 수 있다. 주식소유가 집중된 구조에서 지배주주는 일반주주와는 달리 여러 가지로 특별한 이익을 누리게 된다. 회사와의 거래를 통해서 회사재산을 빼돌리는 행위(흔히 터널링(tunneling)으로 불림)[15]는 그 대표적인 예이다.[16] 이처럼 지배주주가 누리는 특별한 이익을 보통 "경영권의 사적이익"(private benefit of control)이라고 부른다. 경영권의 사적이익이 전혀 없는 나라는 없을 것이다. 다만 경영권의 사적이익을 억제하는 장치가 작동하는 정도에 따라 그 크기가 다를 뿐이다. 경영권의 사적이익이 큰 나라에서는 지배주주가 회사를 양도할 때 높은 경영권프리미엄을 원할 것이다. 그러나 주식을 분산처분하는 경우에는 경영권프리미엄을 회수할 수 없기 때문에 처분자체를 꺼리게 된다.[17] 또한 지배주주는 자신이 누리는 사적이익을 감소시킬 우려가 있는 개혁조치를 달가워할 리가 없다. 지배주주들은 여론에 대한 영향력이 크기 때문에 지배주주들이 반대하는 개혁을 단행하기는 현실적으로 쉽지 않다.

---

13) 대표적인 견해로는 Henry Hansmann & Reinier Kraakman, "The End of History for Corporate Law," 89 *Georgetown Law Journal* 439 (2001).

14) Lucian Bebchuk & Mark Roe, "A Theory of Path Dependence in Corporate Governance and Ownership," 52 *Stanford Law Review* 127 (1999). 비슷한 주장으로 Amir Licht, The Mother of All Path Dependencies: Toward a Cross-Cultural Theory of Corporate Governance Systems (Working Paper 2000).

15) Simon Johnson et al., Tunnelling, 90 American Economic Review 22 (2000).

16) 이에 관한 일반적인 설명으로는 김건식, "기업집단과 관계자거래," 「상사법연구」 제35권 제2호(한국상사법학회, 2016), 9면.

17) 일반투자자가 경영권에 대한 프리미엄을 지급하려 할 이유는 없기 때문이다.

기업지배구조의 수렴여부를 둘러싼 이런 거대담론은 일시적으로 무성했으나 현재는 열기가 크게 식은 상태이다. 일종의 "이론상의 교착상태"(theoretical stalemate)[18]에 빠진 기업지배구조의 수렴론과는 별도로 기업지배구조에 법이 얼마나 영향을 주는 것인가의 물음에 대해서도 담론이 존재한다.

라. 법역할론

앞서 살펴본 은행중심모델에서는 전문성을 갖춘 은행이 자금제공의 주체가 되므로 주주보호를 과제로 삼는 회사법이 맡을 역할은 별로 크지 않다. 그러나 자본시장중심모델에서는 투자자인 주주 이익의 보호가 관건이므로 회사법이 주목을 받게 된다. 문제는 과연 회사법, 나아가 법제도가 기업지배구조에서 어느 정도로 중요성을 갖는가이다. 재미있는 것은 법제도의 중요성을 강조하는 대표자들이 법학이 아닌 경제학의 전문가라는 사실이다.[19] 흔히 LLSV로 약칭되는 Shleifer를 포함한 4명의 경제학자들은[20] 법을 독립변수로 하고 여러 경제지표를 종속변수로 한 일련의 실증적인 연구를 발표하여 크게 관심을 끌었다. 이들은 특히 회사법의 주된 테마인 소수주주이익보호를 기업지배구조의 중요한 변수로 보고 그것이 제대로 이루어지지 않으면 주식소유의 분산과 자본시장의 발전이 어렵다고 주장하였다.[21] 또한 이들은 소수주주이익의 보호는 대륙법계보다는 영미법계에서 잘 이루어지고 있으며 영미법계가 소수주주보호에서 앞선 이유로는 법의 내용보다 법원에 의한 집행의 실효성을 강조하였다.[22]

---

18) Li-Wen Lin & Curtist J. Milhaupt, We are the (National) Champions: Understanding the Mechanisms of State Capitalism in China (Working Paper No. 409, November 1, 2011), 50.

19) 물론 법학자중에서도 법의 중요성을 강조하는 자가 없는 것은 아니다. Black도 다른 제도와 아울러 법제도의 중요성을 강조하고 있다. Bernard Black, "The Legal and Institutional Preconditions for Strong Securities Markets," *48 UCLA Law Review* 1 (2001).

20) 이들의 이름은 Raphael La Porta, Florencio Lopez-de-Silanes, Andrei Shleifer, Robert Vishny이다.

21) La Porta et al., "Legal Determinants of External Finance," *52 Journal of Finance* 1131 (1997); "Law and Finance," 106 Journal of Political Economy 1113 (1998); "Corporate Ownership Around the World," *54 Journal of Finance* 471 (1999); "Investor Protection and Corporate Governance," *58 Journal of Financial Economics* 3 (2000).

22) 이들이 법의 위상을 강조하였음에도 불구하고 막상 이들을 바라보는 법학자의 시선은 반드시 우호적인 것만은 아니다. 법학자들의 비판은 두 가지로 나누어 볼 수 있다. 첫째, 이들은 회사법규정의 존부에 초점을 맞춘 나머지 그것의 실제 집행여부를 경시하였다. John C.

이들 경제학자와는 달리 기업지배구조를 연구하는 법학자들은 오히려 법제도의 중요성에 회의적인 시각을 갖고 있다. 가장 회의적인 것은 시장이 압력을 대신하기 때문에 법자체는 그리 중요하지 않다는 법경제학자들의 견해이다. 일부학자들은 심지어 회사법의 핵심을 이루는 충실의무와 대표소송도 주주이익보호에는 거의 기여하는 바가 없다고 주장할 정도이다. 시카고식 법경제학을 신봉하지 않는 법학자들도 회사법의 한계를 지적하는 자들은 많다.[23] 또한 경영진의 행동통제에는 법규범보다 또는 그에 못지않게 사회규범이 중요하다는 것을 강조하는 학자들도 있다.[24]

마. 법역할론과 회사법

소수주주를 보호하는 법적장치인 회사법이 기업지배구조의 중요한 요소라는 점은 너무도 당연한 명제로 여겨진다. 소수주주 보호 법제와 주식소유의 분산도 사이에는 통계적으로 상관관계가 존재한다. 그러나 양자 간에 인과관계가 어느쪽으로 작용하는 것인지는 분명치 않다.[25] 즉 소수주주보호장치의 발전 없이는 주식소유의 분산이 이루어질 수 없는 것인지 여부는 분명치 않다. Cheffins교수는 영국에서는 회사법상의 주주보호장치가 미처 정비되지 않은 상태였음에도 불

Coffee, Jr., *Law and the Market: The Impact of Enforcement*, 156 U. PA. L. REV. 229, 250-251(2007). 둘째, 이들이 주주보호에 중요한 것으로 선택한 법규정(예컨대 서면에 의한 의결권행사) 등이 과연 실제로 중요한 것인가에 대해서도 의문이 있다. 예컨대 Holger Spamann, On the Insignificance and/or Endogeneity of La Porta et al.'s 'Anti-Director Rights Index' Under Consistent Coding 68 (John M. Olin Ctr. for Law, Econ. & Bus., Fellows' Discussion Paper Series, Discussion Paper No. 7, March 2006)(http://tinyurl.com/yuk552에서 다운로드가능). 그러나 구체적인 점에서는 여러 가지로 비판할 수 있지만 기업지배구조에서 법이 차지하는 비중이 높다는 어떻게 보면 당연하고도 중요한 명제를 부각시킨 것은 이들의 공적이라고 할 것이다.

23) 예컨대 Mark Roe, The Quality of Corporate Law Argument and its Limits: History's Gaps(Working Paper 2001); Corporate Law's Limits (Working Paper 2001).

24) Melvin A. Eisenberg, "Corporate Law and Social Norms," 99 *Columbia Law Review* 1253 (1999); Robert Cooter & Melvin A. Eisenberg, "Good Agent Character, Fairness, and Efficiency in Firms," 144 *University of Pennsylvania Law Review* 1717 (2001).

25) Bebchuk과 Roe는 소수주주보호가 이루어지더라도 주식소유의 분산은 이루어지지 않을 것이라고 하고 있는데 비하여(Lucian Bebchuk & Mark Roe, "A Theory of Path Dependence in Corporate Governance and Ownership," 52 *Stanford Law Review* 127 (1999)) Coffee는 전에는 법의 역할을 강조하였으나 후에는 법이 먼저 마련되고 나서 주식소유가 분산되기보다는 오히려 주식소유가 분산되면 법이 발달할 것이란 논문을 발표한 바 있다. John C. Coffee, Do Norms Matter?: A Cross-Country Examination of the Private Benefits of Control (Working Paper 2001).

구하고 주식소유의 분산이 자본시장의 발달이 진행되었다고 주장한다.[26] 그에 의하면 회사법 대신 투자자 보호 기능을 수행한 것은 런던증권거래소의 자율규제와 금융기관이었다.[27] 증권거래소의 자율규제나 금융기관도 투자자 보호 기능을 수행할 수 있음은 물론이다. 그러나 법적보호장치가 자본시장 발전의 필수요건이 아니라고 해서 그것을 개선할 필요성까지 부정할 이유는 없을 것이다.

전술한 바와 같이 법경제학을 신봉하는 일부 학자들은 회사법의 한계를 강조한다. 그들은 회사법보다는 자본시장이나 경영권시장과 같은 시장의 압력이 훨씬 더 중요하다고 역설한다. 일단 시장이 제대로 작동하는 단계에 접어들면 경영자들이 회사법보다는 자본시장의 구속을 더 강하게 느낄 수도 있다. 그러나 이런 주장은 자본시장이 부재하거나 미약하여 그것을 강화하고자 하는 나라에는 별 도움이 될 수 없다. 자본시장을 뒷받침하는 요소는 여러 가지이다. 법, 특히 회사법의 뒷받침은 설사 필수적인 요소는 아닐지라도 적어도 하나의 중요한 요소에 해당한다는 점까지 부정할 수는 없을 것이다. 비록 영미와 같이 자본시장이 발달한 일부 국가에서는 법의 역할에 대한 회의론이 의미를 가질 수도 있겠지만 온갖 수단을 동원하여 자본시장 발전을 추구해야 할 우리나라에서는 아직 법, 특히 회사법과 자본시장법을 개선해나가는 노력을 게을리해서는 아니될 것이다.

Ⅲ. 우리 기업지배구조의 형성과 전환 – 역사적 고찰[28]

1. 서 설

지난 반세기 동안 우리 기업지배구조도 상당한 변화를 겪었다. 기업지배구조의 변화는 끊임없이 진행되고 있지만 특히 1997년 경제위기를 하나의 분수령으

---

26) Brian Cheffins, "Does Law Matter? The Separation of Ownership and Control in the United Kingdom," *30 Journal of Legal Studies* 459 (2001).

27) 자율규제기관의 규제가 법을 대체하는 기능을 수행할 수 있다는 점은 Coffee도 지적하고 있다. John Coffee, Convergence and Its Critics: What Are the Preconditions to the Separation of Ownership and Control? p.5 (Working Paper 2000).

28) 이 부분은 김건식, "우리 기업지배구조의 전환," 「기업지배구조와 법」(소화, 2010), 3~27면을 수정보완한 것이다.

로 볼 수 있다.[29] 이 글에서는 1997년 경제위기 이전의 기업지배구조(과거의 기업지배구조)가 형성된 과정과 경제위기로 인한 변화과정을 짚어보기로 한다.

논의를 본격적으로 시작하기 전에 서술의 관점에 대해서 간단히 언급한다. 좁은 의미의 기업지배구조도 상법이나 자본시장법과 같은 법률은 물론이고 정부와 기업 간의 관계, 금융시장, 사법제도와 같은 다양한 환경적요소와 연관이 있다.[30] 기업지배구조를 둘러싼 이런 환경적인 요소들을 통틀어 기업지배구조의 생태계로 부를 수 있을 것이다. 법제도에 변함이 없더라도 생태계의 변화에 따라 현실의 기업지배구조는 달리 작동할 수 있다. 미국의 예를 보더라도 지난 50년간 기업지배구조에 관한 법제에는 그다지 변화가 없었지만 사외이사의 역할이나 적대적 기업인수의 부침 등 기업지배구조의 실제 모습은 크게 달라졌다. 이런 변화는 기관투자자의 성장, 정크본드(junk bond)나 포이즌필(poison pill) 같은 새로운 수단의 개발과 같은 환경적 요인이 작용한 결과라고 할 수 있다. 요컨대 기업지배구조는 이러한 환경적 요인의 종속변수라고 할 수 있다.[31] 따라서 기업지배구조의 변천을 제대로 이해하기 위해서는 그 생태계를 구성하는 다양한 요소들의 움직임에 주목하지 않을 수 없다. 후술하는 바와 같이 우리나라에서도 기업지배구조의 생태계는 끊임없이 변동하고 있다. 어떤 부분은 상전벽해와 같은 변화를 보이는가 하면 다른 부분은 여전히 현상을 유지하고 있기도 하다. 이하에서는 이러한 기업지배구조의 생태계와 기업지배구조의 실상과의 관련, 특히 기업지배구조의 변화를 촉발하고 요소와 그것을 저해하는 요소에 대해서도 간단하게나마 언급하고자 한다.[32]

이하의 서술은 다음과 같은 순서로 진행한다. 먼저 2에서는 과거의 기업지배구조를 형성하는데 결정적인 영향을 미쳤다고 판단되는 개발국가[33](developmental

---

29) 당시에는 국내외적으로 우리 경제위기가 기업지배구조의 실패에도 원인이 있다는 인식이 널리 퍼져있었다. 그러한 견해의 대표적인 예로서 Simon Johnson et al., "Corporate Governance in the Asian Financial Crisis," *58 Journal of Financial Economics* 141 (2000).

30) 넓은 의미의 기업지배구조가 이러한 환경적요소와 밀접한 관련을 갖는다는 점은 두 말할 필요가 없을 것이다.

31) 거꾸로 기업지배구조가 산업조직과 같은 환경적 요인에 영향을 주는 측면도 있을 것이다.

32) 이러한 문제의식은 제도의 변화와 경제성장에 관한 North의 저작(Douglas C. North, *Institutions, Institutional Change and Economic Performance* (1990))에서도 공유되고 있다.

33) 발전국가라고 번역되는 경우도 많다.

state) 모델을 살펴본다. 3에서는 개발국가 모델을 추구한 결과 형성된 과거의 기업지배구조의 주요 특징에 대해서 살펴본다. 4에서는 기업지배구조의 변화를 초래하는 동인과 그러한 변화를 둘러싼 각 이익집단의 반응에 대해서 살펴보기로 한다.

2. 개발국가와 관료의 지배

가. 개발국가모델: 기업지배구조의 환경요소

앞서 지적한 바와 같이 기업지배구조는 다양한 환경적인 요인에 의하여 영향을 받는 종속변수이다. 과거 우리 기업지배구조의 형성에 영향을 미친 여러 환경적인 요인 중 가장 중요한 것은 당시 우리나라의 개발국가적 성격이라고 할 것이다.[34] 특히 1960년대와 1970년대의 우리나라는 정부주도로 경제개발을 추구한 이른바 개발국가로 규정할 수 있을 것이다.[35] 1961년 쿠데타에 의하여 집권한 군사정권은 취약한 정통성을 보완하는 방안으로 국민들에게 경제개발을 약속했다. 국가목표로 제시된 경제개발은 빈곤에 시달리던 국민들의 폭넓은 지지를 받았다.

나. 개발국가와 관료의 지배

1960년대 우리나라는 경제개발을 뒷받침할 만한 제도적 인프라는 미처 갖추지 못한 상태였다. 정부 수립에 이어서 바로 6.25 동란을 맞는 바람에 법과 제도는 미비했고 법치주의와 시장경제의 경험 있는 인력도 거의 없었다. 이런 상황에서 정부는 결국 관료집단에 의존할 수밖에 없었다. 관료주도의 경제운용은 일찍부터 우리 경제시스템의 뚜렷한 특징으로 자리잡게 되었다.

관료의 역할이 두드러졌지만 그렇다고 해서 민간 기업의 역할이 없었던 것은 아니다. 정부가 주도하면서도 민간의 인센티브를 적극 활용했다는 점에서 우리 경제체제는 사회주의체제와 차이를 보였다. 관료의 역할은 주로 국가적으로 지

---

34) 정부주도의 경제개발을 추구한 개발국가에 대해서 상세한 것은 Meredith Woo-Cummings ed., *Developmental State* (1999).

35) 물론 1960년대 전에도 그것이 목표가 아니었다고 할 수는 없다. 그러나 해방 후 625를 거쳐서 1950년대까지는 독립과 생존이 주된 과제였고 장기적인 계획을 세울만한 안정을 얻지 못했다. 1960년에 들어서 비로소 경제개발이 주된 과제로 등장하였다.

원할 전략산업을 정하고 그에 대한 투자를 유도하기 위하여 각종 지원을 제공하는데 집중되었다. 1960년대에는 주로 수입대체품이나 수출품을 생산하는 경공업에 집중된 정부지원이 70년대 후반부터는 중화학공업으로 옮겨갔다. 지원은 여러 형태로 이루어졌으나 가장 중요한 것은 값싼 자금을 제공하는 것이었다(이른바 정책금융). 이 기간 중 정부는 금융자원 배분에 깊숙이 관여하였다. 이처럼 정부가 경제운용에 간섭하다보니 기업이 부실에 빠지더라도 그대로 방관할 수는 없었다. 정부는 금융기관에 압력을 가해 구제금융에 나서게 하거나 다른 기업에 각종 특혜를 얹어서 인수시키는 방식으로 부실기업을 정리하였다.[36] 심지어 1972년에는 기업의 사채(私債)부담을 덜어주기 위하여 만기를 연장하고 이자를 인하하는 파격적인 구제조치를 단행하기도 했다(이른바 8.3조치).

이처럼 경제운영과정에서 관료가 앞장서다 보니 상대적으로 입법부와 사법부는 뒷전으로 밀릴 수밖에 없었다. 국회의원들은 전문인력의 보좌를 받지 못했기 때문에 설사 입법에 관심이 있다 해도 적극적으로 나서기 어려웠다. 그리하여 실제 입법기능도 입법부가 아닌 행정부가 주도했다. 관료가 만든 법의 내용이 관료의 편의에 치우친 것은 당연했다. 특히 경제분야 입법에서는 실체적인 내용을 하위법령에 미루는 위임입법이 광범하게 이루어졌다. 또한 관료의 개입에 대해서는 소송으로 다툴 수 있는 여지도 제한되었을 뿐 아니라 실제로 소송으로 가는 예도 극히 드물었다. 따라서 사법부가 제동을 걸 수 있는 여지도 거의 없었다.

다. 관료의 지배에 대한 평가

관료기 주축이 된 개발국가의 역사적 공과에 대해서는 아직도 평가가 엇갈리고 있다.[37] 그러나 적어도 본래 의도했던 경제개발의 측면에서는 성공적이었음을 부인할 수 없을 것이다. 관료중심 개발국가 모델이 우리나라에서 성공을 거둔 이유로는 다음과 같은 것들을 들 수 있을 것이다. ① 적어도 엘리트 관료는 사회의 다른 부문, 특히 민간기업의 인재들에 비하여 유능했고 비교적 청렴했다. ② 당시 우리 경제가 나갈 방향은 비교적 명확했다. 특별한 자원과 기술 없이

---

36) 1979년에서 1983년 사이에 행해진 중화학공업구조조정은 그 대표적인 예에 불과하다.
37) 특히 외국학자들 중에는 긍정적 평가를 내리는 자가 많다. 예컨대 Alice Amsden, *Asia's Next Giant: South Korea and Late Industrialization* (1989).

노동력만 풍부했던 당시에는 일본처럼 수출지향정책을 채택하는 것 말고 달리 대안을 생각하기 어려웠다. 그리하여 해외에서 자본과 기술을 도입하여 국내의 노동력으로 생산한 저가의 제품을 해외시장에 수출하는 비교적 단순하고도 위험도가 낮은 전략을 택했다. ③ 관료의 지배는 집권층을 비롯한 주요 이익집단의 이해에도 부합했다. 사전에 결정한 게임의 규칙을 중립적으로 적용하는 법치주의는 군대식의 상명하복문화에 절어있던 집권세력에 낯설고 불편한 제도였다. 관료들로서도 재량의 여지가 최대한 확보된 국가운영시스템이 편리했을 뿐 아니라 자신들의 집단적 이익에도 부합했다.[38] 집권층의 재량에 따라 "되는 일도 없고 안 되는 일도 없는" 시스템이었지만 그런 시스템이 기업에 반드시 불리한 것만은 아니었다. 결정권 있는 관료들을 움직일 수 있는 줄만 확보할 수 있다면 그런 시스템이 훨씬 융통성 있고 편리했기 때문이다.[39] ④ 오랜 동안 양반관리의 지배와 식민통치에 길들여진 국민들로서는 관료의 지배가 오히려 더 익숙한 것이었다. 법치주의를 부르짖는 일부 지식층의 목소리가 그다지 힘을 얻지 못했던 것은 그러한 문화적인 영향 때문도 있을 것이다.

3. 과거 기업지배구조의 특징

관료주도의 개발국가 모델은 경제적으로 괄목한 성과를 거두었지만 동시에 우리 기업지배구조와 정치경제시스템에 부정적인 영향도 미쳤다. 개발국가 모델은 기업의 차입경영을 유도했고 차입경영은 다시 주식소유의 집중으로 이어졌다. 주식소유의 집중은 결국 기업지배구조의 왜곡을 초래하였다. 이하에서는 이러한 영향의 고리를 차례로 살펴본 후 정치경제시스템에 대한 영향을 간단히 언급하기로 한다.

가. 기업재무: 차입경영

개발국가 모델의 핵심요소는 자원, 특히 자금의 배분이라고 할 수 있다. 경제개발과정에서 관료는 부족한 자금의 배분을 시장기능에 맡기지 않고 적극 간

---

38) 공직 퇴직 후 공기업이나 일반 기업에 취직하여 자신들의 가치를 활용하기에도 그러한 시스템이 가장 유리했다.
39) 기업가들 사이에 널리 퍼져있던 박정희 시대에 대한 향수는 바로 그러한 장점에서 기인한 것으로 볼 수 있을 것이다.

섭하였다. 자금 배분은 정부지배 하의 은행을 통해서 이루어졌다.[40] 기업 관점에서 보자면 자금조달은 차입의 형태를 취하였다. 기업의 차입경영은 직접적으로 두 가지 재무적 특성, 즉 높은 부채비율과 주식소유의 집중을 가져왔다.

1) 높은 부채비율

과거 우리 기업의 부채비율은 선진국 기업에 비하여 상대적으로 높았다. 1997년 경제위기 시에 도산한 기업은 부채비율이 수천 퍼센트에 달하는 경우도 없지 않았다. 높은 부채비율은 기본적으로 오랜 차입경영의 결과물이었다. 우리 기업이 차입경영에 의존하게 된 이유로는 여러 가지를 들 수 있다. ① 정부가 기업지원을 위해서 인위적 저금리정책을 취한 결과 차입비용이 낮았다.[41] 특히 수출지원과 같이 특별한 정책목표를 위해서 저금리로 제공되는 이른바 정책금융의 경우에는 대출을 받는 것이 곧 특혜로 인식될 정도로 기업에 유리했다. ② 높은 부채비율이 비해서 도산위험은 그렇게 높지 않았다는 점도 기업이 높은 부채비율을 감수한 이유가 될 수 있을 것이다. 당시 우리 기업이 택한 비지니스 모델은 대체로 위험도가 낮았기 때문에 유능한 경영자가 성실하게 경영한다면 도산위험은 그리 높지 않았다. ③ 주식시장이 발달하지 않았기 때문에 설사 기업이 주식발행을 통한 자금도달을 원하였더라도 실행이 어려웠다. ④ 세법상 이자는 손금처리가 가능하다는 점도 기업의 차입경영을 촉진한 면이 있다. ⑤ 은행의 대출심사기능이 엄격하지 않았기 때문에 기업이 부채비율과 관계없이 계속 대출을 받는 것이 가능했다. 기업은 정치권이나 관료에 대한 로비를 이용해서 금융기관에 대해서 대출압력을 넣기도 했다. 또한 제2금융권의 금융기관은 기업의 소유하에 있는 경우도 많아서 제2금융권을 통한 자금조달이 활발하게 이루이졌다.

2) 주식소유의 집중

만약 기업이 자금을 신주발행으로 조달해야 한다면 지배주주 지분은 결국 분산될 가능성이 높다. 거듭되는 증자에 계속 응할 수 있을 정도로 자금이 풍부한 지배주주는 별로 많지 않을 것이기 때문이다. 따라서 창업자인 지배주주는 자신

---

40) 5.16 쿠데타 후 민간은행이 국유화된 것은 바로 그것을 위한 것이었다.
41) Sung Wook Cho, The Korean Corporate Sector: Crisis and Reform (KDI Working Paper No. 9912, 1999), 2-3.

의 절대적인 지배권과 기업 확장 중에서 어느 한 쪽을 선택해야하는 기로에 서게 마련이다. 영미 기업의 경우 실제로 주식소유 분산은 대규모 증자를 거듭하는 과정에서 자연스레 이루어진 경우가 많다. 그러나 이제껏 우리나라에서는 지배주주가 그런 선택을 뒤로 미루는 것이 가능했다. 그것이 가능했던 주된 원인으로는 금융기관을 통한 차입이 상대적으로 용이했던 점을 들 수 있을 것이다.[42]

주식소유가 집중될수록 지배주주가 부담하는 투자위험도 커진다. 그러므로 지배주주는 자신의 투자위험을 분산하기 위하여 스스로 보유주식을 처분할 인센티브가 있다. 그러나 우리나라에서는 여러 이유로 주식소유의 분산이 상당히 지체되었다. ① 사업위험이 크지 않았기 때문에 창업자가 성장의 과실을 독점하기 위해서 구태여 주식을 분산하려 하지 않았다. ② 창업자는 기업을 자기 분신처럼 여겨 경영권에 대한 위협은 고사하고 경영에 대한 간섭조차 극도로 경계하였다. ③ 설사 창업자가 주식 분산의 의사가 있다 해도 주식시장이 발달하지 못했기 때문에 제값을 받고 처분하기 어려웠다. 1980년대에 주식시장이 활성화되면서부터는 지배권을 위협받지 않는 범위에서 비교적 활발하게 분산이 이루어졌다.

나. 우리 기업지배구조의 특색: 지배주주의 독재

과거의 기업지배구조에 대해서는 이미 여러 문헌에서 다룬 바 있으므로 이곳에서는 간단히 언급하고 넘어가기로 한다.[43] 우리나라에서는 대규모 상장기업에서도 흔히 "오너"라고 불리는 지배주주가 존재하였으며 이들 지배주주는 아무런 견제도 받지 않고 자신의 그룹을 완전히 지배하였다. 지배주주로부터 일반주주의 이익을 보호하는 장치는 다음에 설명하는 바와 같이 거의 실효성이 없었다. ① 회사법상 기관구조는 경영자를 거의 견제하지 못했다. 지배주주가 주식을 과반수 보유하는 상태에서 주주총회는 형식적인 절차에 지나지 않았다. 지배주주의 심복들만으로 구성된 이사회가 지배주주의 행동에 반기를 드는 것은 더욱 기대할 수 없었다. 감사 또한 거의 명목상으로 존재하는데 지나지 않았다. ② 경영진의 권한남용으로 인하여 손해를 본 주주들이 소를 제기하는 길도 거의 봉쇄

---

42) 계열회사를 통한 주식보유가 광범하게 이루어질 수 있었다는 점도 중요한 원인이라고 할 수 있다.
43) 주로 회사법적인 관점에서 종래의 기업지배구조를 분석한 글로는 김건식, "재벌과 소수주주 보호," 『한국의 대기업』(기업구조연구회, 1995), 201면 이하 참조.

되어있었다. 집단소송은 부존재했고 주주대표소송은 무엇보다도 5%라는 주식보유요건 때문에 그림의 떡에 지나지 않았다.[44] 또한 지배주주가 이사직을 맡지 않고 배후에 머무르는 경우에는 책임을 물을 수 있는 길이 분명치 않았다. ③ 지배주주가 절대적인 지분을 확보하고 있는 상황에서 미국에서와 같은 경영권시장이 작동할 여지도 없었다. ④ 그렇다고 해서 지배주주의 전횡을 견제할 수 있을 정도로 강력한 사회규범이 존재하는 것도 아니었다. 지배주주가 회사재산을 사적으로 낭비하는 것이라면 몰라도 어려운 계열회사를 지원하는 행위에 대해서는 여론도 그다지 문제 삼는 분위기가 아니었다.

다. 정치경제시스템에 대한 영향

개발국가 모델은 우리 정치경제시스템에도 심대한 영향을 주었다. 이곳에서는 기업지배구조와 관련 있는 일부 측면만을 살펴보기로 한다.

1) 자본시장의 미발달

정부와 기업이 모두 자금의 배분과 조달을 은행에 의존하는 상황에서 주식시장은 뒷전으로 밀려날 수밖에 없었다. 정부가 자금배분에 관여하기에는 자본시장보다 은행에 손을 대는 편이 더 쉬웠다. 기업으로서도 전술한 바와 같이 차입경영이 보다 편리했다. 또한 투자자로서도 주식과 같이 권리보호가 취약하고 위험한 상품보다는 은행예금과 같이 내용이 확실한 상품에 쏠리게 되었다. 그 결과 1980년대에 들어서도 주식시장은 그다지 발전하지 못했다. 간혹 붐이 일기도 했지만 결국 일시적인 투기바람에 그치곤 했다.

은행주도의 신용제공 시에는 결국 은행이 위험을 부담하기 때문에 사업위험이 높아지는 단계에서 은행차입에 과도하게 의존하게 되면 금융시스템에 부담을 주게 된다. 그런 단계에서는 투자자가 자기 책임으로 투자하는 자본시장의 중요성이 높아진다. 정부도 자본시장 발전에 관심이 없었던 것은 아니다. 1968년의 '자본시장육성에 관한 법률'이나 1972년의 '기업공개촉진법'은 모두 자본시장에 대한 정부의 관심을 보여주는 증거이다. 정부는 공개법인에 대한 세제혜택과 같은 "당근"과 공개거부법인에 대한 금융제재와 같은 "채찍"을 동시에 활용했지만 창업자들은 기업공개에 내내 소극적이었다. 1970년대 기업공개가 많이 이루어졌

---

44) 증거를 확보하는 수단이 미비했다는 점도 주주대표소송을 가로막는 장애물로 작용하였다.

지만 실제로는 공개법인에 주어지는 혜택만을 노린 위장공개[45]인 경우가 많았다. 1980년 후반 기업들이 자본시장이 제공하는 여러 이익에 점차 눈을 뜨게 됨에 따라 자발적인 기업공개가 증가하게 되었다.

2) 재벌의 대두

개발국가를 지탱한 한 기둥이 관료라면 다른 한 기둥은 재벌이라고 할 수 있다. 재벌은 서로 무관한 업종의 사업을 영위하는 여러 계열회사를 특정 지배주주일가가 통제하는 기업집단으로 개발국가 모델의 산물이다. 우리 경제성장의 초기단계에서 기업의 성장은 상대적으로 기술력보다는 관리능력에 의존하는 바가 컸다. 그러므로 한 업종에서 성공을 거둔 기업은 다른 업종에서도 경쟁력을 갖는 경우가 많았다. 또한 기업규모가 클수록 인력충원이나 자금조달 면에서는 물론이고 로비력에서도 다른 기업보다 유리했다. 정부나 금융기관으로서도 지원대상을 선택할 때 이미 실적이 있는 대기업을 선호하는 것이 당연했다. 그리하여 창업자들은 한 산업에서의 성공에 만족하지 않고 앞다투어 새로운 업종에 진출하였다. 수익성에 관한 충분한 검토는 제대로 이루어지지 않는 경우가 많았다. 그리하여 기업의 매출이나 자산규모에 따라 자연스레 순위가 매겨졌고 상위의 기업들은 재벌이란 명칭으로 불리게 되었다. 이들 재벌은 생산, 고용 등 우리 경제의 여러 면에서 절대적인 비중을 차지하게 되었으며[46] 엄청난 재력을 바탕으로 차츰 정치, 사회, 문화 등 경제 외의 영역에서도 영향력을 발휘하게 되었다. 한편 영토와 규모 확장을 멈추지 않는 재벌은 일반대중의 불신과 비판의 표적으로 자리 잡게 되었다.

3) 부정부패

개발국가 모델에서는 정치권과 관료가 자원배분을 담당한다. 이 결정에 흥망이 달린 경영자로서는 자원배분을 유리한 방향으로 유도하고자 할 것이다. 이처럼 특혜를 추구하는 활동을 경제학적으로는 지대추구(rent seeking)라고 부른다. 정부가 배분하는 자원의 규모가 크면 클수록 기업들은 지대추구에 열중하게 된

---

45) 친지나 심복들에게 명목상으로만 주식을 취득시키고 실제로는 창업자 자신이 지배하는 사례가 많았다.

46) 재벌의 경제적 비중에 관한 비교적 최근 문헌으로 이재형, "기업집단의 경제적 비중과 시장지배력," 「KDI정책포럼」 제262호(KDI한국개발연구원, 2014. 9. 29.).

다.[47) 기업의 지대추구활동은 흔히 음성적으로 행해지며 부패를 수반한다. 지대추구에 들어가는 비용은 부정한 방법으로 조달되는 것이 보통이다. 과거 지대추구를 위한 비자금 조달은 우리 기업의 투명 경영을 막는 주된 요인으로 작용하였다.

일단 기업과 관료(또는 관료에 영향력을 행사하는 정치인)사이에 은밀한 유착관계가 형성되면 그것을 뿌리 뽑기는 쉽지 않다. 이런 부정부패의 확산은 사회 전반의 불신과 갈등을 초래하고 나아가 자본주의와 민주주의에 대한 믿음을 위협하는 요소라고 할 수 있다.

라. 기업지배구조에 대한 평가

전술한 바와 같이 과거의 기업지배구조와 정치경제시스템은 개발국가 모델을 추구하는 과정에서 형성되었다. 그것은 정치인, 관료, 기업인을 비롯한 사회 기득권층 전반의 이익과 부합되었기 때문에 상당히 안정적이었다. 그러나 후술하는 바와 같이 1980년대에 들면서 우리 사회가 급속히 변화함에 따라 그런 체제의 유지에 따르는 폐해가 점차 커져갔다.

4. 기업지배구조의 전환: 동인과 장애

가. 생태계의 변화

현실의 기업지배구조는 결국 기업을 에워싼 생태계의 산물이다. 오늘날 재벌과 총수일가중심의 기업지배구조는 우리가 과거 경제성장과정에서 개발국가 모델을 추구한 결과이다. 물론 기업지배구조를 둘러싼 환경이 늘 우호적이었던 것은 아니었다. 관치경제와 총수체제의 정당성에 대한 비판의 목소리는 늘 끊이지 않았다. 그러나 체제의 성적표라고 할 수 있는 경제적 성과가 워낙 좋았기 때문에 국민적 불만은 항상 일정 수준 아래로 누를 수 있었다. 그러나 1980년대에 접어들면서 기존의 개발국가 모델을 그대로 고수하기는 어렵게 되었다. 그렇다고 해서 바로 대안적인 모델이 부각된 것도 아니었다. 1997년의 경제위기는 어

---

47) 과거 우리 기업의 지대추구행위에 관한 문헌으로 소병희, "한국기업의 소유집중과 경제 효율성," 「한국의 대기업」(기업구조연구회, 1995), 57면 이하 참조.

정쩡한 상태로 지속된 경제운용이 빚어낸 참사라고 볼 수도 있다. 경제위기 전에도 기업지배구조의 생태계는 계속 변화하고 있었다. 그러나 기업지배구조의 변화를 요구하는 목소리는 아직 미약했다. 경제위기는 우리 사회 모든 구성원들이 이제 더 이상 종전의 기업지배구조를 유지할 수는 없다는 인식을 갖게 된 계기였다.

경제위기 직후 2000년을 전후하여 과거의 기업지배구조는 상당한 변화를 겪게 되었다. 지배구조의 전환을 가져온 동인에 대해서는 다양한 견해가 있을 수 있지만 이곳에서는 네 가지, 즉 경제발전, 민주화, 세계화, 경제위기에 주목하고자 한다. 또한 기업지배구조의 변화는 그저 법이나 경제적인 요소만으로 설명할 수는 없는 복합적인 현상이다. 무릇 모든 사회현상의 변화 내지 개혁에는 그것을 추진하는 세력과 반대하는 세력 사이의 갈등이 존재하게 마련이다. 기업지배구조의 전환과 관련해서도 여러 집단 간의 알력, 갈등, 타협은 아직도 계속 되고 있다. 앞으로 우리 기업지배구조가 어떠한 방향으로 전개될 것인가는 이들 세력들의 상호작용에 달려있다고 해도 좋을 것이다. 이하에서는 기업지배구조 변화의 동인과 이를 둘러싼 이익집단의 대립에 대해서 차례로 설명한다.

나. 변화의 동인

1) 경제발전

개발국가 모델의 효용을 떨어뜨린 가장 큰 요인은 아이러니컬하게도 우리 경제의 성장이라고 할 수 있다. 경제발전의 초기 단계에서는 엘리트 관료가 주도하는 편이 효율적일 수 있다. 그러나 경제가 성숙단계에 접어들어 투자의 불확실성이 높아지는 상황에서는 관료의 개입을 더 이상 정당화하기 어렵다. 비료나 시멘트를 생산하는 사업과 반도체나 자동차를 제조하는 사업이 수반하는 리스크는 그야말로 천양지차이다. 정부간섭의 한계가 드러난 예로 1970년대 후반에 있었던 중화학공업정책의 실패를 꼽을 수 있을 것이다. 사실 국제경쟁의 일선에서 잔뼈가 굵은 전문경영인들이 늘어감에 따라 이제 엘리트 관료의 역량이 이들 보다 앞선다고 장담할 수도 없었다.

그리하여 1980년대에 들어서면서부터는 민간의 투자결정에 대한 정부의 개입이 크게 완화되기 시작했다. 그러한 조짐은 1981년에서 83년에 걸쳐 진행된 은행민영화에서도 드러났다. 인위적 저금리정책이 포기되고 정책금융과 일반금융 사이의 이자격차가 대폭 축소되기 시작한 것도 같은 시기의 일이다. 물론 후에 발생한 한보사태, 대우사태 등에서 보는 바와 같이 은행에 대한 정부의 간섭이 완전히 사라진 것은 아니었다. 그렇지만 이제 자금배분의 주도권은 금융기관이 행사하게 되었다.

2) 민주화와 법치주의의 확산

개발국가 모델의 후퇴를 가져온 또 하나의 요인은 1987년 이후 급속히 진행된 민주화와 그에 따른 법치주의 확산이라고 할 수 있다. 과거 독재체제 하에서는 기업에 대한 금융지원이나 부실기업 처리 같은 중요한 결정이 정부 일각의 밀실에서 이루어지곤 했다. 그런 조치가 내려질 때마다 관계된 기업의 필사적인 로비가 행해지곤 했다. 그로 인한 특혜시비는 결국 권력으로 억누를 수밖에 없었다. 그러나 민주화와 법치주의가 확산됨에 따라 더 이상 불투명한 의사결정을 계속하기는 어렵게 되었다. 정부는 결국 객관적인 원칙과 기준을 세우고 그에 따라 일을 처리하는 법치주의적 해결방식을 택할 수밖에 없게 되었다.

3) 세계화

관료주도의 개발국가 모델을 무너뜨린 또 하나의 동인은 우리 경제의 세계화라고 할 수 있다. 특히 1990년대에 들어서면서 경제의 국제화가 진전됨에 따라 국내시장에 진출하는 외국 기업과 투자자들이 늘게 되었다. 이들은 관료의 재량에 따른 불투명한 처리나 국제관행에 벗어나는 규제조치에 반발하는 경우가 많았다. 이들이 국내경제에서 차지하는 비중이 높아짐에 따라 정부로서도 그 발언권을 쉽게 무시할 수 없게 되있다. 결국 성부는 우리 경제시스템을 이른바 글로벌 스탠다드에 맞춰 개편하게 되었다. 이런 외세의 압력이 절정에 달한 것은 특히 1997년의 경제위기 직후였다.

4) 경제위기

1997년 경제위기의 원인에 대해서는 아직 완전히 해명된 것 같지는 않다.[48]

---

48) 해외투기자본의 공격과 같은 대외적인 요인을 강조하는 견해가 있는가 하면 우리 기업의 과잉투자와 그로 인한 금융기관의 부실과 같은 대내적인 요인을 강조하는 견해도 널리 지지를 받고 있다.

중요한 것은 경제위기의 초기부터 위기의 원인이 상당 부분 기존 기업지배구조에 결함이 있었기 때문이라는 인식이 널리 퍼져있었다는 사실이다. 당시 IMF가 자금지원의 조건으로 기업지배구조 개선을 요구한 것은 당연한 것으로 인식되었다.[49] 한편 재벌 쪽은 기업지배구조 개혁이 부담스러웠지만 경제위기의 주범으로 몰리다 보니 적어도 초기에는 적극적으로 반대의 목소리를 내지 못했다.

5) 변화의 방향

이미 경제위기 이전에도 개발국가 모델이 시대적 사명을 다했다는 점에 대해서는 크게 다툼이 없었다. 경제위기를 겪으면서 개발국가 모델의 부산물인 재벌체제에 대한 비판론이 크게 대두되었다. 마침 1998년 최초로 수평적인 정권교체도 행해지다 보니 개혁의 분위기는 이상적으로 무르익었다. 그러나 그 후 진행된 일련의 기업지배구조 개혁조치는 직접 재벌체제 자체의 근본적인 변혁을 꾀하기보다는 주로 주주 이익 보호 강화에 초점을 맞추었다. 달리 말하면 재벌체제의 정점에 있는 총수일가가 누리는 "경영권의 사적 이익"(private benefit of control)을 최소화하는 것에 주력하였다. 경제위기를 벗어난 후에도 우리 기업지배구조를 개선하기 위한 작업은 간헐적으로 시도되고 있다. 그러나 기업지배구조 개선은 여러 이익집단들의 이해관계가 얽혀있는 문제라 앞으로 어떤 방향으로 진행될지 예측하기는 쉽지 않다.

다. 기업지배구조의 전환과 이익집단

1) 서 설

기업지배구조의 변화는 그저 법이나 경제적인 요소만으로 설명할 수는 없는 복합적인 현상이다. 무릇 모든 사회현상의 변화 내지 개혁에는 그것을 추진하는 세력과 반대하는 세력 사이의 갈등이 존재하게 마련이다. 기업지배구조의 전환과 관련해서도 여러 집단 간의 알력, 갈등, 타협은 아직도 계속 되고 있다. 앞으로 우리 기업지배구조가 어떠한 방향으로 전개될 것인가는 이들 세력들의 상호작용에 달려있다고 할 수 있다.

기업지배구조의 개혁을 둘러싼 대립은 복잡다단하여 찬반세력을 뚜렷이 가르

---

49) 이것이 순전히 IMF와 같은 국제금융기구의 주도에 의한 것이었는지 거꾸로 일부 관료가 이 기회를 역이용한 것이었는지 분명치 않다.

기는 어렵다. 우선 기존 기업지배구조의 가장 뚜렷한 수혜자가 재벌총수를 비롯한 지배주주라는 점은 분명하다. 반면에 기업지배구조 개선으로 이익을 얻는 집단은 구체적으로 특정하기 어렵다. 구태여 지적하자면 잠재적인 투자자이자 자본시장 발전의 혜택을 입는 일반 국민이라고 할 수 있다. 이하에서는 이들 두 집단을 비롯한 여러 이익집단의 사정에 대해서 차례로 살펴보기로 한다.

2) 경제계

과거의 기업지배구조는 나름의 안정성을 갖고 있었다. 동서고금을 막론하고 안정적인 체제를 변화시키는 것은 쉽지 않다. 어떤 체제라도 일단 정착되면 그 체제로부터 이익을 얻는 기득권세력이 형성되기 때문이다. 과거 기업지배구조의 최대 수혜자인 총수일가는 기업운영 시에 사익을 추구함으로써 "경영권의 사적 이익"을 누릴 수 있었다. 일반인에게도 친숙한 용어가 된 "부당내부거래"나 "일감 몰아주기" 같은 것은 바로 그 이익을 누리기 위한 대표적인 수단이다. 사적 이익은 때로는 천문학적인 규모에 달할 수도 있다. 그 이익이 그토록 크다면 총수일가가 경영권에 집착하는 것은 당연한 일이다. 모든 재벌이 거의 예외 없이 온갖 수단을 동원해서 자식에게 경영권을 승계시키려고 애쓰는 현실은 그 이익의 규모가 아직도 엄청나다는 점을 짐작하게 하는 증거라고 할 것이다.

기업지배구조 개선작업은 대부분 경영권의 사적이익 감소를 목적으로 한다. 따라서 경영권을 가진 재벌총수들이 그에 저항하지 않는다면 오히려 이상한 일이다. 재벌총수들은 비록 수는 적지만 막대한 부를 바탕으로 막강한 호위세력을 구축하고 있다. 호위세력의 선봉에는 총수의 심복인 고위경영자들이 서 있다. 사실 자신이 전문경영인으로서의 실력을 갖췄다고 자부하는 사람이라면 오히려 전문경영인체제가 유리힐 수도 있다. 언제까지나 머슴으로서의 지위를 면치 못하는 기존 체제보다 최고경영자로서 당당하게 자신의 실력을 발휘하고 정당하게 보상받을 수 있는 체제가 좋을 것이기 때문이다. 그러나 재벌의 고위경영자들은 적어도 표면적으로는 재벌개혁에 대해서 극히 비판적인 자세를 견지하고 있다.[50] 실제로 지배주주에 불리할 수도 있는 조치에 대해서 가장 소리 높여 비판해온 것은 전경련을 비롯한 경제단체들이었다. 이들 경제단체들은 개혁조치가 나올 때마다 자체 연구소 등의 이론적 지원을 받아 체계적인 저지활동에 나섰다.

---

50) 일반직원들은 경영자들보다는 덜 비판적인 것으로 보인다.

3) 정치권

민주화가 진전된 오늘날 우리 사회의 중요사항은 정치권에서 결정된다. 그러
므로 기업지배구조의 개혁과 관련해서도 청와대를 포함한 정치권의 움직임이 결
정적으로 중요하다. 정치인들로서는 여러모로 혜택을 기대할 수 있는 재벌의 로
비를 뿌리치기 어렵다. 다만 선거를 치러야하는 정치인들로서는 여론을 무시할
수는 없다. 국민 여론이 개혁을 요구하는 상황에서는 노골적으로 재벌 편을 들
어주기 어려울 것이다. 그러나 국민 관심이 잠시 수그러들면 슬그머니 재계의
논리에 동조하는 일이 적지 않았다. 과거 경제위기의 태풍이 잦아들고 정권의
힘이 떨어진 시기에 공정거래법상의 출자총액제한이 완화되고 증권집단소송에
관한 입법이 표류하는 등 개혁이 후퇴한 것은 한 예에 지나지 않는다.

4) 언 론

국민 여론을 가장 크게 좌우하는 것은 역시 언론이다. 그러나 언론도 일반
여론의 향배를 정면으로 거스르기는 어렵다. 그리하여 보수일간지들도 적어도
원론적으로는 총수체제의 폐해를 지적하며 기업지배구조 개혁을 지지하는 태도
를 취하는 것이 보통이다. 그러나 예컨대 사외이사나 소수주주권과 같은 각론에
이르면 부정적인 측면을 부각시키는 기사를 싣기도 한다. 또한 분식회계나 부당
증여가 문제되는 상황에서도 여간해서는 비판의 강도가 높아지지 않는 경향이
있다. 경제위기 이후 신문의 수입에서 재벌그룹의 광고가 차지하는 비중이 한층
높아진 점도 언론의 소극성에 관련이 있는 것이 아니냐는 지적도 없지 않다.[51)]

5) 정 부

기업지배구조에 관한 정부의 입장도 단순하지 않은 것 같다. 기업지배구조
개선이 주요 정책목표로 제시되는 경우에도 그에 대한 열의는 부처에 따라 상당
한 차이가 있다. 사실 기업지배구조 개선은 관료들의 이해와 반드시 부합하지
않는 측면이 있다. 투명성이 높아지고 주주가치가 중시될수록 경영자들이 관료
의 말을 듣지 않을 가능성이 높다. 실제로 과거 하이닉스 처리 등의 사안과 관
련해서 일부 은행이 주주이익을 앞세워 지원을 거부한 바람에 정부가 곤혹을 치

---

51) 이들 주요신문사의 지배구조가 재벌과 별로 다를 바 없다는 점도 무시할 수 없을 것이다.

른 예도 있다. 그럼에도 불구하고 이 만큼이나마 개혁이 이루어진 것에 대해서는 입법작업을 추진한 관료들의 결단을 평가해야 할 것이다. 그러나 관료에 의한 개혁에도 한계는 있다. 민주사회라면 당연한 일이지만 관료들은 정치권의 압력에 약할 수밖에 없다. 따라서 기본적으로 정치권이 소극적인 경우에는 관료에 의한 개혁은 지지부진할 수밖에 없다.[52]

6) 학 계

우리나라에서는 여론에 대한 학자들의 영향력이 특히 크다. 기업지배구조 개선에 관한 학자들의 견해는 반드시 일치하는 것은 아니지만 대체로 호의적으로 보는 견해가 많은 것 같다. 특히 재무관리나 경제학을 전공하는 학자들은 개혁을 뒷받침하는 학술적인 연구를 많이 발표하고 그 실천에도 앞장서고 있다. 반면에 과거 상법학계에서는 사외이사, 감사위원회 등 기존의 틀을 크게 흔드는 개혁에 대해서 회의적인 시각이 대체로 우세했다.

7) 시민단체

학자들이 자신의 견해를 실현하는 경로는 여러 가지지만 언론에 대한 기고와 시민단체를 통한 활동이 대종을 이룬다. 지난 20여년 사이에는 특히 후자가 중요했다. 시민단체에는 학자들만이 아니라 변호사, 공인회계사와 같은 전문직 종사자들도 많이 관여하여 전문성을 높이고 있다. 기업지배구조분야에서는 특히 참여연대(현재 경제개혁연대의 전신)의 역할을 높이 평가하지 않을 수 없다.

시민단체의 역할에도 한계는 있다. 시민단체의 활동이 영향력을 갖기 위해서는 언론매체를 통해서 일반에 알려질 필요가 있다. 따라서 시민단체의 영향력은 언론의 뒷받침에 크게 좌우된다. 참여연대가 그만큼의 영향력을 유지할 수 있었던 데에는 단순히 성명을 내거나 시위를 하는데 그치지 않고 고발이나 제소를 활용하는 새로운 접근방식에 힘입은 바 크다.

8) 노동계

기업지배구조 문제에 관한 노동계 입장은 간단히 정리하기 어렵다. 일단 재벌체제에 대해서 비판의 목소리를 높이고 있는 것은 분명하다. 그러나 주주지위

---

52) 과거 증권집단소송에 관한 입법이 지지부진했던 것은 그 좋은 예라고 할 것이다.

를 우선시하는 이른바 신자유주의적 개혁에 대해서는 반대 강도가 더 강한 것 같다. 주주가치를 추구하는 체제는 구조개혁을 수반할 가능성이 높고 그것은 고용불안으로 이어지기 때문이다. 고용안정과 임금상승을 노리는 근로자로서는 오히려 다소 약점이 있는 지배주주체제를 더 편하게 보는듯한 느낌도 있다.

9) 일반국민

기업지배구조 개선의 수혜자가 누구인지는 구체적으로 특정하기 어렵다. 구태여 따져보자면 일반 투자자 나아가서는 잠재적인 투자자인 일반국민이라고 할 수 있을 것이다. 시각에 따라서는 이미 불량한 기업지배구조가 반영된 낮은 주가로 주식을 취득한 투자자를 구태여 기업지배구조까지 개선하여 보호할 필요가 있는가 하는 의문을 제기할 수도 있다.[53] 그러나 불량한 기업지배구조를 그대로 방치하고서는 주식시장을 발전시키기 어렵다. 그리고 주식시장의 발전은 기존 투자자는 물론이고 잠재적인 투자자인 일반 국민 모두의 이익에 부합하는 것이다. 문제는 이처럼 기업지배구조에 이해관계를 갖는 일반 국민의 수가 너무 많고 각자의 이해관계가 그렇게 크지 않다는 점이다. 이런 상황은 바로 경제학에서 말하는 집단적 행동(collective action)의 문제가 발생하는 전형적인 경우이다. 이처럼 수는 적지만 이해관계가 큰 집단(지배주주)과 수는 많지만 이해관계가 크지 않은 집단(일반국민)이 대립하는 상황에서 전자가 유리하다는 사실은 공공선택이론의 초보에 속한다.

IV. 우리 기업지배구조의 현상과 과제[54]

1. 서 설

전술한 바와 같이 과거의 기업지배구조는 1997년 경제위기를 계기로 큰 변화를 겪었다. 2000년 초 경제위기가 물러감에 따라 제도개혁의 동력은 크게 줄어들었지만 개선의 노력은 간헐적으로 지속되고 있다. 이곳에서는 우리 기업지

---

53) 외국, 특히 미국 학자들과의 학술교류에서 간혹 비슷한 질문을 받곤 한다.
54) 이 부분은 金建植, "企業支配構造の変化 － 日本・韓国・中国の経験を素材にして," 「會社・金融・法(上)」(商事法務, 2013), 135~185面에 크게 의존하였다.

배구조의 현상(現狀)과 과제에 대해서 살펴보기로 한다.

기업지배구조는 다양한 요소를 포괄하는 복합적이고도 유연한 개념이므로 그
것을 체계적으로 정리하는 것은 쉽지 않다. 기업지배구조의 다양한 측면 중에서
도 일부 학자들은 기업의 소유구조에 집중하는가 하면 다른 학자들은 사외이사
나 주주대표소송과 같이 기업의 통제주체의 행동을 견제하는 법제도에 주목하기
도 한다. 그러나 기업지배구조에 관한 논의의 핵심은 기업이 실제로 무엇을 목
적으로 운영되는가 - 그리고 나아가 당위적으로 무엇을 목적으로 운영되어야 하
는가 - 라는 물음일 것이다. 기업의 목적은 기업운영의 방향을 결정짓는다는 점
에서 기업지배구조의 가장 기본적인 요소이다. 그러나 기업의 실제 운영이 무엇
을 목적으로 하는지 외부에서 파악하기는 쉽지 않다. 기업목적을 파악하는데 실
마리를 제공하는 것은 기업의 의사결정을 통제하는 주체이다. 누가 기업을 통제하
는가에 따라서 기업운영의 행태가 달라질 수 있다. 통제주체가 지배주주인 기업에
서는 아무래도 지배주주 이익이 중시될 수밖에 없다. 반면 주식소유가 분산된 회
사의 전문경영자는 아무래도 상대적으로 주주이익의 구속을 덜 받을 것이다.

실제로 기업의 통제주체를 결정짓는 것은 법이 아닌 소유구조이다. 따라서
기업의 통제주체를 파악하기 위해서는 당해 기업의 주식소유구조를 살펴볼 필요
가 있다.[55] 소유구조는 여러 요소의 영향을 받지만 특히 기업의 자금조달행태와
밀접한 관련이 있다.[56] 자금조달을 자본시장이 아닌 은행에 의존하는 체제에서
는 주식소유는 분산되기 어렵다. 또한 자금을 자본시장에서 신주발행으로 조달
하는 기업은 주식소유가 분산될 가능성이 높을 것이다.

기업지배구조에 관한 논의에서 빼놓을 수 없는 것은 통제주체의 행동이 기업
목적에 부합하도록 담보하는 각종 법적, 제도적 장치이다. 기업의 소유구조나
자금조달행태가 주로 경제학자들의 연구대상이었다면 이러한 통제주체의 견제장

---

55) 기업의 소유구조, 특히 상장기업의 소유구조에 관한 정보는 비교적 취득이 용이하다. 이제
까지 기업지배구조에 영향을 주는 각종 환경요소와 소유구조와의 상관관계에 관하여 많은
연구가 쏟아진 것은 바로 그 때문이라고 할 수 있다. 이러한 연구는 실로 무수하지만 대표
적인 예로는 Mark Roe, *Political Determinants of Corporate Governance: Political
Context, Corporate Impact* (Oxford, 2003); La Porta et al., "Law and Finance," *106
Journal of Political Economy* 1113 (1998); "Corporate Ownership Around the
World," *54 Journal of Finance* 471 (1999); "Investor Protection and Corporate
Governance," *58 Journal of Financial Economics* 3 (2000).

56) 자금조달행태는 기업의 규모나 영위하는 업종의 속성에 따라 달라질 수 있다.

치에 대해서는 주로 회사법학자들이 주목해왔다.

한편 경제학계에서는 기업지배구조를 구성하는 이들 요소가 회사의 실적이나 주가에 미치는 영향에 대한 실증연구를 활발하게 진행하고 있다.[57] 기업지배구조의 실제 효과에 관한 실증연구는 기업지배구조에 관한 정책적 논의에 영향을 미친다는 점에서 중요한 의미를 갖지만 이 글에서는 제한된 범위에서만 언급하기로 한다.

이상의 서술을 토대로 이하에서는 우리 기업지배구조의 현상과 과제를 ① 기업의 소유구조, ② 자금조달행태, ③ 통제주체와 목적, ④ 통제주체에 대한 견제장치의 측면에서 살펴보기로 한다.

2. 기업의 소유구조

가. 분산형과 집중형

기업의 소유구조는 분산정도에 따라 크게 분산형과 집중형으로 나눌 수 있다. 집중형 기업에서는 지배주주가, 그리고 분산형 기업에서는 전문경영자가 통제주체가 될 것이다. 누가 통제주체가 되느냐는 주식소유의 분산도에 못지않게 분산의 형태에도 좌우된다. 지배주주가 10%미만의 주식을 보유하면서도 계열회사의 주식보유를 통해서 기업집단 전체를 안정적으로 지배하는 예도 많다. 그 경우에는 지배주주의 경제적지분(cash flow right)은 10%미만이지만 의결권지분(control right)은 훨씬 더 크다. 이처럼 소수의 경제적지분으로 지배하는 주주를 지배소수주주(controlling minority shareholder: CMS)라고도 부른다.[58] 지배소수주주는 일반주주와 인센티브가 불일치하면서도 경영권에 대한 위협이 별로 없기 때문에 전문경영자의 경우보다 훨씬 더 심각한 대리문제를 낳는다.

기업의 소유구조는 객관적인 파악이 가능하지만 각국의 기업소유구조와 그

---

57) 우리 기업을 대상으로 삼은 대표적 연구로는 Bernard S. Black et al., *How Corporate Governance Affects Firm Value: Evidence on Channels from Korea*(2008)(available at: http://ssrn.com/abstract=844744).

58) 지배소수주주체제에 대한 문헌으로 Lucian A. Bebchuk et al., "Stock Pyramids, Cross Ownership and Dual Class Equity: the mechanisms and agency costs of separating control from cash flow rights," in: Randall Morck ed., *Concentrated Corporate Ownership* (University of Chicago, 2000), 445.

변화를 객관적으로 파악할 수 있는 정보는 찾기 어렵다. 종래의 통념은 분산형
은 미국, 영국, 일본 등 일부 국가에 국한되고 나머지 국가는 대부분 집중형에
속한다는 것이었다. 그러나 최근에는 기관투자자의 비중이 높아짐에 따라 미국
이나 영국에서도 순수한 분산형에 속하는 기업을 찾아보기 어렵다는 연구들이
나오고 있는 실정이다.[59]

나. 지배소수주체제

우리 기업소유구조는 전술한 지배소수주주체제의 전형적인 예라고 할 수 있
다. 공기업 민영화의 산물인 일부 대기업과 일부 금융지주회사를 제외하고는 거
의 모든 기업에 지배주주가 존재하고 이들은 소수의 지분으로 통상 수십 개의
크고 작은 상장, 비상장 법인으로 구성된 기업집단을 지배한다.

전술한 바와 같이 1960년대 경제개발 초기에는 기업의 자금조달은 은행차입
을 비롯한 간접금융에 의존하였으므로 창업자들은 회사주식 대부분을 보유하였
다. 1960년대 말부터 정부가 자본시장 육성에 나섬에 따라 창업자의 지분은 차
츰 낮아졌지만 1980년대까지도 20%를 넘었고 계열회사의 지분은 미미했다.[60]
그러나 1990년대에 이르러 총수의 지분은 평균 10% 선으로 떨어지고 대신 계
열회사가 보유하는 지분이 30%대로 상승하였다. 2019년 현재 개인지배주주인
총수가 있는 51개 기업집단의 내부지분율[61]은 57.5%에 달하며 그중 총수지분율
은 1.9%, 총수일가 지분율은 2.0%, 계열회사 지분율은 50.9%이다.[62] 총수지분
율은 규모가 큰 기업집단일수록 더 낮다. 이들의 소유구조는 〈표 1〉에서 보는
바와 같이 지난 20년간을 보더라도 상당히 안정된 모습을 보여주고 있다.

---

59) Lucian Bebchuk et al., "The Agency Problem of Institutional Investors," *31 Journal of Economic Perspectives* 89(2017); Ronald Gilson & Jeffrey Gordon, "The Agency Costs of Agency Capitalism: Activist Investors and the Revaluation of Governance Rights," *113 Columbia Law Review* 863(2013).
60) 김건식 외, 「기업집단 규율의 국제비교」(공정거래위원회 연구용역보고서, 2008), 75면.
61) 총수개인, 총수일가, 그리고 계열회사의 지분율을 모두 합한 수치를 말한다.
62) 공정거래위원회, 「2020년 공정거래백서」, 260~261면.

〈표 1〉 상위 10대 기업집단(총수 있는 경우)의 내부지분율 변화

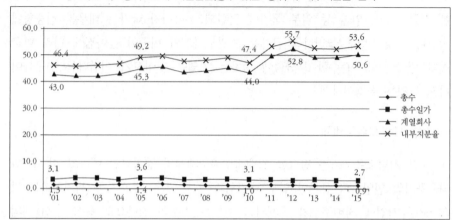

출처: 공정거래위원회, 「2016년 공정거래백서」, 317면.

다. 복잡한 소유구조

〈표 1〉에서 보는 바와 같이 총수일가가 직접 보유하는 지분은 미미하지만 계열회사의 주식보유를 통해서 전체 기업집단에 대한 지배력을 유지하고 있다. 계열회사 사이에는 피라미드식 출자나 순환출자가 흔히 발견된다.[63] 과거 기업집단은 매우 복잡한 소유구조를 취하고 있었으나 이러한 복잡한 소유구조는 투명성의 관점에서 비판을 받았다. 정부는 1999년부터 소유구조의 단순화를 위하여 기업집단이 지주회사구조로 전환하는 것을 정책적으로 유도하였다. 이러한 정부정책의 결과 2019년 9월 말 현재 지주회사는 173개로 늘어났다.[64] 그러나 지주회사로 전환하는 재벌의 부담을 덜어주기 위하여 상장자회사의 경우 지주회사가 그 주식을 20%만 보유하여도 지주회사요건을 갖춘 것으로 보는 등(독점규제 및 공정거래에 관한 법률 제8조의2 제2항 제2호) 타협적인 태도를 취하였다. 그리하여 지주회사구조를 택한 기업집단의 경우에도 여전히 소수의 실질적 지분으로 다수의 계열회사를 거느리는 지배소수주주체제의 특성은 그대로 남아있다. 지주회사구조를 채택하지 않은 재벌의 경우에도 소유구조가 차츰 단순화되고 있으나 최정상에 개인 지배주주가 자리 잡고 있는 점은 달라지지 않았다.

---

63) 순환출자는 최근 대폭 감소하여 일부 재벌을 제외하고는 거의 중요성을 상실하였다.
64) 이는 10개 금융지주회사를 포함한 수치이다. 공정거래위원회, 「2020년 공정거래백서」, 272면.

라. 주주의 유형

위의 서술로 지배소수주주체제가 어떤 모습으로 이루어져 있는지는 대강 짐작할 수 있다. 그렇다면 지배소수주주를 제외한 나머지 주주들의 유형과 소유지분은 어떠한가? 주식소유분포는 2000년 이후 다소 변화가 없지 않지만 그 기조는 대체로 유지되고 있다. 〈표 2〉는 2013년 현재 한국거래소의 제1부 시장이라고 할 수 있는 유가증권시장의 소유자별 주식소유분포를 보여준다. 〈표 2〉는 세가지 흥미로운 사실을 보여준다. ① 일반법인의 보유비율이 비교적 높은데 그들은 대부분 계열회사일 것으로 짐작된다. ② 기관투자자 보유비율이 비교적 낮다. ③ 외국인 지분이 상당히 높다. 실제로 외국인 투자는 대기업에 집중되고 있으므로 대기업일수록 외국인 지분이 더 높다.

〈표 2〉 2013년 유가증권시장 소유자별 주식소유분포(% 시가총액기준)

정부	3.60
기관투자자	17.08
일반법인	24.41
개인	19.69
외국인	35.23

출처: 한국거래소.

마. 전 망

우리 기업의 주식소유구조는 과거에 비히면 크게 분산되었지만 지배주주의 경영권은 계열회사의 주식보유를 통해서 그대로 유지되고 있다. 지난 10년간 주식소유구조에 큰 변화가 없는 이유는 지배주주의 지분비율이 이제 더 이상 낮출수 없는 한계점에 도달하였기 때문으로 추측된다. 적어도 가까운 장래에는 자발적으로 주식소유가 더 분산될 가능성은 크지 않은 것으로 보인다. 다만 경영권을 계열회사의 주식보유에 계속 의존하는 것은 장기적으로 어려워질 수도 있을 것이다. 또한 주식소유구조에 큰 변화가 없더라도 국민연금을 비롯한 기관투자자 등 기존 주주들의 행동양식이 보다 적극적으로 변화할 여지도 존재한다.[65] 이 가능성에 대해서는 V에서 다시 언급하기로 한다.

3. 자금조달

가. 기업의 자금조달과 기업지배구조

기업의 자금조달행태는 기업지배구조에 영향을 준다. 영향은 크게 두 가지로 볼 수 있다. 하나는 기업의 목적에 주는 영향이다. 기업이 신주발행을 통한 자금조달에 의존하는 비중이 커질수록 투자자의 관심을 끌기 위해서 주주이익을 더 중시하지 않을 수 없다. 이른바 금융시장의 압력을 받게 되는 것이다. 다른 하나는 소유구조에 주는 영향이다. 소유구조에 주는 영향은 신주발행이 주주배정방식인지 아니면 일반공모방식인지에 따라 다를 것이다. 일반공모방식으로 이루어지는 경우에는 아무래도 주식소유가 분산될 가능성이 더 크다.

전술한 바와 같이 경제발전 초기단계에서는 주식발행보다는 은행차입에 의존할 수밖에 없었다. 자본시장이 제대로 작동하려면 고도의 인프라가 필요한 반면에 은행을 통한 자금의 융통은 기본적인 법제도만 갖추면 가능하기 때문이다.[66] 또한 경제개발을 주도하는 정부가 자금배분에 관여하기에도 은행중심모델이 편리하다. 그러나 기업의 자금조달을 은행에 과도하게 의존하는 경우에는 기업부실이 금융기관부실로 이어져 시스템위험을 초래할 위험이 높다. 따라서 어느 정도 경제성장이 진전되면 자본시장을 육성할 필요가 생기게 된다.

나. 주식발행을 통한 자금조달

개발국가모델을 따르던 시기에는 우리 기업의 자금조달도 주로 은행에 의존하였다. 그 결과 고도성장과정에서 기업의 부채비율은 폭발적으로 증가하였다. 1997년 외환위기를 맞이했을 당시 일부 대기업의 부채비율은 1000%를 넘기도 했다. 외환위기 후 정부가 200%선을 가이드라인으로 제시하는 등 재무구조개선을 유도한 결과 기업의 부채비율은 크게 하락하였다. 2015년 현재 제조업 부채

---

65) 이미 외국인투자자들이 경영진에 반대하여 행동에 나선 사례는 상당 수 존재한다. 후술하는 바와 같이 2016년 한국형 스튜어드십코드 도입과 2018년 국민연금의 스튜어드십코드 참가는 국내 기관투자자의 소극적 태도에도 영향을 줄 가능성이 있다.

66) 자본시장의 발전에 필요한 인프라에 대해서 상세한 것은 Bernard Black, "The Legal and Institutional Preconditions for Strong Securities Markets," *48 UCLA Law Review* 781 (2001).

비율은 85.52%에 불과하다.[67] 한편 직접금융을 통한 자금조달은 그다지 활발하지 않다.[68]

과거 주식발행은 기존 상장회사의 유상증자가 대부분이고 기업공개가 차지하는 비중은 대체로 미미했다. 그러나 최근에는 금액이나 건수 면에서 기업공개가 차지하는 비중이 크게 높아졌다.[69] 주목할 것은 유상증자는 대부분 주주배정으로 이루어지고 일반투자자에 대한 공모발행이 차지하는 비중이 낮다는 점이다.[70] 이처럼 주로 주주배정증자에 의존하는 경우에는 주식소유의 분산이 진전되기 어렵다. 이처럼 주식발행이 주로 주주배정방식으로 이뤄지는 이유는 무엇보다도 지배소수주주가 자신의 보유비율이 희석되는 것을 꺼리기 때문일 것이다. 또한 다수의 주주들이 계열회사인 현실을 고려하면 일반공모증자보다는 주주배정증자가 자금확보면에서 보다 안전할 것이다. 그러나 거꾸로 계열회사의 재무상태가 좋지 않은 상황에서는 자금조달이 어렵다는 단점도 존재한다.[71]

4. 기업의 통제주체와 목적

가. 지배주주의 인센티브

전술한 바와 같이 우리 기업의 통제주체는 아직 대부분 지배주주라고 해도 과언이 아니다. 지배주주도 주주지만 그가 추구하는 이익은 반드시 일반 주주와 같지 않다. 일반적으로 지배주주는 전문경영인과는 달리 단기적인 실적이나 주가에 집착하지 않고[72] 기업의 장기적인 성장을 도모하는 것으로 알려져 있다.

---

67) 한국은행 경제통계시스템(ecos.bok.or.kr).
68) 직접금융은 회사채 발행이 대부분으로 2016년 주식발행액은 10.3조원으로 전체 실적 120.1조원의 10%에도 미달하였다.
69) 금융감독원 보도자료(2017. 7. 25.)에 의하면 2017년 상반기 유상증자 총63건 중 기업공개가 29건을 차지하였으며 금액기준으로도 유상증자 총액 4조 9,626억원 중 기업공개가 3조 5,208억원을 차지했다.
70) 조금 오래된 통계지만 2011년 유가증권시장 상장법인이 행한 45건의 주식발행 중 일반공모는 단 1건에 불과하였다. 금융감독원, 2011년 유가증권시장 상장법인 직접금융현황(2012).
71) 실제로 일부 연구에 의하면 기업의 투자가 당해기업의 수익보다는 오히려 그룹전체의 수익과 관계가 있다고 한다. Randall K. Morck et al., *Finance and Governance in Developing Economies*(December 2011) at 7(available at SSRN: http://ssrn.com/abstract=1981829).
72) 오히려 주가가 높아질수록 상속세의 부담이 커질 수 있기 때문에 후계자에게 상속을 마치지 않은 상황에서는 주가상승을 달가워하지 않는 경우도 있다.

특히 우리나라의 지배주주는 거의 예외 없이 자신의 기업집단을 후손에게 물려주기를 원하기 때문에 그런 경향이 한층 강한 것으로 보인다.

장기적 성장을 추구하는 지배주주의 인센티브는 기업의 다른 이해관계자들의 인센티브와 대체로 일치한다. 먼저 지배주주들을 보좌하는 전문경영인의 인센티브와 일치한다. 우리 기업의 전문경영자는 일본의 경우와 마찬가지로 통상 그 기업의 사원으로부터 출발하여 그 지위에 오른 자이다. 이들은 지배주주의 엄격한 통제를 받기 때문에 자기 밑에 일하는 근로자의 이익보다는 지배주주 이익에 관심을 쏟을 수밖에 없다. 지배주주들은 전문경영자를 택할 때 능력에 못지않게 자신에 대한 충성도를 중시하는 것으로 알려지고 있다. 이런 상황에서 재벌기업의 전문경영자가 자기가 모시는 총수가 마음에 들지 않는다고 해서 그를 떠나 다른 재벌총수 밑으로 옮겨가는 것은 쉽지 않다. 이처럼 전직의 기회가 사실상 제한되는 전문경영자로서는 보수의 크기보다도 경영자 지위를 계속 유지하는 것이 더 중요하다. 그러므로 전문경영자도 지배주주와 마찬가지로 단기적인 성과보다는 장기적인 성장을 선호하게 마련이다. 사실상 종신고용이 보장된 정규직 근로자와 회사와 지속적인 거래를 원하는 거래처도 회사의 장기적인 성장을 선호한다는 점에는 전문경영자와 차이가 없다.

지배주주는 전문경영자와 달리 지위가 확고하기 때문에 단기적으로는 어려움을 겪더라도 자신의 장기적 비전(vision)을 지속적으로 추구하는 것이 가능하다. 또한 기업의 흥망에 가장 큰 이해관계를 갖기 때문에 대담한 결정을 내리더라도 사회적으로 수용하는 분위기가 있는 것이 사실이다. 지배주주 능력이 뛰어난 경우에는 장기적 비전에 입각한 과감한 결정이 기업발전에 결정적 영향을 미치기도 한다.

나. 일반주주와의 이익충돌

지배소수주주체제의 가장 큰 문제는 일반주주와 사이에서 이익충돌의 위험이 높다는 점이다. 가장 전형적인 이익충돌은 지배주주가 자신의 사익을 위해서 회사의 부를 빼돌리는 경우(이른바 터널링(tunneling))라고 할 수 있다. 실제로 재벌총수들이 각종 터널링행위로 인하여 민형사상 책임을 추궁 당한 사례는 최근까지 끊이지 않고 있다. 그러나 이처럼 경영권의 사적 이익(private benefit of control)을 노골적으로 추구하는 행위는 우리나라에서도 회사법을 비롯한 각종

규제강화로 과거보다는 어려워지고 있는 것이 사실이다.[73]

일반주주의 이익과 충돌하는 경우가 터널링에 국한되는 것이 아니다. 우리나라에서는 기업의 경영권은 거의 예외 없이 지배주주의 자식에게 승계되고 있다. 이러한 경영권승계는 지배주주의 소망에 따른 것이지만 그것이 반드시 일반주주의 이익에 부합한다는 보장은 없다.

다. 지배소수주주체제에 관한 실증연구

지배소수주주체제는 나름의 장점과 단점이 공존하는 체제이지만 구체적으로 그것이 성과에 어떻게 영향을 미치는지는 아직 단정하기 어렵다. 그러나 이제까지의 실증연구는 대체로 부정적인 결론을 보이고 있다. 지배주주의 현금흐름에 대한 지분과 의결권에 대한 지분의 격차가 클수록 기업가치가 감소한다는 연구,[74] 재벌에 소속된 회사는 독립된 회사에 비하여 회사가치의 감소를 보인다는 연구[75] 등이 그 예이다. 근거로는 지배주주가 이익극대화 대신 이익의 안정을 추구한다는 점, 수익성이 낮은 업종에 과도하게 투자한다는 점, 부실한 계열회사를 지원한다는 점 등이 제시된다. 이러한 연구결과는 일반적인 인식과 대체로 일치하지만 아직 더 지켜볼 여지가 있는 것으로 판단된다.

5. 통제주체에 대한 견제장치

가. 견제장치의 요소

특히 협의의 기업지배구조에 관한 논의에서는 기업의 통제주체가 주주이익을 위하여 일하도록 담보하는 장치가 관심의 대상이다. 그러한 견제장치는 대체로

---

73) 최근 재벌총수의 민형사책임을 인정한 법원판결이 계속 나오고 있는 상황에 비추어 적어도 재무상태가 건실한 대기업에서는 노골적인 사적이익추구행위를 감행하기 어려울 것이다.

74) 예컨대 Jae-Seung Baek et al., "Corporate Governance and Firm Value: Evidence from the Korean Financial Crisis," *Journal of Financial Economics*, Vol. 71(2004), pp. 265~313.

75) Stephen P. Ferris et al., "The costs (and benefits?) of diversified business groups: The case of Korean chaebols," *Journal of Banking & Finance*, Vol. 27(2003), pp. 251~273; Heitor Almeida et al., "The structure and formation of business groups: Evidence from Korean chaebols," *Journal of Financial Economics*, Vol. 99(2011), pp. 447~475.

다음과 같은 요소들로 구성된다.

① 회사내부기관에 의한 통제 - 이사회, 감사, 주주총회 등

② 소송에 의한 통제 - 이사의 신인의무와 주주대표소송 등

③ 정보공시와 외부감사제도

④ 출자회수의 보장 - 반대주주의 주식매수청구권

⑤ 시장에 의한 통제 - 경영권시장, 자본시장 등

⑥ 기타 - 정부, 사회규범, 언론 등

나. 견제장치의 개선

이상의 견제장치는 1997년 경제위기 전에는 거의 작동하지 않았다. 그러나 경제위기를 거치면서 상당히 강화된 바 있다. 변화는 주로 비교적 손쉽게 바꿀 수 있는 ① 내지 ③을 중심으로 이루어졌다. 이들 견제장치의 구체적인 내용에 관해서는 이 책의 다른 글들에 미루기로 하고 이곳에서는 특히 두드러진 변화만을 간단히 언급하기로 한다.

①과 관련해서는 여러 가지 변화가 발생하였거나 진행 중이다. (i) 먼저 주목할 것은 사외이사의 도입이다.[76] 상장회사에 대해서는 사외이사의 선임을 의무화하였고 대규모 상장회사에 대해서는 이사의 과반수를 사외이사로 선임하도록 하였다(제542조의8, 시행령 제34조). 그러나 현실적으로 재벌그룹의 상장회사에서 총수의 뜻에 맞지 않는 사외이사가 선임되는 경우는 거의 없다. 그리하여 독립성을 결여한 사외이사가 거수기 노릇을 하고 있다는 식의 비판이 끊이지 않고 있다. 그러나 과거 이사회가 지배주주의 부하들만으로 구성되었던 시절에 비한다면 적어도 일부 기업의 경우 이사회 기능이 다소 향상된 것으로 볼 수 있다.[77] (ii) 또한 반드시 제도개선에 따른 변화로 보기는 어렵지만 ①과 관련하여

---

76) 감사위원회의 도입도 중요하지만 그 성패는 결국 사외이사제도의 성공에 달려있다는 점에서 더 이상 논하지 않는다. 감사위원회에 대해서는 김건식, "법적 시각에서 본 감사위원회," 「BFL」 제13호(서울대학교 금융법센터, 2005. 9.), 35면 이하.

77) 일부 실증연구에 의하면 사외이사의 증가가 기업가치의 향상을 초래한다고 한다. Bernard S. Black et al., How Corporate Governance Affects Firm Value: Evidence on Channels from Korea(2008)(available at: http://ssrn.com/abstract=844744); Bernard Black & Woochan Kim, The Effect of Board Structure on Firm Value: A Multiple Identification Strategies Approach Using Korean Data(2011)(available at: http://ssrn.com/abstract=968287).

관심을 끄는 현상은 일부 외국인투자자에 의한 이른바 "주주행동주의"(shareholder activism) 사례이다. 소버린이나 엘리엇 같은 외국인 투자자가 경영자를 상대로 벌인 위임장경쟁은 큰 관심을 끈 바 있다. (iii) 끝으로 주목할 것은 2016년말 도입된 스튜어드십코드(정식 명칭은 "기관투자자의 수탁자 책임에 관한 원칙")이다.78) 스튜어드십코드가 활성화되는 경우에는 주주총회의 중요성이 한층 더 부각될 것이다.

②와 관련해서 특기할 것은 법 개정으로 주주대표소송을 제기할 수 있는 주주의 지주요건을 대폭 인하한 것이다. 그 결과 주주대표소송의 수가 대폭 증가하였고 지배주주에 대해서 업무상배임과 같은 형사책임을 묻는 소송도 끊이지 않고 있다.79) 2011년에는 자기거래에 관한 규제가 강화되고(제398조) 회사기회의 유용에 관한 규정(제397조의2)이 신설되는 등 주주이익을 침해하는 행위에 대한 상법 규제가 대폭 강화되었다.80)

③의 기업공시와 외부감사제도는 1997년 경제위기 이후 변화 폭이 가장 큰 분야라고 할 수 있다. 또한 부실공시나 부실감사를 이유로 경영자나 회계법인에 대해서 손해배상책임을 묻는 소는 실제로 많이 제기되고 있다.

④의 대표적인 예는 반대주주의 주식매수청구권(제374조의2, 자본시장법 제165조의5)이다. 주식매수청구권은 실제로 많이 활용되고 있지만 문제점도 적지 않다. 외국에서는 특정 주주가 일정 지분 이상의 주식을 취득하는 경우 다른 주주들이 당해 주주에게 주식을 매수할 것을 청구할 수 있는 권리를 부여하는 예가 많다(이른바 강제매수(mandatory bid)). 우리 상법은 2011년 개정에서 95% 이상을 보유하는 지배주주가 있는 경우에만 소수주주의 매수청구권(제360조의25)을 도입하였다.

⑤와 관련하여 경영권 시장은 아직 활성화되고 있지 않다. 적대적 기업인수의 성공사례가 전무한 것은 아니지만 대기업을 상대로 시도된 경우는 극히 드물

---

78) 그 내용과 법적 쟁점에 관해서는 안수현, "한국형 스튜어드십 코드인 '기관투자자의 수탁자 책임에 관한 원칙안'의 법적 쟁점과 과제," 「BFL」 제77호(서울대학교 금융법센터, 2016. 6.), 53면 이하.

79) 실제로 삼성, 현대자동차, SK, 한화와 같은 대규모그룹의 지배주주들도 이러한 형사소송에서 유죄판결을 받은 바 있다. 그러나 이들은 유죄가 인정된 후에도 집행유예를 받고 바로 사면을 받는 경우가 많아서 법집행의 공정성에 대한 비판이 확산되었다.

80) 관계자거래에 대한 현행 규제의 문제점에 대해서는 김건식, "기업집단과 관계자거래," 「상사법연구」 제35권 제2호(한국상사법학회, 2016. 8.), 9면 이하.

다. 그러나 현실적으로 지배주주 쪽에서 느끼는 불안은 회사에 따라 차이가 있지만 상당히 큰 것 같다. 경영권 방어수단에 대한 경제계의 높은 관심은 그 증거라고 할 것이다.

⑥과 관련해서도 다소간 변화의 조짐이 없지 않다. 주주이익에 대한 일반 국민의 인식이 높아진 것은 분명하다. 과거 관행으로 여겨졌던 '일감 몰아주기'에 대해서는 일찍부터 시민단체 등이 문제를 제기하였다. 공정거래위원회가 이러한 일감 몰아주기를 공정거래법상의 부당지원행위로 보아 과징금을 부과한 것[81]에 이어서 법문에 명시한 것(공정거래법 제23조의2)이나 회사기회에 관한 규정(제397조의2)이 상법에 새로이 도입되는 등의 변화는 달라진 여론의 뒷받침 없이는 어려웠을 것이다.[82]

6. 넓은 의미의 지배구조와 ESG논의[83]

역사적으로 먼저 부각된 것은 좁은 의미의 지배구조에 관한 논의보다 넓은 의미의 지배구조에 관한 논의였다.[84] 미국에서의 논의만 보더라도 이미 1930년대 초 회사가 누구를 위한 존재인가의 문제를 둘러싸고 Berle와 Dodd사이에 유명한 논쟁이 벌어진 바 있다.[85] 일본에서는 1970년대 기업의 사회적책임에 관한 일반규정을 상법에 도입할 것인가를 둘러싸고 잠시 논의가 있었으나 입법이 성사되지는 못했다.[86] 미국에서는 1980년대 미국법률가협회(American Law Institute)의 회사지배 프로젝트(Principles of Corporate Governance)에서 회사의

---

81) 2007. 10. 24. 공정거래위원회 전원회의 의결 제2007-504호(사건번호 2007조사0845).

82) 이런 여론을 선도하는 역할은 주로 시민단체와 언론이 담당하고 있다. 최근 일감몰아주기와 관련된 시민단체 활동의 대표적인 예로서 이은정, "일감몰아주기와 회사기회유용 실태분석,"「경제개혁리포트」2018-10(경제개혁연구소, 2019.9.4).

83) 이 문제를 가장 포괄적으로 다룬 국내 문헌으로 정준혁, "ESG와 회사법의 과제,"「상사법연구」제40권 제2호(한국상사법학회, 2021. 8.), 13면.

84) 넓은 의미의 지배구조에 관한 과거의 논의에 대한 간단한 서술로는 김건식, "회사법의 구조개혁,"「서울대학교 법학」제28권 제1호(서울대학교 법학연구소, 1987. 4.)(회사법연구 I(소화, 2010), 34~50면), 36~43면.

85) 그 논쟁이 벌어지기 전인 1919년 미시간주 대법원은 유명한 Dodge v. Ford Motor Company판결에서 주주이익우선주의를 선언한 바 있지만 이 판결이 실무에 미친 영향은 그렇게 큰 것은 아니다.

86) 그러한 일반규정의 도입에 대해서 가장 설득력있는 비판으로는 竹內昭夫, "企業の社會的責任に關する商法の一般規定の是非,"會社法の理論 I(有斐閣, 1984), 135面.

목적에 관한 정의규정(§2.01)을 둘러싸고 다시 논의가 점화된 바 있다.[87] 그러나 이런 논의가 실제 회사의 운영에 큰 영향을 미쳤다고 보기는 어렵다. 회사법적인 관점에서 전통적인 견해는 회사는 사회적 이익을 추구할 법적 의무가 있는 것은 아니지만 사회적 이익을 배려하여 행동하는 것이 허용된다고 정리할 수 있다. 전통적 견해에 따르면 결국 회사의 사회적 목적추구는 상당부분 경영자의 재량에 맡겨진 셈이었고 주주가 경영자의 행동을 통제할 여지는 거의 없었다. 한편 회사법에서 법경제학적 연구의 영향이 강해짐에 따라 20세기말에 이르러서는 회사(경영자)는 주주이익을 우선해야한다는 주장[88]이 적어도 학계에서는 지배적 견해로 대두되기에 이르렀다. 주주이익우선주의는 반드시 그런 것은 아니지만 회사경영에 관한 경영자의 재량을 제약하고 지배구조에서 주주관여의 폭을 넓히는 쪽으로 작용해왔다. 이런 변화는 기업의 사회적 책임을 추구하는 사회구성원은 물론이고 경영상의 재량을 원하는 경영자에게는 달갑지 않은 것임을 부정하기 어렵다.

ESG에 관한 논의는 바로 이런 상황에서 대두되었다. ESG란 기업이 경영을 할 때 재무적 관점만이 아니라 환경(E), 사회(S), 지배구조(G) 같은 요소를 고려해야 한다는 사고를 말한다. 사회가 오래전부터 논의되어 온 사회적 책임과 관련이 있고 지배구조도 비교적 널리 알려진 것이란 점에서 특히 주목할 것은 환경이라고 할 수 있고 환경 중에서도 기후변화가 논의의 초점이 되고 있다. ESG 논의는 다양한 이유로 다방면에 걸쳐 전개되고 있기 때문에 간단히 정리하기 어렵다.[89] 회사법과 관련하여 몇 가지 두드러진 움직임을 간추리자면 다음과 같다. ① 미국 재계를 대표하는 비즈니스 라운드테이블이 공표한 회사의 목적에 관한 성명서에서 회사의 목적이 주주만이 아니라 고객이나 근로자 등 이해관계자들의 이익을 추구하는 것이리고 선언하였다. ② 세계최대 자산운용사인 BlackRock을 비롯한 대형 자산운용사들이 투자대상기업들에게 ESG를 고려한 경영을 할 것을 촉구하였다. ③ 2020년 개정된 영국의 스튜어드십코드는 기관투자자들로 하여금 ESG를 고려할 것을 요구한다.[90] ④ 일부 선진국 사례에 따라 우리나라

---

87) 김건식, 주84, 38~39면.
88) 그런 견해의 뿌리가 된 글로 Milton Friedman, "A Friedman Doctrine: The Social Responsibility of Business is to Increase its Profits," New York Times, 13 September, 1970.
89) ESG논의가 대두된 배경에 대해서는 정준혁, 주83, 16~25면.

는 2025년부터 ESG공시를 단계적으로 의무화할 계획을 발표한 바 있고 기업의 ESG활동에 대한 평가도 이루어지고 있다. ⑤ 학계나 실무계의 저명인사들도 대거 기업의 ESG활동을 촉구하는 움직임에 동참하고 있다.[91]

한편 이런 ESG옹호론에 대해서는 반대론도 만만치 않다.[92] 그리고 법적으로 ESG에 대한 고려를 의무화하는 경우에도[93] 회사의 주된 이해관계자가 주주라는 점을 부정할 수는 없기 때문에 ESG가 현실적인 회사경영에 얼마나 영향을 미칠 수 있는지는 아직 지켜볼 필요가 있을 것이다. 그 밖에 ESG논의와 관련해서는 ESG가 이사의 신인의무나 기관투자자의 신인의무와 조화될 수 있는지 등의 법적 쟁점이 존재한다.[94]

V. 우리 기업지배구조의 평가와 전망

회사의 주식소유구조는 쉽게 변화하지 않는다. 기업전체 차원에서 볼 때 집중형 소유구조가 분산형으로 변화하는 것도 어렵지만[95] 분산된 소유구조가 다시 집중형으로 바뀌는 것도 쉽지 않을 것이다.[96] 전술한 바와 같이 최근 미국

---

90) 우리나라의 스튜어드십코드는 명시적으로 ESG을 언급하고 있지 않지만 회사의 중장기적 발전이나 가치 등을 도처에서 강조함으로써 ESG를 수용할 수 있는 공간을 제공하고 있다. 또한 국민연금기금의 의결권 행사지침은 ESG에 대한 고려를 명시하고 있다(§4-2).

91) 그런 견해를 지지하는 대표적 문헌으로 Colin Mayer, *Prosperity: Better Business Makes the Greater Good* (Oxford University Press, 2018).

92) 이 논의에 관한 문헌은 이루 열거할 수 없을 정도로 많다. 이해관계자이익을 강조하는 견해를 비판하는 대표적인 문헌으로 Lucian A. Bebchuk & Roberto Tallarita, "The Illusory Promise of Stakeholder Governance," *106 Cornell Law Review* 91(2020). 한편 이 논문에 대한 비판으로는 Colin Mayer, Shareholderism Versus Stakeholderism – a Misconceived Contradiction. A Comment on 'The Illusory Promise of Stakeholder Governance' by Lucian Bebchuk and Roberto Tallarita, European Corporate Governance Institute – Law Working Paper No. 522/2020.

93) 그러한 사례에 대해서는 정준혁, 주83, 21면.

94) 이에 관해서는 정준혁, 주83, 56~68면.

95) 이 점에 관해서는 Lucian Bebchuk & Mark Roe, "A Theory of Path Dependence in Corporate Governance and Ownership," *52 Stanford Law Review* 127 (1999).

96) 그 예외가 캐나다라고 할 수 있다. 실제로 캐나다에서는 19세기 초 지배주주가 지배하는 기업집단이 많았지만 그 후 주식소유의 분산이 진전되어 19세기 중반 무렵에는 미국이나 영국과 같이 분산형 소유구조가 정착되었다. 그러나 그 후 다시 소유집중이 시작되어 20세기 말에는 가족이 지배하는 기업집단체제로 복귀하였다. Randall K. Morck et al., "The Rise and Fall of Widely Held Firm – A History of Corporate Ownership in Canada,"

과 영국에서 주식소유가 기관투자자에게 집중하고 있는 현상은 특히 주목할 변화라고 할 것이다. 한편 회사의 통제주체가 바뀌는 것은 소유구조의 변화에 못지않게 어렵다. 지난 수십 년간 우리 재벌기업에서 지배주주가 직접 보유하는 지분은 대폭 감소하였지만 지배주주는 계열회사의 주식보유를 통해서 여전히 통제주체로서의 지위를 유지하고 있다.

회사가 추구하는 목적은 통제주체가 누구인지에 따라 크게 달라질 수 있다. 그러나 통제주체에 변함이 없더라도 회사가 실제 추구하는 목적은 환경의 변화에 따라 변화를 보일 수도 있다. 1997년 경제위기 이후 경제계에서는 종전에 비하여 주주이익을 훨씬 더 중시하는 경향이 있다. 지배주주의 터널링 행위에 대한 부정적 시각이 확산됨에 따라 규제가 강화되고 처벌사례가 증가했다는 점에 대해서는 이미 언급한 바와 같다.[97] 한편 기업의 소유구조나 통제주체, 기업목적을 변화시키는 것에 비하여 통제주체에 대한 견제장치를 변화시키는 것은 상대적으로 용이하다. 우리나라를 비롯한 각국의 기업지배구조는 이 측면에서 상당한 변화를 겪었다.

기업지배구조의 변화에 영향을 주는 요소는 많다. 법제도의 변화도 하나의 요소이다. 법제도의 변화는 정치적 여론의 뒷받침 없이는 일어나기 어렵다. 정치적 여론을 움직이는 것은 스캔들이나 경제위기인 경우가 많다. 그러나 스캔들이나 위기의 여파는 성격상 일시적이므로 그로 인하여 형성된 여론도 시간이 흐름에 따라 수그러들게 마련이다. 기업지배구조의 변화를 보다 효과적으로 촉진하는 요인은 경제환경의 변화라고 할 수 있다. 이와 관련하여 먼저 주목할 것은 주주 구성과 행동양식의 변화이다. 재벌기업의 지배주주는 여전히 경영권을 유지하고 있지만 과거에 비해서 기관투자자와 외국인 주주를 포함한 일반주주의 보유비율이 높아진 것이 사실이다. 이들이 모두 반기를 드는 경우에는 아무리 지배주주라도 경영권을 잃을 수 있다. 그러나 이제까지 도산기업을 제외하고는 지배주주가 경영권을 박탈당한 일은 없다. 최근까지 기관투자자를 포함한 일반투자자들이 지배소수주주체제 자체를 위협할 정도로 불만을 표출한 적은 없었다.[98] 이들은 오히려 회사의 안정적인 경영을 담보할 뿐 아니라 정부, 국회, 언

---

in: *A History of Corporate Governance Around the World* (Randall Morck ed., University of Chicago, 2007).
97) 특히 외국인 보유비율이 높은 기업에서는 영업이익과 배당에 대해서 신경을 많이 쓰고 있다. 그 결과 신규투자와 인력채용에 대해서는 신중한 자세를 유지하고 있다.

론 등 사회의 권력집단에 보다 효과적으로 대처할 수 있는 지배주주가 사라짐으로써 생기는 공백의 불확실성을 더 불안하게 여길 수도 있다.[99]

그러나 지배주주에 대체로 우호적이었던 일반 주주들의 태도가 마냥 지속될 것으로 기대할 수는 없다. 최근 삼성물산합병사례을 비롯한 일련의 사태에서 드러난 바와 같이 외국인투자자의 영향력행사는 앞으로도 수그러들 조짐이 보이지 않는다. 이와 관련하여 특히 잠재적 영향력이 큰 것은 날로 비중이 높아지고 있는 국민연금의 움직임이다.[100] 최근 삼성물산합병사례에서 국민연금의 의결권행사와 관련한 의혹이 형사소추로까지 이어지며 국민적 관심사로 부각됨에 따라 앞으로 국민연금의 행보는 다소간 변화를 보일 것으로 전망된다. 2018년 국민연금이 마침내 스튜어드십코드를 도입하기로 결정한 것은 그 변화의 시작으로 볼 수 있다. 국민연금이 투자대상기업의 기업지배구조와 관련하여 목소리를 높이는 경우에는 그간 지배주주의 결정에 수동적으로 지지해왔던 국내 기관투자자의 행동양식에도 변화가 생길 가능성이 높다.[101]

장차 재벌체제의 폐해가 그 효용을 압도하는 방향으로 환경이 변화하는 경우에는 국민연금을 비롯한 국내 기관투자자들도 투자대상인 회사의 주요 의사결정에 보다 적극적으로 간섭하려할 수도 있다.[102] 나아가 지배주주의 권한남용을 제약하는 규제의 강화를 초래할 가능성도 없지 않다. 그런 환경변화의 예로는 크게 두 가지를 상정할 수 있다. 하나는 대기업의 실적이 악화되어 총수일가의 경영능력에 대한 신뢰가 무너지는 경우이다. 예컨대 삼성전자나 현대자동차와

---

98) 최근 삼성물산합병사례에서 합병비율의 공정성에 대한 논란이 있었음에도 불구하고 국민연금을 비롯한 국내 기관투자자들이 찬성표를 던진 것도 투자자들의 소극성을 뒷받침하는 증거가 될 수 있을 것이다. 이 사례에서의 국민연금을 비롯한 기관투자자의 행태에 관해서는 김건식, "삼성물산 사례를 통해 본 우리 기업지배구조의 과제," 「BFL」 제74호(서울대학교 금융법센터, 2015. 11.), 92~95면.

99) 이제까지 지배소수주주체제에 대한 비판의 소리는 투자자보다는 학계나 시민단체에서 나오는 경우가 많았다.

100) 2020년 말 현재 국민연금의 유가증권시장 투자규모는 168.9조원으로 시가총액의 8.6%에 달하고 있다. 국민연금기금 2020년 연차보고서, 22면.

101) 스튜어드십코드는 2021년 9월 17일 현재 169개 기관투자자가 참여하고 있다(http://sc.cgs.or.kr/participation/investors.jsp(2021.9.17 방문). 참여 기관투자자가 증가할수록 투자자의 의결권행사를 자문하는 의결권자문회사(proxy advisor)의 영향력도 커질 것으로 보인다. 의결권자문회사의 법적 쟁점에 관해서는 최문희, "의결권 자문회사에 관한 입법 과제와 법적 쟁점," 「서울대학교 법학」 제57권 제2호(서울대학교 법학연구소, 2016. 8.), 185면.

102) 최근 한진그룹과 국내 사모펀드 사이에 벌어진 경영권다툼은 그 전조(前兆)라고 할 수 있을 것이다.

같이 이제까지 눈부신 성과를 보여준 대기업의 실적이 경영권승계 후 추락하는 경우에는 지배소수주체제에 대한 근본적 회의가 한층 심화될 수 있다. 다른 하나는 재벌총수일가에 대한 일반 국민의 반감과 불신이 한계점을 넘는 경우이다.[103) 지배소수주주체제가 경제전체에 미치는 악영향이 크다는 인식이 일반 국민 사이에 확산되는 경우에는 정치권도 지배소수주주체제를 근본적으로 흔드는 개혁에 대한 정치적인 압력과 유혹을 이겨내기 어려울 것이다.

이상에서 논한 바와 같이 우리 기업지배구조는 일견 현상이 유지되고 있는 것처럼 보이는 한편으로 변화의 조짐도 없지 않다. 통제주체의 면에서는 거의 변화가 없지만 견제장치의 면에서는 상당한 변화가 있고 그 변화의 방향은 대체로 주주이익을 중시하는 쪽인 것으로 보인다. 고도경제성장시기에 주주이익이 상대적으로 경시되었다는 사실을 고려하면 이러한 변화는 바람직한 측면이 없지 않다. 문제는 주주이익의 강조가 자칫 너무 단기적 이익에 치중할 가능성이 있다는 것이다.[104) 회사가 너무 단기 영업이익에 몰두하게 되면 아무래도 장기투자는 위축될 수밖에 없다. 그런 상황이 계속되면 회사의 장기 발전을 저해할 뿐 아니라 전체 경제의 활력도 살아날 수 없다.[105) 또한 주주이익만을 내세우는 것은 ESG를 강조하는 최근 흐름에 역행한다. 이처럼 단기적 주주이익과 장기적 주주이익, 그리고 이해관계자 이익을 조화하는 문제는 바로 넓은 의미의 기업지배구조에 속하는 문제인 동시에 오늘날 세계 모든 자본주의 국가에서 마주하는 문제이기도 하다. 그러한 의미에서도 앞으로 세계적인 기업지배구조담론의 향방을 계속 지켜볼 필요가 있을 것이다.

---

103) 2014년 말 사회를 떠들썩하게 만든 대한항공의 '땅콩 회항'사건은 국민의 부정적 인식을 촉발하는 대표적인 사례이다. 그러나 그 후에도 재벌총수일가의 이른바 "갑질"을 둘러싼 논란은 끊임없이 이어지고 있다.

104) 이 문제는 주로 미국에서 이른바 "short-termism"이란 제목으로 많이 논의되고 있다. 우리나라에서 주주의 압력에 따른 단기경영의 가능성을 부정하는 견해로 장하성, 「한국자본주의」(헤이북스, 2014), 179~180면.

105) 스튜어드십코드가 "투자대상회사의 중장기적인 가치"를 강조하고 있는 것(원칙 3)도 이런 위험을 의식하였기 때문이라고 할 것이다.

제 2 장

주식회사의 설립

제 1 절 설립의 기획 및 절차

정   대*

Ⅰ. 총   설

상법상의 회사 가운데 주식회사의 수가 압도적이라고 할 수 있다.[1] 〈표 1〉에서 보는 바와 같이 다른 종류의 회사와 비교하였을 때 주식회사의 설립등기 건수(단, 외국회사는 제외함)가 매년 평균 93%~95%정도를 차지하고 있기 때문이다. 주식회사의 설립 건수는 증가하는 추세에 있다고 볼 수 있다. 상법상의 회사 가운데 특히 주식회사를 선택하는 이유는 일반인이 회사라고 하면 주식회사로 인식하고 있는 것이 통상이라는 점, 회사를 설립하여 큰 부를 축적할 수 있는 기회가 주식회사에만 존재한다는 점 등에 있는 것처럼 보인다.[2]

주식회사의 설립이란 주식회사라는 단체를 형성하고, 주식회사가 법인격을 취득하여 법률상의 인격자, 즉 법인이 되는 것이라고 할 수 있다. 주식회사라는 단체의 실체의 형성은 ① 단체의 근본규칙인 정관의 작성, ② 출자자인 사원, 즉 주주의 확정, ③ 회사의 기관의 구축, ④ 출자에 의한 회사의 재산의 형성에 의해 이루어지고, 설립등기에 의해 주식회사가 법인격을 취득하고 성립하게 된다.[3]

이러한 주식회사의 설립의 기획자가 발기인인데, 발기인은 주식회사의 설립 사무를 집행하고, 주식회사의 성립을 지향한다.[4]

---

* 국립한국해양대학교 해사법정학부 교수

1) 「2020 국세통계연보」(국세청, 2021.2.25.)에 의하면, 2019년 법인종류별 법인세 신고 현황이 공개되어 있다. 총 신고 법인수는 787,438개사인데, 주식회사 747,882개사, 유한회사 35,519개사, 합자회사 3,122개사, 합명회사 915개사이다. 이 가운데 주식회사가 약 95%를 차지하고 있다.
2) 정대, "주식회사의 설립절차에 대한 상법상의 규제완화의 효과에 관한 연구," 「법과 정책」 제19집 제1호(제주대학교 법과정책연구소, 2013), 333~334면.
3) 神田秀樹, 「會社法」第七版(弘文堂, 2005), 36面.
4) 神田秀樹, 前揭書, 38面.

〈표 1〉 각종 회사의 설립등기 건수

	2010	2011	2012	2013	2014	2015	2016	2017	2018	2019
합명회사	51	16	14	12	7	8	15	19	10	22
합자회사	160	239	413	247	155	127	156	177	257	270
주식회사	59,671	64,359	70,994	72,091	81,043	89,528	90,780	92,770	96,430	103,574
유한회사	2,835	3,552	4,503	4,820	5,334	6,113	7,536	7,372	7,859	7,702
유한책임회사	–	–	32	105	85	154	346	328	365	445
외국회사	300	285	278	308	255	271	279	267	277	252
합계	63,017	68,451	76,234	77,583	86,879	96,201	99,112	100,933	105,198	112,265

출처: 법원행정처, 2018년~2020년 사법연감 발췌.

Ⅱ. 발 기 인

1. 개 념

발기인이란 실질적으로는 회사의 설립을 기획하고 그 설립사무를 집행하는 자를 말하고, 형식적으로는 정관에 발기인으로서 기명날인 또는 서명을 한 자를 말한다(제289조 제1항).[5] 법률상으로는 발기인을 형식적으로 보고 있으므로 실제로 회사의 설립사무에 종사하였다 하더라도 정관에 기명날인 또는 서명을 하지 않은 자는 발기인이 아니다.[6]

2. 지 위

발기인은 대외적으로는 설립중의 회사의 기관이 된다. 대내적으로는 발기인 조합의 구성원으로서 회사의 설립사무에 종사한다.[7]

---

5) 최준선, 「회사법」 제16판(삼영사, 2021), 148면.
6) 정찬형, 「상법강의(상)」 제24판(박영사, 2021), 659면.
7) 최준선, 전게서, 148면.

3. 자　　격

발기인의 자격에 대해서는 법률상 제한이 없으므로 법인, 외국인 및 제한능력자도 될 수 있지만, 적어도 1주 이상의 주식을 인수하여야 한다(제293조). 법인이 발기인이 된 경우에는 법인의 대표자 또는 대리인이 회사의 설립사무에 종사하게 된다.[8] 다만, 법인이나 제한능력자는 발기인으로 활동하는데 여러 가지 문제점이 있기 때문에 완전한 행위능력이 있는 자연인만이 발기인이 될 수 있다는 견해도 있다.[9]

4. 발기인의 수

발기인의 수에는 제한이 없으므로(제288조) 1인의 발기인이 주식회사를 설립할 수 있다. 회사설립절차가 종료되기 전에 발기인 중 일부가 사망한 경우에 그 상속인이 이를 상속할 수 있는가 하는 문제가 있는데, 그 발기인의 지식, 경험 및 능력 등이 고려되어 발기인이 되었다는 점을 생각하면, 이를 부정하여야 할 것이다. 다만 법인이 합병된 경우에는 존속회사 또는 신설회사가 이를 승계할 수 있다고 본다.[10]

5. 권　　한

발기인의 행위에 의하여 발생하는 권리·의무는 일단 설립 중의 회사에 귀속되지만, 회사가 성립히면 당연히 회사로 이선하게 된다. 그런데 성립 후의 회사로 귀속될 발기인의 행위의 범위, 즉 발기인의 권한에 관하여는 학설이 대립한다.

가. 제1설

발기인은 정관의 작성, 주식의 인수 및 납입에 관한 행위, 창립총회의 소집 등과 같은 회사설립 자체를 위한 행위만을 할 수 있고, 개업준비행위는 예외적

---

8) 정동윤, 「회사법」 제7판(법문사, 2001), 101면.
9) 정찬형, 전게서, 659면.
10) 최준선, 전게서, 149면.

으로 법정의 요건(제290조 제3호, 제299조, 제310조)을 갖춘 경우에만 할 수 있다.[11]

나. 제2설

발기인은 회사설립을 위한 법률상·경제상 필요한 모든 행위를 할 수 있다. 예를 들면, 설립사무소의 임차, 설립사무소의 직원의 고용 등을 할 수 있다. 그러나 개업준비행위는 하지 못한다.[12]

다. 제3설

발기인은 회사설립을 위한 법률상·경제상 필요한 모든 행위를 할 수 있고, 토지 및 건물의 취득, 원재료의 구입 등과 같은 회사성립 후의 사업을 위한 개업준비행위도 할 수 있다.[13]

라. 판례(제3설)

발기인대표가 성립 후의 회사를 위하여 자동차조립계약을 체결한 것은 발기인대표로서 회사설립사무의 집행인으로서 위 계약을 체결한 것으로 회사에 책임이 있고, 이는 제290조(변태설립사항)의 각 호에 해당되지 않는다.[14] 즉 발기인의 권한에 개업준비행위를 포함시키고 있다.[15]

---

11) 최기원, 「신회사법론」, 제14대정판(박영사, 2012), 140~141면; 이철송, 「회사법강의」, 제29판(박영사, 2021), 236면.

12) 권기범, 「현대회사법론」, 제5판(삼영사, 2014), 407면; 김건식, 「회사법」(박영사, 2015), 99면; 이기수·최병규·조지현, 「회사법」, 제8판(박영사, 2009), 143면; 강위두·임재호, 「상법강의(상)」, 제4전정판(형설출판사, 2011), 557면; 김정호, 「회사법」, 제2판(법문사, 2012), 95면; 임홍근, 「회사법」(법문사, 2000), 144면; 홍복기, 「회사법강의」, 제4판(법문사, 2016), 158면; 日本의 判例 및 通說이다. 丸山秀平, 「新株式會社法槪論」(中央經濟社, 2009), 61面; 森 淳二朗·吉本健一, 「會社法」補訂版(有斐閣ブックス, 2009), 36面; 森本 滋, 「會社法·商行爲法·手形法講義」 第2版(成文堂, 2011), 213面; 神田秀樹, 前揭書, 52面.

13) 임재연, 「회사법 I」개정판(박영사, 2013), 227면; 최준선, 전게서, 150면; 정찬형, 전게서, 660면; 정동윤, 전게서, 145면.

14) 대법원 1970.8.31. 70다1357.

15) 이 판례에 대해서는 개업준비행위와 회사설립을 위한 행위를 혼동한 잘못이 있다고 비판하는 견해가 있다. 최기원, 전게서, 141면.

6. 의무와 책임

발기인은 설립사무와 관련하여 1주 이상의 주식인수의무(제293조), 의사록의 작성의무(제297조) 등의 의무를 부담하고, 주식의 인수 및 납입담보책임(제321조), 임무해태로 인한 손해배상책임(제322조) 등의 책임을 부담한다.

Ⅲ. 발기인조합

1. 의   의

발기인조합은 회사성립시까지 존속하는 발기인의 단체로서 주식회사의 설립사무를 집행한다. 주식회사를 설립하려면 발기인이 있어야 하는데, 발기인이 수인인 경우 발기인 상호 간에는 회사의 설립을 목적으로 하는 발기인조합계약을 체결하는 것이 일반적이다.[16) 그러나 발기인이 1인인 경우에는 발기인조합이 성립하지 않는다.[17)

2. 법적 성질

발기인조합의 법적 성질은 민법상의 조합이기 때문에 발기인조합의 업무집행에는 민법상의 조합에 관한 규정(민법 제703조 이하)이 적용된다(통설).

3. 권   한

발기인조합은 정관작성 등 주식회사의 설립사무를 집행한다.[18)

---

16) 최준선, 전게서, 153면.
17) 권기범, 전게서, 382면; 최준선, 전게서, 153면; 임재연, 전게서, 227면; 정찬형, 전게서, 661면; 이에 반해, 1인의 발기인과 실질적 의미의 발기인과의 사이의 발기인조합이 존재할 수 있다고 하는 견해가 있다. 정동윤, 전게서, 103면.
18) 최준선, 전게서, 153면; 임재연, 전게서, 227면; 정찬형, 전게서, 661면.

4. 발기인과의 관계

발기인은 발기인조합의 구성원이며, 설립 중의 회사의 기관이다. 따라서 발기인이 하는 회사설립행위는 발기인조합계약의 이행행위가 됨과 동시에 회사의 기관으로서의 활동이 된다.[19]

5. 가입과 탈퇴

발기인 전원의 동의로 가입하고, 탈퇴할 수 있다(민법 제716조, 제717조). 그러나 주식청약서가 작성, 교부된 후에는 주식인수인을 보호하기 위하여 발기인 전원과 주식인수인 전원의 동의가 있어야 탈퇴할 수 있다고 본다.[20]

6. 의사결정

발기인의 의사결정은 원칙적으로 민법상의 조합에 관한 규정에 따르기 때문에 발기인의 과반수의 결의에 의한다. 그러나 정관의 작성(제289조 제1항)과 주식발행사항의 결정(제291조)은 발기인 전원의 동의가 필요하다.[21]

7. 해   산

발기인조합은 회사의 성립이라는 목적을 달성하면 소멸한다. 이러한 의미에서 회사의 설립이 불가능한 때에도 발기인조합은 소멸한다.[22]

8. 설립중의 회사와의 관계

발기인조합은 정관작성의 이전에 성립하는 반면에 설립중의 회사는 발기인이

---

19) 최준선, 전게서, 153면; 임재연, 전게서, 227면; 정찬형, 전게서, 661~662면.
20) 최준선, 전게서, 153면; 임재연, 전게서, 228면; 정동윤, 전게서, 103면.
21) 최준선, 전게서, 154면; 임재연, 전게서, 228면; 정동윤, 전게서, 103~104면.
22) 최준선, 전게서, 154면; 임재연, 전게서, 228면; 정동윤, 전게서, 104면.

정관을 작성하고 1주 이상의 주식을 인수한 때(다수설, 판례) 성립한다. 따라서 발기인조합은 회사성립 시까지 설립중의 회사와 병존하게 된다.[23] 그러나 발기인조합은 발기인 상호간의 내부적인 계약관계이기 때문에 설립중의 회사 및 성립후의 회사와는 직접적인 법적 관계를 갖지 않는다.[24]

Ⅳ. 설립중의 회사

1. 서 설

가. 의 의

설립중의 회사란 발기인에 의한 정관의 작성으로 시작되는 설립절차중의 각 행위의 효과가 왜 성립후의 회사로 귀속되는가 하는 것을 설명하기 위한 이론으로 독일의 판례·학설로부터 유래한 것이다.[25] 설립중의 회사란 회사의 성립(설립등기) 이전에 어느 정도 회사로서의 실체가 형성된 미완성의 회사를 말하는데, 이는 강학상의 개념으로 주식회사의 설립과정에 있어서 발기인이 회사의 설립을 위하여 필요한 행위로 인하여 취득 또는 부담하였던 권리의무가 회사의 설립과 동시에 그 설립된 회사에 귀속되는 관계를 설명하기 위하여 인정된 것이다.[26]

다시 말하면 설립등기 전에 설립중의 회사라고 하는 회사의 성립을 목적으로 하는 권리능력 없는 사단이 성립하고, 발기인은 설립중의 회사의 기관이 되며, 설립중의 회사와 성립 후의 회사는 동일한 존재라는 점(동일성설)에서 설립중의 회사의 모든 관계가 성립후의 회사로 귀속된다.[27]

---

23) 임재연, 전게서, 228면.
24) 최준선, 전게서, 155면; 이철송, 전게서, 231면; 정찬형, 전게서, 662면.
25) 江頭憲治郎, 「株式會社法」(有斐閣, 2006), 102~103面.
26) 대법원 1970.8.31. 70다1357; 1994.1.28. 93다50215.
27) 江頭憲治郎, 前揭書, 102~103面; 近藤光男, 「最新株式會社法」(中央經濟社, 2009), 22面.

나. 법적 성질

1) 학 설

가) 권리능력 없는 사단설(통설)

설립중의 회사는 회사설립을 목적으로 하는 권리능력 없는 사단으로서 장래 성립될 회사의 전신이며, 양자는 법인격의 유무에 차이가 있을 뿐 동일성설에 의하여 실질적으로 동일한 존재라고 할 수 있다. 설립중의 회사의 주식인수인·이사·감사·창립총회는 설립 후의 회사의 주주·이사·감사·주주총회와 동일하기 때문이다. 따라서 설립중의 회사에 대해서는 등기를 전제로 하지 않는 주식회사에 관한 상법의 규정이 적용된다고 할 것이다.[28]

나) 특수단체설

설립중의 회사는 조합도 아니고, 권리능력 없는 사단도 아니며, 법인도 또한 아닌 특수한 성질의 단체, 독자적인 조직형태로 보아야 한다. 그리고 설립중의 회사는 성립중의 법인으로서 법인격이 없다는 점만을 제외하고는 장래 성립할 주식회사와 동일한 실체를 구비하고 있기 때문에 성립후의 회사에 적용되는 상법과 정관의 규정 중 법인격(설립등기)을 전제로 하지 않는 것은 그 성질에 반하지 않는 한 원칙적으로 모두 적용된다.[29]

2) 판례(권리능력 없는 사단설)

주식회사의 설립과정에 있어서의 소위 설립중의 회사라 함은 상법규정에 명시된 개념이 아니고 발기인이 회사의 설립을 위하여 필요한 행위로 인하여 취득 또는 부담하였던 권리의무가 회사의 설립과 동시에 그 설립된 회사에 귀속되는

---

28) 손주찬, 「상법(상)」 제15보정판(박영사, 2004), 550면; 정경영, 「상법학강의」 개정판(박영사, 2009), 353면; 김홍기, 「상법강의」 제3판(박영사, 2018), 367면; 권기범, 전게서, 403면; 최기원, 전게서, 145면; 정찬형, 전게서, 663면; 이철송, 전게서, 232면; 강위두·임재호, 전게서, 591면; 임재연, 전게서, 230면; 임홍근, 전게서, 143면; 홍복기, 전게서, 154면; 日本의 通說·判例도 설립중의 회사를 권리능력 없는 사단으로 본다. 丸山秀平, 前揭書, 60面; 森本 滋, 前揭書, 212面; 森 淳二朗·吉本健一, 前揭書, 35面.

29) 독일의 통설이라고 한다. 정동윤, 전게서, 140~141면; 이기수·최병규·조지현, 전게서, 145면; 김정호, 전게서, 90~91면, 145면; 이를 "성립중의 법인설"이라고 부른다. 최준선, 전게서, 158~159면; 설립 중의 회사를 둘러싼 법적 쟁점을 상세하게 분석한 논문으로 최준선, "설립중의 회사의 성립전 취득재산의 귀속과 이전," 「저스티스」 제31권 제2호(한국법학원, 1998), 183~195면 참조.

관계(실질적으로는 회사불성립의 확정을 정지조건으로 하여 발기인에게 귀속됨과 동시 같은 사실을 해제조건으로 하여 설립될 회사에 귀속되는 것이고 형식적으로는 회사성립을 해제조건으로 발기인에게 귀속됨과 동시 같은 사실을 정지조건으로 설립될 회사에 귀속되는 것이다)를 사회학적 및 법률적으로 포착하여 설명하기 위한 강학상의 개념이다.30) 즉 설립중의 회사라 함은 설립등기이전에 어느 정도 실체가 형성된 미완성의 회사를 말하는 강학상의 개념으로서 이는 정관이 작성되고 발기인이 1주 이상의 주식을 인수하였을 때 비로소 성립하는 것이다.31)

2. 성립시기

가. 학　설

1) 정관작성시설

설립중의 회사를 인정하는 취지가 회사성립 전의 발기인의 활동에 의하여 생긴 권리의무가 성립후의 회사에 귀속하는 관계를 설명하기 위한 것이라면, 설립중의 회사의 기관이라고 할 수 있는 발기인이 정관상 확정되는 정관작성시부터 설립중의 회사의 성립을 인정하여야 한다.32)

2) 발기인의 1주 이상 인수시설

설립중의 회사는 발기인이 정관을 작성하고 1주 이상의 주식을 인수한 때 성립한다.33) 설립중의 회사를 사단으로 보는 이상, 이 때 장래의 회사의 조직이 확정되고 그 인적·물적인 기초의 일부가 확정되며 장차 주식회사로 발전할 단체가 형성된 것으로 볼 수 있기 때문이다.34)

---

30) 대법원 1970.8.31. 70다1357.
31) 대법원 1985.7.23. 84누678; ① 근본규칙(정관)이 있다는 점, ② 발기인 또는 주식인수인을 구성원으로 볼 수 있다는 점, ③ 발기인을 집행기관으로 볼 수 있다는 점에서 권리능력 없는 사단으로서의 요건을 갖추었다고 보기 때문이다. 이철송, 전게서, 234~235면.
32) 이철송, 전게서, 233면; 임재연, 전게서, 230면; 최준선, 전게서, 159면; 이기수·최병규·조지현, 전게서, 144면.
33) 日本의 多數說도 발기인이 정관을 작성하고 1주 이상의 주식을 인수한 때라고 한다. 丸山秀平, 前揭書, 60面; 森 淳二朗·吉本健一, 前揭書, 35面.
34) 김홍기, 전게서, 388면; 권기범, 전게서, 401면; 손주찬, 전게서, 550면; 정찬형, 전게서, 663~664면; 최기원, 전게서, 148면; 강위두·임재호, 전게서, 592면; 김정호, 전게서, 91면; 정경영, 전게서, 353~354면; 임홍근, 전게서, 141면; 홍복기, 전게서, 154면.

3) 주식총수의 인수시설

회사의 설립 시에 발행하는 주식총수 또는 설립무효가 되지 않을 정도의 주식의 인수가 확정된 때에 설립중의 회사가 창립된다고 보아야 한다. 이 때에 회사의 인적·물적 기초는 완성되어 있고, 출자의 흠결로 인한 회사의 설립무효는 있을 수 없기 때문이다.[35]

나. 판례(발기인의 1주 이상 인수시설)

설립중의 회사라 함은 주식회사의 설립과정에서 발기인이 회사의 설립을 위하여 필요한 행위로 인하여 취득하게 된 권리의무가 회사의 설립과 동시에 그 설립된 회사에 귀속되는 관계를 설명하기 위한 강학상의 개념으로서 정관이 작성되고 발기인이 적어도 1주 이상의 주식을 인수하였을 때 비로소 성립하는 것이고, 이러한 설립중의 회사로서의 실체가 갖추어지기 이전에 발기인이 취득한 권리, 의무는 구체적 사정에 따라 발기인 개인 또는 발기인조합에 귀속되는 것으로서 이들에게 귀속된 권리의무를 설립후의 회사에 귀속시키기 위하여는 양수나 채무인수 등의 특별한 이전행위가 있어야 한다.[36]

3. 법률관계

가. 내부관계

1) 창립총회

창립총회는 모집설립의 경우에만 있는 기관으로 설립중의 회사의 최고의 의결기관이다. 따라서 창립총회는 회사의 설립에 관한 모든 사항을 결의할 수 있다. 창립총회에 관하여는 소집절차 등에 관하여 주주총회에 관한 규정이 준용된다(제308조 제2항). 다만 그 결의방법은 출석한 주식인수인의 의결권의 3분의 2 이상이며 인수된 주식총수의 과반수로 한다(제309조).[37]

---

35) 정동윤, 전게서, 139~140면.
36) 대법원 1994.1.28. 93다50215; 1970.8.31. 70다1357; 1985.7.23. 84누678; 1990.11.23. 90누2734; 1990.12.26. 90누2536; 1998.5.12. 97다56020; 2000.1.28. 99다35737.
37) 최준선, 전게서, 161면; 정찬형, 전게서, 664면.

2) 업무집행기관

설립중의 회사의 업무집행기관은 발기인이다. 따라서 발기설립의 경우의 발기인(제296조) 또는 모집설립의 경우의 창립총회(제312조)가 선임하는 이사와 감사는 설립중의 회사의 감사기관이지 업무집행기관이 아니다(통설: 제313조).[38]

3) 감사기관

설립중의 회사의 감사기관은 발기인(발기설립) 또는 창립총회(모집설립)가 선임한 이사와 감사이다. 이사와 감사의 권한은 설립에 관한 사항을 조사하여 발기인(제298조 제1항) 또는 창립총회(제313조 제1항)에 보고하는 것이다.

나. 외부관계

1) 설립중의 회사의 능력

설립중의 회사의 법적 성질을 권리능력 없는 사단으로 보는 통설의 견해에 의하면, 설립중의 회사는 권리능력이 없다. 그러나 우리 법상 권리능력 없는 사단에도 민사소송법상의 당사자능력이 인정되고(민사소송법 제52조), 부동산등기법상의 등기능력(부동산등기법 제26조)도 인정되므로 설립중의 회사도 당사자능력과 등기능력이 인정된다고 할 수 있다. 또한, 설립중의 회사는 다른 권리능력 없는 사단과 달리 그 목적이 뚜렷하고, 그 존속기간이 일시적인 점에서 설립등기를 전제로 하지 않는 행위인 한 그 목적인 설립활동에 필요한 그 밖의 능력, 예를 들면 은행과의 예금거래능력·어음능력 등을 갖는다고 할 수 있다.[39]

2) 설립중의 회사의 대표

설립중의 회사를 제3자에게 대표하는 기관은 발기인인데, 발기인 중에서 대표발기인을 선임한 때에는 대표발기인이 설립중의 회사를 대표할 권한과 발기인조합을 대리할 권한을 갖는다. 이러한 대표권(대리권)의 제한은 선의의 제3자에

---

38) 최준선, 전게서, 161면; 정찬형, 전게서, 664면; 이에 반해 이사가 설립중의 회사의 업무집행기관이 된다는 견해도 있다. 정동윤, 전게서, 121면, 131면.

39) 최기원, 전게서, 146면; 정찬형, 전게서, 664~665면; 이철송, 전게서, 235면; 최준선, 전게서, 162~164면; 이에 반해 설립중의 회사가 권리능력없는 사단이라고 하면서 그것이 주식인수계약·예금계약 등을 할 수 있다고 보는 것은 모순이라는 비판이 있다. 정동윤, 전게서, 144면.

게 대항할 수 없다고 본다(제209조 제2항 유추적용).[40]

3) 설립중의 회사의 책임

설립중의 회사의 법적 성질을 권리능력 없는 사단으로 보는 통설의 견해에 의하면, 설립중의 회사는 권리능력이 없기 때문에 설립중의 회사가 제3자에 대하여 부담하는 채무를 부담할 수 없다. 따라서 주식인수인과 발기인이 제3자에 대하여 채무를 부담할 수밖에 없다. 이 경우 주식인수인은 본래 자기가 인수한 주식의 인수가액의 범위 내에서만 출자의무가 있고, 그 출자의무를 이행하면 그 이상 아무런 책임을 지지 않는다. 이에 반해 발기인조합의 구성원인 발기인은 설립중의 회사의 채무에 대하여 개인적으로 직접 연대하여 무한책임을 지는 것으로 보아야 한다.[41]

상법상으로는 회사의 불성립이 확정된 경우에 대해서만 설립에 관한 행위에 대하여 발기인의 연대책임을 규정하고 있지만(제326조), 이 규정을 유추적용하여 회사의 불성립이 확정되기 전에도 발기인은 연대·무한책임을 지는 것으로 보아야 할 것이다.[42]

또한, 설립중의 회사의 불법행위책임도 인정된다. 즉 발기인 중 1인이 회사의 설립을 추진 중에 행한 불법행위가 외형상 객관적으로 설립후 회사의 대표이사로서의 직무와 밀접한 관련이 있는 경우에는 설립중의 회사의 불법행위책임이 인정된다.[43]

4. 권리의무의 이전

가. 별도의 이전행위의 불요

설립중의 회사의 법적 성질을 권리능력 없는 사단으로 보는 통설의 견해에 의하면, 설립 중의 회사의 명의로 취득한 권리의무는 설립중의 회사에 총유(또는

40) 최준선, 전게서, 161~162면; 정찬형, 전게서, 665면.
41) 최준선, 전게서, 162면; 정찬형, 전게서, 665면.
42) 최준선, 전게서, 162면; 정찬형, 전게서, 665~666면.
43) 대법원 2000.1.28. 99다35737; 최준선, 전게서, 165~166면; 이에 반해 설립중의 회사에는 불법행위능력이 인정되지 않는다는 점에서 대법원 2000.1.28. 99다35737을 비판하는 견해가 있다. 이철송, 전게서, 236~237면.

준총유)의 형식(민법 제275조, 제278조)으로 귀속하였다가 성립후의 회사에 별도의 이전행위 없이 귀속하게 된다(동일성설).[44]

나. 권리의무의 당연이전의 요건

1) 문제의 제기

설립중의 회사의 기관은 발기인이므로 발기인의 행위의 효과는 당연히 성립후의 회사에 귀속되는데, 발기인의 권한남용에 따른 성립 후의 회사의 보호를 위하여 다음과 같은 요건을 갖추어야 한다.

2) 형식적 요건

발기인은 설립중의 회사의 명의로 행위를 하였을 것을 요한다. 따라서 발기인이 자기의 개인명의로 행위를 하거나 발기인조합명의로 행위를 하였을 때에는 그 행위의 효력은 별도의 이전행위가 없이는 성립후의 회사에 귀속하지 않는다(통설·판례[45]).[46]

3) 실질적 요건

발기인이 설립중의 회사의 기관으로서 그의 권한 범위 내에서 행위를 하였을 것을 요한다.[47]

다. 발기인의 권한 범위 외의 행위에 대한 추인의 문제

1) 문제의 제기

발기인이 그의 권한 범위 외의 행위를 한 경우(또는 정관에 기재하지 아니한 재산인수가 있는 경우) 성립 후의 회사가 이를 추인할 수 있는가 하는 문제가 있다.

---

44) 최준선, 전게서, 163면; 정찬형, 전게서, 666면.
45) "발기인이 취득한 권리의무를 성립후의 회사에 귀속시키기 위하여는 권리의 양수나 채무인수 등의 특별한 이전행위가 있어야 한다." 대법원 1990.12.26. 90누2536; "설립중의 회사로서의 실체가 갖추어지기 이전에 발기인이 취득한 권리의무는 구체적 사정에 따라 발기인 개인 또는 발기인조합에 귀속되는 것으로서 그들에게 귀속된 권리의무를 성립후의 회사에 귀속시키기 위하여는 양수나 재산인수 등의 특별한 이전행위가 있어야 한다." 대법원 1994. 1.28. 93다50215; 1998.5.12. 97다56020.
46) 최준선, 전게서, 164면; 정찬형, 전게서, 666~667면.
47) 최준선, 전게서, 164면; 정찬형, 전게서, 667면.

2) 학 설

가) 추인부정설(다수설)

발기인의 권한 범위 외의 행위는 무효로서 성립후의 회사가 이를 추인하지 못하며 이 무효는 회사뿐만 아니라 양도인도 주장할 수 있다. 추인을 인정하는 것은 실정법상의 근거가 없을 뿐만 아니라 변태설립사항을 규정한 상법 제290조의 취지에도 어긋나기 때문이다. 발기인의 권한 외의 행위를 회사가 추인할 수 있다고 하는 것은 발기인의 권한 범위를 엄격하게 규제하고 있는 법의 취지에도 반하는 것이다.[48]

나) 추인긍정설(소수설)

발기인의 권한범위 외의 행위(또는 정관에 기재하지 않고 한 재산인수)는 발기인이 설립중의 회사의 명의로 성립후의 회사의 계산으로 한 것은 비록 그것이 발기인의 권한범위 외의 행위라 할지라도 무권대리행위로서 민법 제130조 이하의 규정에 의하여 추인할 수 있다. 따라서 성립후의 회사가 추인하는 경우에는 상대방이 추인 전에 무효를 주장하지 않는 이상 그 효과가 회사에 귀속된다.[49]

추인의 방법과 관련해서는 ① 성립후의 회사는 새로이 동일한 내용의 계약을 체결하는 경우와 동일한 방법으로써 발기인의 무권대리행위를 명시적·묵시적으로 추인할 수 있다는 견해,[50] ② 발기인이 권한 외의 어떠한 행위를 하였는가에 따라 다르다고 하면서, 이사회의 결의사항이라면 이사회의 결의로, 주주총회의 결의사항이라면 주주총회의 결의로 추인하면 된다는 견해,[51] ③ 성립후의 회

---

48) 손주찬, 전게서, 554면; 이기수·최병규·조지현, 전게서, 155면; 최기원, 전게서, 149면; 이철송, 전게서, 236면; 정동윤, 전게서, 146면; 김정호, 전게서, 96면; 정경영, 전게서, 361~362면; 홍복기, 전게서, 160면.

49) 김건식, 전게서, 100면; 김홍기, 전게서, 370~371면; 정찬형, 전게서, 668면; 강위두·임재호, 전게서, 559면; 임홍근, 전게서, 150면; 재산인수의 경우에는 추인이 허용되지 않지만, 보통의 권한을 넘은 발기인의 행위에 관하여는 성립후의 회사가 이를 추인할 수 있다고 한다. 최준선, 전게서, 151면; 재산인수의 경우에는 추인이 허용되지 않지만, 보통의 권한을 넘은 발기인의 행위에 관하여는 성립후의 회사가 이를 추인할 수 있다고 한다. 임재연, 전게서, 234면.

50) 정진세, "회사설립중의 개업준비행위,"「고시연구」통권 256호(고시연구사, 1995. 7.), 118면.

51) 반드시 주주총회의 결의로 그것도 반드시 주주총회의 특별결의로 하여야 한다는 주장은 명문의 규정이 없어서 의문이라고 하며, 창립총회에서의 추인도 가능하다고 본다. 최준선, 전게서, 151~152면.

사는 사후설립에 관한 규정(제375조)을 유추적용하여 주주총회의 특별결의로써 이를 추인할 수 있다는 견해52)가 있다.

3) 판　례

대법원은 "갑과 을이 공동으로 축산업 등을 목적으로 하는 회사를 설립하기로 합의하고 갑은 부동산을 현물로 출자하고 을은 현금을 출자하되, 현물출자에 따른 번잡함을 피하기 위하여 회사의 성립후 회사와 갑 간의 매매계약에 의한 소유권이전등기의 방법에 의하여 위 현물출자를 완성하기로 약정하고 그 후 회사설립을 위한 소정의 절차를 거쳐 위 약정에 따른 현물출자가 이루어진 것이라면, 위 현물출자를 위한 약정은 그대로 상법 제290조 제3호가 규정하는 재산인수에 해당한다고 할 것이어서 정관에 기재되지 아니하는 한 무효라고 할 것이나, 위와 같은 방법에 의한 현물출자가 동시에 상법 제375조53)가 규정하는 사후설립에 해당하고 이에 대하여 주주총회의 특별결의에 의한 추인이 있었다면 회사는 유효하게 위 현물출자로 인한 부동산의 소유권을 취득한다."고 판시하였다.54) 이 판례는 정관에 기재되지 아니한 재산인수는 원칙적으로 무효이지만, 그 행위가 동시에 사후설립에도 해당되는 경우에는 주주총회의 특별결의에 의하여 사후설립으로서 추인이 가능하다고 본 것이다. 즉 추인이 인정되는 것은 회사성립 전의 약정인 재산인수가 아니라 회사성립 후의 약정인 사후설립을 말한다고 할 수 있다.55)

4) 발기인의 책임

발기인이 설립중의 회사의 명의로 그 권한 범위 외의 행위를 한 경우에 회사의 추인을 얻지 못한 발기인은 그 행위의 상대방에 대하여 개인적으로 책임을 부담하여야 한다. 발기인은 무권대리인으로서 상대방의 선택에 좇아 계약의 이

---

52) 창립총회는 회사가 성립되기 전에 소집되고, 이 때에는 회사의 조직이 미완성이므로 이러한 창립총회는 추인을 할 수 없다고 한다. 정찬형, 전게서, 669면.
53) 회사가 그 성립후 2년 내에 그 성립 전부터 존재하는 재산으로서 영업을 위하여 계속하여 사용하여야 할 것을 자본금의 100분의 5 이상에 해당하는 대가로 취득하는 계약을 하는 경우에는 제374조(영업양도, 양수, 임대 등)를 준용한다(제375조).
54) 대법원 1992.9.14. 91다33087.
55) 임재연, 전게서, 242~244면; 이 판례와 관련하여 추인을 인정한 것이라고 하기 보다는 사후설립에 해당하여 회사의 부동산의 소유권취득을 인정한 것이라고 보는 견해도 있다. 최기원, 전게서, 165면.

행 또는 손해배상책임을 지는데(민법 제135조 제1항), 상대방이 발기인에게 대표권(대리권) 없음을 알았거나 알 수 있었을 때 또는 발기인이 행위무능력자인 경우에는 이러한 책임이 없다(민법 제135조 제2항).[56]

라. 회사채무초과의 문제

발기인이 설립중의 회사의 기관으로서 취득한 권리의무가 성립후의 회사로 포괄승계되는 결과, 회사의 성립시(설립등기시)에 회사의 채무가 회사의 자본금과 실제의 재산보다 더 큰 경우에 회사의 채권자를 보호하기 위하여 회사의 구성원(발기인, 주주, 이사, 감사)이 책임을 부담하여야 하는가하는 문제가 있을 수 있다. 이에 대해 회사의 구성원이 그 차액에 대하여 지분의 비율에 따라 책임을 부담하여야 한다는 독일의 차액책임이론을 적용할 수 있다는 견해가 있다. 즉 우리 상법상의 규정은 없으나 발기인에 대해서는 상법 제321조에 의하여, 주주·이사·감사에 대해서는 유한회사에 관한 상법 제607조 제4항을 유추적용하여 각각 차액책임을 지울 수 있다고 한다.[57]

이러한 차액책임이론의 적용에 대해 ① 우리나라의 경우에는 명문의 규정이 없다는 점과 ② 주식회사의 유한책임의 원칙을 위반한다는 점을 근거로 비판하는 견해가 있다.[58]

V. 설립절차

1. 서   설

가. 설립의 의의

주식회사의 설립이란 주식회사라는 하나의 법인을 설립하는 절차라고 할 수 있다. 주식회사의 설립에 관해서는 준칙주의가 채택되어 있는데, 이에 따르면 법인의 설립을 위해 필요한 일정한 요건을 법률상 규정해 두고, 그 요건을 충족

---

56) 최준선, 전게서, 152면.
57) 정동윤, 전게서, 152~153면.
58) 최기원, 전게서, 149~150면; 정찬형, 전게서, 667~668면; 홍복기, 전게서, 159면.

하는 절차가 이행되었을 때에는 당연히 법인의 설립을 인정하여 국가가 법인격을 부여하게 된다.59)

상법상 규정된 주식회사의 절차를 개관하면, ① 사단법인의 근본규범인 정관을 작성하고, ② 사단법인의 구성원임과 동시에 출자자인 사원(즉 주주)을 확정하며, ③ 사단법인의 활동을 수행하는 기관(이사 등)을 결정하는 과정을 거쳐 ④ 설립등기를 함으로써 법인격을 취득하고 주식회사가 설립되게 된다.60)

나. 설립의 방법

1) 발기설립

발기설립이란 주식회사의 설립시에 발행되는 주식의 전부를 발기인이 인수하는 방법에 의한 주식회사의 설립방법이다(제295조 이하). 발기설립은 소규모 주식회사의 설립에 적합한 방법이라고 할 수 있다.61)

2) 모집설립

모집설립이란 주식회사의 설립시에 발행되는 주식의 일부에 대해 발기인 이외의 주식인수인을 모집하는 방법에 의한 주식회사의 설립방법이다(제301조 이하). 모집설립은 대규모 주식회사의 설립에 적합한 방법이라고 할 수 있다.62)

그런데 실무상 주식회사의 설립방법으로는 발기설립이 대부분 이용되고 있다. 모집설립은 주식회사의 설립의 기획 단계부터 일반 공중의 출자를 받을 것을 상정한 제도인데, 현재 주식회사의 설립시에 발기인 및 그 연고자 이외의 출자를 받는 예는 거의 없기 때문에 이용되는 경우는 드물다.63)

1995년 개정상법 이전의 대법원판결이긴 하지만, 실질적으로는 발기설립인데, 외형적으로는 모집설립의 방법으로 주식회사를 설립하는 것은 무효가 된다는 것이 대법원의 입장이다. 즉 원래 발기설립의 방법으로 주식회사를 설립하여야 하는데, 편의상 모집설립의 방법으로 주식회사를 설립하는 것은 탈법적인 방법으로 그 설립이 선량한 풍속 기타 사회질서, 강행법규 또는 주식회사의 본질

59) 江頭憲治郎, 前揭書, 55面.
60) 江頭憲治郎·門口正人, 「會社法大系 1」(靑林書院, 2008), 175面.
61) 최준선, 전게서, 145면; 정찬형, 전게서, 657면.
62) 최준선, 전게서, 145면; 정찬형, 전게서, 657면.
63) 江頭憲治郎, 前揭書, 56面.

에 반하기 때문에 당해 주식회사의 설립은 당연무효가 된다는 것이다.[64] 이는 주식회사의 설립절차에 관한 강행규정을 위반하였기 때문에 주식회사의 설립무효사유가 된다는 취지라고 할 수 있다. 그러나 1995년 개정상법에 의하여 발기설립에 관한 검사인의 조사를 생략하도록 하는 등 그 설립조사절차가 완화되었다는 점과 개정 상법의 규제완화의 취지를 고려하면, 모집설립을 가장한 발기설립을 무효로 볼 필요는 없을 것이다.[65]

3) 발기설립과 모집설립의 차이점

가) 주식인수방법상의 차이점

발기설립의 경우 발기인만이 회사의 설립시에 발행하는 주식의 총수를 인수함(제295조 제1항)에 반해, 모집설립의 경우에는 발기인이 1주 이상을 인수하고 나머지는 주식인수인을 모집한다(제301조).

나) 설립절차상의 차이점

(1) 주식에 대한 납입

발기설립의 경우 각 주식에 대한 인수가액의 전액의 납입은 발기인이 지정한 은행 기타 금융기관과 납입장소에서 하여야 하고(제295조 제1항), 모집설립의 경우 각 주식에 대한 인수가액의 전액의 납입은 주식청약서에 기재한 은행 기타 금융기관과 납입장소에서 하여야 한다(제305조 제1항, 제2항 및 제302조 제2항 제9호).

(2) 납입해태의 효과

발기설립의 경우 납입의 해태는 채무불이행의 일반원칙에 의하고(민법 제389조, 제390조, 제544조), 모집설립의 경우 납입의 해태에 대하여는 실권절차가 인정된다(제307조).

(3) 기관구성방법

발기설립의 경우 이사·감사의 선임은 발기인의 의결권의 과반수로 정하고

---

64) 대법원 1992.2.14. 91다31494. 이 대법원 판결에 찬성하는 입장으로는 이기수, "모집설립의 형식을 취한 발기설립의 효력," 법률신문(1992.6.8), 15면; 안동섭, "발기설립의 탈법행위," 법률신문(1992.7.6), 15면. 반면에 이 대법원 판결에 반대하는 입장으로는 최기원, "판례평석," 법률신문(1992.10.19), 15면.
65) 최준선, 전게서, 145면.

(제296조 제1항), 창립총회는 필요하지 않다. 이에 반해, 모집설립의 경우에는 창립총회에서 출석한 주식인수인의 의결권의 3분의 2 이상이며, 인수된 주식의 총수의 과반수에 해당하는 다수로 이사·감사를 선임한다(제309조, 제312조).

다) 설립경과조사상의 차이점

(1) 설립경과의 조사보고

발기설립의 경우 이사와 감사는 취임후 지체없이 회사의 설립에 관한 모든 사항이 법령 또는 정관의 규정에 위반되지 아니하는지의 여부를 조사하여 발기인에게 보고하여야 한다(제298조 제1항). 모집설립의 경우에 이사와 감사는 취임후 지체없이 회사의 설립에 관한 모든 사항이 법령 또는 정관의 규정에 위반되지 아니하는지의 여부를 조사하여 창립총회에 보고하여야 한다(제313조 제1항).

(2) 검사인의 선임청구

발기설립의 경우 정관으로 변태설립사항을 정한 때에는 이사는 이에 관한 조사를 하게 하기 위하여 검사인의 선임을 법원에 청구하여야 한다(제298조 제4항). 모집설립의 경우 정관으로 변태설립 사항을 정한 때에는 발기인은 이에 관한 조사를 하게 하기 위하여 검사인의 선임을 법원에 청구하여야 한다(제310조 제1항).

(3) 변태설립사항의 조사보고와 변경

발기설립의 경우 변태설립사항은 검사인·공증인·감정인이 조사·감정의 결과를 법원에 보고하고, 변태설립사항이 부당한 때에는 법원이 이를 변경할 수 있다(제299조, 제299조의2, 제300조). 모집설립의 경우 정관으로 변태설립 사항을 정한 때에는 발기인은 이에 관한 조사를 하게 하기 위하여 검사인의 선임을 법원에 청구하여야 하고(제310조 제1항), 이에 관한 검사인의 보고서는 창립총회에 제출되어야 하며(제310조 제2항), 변태설립사항이 부당한 때에는 창립총회에서 이를 변경할 수 있다(제314조 제1항).

라) 원시정관의 변경상의 차이점

발기설립의 경우 자본금 총액이 10억원 미만의 소규모 주식회사의 경우를 제외하고, 발기인 전원의 동의와 공증인의 인증이 필요하다(제289조, 제292조). 이에 반해, 모집설립의 경우에는 창립총회의 결의에 의한다(제316조 제1항).

2. 정관의 작성

가. 정관의 의의

1) 정관의 개념

정관이란 실질적으로는 주식회사의 근본규범 그 자체를 의미하고, 형식적으로는 그 규칙을 기재한 서면을 의미한다.

2) 정관의 종류

원시정관이란 주식회사의 설립시에 최초로 작성되는 정관을 말하고, 변경정관이란 원시정관을 변경한 정관을 말한다.

3) 정관작성의 방식

주식회사의 정관은 1인 이상의 발기인이 작성하고(제288조), 각 발기인이 이에 기명날인 또는 서명하여야 한다(제289조). 이러한 원시정관은 공증인의 인증을 받음으로써 효력이 생긴다(제292조 본문). 다만, 자본금총액이 10억원 미만인 회사를 발기설립하는 경우에는 각 발기인이 정관에 기명날인 또는 서명함으로써 효력이 생긴다(제292조 단서).

4) 정관의 효력

정관은 자치법규로서 그 규정이 법령의 강행규정에 반하지 않는 한 그것을 작성한 발기인뿐만 아니라 주식회사의 주주 및 기관을 구속하는 대내적 효력이 있다. 그러나 제3자에 대해서는 그 효력이 없다.[66]

5) 정관의 해석

정관의 규정은 원칙적으로 단체법의 원리에 따라 객관적으로 해석하여야 한다. 따라서 일반적인 의사표시나 계약의 해석원칙은 적용될 수 없다고 할 것이다.[67]

---

66) 최준선, 전게서, 167면.
67) 최준선, 전게서, 167면.

나. 정관의 기재사항

1) 절대적 기재사항

정관에 반드시 규정하지 않으면 안 되는 사항을 말한다. 따라서 그러한 규정의 흠결은 정관의 무효원인이 되고 주식회사설립의 무효사유가 된다.

가) 목적(제289조 제1항 제1호)

목적의 기재는 영리사업일 것(영리성), 위법한 사업이 아닐 것(적법성), 사업내용이 무엇인지 객관적으로 정확하게 확정될 수 있을 정도로 명확하고 구체적일 것(구체성)이 요구된다. 구체성과 관련하여 복수의 사업목적을 열거함과 동시에 "그 밖에 이에 부수하는 사업"이라고 기재하는 것은 무방하다.[68]

정관의 목적은 회사의 권리능력의 기준이 되거나(제한설의 입장) 회사기관의 권한남용여부의 기준이 된다(무제한설의 입장).[69]

나) 상호(제289조 제1항 제2호)

회사의 명칭이므로 반드시 주식회사라는 문자를 사용하여야 한다(제19조). 회사는 수개의 영업을 하더라도 하나의 상호만을 사용하여야 한다.

다) 회사가 발행할 주식의 총수(제289조 제1항 제3호)

발행예정주식총수(수권주식총수)로서 회사가 발행할 주식의 총수를 기재하는 것이다. 액면주식을 발행할 경우에는 발행예정주식총수에다 1주의 액면금액을 곱하면 수권자본금액이 산출된다. 회사가 발행할 주식의 총수 중에서 회사의 설립시에 발행하고 남은 주식은 회사성립 후 이사회의 결의에 의하여 발행하게 된다.[70]

라) 액면주식을 발행하는 경우 1주의 금액(제289조 제1항 제4호)

액면주식을 발행하는 경우 1주의 금액은 100원 이상이어야 하며(제329조 제3항), 균일하여야 한다(제329조 제2항). 그러나 주식회사가 정관의 정함에 따라 주식의 전부에 대해 무액면주식을 발행하는 경우에는 액면주식을 발행할 수 없고

---

68) 江頭憲治郎, 前揭書, 64面.
69) 정찬형, 전게서, 671면.
70) 최준선, 전게서, 169면.

(제329조 제1항), 당연히 1주의 금액은 표시되지 않는다.[71]

마) 회사의 설립시에 발행하는 주식의 총수(제289조 제1항 제5호)

회사의 자본금은 발행주식의 액면총액(제451조 제1항)이므로 회사의 설립시에 발행하는 주식의 총수는 회사 설립시의 자본금의 기초가 된다.

회사가 무액면주식을 발행하는 경우 회사의 자본금은 주식 발행가액의 2분의 1 이상의 금액으로서 이사회(제416조 단서에서 정한 주식발행의 경우에는 주주총회를 말한다)에서 자본금으로 계상하기로 한 금액의 총액이 된다(제451조 제2항 제1문). 이 경우 주식의 발행가액 중 자본금으로 계상하지 아니하는 금액은 자본준비금으로 계상하여야 한다(제451조 제2항 제2문).

바) 본점의 소재지(제289조 제1항 제6호)

본점의 소재지는 회사의 주소(제171조)가 되는데, 최소독립행정구역으로 표시하면 된다.

사) 회사가 공고를 하는 방법(제289조 제1항 제7호)

주주와 회사채권자 그 밖의 이해관계인을 보호하기 위해서 회사의 공고는 관보 또는 시사에 관한 사항을 게재하는 일간신문에 하여야 한다(제289조 제3항). 다만, 회사는 그 공고를 정관으로 정하는 바에 따라 전자적 방법으로 할 수 있다(제289조 제3항 단서). 회사의 전자적 방법으로 하는 공고에 관하여 필요한 사항은 대통령령으로 정한다(제289조 제6항).[72]

회사가 전자적 방법으로 공고할 경우 대통령령으로 정하는 기간[73]까지 계속

---

71) 최준선, 전게서, 169면.
72) 회사가 전자적 방법으로 공고하려는 경우에는 회사의 인터넷 홈페이지에 게재하는 방법으로 하여야 하고(상법 시행령 제6조 제1항), 회사의 인터넷 홈페이지 주소를 등기하여야 한다(상법 시행령 제6조 제2항). 나아가 회사가 전자적 방법으로 공고하려는 경우에는 그 정보를 회사의 인터넷 홈페이지 초기화면에서 쉽게 찾을 수 있도록 하는 등 이용자의 편의를 위한 조치를 하여야 한다(상법 시행령 제6조 제3항). 그런데 회사가 정관에서 전자적 방법으로 공고할 것을 정한 경우라도 전산장애 또는 그 밖의 부득이한 사유로 전자적 방법으로 공고할 수 없는 경우에는 미리 정관에서 정하여 둔 관보 또는 시사에 관한 사항을 게재하는 일간신문에 공고하여야 한다(상법 시행령 제6조 제4항).
73) "대통령령으로 정하는 기간"이란 다음 각 호에서 정하는 날까지의 기간(이하 이 조에서 "공고기간"이라 한다)을 말한다(상법 시행령 제6조 제5항 각호).
   1. 법에서 특정한 날부터 일정한 기간 전에 공고하도록 한 경우: 그 특정한 날
   2. 법에서 공고에서 정하는 기간 내에 이의를 제출하거나 일정한 행위를 할 수 있도록 한 경우: 그 기간이 지난 날
   3. 제1호와 제2호 외의 경우: 해당 공고를 한 날부터 3개월이 지난 날

공고하고, 재무제표를 전자적 방법으로 공고할 경우에는 정기총회에서 이를 승인한 후 2년까지(제450조) 계속 공고하여야 한다(제289조 제4항). 다만, 공고기간 이후에도 누구나 그 내용을 열람할 수 있도록 하여야 한다(제289조 제4항 단서). 회사가 전자적 방법으로 공고를 할 경우에는 게시 기간과 게시 내용에 대하여 증명하여야 한다(제289조 제5항).74)

아) 발기인의 성명·주민등록번호 및 주소(제289조 제1항 제8호)

발기인이 누구이냐 하는 것은 회사의 이해관계인에게 중요하기 때문에 절대적 기재사항으로 한 것이다.75)

2) 상대적 기재사항

정관에는 절대적 기재사항 이외에 법률의 규정에 위반되지 않은 사항을 규정할 수 있는데, 상법상 정관의 정함이 없으면 효력이 발생하지 않는다고 규정되어 있는 사항이 있다. 즉 정관에 기재함으로써 그 효력이 발생하는 사항으로 상법에 규정되어 있는 사항을 말한다. 정관의 상대적 기재사항은 상법의 여러 곳에 규정되어 있지만, 회사의 설립에 중대한 관계가 있는 것은 변태설립사항(제290조)이다. 이러한 변태설립사항은 남용이 되는 경우 회사의 재산적 기초를 약화시킬 우려가 있기 때문에 반드시 정관에 기재하도록 하고 있다.76)

가) 변태설립사항

(1) 특별이익: 발기인이 받을 특별이익과 이를 받을 자의 성명(제290조 제1호)

① 발기인이 받을 특별이익이란 발기인의 회사 설립에 대한 공로로서 발기인에게 부여되는 이익을 말한다. 예를 들면, 이익배당, 잔여재산의 분배, 신주인수에 대한 우선권, 주식매입선택권, 회사의 설비 이용에 대한 특혜, 회사 제품의 총판매권의 부여, 발기인으로부터의 원료구입의 약정 등을 들 수 있다. 그러나 무상주의 교부와 같은 자본충실의 원칙에 반하는 이익, 의결권에 대한 특혜와

---

74) 공고기간에 공고가 중단(불특정 다수가 공고된 정보를 제공받을 수 없게 되거나 그 공고된 정보가 변경 또는 훼손된 경우를 말한다)되더라도, 그 중단된 기간의 합계가 공고기간의 5분의 1을 초과하지 않으면 공고의 중단은 해당 공고의 효력에 영향을 미치지 아니한다. 다만, 회사가 공고의 중단에 대하여 고의 또는 중대한 과실이 있는 경우에는 그러하지 아니하다(상법 시행령 제6조 제6항).
75) 정찬형, 전게서, 675면.
76) 정찬형, 전게서, 672면; 이철송, 전게서, 245면.

같은 주주평등의 원칙에 반하는 이익 또는 이사 지위의 약속과 같은 단체법의
원리에 반하는 이익 등은 허용되지 않는다.[77]

② 이러한 특별이익은 이익의 성질과 정관의 규정에 반하지 않는 한 양도
또는 상속의 대상이 된다.[78]

(2) 현물출자: 현물출자를 하는 자의 성명과 그 목적인 재산의 종류, 수량, 가
   격과 이에 대하여 부여할 주식의 종류와 수(제290조 제2호)

① 현물출자란 금전 이외의 재산으로 하는 출자를 말한다. 주식회사에서는
금전출자가 원칙이나 예외적으로 현물출자가 가능하다.

② 현물출자에 관한 사항을 변태설립사항으로 규정한 이유는 현물출자되는
재산이 과대평가되어 회사설립시의 자본금에 결함이 생기면 회사 부실의 원인이
될 우려가 있고, 나아가 현물출자자에게 부당하게 많은 주수를 배정함으로 인하
여 금전출자한 주주를 해할 우려가 있기 때문이다.[79]

③ 현물출자의 법적 성질은 민법상의 전형계약은 아니고 상법상의 출자의 한
형태라고 본다. 그러나 현물출자는 유상·쌍무계약의 성질을 갖기 때문에 위험
부담·하자담보 등에 관한 민법의 규정(민법 제537조, 제570조 이하, 제580조)이
유추적용될 수 있다(통설).[80]

④ 현물출자의 목적물은 대차대조표의 자산의 부에 계상할 수 있는 것이라면
어느 것이나 가능하다. 예를 들면, 동산, 부동산, 채권, 유가증권, 지식재산권,
영업의 전부 또는 일부, 영업상의 비밀, 컴퓨터 소프트웨어, 재산적 가치가 있는
사실관계 등과 같이 재산적 가치가 있는 것이면 모두 현물출자의 목적물이 될
수 있다.[81] 다만 노무 또는 신용은 현물출자의 대상이 되지 않는다.[82]

⑤ 현물출자의 이행은 납입기일에 출자의 목적인 재산을 인도하고, 등기·등
록 기타 권리의 설정 또는 이전을 요하는 경우에는 이에 관한 서류를 완비하여
교부하여야 한다(제295조 제2항, 제305조 제3항).

⑥ 현물출자의 불이행의 경우에는 민법상의 채무불이행의 일반원칙에 의하여

---

77) 정찬형, 전게서, 673면; 최기원, 전게서, 160면.
78) 정찬형, 전게서, 673면; 최준선, 전게서, 171면.
79) 정찬형, 전게서, 673면; 임재연, 전게서, 239면.
80) 최준선, 전게서, 172면; 이철송, 전게서, 245면.
81) 정찬형, 전게서, 674면.
82) 최기원, 전게서, 162면.

강제집행을 할 수 있지만(민법 제389조), 이행불능의 경우에는 민법상의 일반원칙에 의하여 손해배상을 청구하거나(민법 제390조, 제546조, 제551조) 정관을 변경하여 설립절차를 속행할 수 있다.

(3) 재산인수: 회사성립 후에 양수할 것을 약정한 재산의 종류, 수량, 가격과 그 양도인의 성명(제290조 제3호)

① 발기인이 회사의 성립을 조건으로 하여 회사를 위하여 특정인으로부터 금전 이외의 재산을 회사가 양수하기로 약정하는 계약을 재산인수라고 한다. "회사성립 후에 양수할 것을 약정한다"는 것은 발기인이 설립될 회사를 위하여 회사의 성립을 조건으로 하여 발기인이나 주식인수인 또는 제3자로부터 일정한 재산을 매매의 형식으로 양수할 것을 약정하는 계약을 의미한다. 이와 같은 발기인의 재산인수행위는 회사설립행위 자체가 아니라 개업준비행위로서 성립후의 회사의 영업개시를 위한 준비행위에 속한다.[83]

② 재산인수는 그 양도인에 제한이 없고, 재산인수의 목적물은 현물출자의 목적물과 같이 재산적 가치가 있는 것이면 어느 것이다 무방하다.[84]

③ 정관에 기재하지 아니한 재산인수의 효력은 원칙적으로 무효가 되는데,[85] 성립 후의 회사가 예외적으로 추인할 수 있는가?

㉮ 추인부정설(다수설)

정관에 규정이 없는 재산인수의 추인을 인정하면 이는 상법 제290조 제3호의 취지를 무의미하게 하여 재산인수의 탈법행위를 인정하는 것이 되고, 자본금충실에 관한 절차상의 규정은 다수결의 원리로 그 적용을 배제할 수 있는 성질의 것이 아니기 때문에 주주총회의 특별결의가 있더라도 절대적으로 무효가 된

---

83) 최준선, 전게서, 174면; 임재연, 전게서, 241면.
84) 최준선, 전게서, 174면.
85) 상법 제290조 제3호 소정의 "회사성립 후에 양수할 것을 약정"한다 함은 회사의 변태설립의 일종인 재산인수로서 발기인이 설립될 회사를 위하여 회사의 성립을 조건으로 다른 발기인이나 주식인수인 또는 제3자로부터 일정한 재산을 매매의 형식으로 양수할 것을 약정하는 계약을 의미하므로, 당사자 사이에 회사를 설립하기로 합의하면서 그 일방은 일정한 재산을 현물로 출자하고, 타방은 현금을 출자하되, 현물출자에 따른 번잡함을 피하기 위하여 회사의 성립후 회사와 현물출자자 사이의 매매계약에 의한 방법에 의하여 위 현물출자를 완성하기로 약정하고 그 후 회사설립을 위한 소정의 절차를 거쳐 위 약정에 따른 현물출자가 이루어진 것이라면, 위 현물출자를 위한 약정은 그대로 위 법조가 규정하는 재산인수에 해당한다고 할 것이어서 정관에 기재되지 아니하는 한 무효이다(대법원 1994.5.13. 94다323).

다.86)

④ 추인긍정설(소수설)

재산인수는 계약으로 단체법상의 출자인 현물출자와는 구별되고 오히려 사후 설립과 유사한 점이 많으므로 사후설립에 관한 규정(제375조)87)을 유추적용할 수 있다. 즉 성립후의 회사는 주주총회의 특별결의로써 추인할 수 있다. 따라서 그 효과가 회사에 귀속된다.88)

(4) 설립비용과 보수: 회사가 부담할 설립비용과 발기인이 받을 보수액(제290
    조 제4호)

① 설립비용이란 발기인이 회사의 설립을 위하여 지출한 비용을 말한다. 예를 들면, 정관·주식청약서 등의 인쇄비, 설립사무소의 임차료, 주주의 모집이나 회사의 소개를 위한 광고비, 통신비 등이 이에 해당한다. 그러나 회사의 개업준비를 위하여 지출한 공장·건물·집기·원료 등의 개업준비비용은 이에 포함되지 않는다(통설).89) 개업준비를 위한 금전의 차입은 비용이 아니므로 이에 포함되지 않는다.90) 또한, 등록세도 포함되지 않는다.91)

② 정관에 규정된 한도액을 초과하는 설립비용은 발기인이 부담하여야 하며, 발기인은 사무관리 또는 부당이득을 이유로 회사에 대하여 그 초과액을 청구할 수 없고, 회사성립 후 정관변경을 하더라도 이것을 회사의 부담으로 할 수 없다(통설).92) 이와 같이 설립비용을 변태설립사항으로 규정한 것은 발기인의 권한남용에 의한 설립비용의 과다지출의 위험을 방지하기 위함이다.93)

---

86) 권기범, 전게서, 394면; 최준선, 전게서, 174면; 이기수·최병규·조지현, 전게서, 155면; 최
   기원, 전게서, 165면; 이철송, 전게서, 248~249면; 정동윤, 전게서, 114면; 임재연, 전게서,
   244면; 김정호, 전게서, 96면; 정경영, 전게서, 361~362면; 홍복기. 전게서, 165면; 日本의
   判例는 이것을 인정하면 재산인수에 관해 엄격한 요건을 정한 법의 취지를 몰각시킨다는
   점에서 일관하여 추인을 부정하고 있다. 最判 1953.12.3.民集7卷12号 1229面; 最判 1967.9.
   26.民集21卷7号 1870面; 森 淳二朗·吉本健一, 前揭書, 32面; 森本 滋, 前揭書, 213面.
87) 회사가 그 성립후 2년 내에 그 성립 전부터 존재하는 재산으로서 영업을 위하여 계속하여
   사용하여야 할 것을 자본금의 100분의 5 이상에 해당하는 대가로 취득하는 계약을 하는 경
   우에는 제374조(영업양도, 양수, 임대 등)를 준용한다(제375조).
88) 김건식, 전게서, 127면; 김홍기, 전게서, 379면; 정찬형, 전게서, 676면; 강위두·임재호, 전
   게서, 559면; 임홍근, 전게서, 150면; 日本의 學說上으로는 추인을 긍정하는 견해가 많다고
   한다. 森 淳二朗·吉本健一, 前揭書, 32~33面; 森本 滋, 前揭書, 213~214面.
89) 최준선, 전게서, 177면; 임재연, 전게서, 245면.
90) 대법원 1965.4.13. 64다1940.
91) 최준선, 전게서, 177면.
92) 정찬형, 전게서, 677면; 이철송, 전게서, 249면.

③ 발기인이 받을 보수란 발기인이 회사의 설립사무에 종사한 노동의 대가로서 일시적으로 지급되는 급료를 말한다.[94] 이를 변태설립사항으로 한 것은 과다한 보수의 책정을 방지하기 위함이다.[95]

④ 회사가 성립한 이후에도 발기인이 설립비용을 지급하지 않은 경우, 대외적인 관계에서 이를 누가 부담할 것인가?

㉮ 회사 전액부담설(판례의 입장)[96]

회사의 설립에 필요한 행위는 모두 발기인의 권한에 속하므로 실질적으로 설립중의 회사에 귀속하고, 따라서 회사의 성립과 동시에 제3자에 대한 권리의무는 모두 당연히 성립 후의 회사에 귀속된다. 따라서 아직 이행되지 않은 채무는 회사가 이를 이행하여야 하고, 정관에 기재되지 아니한 금액 등은 발기인에 대하여 구상할 수가 있다.[97]

㉯ 발기인 전액부담설

설립비용은 회사설립의 전후를 구별함이 없이 제3자에 대하여는 발기인이 행위의 당사자로서 채무자가 되고 회사가 성립하면 정관에 기재하고 소정의 법정절차를 거친 범위 내에서 발기인은 회사에 대하여 구상을 할 수 있다.[98]

㉰ 회사·발기인 중첩책임설

설립비용의 채무는 설립중의 회사의 채무이기 때문에 그대로 성립후의 회사로 승계되지만 이로 인해 설립중의 회사의 대표인 발기인의 책임이 면제되는 것은 아니다. 따라서 양자의 중첩적 책임을 인정하는 것이 타당하다.[99]

㉱ 회사·발기인 분담설

설립비용 가운데 정관에 기재하고 검사인이 검사 등을 통과한 부분에 대하여

---

93) 최준선, 전게서, 177면; 최기원, 전게서, 165~166면.
94) 정찬형, 전게서, 677면.
95) 임재연, 전게서, 245면.
96) 회사의 설립비용은 발기인이 설립중의 회사의 기관으로서 회사설립을 위하여 지출한 비용으로서 원래 회사성립 후에는 회사가 부담하여야 하는 것이다. 대법원 1994.3.28. 93마 1916.
97) 권기범, 전게서, 396면; 최준선, 전게서, 177~178면; 정찬형, 전게서, 677면; 정동윤, 전게서, 116면; 이기수·최병규·조지현, 전게서, 156면; 강위두·임재호, 전게서, 564면; 임재연, 전게서, 246면; 홍복기, 전게서, 169면.
98) 김건식, 전게서, 128면; 최기원, 전게서, 169면; 江頭憲治郎, 前揭書, 72面; 森本 滋, 前揭書, 214面.
99) 손주찬, 전게서, 560면.

는 회사가 제3자에 대하여 채무를 부담하지만, 이러한 법정요건을 구비하지 못한 한도 외의 금액에 대하여는 발기인이 채무를 부담한다.[100]

나) 그 밖의 상대적 기재사항

그 밖의 상대적 기재사항으로는 ① 설립 당시의 주식발행사항의 결정(제291조), ② 무액면주식의 발행과 전환(제329조 제1항, 제4항), ③ 주식의 양도제한(제335조 제1항), ④ 주식매수선택권의 부여(제340조의2, 제542조의3), ⑤ 자기주식의 취득(제341조 제2항), ⑥ 자기주식의 처분(제342조), ⑦ 종류주식의 발행(제344조), ⑧ 주식의 전자등록(제356조의2), ⑨ 무기명주권의 발행(제357조 제1항), ⑩ 주권불소지제도의 배제(제358조의2 제1항), ⑪ 주주총회의 보통결의 요건의 완화(제368조 제1항), ⑫ 이사 선임시의 집중투표제의 배제(제382조의2 제1항), ⑬ 이사·감사의 임기연장(제383조 제3항, 제410조), ⑭ 주주총회에 의한 대표이사의 선임(제389조 제1항 단서), ⑮ 이사회결의요건의 가중(제391조 제1항 단서), ⑯ 회사에 대한 책임의 감면(제400조 제2항), ⑰ 집행임원의 임기(제408조의3), ⑱ 주주총회에 의한 신주발행사항의 결정(제416조 단서), ⑲ 제3자에 대한 신주인수권의 인정(제418조 제2항), ⑳ 신주인수권부사채의 발행(제516조의2 제2항 단서) 등이 있다.[101]

3) 임의적 기재사항

상법에 규정이 없더라도 강행법규 또는 주식회사의 본질에 반하지 않는 한 정관에 기재할 수 있고, 이로써 그 효력이 발생하는 사항을 말한다. 예를 들면, 주권의 종류, 주식명의개서절차, 이사 및 감사의 수, 총회의 소집시기, 영업연도 등이 이에 해당한다.[102]

3. 실체형성절차: 발기설립과 모집설립

가. 주식발행사항의 결정

회사의 설립시에 발행하는 주식의 총수(제289조 제1항 제5호)와 액면주식을

---

100) 김정호, 전게서, 105면; 日本의 判例이다. 最判 1927.7.4. 民集6卷9号 428面.
101) 최준선, 전게서, 178~179면.
102) 최준선, 전게서, 179면.

발행하는 경우 1주의 금액(제289조 제1항 제4호)은 반드시 정관에 의하여 정하여
지지만, 그 이외의 구체적인 주식발행사항은 정관에 특별한 정함이 없으면 발기
인이 결정하여야 한다. 따라서 회사설립 시에 발행하는 주식에 관하여 ① 주식
의 종류와 수(제291조 제1호), ② 액면주식의 경우에 액면 이상의 주식을 발행할
때에는 그 수와 금액(제291조 제2호), ③ 무액면주식을 발행하는 경우에는 주식
의 발행가액과 주식의 발행가액 중 자본금으로 계상하는 금액(제291조 제3호)에
관한 사항은 정관으로 달리 정하지 아니하면 발기인 전원의 동의로 이를 정하여
야 한다(제291조). 발기인 전원의 동의는 설립등기시에 첨부서류로 증명되어야
한다(상업등기법 제80조 제4호).

발기인 전원의 동의의 방식은 상법상 아무런 제한이 없으므로 명시적이든 묵
시적이든 서면이든 구두이든 어떠한 방법으로 해도 상관이 없다. 이러한 발기인
전원의 동의가 이루어지지 않은 경우에는 회사설립무효의 원인이 된다. 이와 관
련하여 발기인 전원의 동의의 시기가 문제가 된다.

제1설은 주주의 모집 직전에 발기인 전원의 동의를 받지 못하면 원칙적으로
그 주식의 인수는 무효가 되어 설립무효의 원인이 되지만, 주식인수 후 또는 설
립등기 후 동의를 받으면 예외적으로 그 하자가 치유된다고 본다.[103]

제2설은 발기인 전원의 동의는 정관작성 후 발기인에 의한 주식인수 전 또
는 적어도 설립등기 전에 있어야 한다고 본다.[104]

한편, 주식의 청약기간, 납입기일, 납입취급은행 등에 관한 사항은 발기인의
과반수의 다수결로 정한다(통설).[105]

나. 발기설립

1) 주식의 인수

가) 주식인수의 방법

발기설립의 경우 설립시에 발행하는 주식 전부는 발기인만이 인수하는데, 각
발기인은 반드시 서면에 의하여 주식을 인수하여야 한다(제293조). 따라서 서면

---

103) 권기범, 전게서, 398면; 정찬형, 전게서, 679; 정동윤, 전게서, 118면; 손주찬, 전게서, 565
    면.
104) 최준선, 전게서, 180면; 이철송, 전게서, 252면; 최기원, 전게서, 172면.
105) 최준선, 전게서, 180~181면.

에 의하지 않은 주식인수는 무효이다(통설).106) 그리고 이 서면은 설립등기 신청시에 첨부하여야 한다(상업등기법 제80조 제2호).

나) 주식인수의 법적 성질

(1) 발기인간의 계약설

발기인의 주식인수는 정관의 작성에 관여한 자가 주식이라는 사원권을 취득함과 동시에 이에 대응하는 출자의무를 부담하여 회사의 성립을 완성시킬 것을 약정하는 발기인간의 계약이다.107)

(2) 합동행위설(다수설)

발기인의 주식인수는 전체 발기인의 의사합치에 의하여 이루어진다는 점에서 합동행위이다. 즉 정관 소정의 조직을 가진 회사의 설립에 참가하려는 발기인의 일방적 의사표시의 합치에 의하여 효력이 생기는 합동행위이다.108)

(3) 입사계약설(소수설)

정관의 작성으로 설립중의 회사가 이미 창립되었기 때문에 정관작성 후의 발기인의 주식인수는 설립중의 회사로의 입사계약이다.109)

다) 주식인수의 시기

통설에 의하면 발기인의 주식인수는 정관작성의 전후를 불문한다.110) 이에 반해 발기인의 주식인수는 정관작성 이후 또는 적어도 정관작성과 동시에 이루어져야 한다는 소수설이 있다.111)

2) 출자의 이행

가) 전액납입주의

발기인이 회사의 설립시에 발행하는 주식의 총수를 인수한 때에는 지체없이 각 주식에 대하여 그 인수가액의 전액을 납입하여야 한다(제295조 제1항 제1문).

---

106) 이철송, 전게서, 252면.
107) 정동윤, 전게서, 119면.
108) 김홍기, 전게서, 382~383면; 최기원, 전게서, 173면; 손주찬, 전게서, 566면; 정찬형, 전게서, 679~680면; 강위두·임재호, 전게서, 568면; 임홍근, 전게서, 120면; 홍복기, 전게서, 170면.
109) 최준선, 전게서, 181면; 이철송, 전게서, 252면; 이기수·최병규·조지현, 전게서, 171면.
110) 최준선, 전게서, 181면; 최기원, 전게서, 173면; 손주찬, 전게서, 565면; 강위두·임재호, 전게서, 568면; 임재연, 전게서, 249면.
111) 정찬형, 전게서, 680면; 이철송, 전게서, 253면.

나) 납입의 방법

발기인은 납입을 맡을 은행 기타 금융기관과 납입장소를 지정하여야 하고(제295조 제1항 제2문), 납입금의 보관자 또는 납입장소를 변경할 때에는 법원의 허가를 얻어야 한다(제306조). 납입금을 보관한 은행이나 그 밖의 금융기관은 발기인 또는 이사의 청구를 받으면 그 보관금액에 관하여 증명서를 발급하여야 하는데(제318조 제1항), 이 경우 은행이나 그 밖의 금융기관은 증명한 보관금액에 대하여는 납입이 부실하거나 그 금액의 반환에 제한이 있다는 것을 이유로 회사에 대항하지 못한다(제318조 제2항). 자본금 총액이 10억원 미만인 회사를 발기설립하는 경우에는 납입금의 보관금액에 대한 증명서를 은행이나 그 밖의 금융기관의 잔고증명서로 대체할 수 있다(제318조 제3항). 한편, 가장납입에 관한 것은 모집설립의 경우와 같다.

다) 현물출자

현물출자를 하는 발기인은 납입기일에 지체없이 출자의 목적인 재산을 인도하고 등기, 등록 기타 권리의 설정 또는 이전을 요할 경우에는 이에 관한 서류를 완비하여 교부하여야 한다(제295조 제2항).

라) 출자의 불이행에 대한 조치

금전출자 및 현물출자의 경우 발기인이 출자의 이행을 하지 않는 경우 채무불이행의 일반원칙에 따라 그 이행을 강제할 수 있다(민법 제389조, 제390조). 출자의 이행을 강제할 수 없으면 회사가 성립할 수 없게 된다.[112]

3) 기관구성절차

발기설립의 경우 납입과 현물출자의 이행이 완료된 때에는 발기인은 지체없이 의결권의 과반수로 이사와 감사를 선임하여야 한다(제296조 제1항). 이 때, 발기인의 의결권은 그 인수주식의 1주에 대하여 1개로 한다(제296조 제2항). 또한, 이 경우 발기인은 의사록을 작성하여 의사의 경과와 그 결과를 기재하고 기명날인 또는 서명하여야 한다(제297조).

이 때, 선임된 이사들은 정관에 달리 정한 바가 없으면 이사회를 열어 대표이사 또는 대표집행임원을 선임하여야 한다(제389조 제1항, 제408조의5, 제317조

---

112) 최준선, 전게서, 182~183면.

제2항 제9호).

4) 설립경과의 조사

가) 이사·감사의 조사·보고

이사와 감사(감사위원회)는 취임후 지체없이 회사의 설립에 관한 모든 사항이 법령 또는 정관의 규정에 위반되지 아니하는지의 여부를 조사하여 발기인에게 보고하여야 한다(제298조 제1항). 이 때, 이사와 감사 중 발기인이었던 자, 현물출자자 또는 회사성립 후 양수할 재산의 계약당사자인 자는 회사의 설립경과의 조사·보고에 참가하지 못한다(제298조 제2항). 만일 이사와 감사의 전원이 그 조사·보고에 참가할 수 없는 때에는 이사는 공증인으로 하여금 그 조사·보고를 하게 하여야 한다(제298조 제3항).

나) 변태설립사항의 조사

(1) 정관으로 변태설립사항을 정한 때에는 이사는 원칙적으로 이에 관한 조사를 하게 하기 위하여 검사인의 선임을 법원에 청구하여야 한다(제298조 제4항 본문). 다만, 예외적으로 발기인이 받을 특별이익과 보수 및 회사가 부담할 설립비용에 관하여는 ① 공증인의 조사·보고로, 그리고 현물출자의 내용과 그 이행 및 재산인수계약에 관하여는 ② 공인된 감정인의 감정으로 검사인의 조사에 갈음할 수 있다(제298조 제4항 단서, 제299조의2 제1문).

(2) 검사인은 변태설립사항과 현물출자의 이행을 조사하여 법원에 보고하여야 한다(제299조 제1항). 검사인의 조사·보고와 같이 공증인 또는 감정인도 조사 또는 감정결과를 법원에 보고하여야 한다(제299조의2 제2문). 다만 ① 현물출자와 재산인수의 대상이 되는 재산총액이 자본금의 5분의 1을 초과하지 아니하고 대통령령으로 정한 금액113)을 초과하지 아니하는 경우(제299조 제2항 제1호), ② 이들 재산이 거래소에서 시세가 있는 유가증권인 경우로서 정관에 적힌 가격이 대통령령으로 정한 방법으로 산정된 시세114)를 초과하지 아니하는 경우(제

---

113) "대통령령으로 정한 금액"이란 5천만원을 말한다(상법시행령 제7조 제1항).
114) "대통령령으로 정한 방법으로 산정된 시세"란 다음 각 호의 금액 중 낮은 금액을 말한다 (상법시행령 제7조 제2항 각호).
   1. 법 제292조에 따른 정관의 효력발생일(이하 이 항에서 "효력발생일"이라 한다)부터 소급하여 1개월간의 거래소에서의 평균 종가(終價), 효력발생일부터 소급하여 1주일간의 거래소에서의 평균 종가 및 효력발생일의 직전 거래일의 거래소에서의 종가를 산술평균하여 산정한 금액

299조 제2항 제2호) 또는 ③ 그 밖에 이에 준하는 경우로서 대통령령으로 정하는 경우(제299조 제2항 제3호)에는 검사인의 조사·보고를 요하지 않는다(제299조 제2항).

검사인은 그 조사보고서를 작성한 후 지체없이 그 등본을 각 발기인에게 교부하여야 하며(제299조 제3항), 검사인의 조사보고서에 사실과 다른 사항이 있는 경우에는 발기인은 이에 대한 설명서를 법원에 제출할 수 있다(제299조 제4항).

(3) 법원은 검사인 또는 공증인의 조사보고서 또는 감정인의 감정결과와 발기인의 설명서를 심사하여 변태설립사항이 부당하다고 인정한 때에는 이를 변경하여 각 발기인에게 통고할 수 있다(제300조 제1항). 법원의 변경처분에 불복하는 발기인은 그 주식의 인수를 취소할 수 있다. 이 경우에는 정관을 변경하여 설립에 관한 절차를 속행할 수 있다(제300조 제2항). 법원의 통고가 있은 후 2주 내에 주식의 인수를 취소한 발기인이 없는 때에는 정관은 통고에 따라서 변경된 것으로 본다(제300조 제3항).

다. 모집설립

1) 주식의 인수

가) 주주의 모집

모집설립의 경우에는 회사의 설립시에 발행하는 주식의 일부는 발기인이 인수하고 나머지는 주주를 모집하여 인수시켜야 한다. 즉 발기인이 회사의 설립시에 발행하는 주식의 총수를 인수하지 아니하는 때에는 주주를 모집하여야 한다 (제301조). 주주의 모집방법에는 제한이 없으므로 공모이든 사모(연고모집)이든 상관이 없다.

나) 주식인수의 법적 성질

모집설립의 주식인수의 법적성질은 설립중의 회사로의 입사계약이다(통설).[115] 이러한 주식인수계약은 사단법상의 특수한 계약이므로 상행위가 아니다. 따라서

---

2. 효력발생일 직전 거래일의 거래소에서의 종가
상법시행령 제2항은 상법 제290조 제2호 및 제3호의 재산에 그 사용, 수익, 담보제공, 소유권 이전 등에 대한 물권적 또는 채권적 제한이나 부담이 설정된 경우에는 적용하지 아니한다(상법시행령 제7조 제3항).
115) 김홍기, 전게서, 384면; 홍복기, 전게서, 173면.

주식인수계약에는 민법의 규정이 적용된다. 예를 들면, 주식인수로 인한 채권은 5년의 상사채권의 소멸시효가 아니라 10년의 민사채권의 소멸시효가 걸린다.[116]

다) 청약의 방법: 주식청약서주의

주식을 청약함에는 응모주주를 보호하기 위하여 주식청약서주의를 채택하고 있다(제302조). 주식청약서주의란 청약의 방식으로 회사조직의 대강과 청약 조건 등 중요사항을 기재한 증서의 작성·사용을 강제하는 입법주의를 말한다.[117]

주식인수의 청약을 하고자 하는 자는 주식청약서 2통에 인수할 주식의 종류 및 수와 주소를 기재하고 기명날인 또는 서명하여야 한다(제302조 제1항). 주식청약서는 발기인이 작성하고, ① 정관의 인증년월일과 공증인의 성명(제302조 제2항 제1호), ② 정관의 절대적 기재사항(제289조 제1항)과 변태설립사항(제290조)(제302조 제2항 제2호), ③ 회사의 존립기간 또는 해산사유를 정한 때에는 그 규정(제302조 제2항 제3호), ④ 각 발기인이 인수한 주식의 종류와 수(제302조 제2항 제4호), ⑤ 설립당시의 주식발행사항(제291조)(제302조 제2항 제5호), ⑥ 주식의 양도에 관하여 이사회의 승인을 얻도록 정한 때에는 그 규정(제302조 제2항 제5의2호), ⑦ 주주에게 배당할 이익으로 주식을 소각할 것을 정한 때에는 그 규정(제302조 제2항 제7호), ⑧ 일정한 시기까지 창립총회를 종결하지 아니한 때에는 주식의 인수를 취소할 수 있다는 뜻(제302조 제2항 제8호), ⑨ 납입을 맡을 은행 기타 금융기관과 납입장소(제302조 제2항 제9호), ⑩ 명의개서대리인을 둔 때에는 그 성명·주소 및 영업소(제302조 제2항 제10호)를 기재하여야 한다(제302조 제2항).

주식인수의 청약은 부합계약의 성질을 갖기 때문에 청약자는 주식청약서에 기재된 청약의 조건을 변경하여 청약할 수 없다. 청약자는 청약과 동시에 납입금의 전부 또는 일부를 청약증거금으로 납입하는 경우가 많다.[118]

라) 타인명의의 주식인수

(1) 가설인(假設人) 또는 타인의 승낙을 얻지 않고 타인명의로 주식인수의 청약을 할 경우에는 실제로 청약을 한 자가 주식인수인으로서의 책임을 진다(제

---

116) 최준선, 전게서, 186면; 정찬형, 전게서, 681면.
117) 최준선, 전게서, 186면.
118) 정찬형, 전게서, 681면.

332조 제1항). 이 경우 명칭의 여하를 불문하고 실제로 주식인수의 청약을 한 사람이 납입책임을 부담함과 동시에 주식인수인(주주)이 된다.[119]

(2) 타인의 승낙을 얻어 타인명의로 주식을 청약하고 그 후 그 타인에게 주식이 배정된 경우에 누가 주식인수인이 되는가?

① 형식설(소수설)

명의대여자가 주식인수인이 된다는 견해로 주식청약의 집단적 처리의 편의를 고려하면 형식설이 타당하다고 한다.[120]

② 실질설(다수설)

명의차용자가 주식인수인이 된다는 견해로 법률행위의 일반이론 및 실질적 투자자 보호의 필요성에서 실질설이 타당하다고 한다.[121]

③ 판 례

판례는 실질설의 입장에서 실제로 주식을 인수하여 그 대금을 납입한 명의차용자만이 실질상의 주식인수인으로 주주가 되고, 단순한 명의대여자에게 불과한 자는 주주로 볼 수 없다[122]는 입장이었다. 그러나 최근 대법원은 전원합의체 판결[123]로써 형식설로 판례를 변경하였다.[124]

④ 소 결

어느 학설을 취하든지 간에 회사에 대한 관계에서는 명의대여자와 명의차용

---

119) 대법원 2017.3.23. 2015다248342 판결의 별개의견; 최준선, 전게서, 187면.
120) 손주찬, 전게서, 574면; 이철송, 전게서, 328면.
121) 최준선, 전게서, 188면; 정찬형, 전게서, 682면; 정동윤, 전게서, 125면; 최기원, 전게서, 185면; 이기수·최병규·조지현, 전게서, 170면; 강위두·임재호, 전게서, 575면; 임재연, 전게서, 256면; 심성호, 전게서, 115면; 정경영, 전게서, 368면; 임홍근, 전게서, 129면.
122) 대법원 1998.4.10. 97다50619; 1975.7.8. 75다410; 1975.9.23. 74다804; 1977.10.11. 76다1448; 1977.10.21. 76다1443; 1978.4.25. 78다805; 1980.9.19. 80마376; 1980.12.9. 79다1989; 1985.12.10. 84다카319; 1986.7.22. 85다카239, 240; 2004.3.26. 2002다29138; 2011.5.26. 2010다22552.
123) 대법원 2017.3.23. 2015다248342("특별한 사정이 없는 한, 주주명부에 적법하게 주주로 기재되어 있는 자는 회사에 대한 관계에서 그 주식에 관한 의결권 등 주주권을 행사할 수 있고, 회사 역시 주주명부상 주주 외에 실제 주식을 인수하거나 양수하고자 하였던 자가 따로 존재한다는 사실을 알았든 몰랐든 간에 주주명부상 주주의 주주권 행사를 부인할 수 없으며, 주주명부에 기재를 마치지 아니한 자의 주주권 행사를 인정할 수도 없다. 주주명부에 기재를 마치지 않고도 회사에 대한 관계에서 주주권을 행사할 수 있는 경우는 주주명부에의 기재 또는 명의개서청구가 부당하게 지연되거나 거절되었다는 등의 극히 예외적인 사정이 인정되는 경우에 한한다."고 판시).
124) 정찬형, 전게서, 684면.

자가 연대하여 주금액을 납입하여야 한다(제332조 제2항).

마) 청약의 하자(무효·취소)

비진의의사표시의 무효에 관한 일반원칙(민법 제107조 제1항 단서)은 주식인수의 청약에는 적용하지 아니하므로(제302조 제3항) 주식인수의 청약자가 비진의의 사표시를 하고 상대방(즉 발기인)이 이를 알았거나 또는 알 수 있었을 경우에도 그 청약은 무효가 되지 않는다. 또한, 주식인수인이 창립총회에 출석하여 그 권리를 행사한 후나 회사가 성립한 후에는 주식청약서의 요건의 흠결 또는 의사표시의 하자를 이유로 인수의 무효를 주장하거나 또는 취소하지 못한다(제320조).

그러나 상법상 이러한 특칙이 없는 경우에는 당연히 청약의 의사표시에 민법의 일반원칙이 적용된다. 따라서 청약자의 제한능력(민법 제5조, 제10조, 제13조) 또는 사해행위(민법 제406조) 등의 사유로 취소할 수가 있고, 의사무능력 또는 통정허위표시(민법 제108조 제1항) 등의 사유로 무효를 주장할 수 있다.[125]

바) 주식의 배정

어느 청약자에게 몇 주를 배정할 것인지의 결정은 발기인의 자유라고 하는 것이 주식배정자유의 원칙이다.[126] 따라서 주식인수의 청약이 있으면 설립 중의 회사의 기관인 발기인은 모집주식총수의 범위 내에서 자유로이 배정할 수 있다. 이때의 주식청약자는 아직 주주가 아니므로 주주평등의 원칙이 적용되지 않기 때문이다. 그래서 발기인은 청약자의 납입능력, 주주간의 세력균형 등을 고려하여 적절하게 배정할 수 있다.[127]

주식배정의 법적 성질은 주식인수의 청약에 대한 승낙의 의사표시라고 할 수 있다. 이러한 주식의 배정은 불요식의 의사표시이며, 특별한 방식을 요하지 않기 때문에 구두로 하여도 상관이 없다. 주식배정의 시기에도 특별한 제한이 없으나, 회사설립 전에 하여야 할 것이다.[128]

발기인의 주식인수인 등에 대한 배정의 통지 또는 최고는 통상 서면으로 한다. 즉 주식인수인 또는 주식청약인에 대한 통지나 최고는 주식인수증 또는 주식청약서에 기재한 주소 또는 그 자로부터 회사에 통지한 주소로 하면 되고(제

---

125) 최준선, 전게서, 189면; 정찬형, 전게서, 684~685면.
126) 江頭憲治郞, 前揭書, 91面.
127) 최준선, 전게서, 189면; 정찬형, 전게서, 685면; 이철송, 전게서, 259면.
128) 최준선, 전게서, 189면.

304조 제1항), 그러한 배정의 통지 또는 최고는 보통 그 도달할 시기에 도달한 것으로 본다(제304조 제2항).

2) 출자의 이행

가) 주금액의 납입

주식인수를 청약한 자는 발기인이 배정한 주식의 수에 따라서 인수가액을 납입할 의무를 부담한다(제303조). 회사설립시에 발행하는 주식의 총수가 인수된 때에는 발기인은 지체없이 주식인수인에 대하여 각 주식에 대한 인수가액의 전액을 납입시켜야 하는데(제305조 제1항), 주금액의 납입은 주식청약서에 기재한 납입장소에서 하여야 한다(제305조 제2항). 그리고 납입금의 보관자 또는 납입장소를 변경할 때에는 법원의 허가를 얻어야 한다(제306조).

납입금을 보관한 은행이나 그 밖의 금융기관은 발기인 또는 이사의 청구를 받으면 그 보관금액에 관하여 증명서를 발급하여야 하는데(제318조 제1항), 이 경우 은행이나 그 밖의 금융기관은 증명한 보관금액에 대하여는 납입이 부실하거나 그 금액의 반환에 제한이 있다는 것을 이유로 회사에 대항하지 못한다(제318조 제2항).

나) 현물출자의 이행

현물출자를 하는 주식인수인은 납입기일에 지체없이 출자의 목적인 재산을 인도하고 등기, 등록 기타 권리의 설정 또는 이전을 요할 경우에는 이에 관한 서류를 완비하여 교부하여야 한다(제305조 제3항, 제295조 제2항).

다) 불이행에 대한 조치

(1) 금진출자의 경우의 실권절차

주식인수인이 주금액의 납입을 하지 아니한 때에는 발기인은 일정한 기일을 정하여 그 기일 내에 납입을 하지 아니하면 그 권리를 잃는다는 뜻을 기일의 2주간 전에 그 주식인수인에게 통지하여야 한다(제307조 제1항). 그러한 통지를 받은 주식인수인이 그 기일 내에 납입의 이행을 하지 아니한 때에는 그 권리를 잃는다. 이 경우에는 발기인은 다시 그 주식에 대한 주주를 모집할 수 있다(제307조 제2항). 만일 설립중의 회사에 손해가 있으면 발기인은 실권한 주식인수인에 대하여 손해배상청구를 할 수 있다(제307조 제3항). 모집설립의 경우 이러한 실권절차에 의하지 아니하면 금전출자의 불이행이 있더라도 주식인수인의 권리는 상실되지 않는다. 실무적으로는 주식청약시에 납입금에 상당하는 금액을 청약증거금으로 받기 때문에 이러한 실권절차가 이용될 여지는 거의 없다.[129]

(2) 현물출자의 경우

현물출자자에 대하여는 실권절차를 취할 수가 없다(통설). 현물출자의 경우는 실권을 인정하더라도 타인으로부터 동일한 물건을 확보하기 어렵기 때문이다. 따라서 현물출자의 경우에는 강제집행의 방법(민법 제389조, 제390조)에 의하거나 정관의 변경을 통하여 설립절차를 계속할 수밖에 없다. 만일 현물출자의 흠결이 크면 회사가 성립하지 못하게 된다.[130]

3) 기관구성절차

출자의 이행이 완료된 때에는 발기인은 주식인수인으로 구성된 창립총회를 소집하여(제308조 제1항) 이사와 감사를 선임하여야 한다(제312조). 이 때, 선임된 이사들은 정관에 달리 정한 바가 없으면 이사회를 열어 대표이사 또는 대표집행임원을 선임하여야 한다(제389조 제1항, 제408조의5, 제317조 제2항 제9호).

4) 창립총회의 소집

가) 창립총회의 의의

창립총회는 주식인수인으로 구성되는 설립중의 회사의 의결기관이며, 주주총회의 전신이라고 할 수 있다.[131] 발기인은 주금액의 납입과 현물출자의 이행을 완료한 때에는 지체없이 창립총회를 소집하여야 한다(제308조 제1항). 창립총회의 소집절차, 의결권, 의사록, 결의의 하자 등에 관해서는 주주총회에 관한 규정이 준용된다(제308조 제2항).

나) 창립총회의 결의

창립총회의 결의는 출석한 주식인수인의 의결권의 3분의 2 이상이며 인수된 주식의 총수의 과반수에 해당하는 다수로 하여야 한다(제309조). 이러한 결의의 요건은 정관에 의하여 완화할 수 없고, 가중도 인정되지 않는다.[132]

---

129) 최준선, 전게서, 195~196면.
130) 최준선, 전게서, 196면.
131) 이철송, 전게서, 262면.
132) 최준선, 전게서, 2197; 최기원, 전게서, 199면.

다) 창립총회의 권한

창립총회는 최고 만능의 의사결정기관으므로 그 권한은 회사설립에 관한 모든 사항에 미친다.

상법상 규정된 창립총회의 권한으로는 회사설립사항(예: 주식의 인수·납입에 관한 제반상황, 변태설립사항에 관한 실태)에 관한 발기인의 서면보고를 받을 권한(제311조), 이사와 감사를 선임할 권한(제312조), 이사와 감사의 보고서에 의거한 설립경과의 조사권한(제313조), 변태설립사항을 변경할 수 있는 권한(제314조), 정관변경 및 설립폐지의 결의권한(제316조 제1항)이 있다. 창립총회의 정관의 변경 또는 설립의 폐지의 결의는 소집통지서에 그 뜻의 기재가 없는 경우에도 이를 할 수 있다(제316조 제2항).

창립총회에서 정관변경을 결의한 경우 그 변경된 정관에 대하여는 공증인의 인증을 요하지 않는다.[133]

5) 설립경과의 조사

가) 발기인은 회사의 창립에 관한 사항을 서면에 의하여 창립총회에 보고하여야 하는데(제311조 제1항), 이 보고서에는 ① 주식인수와 납입에 관한 제반상황(제311조 제2항 제1호)과 ② 변태설립사항에 관한 실태(제311조 제2항 제2호)에 관한 사항을 명확히 기재하여야 한다(제311조 제2항).

나) 이사와 감사는 취임후 지체없이 회사의 설립에 관한 모든 사항이 법령 또는 정관의 규정에 위반되지 아니하는지의 여부를 조사하여 창립총회에 보고하여야 한다(제313조 제1항). 이 경우 이사와 감사중 발기인이었던 자, 현물출자자 또는 회사성립 후 양수한 재산이 계약당시자인 자는 회사의 설립경과의 조사·보고에 참가하지 못한다(제313조 제2항, 제298조 제2항). 만일 이사와 감사의 전원이 그 조사·보고에 참가할 수 없는 때에는 이사는 공증인으로 하여금 그 조사·보고를 하게 하여야 한다(제313조 제2항, 제298조 제3항).

다) 정관으로 변태설립사항(제290조)을 정한 때에는 발기인은 이에 관한 조사를 하게 하기 위하여 검사인의 선임을 법원에 청구하여야 하고(제310조 제1항), 검사인의 보고서는 이를 창립총회에 제출하여야 한다(제310조 제2항). 그러나 이

---

133) 정동윤, 전게서, 131면; 손주찬, 전게서, 584면.

경우에도 예외적으로 발기인이 받을 특별이익과 보수 및 회사가 부담할 설립비용에 관하여는 ① 공증인의 조사·보고로, 그리고 현물출자의 내용과 그 이행 및 재산인수계약에 관하여는 ② 공인된 감정인의 감정으로 검사인의 조사에 갈음할 수 있다(제310조 제3항, 제298조 제4항 단서, 제299조의2).

라) 창립총회는 변태설립사항(제290조)이 부당하다고 인정한 때에는 이를 변경할 수 있다(제314조 제1항). 이 경우의 변경은 설립 후의 회사의 부담을 경감하는 방향으로의 변경만이 가능하고, 이를 가중하는 방향으로의 변경은 허용되지 않는다.[134]

창립총회의 변경처분에 불복하는 발기인은 그 주식의 인수를 취소할 수 있다(제314조 제2항, 제300조 제2항). 그러나 발기인 및 현물출자자 이외의 주식인수인은 정관의 변경으로 이익을 얻기 때문에 주식의 인수를 취소할 수 없다.[135]

창립총회의 변경통고가 있은 후 2주내에 주식의 인수를 취소한 발기인이 없는 때에는 정관은 변경통고에 따라서 변경된 것으로 본다(제314조 제2항, 제300조 제3항).

4. 설립등기

가. 등기시기

주식회사는 설립을 위한 최종절차인 설립등기를 함으로써 성립하고(제172조), 동시에 법인격을 취득한다(제169조). 주식회사의 설립등기는 발기설립의 경우에는 검사인·공증인·감정인의 변태설립사항 조사·보고 후 또는 법원의 변태설립사항 변경처분 후 2주간 내에, 모집설립의 경우에는 창립총회의 종결 후 또는 창립총회에 의한 변태설립사항 변경 후 2주간 내에 하여야 한다(제317조 제1항).

지점설치의 등기에 관하여는 ① 회사의 설립과 동시에 지점을 설치하는 경우 설립등기를 한 후 2주 내에 지점소재지에서 등기사항(다른 지점의 소재지는 제외한다)을 등기하여야 하고(제317조 제4항, 제181조 제1항), ② 회사의 성립 후에 지점을 설치하는 경우 본점소재지에서는 2주 내에 그 지점소재지와 설치 연월일

---

134) 최준선, 전게서, 197면.
135) 정동윤, 전게서, 133면.

을 등기하고, 그 지점소재지에서는 3주 내에 등기사항(다른 지점의 소재지는 제외한다)을 등기하여야 한다(제317조 제4항, 제181조 제2항).

설립등기를 해태한 때에는 500만원 이하의 과태료의 제재가 있다(제635조 제1항 제1호).

나. 등기절차

설립등기는 대표이사가 신청하는데, 신청서에는 일정한 서류를 첨부하여야 한다(상업등기법 제80조). 설립등기의 신청서에 첨부하여야 하는 서류는 ① 정관(상업등기법 제80조 제1호), ② 주식의 인수를 증명하는 서면(상업등기법 제80조 제2호), ③ 주식청약서(상업등기법 제80조 제3호), ④ 발기인이 주식발행사항(제291조)을 정한 때에는 이를 증명하는 서면(상업등기법 제80조 제4호), ⑤ 이사와 감사 또는 감사위원회 및 검사인이나 공증인의 조사보고서와 그 부속서류 또는 감정인의 감정서와 그 부속서류(상업등기법 제80조 제5호), ⑥ 검사인 또는 공증인의 조사보고나 감정인의 감정결과에 관한 재판이 있은 때에는 그 재판의 등본(상업등기법 제80조 제6호), ⑦ 발기인이 이사와 감사 또는 감사위원회 위원을 선임한 때에는 그에 관한 서면(상업등기법 제80조 제7호), ⑧ 창립총회의 의사록(상업등기법 제80조 제8호), ⑨ 이사·대표이사와 감사 또는 감사위원회 위원의 취임승낙을 증명하는 서면(상업등기법 제80조 제9호), ⑩ 명의개서대리인을 둔 때에는 명의개서대리인과의 계약을 증명하는 서면(상업등기법 제80조 제10호), ⑪ 주금의 납입을 맡은 은행, 그 밖의 금융기관의 납입금보관에 관한 증명서(상업등기법 제80조 제11호)[136]이다.

다. 등기사항

1) 본점의 등기사항

본점의 등기사항은 다음과 같다(제317조 제2항 각호).

① 목적, 상호, 회사가 발행할 주식의 총수, 액면주식을 발행하는 경우 1주의

---

[136] 다만, 자본금 총액이 10억원 미만인 회사를 상법 제295조 제1항에 따라 발기설립(發起設立)하는 경우에는 은행이나 그 밖의 금융기관의 잔고증명서로 대체할 수 있다(상업등기법 제80조 제11호 단서).

금액, 본점의 소재지 및 회사가 공고를 하는 방법

② 자본금의 액

③ 발행주식의 총수, 그 종류와 각종 주식의 내용과 수

④ 주식의 양도에 관하여 이사회의 승인을 얻도록 정한 때에는 그 규정

⑤ 주식매수선택권을 부여하도록 정한 때에는 그 규정

⑥ 지점의 소재지

⑦ 회사의 존립기간 또는 해산사유를 정한 때에는 그 기간 또는 사유

⑧ 주주에게 배당할 이익으로 주식을 소각할 것을 정한 때에는 그 규정

⑨ 전환주식을 발행하는 경우에는 전환절차에 관한 규정

⑩ 사내이사, 사외이사, 그 밖에 상무에 종사하지 아니하는 이사, 감사 및 집
  행임원의 성명과 주민등록번호

⑪ 회사를 대표할 이사 또는 집행임원의 성명·주민등록번호 및 주소

⑫ 둘 이상의 대표이사 또는 대표집행임원이 공동으로 회사를 대표할 것을
  정한 경우에는 그 규정

⑬ 명의개서대리인을 둔 때에는 그 상호 및 본점소재지

⑭ 감사위원회를 설치한 때에는 감사위원회 위원의 성명 및 주민등록번호

2) 지점의 등기사항

주식회사의 지점 설치 및 이전 시 지점소재지 또는 신지점소재지에서 등기를
할 때에는 ① 목적, 상호, 본점의 소재지 및 회사가 공고를 하는 방법, ② 회사
의 존립기간 또는 해산사유를 정한 때에는 그 기간 또는 사유, ③ 회사를 대표
할 이사 또는 집행임원의 성명·주민등록번호 및 주소, ④ 둘 이상의 대표이사
또는 대표집행임원이 공동으로 회사를 대표할 것을 정한 경우에는 그 규정을 등
기하여야 한다(제317조 제3항).

3) 본·지점의 이전등기

회사가 본점을 이전하는 경우에는 2주간 내에 구소재지에서는 신소재지와 이
전년월일을, 신소재지에서는 소정의 등기사항을 등기하여야 한다(제317조 제4항,
제182조 제1항). 회사가 지점을 이전하는 경우에는 2주 내에 본점과 구지점소재
지에서는 신지점소재지와 이전연월일을 등기하고, 신지점소재지에서는 소정의

등기사항을 등기하여야 한다(제317조 제4항, 제182조 제2항).

4) 변경등기

등기사항에 변경이 있는 때에는 본점소재지에서는 2주간 내, 지점소재지에서
는 3주간 내에 변경등기를 하여야 한다(제317조 제4항, 제183조).

라. 등기효력

1) 본질적 효력

설립등기를 함으로써 주식회사가 성립하고 법인격을 취득한다(제172조). 회사
가 성립하면, 발기인조합과 설립중의 회사는 소멸하고, 발기인을 통하여 설립 중
의 회사에 총유적으로 귀속되어 있던 권리의무는 당연히 회사에 귀속한다. 주식
인수인은 주주가 되고, 설립중에 선임된 이사와 감사는 회사의 기관이 된다.[137]

2) 부수적 효력

설립등기를 하면, 주식청약서의 요건의 흠결을 이유로 주식인수의 무효를 주
장하거나 착오 또는 사기·강박을 이유로 그 인수를 취소할 수 없고(제320조),
권리주양도의 제한(제319조)이 해소되고, 주권발행이 허용되며(제355조 제1항),
상호권이 발생하는(제289조 제1항 제2호) 등 특별한 효력이 생긴다. 그 밖에 발
기인은 자본금충실의 책임을 부담하고(제321조), 설립무효는 소에 의하지 아니하
고는 그 무효를 주장할 수 없다(제328조 제1항).

Ⅵ. 가장납입

1. 서   설

주식회사를 설립할 때, 발기설립의 경우 발기인이 회사의 설립시에 발행하는
주식의 총수를 인수한 때에는 지체없이 각 주식에 대하여 그 인수가액의 전액을
납입하여야 하고(제295조 제1항 제1문), 모집설립의 경우 회사설립시에 발행하는

---

137) 최준선, 전게서, 201면.

주식의 총수가 인수된 때에는 발기인은 지체없이 주식인수인에 대하여 각 주식에 대한 인수가액의 전액을 납입시켜야 한다(제305조 제1항). 이와 같이 주식의 인수에 대한 주금액의 납입이 현실적으로 이루어져야만 한다.

그러나 실제에 있어서는 형식적으로 주금액의 납입이 있는 것처럼 보이지만 실질적으로는 주금액의 납입을 가장하여 주식회사를 설립하는 사례가 적지 않다. 이러한 가장납입행위는 주식회사의 자본금충실의 원칙을 해하여 회사의 설립시부터 회사의 재산적 기초가 부실하거나 회사의 재산이 전혀 없는 회사를 성립시킬 우려가 있다. 이 때문에 선의의 주주 및 회사채권자의 이익이 부당하게 침해될 위험성이 있다.[138] 따라서 상법은 가장납입행위에 대해 일정한 규제를 가하고 있다.

2. 가장납입의 의의와 종류

가. 의   의

가장납입이란 현실적으로 주금의 납입이 없고, 다만 형식상(즉 서류상)으로만 납입이 된 것처럼 되어 있는 경우를 말한다.[139] 과거 5천만원의 최저자본금제도가 있을 때[140] 이를 회피할 목적으로 가장납입이 성행하였는데, 최저자본금제도가 폐지된 현재에는 경영진이 출자없이 지배권을 확대하고자 하는 경우에 가장납입을 이용할 가능성이 높다.[141]

나. 종   류

1) 통모가장납입(=공모에 의한 가장납입)[142]

통모가장납입이란 발기인이 주금납입은행으로부터 금전을 차입하여 주금의 납입에 충당하고 이것을 설립중의 회사의 예금으로 이체하고, 그 차입금을 변제할 때까지는 그 예금을 인출하지 않을 것을 약정하는 것이다.[143]

---

138) 최기원, 전게서, 190면.
139) 최준선, 전게서, 191면.
140) 최저자본금제도는 2009년 5월의 상법 개정시 폐지되었다.
141) 임재연, 전게서, 259면.
142) 일본에서는 이를 예합(預合)이라고 부른다.
143) 丸山秀平, 前揭書, 67面; 최준선, 전게서, 191면.

상법은 통모가장납입을 방지하기 위한 목적으로 납입금을 보관한 은행이나 그 밖의 금융기관은 발기인 또는 이사의 청구를 받으면 그 보관금액에 관하여 증명서를 발급하도록 하고(제318조 제1항), 이 경우 은행이나 그 밖의 금융기관은 증명한 보관금액에 대하여는 납입이 부실하거나 그 금액의 반환에 제한이 있다는 것을 이유로 회사에 대항하지 못하도록 하고 있다(제318조 제2항). 이를 통해 통모가장납입행위는 방지되고 있다고 할 수 있다.[144]

2) 위장납입(＝통상의 가장납입＝일시차입금에 의한 가장납입)[145]

발기인이 납입금 보관은행 등과 통모함이 없이 선의의 제3자로부터 금전을 차입하여 현실적으로 은행 그 밖의 금융기관에 납입하고 납입금보관증명서를 받아 설립등기를 마친 후 즉시 납입금의 보관은행으로부터 인출하여 차입금을 변제하는 방법이다.[146] 이 경우 납입취급은행에는 유효한 주금의 납입이 있는 것과 같은 외관이 창출되지만, 실질적으로는 주금의 납입이 전혀 없는 자본금 공동(空洞)의 회사가 성립하게 된다.[147]

3) 절충 형태의 가장납입[148]

발기인대표가 납입을 맡을 금융기관으로부터 납입금에 해당하는 금액을 대출받아 주금을 납입하고, 회사성립 후 회사가 납입금을 반환받아 이를 발기인대표이었던 자에게 빌려주면, 이 자가 은행 차입금을 변제하는 방법을 말한다. 이것은 실질적으로는 통모가장납입의 변형된 형태라고 보아야 할 것이다.[149]

---

144) 정찬형, 전게서, 688면.
145) 일본에서는 이를 견금(見金)이라고 부른다.
146) 丸山秀平, 前揭書, 68面; 최준선, 전게서, 192면.
147) 최기원, 전게서, 191면.
148) 실무상으로는 회사채무의 지급이 곤란한 회사가 납입취급금융기관으로부터 금전을 차입하여 회사채무의 변제에 충당함과 동시에 당해 회사채권자(종업원의 경우도 있다)배정의 모집주식을 발행하고 주식발행의 효력발생 후 그 납입금으로 은행의 차입금을 변제하는 이른바 예합과 견금의 중간형태가 이용되어 왔다. 森本 滋, 前揭書, 193面.
149) 정찬형, 전게서, 689면; 최준선, 전게서, 192면; 日本의 判例는 예합과 견금의 중간형태도 예합으로 평가한다. 最決 1960.6.21. 刑集14卷8号 981面; 森本 滋, 前揭書, 193面.

3. 가장납입의 효력

가. 문제의 제기

통모가장납입과 절충 형태의 가장납입의 효력은 무효라고 보는 것이 통설이다. 그런데 위장납입의 효력에 대해서는 그 유효성을 둘러싸고 학설의 대립이 있다.

나. 위장납입의 효력

1) 학 설

가) 무효설(다수설)[150]

위장납입은 ① 주식회사의 자본금충실을 기대할 수 없다는 점, ② 강행법규에 대한 탈법행위를 허용하는 결과가 된다는 점, ③ 납입금의 차입과 반환은 하나의 계획된 납입가장행위로서 실질적으로 주금의 납입이 있었다고 볼 수 없다는 점, ④ 통모가장납입을 금지하고 있는 입법취지와도 합치한다는 점 등을 근거로 무효라고 한다.[151]

나) 유효설(소수설)

① 위장납입이지만 자금의 이동이 현실적으로 있다는 점, ② 위장납입의 의도라는 것은 발기인의 주관적 의도에 불과하다는 점, ③ 발기인의 주관적 사정에 의하여 회사의 설립과 같은 집단적 절차의 일환을 이루는 주금납입의 효력을 좌우하는 것은 타당하지 않다는 점, ④ 회사는 주주에 대하여 납입금의 상환을 청구할 수 있고,[152] 발기인은 회사에 대하여 연대하여 손해배상책임을 지는 점

---

150) 日本의 判例는 "견금(見金)에 의한 납입의 경우에는 형식적으로는 현실의 자금의 이동에 의한 납입이 있지만, 실질적으로 보면 그것도 처음부터 계획된 납입의 가장임에 다름없고, 예합(預合)의 탈법행위로서 법률상으로는 유효한 납입이라고 인정할 수는 없다고 해석해야만 한다"고 하고 있다. 最判 1963.12.6. 民集17卷 12号 1633面; 大隅健一郞·今井 宏·小林 量, 「新會社法槪說」(有斐閣, 2009), 51~52面.

151) 권기범, 전게서, 426면; 최준선, 전게서, 194면; 정동윤, 전게서, 129면; 최기원, 전게서, 195면; 이철송, 전게서, 267면; 손주찬, 전게서, 577면; 이기수·최병규·조지현, 전게서, 173면; 강위두·임재호, 전게서, 582면; 김정호, 전게서, 120면; 임홍근, 전게서, 132면; 日本의 多數說도 無效說이다. 丸山秀平, 前揭書, 68面.

152) 대법원 1985.1.29. 84다카1823, 1824.

(제322조)[153] 등을 근거로 위장납입은 유효하다고 한다.[154]

2) 판례(유효설의 입장)

주식회사를 설립하면서 일시적인 차입금으로 주금납입의 외형을 갖추고 회사설립절차를 마친 다음 바로 그 납입금을 인출하여 차입금을 변제하는 이른바 가장납입의 경우에도 주금납입의 효력을 부인할 수는 없다고 할 것이어서, 주식인수인이나 주주의 주금납입의무도 종결되었다고 보아야 할 것이다.[155]

다. 회사설립의 효력

1) 유효설

위장납입의 효력을 유효라고 보는 입장에서는 회사는 유효하게 설립된다.

2) 무효설

위장납입의 효력을 무효라고 보는 입장에서는 회사설립무효의 원인이 된다고 본다. 판례는 주식회사의 설립 자체가 강행규정에 반하거나 선량한 풍속 기타 사회질서에 반하는 경우 또는 주식회사의 본질에 반하는 경우 등에 한하여 회사설립무효의 사유가 되는 것으로 판시하고 있다.[156] 다만 가장납입 부분이 발기인의 납입담보책임(제321조 제2항)에 의하여 치유될 수 있는 경우에는 이를 무효로 할 필요는 없다.[157] 이러한 회사설립의 무효는 주주·이사 또는 감사에 한하여 회사성립의 날로부터 2년 내에 소만으로 주장할 수 있다(제328조 제1항).

라. 민사책임

발기인은 회사성립 후 납입을 완료하지 아니한 주식이 있는 때에는 연대하여 그 납입을 하여야 하는 납입담보책임을 부담한다(제321조 제2항). 또한, 발기인

---

153) 대법원 1989.9.12. 89누916.
154) 김건식, 전게서, 113면; 김홍기, 전게서, 387면; 정찬형, 전게서, 689면; 정경영, 전게서, 372~373면.
155) 대법원 2004.3.26. 2002다29138; "이는 실제 금원의 이동에 따른 현실의 납입이 있는 것이고, 발기인 등의 주관적 의도는 주금납입의 효력을 좌우할 수 없으므로, 이는 유효하다"(대법원 1966.10.21. 66다1482). 대법원 1973.8.31. 73다824; 1983.5.24. 82누522; 1985.1.29. 84다카1823, 1824; 1994.3.28. 93마1916; 1998.12.23. 97다20649.
156) 대법원 2020.5.14. 2019다299614.
157) 최준선, 전게서, 194면; 최기원, 전게서, 195면.

이 회사의 설립에 관하여 그 임무를 해태한 때에는 그 발기인은 회사에 대하여 연대하여 손해를 배상할 책임이 있고(제322조 제1항), 발기인이 악의 또는 중대한 과실로 인하여 그 임무를 해태한 때에는 그 발기인은 제삼자에 대하여도 연대하여 손해를 배상할 책임이 있다(제322조 제2항).

마. 형사책임

1) 납입가장죄

발기인이 납입 또는 현물출자의 이행을 가장하는 행위를 한 때에는 5년 이하의 징역 또는 1천 500만원 이하의 벌금에 처한다(제628조 제1항). 납입가장행위에 응하거나 이를 중개한 자도 5년 이하의 징역 또는 1천 500만원 이하의 벌금에 처한다(제628조 제2항).[158]

그러나 납입금을 전부 인출하였다고 하여도 회사의 사무비 등의 운영자금으로 사용된 경우[159]나 은행에 납입하였던 주식인수가액을 그 설립등기가 이루어진 후 바로 인출하였다고 하더라도 이미 주식회사가 주식납입금 상당에 해당하는 자산을 가지게 되었고, 그 인출금을 그 자산의 취득과정에서 발생한 대차관계를 정산하는데 사용한 경우[160]에는 납입가장죄가 성립하지 않는다.[161]

납입가장죄 등을 저지른 이사의 행위는 "그 직무에 관하여 부정행위 또는 법령에 위반한 중대한 사실"이 있는 경우(제385조 제2항)에 해당하여 이사해임청구의 사유가 된다.[162]

2) 공정증서원본불실기재죄(형법 제228조) 및 동 행사죄(형법 제229조)

주금의 납입이 완료된 것처럼 등기공무원에 대하여 허위신고를 하여 등기신청을 한 것이므로 공정증서원본불실기재죄 및 동 행사죄가 성립한다.[163]

---

158) 대법원 2004.6.17. 2003도7645; 2006.6.9. 2005도8498; 2009.6.25. 2008도10096.
159) 대법원 1977.11.8. 77도2439; 1979.12.11. 79도1489.
160) 대법원 1999.10.12. 99도3057; 2001.8.21. 2000도5418.
161) 최기원, 전게서, 196면.
162) 대법원 2010.9.30. 2010다35985; 최준선, 전게서, 195면.
163) 대법원 1982.2.23. 80도2303; 1986.8.19. 85도2158; 1986.9.9. 85도2297.

3) 업무상 횡령죄 및 업무상 배임죄의 성립 여부

가) 업무상 횡령죄

납입가장행위는 실질적으로 회사의 자본을 증가시키는 것이 아니고 등기를 위하여 납입을 가장하는 편법에 불과하여 주금의 납입 및 인출의 전과정에서 회사의 자본금에는 실제 아무런 변동이 없다고 보아야 할 것이므로 그들에게 회사의 돈을 임의로 유용한다는 불법영득의 의사가 있다고 보기 어렵다 할 것이고, 이러한 관점에서 상법상 납입가장죄의 성립을 인정하는 이상 회사 자본금이 실질적으로 증가됨을 전제로 한 업무상 횡령죄가 성립한다고 할 수는 없다.[164]

나) 업무상 배임죄

신주발행에 있어서 대표이사가 납입의 이행을 가장한 경우에는 상법 제628조 제1항에 의한 가장납입죄가 성립하는 이외에 따로 기존 주주에 대한 업무상 배임죄를 구성한다고 할 수 없다.[165]

---

164) 대법원 2004.6.17. 2003도7645.
165) 대법원 2004.5.13. 2002도7340; 임재연, 전게서, 264면.

제 2 절   변태설립사항

안 성 포*

I. 의   의

제290조는 (i) 발기인이 받을 특별이익, (ii) 현물출자, (iii) 재산인수, (iv) 회사가 부담할 설립비용과 발기인이 받을 보수액을 열거하면서 이들을 변태설립사항으로 규정하고 있다. 이 네 가지 사항은 회사설립시부터 회사의 재산적 기초를 위태롭게 할 수 있는 사항들로써, 발기인, 현물출자자 및 재산인수인 등에 의한 남용의 위험이 높고 자본충실의 원칙을 파괴할 우려가 있는 위험한 약속(gefährliche Abreden)이라는 의미에서[1] '위험한 설립사항'으로 불리기도 한다.[2]

동조는 발기인이 변태설립사항을 정하려면 반드시 이를 정관에 기재할 것을 요구하고 있다. 즉, 상법은 변태설립사항을 정관에 기재하지 않으면 그 효력이 생기지 않는 상대적 기재사항으로 규정하고 있다. 이는 회사채권자 또는 주식인수인에게 그 존부와 내용을 알림으로써 적절한 의사결정을 할 수 있게 하는 동시에, 발기인의 활동을 공시함으로써 그 권한의 남용을 억제하려는 데 목적이 있다.

---

* 전남대학교 법학전문대학원 교수
1) 최준선, 「회사법」 제16판(삼영사, 2021), 170면.
2) 권기범, 「현대회사법론」 제4판(삼영사, 2012), 340면 각주 57); 이기수·최병규·조지현, 「회사법」 제9판(박영사, 2011), 152면.

Ⅱ. 변태설립사항의 개별적 내용

1. 발기인이 받을 특별이익

가. 의   의

제290조 제1호에서는 발기인이 받을 특별이익과 이를 받을 자의 성명을 변태설립사항으로 규정하고 있다. 발기인이 받을 특별이익이란, 회사설립의 실패에 따르는 위험을 부담하고 설립사무를 관장한 것에 대한 보상으로서 특정 발기인 또는 발기인 전원에게 인정하는 이익을 말한다. 이러한 사항은 정관작성의 주체인 발기인(제289조 제1항)이 자의적으로 결정할 위험성이 많기 때문에 변태설립사항으로 정하여 정관에 기재하여야만 효력이 있도록 하고 있다.

나. 특별이익의 내용

특별이익은 주주의 지위와 상관없이 회사가 발기인[3] 개인에게 채권적으로 부여하는 권리이므로, 강행법규나 자본충실의 원칙·주식평등의 원칙·출자환급 금지의 원칙 등과 같은 주식회사법의 기본원리에 반하지 않는 한 원칙적으로 모든 재산적 권리가 그 대상이 될 수 있다.[4]

먼저 회사의 설비이용에 관한 특권, 계속적 거래의 약속, 총판권의 부여, 우선적 상품매입권 등과 같이 강행법규에 위배되지 않는 한 원칙적으로 모든 재산적 이익을 그 대상으로 한다.[5]

이익배당이나 잔여재산분배에서의 우선권과 같은 주주권과 연계된 재산적 이익을 발기인에게 특별이익으로 부여할 수 있다는 견해가 있다.[6] 그러나 상법은

---

[3] 정확히는 발기인이었던 자: 최준선, 전게서, 171면.

[4] 손주찬·정동윤 대표, 「주석 상법(Ⅱ)」(한국사법행정학회, 1997), 462면; 최기원, 「신회사법론」 제13대정판(박영사, 2009), 158면; 최준선, 전게서, 170~171면.

[5] 독일의 통설은 정보청구권(Informationsrecht)과 감사회 구성원의 임명권(Recht auf Entsendung von Aufsichtsratsmitgliedern)과 같은 비재산적 이익도 특별이익(Sondervorteil)으로 보고 있다(Christoph Seibt, in K. Schmidt/Lutter(Hrsg.), AktG, 2008 §26 Rz. 7).

[6] 최기원, 전게서, 158면; 이기수·최병규·조지현, 전게서, 153면; 최준선, 전게서, 170면; 서헌제, 「상법강의(상)」(법문사, 2001), 551면.

주식을 인수하지 않았더라도 정관을 작성하고 발기인으로 기명날인 또는 서명을 한 자만을 발기인으로 보고 있다(제289조 제1항). 즉, 발기인과 주식인수인 내지 주주의 지위를 별개로 보고 있다. 그리고 상법상 발기인에 관한 규정은 형식적 개념의 발기인에게만 적용된다.[7] 따라서 발기인이라는 지위에 근거하여 부여되는 특별이익의 성격으로 볼 때, 주주의 지위와 연계되는 이익배당이나 잔여재산 분배에 대하여 발기인에게 우선권을 주는 것은 허용되기 어렵다고 본다.[8]

회사성립 후 신주발행시 발기인에게 신주인수에 관한 우선권을 특별이익으로 부여하는 것은 가능하다. 발기인에게 신주인수에 관한 우선권을 부여하는 것은 주주권이 아닌 계약에 근거하기 때문이다. 그러나 상법상 제3자의 신주인수권이 허용되는 것과의 균형상 제418조 제2항 제2문의 요건을 충족하는 경우, 즉 신기술의 도입, 재무구조의 개선 등 회사의 경영상 목적을 달성하기 위하여 필요한 경우에 한하여 허용되어야 할 것이다.[9]

발기인의 납입주금액에 대한 확정이자의 지급이나 주금납입의 면제와 같이 자본충실에 반하는 이익이나 주주총회의 의결상의 특권과 같이 주식평등의 원칙에 위배되는 이익은 허용될 수 없다. 또한 장차 발기인에게 이사나 감사의 지위를 약속하는 것도 단체법적 질서에 어긋나므로 허용되지 않는다.[10]

다. 특별이익의 성질

특별이익은 별도의 반대급부를 전제로 하지 않고 발기인에게 회사가 부여하는 채권적인 권리이다. 따라서 특별이익은 그 이익의 성질이나 정관의 규정에 반하지 아니하는 한 양도 또는 상속의 대상이 될 수 있다는 견해가 있으나,[11] 특별이익은 발기인이었던 자에 대하여만 인정되는 것으로서 정관에 다른 정함이 없는 한 특별이익만을 분리하여 양도 또는 상속할 수 없다.[12]

특별이익은 주주의 지위에 대하여 부여한 것이 아니고, 회사설립에 기여한 공로로 발기인의 지위에 대하여 부여한 것이므로 발기인이 그의 주식을 양도한

---

7) 이철송, 「회사법강의」 제29판(박영사, 2021), 229면.
8) 이철송, 상게서, 245면, 각주 1).
9) 권기범, 전게서, 340면.
10) 이철송, 전게서, 245면; 이기수·최병규·조지현, 전게서, 153면; 최준선, 전게서, 171면.
11) 정동윤, 「회사법」(법문사, 2011), 111면.
12) 최준선, 전게서, 171면.

때에도 특별이익은 여전히 그 발기인이 가진다.

특별이익을 부여하면서 정관으로 발기인이 주식을 양도하면 특별이익이 소멸하는 것으로 규정할 수도 있다. 이렇게 주주의 자격을 조건으로 정한 경우에는 발기인이 주식을 양도하면 특별이익을 잃게 된다. 그런 경우가 아니라면 발기인은 주식과 특별이익을 함께 양도할 수도 있다.

발기인이 받을 특별이익은 회사성립 후 발기인의 의사에 반하여는 정관변경으로도 박탈하지 못하지만, 발기인이 그 권리를 포기한 때에는 정관변경 없이도 특별이익은 소멸한다.[13)

2. 현물출자

가. 의　　의

현물출자란 금전 이외의 재산을 출자의 목적으로 하는 것을 말한다. 회사가 성립 후 구입해야 할 현물을 출자자가 가지고 있는 경우, 출자자가 그 현물을 처분하고 취득한 대금을 회사에 출자하고 회사가 다시 그 현물을 구입하는 번거로움을 피하기 위하여 상법은 현물출자를 직접 인정하고 있다.

그러나 출자된 재산이 금전으로 평가되는 과정에서 재산에 대한 부당평가가 이루어질 우려가 있다. 그 결과 출자된 재산보다 더 많은 가치의 주식이 발행되면 자본금에 상응하는 책임재산이 확보되지 못하여 회사채권자가 손해를 입을 뿐만 아니라, 다른 주주가 가진 주식가치도 감소되므로 주주 간 부의 이전도 발생하게 된다. 따라서 제290조 제2호에서는 현물출자를 하는 자가 있는 경우에 현물출자를 하는 자의 성명과 그 목적인 재산의 종류·수량·가격과 이에 대하여 부여한 주식의 종류와 수를 정관에 기재하도록 하여 설립과정에서 각별한 검사를 받도록 하고 있다.[14)

1995년 개정상법 이전에는 제294조에서 현물출자를 할 수 있는 자는 발기인으로 제한되어 있었다. 이 제한규정은 발기설립의 경우에는 적용될 여지가 없었고, 단지 모집설립의 경우에 발기인 이외의 주식인수인은 현물출자를 할 수 없

---

13) 최기원, 전게서, 159면; 최준선, 전게서, 171면.
14) 이철송, 전게서, 245면; 최준선, 전게서, 171면.

다는 것을 의미하는 것이었다. 그 자격을 발기인으로 제한한 이유는 현물출자에
는 폐해가 따르기 쉬우므로 그 남용을 방지하기 위하여 회사설립에 관한 법정책
임을 지는 발기인만이 현물출자를 할 수 있게 한 것이었다.[15) 그러나 현물출자
자가 누구이든 간에 그 현물이 공정하게 평가되고, 그 출자가 확실하게 이행되
기만 한다면, 현물출자자를 발기인으로 한정할 필요가 없었다. 그리고 회사성립
후에 신주발행의 경우에는 현물출자자에 대한 자격의 제한이 없는데(제416조),
설립시에만 이를 제한하여야 할 이유도 없었다. 따라서 1995년 개정상법은 제
294조를 삭제하였고, 현행 상법상 누구나 현물출자를 할 수 있다.

나. 법적 성질

현물출자는 민법상의 매매나 교환과 유사한 면도 있지만, 민법상의 어떤 전
형계약에도 해당하지 않는 상법상 출자의 한 형태이다. 그리고 재산의 납입과
주식의 취득 사이에 대가관계가 있으므로 현물출자는 쌍무·유상계약의 성질을
가진다.[16)

다. 출자 목적

1) 목적물이 될 수 있는 재산

현물출자의 목적은 금전 이외의 재산으로 원칙적으로 재무상태표(대차대조표)
자산의 부에 기재할 수 있는 것이면 모두 가능하다. 다만, 출자의 이행을 전제
로 하므로 양도 가능한 재산만이 그 대상이 될 수 있다.[17) 예컨대 동산, 부동산,
유가증권을 비롯하여 제3자에 대한 채권이나 특허권과 같은 무체재산권, 타회사
의 주식, 영업의 전부 또는 일부와 상호·영업상의 비결 등 재산적 가치있는 사
실관계도 될 수 있다. 결국 현물출자의 목적이 될 수 있는지 여부는 회계적으로
자산으로 인식할 수 있는지 여부로 결정되는 것임을 알 수 있다.

따라서 노무 및 신용은 출자의 목적이 될 수 없다. 이는 주식회사의 경우 사
원의 개성이 문제가 되지 않을 뿐만 아니라 노무 및 신용은 대차대조표상의 자
산의 부에 계상할 수 없기 때문이다.[18)

---

15) 서돈각, 「상법강의(상권)」 제3전정판(법문사, 1985), 297면.
16) 손주찬·정동윤 대표, 전게서, 467면; 최준선, 전게서, 172면.
17) 권기범, 전게서, 342면.

정관에는 현물출자자의 성명 외에 출자목적물인 자산에 관한 기재의 정도는 그 동일성을 파악할 수 있을 정도로 재산의 종류·수량·가격과 부여할 주식의 종류와 수에 대하여 구체적으로 기재하여야 한다. 정관에 기재한 현물출자의 목적재산의 가격이 이에 대하여 부여하는 주식의 액면총액보다 많은 경우에는 주식의 액면초과발행이 되므로 그 초과액은 자본준비금으로 적립하여야 한다.[19]

회사설립시에는 논의의 실익이 없다고 볼 수 있으나, 회사에 대한 채권도 출자의 목적이 될 수 있다. 회사에 대한 채권을 출자한다는 것은 주금을 상계에 의하여 납입하는 결과가 되므로 종전에는 제334조에 의하여 금지되었다. 그러나 2011년 개정상법에서는 제334조를 삭제하고, 신주발행에서도 제421조 제2항을 신설하여 이를 허용하는 것으로 전환하였다.[20] 따라서 회사의 동의가 있으면 직접 회사에 대한 채권과 주금납입채무를 상계할 수 있고,[21] 회사가 제3자에게 발행한 어음을 취득한 자가 신주인수에 참여하여 그 어음을 출자하는 것과 같이 간접적으로 상계의 효과를 가져 오는 출자도 허용된다.[22]

2) 목적물의 과대평가

출자된 재산이 과대평가된 경우에 이를 어떻게 다룰 것인가? 후술하는 현물출자에 대한 조사절차에 의해 시정될 것이지만, 시정되지 아니한 채 설립등기를 필한 경우, 그 효력은 구체적 타당성 있게 해결하여야 할 것이다.

먼저, 회사는 현물출자자에게 과대평가된 부분에 대하여 이를 금전으로 추가

---

18) 최기원, 전게서, 161면; 최준선, 전게서, 172면.
19) 손주찬·정동윤 대표, 전게서, 466면.
20) 2011년 개정상법전 제334조 「주주는 납입에 관하여 상계로써 회사에 대항하지 못한다」는 규정은 등기실무상 단지 주식인수인이 상계한 것을 회사에 주장할 수 없다는 뜻 정도가 아니라, 주식인수인이든 회사이든 상계를 일체 허용하지 않는다는 뜻으로 해석되어 왔다. 그러나 1997년 IMF사태를 겪으면서 경영파탄에 빠진 기업의 회생이 사회적 과제로 부상되면서, 등기실무상 금융기관이 갖는 채권에 한해 출자전환(debt-equity swap)의 목적으로 상계하는 것을 제한적으로 허용하였다. 1997년 경제위기 이후에도 기업의 경영파탄이 일상화되기에 이르렀고, 이에 따라 출자전환의 필요성은 금융기관의 채권에 국한해서가 아니라 기업에 대한 채권 일반에 관해 제기되므로 2011년 개정상법은 기업의 구조조정을 촉진하는 차원에서 상계를 원칙적으로 허용하는 정책을 취하여 제334조를 삭제하였다. 그러나 상계가 주주의 편의만을 위해 이용된다면 회사의 자본충실을 해할 것이므로 회사의 동의 없이는 상계할 수 없도록 제421조 제2항을 신설하여 보완규정을 두었다(이철송, 전게서, 931면).
21) 권기범, 전게서, 342면.
22) 송옥렬, 전게서, 735면.

납입하도록 청구할 수 있을 것이다. 즉, 출자계약상의 인수가액 전액을 납입하지 아니한 경우로 보아 현물출자자에게 차액책임(Differenzhaftung)을 부담시키는 방법이다.[23] 이러한 현물출자자의 차액책임에 대하여 제321조 제2항을 유추적용하여 발기인도 연대하여 책임을 진다고 보아야 한다. 그리고 현물출자자의 고의 또는 과실이 있는 때에는 회사는 출자계약위반으로 인한 손해배상을 청구할 수 있을 것이다.

둘째, 과대평가의 정도가 경미하다면 발기인과 임원에게 손해배상책임을 추궁할 수 있을 것이나(제322조, 제323조), 그 정도가 커서 자본구성에 발기인과 임원의 책임추궁만으로 메우기 어려운 정도의 결함이 생겼다면 현물출자가 무효로 된다. 나아가 그 출자된 재산이 회사의 목적수행에 필수불가결한 재산이라면 설립무효의 사유로 될 수도 있다.[24]

라. 현물출자의 이행

1) 이행의 청구와 시기

현물출자에 관한 사항은 정관에 구체적으로 기재되지만, 이것만으로 출자의 목적물이 회사로 이전되는 것이 아니므로 발기인대표의 이행청구에 따라 발기인의 과반수가 정한 납입기일까지 그 출자자[25]가 목적인 재산을 인도하고 등기, 등록 기타 권리의 설정 또는 이전에 필요한 서류를 완비하여 교부하여야 한다(제295조 제2항). 이 규정은 모집설립(제305조 제3항)과 신주발행(제425조 제1항)의 경우에도 준용된다.

---

23) 독일주식법 제27조 제3항에 의하면 주주의 금전출자가 경제적인 관점에서 그리고 금전출자의 인수와 관련하여 이루어진 합의에 근거하여 전부 또는 부분적으로 현물출자로 평가되는 경우에는 숨은 현물출자(verdeckte Sacheinlage)로 다루어진다. 숨은 현물출자로 판명되면 해당 합의, 즉 현물출자에 관한 계약 및 그 실행을 위한 법률행위는 유효하나, 주주는 원래의 금전납입의무액에서 현물출자된 가액을 제외한 차액에 대하여 납입할 책임을 진다. 일본 회사법 제52조는 부족분에 대한 발기인 및 설립당시의 이사의 원칙적인 연대책임을 규정하면서, 다만 검사인에 의한 검사를 거친 때에는 현물출자자 이외의 발기인과 이사의 책임은 이를 면제시키고 있다. 어떤 경우든 현물출자자 자신의 차액책임은 있게 된다(권기범, 전게서, 343면). 미국의 경우도 종래에 과대평가로 주식 물타기를 한 현물출자자에게 'true value rule'을 적용하여 차액책임을 인정한 바 있다(정동윤, 전게서, 112~113면).

24) 송옥렬, 전게서, 736면; 최준선, 전게서, 172면.

25) 제295조 제2항에서는 「현물출자를 하는 발기인은 …」으로 규정하고 있으나, 이는 1995년 상법개정전 발기인만이 현물출자를 할 수 있었던 시기의 표현이므로, 현행상법에서는 「현물출자자」로 읽어야 한다.

2) 이행의 요건

가) 이행의 상대방으로서의 발기인대표와 설립중의 회사

현물출자의 이행이란 그 출자의 목적물을 회사에 물권적으로 이전하는 것을 말한다. 그리고 이전행위에는 효력발생요건뿐만 아니라 대항요건인 행위도 포함된다. 즉 현물출자의 목적이 동산인 때에는 인도(민법 제188조), 부동산이면 등기(민법 제186조)를 하여야 이전의 효력이 생긴다. 특허권·광업권·실용신안권·의장권·상표권 등도 부동산과 마찬가지로 이전등록을 하여야 그 효력이 생긴다. 지명채권을 출자의 목적으로 하는 경우에는 대항요건으로서 출자자(양도인)가 채무자에게 통지하거나 채무자로부터 승낙을 받아 놓을 것이 요구된다(민법 제450조).

이상의 이전행위 가운데 동산의 인도 같은 것은 납입기일에 현실로 주고받아야 한다. 등기·등록 등의 절차는 납입기일에 그 절차를 마칠 필요까지는 없고, 출자자가 그에 관한 서류를 완비하여 발기인대표에게 교부하여 발기인대표가 이를 받기만 하면 된다.[26]

회사설립 전에 그 절차를 마쳐야 하는 것이라면, 납입기일에 일단 발기인대표의 명의로 이전등기·등록을 하고, 회사성립 후에 다시 회사명의로 이전등기·등록을 하게 된다. 그렇게 되면 회사로서는 이중의 수고와 비용을 부담하여야 한다. 그런 부담을 덜어주기 위해서 상법은 이전등기·등록까지는 요구하지 아니하고 그에 필요한 서류를 갖추어서 출자자가 발기인대표에게 교부하도록 요구하는 것이다. 그렇게 되면 발기인대표가 이를 가지고 있다가 회사성립 후에 바로 회사명의로 등기·등록을 할 수 있게 된다.[27] 기명주식을 출자의 목적으로 한 경우에 명의개서절차도 동일하다(제337조).

또는 설립중의 회사 앞으로 명의변경을 할 수 있는 권리이면 회사의 성립 전에 설립중의 회사 앞으로 명의변경을 하여 놓아도 무방하다. 예를 들어 부동산의 경우에는 대표자나 관리인이 있는 법인 아닌 사단도 등기권리자가 될 수 있으므로(부동산등기법 제26조) 그렇게 할 수 있다. 이 경우에는 회사성립 후 다시 회사 앞으로 이전등기·등록을 요하지 아니하고 그 명의인의 표시 변경등기(부

---

26) 최준선, 전게서, 172면.
27) 권기범, 전게서, 344면; 송옥렬, 전게서, 741면.

동산등기법 제23조 제6항)를 하면 된다. 이 경우의 부동산물권의 이전은 법률상 당연한 것으로서 민법 제187조가 규정한 "기타 법률의 규정에 의한 부동산에 관한 물권의 취득"에 해당하기 때문이다.[28] 이러한 절차를 거쳐 현물출자된 재산은 설립중의 회사(Vorgesellschaft)에 귀속되고, 이후 회사가 설립등기(제317조)를 하면 특별한 절차 없이 성립한 주식회사의 재산으로 된다.

나) 성립한 회사로의 현물출자의 이전법리

(1) 문제제기

국내의 통설은 설립중의 회사의 법적 성질을 권리능력 없는 사단으로 보고 있다.[29] 여기서 말하는 권리능력 없는 사단이란 일반적으로 사단으로서 실체를 가지면서도 법인격이 없는 단체를 말하며, 법인격 없는 사단 또는 비등기 사단으로 불리기도 한다. 이에는 민법학에서 말하는 설립중의 사단도 포함하는 것으로 본다.[30] 설립중의 회사의 경우 근본규칙(정관)이 있고, 발기인 또는 주식인수인을 구성원으로 볼 수 있으며, 발기인을 집행기관으로 볼 수 있으므로 권리능력 없는 사단으로서의 요건을 갖추었다고 보고,[31] 설립중의 회사와 주식회사를 동일한 구조물인 사단으로 보아야 한다면서 양자를 동일한 실체로 본다.[32]

위에서 살펴 본 현물출자된 재산과 같이 설립과정에서 설립중의 회사가 취득하게 되는 권리가 설립등기 이외에 특별한 절차 없이 성립한 주식회사로 이전되는 양상(樣相)에 대하여 통설은 포괄승계(Gesamtrechtsnachfolge)의 방식으로 설명하면서, 설립중의 회사와 성립한 주식회사가 동일한 실체라는 동일성을 그 근거로 하고 있다.[33]

그러나 포괄승계란 상속이나 합병 등과 같이 이전 권리자의 모든 권리와 의

---

28) 최준선, 전게서, 163면.
29) 이철송, 전게서, 232면; 권기범, 전게서, 354면; 최기원, 전게서, 144면; 우리나라 판례 중에 설립중의 회사의 법적 성질을 권리능력 없는 사단이라고 적시하고 있는 것을 필자는 아직 발견하지 못하였기 때문에 판례의 입장을 권리능력 없는 사단으로 분류하는 것을 일단 보류한다. 다만, "설립중의 회사도 권리능력 없는 사단으로서 증여 등의 법률행위를 할 수 있는 것이므로 …"(대법원 1992.2.25. 91누6108)라고 표현한 점으로 미루어 통설과 같은 입장으로 볼 수는 있을 것이다. 이에 대하여 '성립 중의 법인'이라고 보는 견해가 있다: 최준선, 전게서, 157~158면.
30) 이철송, 상게서, 232면.
31) 이철송, 상게서, 232면.
32) 이철송, 상게서, 232면; 권기범, 전게서, 354면, 361면.
33) 이철송, 상게서, 232면, 220면, 253면, 254면; 권기범, 전게서, 361면.

무를 새로운(또는 다른) 권리자가 일괄하여 승계하는 경우를 말하는 것으로, 설립중의 회사와 성립한 주식회사가 별개의 권리자임을 전제하는 것이다. 반면에 동일성이란 설립중의 회사와 성립한 주식회사가 동일하다는 것, 즉 동일한 권리자(또는 권리주체)라는 것을 의미하므로 동일성을 근거로 한다면 어떠한 이전행위(포괄승계 조차)도 필요하지 않는 것으로 설명하는 것이 보다 논리적일 것이다. 그런데 왜 국내 문헌들은 포괄승계의 근거를 동일성(Identität)에서 찾고 있는 것일까? 라는 의문이 생긴다. 구체적으로 설립중의 회사를 권리능력 없는 사단으로 보면서 성립한 주식회사와 무엇이 동일하다는 것인지? 어떻게 동일하다는 것인지? 등에 관한 의문을 해소하기 위해 설립중의 회사에 관한 많은 논의가 축적되어 있는 독일의 상황을 정리해 보기로 한다.[34]

(2) 독일에 있어서 설립중의 회사에 대한 논의의 전개

(가) 법적 성질

독일에서 처음으로 설립중의 회사를 민법상의 조합이나 권리능력 없는 사단과는 다른 것이라고 주장한 사람은 1920년대의 Schreiber(쉬라이버)와 Feine(파이네)로 알려져 있다. 먼저 Schreiber는 독일법상 실제로 법인과 대립되는 법인격 없는 단체란 존재하지 않으며, 모든 단체는 원시적인 형태로부터 최종적인 형태로 완만하게 변해가는 것이라고 전제한다. 즉, 유한회사와 주식회사는 등기로 인하여 다른 것이 되는 것이 아니고, 예견한 조직을 단지 완성한다는 것이다. 따라서 등기되지 않은 주식회사 또는 등기되지 않은 유한회사는 권리능력 없는 사단 또는 민법상 조합이라 할 수 없으며, 단지 주식회사 또는 유한회사라는 것이다.[35] Feine는 사단의 성립과정의 특징을 목적달성의 과정으로 파악하면서 권리능력 없는 사단과 민법상 조합은 설립중의 회사에 적합하지 않다는 것을 설명하고 있다. 또 발기인은 권리능력 없는 사단이 아닌, 주식회사를 만들려고 하였다는 것을 강조하면서, 과연 발기인의 의사가 올바르게 평가되고 있는지에 대하여 문제를 제기하였다.[36]

---

34) 안성포, "독일법에 있어서 설립중의 주식회사의 권리주체성,"「비교사법」제4권 제2호(한국비교사법학회, 1997), 273면 이하; "독일법에 있어서 설립중의 주식회사의 책임구조,"「상사법연구」제17권 제1호(한국상사법학회, 1998), 83면 이하; "1인회사설립의 법리,"「상사법연구」제20권 제2호(한국상사법학회, 2001), 261면 이하 참고.

35) Schreiber, Otto, Die Kommanditgesellschaft auf Aktien, München 1925, S. 35 ff.

36) Feine, Hans Erich, Die Gesellschaft mit beschränkter Haftung, in Handbuch des

독일연방법원은 1956년 4월 23일 설립중의 협동조합(Vor-Genossenschaft)과 관련한 사건에서 Schreiber와 Feine의 주장에 근거하여 다음과 같이 판시하였다. "협동조합은 정관의 작성으로 권리능력 없는 사단이나 민법상의 조합이 생성되는 것이 아니다. 생성 중에 있는 협동조합(die werdende Genossenschaft)은 등기된 협동조합(die eingetragene Genossenschaft)의 생성에 있어서의 한 발전단계이며, 등기된 협동조합법 중에서 권리능력을 전제로 하는 것을 제외한 나머지 규정의 적용을 받는다."37) 독일연방법원은 이 판결에서 발기인의 의사를 근거로 제시하며 설립중의 협동조합을 조합 또는 사단으로 배열하는 것은 올바른 것이 아니라고 하였다. 동일성설은 1956년 12월 7일의 설립중의 유한회사(Vor-GmbH)에 대한 판결에도 적용되었다. 판결문에 의하면, "생성 중에 있는 유한회사는 민법상의 조합이 아니고, 유한회사법(GmbHG) 및 회사정관에 존재하는 설립규정과 등기를 전제로 하는 규정을 제외한 유한회사법으로 구성된 특별법(Sonderrecht)의 적용을 받는 조직이다."38) 1961년 7월 31일의 판결에서도 "설립중의 주식회사(Vor-AG)는 협동조합이나 유한회사와 마찬가지로 등기를 전제로 하지 않는 주식법(Aktiengesetz) 규정의 적용을 받는 고유한 조직형태(Organisationsform sui generis)"라고 판시하였다.39) 독일연방법원은 그 이후로도 변함없이 설립중의 회사(Vorgesellschaft)를 고유(특유)한 법형태(Rechtsform sui generis)로 파악하는 입장을 견지하고 있다.40)

그러나 법원의 입장에 대한 반대의견이 전혀 없었던 것도 아니다. 독일연방법원이 설립중의 회사를 고유한 법형태로 파악하여, 새로운 조직형태를 창출한 것은 회사법상의 유형강제주의(Typenzwang)를 위반한 것이며 이러한 형태의 단체는 법의 어느 분야에서도 달리 찾아 볼 수 없는 것이라는 비판이 있었다.41)

---

gesamten Handelsrechts, Band III, Leipzig 1929, S. 199 ff.

37) BGHZ 20, 281, 285.

38) BGHZ 21, 242.

39) BGH LM Nr. 2 zu §34 AktG; WM 1961, S. 882.

40) BGHZ 45, 338, 347; 51, 30, 32; 80. 212, 214; 117, 323, 326 f.; BGH NZG 2007, 20; MünchKommAktG/Pentz 3.Aufl. §41 Rn. 24; GroßkommAktG/K.Schmidt, §41 Rn. 41; Hüffer, Aktiengesetz, 9. Aufl. §41 Rn. 4; KK-AktG/Arnold, 3. Aufl. §41 Rn. 17. 국내 문헌 중에는 이러한 독일의 학설과 판례를 차용하여 설립중의 회사의 법적 성격을 조합도 비법인사단도 아닌 '독자적인 성격을 갖는 특수한 단체'로 보는 견해(정동윤, 141면; 이기수·최병규·조지현, 전게서, 145면) 및 회사 설립의 필수불가결한 전단계(Vorstufe der fertigen Gesellschaft)로서 '성립 중의 법인'이라는 견해(최준선, 전게서, 158면)가 있다.

41) Schultze-von Lasaulx, Gedanken zur Rechtsnatur der sogenannten Vorgesellschaft-

이러한 비판은 입법자들이 회사법에 있어서 유형별로 각기 법정설립규정(예를 들면, 독일주식법 제2장 회사의 설립 제23조 내지 제53조, 독일유한회사법 제1장 회사의 설립 제1조 내지 제12조)을 통하여 법인을 설립하기 위한 과도기적 단체의 존재를 실정법상 인정하고 있다는 점과 설립중의 회사를 인적회사와 민법상의 사단법인의 법규에 종속시키지 않았다는 점을 간과하는 것이었다.[42]

Schreiber와 Feine 그리고 독일 판례가 강조하는 것은 설립중의 회사라는 고유한 법형태를 통하여 새로운 조직형태를 창조하는 것이 아니고 오히려 서로 다른 회사들의 설립과정을 획일적인 하나의 설립중의 회사로 이해하지 않고 각 회사의 차이점과 각기 다른 회사설립의 다양성을 직시하자는 것이다. 따라서 설립중의 주식회사, 설립중의 유한회사, 설립중의 협동조합, 민법상 설립중의 사단법인 등은 법인격이 없다는 점을 제외하고는 장래 성립할 주식회사, 유한회사, 협동조합, 사단법인 등과 동일한 것이며, 설립중의 주식회사(유한회사, 협동조합, 사단)에 대하여는 성립한 주식회사(유한회사, 협동조합, 사단법인)에 대하여 적용되는 법규와 정관 규정들 중에서 법인격(설립등기)을 전제로 하지 않는 모든 규정이 적용되는 것으로 보는 것이다.[43]

(나) 설립중의 회사의 권리의무의 귀속과 성립한 회사로의 이전방식

설립중의 회사의 법적 성질을 고유한 법형태(Rechtsform sui generis)로 보아 그 적용법규를 확정했다고 해서 설립중의 회사와 관련한 법적 문제가 일거에 해결되는 것은 아니었다. 오히려 설립중의 회사가 아직 권리능력(법인격)을 취득하지 못한 단계이기 때문에 법률관계에서 발생한 권리의무의 귀속주체가 될 수 없다는 사실을 확인해 주었을 뿐이라는 평가를 받기도 하였다.[44] 그러나 독일에서는 설립

---

zugleich ein Beitrag zur Frage nach den Grenzen rechtsschöpferischer richterlicher Gestaltung-Festkrift für Tilägnad Karl Olivercrona, Stockholm 1964, S. 605 ff. 이러한 독일내의 비판은 국내 문헌에서도 소수설을 부정하는 논거로 인용되고 있다. "그 주장 내용처럼 특별한 법(Sonderrecht)의 적용을 받는 독자적인 성격을 갖는 단체(eine Vereinigung eigener Art)라는 성격 규정 자체가 너무 막연하다", "설립중의 회사를 특수한 단체(Gebilde sui generis)로 보면 이에 대하여 적용될 법규나 법원칙들을 학설, 판례가 처음부터 새롭게 도출하지 않으면 안 된다"(권기범, 전게서, 334면, 355면).

42) Hachenburg/Ulmer, Großkommentar GmbHG, 8. Aufl. 1991, §11 Rn. 8.

43) 이러한 의미에서 설립중의 회사를 성립중의 법인(die werdende juristische Person) 그 자체로 이해하는 견해도 있다(최준선, 전게서, 157면).

44) 이러한 평가도 국내문헌에서는 소수설(특수단체설)을 부정하는 논거로 인용되고 있다. "설립중의 회사가 조합도 아니고 권리능력 없는 사단도 아니라고 한다면, 회사성립 전의 소유형태는 설명할 길이 없으며, 결국 설립중의 회사라는 개념을 부정하는 것과 같거나, 인정할

중의 회사의 법률관계로 인하여 발생되는 권리의무의 귀속과 성립한 주식회사로의 이전 문제를 일관되고 체계적인 해결을 시도하는 노력은 계속되었다. 1981년 3월 9일 독일연방법원은 설립중의 회사의 사전채무부담금지(Vorbelastungsverbot)의 원칙을 포기하고 설립중의 회사의 계속적인 기업활동을 보장하면서 설립중의 회사가 설립등기를 하여 회사가 성립하면 설립중의 회사가 취득한 모든 권리의무는 재산의 양도나 채무의 인수 등의 특별한 이전행위 없이 성립한 회사로 자동적으로 이전되어 성립한 회사에 의하여 자동적으로 계속되는 것이고, 이로 인하여 회사에 발생한 손실에 대해서는 설립사원에게 책임을 부과하는 차액책임(Differenzhaftung)을 인정하는 판결을 내린다.45) 그리고 학설은 차액책임을 기본자본금의 불가침원칙을 근거로 하는 발기인의 사전부담책임(Vorbelastungshaftung)으로 발전시킨다.46) 결국 사전부담책임은 설립중의 회사의 활동을 성립한 회사와 같이 보장하고 그로 인하여 발생하는 권리와 의무는 모두 성립한 회사로 자동적으로 이전되고, 그에 따르는 자본적 기초의 손실위험은 발기인의 출자 비율에 의한 전보에 의하여 보충한다는 것으로, 설립중의 회사와 성립한 회사의 업무가 동일성(Identität)과 계속성(Kontinuität)을 전제로 하는 것임을 알 수 있다.

설립중의 회사가 취득한 권리의무가 성립한 주식회사로 자동적으로 이전되는 방식을 설명하는 이론으로 포괄승계설(Gesamtrechtsnachfolgetheorie)과 동일성설(Identitätstheorie)이 있다. 양자는 설립등기 이외에 별도의 이전절차를 필요로 하지 않는다고 하는 점에서 결론적으로 같다고 할 수 있지만,47) 전자의 경우는 설립중의 회사와 성립한 주식회사가 별개의 권리자(Rechtsträger)48)임을 전제하는 것으로 설립중의 회사에서 성립한 회사로 회사재산(권리, 의무)의 이전과 개별적인 권리의무의 이전절차를 거쳐야 하는데 이를 포괄승계의 방식으로 본다는 것이고,49) 후자의 경우는 설립중의 회사와 성립 후의 주식회사를 동일한(같은)

실익이 없게 된다."(이철송, 전게서, 233면).
45) BGHZ 80, 129, 140; 91, 148, 151; Baumbach/Hueck, GmbHG, 19. Aufl, §11 Rn. 55.
46) KK-AktG/Arnold, 3. Aufl. §41 Rn. 44 f.; Hüffer, Aktiengesetz, 9. Aufl. §41 Rn. 8.
47) Hüffer, Aktiengesetz, 9. Aufl. §41 Rn. 16a.
48) 1995년 1월 1일부터 시행되고 있는 독일 조직재편법(Umwandlungsgesetz)에서는 법인형태와 법인이 아닌 인적상사회사(합명회사와 합자회사)와 민법상의 조합 등의 부분적 권리능력을 가진 법적실체(legal entity)를 포괄하는 개념으로 Rechtsträger라는 용어를 사용하고 있다. 2014년 8월 법무부가 출간한 독일조직재편법에서는 Rechtsträger를 권리주체로 번역하고 있지만, 여기서는 권리자로 번역하고 경우에 따라서는 (법적)실체, Rechtsgebilde(법형태), Organisationsform(조직형태), Rechtsperson(권리인)과 같은 의미로 사용한다.

권리자(Rechtsträger)로 보아 설립등기로 인하여 설립중의 주식회사가 주식회사로 (성립)되는 것이므로 어떠한 이전행위도 필요하지 않는 것으로 설명하는 점에서[50) 양자의 차이는 분명해 진다.

독일에서는 설립중의 회사의 권리의무의 귀속형태를 설명하기 위해서, 설립중의 회사를 합유조합(Gesamdhandsgesellschaft)의 하나로 보아 부분적 권리능력(Teilrechtsfähigkeit)을 인정하는 것이 종래의 통설이라고 할 수 있다.[51) 이러한 견해는 설립중의 회사가 성립된 주식회사와 별개의 권리자임을 전제로 한다. 즉, 설립등기가 이루어지면 설립중의 회사(합유조합)는 청산절차 없이 소멸하고 새로운 법인(권리자)인 주식회사가 성립하고, 설립과정에서 설립중의 회사가 취득한 권리와 의무는 자동적으로 주식회사가 포괄승계하는 것으로 본다. 이러한 포괄승계설은 그 근거를 법관에 의한 법형성(richterliche Rechtsfortbildung)에서[52) 구하기도 하고, 1969년 舊조직재편법(Umwandlungsgesetz) 제44조 제1항 제2문, 제49조 제2항 제2문을 유추적용하기도 했다.[53) 이들 규정은 (합유조합으로 분류되는) 권리능력 없는 합명회사나 합자조합이 법인형태인 주식회사와 유한회사로 재산이전형 조직변경(übertragende Umwandlung)을 하는 경우에 재산이전방식을

---

49) Hüffer, Aktiengesetz, 9. Aufl. §41 Rn. 16; Baumbach/Hueck, GmbHG, 19. Aufl. §11 Rn. 56.

50) K. Schmidt, Gesellschaftsrecht 3. Aufl. S. 310; MünchKommAktG/Pentz 3. Aufl. §41 Rn. 107, 108; KK-AktG/Arnold, 3. Aufl. §41 Rn. 26.

51) Flume, Werner, Allgemeiner Teil des Bürgerlichen Rechts, Band 1, Erster Teil: Die Personengesellschaft, 1979, S. 50 ff.; MünchKommAktG/Pentz 3. Aufl. §41 Rn. 24; Hüffer, Aktiengesetz, 9. Aufl. §41 Rn. 4; 독일에서는 인적결합체를 권리능력의 유무에 따라 합유조합과 법인으로 분류하는데, 민법상의 ① 권리능력 없는 사단(nichtrechtsfähiger Verein), ② 민법상 조합(Gesellschaft bürgerichen Rechts, 독일민법 제705조 이하), ③ 부부재산공동체(ehrliche Gütergemeinschaft, 독일민법 제1415조 이하) 그리고 ④ 공동상속체(Miterbengemeinschaft, 독일민법 제2032조 이하)와 상법의 ① 합명회사(OHG 독일상법 제105조 이하)와 ② 합자회사(KG, 독일상법 제161조 이하)를 합유조합으로 분류하고 있다. 이들 합유조합은 서로 다른 법규에 의하여 서로 다른 내용으로 규정되어 있지만 합유원칙(Gesamthandsprinzip)이라는 공통분모를 그 내용으로 하고 있다. 합유원칙은 재산규정과 조직규정으로 구분할 수 있는데, 재산규정으로는 합유재산에 포함된 각 개별적 목적물에 대한 지분처분금지(Verfügungsverbot über den Anteil an den einzelnen Gegenständen des Gesamthandsvermögens)와 탈퇴하는 조합원의 지분은 잔존 조합원들에게 안분되는 割增의 원칙(Anwachsungsprinzip)이 있다. 조직규정으로는 구성원이 업무집행권과 대표권을 가지는 자기기관(Selbstorganschaft)의 원칙 그리고 구성원의 변동과 조합존속의 종속성(Abhängigkeit der Gesellschaft vom Mitgliederwechsel)의 원칙이 있다.

52) Hüffer, Aktiengesetz, 9.Aufl. §41 Rn. 1; BGHZ 80, 129, 137.

53) Hüffer, Aktiengesetz, 9.Aufl. §41 Rn. 16; Baumbach/Hueck, GmbHG, 19. Aufl, §11 Rn. 56.

포괄승계하는 것으로 정하는 것이다.[54]

반면에 동일성설은 권리의무의 이전을 아주 단순하게 설명하고 있다. 설립중의 회사의 법적 성질을 설립하고자 하는 주식회사 그 자체로 보는 것이기 때문에, 설립중의 회사가 등기로 인하여 주식회사로 성립되고 설립중의 회사의 법률관계가 주식회사에 의해서 계속되는 것이므로 이전할 것도, 이전의 상대방도 아예 없는 것으로 본다. 즉 설립중의 회사의 법적형태가 등기로 인하여 단지 주식회사라는 법적형태로 조직이 변경되는 것으로 보는 것이다. 동일성설은 실정법상의 근거로 1994년 新조직재편법(Umwandlungsgesetz) 제190조 제1항과[55] 제202조 제1항 제1호를[56] 들고 있다. 이들 규정에 의하면 권리자(Rechtsträger)가 조직변경을 통하여 변경된 법적형태로 존속할 수 있게 됨으로써, 주식회사로서의 동일성을 유지하는 조직변경과 유사한 것이라고 할 수 있다.[57]

설립중의 회사를 합유조합으로 보는 종래의 통설을 따르는 견해 중에는 설립중의 회사와 성립한 주식회사를 동일한 권리자로 보고 합유조합의 법적형태가 법인으로 조직변경하는 것이라면서 포괄승계가 아닌 동일성설로 설명하는 견해도 있으나,[58] 합유조합과 주식회사의 구조적인 차이 때문에 합유조합의 법적형태가 주식회사로 조직변경을 함에 있어서 동일성이 유지되는 것으로 보기는 어려워 보인다. 특히 합유조합설에서는 설립중의 1인회사에서 나타나게 되는 1인합유(eine Person-Gesamthand)의 개념을 설명할 수 없기 때문에, 1인합유 개념

---

54) Mit der Eintragung geht das Vermögen der Personenhandelsgesellschaft ein-schließlich der Verbindlichkeiten … auf die Aktiengesellschaft über(등기와 동시에 채무를 포함한 인적상사회사의 재산은 … 주식회사로 이전된다).

55) Ein Rechtsträger kann durch Formelwechsel eine andere Rechtsform erhalten (UmwG §190 Absatz 1). 권리자는 조직변경에 의하여 다른 법적형태로 될 수 있다(조직재편법 제190조 제1항).

56) Die Eintragung der neuen Rechtsform in das Register hat folgende Wirkungen: 1. Der Formwechselnde Rechtsträger besteht in der in dem Umwandlungsbeschluß Rechtsform weiter(UmwG §202 Absatz 1 Nr. 1). 등기부상의 새로운 법적형태의 등기는 다음 각 호의 효력을 가진다. 1. 조직변경을 하는 권리자는 조직변경결의에서 정해진 법적형태로 존속한다(조직재편법 제202조 제1항 제1호). 그 결과 법적형태만 변경되었을 뿐 권리자는 계속되므로 포괄적 승계의 방식으로 재산의 이전이 이루어지지 않는다는 것이고, 조직변경하는 권리자의 재산은 조직변경 후에 새로운 법적형태로 조직변경을 한 바로 그 권리자의 재산이라는 것이다(재산과 권리자의 동일성)(Decher/Hoger in Lutter, UmwG, 5. Aufl. 2014 §202 Rz. 7.).

57) Raiser, Thomas, Gesamthand und juristische Person im Licht des neuen Um-wandlungsrechts, AcP 194 (1994) S. 498.

58) MünchKommAktG/Pentz 3. Aufl. §41 Rn. 107, 108.

의 모순을 극복하기 위한 대안으로 특별재산(Sondervermögen)설을 개진하고 있으나, 설립중의 복수사원회사와 달리 자본납입에 대한 물권적인 효력, 즉 귀속주체의 변경이 이루어지지 않고 각 사안별로 특별재산과 사원의 개인재산의 분리를 시도한다는 점과 설립중의 1인회사를 특별재산으로 보면서 권리의 객체로만 파악하고 조직 자체의 권리주체성을 인정하지 않으면서도 설립중의 복수사원회사에 대하여는 회사재산(특별재산)의 권리주체성을 인정한다는 점에서, 즉 1인회사설립과 복수사원에 의한 회사설립의 법리를 다르게 구성한다는 점에서 비판받고 있다.

(3) 우리법상 설립중의 회사의 논의에 대한 시사점

(가) 제한적 동일성과 완전한 동일성

국내의 통설인 권리능력 없는 사단설과 독일의 통설인 고유한 법형태설은 모두 설립중의 회사를 동일성에 따라 법적 성질을 파악하면서, 적용할 법규에 대하여는 성립한 회사에 대하여 적용되는 법규와 정관의 규정 가운데에서 법인격(설립등기)을 전제로 하는 규정을 제외한 모든 규정을 적용하는 것으로 보는 점에서 일치하지만, 권리능력 없는 사단설은 동일성을 제한적으로 인정하여 설립중의 회사의 활동범위(발기인의 권한범위)를 소극적으로 이해하려는 것이고, 고유한 법형태설은 완전한 동일성을 근거로 설립중의 회사의 활동을 성립한 회사와 같이 보장하려는 것이라는 점에서 차이를 보이고 있다.

(나) 발기인의 주관적인 의사

권리능력 없는 사단설에 의하면 주식회사와 유한회사는 상법상 서로 구별되는 영리법인(회사)임에도 설립단계에서는 권리능력 없는 사단으로 동일하게 다루어지게 된다. 이것은 주식회사의 발기인과 유한회사의 설립사원이 민법상의 사단을 설립하려는 것이 아니고 주식회사와 유한회사를 설립하려고 하는 주관적인 의사를 올바르게 반영하는 것이 아니다. 그리고 권리능력 없는 사단설은 서로 다른 회사들의 설립과정을 획일적인 하나의 설립중의 회사로 보는 것으로 각회사의 차이점과 각기 다른 회사설립의 다양성을 무시하게 된다. 또한 설립중의 회사는 발기인에 의하여 임의로 만들어지는 새로운 것이 아니고 상법 자체의 회사설립규정을 통하여 설립등기 전의 조직형태를 구성하는 것이므로 상법상의 형식강제주의를 위배하는 것도 아니다.

(다) 권리능력 없는 사단과 설립중의 사단의 차이점

권리능력 없는 사단은 근본적으로 지속적인 목적의 달성, 즉 종국적인 것을 도모하는 것임에 반하여, 설립중의 회사는 그 자체가 종국적인 목적을 가진 것이 아니고, 회사라는 종국적인 조직형태에 이르는 임시적인 법형태에 지나지 않는다. 이에 대한 반론으로 권리능력 없는 사단 중에는 법인격취득의 의사가 없이 권리능력 없는 사단에 머무는 것으로 만족하는 것도 있으나, 법인격 취득에 실패하거나 아직 법인격을 취득하지 못하여 하나의 과정으로서 머무는 것도 있으며, 이런 상태의 단체도 권리능력 없는 사단이라고 한다. 그러나 설립중의 사단(Vor-Verein)과 권리능력 없는 사단(nichtrechtsfähiger Verein)은 성격을 달리한다. 설립중의 사단은 사단법인(rechtsfähiger Verein)의 전단계로서 임시적인 형상이지만, 권리능력 없는 사단은 하나의 종국적인 법형태이다. 즉 설립중의 사단은 권리능력을 취득하기 위한 목적에 근거하므로 종국적인 권리능력 없는 사단 보다는 성격상 설립하려는 사단법인에 더 가까운 것이다.

(라) 사단성의 극복

1인에 의한 회사설립의 경우에 설립중의 회사를 권리능력 없는 사단으로 규정할 수는 없을 것이다. 만약 이를 시도하려면 1인 사단이라는 관념의 모순을 극복하여야 한다. 그러나 상법은 정면으로 1인만으로 주식회사와 유한회사의 설립이 가능하다고 하지 아니하고 '3인 이상' 내지 '2인 이상'이란 문구를 삭제하는 방법으로 해석상 1인만에 의한 회사의 설립을 가능하게 규정하고 있다. 따라서 1인회사 설립의 가능성만을 가지고 회사의 사단성의 포기라거나, 회사의 사단도그마와의 모순이라고 단정지을 필요는 없어 보인다. 그렇다면 상법이 법규정에 의하여 사단개념을 확대한 것으로 보아야 하는데, 즉 1인에 의한 사단의 개념을 인정한 것으로 보아야 하는데, 이를 긍정하기 위하여 전통적 사단개념의 본질적인 요소인 '2인 이상의 단체'라는 기본적인 틀을 무너뜨리는 것은 너무나도 벅찬 해결방법인 것 같다. 여기서 설립중의 1인회사의 문제를 설립중의 회사와 마찬가지로 동일성설에 의한 법인론으로 해결할 필요가 있고 실정법규정으로부터 접근하는 방법론을 채택하는 것이 합리적인 것으로 보인다.

3) 현물출자의 불이행의 효과

가) 강제집행과 손해배상책임

현물출자자가 임의로 출자의 이행을 지체하는 경우에는 일반 강제집행절차(민법 제389조)에 의하여 그 이행을 강제할 수 있다. 그리고 강제집행을 통하여도 재산의 이전이 이루어지지 않는다면 회사는 성립할 수 없게 된다. 현물출자의 재산은 금전으로 대체될 수 없다고 보기 때문이다. 또한 현물출자에는 실권절차의 적용이 없다. 현물출자는 개성적인 것이므로 실권을 인정하더라도 타인으로부터 그에 대신할 것을 확보할 수 없기 때문이다. 마찬가지 이유에서 발기인이 납입담보책임을 지는 것도 무의미하다.[59]

민법상 당사자의 일방이 그 채무를 이행하지 않는 때에는 상대방은 계약을 해제할 수 있으나(민법 제544조), 현물출자의 경우에는 이를 인정한 법의 취지와 이해관계자들의 보호를 위하여 해제할 수 없다. 따라서 현물출자의 목적물이 납입기일까지 출자자의 책임있는 사유로 멸실된 경우에는 손해배상의 청구를 할 수 있고(민법 제390조), 목적물이 없으므로 강제집행의 방법에 의하여 이행의 목적을 달성할 수는 없다. 이 때에는 경우에 따라 회사불성립이 되는 수도 있고, 발기인들이 정관을 변경하여 설립절차를 속행할 수도 있다.[60]

나) 발기인의 납입담보책임과의 관계

일반적으로 현물출자는 그 재산의 대체가능성이 거의 없는 경우에 이루어지기 때문에, 현물출자가 이행되지 않은 경우에 발기인이 납입담보책임(제321조 제2항)을 지는 것인지 문제된다.

(1) 부정설

현물출자가 이행되지 않으면 회사가 출자자에게 손해배상을 청구할 수 있음은 별론으로 하고 발기인이 따로 납입담보책임을 지지 않는다는 견해이다. 현물출자의 개성을 강조하여, 발기인의 납입담보책임을 부정하고 현물출자의 불이행을 설립무효사유로 본다.[61]

---

59) 송옥렬, 전게서, 741면.
60) 손주찬·정동윤 대표, 전게서, 493면; 이철송, 전게서, 247면.
61) 이기수·최병규·조지현, 전게서, 364면; 정찬형, 「상법강의(상)」 제24판(박영사, 2021), 701면.

(2) 긍정설

현물출자도 대체가능한 경우가 있으며, 설사 대체가 불가능하더라도 그 재산이 회사의 목적수행에 필수적인 것은 아니어서 그 가액에 해당하는 금전을 출자시켜 사업을 하는 것이 가능하다는 이유에서 발기인의 납입담보책임을 인정한다. 설령 목적재산이 사업수행에 불가결한 경우에 그 불이행으로 회사설립이 무효로 되더라도 발기인은 납입담보책임을 지게 되며, 그 실익은 사실상의 회사가 청산을 하는 경우에 있다고 한다.[62)]

(3) 검 토

현물출자가 불이행된 경우에는 사업수행의 목적과 목적재산의 대체가능성과 관련하여 그 효력을 다투는 것이 합리적이다. 현물출자의 목적재산이 목적사업의 수행에 불가결한 것이라면 설립무효사유로 보지만, 목적사업수행에 불가결하지도 않고 대체될 수 있는 것이라면 발기인에게 납입담보책임을 묻지 않을 이유가 없다. 즉 발기인이 그 부분의 주식을 인수하여 금전으로 납입할 수 있다고 보는 것이 기업유지의 측면에서 바람직하다.[63)]

마. 현물출자에 대한 위험부담과 하자담보

현물출자의 목적인 재산에 대한 위험부담과 하자담보에 관하여는 상법에 아무런 규정이 없다. 현물출자는 쌍무·유상계약이므로 이에 관한 민법의 규정들을 유추적용한다.[64)]

현물출자의 이행이 당사자 쌍방의 책임 없는 사유로 불가능하게 된 때에는 현물출자자가 상대방의 이행을 청구하지 못한다(민법 제537조). 따라서 출자자는 주주가 될 수 없다. 이때에 발기인은 현물출자에 관한 정관의 규정을 변경하여 설립절차를 속행할 수 있다.

채권자(발기인, 즉 설립중의 회사)의 책임있는 사유로 현물출자를 이행할 수 없게 된 때에는, 채무자(출자자)는 상대방의 이행을 청구할 수 있으며, 채권자의 수령지체 중에 당사자 쌍방의 책임없는 사유로 이행할 수 없게 된 때에도 같다(민법 제538조 제1항). 즉, 이 경우에는 회사측이 위험을 부담하게 되므로 출자자

---

62) 권기범, 전게서, 387면.
63) 이철송, 전게서, 272면; 송옥렬, 전게서, 756면.
64) 이철송, 상게서, 246면; 권기범, 전게서, 342면.

는 인수·배정된 주식에 대하여 주주의 지위를 취득하게 된다. 그리고 회사로서
는 이 주식에 대한 출자가 없으므로 회사의 계산상 그 부분은 손실로서 처리하
게 된다. 위의 어느 경우에든 현물출자의 목적물에 따라서는 회사가 불성립이
되는 수도 있을 것이다.

출자의 이행이 있은 후에 그 목적물에 하자가 있는 것이 발견된 경우에는 계
약의 해제·손해배상·대금감액의 문제로 된다(민법 제570조 이하, 제580조). 후
술하는 변태설립사항의 검사절차(제298조, 제299조, 제310조)를 마치기 이전에 이
러한 하자담보의 문제가 생긴 경우에는 주식의 인수를 해제하여 설립절차를 갱
신하거나 배당주식수를 감소하여 설립절차를 갱신할 수 있을 것이다. 그리고 거
기에 더하여 손해배상의 청구를 할 수도 있다. 그러나 검사절차가 개시된 후에
하자가 발견된 때에는 법원의 변경처분(제300조)에 따라야 한다. 감정인의 감정
으로 갈음하는 경우라면 그 감정에 따라 정관변경을 하여야 할 것이다.

3. 재산인수

가. 의   의

재산인수는 회사의 성립을 조건으로 발기인대표가 다른 발기인 또는 제3자로
부터 특정한 재산을 회사의 성립 후에 매매, 교환 등의 방법으로 양수할 것을
성립 전에 약정하는 개인법상의 계약을 의미한다. 성립 후에 양수한다는 의미는
회사의 성립을 조건으로 양도인과 양수계약을 체결하는 것을 말한다. 이 계약은
설립단계에서 성립 후 회사의 이름으로 체결된다. 회사가 성립되면 회사가 직접
권리를 취득하고 양도인이 의무를 부담한다.

이와 같은 재산인수는 정관에 기재하여야 그 효력이 있다. 정관에 기재하지
아니한 재산인수는 무효이다.[65] 즉, 회사의 성립 후에 그 효력이 회사에 미치지
아니한다. 이 무효는 회사뿐 아니라 양도인도 주장할 수 있다.[66]

---

65) 대법원 1994.5.13. 94다323.
66) 최준선, 전게서, 173면.

나. 현물출자·사후설립과의 관계

재산인수는 개인법상의 계약행위이므로 그 성질상 회사설립에 관한 정관에 반드시 기재할 만한 사항은 아니다. 그러나 재산인수에 있어서 그 목적재산을 과대평가하여 과다한 대가를 주는 경우에는 그만큼 회사재산의 기초가 약해져서 일반 주주나 회사채권자에게 불리하게 되고, 또 만일 양도인이 발기인인 경우에는 다른 주주와의 관계에서도 불공평하게 될 수 있다. 이처럼 재산인수에 있어서도 실질적으로는 현물출자의 경우와 같은 위험이 있으며, 이것을 방임할 때에는 현물출자를 잠탈하는 방법으로 이용될 염려가 있기 때문에, 제290조 제3호에서는 재산인수를 변태설립사항으로 하여 그 재산의 종류·수량·가격과 그 양도인의 성명을 정관에 기재하도록 하고 있다.

나아가 아예 재산을 양수하기로 하는 약정을 은닉하고 있다가 설립등기 후 바로 대표이사가 그러한 약정을 하는 형식을 취하면 현물출자나 재산인수의 규제를 피할 수 있게 된다. 이렇게 사실상 출자를 성립 후의 매매로 구성하는 경우가 많아 제375조에서는 주주총회의 특별결의를 요구하여 사후설립을[67] 예방하고 있다.

재산인수와 현물출자가 설립 단계에서 재산을 취득한다는 점에서 동일하지만, 재산인수가 개인법상의 계약에 불과하다는 점에서 단체법상의 출자인 현물출자와 다르다. 또한 재산인수가 설립단계에서 발기인대표에 의해서 이루어진다는 점에서, 회사성립 후 대표이사에 의해서 이루어지는 사후설립과 다르다. 현물출자는 취득의 대가로 주식이 발행되지만, 재산인수와 사후설립은 금전 등이 지급되는 매매라는 점에서 현물출자와 재산인수 그리고 사후설립은 분명한 차이가 있다.[68]

---

67) 회사가 그 성립 후 2년 내에 그 성립 전부터 존재하는 재산으로서 영업을 위하여 계속하여 사용하여야 할 것을 자본금의 100분의 5 이상에 해당하는 대가로 취득하는 계약을 사후설립이라 하고, 이 경우에는 주주총회의 특별결의를 필요로 한다(제375조). 이러한 사후설립은 취득하는 재산이 자본금의 5%에 미달하는 경우에는 단순한 매매계약으로 처리할 수 있고, 설사 5% 이상이라고 하더라도 제375조에 따라 주주총회 특별결의를 거치면 그만이므로 법원의 간섭이나 복잡한 절차를 피할 수 있다. 또한 사후설립은 정관에 기재할 필요도 없다는 점에서 현물출자나 재산인수의 우회방법으로의 인센티브는 여전히 존재한다(송옥렬, 전게서, 737면).

68) 최준선, 전게서, 176면.

다. 목 적 물

재산인수의 목적이 될 수 있는 재산은 현물출자의 경우와 같이 재무상태표의 자산의 부에 계상할 수 있는 것이기만 하면 모두 된다. 적극재산과 소극재산을 포함한 영업재산도 이의 목적이 될 수 있다. 1개의 목적재산의 가격 중 일부에 대하여는 현물출자에 의하고, 나머지에 대하여는 재산인수의 목적으로 할 수도 있다. 현물출자는 단체적 성질의 행위이고 재산인수는 개인법상의 법률행위로서 그 둘이 성질을 달리하지만, 그 둘이 제290조에 의하여 동일한 법적 규제를 받으므로 이를 인정하여도 무방할 것이다.[69]

라. 정관에 기재하지 않은 재산인수의 추인가능성

1) 추인 긍정설

정관에 기재하지 않고 행한 재산인수를 발기인의 무권대리행위로 보아 민법 제130조 이하의 규정에 따라 추인할 수 있다고 보고, 성립후의 회사는 사후설립에 준하여 특별결의로써 추인할 수 있으며 추인 후에는 상대방도 무효를 주장할 수 없다는 견해이다.[70]

추인을 긍정하면 양도인의 새로운 의사표시를 필요로 하지 아니하는데 비하여 새로운 계약의 체결을 요한다고 하면 양도인의 새로운 의사표시를 필요로 하게 된다는 점을 지적하면서, 그 둘의 차이는 회사의 선택 이외에 양도인의 선택도 필요로 할 것인가에 있다고 한다. 이를 회사의 선택만으로 가능하도록 추인을 허용하는 것이 옳다고 한다. 그리고 추인을 인정하면 소급적 추인에 의하여 회사는 그 효력을 당초의 인수시로 소급시켜 법률관계의 안정을 도모할 수 있다고 한다.[71]

2) 추인 부정설

이 견해의 핵심은, 만일 추인을 인정하면 검사인의 조사나 공인감정인의 감정과 창립총회의 승인 등 재산인수에 관한 규제를 잠탈하는 것을 허용하게 된다

---

69) 손주찬·정동윤 대표, 전게서, 469면.
70) 채이식, 개정판 「상법강의(상)」(박영사, 1996), 409면; 정찬형, 전게서, 675~676면.
71) 손주찬·정동윤 대표, 전게서, 471면.

는 것이다. 그러나 회사가 그 성립 후 사후설립에 관한 규정(제375조)에 의하여 새로운 계약으로 목적재산을 취득할 수는 있다고 보는 견해이다.[72)

3) 검 토

재산인수를 정관에 기재하도록 하는 것이 자본금충실의 원칙의 요청이라고 한다면, 이는 주주총회의 특별결의로 그 적용을 배제할 수 없다고 보는 것이 타당하다.[73) 재산인수는 회사의 설립 전에 발기인과의 사이에서 이루어지는 계약이고 사후설립은 회사의 설립 이후 회사와의 사이에서 이루어지는 계약이기 때문에, 하나의 약정이 재산인수와 사후설립에 동시에 해당할 수는 없다.[74) 실질적으로 계약이 성립된 시기를 보아, 만일 발기인과의 사이에 회사 설립 전에 약정이 이루어졌다면 재산인수에 해당하는 것이고, 이러한 약정은 정관에 기재되지 않는 이상 회사 설립 이후에 주주총회의 특별결의만으로는 유효로 될 수 없다고 보아야 한다.

4. 회사가 부담할 설립비용과 발기인의 보수

가. 의   의

1) 설립비용

설립비용이란 발기인이 회사 설립을 위하여 지출한 비용을 말한다. 설립사무실의 차임, 통신비, 정관과 주식청약서의 인쇄비, 주주모집을 위한 광고비, 사용인의 보수, 납입금 취급은행의 수수료, 창립총회의 소집을 위한 비용 등이 이에

---

72) 권기범, 전게서, 346면; 송옥렬, 전게서, 737면; 이철송, 전게서, 248~249면; 최기원, 전게서, 164면; 최준선, 전게서, 174면.

73) 판례 중에는 현물출자에 따른 번잡함을 피하기 위해서 회사의 성립 후 회사와 출자자 사이에 매매계약을 체결하고 재산을 양수하기로 한 사안에서, 이러한 현물출자를 위한 약정은 재산인수에 해당하므로 정관에 기재되지 아니하는 한 무효라고 할 것이나, 이러한 거래가 동시에 제375조의 사후설립에 해당한다면 주주총회의 특별결의로 추인하여 회사가 유효하게 재산의 소유권을 취득할 수 있다고 판시한 것이 있다(대법원 1992.9.14. 91다33087). 그러나 이 사안은 사후설립에 의한 재산취득의 요건으로써 주주총회의 특별결의를 언급한 것으로 정관에 기재하지 않은 재산인수의 추인긍정과는 직접적인 관련이 없다고 보아야 한다(최기원, 전게서, 164면).

74) 김인겸, "현물출자에 따른 제재를 회피하기 위하여 회사설립 후에 재산을 양수하기로 한 약정의 유효성,"「상사판례연구Ⅰ」(박영사, 1996), 380면.

속한다.

설립비용으로 쓰기 위하여 발기인이 제3자로부터 금전을 차입한 경우에 그 차입금이 바로 설립비용으로 되는 것은 아니다. 그 차입금이 설립에 관한 행위에 사용된 때에 비로소 그 사용된 금액이 설립비용으로 된다.[75] 회사의 설립 자체를 위한 것이 아닌 개업준비를 위한 비용은 설립비용이 아니다. 예컨대 공장용지의 매입이나 기계의 주문에 따른 지출은 설립비용이 아니다.

설립비용은 회사의 조직을 만들기 위해 지출한 경비이므로 회사의 자본금으로 부담함이 원칙이다. 그러나 발기인이 권한을 남용하여 과다하게 지출할 위험이 있으므로 자본충실을 위해 변태설립사항으로 규정하는 것이다. 그러므로 설립등기에 따르는 등록세와 같이 성질상 그 지출에 관해 발기인의 재량이 개재될 여지가 없는 비용은 정관의 기재여부에 관계없이 회사가 부담해야 할 것이다.[76]

2) 발기인의 보수

발기인의 보수란 발기인이 설립사무를 위하여 제공한 노무의 대가를 말한다. 그 보수액은 정관에 기재하여야 청구할 수 있고 그렇지 아니하면 청구할 수 없다. 성립 후의 회사에서 발기인의 보수로 과다한 금액이 지출되는 것을 막으려는 취지이다.

발기인의 보수는 금액으로 확정하여 회사성립시에 일시에 지급되는 것이 보통이다. 정관에는 발기인이 받을 보수의 총액을 기재하면 되고, 각 발기인에 대한 분배액을 기재하여야 하는 것은 아니다.

발기인의 보수는 상법이 설립비용과 구분하여 규정하였으므로 설립비용에는 포함되지 않으며, 설립에 대한 공로로서 주어지는 발기인이 받을 특별이익(제290조 제1호)과도 다르다. 특별이익은 장래의 이익이 뒤따르는 지위 내지는 계속적인 이익임에 비하여, 보수는 일시에 지급되는 확정금액이라고 할 수 있다. 그리고 발기인의 보수는 설립중의 회사의 기관으로서 제공한 노무의 대가이므로 설립 전에 그 원인이 발생하고 설립중의 회사가 부담해야 하는 것이나(지급은 성립 후의 회사가 하더라도), 발기인이 받을 특별이익은 회사 창설의 공로에 대한 보상이므로 회사가 성립되었을 때 발생하고 성립후의 회사가 그 채무를 부담한다는

---

75) 대법원 1965.4.13. 64다1940.
76) 최기원, 전게서, 165면; 손주찬·정동윤 대표, 전게서, 472면; 최준선, 전게서, 177면.

점에서 차이가 있는 것이다.[77]

나. 설립비용의 부담주체

1) 회사와 발기인의 관계

정관에 기재된 범위 내의 설립비용은 설립중의 회사가 부담하며, 성립시까지 완제하지 아니한 비용은 성립후의 회사가 변제할 책임을 진다. 그리고 발기인이 체당한 비용은 당연히 회사에 구상할 수 있다.

정관에 기재하지 않거나 기재한 금액을 초과하여 지출한 설립비용은 회사에 대하여 구상할 수 없고 발기인 개인이 책임을 져야 한다. 발기인은 부당이득이나 사무관리의 법리에 의해서도 회사에 설립비용을 청구할 수 없다.[78] 발기인이 이미 설립비용을 지출하였다면 이러한 내부관계만 고려하는 것으로 법률관계는 종결된다.[79]

2) 거래상대방과의 관계

제290조 제4호가 변태설립사항으로 규정하고 있는 것은 회사가 부담하는 설립비용이지, 거래상대방인 제3자에 대한 설립비용의 부담주체를 규정하는 것은 아니다. 따라서 회사가 성립하였음에도 발기인이 아직 거래상대방(제3자)에 대하여 설립비용을 지급하지 않은 경우, 누가 그 설립비용을 부담하는 것인지에 관하여 설립비용의 지출을 발기인의 권한범위 내로 보는지 아닌지에 따라 견해가 나뉜다.

가) 발기인전액부담설

본래 설립비용의 지출은 발기인의 권한에 속하지 않기 때문에, 설립비용은 회사설립의 전후를 구별함이 없이 제3자에 대하여는 발기인이 행위의 당사자로서 채무자가 되고 회사가 성립하면, 정관에 기재되고 법원이나 창립총회의 승인을 얻은 한도 내에서 발기인은 회사에 대하여 구상할 수 있을 뿐이라고 한다.[80]

---

77) 이철송, 전게서, 250면 각주 1).
78) 권기범, 전게서, 347면; 손주찬·정동윤 대표, 전게서, 472면; 최준선, 전게서, 177면.
79) 송옥렬, 전게서, 738면.
80) 최기원, 전게서, 166면.

나) 회사전액부담설

회사의 설립에 필요한 행위는 모두 발기인의 권한에 속하므로 실질적으로 설립중의 회사에 귀속하고, 따라서 회사의 성립과 동시에 제3자에 대한 권리의무는 모두 당연히 성립한 회사에 귀속된다고 한다. 따라서 아직 이행되지 아니한 채무는 회사가 이를 이행하여야 하고 정관에 기재되지 아니하거나 정관에서 정한 금액을 초과한 경우에 한하여 발기인에 대하여 구상할 수 있다고 한다.[81]

다) 회사발기인중첩부담설

법인격이 없는 사단에 있어서도 대외적으로는 그 사단의 재산으로 책임을 짐과 동시에 그 대표자도 책임을 져야 한다고 하면서, 이 경우 설립비용의 채무는 설립중의 회사의 채무이기 때문에 그대로 성립한 회사로 승계되지만, 그것이 바로 발기인의 면책을 뜻하는 것은 아니므로 발기인과 회사가 대외적으로 설립비용에 대하여 중첩적 책임을 부담하는 것이 합당하다는 것이다.[82]

라) 검 토

발기인전액부담설에 의하게 되면 설립비용의 지출과 관련한 행위는 발기인이 권한 외의 행위를 한 것이 되어 설사 설립중의 회사 명의로 하였더라도 그 권리의무를 설립중의 회사로 귀속시킬 수 없고, 따라서 성립한 회사에 대해서는 아무런 효력이 없게 된다. 법리적으로 볼 때, 발기인은 그 행위를 설립중의 회사 명의로 하였기 때문에 원칙적으로 발기인에게 책임을 물을 수 없는 것이고, 민법상의 무권대리를 유추하여 발기인에게 책임을 물어야 할 것이다. 결국 발기인전액부담설은 거래상대방인 제3자의 지위를 불안정하게 만들 뿐만 아니라 권리행사에도 번잡을 초래하게 될 것이다.

회사·발기인중첩부담설의 근거는 비법인사단의 경우에 그 대표자인 발기인도 책임을 진다는 점에서 찾고 있으나, 회사성립 후에는 법인격이 있으므로 발기인이 책임질 이유는 없다는 점에서 문제가 있다.

통설과 판례가[83] 설립중의 회사개념을 인정하는 한, 회사전액부담설이 논리

---

81) 권기범, 전게서, 348면; 정동윤, 전게서, 375면; 정찬형, 전게서, 677면; 최준선, 전게서, 177~178면; 대법원 1994.3.28. 93마1916.
82) 손주찬, 전게서, 560면.
83) 대법원 1994.1.28. 93다50215; 2001.1.28. 99다35737.

적으로 일관성이 있고, 또 거래상대방의 보호 또는 거래의 안전을 위해서도 타당하다고 본다.

Ⅲ. 변태설립사항에 대한 조사와 보고

1. 법원에 의한 조사

가. 검사인의 선임

정관으로 변태설립사항(제290조 각호의 사항)을 정한 때에는 발기설립에 있어서는 이사가, 모집설립에 있어서는 발기인이 이에 관한 조사를 하게 하기 위하여 법원에 검사인의 선임을 청구하여야 한다(제298조 제4항, 제310조 제1항).

발기설립에 있어서는 발기인들의 결의로 바로 이사를 선임하므로(제296조 제1항) 그 이사들로 하여금 이 신청을 하도록 하였고, 모집설립에 있어서는 창립총회를 열어야 비로소 이사를 선임하게 되므로(제312조) 그 총회에 앞서 발기인들로 하여금 이 신청을 하도록 한 것이다.

여기에서 이사란 대표이사를 말한다. 만일 대표이사가 이 청구를 하지 아니하면 다른 이사가 이를 할 수 있다. 제296조에 의하여 선임된 이사들이 아직 대표이사를 선임하기 이전이라면 당연히 그 중 어느 이사라도 이 청구를 할 수 있다.[84]

나. 검사인의 선임절차

검사인의 선임신청은 서면으로 하여야 한다. 이 신청서에는 신청의 사유, 검사의 목적, 연월일, 법원의 표시를 기재하고 신청인이 이에 기명날인하여야 한다(비송사건절차법 제73조). 검사인을 선임하는 재판은 결정으로써 한다(비송사건절차법 제17조 제1항). 법원은 재판을 한 후에 그 재판이 위법 또는 부당하다고 인정한 때에는 이를 취소 또는 변경할 수 있다(비송사건절차법 제19조 제1항).

선임할 검사인의 수와 자격에는 법률상 제한이 없다. 실제로 법원이 선임함

---

84) 손주찬·정동윤 대표, 전게서, 506면.

에 있어서 검사인의 수는 회사의 규모와 설립절차의 내용에 따라 단수 또는 복수로 정할 것이고, 자격은 검사인이 그 직무를 수행하는 데에는 회사에 관한 법률지식이 필요하다는 점을 고려해야 할 것이다. 그리고 검사인의 직무의 성질상 자격에 관하여 상법에 제한은 없으나 발기인, 현물출자자, 회사의 성립 후 양수할 재산의 계약당사자 등은 검사의 대상이 되는 사항의 당사자들이므로 당연히, 그리고 이사와 감사 및 지배인 기타의 사용인은 그 입장을 달리하므로 검사인으로 선임될 수 없다. 선임은 피선임자의 승낙에 의하여 그 효력이 생긴다.[85]

다. 검사인의 지위

법원에 의하여 선임되는 검사인의 지위는 일종의 공적기관이지 회사의 기관이 아니다. 회사와 사법상의 위임관계가 없고 법원과 공법상의 위임관계가 있을 뿐이다.[86] 따라서 검사인을 설립 중의 회사의 기관으로 볼 것은 아니다.

검사인은 회사와의 사이에 위임관계를 가지지 않지만 상법은 그에게 고의 또는 중대한 과실로 임무를 해태한 때에 회사와 제3자에 대하여 손해배상책임을 지우고 있다(제325조). 그에게 고의 또는 중과실의 경우에만 책임을 지운 취지는 직무수행을 소신껏 하도록 하려는 데에 있다.

법원은 검사인에 대하여 감독권을 가지고, 언제나 그를 직권으로 해임할 수도 있다. 이사 기타 이해관계인은 이 직권의 행사를 촉구할 수 있을 것이다. 검사인의 보수는 법원이 정하여 회사로 하여금 지급하게 한다(비송사건절차법 제77조).

라. 검사인의 조사·보고

검사인이 조사하여 법원에 보고할 사항은 변태설립사항(제290조에 게기한 사항)과 제295조의 규정에 의한 현물출자의 이행이다(제299조, 제310조 제1항). 변태설립사항의 조사는 현물출자 또는 재산인수의 목적물의 평가, 설립비용의 산정, 발기인의 특별이익과 보수의 책정에 있어서 일반 경제계의 실정과 회사의 사업목적 또는 회사의 규모 등을 고려하여 타당한가를 검토하는 데 비중을 두어야 할 것이다. 나아가 계산이 정확한가의 여부와 발기인이 취한 조치가 적법한

---

85) 손주찬·정동윤 대표, 상게서, 507면.
86) 이철송, 전게서, 254~255면.

가의 여부를 검토하는 것이다. 이 경우에 현물출자 또는 재산인수의 목적물이 회사에 필요한 것인가의 여부까지는 검사인이 조사할 범위에 속하지 아니하지만, 필요성이 적다고 보이는 재산에 대하여는 그 평가에 있어서 그 점을 반영하여야 할 것이다.

발기설립의 경우에 검사인은 그 조사보고서를 법원에 제출하는 한편 그 등본을 지체없이 발기인에게 교부하여야 한다(제299조 제3항). 모집설립에 있어서는 이 보고서를 창립총회에 제출하여야 한다(제310조 제2항). 모집설립의 경우에는 창립총회가 회사의 설립에 관한 최종적인 결정을 하는 기관이기 때문이다.

검사인의 조사보고서에 사실과 다른 사항이 있는 경우에는 발기인은 이에 대한 설명서를 법원에 제출할 수 있다(제299조 제4항).

마. 검사인의 조사, 보고의 면제

제299조 제2항은 변태설립사항의 조사에 따른 부담을 경감해 주기 위해 자본충실을 해할 염려가 적은 경우를 다음과 같이 열거하면서 아예 검사인의 검사·보고의 대상에서 제외하고 있다. 다만, 대상재산에 그 사용, 수익, 담보제공, 소유권 이전 등에 대한 물권적 또는 채권적 제한이나 부담이 설정된 경우에는 그러한 예외가 적용되지 않는다(상법 시행령 제7조 제3항).

(i) 현물출자(제290조 제2호) 및 재산인수(제290조 제3호)의 재산총액이 자본금의 5분의 1을 초과하지 않으면서 동시에 5천만원을 초과하지 아니하는 경우(제299조 제2항 제1호, 상법 시행령 제7조 제1항)

(ii) 현물출자(제290조 제2호) 또는 재산인수(제290조 제3호)의 재산이 거래소에서 시세가 있는 유가증권인 경우로서 정관에 적힌 가격이 대통령령으로 정한 방법으로 산정된 시세[87]를 초과하지 아니하는 경우(제299조 제2항 제2호)

(iii) 그 밖에 이에 준하는 경우로서 대통령령으로 정하는 경우

제298조 제4항 및 제299조 제1항, 제2항의 법문을 보면 제299조 제2항 각

---

87) 상법 시행령 제7조 제2항: 법 제299조 제2항 제2호에서 "대통령령으로 정한 방법으로 산정된 시세"란 다음 각 호의 금액 중 낮은 금액을 말한다.
  1. 법 제292조에 따른 정관의 효력발생일(이하 이 항에서 "효력발생일"이라 한다)부터 소급하여 1개월간의 거래소에서의 평균 종가(종가), 효력발생일부터 소급하여 1주일간의 거래소에서의 평균 종가 및 효력발생일의 직전 거래일의 거래소에서의 종가를 산술평균하여 산정한 금액
  2. 효력발생일 직전 거래일의 거래소에서의 종가

호에 해당하더라도 검사인의 선임은 하되 조사·보고만 면제되는 것으로 해석할
여지도 있으나, 입법목적에 비추어 볼 때 검사인의 조사·보고 자체가 면제되는
것으로 해석하여 이때는 검사인의 선임 자체를 요하지 않는 것으로 보아야 한
다.[88]

2. 공증인의 조사·보고와 감정인의 감정

가. 각 사항의 조사를 담당할 공증인과 공인된 감정인

제299조의2는 변태설립사항과 현물출자의 이행에 관하여 법원의 검사인 조
사를 대체할 수 있는 길을 규정하고 있다. 즉 변태설립사항과 현물출자의 이행
에 관하여 공증인과 공인된 감정인의 조사로 법원의 조사에 갈음할 수 있다. 그
중 제290조 제1호(발기인이 받을 특별이익)와 제4호(회사가 부담할 설립비용과 발기
인이 받을 보수액)에 관한 것은 공증인의 조사·보고로, 제290조 제2호(현물출자
에 관한 사항)와 제3호(회사의 성립후 재산을 양수하기로 한 사항) 및 제295조의 규
정에 의한 현물출자의 이행에 관한 것은 공인된 감정인의 감정으로 갈음할 수
있다.

이 네 가지 것 중 일부는 공증인이나 공인된 감정인의 조사로 갈음하고, 일
부는 원칙대로 법원의 조사를 받을 수도 있다.

변태설립사항 중 발기인이 받을 특별이익, 회사가 부담할 설립비용과 발기인
이 받을 보수액의 조사를 반드시 검사인이 담당하여야 한다고 고집할 필요가 없
다. 이런 사항은 공증인에게 맡기어도 된다. 주식회사의 설립에 있어서 공증인
은 이미 정관의 인증을 담당하고 있다(제292조). 또 이사와 감사의 전원이 설립
경과에 대한 조사를 할 수 없는 때에 그 조사를 담당하기도 한다(제298조 제3항,
제313조 제2항). 물론 정관의 인증을 담당하거나 설립경과의 조사를 담당한 바로
그 공증인이어야 한다는 것은 아니고, 그 공증인이거나 그 이외의 공증인이어도
상관없다.[89]

변태설립사항 중 현물출자에 관한 사항, 회사의 성립후 재산을 양수하기로

---

88) 권기범, 전게서, 365면; 이철송, 전게서, 257면.
89) 손주찬·정동윤 대표, 전게서, 514면.

약정한 경우에 그에 관한 사항에 대하여 조사할 요점은 출자의 대상인 재산, 양수할 대상인 재산의 가액을 얼마로 평가하느냐 하는 것이다. 그런 일이라면 공인된 감정인에게 맡기어도 무방하다. 그리고 그런 감정인에게 현물출자의 이행 여부까지 조사·보고하게 할 수도 있다.

나. 조사의 절차

조사를 공증인 등에게 위탁할 사람은 발기설립의 경우에는 이사이고(제298조 제4항), 모집설립의 경우에는 발기인이다(제310조 제1항). 발기설립의 경우에는 창립총회에 앞서 발기인들이 이사와 감사를 선임하므로(제296조) 이사에게 이 일을 맡기었고, 모집설립의 경우에는 창립총회를 열어야 비로소 이사와 감사를 선임하므로(제312조) 그에 앞서 이 조사를 위탁할 수 있도록 발기인에게 이 일을 맡긴 것이다.

발기설립의 경우에 이사란 대표이사를 말한다. 만일 대표이사가 이 청구를 하지 아니하면 다른 이사가 이를 할 수 있다. 제296조에 의하여 선임된 이사들이 아직 대표이사를 선임하기 이전이라면 당연히 그 중 어느 이사라도 이 청구를 할 수 있다. 이사는 취임 후 지체없이 이 청구를 하여야 한다.

이사가 이 청구를 게을리하면 어떻게 하는가? 이사 대신에 발기인이 할 수도 있다. 이사에게 이 위탁하는 일을 맡긴 것은 발기인들이 이사를 선임한 때에는 그 이후의 설립사무를 이사에게 넘기도록 한데 따른 것인데, 이 일은 발기인이 할 수 있는 일인데다가 이사가 이를 게을리하면 발기인이 계속 설립사무를 맡아 하여도 괜찮을 것이기 때문이다.

모집설립의 경우에 발기인들 중 대표가 정하여져 있는 때에는 그 대표가 이를 위탁할 것이다. 그런 정함이 있더라도 그 대표가 그 임무를 게을리하면 다른 발기인들 중 1인 또는 수인이 이를 위탁할 수 있다. 그런 정함이 없으면 발기인들 중 1인 또는 수인이 이를 위탁하면 된다.[90]

이 때에 공증인 등이 이 조사를 마친 후 보고할 곳은 어디인가? 그 조사를 마치고 보고할 곳은 원칙적으로 발기설립의 경우에는 발기인이고(제298조 제1항), 모집설립의 경우에는 창립총회이다(제313조 제1항). 여기에서 보고를 받을

---

90) 손주찬·정동윤 대표, 상게서, 515~516면.

발기인이란 각 발기인을 말한다. 발기인들이 회의를 열어 의사결정을 하기도 하지만(제296조, 제297조), 발기인총회라는 기관이 법정되어 있는 것은 아니므로 이들이 보고할 곳을 발기인총회라고 말할 수는 없다. 다만 발기인들 중 대표가 정하여져 있는 때에는 그 대표에게 보고하는 것으로 족하다.

3. 규정을 위반한 변태설립사항의 효력

발기인이 검사인의 선임을 법원에 청구하지 않거나 검사인에 의한 변태설립사항의 조사를 요구하지 아니하고 이에 갈음하는 방법도 취하지 아니한 경우 또는 검사인의 조사보고서 또는 이에 갈음하는 보고서가 법원 또는 창립총회에 제출되지 아니한 채 회사의 설립절차가 필하여진 경우에 그 하자는 모집설립의 경우에 창립총회결의의 취소사유가 되고(제308조 제2항, 제376조), 동시에 두 설립방법 모두에 설립무효의 소(제328조)의 원인이 된다.

변태설립사항의 조사를 위한 검사인의 선임을 법원에 청구하지 않는 경우에도 창립총회가 변태설립사항을 정관에서 삭제한 때에는 창립총회결의의 취소 또는 설립의 무효라는 문제가 생기지 아니한다. 이 경우에는 검사인이 조사할 대상 자체가 없어졌기 때문이다.

4. 공인감정인의 조사·보고의 면제

제299조 제2항은 변태설립사항의 조사에 따른 부담을 경감해 주기 위해 자본충실을 해할 염려가 적은 경우를 열거하여 검사인의 검사·보고를 면제해주고 있다. 공인감정인의 조사, 보고 및 감정은(제299조의2) 검사인의 조사, 보고에 갈음하는 것이므로 검사인의 조사를 요하지 않는 현물출자와 재산인수는 공인된 감정인의 감정·보고도 필요하지 않다. 이 때는 공인감정인의 선임 자체를 요하지 않는 것으로 보아야 한다.[91]

---

91) 권기범, 전게서, 365면; 이철송, 전게서, 257면.

Ⅳ. 변태설립사항의 변경

1. 의   의

발기설립에 있어서 법원이 검사인 또는 공증인의 조사보고서와 감정인의 감정결과와 발기인의 설명서를 심사하여 변태설립사항 중에 부당하다고 인정한 내용이 있는 경우에는 이를 변경하여 각 발기인에게 통고할 수 있다(제300조 제1항). 모집설립에 있어서는 창립총회에서 변태설립사항이 부당하다고 인정한 때에는 이를 변경할 수 있다(제314조 제1항).

'부당하다'는 것은 자본충실을 해한다는 의미이고, 그 '변경'이라 함은 예컨대, 현물출자자에 대한 배정주식수의 감소, 설립비용의 감액 등과 같이 자본충실의 견지에서 변태설립사항의 내용을 조정하는 것을 말한다.[92]

2. 변경의 내용

변태설립사항에 대한 법원의 변경처분과 창립총회의 변경은 제한적·소극적인 변경에 한한다. 현물출자자에게 주는 주식의 수, 발기인이 받을 특별이익, 자산인수의 대가액, 회사가 부담할 설립비용, 발기인이 받을 보수액 등을 감소하거나 또는 삭제하는 것을 말한다.

재산인수에 관한 정관의 규정이 변경된 경우에는 당연히 상대방을 구속하지 못한다. 재산인수는 회사와 제3자간의 개인법적인 계약이지 단체법적인 관계가 아니다. 그러므로 이에 대한 변경이 있는 경우에는 상대방의 승인이 없는 이상, 정관 소정의 재산인수는 그 효력을 상실하게 된다.

창립총회에서의 변경은 정관변경의 하나이다. 이 경우에 발기인이 받을 특별이익이나 보수에 관한 변경이면, 발기인은 특별한 이해관계를 가지는 자로서 의결권을 행사할 수 없다(제308조 제2항, 제368조 제3항[93]). 현물출자에 관한 변경

---

92) 권기범, 전게서, 367면; 이철송, 상게서, 263면.
93) 2014년 5월 20일 상법 일부 개정으로 제368조제2항을 삭제하고, 같은 조 제3항 및 제4항을 각각 제2항 및 제3항으로 한다. 〈https://law.go.kr/LSW//lsInfoP.do?lsiSeq=153970&ls

이면 현물출자자도 마찬가지이다.[94]

3. 변경의 효과

변태설립사항의 변경에 불복하는 발기인이 있는 때에는 그 발기인은 주식의
인수를 취소할 수 있다(제300조 제2항, 제314조 제2항). 법원의 변경통고가 있은
후 2주간 내에 주식의 인수를 취소한 발기인이 없는 때에는 정관은 법원이 통
고한 바에 따라 변경된 것으로 본다(제300조 제3항, 제314조 제2항).

주식인수를 취소할 수 있는 발기인이란 어떤 발기인을 말하는 것일까? 현물
출자에 한하여 변경통고를 받은 발기인, 현물출자에 한하지 아니하고 직접 자기
에 관한 변태설립사항에 변경통고를 받은 발기인, 직접 자기에 관한 여부를 가
리지 아니하고 모든 발기인을[95] 상정할 수 있다.

이 중 직접 자기에 관한 사항에 변경통고를 받은 발기인을 의미하는 것으로
보아야 할 것이다. 즉 어떠한 사항의 변경이든 그로 인하여 주식인수의 기초가
없어지게 된 발기인은 주식인수를 취소할 수 있다. 예컨대 현물출자를 한 발기
인이 그 출자재산의 평가가 받아들일 수 없을 정도의 저가로 재평가의 변경통고
를 받은 경우에는 그 발기인이 당해 현물출자의 대가인 주식의 인수를 취소할
수 있음은 물론, 발기인으로서 받을 보수 또는 특별이익이 자기에게 불이익하게
변경된 경우에 그 발기인도 주식인수를 취소할 수 있다. 그리고 설립비용이 변
경된 경우에도 그 변경된 것과 이해관계가 있는 모든 발기인은 주식인수의 취소
를 할 수 있다.

발기인이 주식인수의 취소를 할 때에 그 의사표시를 이사 뜨는 발기인 중 어
느 쪽에 대하여 하여야 할까? 설립중의 회사에 있어서 이 인수에 관한 설립사무
집행기관은 여전히 발기인이므로 다른 발기인에 대하여 취소의 의사표시를 하여
야 한다.

주식인수의 취소는 법원에 의한 정관변경 통고 후 2주간 내에 하여야 한다.
발기인은 법원의 변경의 재판에 대하여 즉시항고를 할 수 있는 데(비송사건절차

Id=&viewCls=lsRvsDocInfoR&chrClsCd=010102#〉
94) 손주찬·정동윤 대표, 전게서, 566면.
95) 권기범, 전게서, 367면.

법 제75조 제3항), 이 즉시항고의 결과 원결정이 전부 또는 일부 유지된 때에는 여전히 주식인수를 취소할 수 있다. 이 경우의 취소기간인 2주간의 산정은 즉시 항고에 대한 재판의 고지가 있은 때부터 기산하게 된다.

4. 설립절차의 속행

가. 주식인수의 취소가 없는 경우

법원에 의한 변태설립사항의 변경통고가 있은 후, 2주간 내에 주식인수의 취소를 한 발기인이 없는 때에는 정관은 그 통고에 따라서 변경된 것으로 본다. 예컨대 현물출자재산에 대한 평가액이 저가로 변경되어 그 출자자에게 주어지는 주식수가 감소된 때에는 정관상의 「회사의 설립시에 발행하는 주식의 총수」(제289조 제1항 제5호)는 그에 따라 줄어들게 된다. 그리고 이 경우에는 법원에 의하여 정관변경이 이루어졌고, 설립등기신청서에 이 변경재판서의 등본이 첨부되므로(상업등기법 제80조 제6호), 이에 따라 변경된 정관에는 다시 공증인의 인증을 필요로 하지 않는다.

나. 주식인수의 취소가 있은 경우

법원에 의한 변태설립사항의 변경통고가 있고 그에 따라 발기인 중 일부가 인수를 취소한 때에는, 다른 발기인들은 전원의 동의에 의하여 현물출자자에게 주어지는 주식수 또는 회사의 설립시에 발행하는 주식의 총수를 감소하는 등 필요한 정관변경을 하여 설립절차를 속행할 수 있다. 또 취소된 주식을 다른 발기인으로 하여금 인수하게 하거나 또는 새로운 발기인을 영입하여 이를 인수하게 함으로써 설립절차를 속행할 수도 있고, 취소된 주식에 대하여 주식인수인을 모집하여 모집설립의 방법으로 바꾸어 설립절차를 속행할 수도 있을 것이다. 그러기 위해서는 필요한 정관변경을 하여야 한다. 이 경우의 정관변경에는 다시 공증인의 인증이 필요하다.[96)]

---

96) 손주찬·정동윤 대표, 전게서, 521면.

제 3 절 설립의 하자 및 설립관여자의 책임

서 완 석*

I. 서   설

상법은 주식회사의 설립에 관하여 준칙주의를 취함으로써, 법정요건을 충족한 경우에 회사는 당연히 성립하는 것으로 하고 있다. 그렇지만 주식회사의 설립은 그 절차가 복잡하기 때문에 대체로 흠결이 생기기 쉬울 뿐만 아니라 처음부터 사기적 목적으로 불건전한 회사가 설립되는 경우도 적지 않다. 그런데 주식회사의 규모는 거대한데 주식은 일반대중을 통하여 모집하는 것이므로 불건전한 회사의 설립이 다수의 이해관계인과 일반대중에게 미치는 폐해는 짐작하고도 남음이 있을 것이다.

따라서 주식회사 설립에 관한 준칙주의의 결함을 보완하고, 설립에 관여한 자의 부정을 막으며, 회사의 재산적 기초를 확보하고, 이해관계인을 보호하기 위하여 불건전한 회사의 출현을 막는 일은 주식인수인과 회사 그 자체, 그리고 일반 제3자를 위해서도 반드시 필요하다. 그러므로 회사가 성립한 경우에도 건전한 회사를 설립시키려고 하는 법의 취지보다 그것에 반하여 설립된 경우 그 책임을 추궁할 수 있어야 할 것이다.

그러므로 상법은 이에 대한 대책으로서 회사의 설립절차를 강행법적으로 규정하고, 회사설립에 관여한 발기인, 이사, 감사, 검사인, 공증인·감정인,[1] 유사발기인, 주금납입금보관자(제318조) 등에 대하여 엄중한 벌칙의 제재를 통하여 (제622조, 제625조, 제628조, 제629조, 제630조, 제631조), 회사의 건전한 설립을

---

* 가천대학교 법과대학 교수
1) 상법 제325조는 법원이 선임한 검사인의 손해배상책임을 규정하고 있고 검사인 대신 변태 설립사항을 조사하는 공증인이나 감정인에 대해서는 상법상 별도의 규정이 없지만 위 공증인이나 감정인은 회사와 직접적인 위임관계가 인정되기 때문에 민법상의 일반 불법행위책임 또는 상법 제323조가 유추적용 되어 손해배상책임이 인정될 수 있을 것이다.

기대함과 동시에 관계자에 대한 보호를 도모하고 있는데, 특히 주식회사 설립의 기획자이며, 발기인조합 및 설립중의 회사의 집행기관인 발기인에게는 특별배임죄와 그 미수죄(제622조 제1항, 제624조), 회사재산을 위태롭게 하는 죄(제625조), 부실문서행사죄(제627조), 납입가장죄(제628조 제1항), 주식의 초과발행죄(제629조), 독직죄(제630조), 권리행사 방해 등에 관한 증수뢰죄(제631조) 등과 같은 형사처벌의 대상이 될 수 있도록 하고, 설립등기를 해태하거나 설립에 대한 조사 또는 검사를 방해한 때, 주식청약서를 작성하지 않거나 주식청약서에 부실기재를 한 때, 또는 권리주를 양도한 때, 그리고 회사성립 전에 회사 명의로 영업을 한 때에는 과태료의 제재를 가하기도 하며(제635조 제1항 제1호, 제3호, 제16호, 제635조 제2항, 제636조), 회사가 성립한 경우의 민사책임으로 발기인의 회사에 대한 자본충실책임(제321조)과 회사 또는 제3자에 대한 손해배상책임(제322조)을, 그리고 회사가 불성립한 경우의 민사책임으로 발기인에 대하여 회사의 설립에 관한 행위에 대하여 연대책임을 지는 동시에 설립에 관하여 지급한 비용을 부담하게 하는(제326조 제1항, 제2항) 등 무거운 책임을 부과하고 있다.[2]

회사성립 후 설립무효로 된 경우에는 해석상 성립한 경우에 준하는 책임이 부과된다. 이 경우에는 불성립에 해당하지 않고 일단 유효하게 성립하였다가 해산하는 것으로 인정되어 발기인의 책임도 해산에 준하여 청산되는 회사에 있어서와 같은 책임, 즉 성립한 경우에 따른 책임이 부과된다는 의미이다.[3] 이는 발기인이 회사설립에 있어 가장 중요한 역할을 하는 자이기 때문에 지극히 당연한 것이라 하겠다. 그 밖에도 주금납입금보관자의 책임(제318조), 유사발기인의 책

---

2) 발기인과 이사의 의무에 관한 내용은 서로 다르지만 책임의 태양 및 실현에 대해서는 매우 유사하다고 할 수 있다. 회사 및 제3자에 대한 손해배상책임이나 자본충실책임에 관해서는 각각 대응하는 규정이 있고(제323조) 또한 책임면제·대표소송에 관해서는 이사에 관한 규정이 발기인에게 준용되고 있다(제324조, 제400조, 제403조, 제406조). 그러나 회사 성립의 경우에 발기인에게는 인수담보책임(제321조 제1항)이나 납입담보책임(제321조 제2항)과 같은 자본충실책임을 묻는 동시에 발기인이 회사설립에 관하여 그 임무를 해태한 때에는 회사에 대하여 손해배상책임을 지도록 하고, 악의 또는 중대한 과실로 인하여 그 임무를 해태한 때에는 제3자에 대하여 직접 연대하여 손해배상책임을 지도록 하고 있지만 이사와 감사 등에게는 그러한 책임을 지도록 하는 규정은 없다. 뿐만 아니라 상법은 회사 불성립의 경우에도 이사나 감사 등의 책임에 해당하는 규정은 없지만, 발기인이 개인적으로 책임져야 할 이유가 없음에도 불구하고 발기인에 의한 경솔한 회사설립을 방지할 목적에서 정책적으로 설립에 관한 연대책임을 지도록 하는 규정과(제326조 제1항), 회사의 설립에 관하여 지급한 비용을 발기인이 부담하도록 하는 규정(제326조 제2항)을 두고 있다.
3) 손주찬·정동윤, 「주석 상법(Ⅱ)」(회사Ⅰ) (한국사법행정학회, 1997), 592면.

임(제327조)과, 이사·감사·발기인의 연대책임(제323조) 및 검사인의 손해배상 책임에 관한 규정(제325조) 등이 있다.

또한 주식회사의 설립절차에 하자가 있는 때에는 주주·이사 또는 감사에 한하여 회사성립의 날로부터 2년 내에 설립무효의 소로써만 그 효력을 다툴 수 있다(제328조 제1항). 주식회사에서는 합명회사, 합자회사, 유한책임회사 및 유한회사에서와는 달리 설립취소의 소는 인정되지 않는다(제184조, 제269조, 제552조 참조). 물적 회사로서 주주 개인의 개성이 중시되지 않는 주식회사에 있어서는 취소사유에 해당하는 하자를 이유로 해서는 회사 설립의 효력을 다툴 수 없도록 정한 것이다.[4] 그러나 우리 상법에는 어떠한 하자가 설립무효의 원인이 되는지에 관하여 아무런 규정을 두고 있지 않기 때문에 학설과 판례에 의존할 수밖에 없다.

II. 설립의 하자

1. 설립무효와 취소

가. 총 설

우리 상법이 회사 설립에 관해서 준칙주의를 취하고 있기 때문에 주식회사의 설립에 있어서도 법률이 정한 요건을 갖추어야 한다. 그러므로 설립절차의 하자로 인하여 이러한 요건을 갖추지 못한 때에는 그 설립은 무효가 된다. 그러나 주식회사의 설립절차의 하자로 인해 설립무효가 생긴 경우에 민법의 일반원칙에 따라 해결하려고 한다면 이미 설립등기에 의하여 성립한 회사와 거래관계가 있는 제3자의 지위가 매우 위험해진다. 특히 주식회사의 설립절차는 자칫 흠결이 생기기 쉬울 뿐만 아니라 대내외적으로 회사와 법률관계에 있는 제3자가 다수인 것이 일반적인 현상인데, 설립무효를 일반원칙에 따라 아무 제한 없이 주장할 수 있게 하고, 모든 법률관계를 소급하여 무효로 한다면, 거래안전을 심하게 해치고 회사의 법률관계는 극심한 혼란에 빠지게 될 것이다.[5]

---

4) 대법원 2020.5.14. 2019다299614.
5) 대법원 2020.5.14. 2019다299614.

그러므로 상법은 설립의 무효를 획일적으로 확정하여 이해관계자들의 지위를 보전하기 위해 ① 회사성립일로부터 2년 내(제척기간)에, ② 주주·이사 또는 감사에 한하여 ③ 회사를 피고로 하여 소로써만 주장할 수 있도록 하는 한편, 무효판결이 확정된 경우에는 그 판결의 효력이 과거에 소급하지 않고, 판결 전에 생긴 회사의 사실상의 존재를 인정하며, 회사와 그 주주 및 제3자간에 생긴 권리의무는 무효판결에 의해 어떤 영향도 받지 않도록 하는 등(제193조, 제328조 제2항), 무효를 주장하는 자, 소의 제기기간, 방법(전속관할·병합심리) 등을 제한함과 동시에 그 판결의 효과도 소급하지 않도록 하고 있다(제190조, 제328조 제2항).

또한 상법은 설립과정에 중대한 하자가 있는 경우에만 허용하는 설립무효는 모든 종류의 회사에 대하여 인정하면서도(제184조, 제269조, 제287조의6, 제328조, 제552조), 주식회사의 경우, 인적 회사, 유한책임회사, 그리고 유한회사와 달리 주식인수인 개개인에 대한 주식인수의 취소에 대해서는 규정하고 있지만(제320조) 그 설립의 취소에 대해서는 규정하고 있지 않다. 바꿔 말하면 상법은 주식회사를 제외한 합명·합자·유한회사·유한책임회사에 대해서만 설립취소를 허용하고 있는 것이다. 주식회사 신용의 기초는 회사재산에 있고, 주주의 개성에 있지 않기 때문에 각각의 주식인수가 무효 또는 취소되더라도 그 무효 또는 취소에 의한 주식인수의 흠결은 쉽게 다른 자에 의해 전보하게 할 수 있으므로(제321조 제1항) 회사의 설립 자체에 아무 영향이 없는 것으로 해도 큰 지장이 없기 때문이다. 결국 상법은 주식회사의 설립의 무효를 인적, 그리고 기간적으로 제한하는 동시에 설립무효의 효과를 장래에 대해서만 인정함으로써, 법률관계의 획일적 처리와 거래안전보호를 도모하고 있다.[6]

나. 설립취소의 원인

주식회사가 아닌 인적 회사, 유한책임회사, 그리고 유한회사의 경우, 설립취소의 원인은 행위무능력·착오·사기·강박 등 사원의 설립행위에 관한 주관적 하자이다(제184조 제2항; 민법 제140조). 또한 사원의 채권자에 의한 설립취소도 가능하다(제185조, 제269조, 제287조의6, 제552조).

---

6) 손주찬, 「상법(상)」 제15보정판(박영사, 2005), 598면.

다. 설립 무효의 원인

주식회사 설립무효의 원인을 어느 범위까지 인정할 것인지는 매우 중요하고 또한 어려운 문제이다. 그 범위를 넓혀서 설립절차가 복잡한 주식회사에 대하여 설립요건에 작은 흠결만 있더라도 설립무효로 한다면, 회사의 존재가 불안해지기 때문에 사회적으로나 국민경제적으로 좋지 않다. 그러나 무효의 원인을 너무 제한하거나, 특히 회사의 성립에 의해 모든 하자가 치유될 수 있게 한다면 불건전한 회사가 난립하게 되는 문제점도 있다. 따라서 거래안전보호와 기업유지라고 하는 상법의 본질적인 측면을 고려하여 적절히 제한하는 방법을 모색할 필요가 있다.[7]

우리 상법은 설립무효원인에 관해 특별히 규정한 바가 없으므로 통설은 주식회사가 자본단체라는 점에서 사원인 주주의 의사무능력이라든지 비진의의사표시, 착오·사기·강박에 의한 의사표시, 통정허위표시 등과 같은 주관적 원인은 무효원인이 아니고, 객관적 원인만을 무효로 보고 있다.[8] 그러므로 무효의 원인은 일반적으로 회사의 설립이 공서양속 또는 법의 강행규정 또는 주식회사의 본질에 반하는 경우에 그 설립무효가 생긴다고 할 수밖에 없다.[9] 따라서 다음에서 보는 바와 같이 강행규정인 회사설립에 관한 규정을 위반한 경우 또는 주식회사의 본질에 반한 경우나 선량한 풍속 기타 사회질서에 반하는 경우에도 설립무효의 원인이 될 수 있을 것이다.[10]

1) 정관 작성은 회사설립의 요건이므로 정관작성이 전혀 없는 경우는 물론, 작성된 정관에 절대적 기재사항(제289조 제1항)이 흠결되어 있거나 그 기재가 위법한 때, 예를 들면 회사의 목적이 공서양속에 반하는 경우, 정관에 발기인의

---

7) 손주찬, 상게서, 599면.
8) 정찬형, 「상법강의요론」 제8판(박영사, 2009), 296면; 이기수·최병규·조지현, 「회사법」 제6판(박영사, 2008), 181면; 송옥렬, 「상법강의」 제5판(홍문사, 2015), 767면; 임홍근, 「회사법」(법문사, 2001), 163면; 서헌제, 「사례중심체계 상법강의(상)」(법문사, 2003), 582면; 이철송, 「회사법강의」 제29판(박영사, 2021), 278면; 유시창, 「주식회사법」(법문사, 2011), 116면.
9) 이기수·최병규·조지현, 상게서, 181면; 이철송, 상게서, 278면; 정찬형, 상게서, 297면.
10) 이기수·최병규·조지현, 상게서, 181면; 정찬형, 「상법강의(상)」 제24판(박영사, 2021), 697면; 대법원 2020.5.14. 2019다299614("주식회사의 설립 자체가 강행규정에 반하거나 선량한 풍속 기타 사회질서에 반하는 경우 또는 주식회사의 본질에 반하는 경우 등에 한하여 회사설립무효의 사유가 된다."고 판시).

기명날인 또는 서명(제289조 제1항)이 없는 경우, 정관에 공증인의 인증(제292조)
이 없는 경우, 회사 설립 시에 발행하는 주식에 관한 일정한 사항은 정관에 다
른 정함이 없으면 발기인 전원의 동의로 정해야 함에도 불구하고(제291조) 이를
정하지 않거나 발기인 전원의 동의에 의하지 않고 결정한 경우, 또는 정한 내용
이 위법한 경우 등에는 회사설립의 무효가 생긴다.

  2) 발기인의 수에는 제한이 없지만(제288조), 주식회사의 설립에는 적어도 1
인의 발기인이 있어야 하고, 발기인은 1인이면 족하다. 그러므로 1인의 발기인
이 정관을 작성하면 법정 요건은 충족되지만 그 발기인의 정관작성행위가 어떤
사유에 의해 무효인 때는 회사설립무효의 원인이 된다. 이에 반하여 2인 이상의
발기인이 있는 경우에 그 중 1인의 발기인의 정관작성행위가 무효이더라도 반드
시 설립무효원인이 되는 것은 아니다.[11]

  3) 회사설립 시에 발행하는 주식에 관한 일정한 사항은 발기인 전원의 동의
로써 정해야 한다(제291조) 그런데 이러한 사항을 발기인 전원의 동의에 의하지
않고서 결정하거나 또는 그 결정이 위법한 때에는 회사설립의 무효가 생기는 것
으로 해석할 수 있다. 다만 위의 동의에 의하지 않고 설립절차를 진행한 경우에
도 그 후 발기인 전원의 동의가 있으면 그 설립절차의 하자는 전보되어 설립무
효는 생기지 않는다.[12]

  4) 회사가 설립 시에 발행하는 주식총수의 인수 및 그 발행가액 전액의 납입
도 회사설립의 요건이지만(제295조, 제305조) 무조건 인수 또는 납입의 흠결에
의해 회사의 설립을 무효로 하는 것은 적절치 않으므로 설립에 관여한 발기인
및 회사성립 당시의 이사가 그 흠결을 전보하는 경우(제321조), 회사의 설립 자
체에는 영향이 없다. 그러나 인수 또는 납입의 흠결이 현저하여 법이 주식총수
의 인수 및 납입 완료를 회사 설립의 요건으로 한 취지가 몰각됨으로써 회사의
목적 실현이 곤란한 경우 등에는 회사의 설립이 무효로 된다. 회사성립 후 주식
의 인수가 무능력의 이유에 의해 취소된 경우나 현물출자자의 주식인수가 무효
인 경우에도 위와 똑같이 해석해야 한다.[13]

  5) 발기설립의 경우에는 발기인이 회사설립 시에 발행하는 주식의 총수를 인

11) 大隅健一郎・今井宏, 「会社法論(上)」 第3版(有斐閣, 1991), 287面.
12) 손주찬, 전게서, 599면.
13) 大隅健一郎・今井宏, 前揭書, 288面.

수한 후 지체없이 각 주식에 대하여 그 인수가액의 전액을 납입하여야 하고(제295조 제1항), 현물출자의 경우에는 그 급부를 이행하며(제295조 제2항), 이사와 감사를 선임하고(제296조), 그 이사와 감사(감사위원회)는 회사의 설립에 관한 모든 사항이 법령 또는 정관에 위반되지 아니하는지를 조사하여 보고하여야 하며, 검사인은 변태설립사항과 현물출자의 이행을 조사하여 보고하여야 하는데(제290조, 제295조, 제299조), 이러한 절차가 전혀 행해지지 않았거나 그 절차에 하자가 있는 경우(제296조, 제312조)에는 회사설립이 무효가 된다.

6) 모집설립의 경우에는 창립총회의 소집(제308조), 발기인의 창립에 관한 사항 보고(제311조), 이사 또는 감사의 선임(제312조) 등이 이루어져야 하고, 이사는 취임 후 지체없이 회사의 설립에 관한 모든 사항이 법령 또는 정관에 위반되는지의 여부를 조사하여야 하는데(제313조), 이러한 절차들을 전혀 거치지 않은 경우에는 회사설립이 무효가 된다. 다만, 예를 들어, 임원 또는 감사의 선임에 무효 원인이 있는 경우와 같이 그 절차에 있어서의 실질적 하자는 설립무효의 원인으로 되지 않는 것으로 보아야 할 것이다.[14]

7) 회사는 설립등기에 의하여 성립하므로 설립등기가 무효인 경우에는 회사의 설립도 또한 무효가 될 것이다. 다만 설립등기기간을 지키지 않은 경우에는 설립무효의 원인이 되지 않고, 전혀 설립등기가 없는 경우에도 회사는 법률상으로는 아직 존재하지 않으므로 설립무효의 문제는 생기지 않고 회사불성립이 된다.

8) 주식회사를 설립함에 있어 모집설립의 절차를 갖추어 주주모집 전에 주식 대부분을 발기인이 인수하고, 형식상으로는 발기인이 타인의 명의를 모용하여 일반대중으로부터 주주를 모집하는 형식을 갖춘 경우 주식인수인은 명의모용자라 할 것이기 때문에 결국 발기인이 주식 전부를 인수한 결과가 될 것이므로 이러한 경우에는 모집설립이 아닌 발기설립에 해당하고 절차의 하자 때문에 그 설립이 무효가 된다.[15]

---

14) 大隅健一郎·今井宏, 上揭書, 289~290面.
15) 대법원 1992.2.14. 91다31494; 1994.11.25. 94므826.

라. 취소 및 무효의 소송

1) 당사자

회사의 설립취소는 그 취소권 있는 자에 한하여 회사성립의 날로부터 2년 내에 소만으로 이를 주장 할 수 있고(제184조, 제269조, 제287조의6, 제552조) 민법 제140조의 규정은 이러한 설립의 취소에 준용한다. 또한 사원이 그 채권자를 해할 것을 알고 회사를 설립한 때에는 채권자는 그 사원과 회사에 대한 소로 회사의 설립취소를 청구할 수 있다(제185조).

회사의 설립무효는 그 성립의 날부터 2년 이내에 사원(제184조, 제269조, 제287조의6, 제328조, 제552조) 및 주주, 이사 또는 감사(감사위원회)에 한하여 소로써만 주장할 수 있다. 그러므로 주식회사를 제외한 나머지 회사의 경우에는 사원, 주식회사의 경우에는, 주주 이사 또는 감사 이외의 자가 어떠한 방법에 의해서도 무효를 주장할 수 없고, 또 사원이나 주주, 이사 또는 감사(감사위원회)라 하더라도 소송 외의 방법으로 무효를 주장할 수는 없다. 주주는 의결권 없는 주식을 가진 자를 포함하여 회사성립 시에 주주일 필요는 없고, 그 후 주식을 양수하여도 상관없으며, 오로지 소를 제기하는 때의 주주로서 구술변론 종결 시까지 계속 주주의 지위를 유지하고 있으면 된다. 그동안 같은 주식을 가지고 있을 필요도 없다.[16) 이사는 반드시 주주일 필요는 없고, 법원이 선임한 가이사(제386조 제2항)도 포함되며, 소를 제기한 때부터 구술변론 종결까지 계속 이사의 지위를 유지하고 있어야 한다. 그러므로 설립무효의 소를 제기한 주주가 주식 전부를 양도하여 주주자격을 상실한 경우에는 소는 각하되어야 한다. 그러나 원고주주가 사망하거나 또 합병으로 소멸한 경우에는 포괄승계인이 소송을 승계하여야 한다(민사소송법 제211조, 제212조). 회사채권자와 회사채무자 그리고 발기인 등은 법률적인 이해관계가 있더라도 원고가 될 수 없는데, 이러한 제한은 남소방지를 위한 것이다.[17)

설립무효의 소의 피고는 회사로서, 소에 관하여 회사를 대표할 자는 원고가 이사가 아닌 일반주주인 경우에는 대표이사가(제209조, 제389조 제3항), 이사가 원고인 경우에는 감사가 그 소에 관하여 회사를 대표한다(제394조). 다만 퇴임한

---

16) 임홍근, 전게서, 165면.
17) 최기원, 「상법학신론(상)」 제19판(박영사, 2011), 603면.

이사가 원고인 때에는 대표이사가 회사를 대표한다.[18]

한편 공정거래위원회는 「독점규제 및 공정거래에 관한 법률」(제7조 제1항, 제8조의3, 제12조 제8항)을 위반한 회사의 합병 또는 설립이 있는 때에는 당해 회사의 합병 또는 설립무효의 소를 제기할 수 있다(동법 제16조 제2항).

2) 제소기간 등

회사설립 무효의 소는 회사성립의 날로부터 2년 내에 제기하여야 하는데(제328조 제1항), 이 기간은 제척기간이며, 2년이 경과하면 아무도 무효를 주장할 수 없고 그 결과 설립의 하자는 치유된다. 회사성립의 날이라 함은 본점소재지에서 설립등기를 한 날이다(제172조). 그리고 설립무효의 소가 제기된 때에는 회사는 지체없이 공고하여야 하고(제187조, 제328조 제2항), 공고를 해태하였더라도 무효판결의 제3자에 대한 효력에는 영향이 없다. 이 소의 관할법원은 본점소재지 지방법원이다(제328조 제2항, 제186조). 회사의 정관소정의 본점소재지와 영업활동의 실질적인 중심지가 다른 경우에는 금반언의 원칙이나 외관주의 법리에 의하여 전자가 기준이 되어야 할 것이다.

설립무효의 소 또는 설립취소의 소가 그 심리 중에 원인이 된 하자가 보완되고 회사의 현황과 제반사정을 참작하여 설립을 무효 또는 취소하는 것이 부적당하다고 인정한 때에는 법원은 그 청구를 기각할 수 있다(재량기각)(제189조, 제328조 제2항). 주식회사에 있어서는 설립무효의 원인이 되는 하자가 경미하거나 또는 보완되어 원고에게 소익이 인정되지 않거나 원고의 제소가 권리남용이라고 인정되는 경우에 법원이 청구기각의 권능을 활용하도록 하기 위한 것이다.[19]

그리고 설립무효의 소가 제기된 때에는 법원은 이를 병합 심리하여야 하다(제188조, 제328조 제2항). 중복과 모순된 판결을 피하기 위해서이다.[20]

3) 판결의 효력

가) 원고승소의 경우

설립취소나 무효의 판결은 원고뿐만 아니라 제3자에게도 그 효력이 미치는(제190조 본문, 제269조, 제287조의6, 제328조 제2항, 제552조 제2항) 대세적 효력

---

18) 대법원 1977.6.28. 77다295; 2002.3.15. 2000다9086; 2002.6.14. 2001다52407.
19) 大隅健一郎・今井宏, 前揭書, 291面.
20) 최기원, 전게서, 604면; 임홍근, 전게서, 166면.

을 가진 형성판결이다.[21] 이는 판결의 효력이 당사자에게만 미친다는 원칙(민사소송법 제218조)에 대한 중대한 예외이며, 회사를 중심으로 한 다수의 법률관계를 획일적으로 확정함으로써 법률관계의 혼란을 막고 거래안전을 지키려는 것이며, 아울러 판결확정 전에 생긴 모든 법률관계를 부인하는 것이 현실적으로 불가능하다는 점도 고려한 처사이다.

취소 및 무효판결의 효력은 회사성립 시까지 소급하지 아니하고 장래에 대해서만 영향을 미치므로, 회사설립 후 설립무효판결이 확정된 경우에도 사실상의 회사가 인정되어, 회사는 무효판결 전의 관계에 있어서는 유효하게 존재했던 것과 똑같이 취급되므로(제190조 단서, 제328조 제2항), 회사와 제3자와의 관계는 처음부터, 회사와 주주 사이의 관계도 큰 영향을 받지 않고, 발기인은 회사성립의 경우의 규정에 따라 회사와 제3자에 대하여 책임을 지게 된다. 다만 회사성립 후 설립무효판결 확정 시까지 존재하는 사실상의 회사는 해산에 준하여 청산절차를 밟게 되는데, 그러므로 회사는 청산의 목적 범위 내에서는 아직 존속하는 것이며(제245조, 제269조, 제287조의4, 제542조), 이 경우에 법원은 주주 기타 이해관계인의 청구에 의하여 청산인을 선임할 수 있다(제193조, 제328조 제2항). 그리고 설립무효의 판결이 확정되면 법원의 촉탁에 의해(비송사건절차법 제98조) 이를 본점과 지점소재지에 등기하여 공시하여야 한다(제192조, 제328조 제2항).

나) 원고패소의 경우

원고가 패소한 경우에 그 판결은 민사소송법상의 일반원칙에 따라 당사자 사이에서만 그 효력이 생긴다. 따라서 그 이외의 다른 주주 등의 제3자는 다시 설립무효의 소를 제기할 수 있다. 왜냐하면 원고가 패소한 경우에는 원고의 무효의 주장에 이유가 없다고 인정된 것뿐이지, 적극적으로 설립을 유효로 하는 판결이 있었던 것은 아니며, 설립에 관한 무효의 원인이 없음이 확인된 것도 아니기 때문이다.[22] 다만 법은 설립무효의 소를 제기한 자가 패소한 경우에 악의 또는 중과실이 있는 때에는 회사에 대하여 연대하여 손해를 배상할 책임이 있는 것으로 정해놓고 있는데(제191조, 제269조, 제287조의6, 제328조 제2항, 제552조 제2항), 이는 남소를 방지하기 위한 것이다.[23]

---

21) 손주찬, 전게서, 600면; 정동윤, 「상법(상)」(법문사, 2003), 394면.

22) 北泥正啓, 「会社法」 第4版(靑林書院, 1994), 134~135面.

23) 최기원, 전게서, 605면; 이기수·최병규·조지현, 전게서, 182면; 임홍근, 전게서, 167면.

2. 회사의 부존재

회사설립의 무효는 법률상으로 무효원인이 있는 회사가 설립등기에 의하여
사실상 성립하기에 이른 경우이다. 따라서 그것은 설립사무의 기획자이며 담당
자인 발기인이 전적인 책임을 지는 회사의 불성립, 즉 회사의 설립절차가 설립
등기에 이르기 전에 중도에서 좌절된 경우도 아니며, 회사의 부존재의 경우에
관한 것도 아니다.

회사의 부존재라고 하는 것은 회사의 설립등기는 되었으나, 정관의 유효한
작성이나 주식의 납입은 물론 창립총회의 개최도, 이사와 감사의 선임도 없는
등 회사라고 인정할 만한 조직이나 실체가 전혀 존재하지 않아서 완전히 회사의
설립절차를 흠결하고 있는 경우이며,[24] 이와 같은 경우에는 설립무효의 소를 제
기할 것도 없이 일반원칙에 의해 누구든지, 언제든지, 어떤 방법에 의해서든지
그 부존재를 주장할 수 있고, 필요하다면 회사부존재확인의 소를 제기할 수도
있다는 것이 학설과[25] 판례로[26] 인정되고 있다.

그런데 회사의 부존재라는 개념을 인정한다면 회사의 부존재 여부를 확인하
는 소송형식이 마련되어야 할 것이나, 현재 시행되고 있는 우리 상법에서는 이러
한 소송형식에 대하여 별도의 규정을 두고 있지 않다. 따라서 민사소송법이 일반
적으로 예정하고 있는 확인의 소에 의할 수밖에 없을 것이고, 확인의 이익이라고
하는 권리보호의 이익 요건을 구비했는지의 여부는 법원이 판단할 것이다.

한편 회사의 부존재에 대하여 확인을 구하는 소송에서 원고가 승소한다고 하
더라도, 현행 상법에는 원고승소판결의 대세적 효력 인정여부, 소급효의 제한에
대한 별도의 규정이 없으므로 부득이 다른 형태의 일반 민사소송에 따른 판결의
경우와 같이 기판력은 소송 당사자 사이에만 미칠 것이고(대세적 효력의 불인정,
민사소송법 제218조), 회사의 부존재 효력은 소급하여 부존재라고 확인받는 효력
을 가지게 된다고 할 것이다(소급효 인정).

---

24) 大判 昭和10年 11月 16日 判決全集2輯 1262面.
25) 최기원, 「신회사법론」 제11대정판(박영사, 2002), 212～213면; 정동윤, 전게서, 395면; 北
    泥正啓, 前揭書, 135面; 加美和昭, 「会社法」 第5版(勁草書房, 1982), 92面.
26) 大判 昭和14年 5月 19日 商判 (追2)182面; 東京高判 昭和36年 11月 29日 下民集 12卷 11
    号 2848面.

그러나 대세적 효력을 인정하지 않을 경우, 동일한 회사의 법률관계가 소를 제기한 자와 그렇지 않은 자 사이에 그 효력이 달라지는 모순이 생기고, 소급효를 인정할 경우, 회사의 존재를 토대로 형성된 많은 법률관계가 일시에 무너지게 되어 회사의 법률관계의 안정을 해하게 될 것이다. 또한 우리나라 학설 및 판례 등에 따르면 회사부존재 확인의 소의 원인과 설립무효의 원인이 서로 겹치는 측면이 있으므로 입법론은 별개로 하더라도 이론상 회사의 부존재라는 개념을 회사 설립의 무효와 구별되는 독립적인 별개의 개념으로서 인정할 실익이 있을지에 대해서는 의문이다.

Ⅲ. 설립관여자의 책임

1. 회사성립의 경우

인적회사는 정관의 작성과 설립등기만으로 간단히 설립되므로 물적 회사에 비해 보호해야 할 법익이 적고 회사의 물적 기초를 형성하는 출자의 이행에 대해서도 이를 설립요건으로 하고 있지 않으므로 설립관여자의 책임에 대한 논의는 물적 회사 그 중에서도 주식회사의 경우에 그 의미가 있다. 주식회사의 경우, 설립에 관한 발기인 및 이사의 책임은 회사가 성립한 경우와 회사가 불성립으로 끝난 경우로 나누어 살펴볼 필요가 있다. 소위 발기인이라 함은 회사 설립의 기획자이고, 발기인 조합과 설립중의 회사의 집행기관으로서 실질적으로는 회사의 설립사무에 종사하는 자를 의미하지만, 형식적으로는 발기인으로서 정관에 기명날인 또는 서명한 자(제289조 제1항)를 의미한다(통설). 그리고 발기인은 법률상 형식적인 면에서 파악되어 그의 권한과 책임이 부여되므로 설령 회사의 설립사무에 실질적으로 관여하였더라도 정관에 기명날인 또는 서명을 하지 않은 자는 발기인으로서의 책임을 지지 않는다. 반대로 실질적으로 설립사무에 종사하지 않았더라도 정관에 기명날인 또는 서명을 한 자가 발기인으로서 책임을 지는 것은 당연하다(통설). 발기인의 민사책임은 크게 자본충실책임과 손해배상책임으로 나눌 수 있고, 책임의 기본구조는 회사 설립 이후에 있어서의 이사의 책임과 같다.

발기인은 설립중의 회사의 사무집행기관으로서 설립사무를 집행하고, 이사와 감사는 설립중의 회사의 감사기관으로 설립경과를 조사하여 발기인 또는 창립총회에 보고하여야 할 임무를 부담하며(제289조 제1항, 제313조 제1항), 상법에 규정은 없으나 법원이 선임한 검사인에 갈음하여 변태설립사항을 조사·평가하는 공증인이나 감정인도 회사에 의하여 선임되므로 이사와 감사의 경우와 동일하게 해석해야 한다는 점(제323조 유추적용) 등에 그 책임의 기초가 있다고 할 수 있다.

가. 회사에 대한 책임

1) 자본충실에 대한 책임

가) 의의 및 법적 성질

주식회사는 설립등기에 의하여 성립하지만 법은 그 설립등기 이전에 회사 설립 시에 발행하는 주식총수에 관한 인수 및 출자의 이행이 이루어질 것을 요구하므로(제295조, 제305조), 일단 설립등기가 이루어졌다면 주식인수인과 회사채권자는 당연히 법이 요구한 바대로 설립 시에 발행한 주식 전부에 대한 인수 및 인수가액 전액에 대한 납입이 이루어졌을 것이라는 점을 신뢰할 것이고, 이러한 신뢰는 보호되어야 마땅하다.

그리고 주식회사 설립 시에 발행하는 주식 중에 인수 또는 출자의 이행이 없는 주식이 있는 경우에는 비록 설립절차를 마쳤다 하더라도 그 회사의 설립은 무효라고 하는 것이 원칙일 것이지만, 인수 또는 납입의 경미한 흠결에 의해 회사 설립이 무효로 된다면 또 다시 설립절차를 반복함으로써 생기는 불편함과 비용 및 시간의 문제도 있을 수 있고, 다수의 주식인수인과 그의 이해관계인들의 이익과 신뢰에 반하여 거래안전을 해칠 우려가 적지 않으며, 이미 성립한 회사는 가능한 유지되도록 하는 것이 국민경제에도 이로울 것이므로 발기인을 통하여 회사설립의 무효를 회피하고자 법이 특별히 인정한 책임으로서[27] 무과실책임이다. 그런 점에서 보면 발기인의 자본충실책임은 그 자체가 목적은 아닌 것이다.

발기인이 이 책임을 이행하지 않으면 회사가 소로써 이를 청구할 수 있고, 소수주주도 대표소송에 의해서 이를 청구할 수 있으며(제324조, 제403조~제406

---

27) 이기수, 「상법학(상)」 제3판(박영사, 1999), 491면.

조, 자본시장법 제29조), 회사채권자는 회사를 대위하여 이를 청구할 수 있을 것이다. 이 책임은 회사와 법률관계에 있는 제3자의 이익과 관련되는 바가 크기 때문에 총주주의 동의로도 그 전부 또는 일부를 면제할 수 없으므로[28] 이 소송에서 원고는 포기나 화해를 할 수 없다.[29]

혹자는 발기인의 자본충실책임은 회사채권자의 이익보호를 위해 발기인의 책임으로 자본충실을 도모하려는 것이고, 설립무효의 회피 내지 구제와는 직접적인 관계가 없으며, 다만 발기인의 인수 및 납입담보책임의 이행에 의하여 출자이행의 흠결이 보완되게 되면 설립무효의 원인이 치유되는 것으로 해석한다.[30] 그러므로 이러한 입장에서 보면 법의 취지가 몰각될 것 같은 경우에 회사설립이 무효로 되지만 이 경우에도 발기인의 인수 및 납입담보책임을 면하게 되는 것은 아니라고 한다.[31] 이러한 입장에서는 인수와 납입의 흠결은 아무리 작은 부분이라 하더라도 설립무효의 원인이 되지만 현실로 이행된 인수와 납입의 흠결이 전보된 한도에서는 설립의 무효가 치유된다고 본다.[32] 그러므로 주금액 전부의 납입이 없는 경우에도 발기인은 납입담보책임을 지게 된다.

생각건대, 물적 회사인 주식회사에 있어 회사의 재산이 회사채권자에 대한 유일한 책임재산이 되는 것이므로 설립 전에 그 자본적 기초를 확보하는 일이야말로 가장 중요하고 핵심적인 절차라고 할 수 있다. 따라서 상법은 주식회사의 설립 시에 회사가 발행하는 주식의 총수(제289조 제1항 제5호)가 전부 인수되어야 하고, 또 인수된 주식에 대하여 인수가액이 전액 납입되도록 하는 자본확정의 원칙과 자본충실의 원칙을 요구한다.[33] 그러나 자본적 기초를 확보하는 일에만 모든 초점을 맞추는 경우, 인수와 납입의 흠결이 중대한 경우뿐만 아니라 경미한 경우에도 자본확정의 원칙 상 설립무효의 원인이 되어야 마땅할 것이지만 이 규정이 만들어질 당시 입법자들이 자본적 기초를 확보하는 일에 초점을 맞추

---

28) 같은 생각: 정동윤, 전게서, 398면; 송옥렬, 전게서, 761면; 유시창, 「주식회사법」 (법문사, 2011), 112면; 임홍근, 전게서, 155면.

29) 손주찬·정동윤, 전게서, 595면.

30) 神崎克郎, 「商法(会社法)」 第3版(靑林書院, 1991), 115~116面; 大隅健一郎·今井宏, 「会社法論(上)」 第3版(有斐閣, 1991), 262面.

31) 양승규·박길준, 「상법요론」 제4판(삼영사, 1997) 286면; 이균성, 「회사법」(고시계, 1993), 145면; 한창희, 「최신회사법」(청목출판사, 2007), 127면; 大隅健一郎·今井宏, 前揭書, 260面.

32) 정동윤, 전게서, 397면.

33) 손주찬·정동윤, 전게서, 593면.

려 했다면 회사가 성립되기 전에 주식인수인에 대하여 각 주식에 대한 인수가액의 전액을 납입시키지 못한 발기인(제305조)에 대한 벌칙 규정을 두어 회사의 자본적 기초를 확보하려 하지 않았을까 하는 생각을 해본다. 그리고 주식회사는 납입취급은행의 보관금액에 관한 보관증명서를 교부받아 설립등기를 마침으로써 법인격을 취득하는데, 납입취급은행은 증명한 보관금액에 대하여 납입의 부실 또는 그 금액의 반환에 대한 제한이 있음을 이유로 회사에 대항하지 못하도록 하여(제318조) 이미 자본충실의 확보를 기하고 있다. 뿐만 아니라 회사 설립에 있어 자본보다는 창의적 아이디어 등이 더 중시되고, 최저자본금이 폐지되어 소액의 자본금으로 주식회사의 설립이 가능해진 현대적 조류에 따르더라도 더욱 그렇다. 따라서 상법 제321조는 주식의 인수와 납입이 제대로 이루어지지 않았다고 하여 무조건 회사설립을 무효로 하는 것은 바람직하지 않기 때문에 그 정도가 경미한 경우에는 발기인의 보전을 통해 이미 성립한 회사를 유지시키려는데 궁극적인 목적이 있는 것으로 해석하여야 할 것이다.

그러므로 발기인의 자본충실책임은 단순히 발기인의 손해배상책임과 같이 의무를 위반한 데 대한 제재로서 인정된 것이 아니라 경미한 인수 또는 납입의 흠결에 의하여 당연히 회사의 설립이 무효가 됨으로써 인수 및 납입을 한 주주의 이익이 침해되지 않도록 한다는 관점에서 법이 특별히 인정한 책임이고, 부수적으로 자본충실도 기하려는 것이다. 또한 주식의 인수 또는 납입의 흠결이 중대한데도 발기인의 자력은 불확실한 경우 과연 발기인의 자본충실책임으로 구제될 수 있는지도 의문이다. 이렇게 본다면 인수 또는 납입의 흠결이 큰 경우에 회사설립의 무효원인은 되지만 발기인의 자본충실책임에는 해당하지 않는다.[34]

따라서 발기인의 자본충실책임은 발기인에게 인수 또는 납입의 흠결에 관한 전보책임을 지도록 하며, 흠결이 경미한 경우에는 설립을 무효로 하지 않고 그 성립을 인정함으로써 회사의 자본충실도 기하고 기왕에 진행된 설립절차의 효력도 유지하게 하는 것이 사회경제적으로 더 효율적이라는 전제가 깔려 있는 것으로 보아야 한다. 따라서 인수와 납입의 흠결이 중대한 경우에는 설립무효사유가 되지만, 그 흠결이 경미한 경우에는 설립무효 사유가 되지 않고 발기인의 자본충실책임이 생긴다고 하는 것이 우리나라의 통설이다.[35]

---

34) 같은 생각: 정찬형, 전게서, 700면.
35) 정찬형, 전게서, 700면; 서돈각, 「상법강의(상)」 제3전정(법문사, 1985), 308면; 손주찬, 「상

그러나 ① 이 책임의 입법취지가 설립무효의 구제에만 있는 것이 아니라 설립자본 전부에 대한 인수와 납입이 있었다는 일반 주주와 채권자의 신뢰보호에도 있는 것이고,[36] ② 법문 그 어디에도 경미한 하자가 있는 때에만 적용된다는 표현이 없으며, ③ 실제에 있어서 하자의 경중을 판단하기가 쉽지 않고, ④ 설사 다른 사유로 설립무효로 되더라도 '사실상의 회사'의 청산 시 그 채권자를 보호하기 위해서는 발기인의 인수·납입책임을 인정하는 것이 필요하다는 이유를 들어 위와 같은 이분법을 배척하면서 하자의 경중에 관계없이 발기인은 인수 납입담보책임을 지고, 다만 하자가 극심하여 발기인에 의하여 치유될 수 없는 경우에는 동시에 설립무효로 될 수 있다고 하는 견해도 있다.[37]

생각건대, 주금액 전부의 납입이 없는 때에는 주식회사가 물적 회사임을 감안할 때 회사의 부존재로 보아야 하고,[38] 상법 제321조의 법문 속에는 "아직 인수되지 아니한 주식이 있거나 주식인수의 청약이 취소된 때"(제1항), 또는 "납입을 완료하지 않은 주식이 있는 때"(제2항)라는 표현이 들어 있는데 이 표현 속에는 경미하다는 의미가 포함되어 있는 것으로 해석해도 무방할 것으로 본다. 그리고 흠결이 경미한지의 여부는 회사자본 규모가 튼튼한지, 사업수행에 장애가 되는지의 여부를 표준으로 하여 회사의 목적, 자본총액, 기타 제반 사정을 종합하여 판단할 수 있을 것이다.[39] 따라서 주식의 인수 또는 납입에 대한 흠결이 경미하여 회사의 경제상의 지위에 중대한 영향이 없는 경우에는 위의 규정에 의해 구제되어 회사의 설립은 무효로 되지 않고, 그 흠결이 현저하여 회사 성립에 앞서 설립 시에 발행하는 주식총수에 관한 인수 및 납입이 있을 것을 요구하는 법의 취지가 심하게 몰각될 것 같은 경우에는 회사 설립의 무효가 된다고 본다.

법(상)」제15정증보판(박영사, 2001), 588면; 송옥렬, 전게서, 761면; 홍복기, 「주식회사법」(박영사, 2010), 438면; 최기원, 「상법학신론(상)」(주14), 594면; 이철송, 전게서, 271면; 양승규·박길준, 전게서, 287면; 임홍근, 전게서, 153면; 이기수·최병규·조지현, 전게서, 173면.
36) 정동윤, 전게서, 397면.
37) 권기범, 「현대회사법론」 제4판(삼지원, 2012), 388면; 임재연, 「회사법Ⅰ」(박영사, 2012), 275면.
38) 최기원, 전게서, 594면.
39) 大判 大正6年 3月8日 民錄23輯 346面.

나) 종 류

(1) 인수담보책임

주식회사 설립 시에 발행하는 주식 중에 회사성립 후 아직 인수되지 않은 주식이 있거나, 주식인수의 청약이 취소된 때에는 발기인이 이를 공동으로 인수한 것으로 본다(제321조 제1항). 즉 주식청약서나 서면에 의한 인수절차 없이도 법률상 인수의 의제가 이루어진다. 인수담보책임을 이행한 발기인이 주주가 되는 것은 당연하다.

이와 같이 발기인의 인수담보책임은 회사가 성립하였을 것을 그 발생요건으로 하므로 회사의 설립등기 이전에 설립 시에 발행하는 주식의 총수의 인수가 완료되지 않았거나 납입의 지체로 주식인수인의 인수가 실권된 경우(제307조), 변태설립사항의 변경을 이유로 하여 주식인수인 중 일부가 주식인수를 취소한 경우(제300조, 제314조), 회사의 불성립이 확정된 경우, 설립등기는 되었지만 회사의 실체가 없는 경우 등에는 발기인의 인수담보책임은 발생하지 않는다. 또한 회사가 성립한 이상 그 후에 해산이나 파산이 있더라도 이 책임은 소멸하지 않는다.[40]

이 때 '인수되지 않은 주식이 있는 경우'라 함은 주식청약서를 위조하여 인수를 가장한 경우, 인수가 주식청약서에 의한 것이 아니어서 무효로 된 경우, 가설인 명의로 주식을 인수한 자가 명확치 않거나 사망한 경우 등과 같이 형식상으로도 실질적으로도 인수되지 않은 주식은 물론이거니와 예를 들어, 설립등기 신청서에 첨부된 인수를 증명하는 서면이 위조된 경우와 같이 형식상으로는 인수가 이루어진 것 같은 외관이 존재하지만 실질적으로는 인수가 이루어지지 않은 주식도 포함한다.[41] 그리고 회사성립 후에는 착오·사기·강박에 의한 주식인수의 취소는 있을 수 없으나(제320조 제1항), 발기인의 과실로 인수되지 않은 주식이 발생한 경우나, 주식인수인의 의사무능력, 허위표시 또는 무권대리 등에 의하여 주식인수가 무효로 된 경우 등이 있을 수 있다.[42] 다만 가설인 또는 타인의 명의로 인수가 이루어진 주식은 실제로 주식을 인수한 자가 납입의무를 지므로 인수가 이루어지지 않은 주식에는 해당하지 않는다(제332조). 또한 회사성

---

40) 손주찬·정동윤, 전게서, 595면.
41) 大隅健一郎·今井宏, 前揭書, 263~264面.
42) 최준선, 「회사법」 제16판(삼영사, 2021), 205면.

립 후에 주식인수인은 주식청약서의 요건의 흠결을 이유로 그 인수의 무효를 주장할 수 없고, 주식인수인은 비진의표시(제302조 제3항)를 이유로 주식인수의 무효를 주장할 수 없으므로, 이 경우도 인수되지 않은 주식이 있는 경우에 해당하지 않는다.

또한 '주식인수의 청약이 취소된 경우'라 함은 주식인수인의 제한능력으로 주식인수가 취소되거나 채무자의 사해행위를 이유로 그의 채권자가 주식인수를 취소하는 경우 등을 말하는데, 우리 상법상 주식인수의 하자가 제한능력인 경우에 관해서는 명문의 규정이 없다. 이 경우에도 주식인수인은 착오, 사기, 강박을 이유로 하여 주식인수를 취소할 수 없으므로 발기인의 인수담보책임이 발생할 여지가 없다는 견해가 있다.[43] 그러나 제한능력자의 경우, 선의의 제3자에게도 대항할 수 있도록 강력하게 제한능력자 개인을 보호하는 법의 취지를 감안할 때, 제한능력자가 주식을 인수한 경우에는 무효나 취소의 주장을 제한할 수 없으므로 발기인의 인수담보책임이 발생하는 것으로 보아야 할 것이다.

채무자의 사해행위를 이유로 그의 채권자가 주식인수를 취소한 경우는 사해행위 자체가 채무자가 채권자를 해함을 알면서도 자기의 재산을 은닉·손괴 또는 제3자에게 증여하는 등의 방법으로 채무자의 총재산을 감소하는 행위를 하여 채권자의 강제집행을 어렵게 하는 경우를 의미하는 것으로 엄연히 착오, 사기, 강박의 경우와는 개념적으로 다르다. 또한 채권자의 사해행위에 의한 주식인수의 취소는 상법 제320조 제1항이 정하고 있는 채무자인 주식인수인 개인의 주관적 의사표시상의 하자도 아니다. 그리고 채권자의 책임재산보전의 문제는 주식인수가 다수인이 관여하는 단체법상의 행위논리라는 이유로 무시될 수 있는 문제도 아닐 것이다. 회사와 주식인수인 사이의 또한 단체법상의 내부법률관계의 효력이 이와 무관한 제3자인 주식인수인의 채권자의 권리를 근본적으로 좌우할 수 있다고 보는 것은 논리적이지 않다고 보기 때문이다.

그리고 이 경우는 주식인수인인 채무자가 취소하는 것이 아니라 주식인수인의 채권자가 취소하는 경우이다. 채권자취소소송에 있어 원고는 채권자이고, 피고는 채무자가 아닌 수익자 또는 전득자이다. 사해행위의 취소는 채권자가 책임재산을 보전한다는 차원에서 수익자 또는 전득자를 상대로 하여 상대적으로 취

---

43) 정찬형, 전게서, 699면; 최준선, 상게서, 205면.

소함으로써 그 목적을 달성할 수 있고, 따라서 채무자와 수익자 또는 전득자간의 법률관계까지 전면적으로 취소할 필요는 없다는 것이 판례의 입장이다.[44] 이러한 판례의 입장에 따를 때 성립한 회사는 선의의 항변이 가능할 것이다.

요컨대, 이 문제는 단체법상의 논리로 일관하여 해결할 문제는 아니므로 주식인수인의 채권자가 회사성립 이후의 시점에서도 사해행위임을 채무자의 주식인수에 대하여 취소권의 행사를 주장하는 것은 이론적으로 가능하다 할 것이되, 다만 사해행위취소권의 고유한 법리에 따라 회사는 선의의 항변을 할 수 있어 만약 이러한 항변이 법원에 의해 받아들여질 경우 발기인의 인수담보책임은 발생하지 않는다고 해야 할 것이다. 물론 이 경우에 선의에 대한 입증책임은 성립한 회사에게 있을 것이고,[45] 입증곤란의 문제는 남게 된다. 또한 채권자취소권 행사의 경우, 채무자인 주식인수인의 무자력을 요하는 것이 통설[46]과 판례[47]의 입장인 바, 이와 같은 무자력은 채무자의 소극재산과 적극재산이 모두 다 고려되어야 한다.[48]

한편 무자력 여부는 최종적으로는 사해행위 당시가 아니라 사실심의 변론종결시를 기준으로 하여 판단하는 것이 판례의 입장이므로,[49] 실무적으로 금전을 교부하고 형태를 바꾸어 그 액 상당의 주식을 취득하는 주식인수만으로 채무초과로 인한 공동담보의 부족을 의미하는 무자력이 충족되었다고 볼 수 있는 경우는 많지 않을 것으로 보인다.[50] 만일 법원이 이를 인용하지 않을 경우, 주식인수의 효력은 그대로 유지될 것이고, 발기인의 인수담보책임은 발생하지 않게 된다.

발기인에게 인수담보책임이 발생하는 경우 발기인 전원이 공동으로 인수한 것으로 의제되므로(제321조 제1항) 연대하여 납입책임을 지고(제333조 제1항), 각자 분담부분에 대한 특약이 없으면 각 발기인은 인수주식수에 상관없이 평등하게 책임을 진다.[51]

---

44) 대법원 1967.12.26. 67다1839.
45) 대법원 1997.5.23. 95다51908; 1998.4.14. 97다54420; 2001.4.24. 2000다41875; 2015.6.11. 2014다237192.
46) 곽윤직, 「채권총론」 제6판(박영사, 2003), 145면.
47) 대법원 1991.7.23. 91다6757.
48) 대법원 2005.1.28. 2004다58963.
49) 대법원 2007.11.29. 2007다54849; 서울중앙지방법원 2014.11.20. 2013나44224.
50) 대법원 2006.2.10. 2004다2564.
51) 손주찬·정동윤, 전게서, 596면.

그리고 발기인의 인수담보책임이 발생하는 때는 회사의 성립 시, 즉 설립등
기일이고 주식청약이 취소된 경우에는 취소된 때이다.[52] 그러므로 인수에 따르
는 납입의무의 이행에 관한 지연이자는 그날부터 발생하며, 소멸시효기간도 그
날부터 10년이다(민법 제162조 제1항).

(2) 납입담보책임

발기인은 회사성립 후에 이미 인수된 주식에 대하여 인수가액의 전액이 납입
되지 않은 주식이 있는 때에는 이를 연대하여 납입할 의무를 진다(제321조 제2
항). 발기인은 이미 주식인수인이 존재하지만 그 주식인수인이 납입을 하지 않
은 경우에 납입담보책임을 진다. 혹자는 주식인수인이 회사의 성립으로 주주가
된다고 기술하고 있지만,[53] 엄밀히 말하면, 주식을 인수한 것만으로는 주주라
할 수 없고, 주금액을 납입하거나 타인으로부터 기존주식을 양수함으로써 주주
가 되는 것이다.[54] 그러므로 이미 주식인수는 이루어졌으나 아직 주식인수인이
주금액을 납입하지 않아 주주의 지위에 이르지 못한 경우라는 점에서 인수조차
되지 않은 경우의 인수담보책임과 다르다. 그렇다고 해서 주식인수인의 납입책
임이 없어지는 것은 아니므로 주식인수인과 발기인은 부진정연대채무의 관계에
있게 된다. 따라서 회사는 발기인뿐만 아니라 주식인수인에 대해서도 똑같이 납
입의무의 이행을 청구할 수 있다. 그리고 발기인이 납입의무를 이행한 순간 납
입의무를 이행하지 않았던 주식인수인은 비로소 주주가 된다.

'회사성립 후 납입이 없는 주식납입'이라 함은 인수는 되어 있으나 그 인수인
(발기인인 경우 포함)이 납입할 금액의 전부 또는 일부에 대해서 납입이 없는 주
식을 말한다. 다만 판례는 가장납입의 경우에도 주금납입의 효력을 인정하고 있
으므로[55] 이에 해당하지 않는다고 할 것이다.

회사가 발기인에게 납입담보책임을 묻는 데에는 납입을 완료하지 아니한 금
액을 확정하면 충분하고, 납입을 완료하지 않은 주주가 누구인지를 확정할 필요
는 없기 때문에 인수인 중에서 누구라도 납입을 완료하지 않은 경우에는 그 금
액에 대하여 발기인의 책임이 인정되며, 납입금 보관자가 납입금 전체에 대해서

---

52) 손주찬·정동윤, 상게서, 597면.
53) 최기원, 전게서, 596면.
54) 대법원 1967.6.13. 62다302.
55) 대법원 2004.3.26. 2002다29138.

보관증명을 한 경우에도(제318조) 납입이 완료되지 않은 주식이 있는 한 발기인
은 납입담보책임을 면할 수 없다.[56]

납입담보책임의 성립요건은 회사의 성립과 회사성립 후 납입이 완료되지 않
은 주식이 있는 경우이다. 따라서 납입을 하지 않은 주식인수인에게는 발기인이
일정한 기일을 정하여 그 기일 내에도 납입이 없으면 실권절차(제307조)를 밟아
야 할 것이지만 그 실권절차가 진행되는 동안에 그 주식인수인은 납입의무자이
다. 그럼에도 불구하고 납입을 하지 않을 경우에 발기인이 연대하여 납입을 하
도록 법이 특별히 정한 법정책임이다.

그리고 납입담보책임은 인수담보책임과는 달리 이를 이행하더라도 주식인수인
이 따로 있기 때문에 주주가 되는 것은 아니고, 다만 납입담보책임을 이행한 발
기인은 다른 주식인수인 및 다른 발기인에게 구상권을 행사할 수 있고,[57] 납입을
하지 않는 주주에 대하여 회사의 납입청구권을 대위행사하거나(민법 제481조), 회
사로부터 주권을 교부받아(민법 제484조 제1항) 유치권을 행사할 수도 있다.

한편 발기인의 납입의무는 주식인수인의 그것(제307조)과 달리 최고 없이 확
정되며, 바로 이행기가 도래하였음을 의미하고, 그 책임의 발생 시기는 회사의
성립 시, 즉 설립등기일이고 주식청약이 취소된 경우에는 취소된 때이다.[58] 그
러므로 인수에 따르는 납입의무의 이행에 관한 지연이자는 그날부터 발생하며,
소멸시효기간도 그날부터 10년이다(민법 제162조 제1항).

다) 현물출자와 자본충실책임

우리 상법은 발기인에게 자신이 회사 설립 시에 발행하는 주식의 총수를 인
수한 때에는(발기설립) 지체없이 각 주식에 대하여 그 인수가액의 전액을 납입하
고(제295조 제1항), 회사설립 시에 발행하는 주식의 총수가 인수된 때에는 지체
없이 주식인수인에 대하여 각 주식에 대한 인수가액의 전액을 납입시키도록(제
305조 제1항) 하고 있는데, 그럼에도 불구하고 납입을 완료하지 않은 주식이 있
는 때에는 발기인이 연대하여 그 납입을 하도록 하는 무과실책임을 규정해놓고
있다.

56) 임홍근, 전게서, 155면.
57) 서헌제, 「사례중심체계 상법강의(상)」(법문사, 2003), 576면; 유시창, 전게서, 112면; 정동
    윤, 전게서, 398면; 최기원, 전게서, 596면.
58) 손주찬·정동윤, 전게서, 598면.

그러나 우리 상법은 발기설립의 경우에 현물출자를 하는 발기인은 납입기일에 지체없이 출자의 목적인 재산을 인도하고, 등기, 등록, 기타 권리의 설정 또는 이전을 요할 경우에는 이에 관한 서류를 완비하여 교부하도록 하고 있지만 (제295조 제1항), 현물출자의 이행이 없는 경우에도 발기인이 자본충실책임을 져야 하는지에 대해서는 명확한 규정을 두고 있지 않기 때문에 발기인의 인수ㆍ납입담보책임이 현물출자의 불이행시에도 적용되는지의 여부가 문제된다.

우리나라의 경우, 종래의 다수설은 재산의 대체가능성이 거의 없는 현물출자의 특성상 타인이 대체하여 이행할 수 없을 뿐만 아니라 상법도 납입과 현물출자의 이행을 구별하여 규정하고 있으므로 이를 부정하고 있다.59) 이 견해에 따르면, 현물출자의 이행이 없는 경우에 회사가 현물출자자에 대하여 손해배상을 청구할 수 있을 뿐이며 발기인은 이행담보책임을 지지 않게 된다.

그러나 발기인의 자본충실의 책임은 설립무효의 구제뿐만 아니라 다른 주주나 채권자를 보호하기 위하여 인정한 것으로 보아야 하고, 현물출자도 대체가능한 경우가 있으며, 대체 불가능한 경우에도 금전으로 납입담보책임을 지워 사업을 하는 것이 바람직하므로 전면적으로 대체가능한 현물출자의 불이행의 경우에는 담보책임을 인정하여야 한다는 주장도 있고,60) 현물출자의 목적이 사업수행을 위하여 불가결한 것이면 설립무효사유로 보면서, 그렇지 않으면 금전으로 환산하여 발기인의 담보책임을 인정할 수도 있다는 주장도 있으며,61) 대체가능한 현물출자 또는 회사의 사업수행에 불가결한 것이 아니면 자본충실책임이 인정될 수 있다고 보는 주장도 있다.62)

생각건대, 앞에서 본 바와 같이 상법 제321조의 궁극적인 목적이 주식의 인수와 납입이 제대로 이루어지지 않았다고 하여 무조건 회사설립을 무효로 하는 것은 바람직하지 않기 때문에 그 정도가 경미한 경우에는 발기인의 보전을 통해 이미 성립한 회사를 유지시키려는 데 있다고 본다면, 현물출자의 목적 재산이 사업목적의 수행에 불가결한 경우에는 설립무효의 사유로 보고, 대체가능한 때

---

59) 정찬형, 전게서, 701면; 손주찬, 전게서, 599면; 최준선, 전게서, 207면; 최기원, 「상법학신론(상)」(주14), 595면; 손진화, 「상법강의」 제3판(신조사, 2011), 381면.
60) 권기범, 전게서, 387면; 정동윤, 전게서, 398면; 김영곤, "발기인의 주식인수와 납입에 대한 책임," 「조선대 사회과학연구」(1982), 217면.
61) 이철송, 전게서, 272면; 이기수ㆍ최병규ㆍ조지현, 전게서, 174면; 임홍근, 전게서, 154면; 강위두ㆍ임재호, 「상법강의(상)」(형설출판사, 2005), 548면; 유시창, 전게서, 113면.
62) 최준선, 전게서, 207면.

만이 아니라 대체 불가능한 경우에도 발기인이 그 부분의 주식을 금전으로 납입할 수 있다고 해석하는 것이 논리적일 것으로 본다.

2) 회사에 대한 손해배상책임

가) 의의 및 법적 성질

발기인이 회사의 설립에 관하여 그 임무를 해태한 때에는 그 발기인은 회사에 대하여 연대하여 손해를 배상할 책임이 있다(제322조 제1항). 이 경우에 이사 또는 감사도 책임을 져야 할 때에는 발기인과 연대하여 손해를 배상할 책임을 진다(제323조). 상법 제321조의 자본충실책임은 무과실책임이지만, 상법 제322조의 손해배상책임은 과실책임이다. 그리고 제321조와 같이 회사가 성립한 경우에 발기인이 부담하는 책임이다. 이 책임은 총주주의 동의가 없으면 면제될 수 없고(제324조, 제400조), 책임추궁을 위한 대표소송이 인정된다(제324조, 제403조~제406조, 자본시장법 제29조). 또한 이 책임은 임무를 해태한 과실이 있는 발기인만의 연대책임이라는 점에서 발기인 전원의 무과실책임으로서의 연대책임인 자본충실책임과 다르다.

발기인은 그의 지위에서 오는 고유의 의무로 회사에 대하여 위임관계에 준한 선량한 관리자의 주의의무를 통해서 회사의 설립에 관한 모든 사무를 처리하여야 한다. 그러므로 '설립에 관하여 임무를 해태한 때'라는 법문도 '설립중의 회사의 기관으로서 임무를 해태한 때'라고 해석할[63] 일은 아니고, 설립중의 회사가 성립하기 전의 정관작성을 비롯하여 주식발행사항의 결정 등 설립에 관한 발기인의 모든 임무를 포함하는 것으로 해석하는 것이 옳을 것이다.[64] 주식회사의 경우, 다른 회사와 달리 정관에 의해서 사원이 확정되지 않기 때문에 발기인은 주식회사의 설립에서만 요구되는데, 어떻게 발기인의 회사에 대한 손해배상책임을 성립한 회사에게 부담시킬 수 있는지의 문제에 관한 것으로, 독일에서는 이를 설립중의 회사의 권리·의무를 성립한 후의 회사가 포괄 승계한 결과, 회사 성립 시에 채무초과가 발생한 경우, 회사의 구성원이 그 차액에 대하여 지분비

---

63) 정찬형, 전게서, 700면; 서헌제, 전게서, 576면; 前田 庸, 「会社法入門」(有斐閣, 1994), 79面; 최준선, 전게서, 208면; 임홍근, 전게서, 155~156면; 최기원, 「상법학신론(상)」(주14), 595면; 홍복기, 전게서, 439면; 한창희, 전게서, 128면; 이기수·최병규·조지현, 전게서, 174면; 神崎克郎, 前揭書, 117面; 坂田桂三, 「現代会社法」第3版(中央経済社, 1995), 177面.

64) 같은 생각: 손주찬·정동윤, 전게서, 601면; 권기범, 전게서, 389면; 정동윤, 전게서, 399면; 이철송, 전게서, 273면.

율에 따라 책임을 져야 한다는 차액책임이론(사전채무전보책임이론)으로 해결하고 있다.

　차액책임이론은 우리나라에서의 기존의 통설로서 설립중의 회사가 성장, 발전하여 법정의 요건을 갖춘 때에는 설립등기를 마침으로써 완전한 회사로 되기 때문에 설립중의 회사와 성립한 회사는 실질적으로 동일한 존재라는 동일성설을 관철하게 되면 성립 후의 회사는 성립의 시초부터 무수한 채무를 부담하게 되어 자본적 기초가 박약한 회사로 전락하고 말 염려가 있기 때문에 나온 것이지만,65) 우리 상법에는 유한회사와 달리 주식회사의 경우에는 이에 관한 명문의 규정도 없고 주주유한책임에도 반한다. 따라서 이러한 경우에 발기인이 책임을 질 수밖에 없는 구조이므로 위와 같은 논리가 성립한다고 본다.66)

　다만 발기인의 행위로부터 성립한 후의 회사를 보호하기 위하여 발기인이 앞으로 성립될 회사를 위하여 체결한 계약의 효력은 원칙적으로 성립 후의 회사에 미치지 않는다는 입장을 취하고 있는 영미법계의 입장에 따르면 결론은 달라질 것이나 우리 상법이 성립한 후의 회사에 대한 발기인의 손해배상책임을 인정한 이상 논할 필요는 없을 것이다.

　또한 회사와 발기인 간에는 어떠한 계약관계도 없으므로 이를 곧 계약상의 채무불이행책임이라 할 수는 없고, 반드시 위법행위임을 요하지 않으므로 불법행위로 인한 책임(민법 제750조)도 아니다. 그러므로 이 책임은 법률상 그에게 요구되는 의무를 이행하지 않은 데 대해 법이 특별히 인정한 과실책임이고, 배상의무자는 임무를 해태한 발기인으로 제한된다.67)

　예를 들어, 발기인은 창립에 관한 사항을 창립총회에서 보고하여야 하는데(제311조), 그 보고에 관하여 임무해태가 있었고, 그 때문에 창립총회에서 설립비용이 감액되지 못했다고 판단되는 경우,68) 창립총회나 법원이 정관에 규정된 변태설립사항이 부당하다고 인정하여 이를 변경하였고, 이 과정에서 발기인의 과실이 있는 경우(제290조, 제300조, 제314조, 제315조), 설립 시에 발행하는 주식 총수에 대한 인수액 전액의 납입이 없는데도 발기인이 회사설립등기를 마친 경우(제321조 제3항), 발기인이 다른 발기인의 임무위반행위를 알면서도 모른 체

---

65) 정동윤, 전게서, 390~392면 참조.
66) 같은 생각: 권기범, 전게서, 389면.
67) 大隅健一郎·今井宏, 前揭書, 273~274面.
68) 前田 庸, 「会社法入門」(有斐閣, 1994), 79~80面.

한 경우,[69] 주식을 공모하면 액면초과액을 얻을 수 있었음에도 불구하고 액면가액으로 가족에게 배정한 경우, 발기인들이 일시차입금에 의한 가장납입으로 회사설립을 공모한 후, 회사설립과 동시에 이를 인출하여 변제해버림으로써 회사에 손해를 끼친 경우,[70] 현물출자에 대한 과대평가의 경우, 설립비용의 부당지출과 설립사무를 부적임한 자에게 일임하여 설립이 지체된 경우, 이사를 선임함에 있어 과실이 있는 경우[71] 등과 같이 과실에 의하여 발기인이 그 임무를 위반하기만 하면, 작위든 부작위든 상관없이 그 책임이 발생한다. 또한 1인의 발기인의 행위에 의해 회사에 손해가 생긴 경우에도 다른 발기인의 동의 또는 위임에 의해 행동한 때에는 당해의 다른 발기인도 책임을 면할 수 없다.[72]

나) 책임의 요건 및 내용

회사불성립의 경우는 상법 제326조에 별도의 규정이 있으므로 발기인의 임무해태로 인한 손해배상책임은 회사가 설립등기를 마쳤다는 점, 즉 회사의 성립을 요건으로 한다. 회사가 성립한 이상 그 후에 회사설립이 무효가 되더라도 일단 발생한 발기인의 책임은 영향을 받지 않는다.[73] 이 경우에는 발기인에 대한 손해배상청구권은 청산회사의 채권으로서 청산인이 행사하게 된다.

발기인의 임무로 상법은 정관의 작성(제288조, 제289조 제1항), 설립 당시의 주식발행사항의 결정(제291조), 주식청약서의 작성(제302조 제2항), 주금납입의 최고(제305조), 창립총회의 소집(제308조), 검사인의 선임청구(제301조 제1항), 창립총회에서의 보고(제311조) 등을 규정하고 있지만 발기인의 책임은 앞에서 본 바와 같이 회사의 설립에 필요한 모든 행위와 관련된다. 발기인이 이러한 임무를 해태한 때 책임을 지게 되는데, 임무를 해태한 경우란 고의 또는 과실로 그의 임무를 위반한 것을 말하며, 이러한 발기인의 책임은 과실책임이므로,[74] 무

---

69) 서헌제, 전게서, 576면; 정동윤, 전게서, 399면.
70) 대법원 1989.9.12. 89누916; 서울고등법원 1989.1.20. 87구1477.
71) 이철송, 전게서, 273면(물론 발기인이 선임한 이사가 회사에 손해를 가한 경우에는 발기인이 책임을 지는 것은 아니다).
72) 大隅健一郎・今井宏, 前揭書, 274面.
73) 손주찬・정동윤, 전게서, 601면; 권기범, 전게서, 389면.
74) 손주찬・정동윤, 전게서, 601면; 이철송, 전게서, 273면; 권기범, 전게서, 389면; 유시창, 전게서, 113면; 한창희, 전게서, 128면; 홍복기, 전게서, 439면; 정찬형, 전게서, 702면; 최기원, 전게서, 595면; 정동윤, 전게서, 399면; 임재연, 전게서, 274면; 이기수・최병규・조지현, 전게서, 175면; 송옥렬, 전게서, 762면; 최준선, 전게서, 208면; 임홍근, 전게서, 156면; 최기원, 전게서, 597면; 서헌제, 전게서, 576면.

과실책임인 자본충실책임과 구별된다. 그리고 경과실을 포함하며,[75] 상법이 인정한 특별책임으로서 총주주의 동의에 의하여 면제할 수 없다(제324조, 제400조 제1항).

발기인이 임무해태로 인하여 회사에 대하여 지는 책임은 손해배상을 그 내용으로 하고, 손해배상의 범위는 상당인과관계가 있는 모든 손해이며,[76] 입은 손해뿐만 아니라 잃은 손해도 포함한다.[77] 발기인이 자본충실책임을 지는 경우에도 임무해태로 인하여 회사에 손해를 입히면 손해배상책임을 진다.

손해배상책임의 시효기간은 일반민사채권과 같이 회사가 성립한 때로부터 10년이며(민법 제162조 제1항),[78] 소수주주권자는 발기인의 책임을 추궁하는 소의 제기를 회사에 대하여 청구할 수 있고, 이러한 청구에도 불구하고 회사가 30일 이내에 소를 제기하지 않을 때에는 소수주주권자는 직접 대표소송에 의하여 발기인의 책임을 추궁할 수 있다(제324조, 제403조~제406조, 자본시장법 제29조). 그리고 회사설립이 무효가 되더라도 사실상의 회사는 존재하므로 발기인의 손해배상책임은 없어지지 않는다(제190조, 제328조 제2항).[79]

나. 제3자에 대한 손해배상책임

1) 의의 및 법적 성질

발기인이 악의 또는 중대한 과실로 인하여 그 임무를 해태한 때에는 그 발기인은 제3자에 대하여도 연대하여 손해를 배상할 책임이 있다(제322조 제2항). 사실 발기인은 설립중의 회사의 기관일 뿐 제3자와는 직접적인 법률관계가 없기 때문에 제3자에 대한 손해배상의무는 회사에게 있고, 발기인이 제3자에게 직접 배상의무를 져야 할 이유는 없다. 그러나 설립중의 회사의 활동 전부가 발기인의 임무 수행에 의존하는데도 불구하고 회사설립이 제3자의 이해관계에 미치는 영향은 지대하기 때문에 상법이 특히 제3자 보호를 위하여 이 책임을 인정한 것(법정책임설)이라 하겠다.[80] 법정책임설에 따르면 발기인의 책임은 불법행위와

---

75) 손주찬·정동윤, 전게서, 601면.
76) 한창희, 전게서, 128면.
77) 손주찬, 전게서, 591면.
78) 손주찬, 상게서, 591면; 홍복기, 전게서, 439면; 최기원, 전게서, 597면.
79) 이철송, 전게서, 273면; 이기수·최병규·조지현, 전게서, 175면; 최준선, 전게서, 208면.
80) 임홍근, 전게서, 158면; 이철송, 상게서, 274면, 797~798면; 이기수·최병규·조지현, 상게

는 무관하기 때문에 발기인이 불법행위의 요건까지 구비하면 불법행위책임과의 경합을 인정하며,[81] 발기인의 책임의 소멸시효기간은 일반채권과 같은 10년이라고 한다.[82] 그리고 이와 같은 취지의 책임은 이사나 감사에게도 인정되는데, 이사에 대한 제3자의 책임을 인정하는 상법 제401조의 규정에 관해서는 그 입법취지, 일반불법행위와의 관계, 책임의 범위, 책임의 요건, 제3자의 범위 등에 관하여 많은 논의가 이루어지고 있고, 이러한 논점들 중 많은 것들이 발기인의 책임문제에서도 논의될 수 있다.

이 책임의 법적 성질에 대해서는 위에서 설명한 바와 다른 견해도 존재하는데, 첫째, 특수한 불법행위책임설로서 이 책임은 불법행위책임의 성질을 가지고 있으므로 일반불법행위책임의 성립이 이것에 의하여 배제되지 않고, 민법의 불법행위에 의한 책임과 경합한다는 설[83]로서 상법 제322조 제2항의 입법취지와 서로 모순되지 않는 한 민법의 불법행위에 관한 규정이 적용되어, 예를 들면 손해를 입은 제3자에게 과실이 있는 때에는 법원은 손해배상을 정함에 있어 이를 참작할 수 있다고 본다.[84] 둘째, 불법행위특칙설로서 내용이 복잡하고 번거로운 직무를 신속 또는 집단적으로 처리할 것을 요하는 발기인에 대해서 일반불법행위 규정에 의해 제3자에 대한 경과실의 책임을 지게 하는 것은 가혹하다는 점을 고려하여 그 경감을 도모한 것이며, 이 경우 일반불법행위에 관한 규정의 적용은 배제된다고 한다.[85] 이 설은 일반불법행위책임과의 경합을 부정하지만, 특히 경과실의 경우에 발기인이 면책된다고 하며, 악의 또는 중과실은 손해를 입은 제3자에 대한 관계에서 존재하여야 하고 손해배상은 직접손해에 대해서만 가능하며, 간접손해는 포함되지 않는다고 한다. 그리고 이 두 학설에 따르면 발기인의 책임의 소멸시효기간은 불법행위책임과 같이 3년이라고 한다.[86]

그러나 나머지 두 학설은 모두 발기인의 책임은 본질적으로 불법행위라는 관

　　　　서, 176면; 손주찬·정동윤, 전게서, 603면; 홍복기, 전게서, 439면.

81) 이철송, 상게서, 274면, 816~817면; 한창희, 전게서, 129면; 최기원, 전게서, 598면; 정찬형, 전게서, 703~704면; 정동윤, 전게서, 400면; 권기범, 전게서, 390면; 최준선, 전게서, 209면.

82) 대법원 2008.1.18. 2005다65579; 2008.2.14. 2006다82601.

83) 서돈각·정완용, 전게서, 455면; 서정갑, 「주석실무 개정상법총람」(홍문관, 1984), 551면.

84) 大判 昭和15年 3月 30日 民集9卷 639面; 大判 昭和15年 12月 24日 民集19卷 2402面.

85) 松田二郎, 「株式會社法研究」(弘文堂, 1959), 117面.

86) 최준선, 전게서, 565면.

점에서 논리를 펼치고 있지만 상법 제322조 제2항의 법문을 자세히 살피면, 일반불법행위가 법률이 허용하지 않는 위법행위로 타인에게 손해를 입힌 점에서 가해자에게 그 배상의무를 부과하는 것이라는 점과 달리 제3자의 손해에 대해 위법행위를 요구하지 않고 있고, 일반불법행위의 요건으로서의 위법행위는 타인의 권리 내지 법익을 침해하는 행위임에도 불구하고 이사의 고의·중과실이 회사에 대한 임무해태에 관해 요구되고 있으며, 일반불법행위에는 경과실과 중과실이 포함되는데, 경과실이 배제되고 있고,[87] 설령 발기인의 책임은 본질적으로 불법행위라고 보더라도 발기인의 위법행위에 대한 책임을 제3자를 희생시켜 경감할 수 있도록 하는 것은 불합리하다는 점에서[88] 상법이 제3자 보호를 위하여 특별히 이 책임을 인정한 것으로 보는 것이 논리전개에 무리가 없을 것이다. 그리고 발기인의 책임은 불법행위와는 무관하므로 발기인이 불법행위의 요건까지 구비하면 불법행위책임과의 경합이 인정된다고 본다.

2) 책임의 요건 및 내용

발기인이 제3자에 대하여 책임을 지는 것은 회사설립에 관한 임무의 해태에 관하여 악의 또는 중대한 과실이 있는 경우이다. 여기서 악의는 반드시 해의가 있는 경우만이 아니라 당해 행위가 발기인의 임무에 위반함을 알고 있으면 악의가 된다.[89] 악의 또는 중과실은 발기인의 회사설립에 관한 임무해태에 관하여만 있으면 되고, 제3자의 손해에 관해서는 있을 필요가 없다는 점에서 일반불법행위와 그 요건이 다르다(민법 제750조 참조). 중대한 과실이라 함은 예를 들어, 발기인이 설립사무를 전혀 수행하지 않고 다른 발기인의 부당한 행위를 방임하는 경우 등을 들 수 있다.[90]

그리고 그 책임은 악의 또는 중과실이 있는 경우에만 발생하고, 경과실의 경우에는 책임을 지지 않으며, 제3자의 손해는 발기인의 임무해태의 결과 제3자가 직접 개인적으로 입은 손해(직접손해)이든, 담보재산의 감소 등과 같이 2차적, 또는 간접적으로 입은 손해(간접손해)이든 관계없다. 그러나 이 손해(간접손해의 경우에 있어서는 회사의 손해)와 발기인의 임무해태 간에는 상당인과관계가 있어

---

87) 같은 생각: 이철송, 전게서, 816면.
88) 같은 생각: 大隅健一郎·今井宏, 前揭書, 277面.
89) 손주찬, 전게서, 592면.
90) 임홍근, 전게서, 158면.

야 하며,[91] 제3자가 이를 입증하여야 하는데, 이 경우 회사의 손해의 유무와는 관련이 없다.

예를 들어, 성립 후의 회사가 무자력이 되어 설립에 필요한 행위에 의한 채무 의 변제가 불가능해진 경우에도 그 원인이 발기인의 설립사무의 해태에 의한 것 이 아니라 오로지 이사의 방만한 경영에 있을 때에는[92] 발기인의 책임이 발생하 지 않는다. 마찬가지로 발기인이 설립사무에 전부 관여하지 않고 다른 발기인에 게 일부업무를 맡긴 점에 임무해태가 있다 하더라도 회사의 손해가 오로지 경제 적 사정이나 이사의 과실 때문에 발생하였을 뿐 발기인의 임무해태에 의한 것이 아닌 때에는 제3자가 입은 간접손해에 관하여 발기인은 배상책임이 없다.[93]

3) 제3자의 범위

발기인에게 손해배상을 청구하는 제3자는 널리 회사 이외의 모든 자로서 회 사채권자와 주식청약인과 주식인수인뿐만 아니라 주주도 포함한다고 본다.[94] 왜 냐하면 상법 제322조 제2항이 그 대상을 널리 '제3자'라고 규정하여 특히 주주 를 배제하지 않고 있으며, 설립중의 회사는 원칙적으로 주식인수인 이외의 제3 자와 직접적인 법률관계에 서는 일이 적고, 실무상 직접손해와 간접손해의 구별 기준이 명확치 않으며,[95] 회사가 발기인의 책임을 반드시 추궁할 것이라는 보장 도 없어서 주식인수인 내지 주주를 제3자의 범위로부터 제외할 경우 동 조항의 취지 자체가 몰각될 수 있기 때문이다.[96] 주식인수인이나 주주가 발기인의 임무 해태로 손해를 입은 경우의 예로는 발기인이 설립목적을 잘못 기재하여 그것을 믿고 주식인수인이 주식을 인수한 경우, 또는 회사설립이 무효가 됨으로써 주식 의 유통성이 상실된 경우 등을 들 수 있다.[97] 또한 책임의 성격을 법정책임설로

91) 손주찬, 전게서, 592면; 最大判 昭和44年 11月 26日 民集23卷 11号 2150面; 最判 昭和 45 年 7月 16日 民集24卷 7号 1061面.

92) 大判 昭和15年 3月 6日 民集19卷 341面.

93) 最大判 昭和45年 7月 16日 民集24卷 7号 1061面.

94) 이철송, 전게서, 274면; 손주찬, 전게서, 592면; 최기원, 전게서, 598면; 정찬형, 전게서, 704면; 大判 大正15年 3月 25日 民集5輯 222面; 大判 昭和2年 2月 10日 民集6卷 20面; 大 判 昭和14年 12月 23日 民集18卷 1630面; 大判 昭和15年 3月 6日 民集19卷 341面; 松田二 郎, 「株式会社法研究」 (弘文堂, 1959), 117面; 鈴木竹雄・竹內昭夫, 「会社法」 第3版(有斐閣, 1994), 87面.

95) 홍복기, 전게서, 440면.

96) 이기수・최병규・조지현, 전게서, 176면.

97) 이철송, 전게서, 274면.

파악하는 한 직접손해인지, 간접손해인지의 여부는 묻지 않는다고 해석해야 할 것이다.98)

이에 반하여, 주주를 제3자에 포함시키면 주주가 회사채권자에 우선하여 변제를 받는 불합리가 생기고, 주주의 간접손해는 대표소송 등에 의하여 구제될 수 있을 뿐만 아니라 이로써 회사가 배상을 받으면 주주의 손해도 간접적으로 보상을 받는 결과가 되므로 주주는 제3자에 포함되지 않는다는 설이 있다.99) 또한 주식인수인 또는 주주가 입은 손해에도 회사가 손해를 입은 결과 주주가 보유하는 주식의 가치가 떨어진 경우와 같이 회사가 손해를 입고, 이 때문에 제3자가 간접적인 손해를 입은 경우와 발기인의 임무해태로 인하여 주가가 하락하여 주식인수인 또는 주주로서 직접손해를 입은 경우를 구별하여 후자에 관해서는 주주도 직접 발기인의 책임을 추궁할 수 있음에 반하여 전자에 관해서는 주주나 주식인수인이 입은 손해이기는 하나 일반 제3자가 입은 손해와 다를 바 없고, 이러한 간접손해는 회사의 발기인에 대한 책임추궁(제322조 제1항)에 의해 전보되므로 따로 상법 제322조 제2항에 따라 발기인의 책임을 물을 필요가 없다는 설도 있다.100) 판례는 주주가 주주인 자격에서 입은 간접적인 손해는 포함되지 않는다는 견해를 취하고 있다.101)

마지막 학설에 따르면 법은 발기인의 회사에 대한 책임에 관해서 소위 대위소송(대표소송, 제403조 이하)을 인정하고 있기 때문에 발기인의 행위에 의해 회사가 입은 손해를 통하여 주식인수인 또는 주주가 손해를 입은 경우에는 이 대위소송에 의해 회사를 위해 발기인의 책임을 추궁하면 충분하고(제324조), 만일 주주에 대한 발기인의 직접 책임을 인정하게 되면 발기인은 회사와 주주에 대하여 이중의 책임을 지게 되는 문제가 있다고 한다. 또한 납입 또는 현물출자의 불이행을 원인으로 하여 설립무효의 판결이 있는 경우에는 자본충실을 이루지 못하게 됨으로써 회사채권자의 간접손해는 발기인의 인수 및 납입담보책임의 이행에 의해 전보될 수 있지만 납입의 흠결에 의해 회사설립이 무효로 됨으로써

---

98) 같은 생각: 권기범, 전게서, 390면; 이기수·최병규·조지현, 전게서, 176면; 서헌제, 전게서, 577면.
99) 서정갑, 전게서, 176면; 최준선, 전게서, 209~210면, 568~569면.
100) 서돈각·정완용, 전게서, 335면; 임홍근, 전게서, 158면; 최기원, 전게서, 598~599면; 大隅健一郎·今井宏, 前揭書, 278面.
101) 대법원 1993.1.26. 91다36093; 2003.10.24. 2003다29661; 2003.10.24. 2003다29661.

주주가 입은 손해는 회사에 대한 발기인의 위의 책임의 이행만으로는 반드시 완전한 보상을 받을 수 없으므로 위의 경우에는 주주는 한편 대위소송에 의해서 발기인에 대한 납입담보책임, 발기인에 대한 손해배상책임을 추궁할 수 있음과 동시에 그것에 의하여 아직 회복될 수 없는 손해(일종의 직접손해)에 관해서는 발기인의 제3자에 대한 손해배상책임을 추궁할 수 있는 것으로 해석하는 것이 옳다고 한다.102)

2. 회사불성립의 경우

가. 의의 및 법적 성질

회사가 성립하지 못한 경우에는 발기인이 그 설립에 관한 행위에 대하여 연대하여 책임을 지며(제326조 제1항), 회사설립에 관하여 지급한 비용은 발기인이 부담한다(제326조 제2항).

법이 발기인에게 이러한 책임을 귀속시키는 이유에 대해서는 학설이 갈리는데, 회사가 성립하지 않은 경우에는 설립중의 회사가 설립절차에 착수하였다가 설립등기에 이르지 못하였기에 발기인은 청산에 준하여 주식인수인의 출연재산으로 주식인수인에게 잔여재산을 분배하면 될 것이지만, 발기인이 주관하는 설립절차가 없었더라면 설립중의 회사와 거래관계를 가진 회사채권자 및 주식인수인의 손해가 없었을 것이라는 점을 감안하여 법이 정책적으로 주식인수인과 회사채권자를 보호하기 위하여 발기인에게 특별한 책임을 인정한 것이라는 설과103) 회사가 성립하지 않은 경우에 사회학적으로는 실재했던 설립중의 회사가 회사의 불성립에 의하여 법률적으로는 처음으로 소급하여 존재하지 않게 된 결과, 발기인이 형식적으로도 실질적으로도 권리의무의 귀속주체로 됨으로써 상법 제326조 제1항은 발기인에게 책임을 물을 수밖에 없는 당연함을 규정한 것에 지나지 않는다는 설이 있다.104) 어느 설에 따르든 이 책임은 무과실책임이다.

---

102) 大隅健一郎・今井宏, 前揭書, 279面.
103) 이철송, 전게서, 275면; 정경영, 전게서, 381면; 이기수・최병규・조지현, 전게서, 179면; 채이식, 전게서, 446면; 정찬형, 전게서, 704~705면; 권기범, 전게서, 391면; 정동윤, 전게서, 400면; 김홍기, 「상법강의」 제2판(박영사, 2016), 403면.
104) 정희철, 전게서, 386면; 송옥렬, 전게서, 764면; 최기원, 「상법학신론(상)」(주14), 599~600면; 田中耕太郎, 「改訂会社法槪論(上)」(岩波書店, 1954), 288面.

즉 회사불성립에 관하여 고의·과실을 요하지 않는다.

생각건대, 두 학설의 근본적인 차이는 회사가 성립하지 못한 경우에도 설립중의 회사를 법률적으로 의미가 있는 것으로 볼 것인지에 있다. 그런데 권리능력 없는 사단으로서의 설립중의 회사는 단순한 존재에 그치지 않고 법률적 의미에 있어서도 그 존재가 인정되는 것이고,[105] 무엇보다 설립중의 회사를 인정할 실익이 있으며, 회사의 설립등기는 되어 있으나 회사의 실체가 결여되어 사실상 존재하지 않는 회사의 부존재와 달리 발기인이 설립절차에 착수하였으나 도중에 좌절되었지만 설립중의 회사가 존재하였던 점을 부인하기 어렵고, 그 과정에서 어떤 법률행위가 존재하였을 것을 쉽게 추정할 수 있다. 따라서 회사설립이라는 목적의 도달 불능에 의하여 해산하고 청산단계에 있는 단체는 발기인의 주식인수와 달리 회사의 불성립을 소급적 해제조건으로 하는 주식인수계약을 맺은 주식청약인에 대하여 원상회복의무가 있고, 설립중의 회사의 이름으로 발기인이 설립에 관해서 한 거래행위에 대해서는 거래 상대방을 보호하여야 할 의무가 있으므로 법이 발기인에게 연대하여 책임을 지도록 한 것으로 본다.[106]

한편 설립중의 회사를 권리능력 없는 사단으로 보는 통설에 의하면 권리능력 없는 사단이 대외적으로 부담한 채무에 관해서는 사단 자체의 재산이 집행의 대상이 되고, 이 경우 각 사원은 회비·기타 부담금 외에는 개인적으로 따로 책임을 지지 않는다고 한다.[107] 또한 설립중의 회사에게 부분적인 권리능력이 인정되어 그 자신의 고유재산을 자신의 명의로 보유하고, 구성원인 주식인수인들은 이를 단지 총유 내지 준총유할 뿐이므로(민법 제275조, 제278조), 설립중의 회사가 부담한 채무에 대하여 설립등기 시까지는 설립중의 회사의 고유재산으로써만 책임을 지게 될 것이다.[108] 그러므로 출자의무를 이행한 주식인수인들에게는 책임이 없다. 그러므로 상법 제326조는 주식인수인이 아니라 발기인에게만 설립에 관한 행위에 대하여 연대하여 책임을 지도록 한 것이라고 이해하면 될 것이다.

---

105) 大隅健一郎·今井宏, 前揭書, 279面.
106) 같은 생각: 임홍근, 전게서, 158~159면; 임재연, 전게서, 278면; 北泥正啓, 前揭書, 127面.
107) 김준호, 「민법강의」 제24판(법문사, 2018), 169면.
108) 대법원 1996.6.28. 96다16582.

나. 책임의 요건 및 내용

1) 책임의 요건

상법 제326조의 책임의 주체가 되는 발기인은 유사발기인을 포함하여(제327조) 정관에 발기인으로 기명날인 또는 서명한 일체의 자이고, 실제로 설립사무를 담당하였는지의 여부는 문제가 되지 않는다. 발기인의 위의 책임은 회사가 성립하지 못한 경우에 발생하며, 발기인은 그 설립에 관한 행위에 대하여 책임을 진다. 회사가 성립하지 못한 경우라 함은 발기인이 설립절차에 착수하였으나 도중에 좌절되어 설립등기에 이르지 못한 경우를 말하는데, 창립총회에서 설립폐지를 결의한 경우와 같이 법률상 불성립이 확정된 경우뿐만 아니라 설립 시에 발행하는 주식총수의 인수나 납입 또는 현물출자의 이행이 없어 설립계획이 좌절된 경우나 주식청약의 취소를 할 수 있는 기간(제302조 제2항 제8호)의 경과 후 장기간 창립총회가 소집되지 아니한 경우와 같이 불성립이 사실상 확정된 경우를 말한다.[109] 그러나 회사가 설립등기에 의하여 일단 성립되었으나 설립무효판결을 받아 해산에 준하는 상태로 된 경우에는 회사가 성립하지 못한 경우에 해당하지 않으므로 회사가 성립한 경우의 규정(제322조)에 따른다. 따라서 이러한 경우에는 발기인은 자본충실책임을 면치 못하고, 회사에 대한 손해배상책임은 물론 제3자에 대한 책임도 면하지 못한다.

2) 책임의 내용

회사가 성립하지 못한 경우에 상법 제326조에 의하여 발기인은 그 설립에 관한 행위에 대하여 책임을 지는데, 발기인이 책임을 져야 하는 행위는 회사의 설립에 관하여 이루어진 일체의 법률행위이다. 즉 발기인은 회사가 성립한 경우에 그 효과가 당연히 회사에 귀속되었을 행위에 관하여 책임을 지게 되므로, 양자는 그 행위의 범위가 같다.

회사가 성립하지 못한 경우에 상법 제326조에 의하여 발기인이 책임을 부담해야 할 회사의 설립에 관한 행위가 무엇인지에 관해서는 발기인의 권한범위와 관련하여 의견이 갈린다. 사단의 형식 그 자체에 관한 행위, 즉 정관의 작성, 주

---

109) 이철송, 전게서, 275면; 손주찬·정동윤, 전게서, 612면; 이기수·최병규·조지현, 전게서, 177면.

식인수, 납입에 관한 행위 등만이 발기인의 권한에 속한다고 하는 견해에 따르면 제326조에 의하여 발기인이 책임을 지는 것은 주식에 대한 청약금이나 납입금의 수령, 현물출자의 이행의 수령, 주식인수인에 대한 납입금 또는 현물출자 목적물의 반환 또는 납입금의 반환뿐이고,110) 그 외의 행위, 예를 들어 설립비용의 차입행위나 개업준비행위 등은 발기인이 책임을 지지 않는다고 본다.111)

그러나 사단의 형식 그 자체에 관한 행위만이 발기인의 권한에 속하는 것으로 하는 것은 설립중의 회사의 기관이 가져야 할 권한을 부당하게 제한하는 것이므로 발기인의 권한이 회사설립에 필요한 행위에까지 미친다고 본다. 설립중의 회사의 목적은 완전한 주식회사로 되는 것이므로 그것을 위해 필요한 행위는 전부 집행기관인 발기인의 권한 범위 내에 속해야 하는 것이고, 납입금의 수령, 현물출자 이행의 수령뿐만 아니라 예를 들어, 설립사무소의 임차, 주주모집, 광고의 위탁, 사무원의 고용, 은행 또는 신탁회사에 대한 납입취급의 위탁, 현물출자 목적물의 관리 및 보존, 발기인이 설립비용에 충당하기 위하여 제3자로부터 차입하는 행위 등의 행위도 집행기관인 발기인의 권한에 속하는 것으로 해석하여야 한다.112) 다만 회사설립과 관계없는 발기인의 개인적 불법행위로 인한 손해배상책임에 대해서는 다른 발기인들이 연대책임을 지지 않고, 그 개인이 손해배상책임을 진다고 해야 할 것이며,113) 발기인이 제3자와 회사의 설립에 관한 계약을 체결하였으나 회사가 불성립이 된 경우에는 관련 발기인 개인이 채무불이행책임을 지고, 그 계약이 발기인조합과의 관계에서 맺어졌다면 발기인 전원이 연대하여 책임을 지는 것으로 보아야 한다.114)

그리고 이 경우에 있어 책임을 지는 주체는 발기인 전원이며, 과실의 유무를 묻지 않고 발기인의 의사에 반하여 설립폐지결의가 있는 경우의 그 발기인도 책임을 지고, 발기인조합에 추가로 가입한 발기인과 탈퇴한 발기인도 책임을 진다. 물론 이러한 사실을 알고 주식을 인수한 자 또는 거래를 한 자에 대해서는 발기인으로서의 책임을 면할 수 있다. 또한 행위의 당사자가 아닌 자라도 발기인

---

110) 大判 昭和8年 5月 9日 民集12卷 1091面.
111) 최기원, 「상법학신론(상)」(주 14), 600면.
112) 손주찬, 전게서, 593면; 이철송, 전게서, 275면; 권기범, 전게서, 391면; 정동윤, 전게서, 400면; 이기수·최병규·조지현, 전게서, 178면.
113) 같은 생각: 권기범, 전게서, 391면.
114) 같은 생각: 손주찬·정동윤, 전게서, 615면.

이기만 하면 모두 연대책임을 진다.[115)

회사가 성립하지 않은 경우에 회사의 설립에 관하여 지급한 비용은 주식인수인이 아닌 발기인이 부담한다(제326조 제2항). 설립에 관한 비용은 정관에 기재된 것뿐만 아니라 설립과정에서 소요된 모든 경비를 말하며, 여기에는 설립비용으로 사용하기 위한 차입금도 포함된다.[116) 결국 설립이 중단될 때까지 소요된 비용은 발기인이 모든 책임을 지고, 주식인수인들은 현물출자의 목적물과 주식청약금을 포함한 자신들이 납입한 주금액 전부에 대하여 발기인에게 반환을 청구할 수 있게 되는 것이다. 그리고 현물출자의 목적물 등에 대한 등기·등록의 변경이 끝난 경우에는 이를 회복하여야 한다. 그리고 발기인이 제3자와 회사의 설립에 관한 계약을 한 경우에는 그 제3자에 대하여 연대하여 책임을 진다. 따라서 발기인은 납입된 주금액을 주식인수인에게 반환하여야 하며, 이 납입된 주금액에 대하여 이자가 발생한 때에는 이것도 반환하여야 한다. 발기인의 납입금 반환의무는 회사의 불성립이 확정된 때 생기며, 주식인수인에 의한 주식청약의 취소의 의사표시를 요하는 것이 아니다.[117)

발기인의 책임사유로 인하여 회사가 불성립이 된 경우에 관하여는 규정이 없으나, 주식인수인에 대한 회사설립에 관한 채무불이행에 따른 손해배상책임을 진다고 보아야 할 것이다.[118)

Ⅳ. 기타 설립관여자의 책임

1. 발기인과 임원의 연대책임

가. 의의 및 법적 성질

주식회사의 설립과정에서 이사와 감사(감사 대신에 감사위원회가 설치되는 경우에는 감사위원회)(자본금 총액이 10억원 미만인 소규모 주식회사의 경우에는 감사를 선임하지 않을 수 있다─제409조 제4항)는 취임 후 지체없이 회사의 설립에 관한

---

115) 손주찬, 전게서, 594면.
116) 권기범, 전게서, 391면.
117) 손주찬, 전게서, 594면.
118) 손주찬, 상게서, 594면.

모든 사항이 법령 또는 정관에 위반되는지의 여부를 조사하여 창립총회에 보고하여야 한다(제298조 제1항, 제313조 제1항). 그럼에도 불구하고 이 임무를 해태하여 회사 또는 제3자에 대하여 손해를 배상할 책임을 지는 경우에 발기인도 책임을 질 때에는 그 이사, 감사(감사 대신에 감사위원회가 설치되는 경우에는 감사위원회 위원)(자본금 총액이 10억원 미만인 소규모 주식회사의 경우에는 감사를 선임하지 않을 수 있다-제409조 제4항)와 발기인은 연대하여 손해를 배상할 책임이 있다(제323조). 법문으로만 보면 모집설립에 있어 회사가 성립한 경우, 이사, 감사(감사 대신에 감사위원회가 설치되는 경우에는 감사위원회 위원)(자본금 총액이 10억원 미만인 소규모 주식회사의 경우에는 감사를 선임하지 않을 수 있다-제409조 제4항) 및 발기인이 설립에 관하여 손해배상책임을 지게 되는 때에 이들이 부담하는 책임의 형태를 연대책임으로 하고 있다는 점에 의미가 있다. 그리고 상법 제313조 제1항의 법문에서 말하는 창립총회는 모집설립의 경우에만 있는 기관이므로 이사와 감사(감사 대신에 감사위원회가 설치되는 경우에는 감사위원회 위원)(자본금 총액이 10억원 미만인 소규모 주식회사의 경우에는 감사를 선임하지 않을 수 있다-제409조 제4항)의 조사보고의무위반으로 인한 배상책임을 모집설립으로만 한정하여 해석해야 할 것으로 보인다.

또한 학설에 따라서는 발기설립의 경우에는 이사, 감사(감사 대신에 감사위원회가 설치되는 경우에는 감사위원회 위원)(자본금 총액이 10억원 미만인 소규모 주식회사의 경우에는 감사를 선임하지 않을 수 있다-제409조 제4항) 및 발기인들의 임무의 성질상(제296조 이하), 공동적인 임무해태와 책임의 경합관계가 생기는 경우를 생각하기 어려울 것이므로 발기설립의 경우에는 이에 해당하지 않는다고 하기도 한다.[119]

그러나 1995년 상법개정 전에는 발기설립과 모집설립 간에 큰 차이가 있었지만 현재는 큰 차이가 없고, 발기설립에는 모집설립의 창립총회에 대응하는 발기인총회가 있으며, 그 발기인 총회에서 선임된 이사와 감사(감사 대신에 감사위원회가 설치되는 경우에는 감사위원회 위원)(자본금 총액이 10억원 미만인 소규모 주식회사의 경우에는 감사를 선임하지 않을 수 있다-제409조 제4항)의 임무는 창립총회에서 선임된 이사와 감사(감사 대신에 감사위원회가 설치되는 경우에는 감사위원

---

119) 上柳克朗・鴻常夫・竹內昭夫,「注釋会社法」(有斐閣, 1986), 393면; 손주찬・정동윤, 전게서, 606면.

회)(자본금 총액이 10억원 미만인 소규모 주식회사의 경우에는 감사를 선임하지 않을 수 있다—제409조 제4항)의 임무와 다르지 않다(제298조 제1항, 제313조 제1항). 그럼에도 불구하고 상법 323조의 법문내용이 제298조 제1항의 규정에 의한 임무해태를 제외하고 제313조 제1항의 규정에 의한 임무해태만을 들고 있는 것은 이해할 수 없다. 향후 법 개정 과정에서 이에 대한 시정이 있어야 할 것이라고 생각한다.[120]

나. 책임의 요건 및 내용

상법 제323조의 요건은 이사 또는 감사(감사 대신에 감사위원회가 설치되는 경우에는 감사위원회 위원)(자본금 총액이 10억원 미만인 소규모 주식회사의 경우에는 감사를 선임하지 않을 수 있다—제409조 제4항)가 주식회사의 설립과정에 대한 조사와 창립총회에서의 보고에 관한 임무(제313조 제1항)를 해태하고, 회사 또는 제3자에 대하여 손해를 끼쳤어야 한다.

이사 또는 감사(감사 대신에 감사위원회가 설치되는 경우에는 감사위원회 위원)(자본금 총액이 10억원 미만인 소규모 주식회사의 경우에는 감사를 선임하지 않을 수 있다—제409조 제4항)가 연대책임을 지는 경우는 이들이 동일한 임무를 공동으로 해태한 경우이어야 하는데, 예를 들어 발기인의 임무해태가 있는 경우, 이사와 감사(감사 대신에 감사위원회가 설치되는 경우에는 감사위원회 위원)(자본금 총액이 10억원 미만인 소규모 주식회사의 경우에는 감사를 선임하지 않을 수 있다—제409조 제4항)는 이를 조사하여 창립총회에 보고하여야 하는데 이를 해태하여 회사에 손해를 입힌 경우이다. 따라서 발기인들 간에 업무가 분장되어 있는 경우나 이사와 감사(감사 대신에 감사위원회가 설치되는 경우에는 감사위원회)(자본금 총액이 10억원 미만인 소규모 주식회사의 경우에는 감사를 선임하지 않을 수 있다—제409조 제4항)가 조사사항을 분담하는 경우에는 그들 간에 연대책임을 지지 않는 자가 있을 수도 있다. 상호간의 귀책사유에 경합관계가 있어야 하기 때문이다.[121]

회사불성립의 경우에는 임무위반의 책임이 발생하지 않지만, 회사가 성립한 경우에는 나중에 설립무효가 되어도(제328조) 일단 발생한 책임은 소멸하지 않는다. 이사와 감사(감사 대신에 감사위원회가 설치되는 경우에는 감사위원회 위원)

---

120) 같은 생각: 권기범, 전게서, 392면; 임홍근, 전게서, 156면.
121) 손주찬·정동윤, 전게서, 605면.

(자본금 총액이 10억원 미만인 소규모 주식회사의 경우에는 감사를 선임하지 않을 수 있다-제409조 제4항)의 제3자에 대한 책임의 발생요건에 대해서는 상법에 명문 규정이 없지만 발기인의 제3자에 대한 책임을 유추적용하여 그 임무해태가 악의 또는 중대한 과실의 경우에만 부담한다고 할 것이다.[122] 그리고 이러한 책임의 성질은 자신의 과실행위에 대한 손해배상책임이라 할 것이므로 총주주의 동의로 면제될 수 있다(제324조, 제400조). 그리고 책임추궁을 위하여 소수주주의 대표소송이 인정된다(제324조, 제400조, 제403조~제406조).

2. 유사발기인의 책임

가. 의의 및 법적 성질

발기인이 아니면서 주식청약서 기타 주식모집에 관한 서면에 성명과 회사설립에 찬조하는 뜻을 기재할 뜻을 승낙한 자는 발기인과 동일한 책임이 있다(제327조).

정관에 발기인으로서 기명날인 또는 서명한 자만이 발기인으로서 책임을 지게 되어 있으나 법이 이처럼 발기인으로서 정관에 기명날인 또는 서명을 하지는 않았지만 주식청약서 기타 주식모집에 관한 서면[123]에 성명과 회사설립에 찬조하는 뜻을 기재할 것을 승낙한 자에게 엄격한 책임을 지게 한 것은 금반언의 원칙(the doctrine of estoppel) 내지 외관주의 이론에 입각하여 외관을 신뢰한 주식인수인 등의 선의의 거래상대방을 보호하기 위해서이다.

나. 책임의 요건 및 내용

책임요건만 충족되면 유사발기인의 과실유무에 상관없이 발기인과 동일한 책임을 진다. 그러나 묵시적 승낙을 포함하여 승낙이 없었음에도 불구하고 무단으로 기재된 경우에는 그 책임이 없다.

따라서 유사발기인은 회사가 성립한 경우에는 주식의 인수 또는 납입의 흠결

---

122) 손주찬·정동윤, 상게서, 605면; 유시창, 전게서, 113면; 정찬형, 전게서, 705면; 이철송, 전게서, 276면; 송옥렬, 전게서, 763면; 정동윤, 전게서, 400면; 권기범, 전게서, 390면.
123) 예를 들어, 사업계획서, 설립취지문, 신문, 라디오, 인터넷 등을 통한 주식모집 광고, 주식인수권유문 등을 들 수 있다.

이 있는 경우에 발기인과 연대하여 인수·납입책임을 지는 등의 자본충실책임 (제321조)을 진다. 그러나 정관에 발기인으로서 기명날인 또는 서명을 하지 아니한 자는 발기인이 아니고 설립사무를 담당한 것이 아니므로 임무를 해태한 경우의 책임(제322조)은 없다(통설).

한편 회사불성립의 경우에는 주식인수인에 대하여 발기인과 연대하여 주식납입금 또는 주식청약금을 반환하여야 한다. 그리고 주식인수인 이외의 자에 대해서는 상법 제327조가 주식청약서 기타 주식모집에 관한 서면에 성명과 회사설립에 찬조하는 뜻을 기재할 뜻을 승낙한 자로 하고 있기 때문에 그 책임은 주식인수인의 보호를 목적으로 한 것이고, 따라서 발기인은 주식인수인 이외의 자에 대해서는 책임을 지지 않는다는 주장과[124] 외관을 신뢰한 자의 보호라는 측면에서 설립에 관한 거래로 인한 채무를 제외할 필요는 없다는 주장이[125] 대립하고 있다.

생각건대, 상법 제327조 법문을 보면 정관이 아닌 "주식청약서 기타 주식모집에 관한 서면에 성명과 회사의 설립에 찬조한다는 뜻을 기재할 것을 승낙한 자"라고 하여 주식모집에 관한 문서에 있어서의 외관이 존재할 것을 요건으로 하고 있기 때문에 주식인수인 이외의 자까지 염두에 두고 입법된 것이 아님이 명백하다고 보아 발기인은 주식인수인 이외의 자에게는 책임을 지지 않는다고 해석한다.[126] 또한 유사발기인은 회사설립사무에 관여할 권한을 가지고 있지 않기 때문에 설립에 관한 임무해태에 기초한 책임도 지지 않는다고 하여야 한다. 그러므로 "발기인과 동일한 책임이 있다"는 대목도 이러한 제한적 해석의 연장선상에서 보아야 할 것이다. 그리고 이 책임의 소멸시효기간도 발기인의 그것과 같이 10년이다.

---

124) 서돈각·정완용, 전게서, 338면; 최기원, 「상법학신론(상)」(주14), 601면; 大隅健一郎·今井宏, 前揭書, 284面.
125) 채이식, 「상법강의(상)」 개정판(박영사, 1997), 448면; 손주찬, 전게서, 597면; 鈴木竹雄·竹內昭夫, 「会社法」 第3版(有斐閣, 1994), 88面.
126) 같은 생각: 임재연, 전게서, 280면; 이철송, 전게서, 276~277면.

3. 검사인 · 공증인 · 감정인의 책임

가. 의의 및 법적 성질

법원이 선임한 검사인이 악의 또는 중대한 과실로 인하여 그 임무를 해태한 때에는 회사 또는 제3자에 대하여 손해를 배상할 책임이 있다(제325조).

주식회사의 설립과정에서 법원이 검사인을 선임하는 경우는 발기설립이든 모집설립이든 변태설립이 있는 경우(제298조 제4항)뿐이다. 그런데 법원이 선임한 검사인과 회사 간에는 아무런 계약관계도 없다. 따라서 본조에 의한 책임은 법이 회사채권자와 주식인수인을 보호하기 위하여 정책적으로 정한 책임이다.[127] 그리고 검사인의 책임은 악의 또는 중과실로 임무를 해태한 자에게만 인정되는 것이므로 과실책임이다.

나. 책임의 요건 및 내용

상법 제325조의 책임은 검사인의 악의 또는 중대한 과실과 검사인의 임무해태, 그리고 회사 또는 제3자에 대한 손해의 발생 등을 그 요건으로 한다. 임무해태의 예로는 현물출자의 목적재산(제290조 제2호)에 대한 불공정한 평가, 재산인수계약의 목적재산(제290조 제3호)의 과대평가, 회사가 부담할 설립비용(제290조 제4호) 등이 실비 이상으로 정관에 기재되어 있었는데 보고서에 이에 관한 사항이 누락된 경우 등이 있다.[128] 그리고 검사인의 책임의 대상은 이러한 임무의 해태와 상당인과관계가 있는 손해이다.

그리고 여기서 말하는 제3자라 함은 주주와 주식인수인을 포함한 회사 이외의 자이며, 이러한 제3자에게 과실이 있는 경우에는 과실상계가 인정된다(민법 제396조, 제763조). 뿐만 아니라 상법 제325조의 요건은 불법행위책임의 요건과 다르므로 불법행위의 요건이 갖추어지는 경우에는 서로 경합하는 것으로 본다.[129] 또한 총주주의 동의에 의해 그 책임이 면제되지 않는다(제324조, 제400조 참조).

---

127) 손주찬, 전게서, 597면; 정동윤, 전게서, 403; 이기수 · 최병규 · 조지현, 전게서, 180면; 권기범, 전게서, 393면; 송옥렬, 전게서, 765면; 임재연, 전게서, 279면.
128) 손주찬, 상게서, 597면.
129) 손주찬, 상게서, 596면.

한편 검사인 대신 변태설립사항을 조사하게 되고(제299조의2, 제310조 제3항), 일정한 경우에 이사나 감사를 대신하여 보고의무를 지는(제298조 제3항, 제313조 제2항) 공증인이나 감정인에 대해서는 상법의 규정이 없다. 그러나 이들은 회사와의 사이에 위임관계가 있기 때문에 상법 제323조와 제325조를 유추적용하여 배상책임을 인정하여야 할 것이다.[130] 그러나 공증인이나 감정인의 고의·과실로 인해 제3자가 입은 손해에 대해서는 발기인이나 이사의 경우와 달리 상법에 이들에게 책임을 묻는 규정이 없다. 명백한 입법의 불비이다.[131]

---

130) 권기범, 전게서, 393면; 임재연, 전게서, 279면; 이철송, 전게서, 276면; 정동윤, 전게서, 403면.
131) 이철송, 상게서, 276면.

제 **3** 장

주식과 주주

제 1 절 주 식

Ⅰ. 주식의 의의

1. 주식의 개념, 본질, 주주평등의 원칙   손 영 화*

가. 주식의 개념

주식(Aktie, share, stock)이란 주식회사의 출자자인 사원(주주)의 지위를 말한다. 인적회사에서 사원의 지위를 나타내는 지분과 뜻을 같이한다. 지분의 회사재산에 대한 경제적 참가비율을 뜻하는 바와 같이 주식 역시 주식회사의 자본 나아가 재산에 대한 참가비율을 뜻한다.[1) 이 출자자로서의 지위는 균일하게 세분화되어 있는 것이 특징이다.

출자 단위가 균일화되어 있으므로, 회사와 주주 사이의 법률관계를 간명하게 처리할 수 있다. 회사는 주주의 소유주식수를 기준으로 취급하면 좋기 때문이다. 만약, 주식이라는 출자 단위가 균일하지 않다면 주주가 다수인 경우 그 취급에 매우 큰 어려움이 있을 것이다. 주주가 주식을 소유하는 것에 의하여 주식회사에 대하여 갖는 제 권리의 총체를 주주권이라고 한다.[2)

주식은 물적 요소인 자본금과 인적 요소인 사원(주주)을 결부시키는 역할을 하는데,[3) 출자 단위가 세분화되어 있으므로, 영세한 자금도 흡수하는 것이 가능해 진다. 따라서 주식은 다수의 투자자가 주식회사에 참가하는 것을 용이하게 할 수 있다. 그러므로 다수의 투자자는 자신이 소유한 투자금에 상응하여 특정 회사의 주식을 취득하게 될 것이고, 각 주주는 자신이 소유하는 회사의 주식수

---

* 인하대학교 법학전문대학원 교수
1) 이철송, 「회사법강의」 제29판(박영사, 2021), 279~280면.
2) 江頭憲治郎·西岡淸一郎·市村陽典·門口正人·河和哲雄·相澤哲, 「会社法大系〈2〉 [株式·新株予約権·社債]」(靑林書院, 2009), 6面.
3) 최준선, 「회사법」 제16판(삼영사, 2021), 214면.

에 비례하여 주주로써의 권리와 의무를 갖게 될 것이다. 이러한 주식의 본질적 특성에 의해 이른바 주식회사에 있어서 「지분복수주의」는 「자본다수결」[4]의 배경이 되고, 나아가 「소유와 경영이 분리」될 수 있는 동인이 된다.

기업의 공동소유자로서의 지위가 주식이라는 균등한 단위로 나누어져 있으므로, 원칙적으로 주식은 1주 미만으로 세분화하는 것이 인정되고 있지 않다(주식불가분의 원칙).[5] 예외적으로, 주식의 병합·분할·소각 또는 회사의 합병·분할로 인한 주식의 배정 등에서 1주에 못 미치는 단주가 생기는 경우가 있지만, 이경우에는 그 신주를 경매하여 각 주수에 따라 그 대금을 종전의 주주에게 지급하여야 한다(제443조 제1항).

나. 주식의 본질

주식은 사원인 주주가 회사에 대하여 갖는 권리의무, 즉 회사와 주주간의 법률관계를 의미한다.[6] 주식을 통해 주주가 회사에 대해 갖는 권리의무와 그 원천인 주식과의 관계에 대한 설명은 주식의 성질론에서 비롯되는데, 이에 관하여는 학설이 나뉜다.

1) 주식이 나타내는 권리에 관한 학설

가) 주식물권설

이 설에서는 주식회사의 본질을 조합적 공유관계, 즉 계약관계라고 파악하고 있다. 따라서 주식의 본질은 물권, 즉 회사에 대한 공유지분이라고 파악되게 된다. 이 설에 의하면 주식회사에 있어서의 법률관계는 단순한 개인법적 계약관계라고 평가되는 것에 지나지 않고, 그것은 사원 상호의 관계에 지나지 않는다.[7] 또한 이 설은 자연인 이외의 주체를 인정하지 않고, 주식회사를 단순한 법적 의제로 인식했기 때문에 주주의 유한책임이나 출자환급권의 포기를 기초 짓

---

4) 자본다수결은 달리 표현하면, 1주 1의결권이라고 할 수 있다. 1주 1의결권의 원칙은 자본참가와 의결권의 균형을 확보하려고 하고 있는 것이다(大隅健一郎, 「新版 株式会社法変遷論」(有斐閣, 1987), 169面).

5) 1단위 미만의 주식 곧 小割株로서의 端株는 처음부터 인정되지 않을 뿐 아니라, 부득이하게 발생하는 소수점 이하의 단수인 단주도 일시적인 현상에 그치고 곧 없애기 위한 조치가 따라야 한다(김동훈, 「회사법」(한국외국어대학교 출판부, 2010), 138면).

6) 최준선, 전게서, 216면.

7) 新津和典, "19世紀ドイツにおける社員権論の生成と展開: 社員権論の歴史性と現代的意義," 「法と政治」 第59巻 第1号(2008. 4.), 202面.

는 것은 아니었다. 그러나 이 설은 주식은 출자환급권, 기업분할청구권이라는
이른바 공유권을 이탈한 형태로 시장에서 자유롭게 양도·유통하는 것에 대해
설명할 수 없는 한계가 있다.[8]

나) 주식채권설

주식이라는 것은 주주가 회사에 대해서 가지는 잉여금 배당 청구권이라고 하
는 채권이라고 하는 학설이다(주식채권설). 이 설은 전형적인 주식회사인 상장회
사에 대해서는 많은 주주가 배당 등 개인적·채권적 이익만을 투자의 목적으로
하며, 기업지배에의 참가 등이라고 하는 의식이 없다고 하는 현상을 근거로 하여
지배권능까지도 포함하여 주식의 본질을 파악해서는 안 된다고 보는 견해이다.[9]

다) 주식사원권설

주식을 사원의 지위와 관련하여 이해하는 견해가 통설이다. 즉, 주식을 주주
권 또는 주주의 지위를 뜻하는 사원권으로 보는 것이다.[10] 사원권의 내용으로는
이익배당청구권·잔여재산분배청구권 등의 자익권과 의결권, 각종 소제기권 등
의 공익권이 있다. 이러한 권리는 순수한 채권적인 권리가 아니라, 주주가 회사
관계에서 갖는 하나의 지위, 즉 '사원으로서의 지위' 속에 포함되는 것이라고 한
다.[11][12] 주식사원권설은 그 사원권(주주권)의 내용을 무엇으로 파악하느냐에 따
라 다시 학설이 나뉜다.

(1) 단일권설

주주권은 주주의 지위에서 갖는 권능과 의무가 합쳐져 단일의 권리를 이룬다
는 설이다. 이 설에 의하면 공익권은 주주가 기관의 자격에서 갖는 '권한'이지

---

8) 山本哲三, "株式会社と金融支配,"「早稲田商学」第330号(早稲田商学同攻会, 1988), 136〜137
　　面.
9) 服部栄三, "株式債権論に関する若干の考察,"「民商法雑誌」第32巻 第1号(有斐閣, 1955), 21
　　面.
10) 사원권설의 제창자라고 할 수 있는 레나우드는 주식을 사단에 있어서 사원권(Vereinsmit-
　　gliedschaftsrecht)」이라고 설명한다(Renaud, Achilles, Das Recht der Actiengesell-
　　schaften, 2. verm. u. verb. Aufl., 1875, S. 105). 사원권설은 주식회사를 사단이라고 고찰
　　하고 있고, 주식의 본질을 사원권이라고 고찰하고 있다(Renaud, S. 98 ff).
11) 최준선, 전게서, 216면.
12) 주주의 모든 권리는 주식에 근원을 두며, 주식이 이전함에 따라 주주의 모든 권리도 더불어
　　이전하므로 주식을 권리로 파악함은 당연하고, 또 주식회사의 사단적 본질에 비추어 이를
　　사원권(Mitgliedschaftsrecht)으로 설명하는 것이 옳다고 본다(이범찬·임충희·이영종·김지
　　환, 「회사법」(삼영사, 2012), 130면).

권리가 아니라는 점을 들어 공익권을 사원의 지위의 내용에서 배제한다. 즉, 주식은 자익권발생의 기초가 되는 지위를 의미한다고 한다.[13]

(2) 권리의무집성설

주주권은 주주인 지위에서 갖는 다수의 권리의 집합을 뜻하고 단일의 권리를 뜻하는 것이 아니라는 설이다.

(3) 자격설(법률관계설)

주주권은 주주의 권리를 생기게 하는 법률상의 지위 내지 자격을 뜻하며 주주의 권리는 주주권의 결과이지 그 내용 자체가 될 수 없다는 설이다.

라) 사원권부정설

이에 대해서 주식회사의 주주에 대하여, 다른 사단법인과는 다르고, 사원권이라고 하는 개념을 부정하는 견해도 있다(사원권부정설). 이 입장에 의하면, 의결권 등의 공익권은 주식에 화체된 본질적인 권리가 아니고, 주주가 회사의 기관인 주주총회의 구성원으로서 갖는 권한에 지나지 않는다고 본다.[14]

2) 소 결

주식은 공히 자익권과 공익권으로 구성되어 있고, 자익권은 수익에 대한 주주 개인의 기대권으로서 그리고 공익권은 기업경영에 관여할 수 있는 권리로서 파악할 수 있다. 자익권을 금전채권시 하거나 공익권을 주식의 내용으로부터 배제하는 것은 타당치 않다고 본다.[15] 종래 주식의 본질을 둘러싼 상기와 같은 학설의 논의는 주식회사의 본질을 둘러싼 조합설로부터 법인설로 학설이 변천하고 있고, 주식회사 법인설을 전제로 전개된 주식채권설로부터 사원권설로 전개되고 있다. 이와 같은 주식의 본질을 둘러싼 학설의 변천을 개인주의적 이해로부터 단체주의적 이해로의 변천이라고 고찰하는 견해도 있다.[16]

---

13) 최완진, 「상법학강의-이론·사례·판례」(법문사, 2006), 246면. 동인은 공익권도 사원권의 내용으로 파악하여, 단일권설을 단일주주지위설이라고 하며 사원권부인설에 포함시키고 있다.

14) 한편, 사원권부정설 중에는 주식회사를 자본으로 구성된 재단으로 보는 설도 있다(주식회사 재단설). 이 설에 의하면 주주는 사원이 아니라 이익배당을 받을 목적으로 출자한 채권자라고 한다. 그러나 이 설에 의하면 주식회사의 사단성을 부정하는 결과가 되어 부당하다(최기원·김동민 보정, 「상법학 신론(상)」(박영사, 2014), 557면).

15) 최준선, 「회사법」 제14판(삼영사, 2019), 219면.

16) 田中耕太郎, "獨逸に於ける社員權理論 - 社員權否認論 二-,"「商法研究」 第二卷(岩波書店, 1935), 271面, 284面, 287面, 289面, 296面.

다. 주주평등의 원칙

1) 주주평등의 원칙에 관한 일반론

가) 의 의

주주평등의 원칙이란 회사는 주주와의 법률관계에서 주주를 그 보유하는 주식의 종류와 수에 따라 평등하게 대우하여야 한다는 원칙이다.[17] 상법에 있어서 주주는 주주로서의 자격에 근거하는 법률관계에 대하여는 원칙적으로 그 가지는 주식의 수에 따라 평등한 취급을 받는다(제369조 제1항). 다시 말해, 주주는 출자의 액, 즉 소유 주식의 수에 따라 비례적으로 평등한 취급을 받는다. 이를 「자본다수결의 원칙」이라고도 하며 일반적으로 주식의 귀속자인 주주의 입장에서 표현하여 「주주평등의 원칙」이라고 부르지만, 엄격히 말하면 「주식평등의 원칙」이라고 할 수 있다.[18] 각 주식의 내용이 동일하다는 전제하에 각 주주가 자신이 소유하고 있는 주식에 따라 평등한 취급을 받는 것으로서 이는 동일한 종류의 주식을 소유한 주주 간에 그 소유하는 주식수에 비례하여 평등한 취급을 받는다는 의미라고 할 것이다. 주주평등의 원칙은 주주라는 자격에서 가지는 권리의무에 관하여 평등하게 대우받아야 한다는 원칙으로서 사람의 평등대우를 의미하는 것이 아니라 주식의 평등대우를 의미하는 것이다.[19] 이러한 의미에서

---

17) 대법원 2018.9.13. 2018다9920, 9937; 김건식·노혁준·천경훈, 「회사법」(박영사, 2021), 258면; 권기범, 「현대회사법론」 제7판(삼영사, 2017), 495면.

18) 이철송, 전게서, 223면; 손주찬, 「상법(상)」 제14정판(박영사, 2003), 614면; 정찬형, 「회사법강의」 제3판(박영사, 2003), 298면: 이에 대하여 주주평등의 원칙과 주식평등의 원칙은 서로 다른 개념으로 전자는 일반조항으로서 주식은 동등하게 취급되지만 당면한 결정(또는 다른 조치)이 여전히 주주의 부당한 이익을 초래할 수 있는 의사결성 상황에서 다른 주주 또는 회사의 비용으로 어떤 주주나 다른 사람의 이익을 부당하게 침해해서는 안 된다는 원칙이고, 후자는 가변적인 것으로 주주들이 달리 합의할 때까지 주식들에 부여된 권리와 의무들이 변경되지 않는다는 것을 담보하는 원칙이라고 주장하는 학설이 있다[서완석, "주주평등의 원칙에 대한 새로운 접근," 「경영법률」 제31집 제4호(2021) 참조].

19) 권기범, 전게서, 495면; 김건식, 「회사법」(박영사, 2015), 248면; 노혁준·송옥렬·안수현·윤영신·천경훈·최문희, 「신체계 회사법」 제8판(박영사, 2020), 457면; 김두진, 「회사법강의」(동방문화사, 2015), 108면; 김은기, 「신회사법 이론과 실무」 개정판(영화조세통람, 2015), 159면; 김정호, 「회사법」 제4판(법문사, 2015), 155면; 김홍기, 「상법강의」 제6판(박영사, 2021), 395면; 손진화, 「상법강의」 제8판(신조사, 2017), 457면; 손주찬, 「상법(상)」 제15판(박영사, 2004), 613면; 송옥렬, 「상법강의」 제11판(홍문사, 2021), 820면; 정경영, 「상법학강의」 개정판(박영사, 2009), 396면; 손주찬·정동윤 편집대표, 「(주석)상법[회사(Ⅱ)]」(한국사법행정학회, 2006), 251면~252면; 정동윤, 「상법(상)」 개정증보판(법문사, 2003), 412면; 정찬형, 「상법강의(상)」 제24판(박영사, 2021), 714면; 최기원, 「신회사법론」

'자본민주주의의 원칙(Grundsatz der Kapitaldemokratie)이라고도 할 수 있다.[20]

주주는 회사에 대하여 일정한 권리와 의무를 부담하는데, 회사가 주주의 권리를 인정하거나 의무를 부과할 경우에 일부 주주에게만 유리하게 하고 일부 주주에게는 해를 가하는 행위를 한다면 그러한 행위는 회사의 차별행위에 해당하게 되고, 이것이 바로 주주평등의 원칙을 위반하는 것으로 평가되는 것이다. 따라서 주주평등의 원칙은 주주에 대하여 회사가 동등하게 대우해야 할 것을 요구하는 것으로서 회사가 지향해야 할 기준이 되는 것으로 이해된다.[21] 그리고 앞에서 설명한 바와 같이 주주평등의 원칙은 주식평등의 원칙이라고도 표현되는데, 주식평등은 주주가 소유하는 주식수를 기준으로 평등대우를 하는 것이므로 결국 동 원칙의 평등대우의 기준은 주주 개인이 아니라 주주가 가진 주식수인 지분수를 의미한다.[22]

주주평등의 원칙은 주식회사법의 기본원칙으로서 강행법규적 성질을 가지며,[23] 따라서 정관의 규정이나 주주총회 또는 이사회의 결의, 대표이사의 업무집행 등이 이 원칙에 위반하는 경우에는 상법에서 정하는 예외의 경우를 제외하고는 무효인 것으로 해석되고 있다.[24][25] 그러므로 주주평등의 원칙은 회사와

제14판(박영사, 2012), 273면; 최준선, 전게서(2021), 241면; 홍복기, 「주식회사법(판례와 이론)」(박영사, 2010), 96면; 홍복기·박세화, 「회사법강의」 제5판(법문사, 2017), 219면; 김화진, 「상법강의」 제3판(박영사, 2016), 200면; 임재연, 「회사법 I」 제7판(박영사, 2020), 328면; 장덕조, 「상법강의」 제4판(법문사, 2021), 329면.

20) 김정호, 전게서, 156면; 최기원, 전게서, 274면.

21) 김재범, "주주평등의 원칙을 개관함," 「안암법학」 제4호(안암법학회, 1996), 681면.

22) 주주의 권리에는 주식수에 비례해서 인정되는 것도 있지만, 지주수와 상관없이 주주라는 자격에서 인정되는 권리가 있는 바, 자익권은 지주수에 합당하게 회사가 대우하였는지가 문제되는 반면에 공익권 특히 단독주주권의 경우에는 지주수와 상관없이 해당주주의 권리 침해여부를 판단하게 된다.

23) 우리 상법에서 1주 1의결권 원칙은 강행규정이므로 상법상 별다른 정함이 없는 한 정관으로써도 이에 대한 예외를 두지 못한다(李秉挍, "株主平等原則의 適用과 立法化에 관한 研究," 「성균관대학교대학원 박사학위논문」, 2013. 6, 69면).

24) 정쾌영, "주주평등의 원칙에 대한 재고," 「상사판례연구」 제23집 제4권(2010. 12.), 135～136면; 장덕조, 전게서, 331면.

25) 「주주평등의 원칙이란 형식적으로는 회사와 주주 사이의 법률관계에 있어서 주주를 그 지위에 따라 평등하게 취급하여야 하고, 실질적으로는 각 주주의 회사에 대한 권리의무가 그 보유주식의 수에 비례하여 정하여져야 한다는 원칙이고, 상법에서 제344조, 제345조, 제370조 등의 주주평등 원칙에 대한 예외규정을 두면서 이를 엄격하게 한정적으로 규정하고 있는 것은 주주평등의 원칙이 주식회사법상의 기본원칙임을 뒷받침하고 있는 것으로 볼 수 있어서, 주주평등의 원칙은 주식회사법의 기본원칙이고 강행법규적 성질을 가진다고 할 것이고, 상법에서 인정하는 예외의 경우 이외에는 정관의 규정, 주주총회나 이사회의 결의 또는 대표이사의 업무집행이 주주평등의 원칙에 위반하는 때에는 회사의 선의·악의를 불문

주주의 법률관계를 해석하는 기준[26]이 되는 동시에 법이 명문으로 인정하지 않는 모든 사항에 관해서 적용되는 법원리이다.[27]

또한 이 원칙은 주주의 입장에서 보면 평등한 대우를 해줄 것을 회사에 대하여 요구할 수 있는 근거를 부여하는 동시에 수범자인 회사에 대하여는 평등한 취급을 하여야 할 의무를 부과한다는 양면적 속성을 가지고 있다.[28] 따라서 주주는 회사의 차별적인 행위로 인하여 자신의 권리나 이익을 침해당한 경우에 주주평등의 원칙을 주장함으로써 법적인 보호를 받을 수 있게 되는 것이다.[29]

상법에서는 제369조 제1항에서 "의결권은 1주마다 1개로 한다."고 하여 간접적으로 주주평등의 원칙을 선언하고 있다.[30] 종래 상법 제369조 제1항이 「주주평등의 원칙」을 명문화한 것으로 학설·판례에 의해 승인되어 왔다. 과연 이 조문을 그와 같이 해석하는 것이 합당한 것인지, 또는 종래의 일반적인 이해와는 다른 주주평등의 원칙을 규정했다고 해석할 수 있는지 살펴볼 필요가 있다. 더불어 주주평등의 원칙이 상법상의 절대적인 원칙으로서 볼 수 있는지에 대한 검토도 필요하다고 할 것이다.

하고 무효라고 볼 것이다」(서울중앙지방법원 2005.11.29. 2005가단105918, 2005가단105925 (병합)).

26) 주주평등의 원칙은 회사와 주주 간에만 적용되는 원칙이며, 주주상호간 또는 주주와 제3자 간에는 적용되지 않는다(홍복기·박세화, 전게서, 220면; 최완진, 「신회사법요론」(한국외국어대학교 출판부, 2012), 87면; 송옥렬, 전게서, 821면).

27) 「무릇 주주평등의 원칙은 주주의 법률상의 지위가 균등한 주식으로 단위화되어 있으므로 주주를 그 보유주식의 수에 따라 평등하게 취급하여야 한다는 것으로, 형식적으로는 회사와 주주 간 법률관계에 있어서 주주를 그 지위에 따라 평등하게 취급하여야 한다는 것이고, 실질적으로는 각 주주의 회사에 대한 권리의무가 그 보유주식의 수에 비례하여 정해져야 한다는 것이다. 비록 상법은 주주평등의 원칙에 관한 일반적·원칙적 규정을 두고 있지는 아니하나, 주주의 가장 중요한 권리인 의결권을 비롯하여 이익배당청구권, 신주인수권 능에서 이와 같은 주주평등의 원칙을 구체적으로 구현하고 있다. 이러한 주주평등의 원칙은 주식회사의 기본원칙인 동시에 주주의 권리로서 재산권인 주주권의 내용을 이루는 것으로서 그에 대한 예외는 헌법 제37조 제2항에 의하여 법률이 정한 경우에 한하여 인정될 뿐이므로, 이 원칙에 반하는 정관의 규정 또는 주주총회나 이사회의 결의는, 불평등한 취급을 당한 주주가 동의한 경우 등의 특별한 사정이 없는 한 무효이다」(제주지방법원 2008.6.12. 2007가합 1636: 확정).

28) 권기범, 전게서, 497면.

29) 주주평등의 원칙은 자본적 평등이므로 소수주주의 보호의 기능에는 일정한 한계가 있기 마련이고, 이 원칙은 형식적으로 권리의 평등과 기회의 평등을 확보할 뿐이고 주주 상호간의 이해를 실질적으로 조정하는 기능까지 하는 것은 아니라는 점을 유의해야 한다.

30) 이익배당청구권, 의결권, 신주인수권, 잔여재산분배 등에 있어서 주주는 보유하고 있는 주식 수에 비례하여 그 권리를 가진다는 상법규정(제464조, 제369조 제1항, 제418조, 제538조)은 주주평등원칙을 전제로 한 것들이다(김성탁, 「회사법입문」제10판(법문사, 2020), 74면).

2011년 개정상법에 의하여 여러 가지 제도들이 도입되어 있는 상태에서 주주평등원칙과 관련하여 그 해석의 방향이나 내용이 달라질 수 있는 여지가 없는지 등에 대하여 고찰하고, 주주평등원칙의 해석과 관련하여 나름대로 학설 및 판례를 개관하고 그 정리를 해 보고자 한다. 특히, 종류주식이 발행되고 있는 회사에 있어서 주식의 종류마다 평등하지 않고, 다른 종류의 주식을 소유하는 주주의 이해조정을 어떻게 도모해야 할 것인가 등을 검토하는 것도 의의가 있을 것이라고 생각된다.

나) 외국의 입법례

주주평등의 원칙을 명문으로 인정한 입법례로는 독일 그리고 일본이 있다. 독일주식법 제53a조에서는 "주주는 동일한 조건하에서는 동일하게 취급되지 않으면 안 된다"라고 규정하고 있으며, 일본회사법 제109조 제1항에서는 "주식회사는 주주를 그 소유하는 주식의 내용 및 수에 따라 평등하게 취급하여야 한다"고 규정함으로써 명시적으로 주주평등의 원칙을 선언하고 있다. 하지만, 우리 상법상에는 이와 같은 주주평등의 원칙에 관한 명시적인 규정이 존재하고 있지는 않으며, 주주의 의결권(제369조 제1항), 주주의 이익배당청구권(제464조), 신주인수권의 내용 및 배정(제418조), 자본금의 자본전입에 의한 무상주교부(제464조 제1항), 잔여재산의 분배(제538조) 등과 같은 개별적인 규정을 통해 각 주식을 평등하게 취급하여야 한다는 취지의 규정을 두고 있는 것으로 해석한다.[31]

(1) 독 일

연혁적으로 볼 때 주주평등의 원칙은 독일에서 주식회사제도가 전개되면서 성립한 역사적 존재에 불과하다.[32] 즉 18세기 후반 독일에서 정관의 자유라는 미명하에 아무런 견제수단 없이 다수파에 의한 전횡이 발생하자, 주식회사 내부에서 귀족적 전제지배가 부활되지 못하도록 하기 위하여 복수의결권주식[33]을 통제하는 이론으로서 확립된 논리 중의 하나가 바로 주주평등의 원칙인 것이다.[34] 독일에서는 주주평등의 원칙이 회사법의 내재적인 논리에 의해서 성립한

---

31) 김태진, "주주평등의 원칙에 관한 소고," 「기업법연구」 제22권 제3호(한국기업법학회, 2008), 12면.

32) 정상림, "평등원칙이 주식회사법에 미친 영향에 관한 연구," 「단국대학교대학원 박사학위논문」(2003. 12.), 60면.

33) 그 당시 독일에서 복수의결권주식이 남용된 이유는 자본력이 약했던 기업을 외국자본의 취득으로 보호하기 위한 목적이 있었다.

것이 아니라 지배주주에 의한 권리남용을 통제하기 위한 수단으로 발달하여, 동 원칙을 통해 지배주주의 의결권 행사를 통한 소수주주의 이익침해를 저지해주게 되고, 결국 다수의 권한행사에 일정한 한계점을 설정해 주는 기능을 하는 것으 로 보고 있다.35)

초기 독일에서는 라이히법원의 판결에 의하여 주주평등원칙이 확립되었다. 이후 독일의 학설도 이 원칙을 강제적 성질을 가지며, 정관에 의하여 변경될 수 없는 회사법의 원리로서 인식하여 왔다.36) 그후 1976년 EC 제2지침37)에 따라 독일은 1979년 7월 주식법 개정시 제53a조를 신설하여 "주주는 동일한 조건하 에서는 동일하게 취급되지 않으면 안 된다"는 규정을 두게 되었다.38)

한편 주주평등의 원칙의 이념적 기초에 관하여 독일의 통설은 그 근거를 배 분적 정의에서 구하고 있는바, 계약당사자 사이의 힘의 불균형에 의하여 사적 자치에 있어서 재화의 배분이 불공정하게 이루어지는 것을 수정하는 배분적 정 의의 원칙으로서의 평등의 원칙을 따를 것으로 요구하고 있다.39)

(2) 미 국

미국의 경우에는 국내의 통설에서 말하는 바와 같은 다수의 횡포에 대한 소 수자 보호의 이념상 도출되는 주주평등의 원칙은 회사법상 등장하지 않고,40)

---

34) 大隅健一郎, "議決權株に就いて(一)," 「法學論叢」 第二三卷 第一号, 108面(김태진, 전게논문, 18면 재인용).

35) 김태진, 전게논문, 19면.

36) Michael Hoffmann-Becking, Münchener Handbuch des Gesellschaftsrechts, Band 4 Aktiengesellschaft, 3. Aufl., 2007, S. 17(정쾌영, "주주평등의 원칙에 대한 재고," 「상사판 례연구」 제23집 제4권(한국상사판례학회, 2010), 139면 재인용).

37) EC 제2지침 「주식회사의 설립, 자본유지 및 자본변경」이 1976년 12월 제정되었는데, 동 지 침은 ① 주주 및 채권자의 동등한 보호를 최소한도 확보하는 것, ② 특히 위법한 분배를 금 지하고, 자기주식의 취득의 가능성을 제한하는 것에 의해 채권자의 담보인 자본을 유지하는 것을 목표로 하고 있다(山口幸五郎 編, 「EC会社法指令」(同文館出版, 1984), 46面; Scholz, A., Kapitalerhaltung durch Solvenztests Eine ökonomische und experimentelle Analyse, Wiesbaden 2008, S. 73).

38) 주주의 신주인수권을 배제한 후의 증자에 대해서, 독일 연방재판소는 ① 신주인수권의 배제 가 회사의 이익에 기여할 것, ② 회사이익의 증대라고 하는 목적에서 필요한 것, 및 ③ 신주 인수권이 배제되는 주주와 상당성이 부족한 관계에 없을 것이라고 하는 실질적 조건을 충족 해야 한다고 하였다(BGHZ71, 40, 高橋英治, "ドイツにおける株主平等原則," 「民商法雜誌」 第138卷 第2号(2008) 88面).

39) 정쾌영, 전게논문, 141면.

40) 미국 모범사업회사법 §1.40에서는 주식(share)을 '회사에 대한 소유지분을 분할한 단위'라고 정의하고 있는데, 이 규정을 주식평등의 원칙을 명문으로 인정한 것으로 보는 견해가 있다 (이철송, 전게서, 319면).

지배주주의 권리남용에 대하여는 실정법의 규정보다는 지배주주의 충실의무 또는 이사의 의무에 관한 이론으로 해결하고 있다.[41][42]

미국의 대부분의 주에서는 주주평등의 원칙에 대한 직접적인 규정을 회사법에 두고 있지 않으며, 오히려 미국에서는 의결권의 분배가 회사의 자율에 맡겨져 있는 결과, 대부분의 주에서는 1주에 대해 2개 이상의 의결권을 부여되는 차등의결권주식 또는 1개 미만의 의결권이 부여되는 부분의결권주식의 발행이 허용되고 있다.[43] 미국 각 주의 회사법의 경우 제정 초기에는 1인 1의결권주의[44] 및 출자비율별 의결권 부여방식(의결권수를 체감시키거나 상환을 설정하는 방법으로 일정한 제한을 하는 방식)[45]을 택하였다가, 경제계의 요청에 따라 19세기 말 1주 1의결권의 원칙을 확립하였는데,[46] 그 후 1주 1의결권의 원칙을 임의규정화하여 그 채택 여부를 주주의 선택에 맡기게 된 것이다.[47]

그러나 대부분의 회사법 학자들은 1주 1의결권의 원칙을 회사 의결권의 효율적인 분배의 기준으로서 인정하고 있다.[48] 1주 1의결권의 원칙이 사회적 효

---

41) 박세화, "지배주주의 의무와 책임에 관한 연구: 충실의무와 무한책임을 중심으로," 「연세대학교대학원 박사학위논문」, 1997, 20면.

42) 미국에서 법원은 회사의 본질을 지극히 계약적인 것으로 인식함으로써 주주들과 회사 간의 관계에서 평등대우가 문제되기보다는 회사가 소수주주에 대하여 공정하게 취급하였는지에 초점을 맞추어져 판례가 형성되어 왔고, 그 결과 지배주주의 충실의무와 이사의 신인의무라는 법리를 통해 문제를 해결한 판례법이 발달했다고 한다(정승욱, "주식회사 지배주주의 법적 책임에 관한 연구 – 사실상 이사의 법리를 중심으로 –," 「서울대학교대학원 박사학위논문」, 1998, 64면).

43) 정쾌영, 전게논문, 136~137면.

44) 1825년부터 1835년 사이의 회사정관(corporate charters) 가운데 약 3분의 1 이상이 1인 1의결권(one person, one vote) 시스템을 채용하고 있었다고 한다(Colleen A. Dunlavy, Social Conceptions of the Corporation: Insights from the History of Shareholder Voting Rights, 63 WASH. & LEE L. REV. 1347, 1354-55 (2006)).

45) 예를 들면, 1870년 은행회사법(An act to create State Banking Institutions to enable the several Banks in this State –State and National– to avail of the provisions thereof, Act of Apr. 4, 1870, Md. Laws 1870, Ch. 206, pp. 339~350) 제7조 제1항(§7 art. 1)은 주주의 의결권에 대하여 각 주주는 그 보유하는 10주까지는 1주 1의결권을 갖고, 11주부터 100주까지는 2주 1의결권을 갖고, 100주를 초과하는 지분에 대하여는 5주 1의결권을 갖는다고 규정하고 있다.

46) 1주 1의결권의 원칙을 정하고 있는 법률로서는 1850년 제조공업회사법 제3조, 1868년 회사법 제53조 등을 들 수 있다.

47) 예컨대, 1897년 델라웨어주 헌법은 주식회사의 이사를 선임하는 경우 주주들의 의결권은 보유주식수 마다 1개로 한다고 규정하였다. 그러나 이 규정은 곧 개정되었는데 델라웨어주는 정관이 다르게 규정하지 않는 한 1주 1의결권의 원칙이 적용된다는 법률을 제정하여 이것이 오늘날 델라웨어주 회사법에 그대로 남아있다. 즉, 1주 1의결권 원칙은 임의규정이다(김화진, 「상법강의」 제3판(박영사, 2016), 202면).

용성을 극대화하는 구조를 제공한다고 한다.[49] 1주 1의결과 관련하여 1988년 증권거래위원회는 규칙(Rule) 19c-4[50]를 채택하였다. 당해 규칙은 상장회사로 하여금 불균형 의결권을 갖는 주식의 발행을 삼가도록 하는 것이었다. 당시 몇 몇 회사는 기존 주주에게 1주당 매우 큰 의결권을 부여하는 새로운 종류의 주식을 주식배당으로서 발행하였다. 이 종류의 주식은 양도가 제한되고, 1주 1의결권을 갖는 보통주로 전환한 이후에 양도할 수 있도록 하였다. 이와 같은 주식의 발행은 장기보유 주주 및 경영진들에게 고착권(lock in power)을 부여하고자 한 것이다.[51] 그러나 증권거래위원회의 규칙 19c-4는 연방항소법원에서 폐지되었다. 규칙 19c-4의 실패에도 불구하고 1주 1의결권의 규범은 회사지배구조에 있어서 기준(touchstone)이 되고 있다.[52]

미국법상 군소주주의 이익을 지배주주의 횡포로부터 보호하는 것은 주주평등의 원칙이 아니라 지배주주의 신인의무 또는 이사의 충실의무에 관한 이론[53]으로 해결한다.[54]

(3) 일 본

일본의 경우에는 2005년 개정 이전의 구 상법 하에서는 의결권이나 이익배당청구권 등에 관한 개별적이고 구체적인 명문의 규정은 있었으나, 주주평등의 원칙에 관한 일반원칙은 없었고, 단지 주식회사법상의 당연한 대원칙으로 받아들여지고 있었다.[55] 이후 2005년 개정 회사법 제109조 제1항에 명문으로 주주평등의 원칙에 관한 일반규정을 마련하게 된 것이다.[56]

---

48) Shaun Martin & Frank Partnoy, Encumbered Shares, 2005 U. ILL. L. REV. 775, 777 (2005).

49) Frank H. Easterbrook & Daniel R. Fischel, The Economic Structure of Corporate Law, 1991, p. 73.

50) 1/ C.F.R. §240.19c-4 (1988), invalidated by Bus. Roundtable v. SEC, 905 F.2d 406 (D.C.C. 1990).

51) Stephen M. Bainbridge, The Short Life and Resurrection of SEC Rule 19c-4, 69 WASH. U.L.Q. 565, 566 (1991).

52) Grant M. Hayden/Matthew T. Bodie, One Share, One Vote and The False Promise of Shareholder Homogeneity, Cardozo Law Review Vol. 30 No. 2(2008), p. 471.

53) 이사의 충실의무의 위반여부는 소수파주주에게 공정성 요건을 충족하여 취급하였는가의 기준으로 판단한다.

54) 김태진, 전게논문, 21면.

55) 일반적으로 주주평등의 원칙은 법의 이념인 정의와 형평의 이념 내지는 자연법적인 원리 하에서 인정되었다(落合誠一, "株主平等の原則,"「会社法演習 I」(有斐閣, 1983), 207面; 大隅健一郎・今井宏,「会社法論上卷」第三版(有斐閣, 1991), 335面).

일본에서도 주주평등의 원칙은 일반적으로 단체의 구성원들이 평등한 처우를 받을 권리로 이해하고 있으며, 이것이 주식회사에 있어서는 각 주주는 그가 보유한 주식의 수에 따라 평등한 대우를 받아야 한다는 형태로 나타난 것으로 해석한다.[57] 따라서 회사는 권리의 내용이 다른 주식을 발행할 수 있지만, 동일 종류의 주식 상호간에는 주주가 가진 보유 주식의 수에 따라서 비례평등하게 대우를 해야 하고, 만약 이 원칙을 위반하는 정관, 주주총회, 이사회의 결의, 이사의 업무집행 등이 있는 경우에는 무효라고 보고 있다.[58] 또한 회사가 이 원칙을 위반하는 행위를 하는 때에는 당해 행위를 주도한 이사 등의 책임이 발생함은 물론이다.

(4) 유럽연합(EU)

EU회사법 제2지침[59]에서는 「지침의 적용에 있어서 동일한 지위(in the same position)에 있는 모든 주주들을 동일하게 대우해야 한다」라고 함으로써 주주평등의 원칙을 준수해야 한다는 점을 명시적으로 규정(제42조)하고 있다. 또한, EU회사법 제13지침[60]에서는 공개매수와 관련해서 「대상회사의 동일한 종류의 주식보유자는 평등하게 취급되어야 하고, 또한 어떤 자가 회사의 지배권을 취득하는 경우에는 다른 주주는 보호되어야 한다」고 규정(제3조 제1항)하고 있다. 이른바 의무적 공개매수제안과 관련하여 소수파주주에게 동일한 조건에 의한 퇴출권을 부여하고 있는 것이다.[61] 2007년 6월에 채택된 EU 상장회사 주주의 권리지

---

56) 일본 회사법 제109조 제1항의 주주평등의 원칙에서는 「주식의 내용과 수에 따라서」라고 규정함으로써 주주평등이 상대적인 평등취급 원칙임을 선언한 것으로 이해하기도 한다. 즉 주주에 대한 자의적인 차별 내지는 불합리한 차별은 허용되지 않지만, 합리적인 이유가 있는 경우 또는 목적이 정당하고 수단이 상당한 경우에는 주주 간의 차별이 허용된다고 보고 있는 것이다.

57) 神田秀樹, 「會社法」 第10版(弘文堂, 2008), 65面.

58) 江頭憲治郎, 「株式會社法」 第2版(有斐閣, 2008), 125面.

59) Second Council Directive 77/91/EEC of 13 December 1976 on coordination of safeguards which, for the protection of the interests of members and others, are required by Member States of companies within the meaning of the second paragraph of Article 58 of the Treaty, in respect of the formation of public limited liability companies and the maintenance and alteration of their capital, with a view to making such safeguards equivalent.

60) Directive 2004/25/EC of The European Parliament and of The Council of 21 April 2004 on takeover bids. 이 지침의 주된 목적으로는 공개매수의 투명성의 창설, 주주의 평등취급, 의무적 주식 공개매수 및 이사의 중립의무라고 할 수 있다(Krause, Das deutsche Übernahmegesetz vor dem Hintergrund der EU-Richtlinie, ZGR 2002, 502).

61) 早川勝, "株式公開買付に関するEU第13指令における企業買収対抗措置について," 「ワールド・

침[62] 제4조에서는 "회사는 주주총회에의 참가 및 주주총회에서의 의결권의 행사에 관하여 동일한 지위에 있는 모든 주주를 평등하게 취급하는 것을 확보하는 것으로 한다"고 규정함으로써 주주의 평등취급에 관하여 규정하고 있다.

이상의 EU 회사법지침의 내용을 살펴볼 때, EU에서는 동일한 지위에 있는 주주는 평등하게 취급해야 한다는 주주평등의 원칙을 확립해 가고 있다고 평가할 수 있다.

다) 우리나라에서의 주주평등의 원칙

주주평등의 원칙은 정의와 형평의 이념으로부터 인정되는 것으로서 헌법상으로는 평등의 원칙(헌법 제11조)[63]과 자의금지의 원칙[64]의 경우처럼 배분적 정의에 그 기원을 둔다고 한다.[65] 이러한 측면에서 동 원칙을 자연법적인 원리 하에서 인정되는 것으로 이해하여 주식회사법제의 불가결한 원리로 보고 있는 것이 일반적이다. 그러나 이러한 통설적 견해에 대해서 주주평등의 원칙을 주식회사법제의 내재적인 법리라고 하기에는 이 원칙에 대한 예외를 인정하는 실정법 규정들이 지나치게 많다는 측면에서 단순히 입법정책적 성격으로 이해하는 것이 타당하다는 의견도 있다. 이하에서는 우선, 우리나라의 통설적 견지에서의 주주평등의 원칙에 대하여 개괄적으로 고찰해 보고자 한다.

(1) 통설적 견해

주주는 주주로서의 자격에 기한 법률관계에 대해서는 원칙적으로 그 보유하

ワイド・ビジネス・レビュー」第7巻 第1号(同志社大学ワールドワイドビジネス研究センター, 2005. 10.), 24面.

62) Directive 2007/36/EC of The European Parliament and of The Council of 11 July 2007 on the exercise of certain rights of shareholders in listed companies.

63) "헌법 제11조 제1항이 규정하는 평등의 원칙은 일체의 차별적 대우를 부정하는 절대적 평등을 의미하는 것이 아니라 법의 적용이나 입법에 있어서 불합리한 조건에 의한 차별을 하여서는 안 된다는 상대적·실질적 평등을 뜻하는 것이므로 합리적 근거 없이 차별하는 경우에 한하여 평등의 원칙에 반할 뿐이다"(헌법재판소 1999.7.22. 98헌바14).

64) "일반적으로 자의금지원칙에 관한 심사요건은 ① 본질적으로 동일한 것을 다르게 취급하고 있는지에 관련된 차별취급의 존재 여부와, ② 이러한 차별취급이 존재한다면 이를 자의적인 것으로 볼 수 있는지 여부라고 할 수 있다. 한편, ① 의 요건에 관련하여 두개의 비교집단이 본질적으로 동일한가의 판단은 일반적으로 당해 법규정의 의미와 목적에 달려 있고, ② 의 요건에 관련하여 차별취급의 자의성은 합리적인 이유가 결여된 것을 의미하므로, 차별대우를 정당화하는 객관적이고 합리적인 이유가 존재한다면 차별대우는 자의적인 것이 아니게 된다"(헌법재판소 2002.11.28. 2002헌바45).

65) Lutter·Zöllner, §53a Rn. 3, 4; 김재범, 전게논문, 683면 재인용.

는 주식의 수에 따라 평등한 취급을 받는다. 이것을 주주평등의 원칙이라고 한다.66) 그 내용은 ① 각 주식의 내용이 동일한 것 및 ② 각 주식의 내용이 동일한 한 동일한 취급을 받는 것이다. ①의 예외로서는 법이 인정하는 태양의 종류주식만이 인정된다. ②에 반하는 주주총회 결의·업무집행은 무효이다. 다만, 개개의 처분행위에 대해 불이익을 받는 주주가 임의로 승인하면 무효가 되지 않는다.67)

이 원칙의 특색은 다음과 같다. 사원이 다수이고 더욱이 자본적으로만 회사에 관여하기 때문에 평등 대우의 표준이 인원수가 아닌 각 주주의 주식수에서 구해지는 것을 들 수 있다. 또한, 주주 간에 인적 관계가 없고, 다수결의 원칙이 널리 인정되기 때문에 다수결의 남용으로부터 일반주주를 보호하는 작용을 한다. 이 원칙은 주주의 지위가 균일한 비율적 단위의 형태를 취해 각 주식이 포함하는 권리가 동일한 것을 그 귀속자인 주주의 측면에서 표현한 것이라고 할 수 있다. 이 원칙의 근저에는 단체에 있어서 구성원의 평등 대우는 정의·형평의 이념에 근거하는 당연한 요청으로, 명문 규정이 없어도 그 예외(종류주식 등)를 특히 규정하고 있는 것은 이 원칙을 전제로 한다는 것이다.

이상과 같이 파악하는 것이 통설적 입장이다.

(2) 판례의 태도

우리나라에서의 판례도 통설적 견해와 마찬가지로 주주평등의 원칙을 인정하고 있다.68)

(가) 손실보전금합의와 주주평등

P은행은 1998. 2. 26. 금융감독원으로부터 국제결제은행(BIS) 기준 자기자본비율이 8% 미만이라는 이유로 경영개선명령을 받고, 같은 해 6월 말까지 위 자

---

66) 주식회사에 있어서 주주평등의 원칙은 주주의 보유주식의 수를 기준으로 하는 자본적 평등인 것이다(정희철, "주주평등의 원칙," 「고시계」 제10호(고시계사, 1965. 10.), 126면. 강위두, 전게논문, 113면 재인용).

67) 예를 들어, 다수파주주의 이익배당에 대한 미수령승인에 대한 경우 등이 그것이다.

68) 대법원 2020.8.13. 2018다236241; 2018.9.13. 2018다9920(본소)·2018다9937(반소). 이영철, "포이즌 필과 주주평등의 원칙," 「기업법연구」 제23권 제3호(한국기업법학회, 2009), 199~200면; 장근영, "주주의 출자손실에 대한 회사의 보전약정의 효력," 「법학논총」 제26집 제4호(한양대학교 법학연구소, 2009), 244~247면; 강영기, "기업매수방위책과 주주평등의 원칙," 「경영법률」 제21집 제4호(한국경영법률학회, 2011. 7.), 120면; 김태진, 전게논문, 14~15면.

기자본 비율을 4% 이상으로 유지하기 위한 증자계획을 추진하면서, 1,000억원의 증가를 목표로 하되 그 중 150억원에 대하여는 임·직원을 참여시켜 유상증자를 한다는 계획을 세웠다. 위 계획에 의하면, 당시 P은행의 주식 실제거래가격은 주당 700원대이었음에도 불구하고, P은행의 모든 임·직원은 주식을 액면가인 주당 5,000원에 매입하도록 하였다. 그에 따라 1998. 6월 초순경 P은행은 모든 임·직원들에게 직급별로 출자금액을 할당하고, 출자방법을 제시하였으며, 임·직원으로부터 '자본금출자 확약서'를 징구하였다. 또한, P은행은 임·직원들이 출자금을 조달할 수 있도록 하기 위하여 퇴직금 중간정산제를 시행하고, 증자 참여를 독려하기 위하여 퇴직금을 중간정산한 직원에 한하여 퇴직시 퇴직금 산정은 '입행일로부터 퇴직 시까지의 기간으로 계산한 퇴직금 규정상 퇴직금에서 중간정산지급액을 차감한 금액을 최종퇴직금으로 지급'하는 제도를 시행하였으며, 사원복지연금운용지침에 의하여 해지가 금지되어 있던 개인연금신탁 계좌도 해지할 수 있도록 조치하였다. 이에 P은행의 임·직원들은 1998. 6. 23. 주식청약을 하면서, P은행에게 유상증자에 참여함으로써 입게 될 수도 있는 손실금을 보장하여 줄 것을 강력히 요구하였다. 이러한 요구를 받아들여 1998년 6월 25일 P은행의 은행장과 노동조합 간에 손실보전합의가 체결되었고, 1998년 8월 17일 P은행의 상임이사회 결의에 의해 퇴직금 특례지급기준이 제정되었다.

손실보전합의는 "1998. 6. 퇴직금 중간정산을 받은 자금으로 자본금 증자에 참여한 직원이 퇴직 시 출자 손실액이 발생할 경우에는 이를 전액 보전한다."는 내용이었다. 이에 임·직원들은 합의서가 발표된 다음날인 6. 27. 주식대금 납입을 완료하였다. 당시 P은행 주식의 시가는 1주당 780원에 불과하였는데, 임·직원들은 액면가인 5,000원에 주식을 인수하였다. 그 후 P은행은 1998. 8. 17. 상임이사회에서 사본금 증자에 참여한 직원(임원 제외)에 대하여 퇴직시 적용단가가 액면가액에 미달할 경우 퇴직금과 별도로 그 미달액을 보전하여 주는 내용의 '자본증자 참여직원에 대한 퇴직금 특례지급기준 제정을 의결하였다.[69]

하급심 법원[70]은 "주주평등의 원칙이란 형식적으로는 회사와 주주 사이의 법률관계에 있어서 주주를 그 지위에 따라 평등하게 취급하여야 하고, 실질적으로는 각 주주의 회사에 대한 권리의무가 그 보유주식의 수에 비례하여 정하여져

---

69) 서울중앙지방법원 2005.11.29. 2005가단105918, 2005가단105925(병합).
70) 서울중앙지방법원 2005.11.29. 2005가단105918, 2005가단105925(병합).

야 한다는 원칙이고, 상법에서 제344조, 제345조, 제370조 등의 주주평등 원칙에 대한 예외규정을 두면서 이를 엄격하게 한정적으로 규정하고 있는 것은 주주평등의 원칙이 주식회사법상의 기본원칙임을 뒷받침하고 있는 것으로 볼 수 있어서, 주주평등의 원칙은 주식회사법의 기본원칙이고 강행법규적 성질을 가진다고 할 것이고, 상법에서 인정하는 예외의 경우 이외에는 정관의 규정, 주주총회나 이사회의 결의 또는 대표이사의 업무집행이 주주평등의 원칙에 위반하는 때에는 회사의 선의·악의를 불문하고 무효라고 볼 것이다"고 하여 통설과 동일한 견해를 밝히고 있다.

또한 하급심법원은 은행장과 노동조합 위원장에 의하여 체결된 손실보전 합의와 상임이사회 결의에 의하여 제정된 퇴직금 특례지급기준은 유상증자에 참여하여 주주의 지위를 갖게 될 직원들에게 퇴직시 그 출자 손실금을 전액 보전해 주는 것을 내용으로 하고 있어서, 회사가 주주에 대하여 투하자본의 회수를 절대적으로 보장하는 셈이 되고, 다른 주주들에게 인정되지 않는 우월한 권리를 이 사건 자본금 증자에 참여한 직원들에게만 부여하는 것이어서 주주평등의 원칙에 위반된다고 하였다.

대법원 역시 같은 취지에서 주주평등의 원칙을 강행법규로 파악하여 이에 위반되는 법률행위의 효력은 무효라고 판시하였다. 즉, 대법원은 "회사가 직원들을 유상증자에 참여시키면서 퇴직시 출자손실금을 전액보전해 주기로 약정한 경우, 그러한 내용의 '손실보전합의 및 퇴직금 특례지급기준'은 유상증자에 참여하여 주주의 지위를 갖게 될 회사의 직원들에게 … 회사가 주주에 대하여 투하자본의 회수를 절대적으로 보장하는 셈이 되고 다른 주주들에게 인정되지 않는 우월한 권리를 부여하는 것으로서 주주평등의 원칙에 위반되어 무효이다. 비록 그 손실보전약정이 사용자와 근로자의 관계를 규율하는 단체협약 또는 취업규칙의 성격을 겸하고 있다고 하더라도, … 주주평등의 원칙의 규율 대상에서 벗어날 수는 없을 뿐만 아니라, … 주주평등의 원칙에 위배되는 것으로 보아야 하고, 위 손실보전약정 당시 그들이 회사의 직원이었고 또한 시가가 액면에 현저히 미달하는 상황이었다는 사정을 들어 달리 볼 수는 없다"고 하였다.[71][72]

---

71) 대법원 2007.6.28. 2006다38161, 38178.
72) 다만, 대법원은 은행이 단기간에 자기자본비율을 증대시키기 위하여 주식의 시가가 액면에 현저히 미달하는 상황에서 퇴직금의 중간정산 등 구체적인 출자금 마련 방법을 제시하고 또한 주주평등의 원칙에 어긋나는 손실보전약정을 체결하면서까지 액면으로 발행되는 유상

이와 같은 법원의 주주평등의 원칙에 대한 입장을 살펴볼 때, 동 판결은 다음과 같은 의의를 갖는다. 즉, 이 판결은 ① 주주평등의 원칙은 주식회사법의 기본원칙이고 강행법규적 성질을 가진다는 것을 확인하고 있다.[73] ② 상법에서 인정하는 예외의 경우 이외에는 정관의 규정, 주주총회나 이사회의 결의 또는 대표이사의 업무집행이 주주평등의 원칙에 위반하는 때에는 회사의 선의·악의를 불문하고 무효임을 밝히고 있다. ③ 손실보전약정이 사용자와 근로자의 관계를 규율하는 단체협약 또는 취업규칙의 성격을 겸하고 있다고 하더라도 주주로서의 손실을 보전하는 약정인 경우에는 주주평등의 원칙에 위배됨을 밝히고 있다.[74]

(나) 신주대금 납입금의 전액보전 약정과 주주평등원칙

최근 대법원은 회사가 신주를 인수하여 주주의 지위를 갖게 되는 자와의 사이에 신주인수대금으로 납입한 돈을 전액 보전해 주기로 약정하거나, 상법 제462조 등 법률의 규정에 의한 배당 외에 다른 주주들에게는 지급되지 않는 별도의 수익을 지급하기로 약정한다면, 이는 회사가 해당 주주에 대하여서만 투하자본의 회수를 절대적으로 보장함으로써 다른 주주들에게 인정되지 않는 우월한 권리를 부여하는 것으로써 주주평등의 원칙에 위반되어 무효라고 판단했다. 또한 이러한 약정의 내용이 주주의 자격을 취득하기 이전에 체결되었다거나, 신주인수계약과 별도의 계약으로 체결되는 형태를 취하였다고 하여 달리 볼 것은 아니라고 보았다.[75] 대법원 판례의 태도에 따르면, 회사가 제3자 배정 유상증자에 참가한 자들 중 일부와 투자금을 유상증자 청약대금으로 사용하고 수익금을 보장하는 등의 약정을 내용으로 하는 투자계약을 체결하는 경우, 이러한 투자계약이 주주평등의 원칙에 반하여 무효라고 판단될 가능성이 높을 것이다.[76]

증자에 참여하도록 직원들을 유인한 행위는 위법한 것이어서 불법행위를 구성한다고 하였다(대법원 2007.6.28. 2006다38161, 38178).

73) 본 사건의 손실보전약정은 인수한 주식을 퇴직시까지 보유한 직원에게만 손실을 보전해 주는 것을 내용으로 하므로 주주간의 절대적 평등과 비례적 평등을 모두 침해한 것으로 볼 수 있다(장근영, 전게논문, 245면).

74) 이와 같은 대법원 판결에 대하여 주주를 차별한 것이라기보다는 주주가 될 자에게 투자를 유치하기 위해서 회사법상 인정되는 주주권 외에 특별한 권리를 인정한 것에 불과하다는 점에서 주주평등의 원칙을 적용한 것에 의문을 표하는 견해도 있다(김건식, 전게서, 249면).

75) 대법원 2020.8.13. 2018다236241.

76) 김다연, "주주평등의 원칙과 그 위반에 따른 계약의 효력," 메트로신문, 2020. 9. 27.

(다) 투자유치를 위한 특별한 권리부여와 주주평등원칙

회사가 유상증자 참여 투자자들에게 투자금을 30일 후 반환하고 투자 원금에 대한 수익률을 지급하며 별도담보를 제공하기로 약정한 사안에서, 대법원은 그 투자금이 신주인수대금으로 사용되었고, 위 투자계약의 주목적이 손실보상인 이상 주주평등에 위반된다고 보았다.[77] 위 특혜가 주주가 아닌 상태에서 부여되고, 신주인수계약과 별도로 약정되더라도 주주평등원칙 적용대상이라고 본다.[78]

(라) 대주주의 이익포기와 주주평등원칙

이익배당은 주주평등의 원칙에 의하여 원칙적으로 각 주주가 가진 주식의 수에 따라 이익배당이 이루어져야 한다(제464조). 회사가 발행한 주식이 여러 종류가 있더라도 동종 주식 사이에서는 주주평등의 원칙에 따라 동일한 배당이 되어야 한다. 회사가 일반 주주에게 배당을 하지 않으면서 특정 대주주에게 증여의 형식으로 일정한 금액을 지급하기로 하는 약정은 주주평등의 원칙에 반하여 무효이다. 그러면 대주주가 소액주주들에게 더 많은 이익배당을 하기 위해서 자기가 받을 이익을 포기할 수 있을 것인가. 경우에 따라 상장법인에서는 대주주의 동의 아래 대주주의 배당률을 소액주주의 배당률보다 낮게 하거나 소액주주에게만 배당하고 대주주에게는 무배당하기로 결의하여 차등배당을 하기도 한다. 이러한 차등배당이 주주평등원칙에 반하는 것은 아닌가 하는 의문이 들 수도 있다.

대법원은 "… 대주주가 참석하여 당해 사업연도 잉여이익 중 자기들이 배당받을 몫의 일부를 스스로 떼내어 소액주주들에게 고루 나눠주기로 한 것이니 이는 주주가 스스로 그 배당받을 권리를 포기하거나 양도하는 것과 마찬가지로서 상법 제464조의 규정에 위반된다고 할 수 없다"고 판시하였다.[79] 결국 불리한 배당을 받게 되도 모든 주주가 스스로 자신의 권리를 포기하고 차등배당에 동의한다면 차등배당도 가능하다고 보아야 할 것이다.[80] 다만, 주주의 차등배당의 경우 주주총회에서 결의할 성질의 것이 못되고 대주주에 대한 차등배당이 대주주 스스로의 배당포기라고 해석할 수 있는 경우에 한하여 유효함을 주의하여야 한다.

---

77) 대법원 2020.8.13. 2018다236241.
78) 김건식·노혁준·천경훈, 전게서, 260~261면.
79) 대법원 1980.8.26. 80다1263.
80) 趙慶根, "차등배당, 대주주 스스로 포기할 땐 합법,"「매일경제」1991년 3월 25일, 8면.

(3) 주주평등의 원칙의 기능

주주평등의 원칙은 당연한 것이지만 자의적인 취급의 금지를 포함하고 있다. 예를 들어, 소집통지를 일부의 주주에게 발송하지 않는 것, 주주제안권을 행사한 복수의 주주에 대해서 특정한 주주에게 불평등한 취급을 하는 것 등은 허용되지 않는다. 또한 예를 들어 주주에게는 이사회의사록 등 각종 서류의 열람 및 등사청구권이 있는데(제391조의3 제3항 등), 이에 대해 회사는 이유를 붙여 이를 거절할 수 있다(동조 제4항).[81] 이 때 회사는 주주를 자의적으로 취급해서는 안된다. 마찬가지로 양도제한주식에 대한 주주의 승인신청에 대하여 평등에 반하여 승인거절을 하는 것도 안 된다.[82] 이러한 자의적 취급의 금지도 주주평등의 원칙의 내용이라고 생각할 수 있다.[83]

종래의 통설적인 견해에 의하면, 주주평등의 원칙에는 자본기여·리스크부담에 따른 주주의 평등, 권리행사의 기회의 평등을 확보하는 것으로써 주주의 이익을 배려함과 동시에 회사의 자금조달 기능을 높이고, 다수결의 남용으로부터 소수파주주를 보호한다고 하는 기능이 있다고 인정되고 있다.[84] 다시 말해, 주식회사에 있어서 다량의 주식이 발행되고 주주 간의 인적 신뢰관계가 없는 자본적 결합의 형태를 나타내는 상황에서 이사에 의한 업무집행권의 남용 또는 다수

---

81) 일본의 경우에는 회계장부열람·등사청구권을 둘러싸고 많은 논의가 있다. 즉, 일본 회사법 제433조 제1항(개정전 상법 제293조의6)에 정해진 회계장부열람·등사청구권은 주주의 중요한 정보수집권이라고 평가되고 있다. 이 권리의 행사에 의해서 파악하는 정보가 광범위하고 한편 기업비밀 등 회사의 이익에 깊게 관계하는 것이고, 이것이 남용되면 회사의 이익이 손상되는 것에서 동조 제2항(개정전 상법 제293조의7)에서 회사측에 주주의 청구를 거절할 수 있는 경우가 규정되어 있다. 회계장부열람·등사청구권의 보호법이익과 관련하여 학설의 대립이 있다. 동 권리의 보호법이익을 주주의 공익권이라고 이해하는 견해(大隅健一郎·今井宏,「会社法詳論(上卷)」第3版(有斐閣, 1991), 342面)가 있다. 이 견해에 의하면, 회계장부열람청구권의 행사는 주식매입청구권과 같은 순전한 자익권을 위해서 하는 것은 허용되지 않는다고 하는 결론이 나온다. 한편 일본 최고재판소는 동 권리의 보호법이익을 「주주의 정보수집권 내지 자익권」이라고 판시하고 있다(平成16年7月1日最高裁判決). 이 판결을 「모법인 미국에서의 이해에 한 걸음 다가서는 중대한 판단을 한 것」이라고 평가할 수 있다고 한다(志谷匡史, "閉鎖的会社における会計帳簿等の閲覧謄写請求,"「ビジネス法務」2004年 10月号, 46~50面).

82) Luttner/Zöllner, a.a.O., §53a Rn. 36 참조; 김재범, 전게논문, 700면 재인용.

83) 자의적 취급의 금지, 즉 주주는 정당한 이유 없이 불평등하게 취급되어서는 안 된다고 한다(Thomas Laiser/Rüdinger Veil, Recht der Kapitalgesellschaften, 4. Aufl. (München, 2006), S. 115).

84) 南保勝美, "新会社法における株主平等原則の意義と機能,"「法律論叢」第79卷 第2·3合併号(2007. 3.), 349面.

결원칙의 남용에 의한 대주주의 횡포로부터 일반주주의 이익을 보호할 수 있는 방호벽의 기능을 하는 것이 주주평등의 원칙이다.[85] 다만 대주주인 법인주주와 개인주주를 차별대우하여 개인주주들의 주식만을 액면가로 매입·소각하기로 한 주주총회 결의는 주주평등의 원칙에 반하는 위법한 결의로서 무효라고 판단한 판례[86]가 존재하므로 주주평등의 원칙이 소수주주 보호만을 위해 존재하는지에 대해 의문을 갖는 견해가 있다.[87]

주주평등의 원칙은 주주에 대한 평등한 취급을 통하여 주식투자의 수익의 예측가능성을 높이고, 주식투자를 촉진하는 역할과 보유하는 주식의 수에 따른 주주의 재산권 내지는 경제적 이익을 보호하는 기능을 한다고 할 것이다.[88]

(3) 주주평등의 원칙의 내용과 예외

주식평등의 원칙은 자본금의 단위인 주식의 균등성과 종류성을 전제로 하는 '자본적 평등'을 의미하고, 그 평등의 내용은 권리의 행사와 의무의 이행 등에 관하여 기회가 균등하게 주어져야 한다는 '기회의 균등', 주주는 지주수에 따라 주주권을 갖는다는 '비례적 평등' 및 주식의 종류에 따른 '종류적 평등'[89]을 의미한다.[90] 달리 말하면, 주주평등의 원칙은 기본적으로 회사의 수익에 대한 비례적 이익에 해당하는 이익배당에서의 평등, 순자산에 대한 비례적 이익을 의미하는 잔여재산분배에 있어서의 평등 그리고 순자산에 대한 비례적 이익으로서의 의결권의 평등의 규정 등을 통하여 그 권리가 구체화된다고 할 수 있다.[91] 그리고 동 원칙은 회사와 주주 간에만 적용되는 원칙이며, 주주 상호 간 또는 주주와 제3자 간에는 적용되지 않는다.[92]

그리고 이 원칙은 회사의 주식청약자에 대한 관계에 있어서는 주식배정의 자

---

85) 최준선, 전게서(2021), 243면.
86) 제주지방법원 2008.6.12. 2007가합1636: 확정.
87) 서완석, 전게논문, 80면 참조.
88) 강영기, 전게논문, 126면 참조.
89) 예컨대 회사가 수종의 주식을 발행한 경우에 우선주는 보통주에 대하여 평등의 원칙의 예외가 되지만, 우선주 상호간에는 평등의 원칙이 적용되는데, 이러한 평등을 종류적 평등이라고 한다(손주찬, 전게서, 616면; 손주찬·정동윤 편집대표, 전게서, 254면).
90) 정찬형, 전게 「상법강의(상)」, 715면.
91) 이철송, 전게서, 320면.
92) 예컨대 주식의 양도에 이사회의 승인을 받도록 되어 있는 폐쇄회사의 경우에 주주 甲이 乙 및 丙에게 주식을 양도하기로 하고 회사의 승인을 신청한 경우에 회사가 乙에 대한 양도를 승인하면서 丙에 대한 승인을 거절한 회사의 행위가 주주평등의 원칙에 위반되는 것은 아니다(권기범, 전게서, 497~498면).

유의 원칙에 의하여 그 적용이 배제되지만, 주주의 전신인 주식인수인에게는 적용된다.[93]

주주평등의 원칙에 관해서 상법에서는 일정한 예외를 규정하고 있는데, 종류주식 규정(제344조), 감사의 선임(제409조 제2항), 소수주주권의 인정(제366조 등), 단주의 처리(제443조) 등이 이에 해당된다.[94] 2011년 개정법에서는 종래와 달리 상환주식·전환주식·무의결권주식도 종류주식으로 분류한다(제344조 제1항). 상법이 인정하는 종류주식에는 이익배당이나 잔여재산의 분배에 관한 종류주식(제344조 제1항, 제344조의2),[95] 의결권의 행사에 관한 종류주식(제344조 제1항, 제344조의3), 상환에 관한 종류주식(제345조), 전환에 관한 종류주식(제346조)이 있다. 종류주식을 이와 같이 다양화한 것은 기업측에 대해서는 자금조달의 편의성을 제공하고, 투자자에게는 다양한 투자상품을 제시하고, 나아가 금융투자업자에게는 취급할 수 있는 금융상품을 다양화함으로써 자본시장을 발전시킨다는 정책의 표현이라고 할 수 있다.[96] 이에 대하여 주주권의 표창방법이 다름에 불과한 액면주식·무액면주식은 종류주식이 아니다.[97] 그러나 명문의 규정으로 이와 같이 주주평등의 원칙이 배제되거나 제한되는 경우라고 하더라도 주식 상호간에는 여전히 주주평등의 원칙이 지켜져야 한다.

(4) 주주평등의 원칙의 적용 요건[98]
(가) 회사의 차별행위가 존재할 것
주주평등의 원칙이 적용되기 위해서는 회사가 일부 주주를 불평등하게 차별하는 행위가 있어야 한다. 즉 회사가 일부 주주의 권리 내지는 이익을 침해하는 행위를 하는 경우에 동 원칙의 위반이 문제될 수 있다. 이러한 회사의 차별적인

93) 최기원, 전게서, 275면.
94) 상법이 이와 같은 법상의 예외를 인정하는 것은 모두 주주평등의 원칙을 실질적으로 실현하기 위한 기술적·방법론적 표현을 달리한 것에 불과하고, 주식평등과 무관한 원리를 설정한 것은 아니라고 한다(이철송, 전게서, 321면). 이러한 예외들을 큰 틀에서 보면 주식평등의 원칙을 효과적으로 구현하기 위한 것으로 볼 수 있다(장덕조, 전게서, 331면).
95) 과거 상장회사에서 유행했던 이른바 '1% 우선주', 즉 보통주가 받는 배당률에 1% 포인트를 가산한 배당률을 적용하는 주식도 상법 제344조의2 제1항의 '내용이 다른 종류주식'으로서 발행할 수 있다. 이익배당이나 잔여재산분배에 관하여 현물배당을 가능하게 한 점도 큰 변화의 하나이다(이철송, 「2011 개정상법-축조해설-」(박영사, 2011), 102면).
96) 법무부, 「상법(회사편) 해설자료」(2008. 11.), 90면.
97) 이철송, 전게 「회사법강의」, 287면; 장덕조, 전게서, 334면.
98) 김재범, 전게논문, 684~690면 참조.

행위는 형식적으로 판단될 수 있는데, 주주의 권리 중에서 지주수에 따라 그 행사범위가 결정되는 의결권, 이익배당청구권, 잔여재산분배청구권 등이 이에 해당된다. 이들 권리들은 지주수에 비례하여 권리행사의 범위가 결정되므로 회사가 주주가 가진 지주수에 비례하여 권리를 인정하지 않게 되면 바로 차별행위라고 평가된다.[99]

한편 다른 주주의 권리는 형식적으로 판단할 수 없고 실질적으로 불평등하다고 평가될 수도 있다. 예를 들면 주식병합[100]의 경우에 과도하게 높은 비율로 주식병합 비율을 정하게 되면 일정 수 미만의 주식은 모두 소멸하게 되어 결국 해당 주주의 권리가 실질적으로 불평등하게 대우받았다고 평가될 수도 있는 것이다.[101] 대주주인 경영자가 소수주주 축출을 위한 방법으로 자본감소의 방법을 이용하는 경우 우리 법상 주주평등의 원칙에 위반된다고 이론 구성하기는 어려울 것으로 보인다.[102]

(나) 차별행위를 정당화하는 사유가 없을 것

주주평등의 원칙이 적용되려면 차별행위를 정당하게 하는 사유가 존재하지 않아야 하는바, 만약에 차별을 정당화하는 사유가 존재하는 경우에는 동 원칙이 문제되지 않는다. 회사의 자의적인 차별만이 문제되므로 그 여부를 판단함에 있어서 차별의 정당성 여부가 중요한데 일반적으로 차별적 행위를 통해 개별 주주의 희생을 통해 보다 큰 회사의 이익 또는 대다수의 주주의 이익이 보전되는 경우를 의미한다고 볼 수 있다.[103][104]

---

99) 김재범, 전게논문, 685면.

100) 주식 병합(reverse stock split)은 수 개의 주식을 합하여 그 보다 작은 수의 주식으로 발행하는 방법인데, 통상 주식의 병합에 의해서 1주에 미달하는 단주(fractional shares)가 발생하게 되어 회사가 단주에 대하여 현금으로 이를 상환하게 되면, 소수주주는 회사로부터 축출되는 현상(소수주주의 강제축출, freeze-out, squeeze-out of minority share-holders)이 발생하게 된다.

101) 자본감소를 위한 주식의 병합에서 그 병합비율을 100:1로 한 경우에 100주 미만의 주식을 소유한 주주는 자신의 의사와 상관없이 주주의 지위를 박탈당하게 되는바, 이는 형식적으로 보면 모든 주주를 동등하게 대우한 것으로 볼 수 있지만 실질적으로는 해당 주주를 불평등하게 대우한 것으로 평가할 수 있는 경우도 있을 것이다.

102) 한편, 소수주주에 대하여 대주주가 부담하는 충실의무에 반하는 행위로서 규제되어야 할 것으로 보는 견해가 있다(김재범, 전게논문, 686면). 그러나 이는 미국 판례법상으로 구축된 이론으로서 우리 상법상 대주주의 책임을 충실의무 위반으로 묻기에는 한계가 있어 보인다.

103) 그러나 회사의 이익을 위한 차별의 정당성을 쉽게 인정해서는 안 되는데, 차별행위로 침해받는 주주의 이익과 그에 의해 보전되는 회사의 이익은 일정하게 수치적인 방식으로 형량하는 것이 어렵기 때문이다.

차별행위는 회사의 이익을 증진하고 보호하는데 적합할 뿐만 아니라 비례성을 갖춘 경우에만 정당성을 갖는다. 여기서 말하는 비례성에 대한 요구는 차별행위로부터 얻을 수 있는 회사의 이익과 그로부터 침해되는 일부 주주의 불이익을 산정하고 양자를 비교하여 일부 주주의 이익이 불비례적으로 침해당하지 않을 것을 의미한다.[105] 차별적 취급이 방법론으로서 다수 주주의 판단에 의한 기업가치의 훼손이라고 하는 비상사태로서 인정된다면 특별히 주주평등의 원칙에 반하지 않는다고 하여도, 그 차별의 정도가 현저한 경우에는 그 방법으로서의 상당성이 부족한 것이 되고, 그 점에서 다시 주주평등원칙 위반이 될 수 있게 된다.[106]

(다) 법률이나 정관에 다른 규정이 없거나 해당 주주의 승인이 없을 것

주주평등의 원칙이 강행법적 성질을 가지는 것이라고 하더라도 법률이나 정관 등에서 회사에게 일부 주주에 대한 차별적인 취급을 허용하는 예외적인 경우에는 당연히 적용되지 않는다. 우리 상법에서는 특별한 이해관계인의 의결권 배제제도, 의결권 없는 주식, 종류주식, 감사선임시 일정한 수를 초과하는 주식 등에 대해서 주주평등의 원칙의 적용을 배제할 수 있도록 규정하고 있다. 따라서 회사는 이러한 상법 규정상의 예외를 통하여 주주평등의 원칙의 적용을 받지 않게 된다.

그런데 차별행위에 의하여 자신의 권리를 침해당한 주주가 자신의 이익을 포기하는 경우가 있을 수 있는데, 이러한 주주의 행위는 자신이 주주평등의 원칙에 의한 보호를 포기한 것으로 해석되므로 역시 동 원칙의 적용은 배제된다. 하지만 이러한 주주의 권리포기는 개별적인 결정에 대한 포기에 한정되는 것이지, 이 원칙의 적용을 전면적으로 배제하는 일반적인 포기로서 해석될 수는 없다.[107]

---

104) 최근 일본의 불독소스 판결의 태도가 이와 유사하다. 즉, 특정한 주주에 의한 경영 지배권의 취득에 수반하여 주식회사의 기업가치가 훼손되어 주주의 공동의 이익이 손상되게 되는 경우에 그 방지를 위해서 특정한 주주를 차별적으로 취급하는 것은 형평의 이념에 반하거나 상당성이 부족한 것이 아닌 한 주주평등의 원칙의 취지에 반하지 않는다는 것이다(東京高等裁判所 平成19(ラ)917 平成19年7月9日).

105) 김재범, 전게논문, 687면.

106) 池野千白, "ポイズンピル設計における会社法の考え方·判例の考え方に関する一考察,"「Chukyo Lawyer」Vol. 13(2010), 22面.

107) Lutter/Zöllner, a.a.O., §53a Rn. 29(김재범, 전게논문, 688면 재인용).

(라) 회사와 주주 사이에 사원관계가 존재할 것

주주평등의 원칙은 회사와 주주 사이에서 권리와 의무가 발생하는 것을 전제로 하여 적용되는 원칙이므로, 사원관계가 없는 주식청약인에게는 동 원칙이 적용되지 않으며,[108) 회사와 주주간에 적용되므로 주주들 사이의 분쟁에서는 역시 동 원칙의 적용이 문제되지 않는다. 그러나 주주의 전신인 주식인수인에게는 적용되며, 주주명부상의 주주에게만 적용되는 것이지 명의개서 전의 실질주주에게는 적용되지 않는다.[109)

(5) 주주평등의 원칙의 위반효과

주주평등의 원칙을 위반하는 결과를 발생시키는 정관, 주주총회나 이사회의 결의, 이사의 업무집행행위는 무효로 보는 것이 일반적이다.[110) 하지만 주주총회의 결의와 관련해서는 일부 주주를 차별하는 경우라도 해당 주주의 동의가 있는 경우에는 주주권의 포기 내지는 하자의 치유 등으로 해석하여 그 결의의 유효성을 인정한다. 즉, 주주평등의 원칙에 위반하는 주주총회의 결의가 전체적으로 동 원칙의 폐지를 목적으로 해서 주식회사의 본질을 해하는 내용으로서 법령에 반하는 경우에는 절대적 무효가 되는 것으로 보아야 하지만, 그 결의가 강행법에 반하지 않으며 일부 주주의 권리나 이익을 침해하는 결의인 경우에는 불이익을 받는 해당 주주의 동의로써 치유될 수 있다고 보아야 할 것이다.[111)

이사회결의의 효력도 주주총회의 결의와 마찬가지로 관련된 이사회결의를 전부 무효로 볼 수는 없고, 이사회결의에 의하여 침해되는 주주의 권리나 이익이 가지는 중대성여부를 기준으로 결의의 효력을 판단하여야 할 것이라는 견해가 있다.[112) 일응 이사회결의에 의하여 주주평등원칙의 위반에 의하여 피해를 입은 일부 소수파주주들의 수인에 의한 권리포기 또는 하자의 치유를 생각하고 있는

---

108) 주식청약인과 회사 간에는 회사의 주식배정의 자유가 인정되므로 주주평등의 원칙이 적용되지 않는다(명호인·정세희, 「한국회사법」(학현사, 2010), 248면).
109) 최기원, 전게서, 275면.
110) 그러나 독일에서는 주주평등의 원칙에 반하는 주주총회의 결의는 무효가 아니라 취소할 수 있을 뿐이라는 것이 학설과 판례의 입장이라고 한다(최기원, 전게서, 277면). 슈미트(Schmidt), 휘퍼(Hüffer), 붕게로쓰(Bungeroth) 등이 이러한 견해를 취하고 있다. 취소가능성은 독일 주식법 제243조 제1항과 관련하여 논해진다(정성숙, "독일회사법상 사원(주주)평등의 원칙," 「영산법률논총」 제7권 제1호(영산대학교 법률연구소, 2010), 91면 참조).
111) 김재범, 전게논문, 702~703면.
112) 김재범, 전게논문, 703면.

듯하다. 그러나 이사회결의에 의한 주주평등의 침해행위와 주주총회결의에 의한 주주평등의 침해행위는 이를 달리 보아야 한다. 왜냐하면 권리의 포기 내지 하자의 치유를 실행하는 소수파주주가 주주총회의 경우에는 원칙적으로 자기 의사를 표시할 수 있는 입장이지만 이사회결의에서는 배제되어 있기 때문이다. 그러므로 주주평등의 원칙에 반하는 이사회의 결의는 원칙적으로 무효라고 볼 것이다. 다만, 회사를 둘러싼 단체법상의 법리와의 조정 및 조화를 위하여 개별적으로 이사회결의에 기한 후속행위의 효력에 관하여 상법에 규정을 둔 경우에는 그에 의하여 결의의 하자문제를 다루면 될 것으로 생각된다. 예컨대, 하자있는 이사회결의에 의하여 주주평등의 원칙에 위배되는 신주발행이 이루어진 경우라고 하더라도 이는 당연 무효가 아니고, 신주발행무효의 소에 의해서만 그 하자문제가 다루어진다(제429조).[113] 신주발행이 법령·정관에 위반하거나 현저히 불공정한 경우에는 무효가 된다. 신주발행에 있어서 주주평등, 즉 주주의 신주인수권은 주주가 회사에 대한 자신의 지분적 비례를 유지하기 위한 중요한 수단이다. 그러므로 이 법익의 본질적인 부분을 침해한 경우에는 무효로 다루고, 그 밖의 위법·불공정이 있음에 그칠 때에는 이사 또는 회사에 대한 손해배상책임으로 해결하여야 할 것이다.[114] 문제는 주주평등의 원칙이 적용되는 신주발행에 있어서 주주의 본질적인 이익이라는 것이 무엇인가라는 것이다. 이에 대해서는 신주인수권의 전부 또는 대부분을 무시한 경우라고 이해하는 견해가 있다.[115] 생각건대, 주주의 회사지배에 대한 영향력에 변동을 줄 정도에 이르는 부당한 신주인수권을 무시한 신주발행은 무효라고 할 것이다.[116]

(6) 주주평등의 원칙과 증명책임

주주평등의 원칙의 위반을 주장하는 주주가 불평등 취급과 그것이 정당한 사유에 근거하는 것이 아님을 증명하는 것은 용이하지 않다. 학설은 평등원칙의

---

113) 그러므로 특정 주주의 신주인수권이 불법하게 침해받은 경우라 하더라도 그 주주가 직접 회사를 상대로 불법하게 배정한 신주에 관하여 신주인수절차이행의 소를 제기하는 것은 허용되지 아니한다(서울고법 1987.4.2. 86나3345 제14민사부). 당해 주주는 신주발행무효의 소를 제기하여야 한다.

114) 이철송, 전게서, 945면 참조.

115) 정동윤, 「회사법」 제7판(법문사, 2001), 531면.

116) 일부 주주의 신주인수권을 무시하고 특정 주주에게 집중배정함으로써 새로운 지배주주가 등장하게 되었다든지, 종전의 대주주의 순위가 바뀌었다든지 하는 경우에는 무시된 신주인수권이 개별적으로는 근소하더라도 무효가 된다고 보아야 할 것이다(이철송, 전게서, 947면).

위반을 주장하는 주주는 불평등 취급을 주장·증명하면 족하고, 그것을 정당화하는 사유에 대한 주장·증명은 상대방이 하지 않으면 안 된다고 해석하여 평등원칙 위반을 주장하는 자에게 유리하게 증명책임을 전환하는 것을 인정하고 있다.[117] 다시 말해, 주주평등의 원칙이 존재하는 경우에는 형식적으로 불평등하면 위법이라고 추정되므로,[118] 그 위법이라고 추정되는 사실이 위법하지 않음을 추정을 번복하고자 하는 자가 증명하지 않으면 안 된다. 주주평등의 원칙이란 일부 주주의 전횡을 배제하기 위한 정책적 원리이며, 부정이나 위법·남용의 증명책임을 전환하는데 그 기능을 가지는 것이라고 생각할 수 있다.[119] 그러므로 회사의 행위가 주주평등의 원칙에 반하는 것이라고 주장하는 자는 차별행위의 존재를 설명하고 그 존재 사실만을 증명하면 된다. 반면에 회사는 차별적인 대우를 정당화할 수 있는 위반행위의 필요성, 적합성, 타당성 등에 관해서 설명하고 증명해야 한다. 주주평등의 원칙의 위반을 주장하면서 회사의 차별적인 행위의 무효를 주장하는 주주의 경우에 일정한 권리(예: 자신의 신주인수권 등)를 동시에 주장할 수도 있다.

2) 주주평등의 원칙에 관한 새로운 해석

가) 기존 주주평등의 원칙 논의에서의 문제점

주주평등의 원칙을 강행법규로서 당연히 인정하고 있는 종래의 견해에 의하면 다양한 형태의 종류주식을 허용하는 것은 형식적으로만 보면 주주평등의 원칙에 위반되는 것으로 해석될 여지가 많다. 그러나 권리의 내용이 다양한 주식의 발행을 엄격하게 제한하는 것은 오늘날 각 회사가 창의적으로 자금을 조달하는 방안을 막고 있는 것이며, 적대적 M&A에 대하여 각종 방어수단을 다양하게 마련하고 있는 다른 나라와 비교하여 볼 때 다양한 방어수단의 개발을 막고 있는 것은 아닌지 문제된다.[120]

---

117) Wiedemann, Gesellschaftsrecht Bd. I(1980), S. 430; Hüffer, in: Geßler/Hefermehl/Eckardt/Kropff, Aktiengesetz, Kommentar(1973), §243 Anm. 59.
118) 소송 규범상 회사측이 평등취급으로부터 괴리된 취급을 행한 것에 관한 합리성에 대한 증명책임을 지는 것으로 해석하여야 한다. 그 의미에서 형식적 평등취급에 반하는 취급이 이루어진 경우 위법성의 추정이 이루어지는 것으로 해석하여야 할 것이다(村田敏一, "会社法における株主平等原則(109条1項)の意義と解釈,"「立命館法学」第316号(2007. 6.), 404面.
119) 上村達男, "東京地方裁判所民事第8部御中ブルドックソース株主総会決議禁止等仮処分申立に対する意見書," (2007. 6. 26.), 8~9面.
120) 김태진, 전게논문, 10면. 일본의 경우 2005년 기업가치보고서에서는 기업가치기준을 만족

　최근 주주평등의 원칙의 의미와 내용 등과 관련해서 다음과 같은 이유로 기존의 통설적인 견해들을 비판하는 견해가 있다.[121]

　첫째, 어떤 법률관계가 주주로서의 자격에 기초한 것인지의 여부가 불명확한 경우가 많이 존재하므로 그대로 요건과 효과명제로서 개별문제에 적용하는 것은 곤란한 측면이 있다. 둘째, 주식이 평등하다는 것과 주주가 평등하다는 것은 양립할 수 없는 개념이므로, 주주평등의 원칙을 통설과 같이 주식평등의 원칙으로 파악하는 것은 충분하지 않다. 셋째, 주식의 균일성은 증권시장에서 주식거래를 가능하게 하는 중요한 요소에 해당하지만, 주식 이외의 상장증권에서도 적용되므로 평등원칙의 내용이라고 할 실익이 없다. 넷째, 주주평등의 원칙을 일반적인 정의·형평의 이념에서 이해한다면 그 타당한 범위는 무한정하게 되어 내용이 애매하게 된다. 다섯째, 주주평등의 원칙의 기능은 소수주주의 이익을 보호하는 것에 한정되지 않고, 회사에 대한 지분이라는 재산권 내지 경제적 이익을 보호하는 것 또는 주주 및 투자자가 가지고 있는 합리적인 기대를 보호하는 것으로 이해해야 한다.

나) 주주평등의 원칙에 관한 통설과 다른 설[122]

(1) 정책원리로 파악하는 견해

　주주평등의 원칙은 정책목적이라고 봐야 한다는 견해도 있다.[123] 최근 일본에서 새로이 주목받고 있는 설 중의 하나이다.

　주주평등원칙은 대주주·이사 등에 의한 전횡으로부터 소수주주를 보호한다고 하는 정책목적 그 자체이며(기능은 아님), 후진 자본주의국 독일, 일본이 주주평등원칙이라고 하는 대원칙을 중시해 오고 있는 것은 그것이 결여되면 대주주의 전횡을 사법차원에서는 확실히 체크할 수 없기 때문이고, 주주평등원칙은 1

　　시키는 방어수단은 주주평등원칙에 대한 위반이 아니라는 견해를 피력하고 있다(권재열, "일본에서의 적대적 M&A에 대한 방어수단의 합리성 판단,"「증권법연구」제10권 제2호 (한국증권법학회, 2009), 393면).
121) 이영철, 전게논문, 194~196면 참조.
122) 김태진, 전게논문, 28~31면 참조.
123) 윤영신, "회사법상 주식다양화의 한계 및 입법에 의한 다양화방안에 관한 연구,"「민사판례 연구(XXVII)」(박영사, 2005), 844~845면; 上村達男, "株主平等原則,"「特別講義商法1」(有 斐閣, 1995), 20面; 上村達男,「会社法改革」(岩波書店, 2002), 21面. 회사는 주주와의 관계 에서 원칙적으로 주주를 평등하게 대우하여야 한다. 그러나 예외적으로 특별히 회사와 주 주의 이익을 위하여 합리성이 인정되는 경우라면 특정 주주를 차별할 수도 있다(김건식· 노혁준·천경훈, 전게서, 262면).

주 1의결권의 원칙을 정한 규정 등에 의해서 근거가 되는 주식회사법 질서내의 상관습이라고도 해야 하는 원칙이며, 그 예외로서 평가되는 제규정이 예외로서 인정되는 것도 각 규정이 가지는 정책의 합리성에 의한다는 것이다.

이 견해에 의하면 주주평등의 원칙은 대주주 등에 의한 전횡으로부터 소수주주를 보호하는 것은 기능이 아닌 정책목적 그 자체이고, 그 실질은 대주주의 남용적인 행위에 대한 증명책임의 전환적 법리라는 것이다. 특히 자본시장에서 거래의 객체로서 적합하기 위해서는 '금융상품'으로서의 주식의 균일성 및 내용의 동질성이 필요하다는 기술적인 요청에 기인한 것이라고 한다.

(2) 법기술적 개념으로 파악하는 견해

이 견해는 정의·형평의 이념으로부터 모든 단체에 공통되는 원칙으로서 주주평등의 원칙을 논하는 것은 그다지 의미가 있는 것은 아니라고 하고, 기술적인 요청에 기하여 주주평등의 원칙이 인정된다고 하는 견해이다. 즉, 주식은 주주의 지위를 균일한 비율적 단위로 한 것을 배후에서 표현한 것이고, 주주평등취급이라고 하는 원칙이 없으면 주주와 회사와의 법률관계나 주식 양도 등을 합리적으로 처리할 수 없게 되어 아무도 안심하고 회사에 주주로서 출자할 수 없게 되어 주식회사 제도가 성립되지 않게 되는 것이 이 원칙을 인정하는 이유이다. 이 원칙의 의미는 각 주식의 내용이 동일한 취급이 이루어져야 하는 것이고, 종래의 통설이 주장하듯이 각 주식이 동일하다는 것은 이 원칙이 법기술적인 면으로부터 도출되는 것이라고 해석하면 평등원칙과는 직접 관계는 없다는 것이다.[124]

이러한 견해를 취하는 입장에서는 주식평등의 원칙이란 평등이념이 주식회사법적으로 변용된 것이라고 설명하기보다는 자본조달의 메커니즘을 가진 주식회사 제도의 본질적 요청과 아울러 자본시장에서의 거래의 객체로서의 적합성을 추구하는 기술적인 요청으로서의 주식의 균일성으로 인하여 당연히 인정되는 것으로 보는 것이 타당하다고 보고 있다.[125]

(3) 정책적·기술적 원리로 파악하는 견해

주주평등의 원칙은 주식회사 제도의 전개 과정에서 대주주의 의결권 남용을

---

124) 神田秀樹, 「会社法(初版)」(弘文堂, 2001), 53~54面; 神田秀樹, 「会社法(第八版)」(弘文堂, 2006), 63面.
125) 강영기, 전게논문, 123면.

견제하기 위해 성립한 역사적 존재에 불과하며, 결국 중요한 것은 정관자치의 문제인 것이다. 따라서 동 원칙을 엄격하고 경직적으로 적용하여 방어책의 적법 성여부를 일률적으로 해석하게 되면 합리적인 내용의 방어책도 허용되지 않을 것이고 이로 인하여 기업가치 및 주주의 이익에 부합하지 않는 결과까지도 초래 될 수 있으므로, 주주평등의 원칙을 정책적·기술적 원리로 파악하여 여러 요소를 고려하면서 유연하게 해석하는 것이 타당하다고 보는 견해[126]이다.

(4) 평등의 원칙의 의미를 구분하여 이해하는 견해

주주평등의 원칙의 내용에서 평등의 의미를 구분하여 이해하려는 견해가 있 다.[127] 이 견해에 의하면, 주주평등의 원칙을 주식평등의 원칙으로서 형식적으로 이해하는 것은 타당하지 않다. 동 원칙은 주식평등의 원칙도 그 일부의 구성 요소로 하면서, 한층 더 실질개념으로서의 주주 사이의 실질적 형평을 실현하기 위한 개념으로서 파악할 필요가 있다는 것이다.[128] 이러한 견해에 의하면 주주의 지분권을 확보하기 위한 보유주식 수에 비례한 엄격한 주주평등의 원칙, 주주의 감독시정권에 관계된 주주에 대한 일반적 평등 취급요청 그리고 단체의 구성원이 공정하고 타당한 대우를 받아야 한다는 일반적인 정의·형평의 이념에 따라 도출되는 주주평등대우의 원칙 등의 세 가지 측면으로 구분해서 동 원칙을 이해한다.

(5) 주주평등의 원칙 부정설

앞에서 본 견해에 대해서 주주평등의 원칙을 배제해야 한다는 다음과 같은 견해가 존재하였다. 즉, "상법상 주주평등원칙이란 포괄적 원칙을 인정한 (명문의) 근거가 없기 때문에 정관자유의 원칙을 인정하고 강행법 또는 공서양속위반의 경우에 이 예외를 인정하면 가(미)하다"고 주장하는 견해가 있었다.[129] 정당한 이유 없이 소유주식수에 비례하는 주주의 권리·의무를 부정하는 것은 정의·형평의 관념에 반하고, 공서양속에 반하는 것으로 정관 규정을 가지고 그것

---

126) 이영철, 전게논문, 199면.
127) 出口正義, 「株主権法理の展開」(文眞堂, 1991), 148面.
128) 村田敏一, "会社法における株主平等原則(109条1項)の意義と解釈," 「立命館法学」 第316号 (2007. 6.), 413~414面.
129) 서돈각, 「전정 상법강의(상권)」, 302면의 주 61; 이문봉, "주주평등의 원칙과 이에 관한 문제점," 「사법행정」 제11권 제2호(한국사법행정학회, 1970), 30면; 김태진, 전게논문, 11면 재인용.

을 규정하였을 때는 무효라고 해석하는 것이다. 즉, 정관규정 자유의 대원칙에
대해서 어떠한 경우에도 주주평등의 일반적 제약이 존재한다고 해야 할 이유는
없고, 주주평등에 반하는 정관규정이 정의·형평에 반하는지, 즉 공서양속에 반
하는지를 개개의 경우에 대해 고찰하여 그 규정의 효력을 판정하여야 할 것이
고, 총회결의 등에 대해서도 동일하다는 것이다. 정의·형평, 즉 공서양속에 반
하는지 여부의 표준 이외에 평등의 원칙을 문제로 하는 것은 불필요한 구속이므
로, 해석상 주주평등의 원칙은 오히려 배척해야 한다는 것이다.[130]

(6) 소 결

주주평등의 원칙이 회사제도를 둘러싼 상법상의 대원칙이라고 하더라도 이는
회사를 둘러싼 모든 법률관계에서 당연히 우선시되는 절대의 원칙은 아니라고
할 것이다. 다시 말해, 여타 상법상의 회사관련 제도와의 정합적인 고찰이 필요
하고, 더욱이 새로운 입법에 의하여 주주평등의 원칙의 적용범위 및 한계설정이
가능할 것으로도 생각된다. 즉, 통설과 다른 여타의 학설에서 주장하듯이 주주
평등의 원칙은 필요에 따라 유연하고 탄력적으로 해석할 필요가 있다.

일반적으로 주주평등의 원칙에 관해서 다수의 횡포에 대한 소수주주의 보호
를 위한 원칙으로 이해하면서, 주식의 종류와 내용에 따른 다른 취급이 가능하
지만, 발행된 동종의 주식들 간에는 동일하게 취급해야 하는 것으로 수정해석하
고 있다. 또한 회사는 주주의 의사에 따라 운영된다는 기본구조 하에서 보다 더
중요한 것은 주주가 되고자 하는 자들의 다양한 욕구를 충족시켜 주고, 나아가
회사의 자금조달을 용이하게 하는 것이라고 할 수 있다. 결국 이러한 주주와 회
사의 현실적인 요청에 부응하기 위해서라도 경직된 주주평등의 원칙이 아니라
유연하고 탄력적인 해석이 필요하다.[131]

다) 일본의 불독소스사건 판결

일본에서는 최근 주주평등과 관련하여 매우 의미 있는 판결을 한 바 있다.
이른바 불독소스사건 판결[132]인데, 이 판결에서 주주평등의 원칙에 관하여 종래

---

130) 松本烝治, "株式會社に於ける定款自由の原則と其例外," 「商法解釈の諸問題」(有斐閣, 1955),
    217面; 南保勝美, "新会社法における株主平等原則の意義と機能," 「法律論叢」 第七九巻 第
    二·三合倂号(2007. 3.), 341面 再引用.
131) 김태진, 전게논문, 38~39면; 강영기, 전게논문, 140면.
132) 東京地決 平成19年6月28日 「商事法務」 第1805号 43面; 東京高決 平成19年7月9日 「商事法
    務」 第1806号, 40面; 最決 平成19年8月7日 「裁判所時報」 第1441号, 1 面; 「民集」 第615巻

의 엄격한 해석으로부터 다소 유연한 해석을 하는 쪽으로 선회하고 있다.

(1) 사건의 개요

불독소스 주식회사(피신청인)는 소스와 기타 조미료 제조·판매 등을 주된 사업으로 하고, 동 사업에 관해 2007년 5월 현재 일본 내 시장 점유율 1위를 차지하고 있으며 동경증권거래소 제2부에 상장된 회사이다. 스틸 파트너스 재팬(Steel Partners Japan; 신청인)은 일본 주식에 대한 투자를 목적으로 하는 미국계 투자 펀드로서 2007년 5월 18일 현재(이하 연도를 표기하지 않은 것은 2007년을 말한다) 신청인의 관계법인과 함께 피신청인의 발행주식총수의 10.25%를 보유하고 있다. 신청인이 지분 100%를 소유·지배하고 있는 관계회사(SPV)는 신청인을 위해 주식 등의 매수를 목적으로 설립된 회사이다. 신청인은 5월 16일 피신청인의 주식 전부를 취득할 것을 목적으로 하는 공개매수를 개시할 것을 공표하고 공개매수신고서를 제출하였다.[133] 피신청인의 이사회는 6월 7일 본건 공개매수가 피신청인의 기업가치와 주주공동의 이익을 훼손시킨다고 판단하고 반대 의견을 표명할 것을 결의하였다.[134]

그리고 피신청인의 이사회는 6월 7일 본건 공개매수에 대한 대응책으로서 ① 일정한 신주예약권의 무상배정에 관한 사항을 주주총회의 특별결의 사항으로 하는 내용의 정관변경안, ② 본건 정관변경안이 승인·가결될 것을 조건으로 본

第5號, 2215面;「判例時報」No. 1983(2007. 12.);「商事法務」第1809號, 16面 이하.

2007년 6월, 불독소스 주식회사(이하 '불독소스')를 매수하려고 한 미국의 투자펀드 스틸 파트너즈의 관련회사(이하 '스틸 파트너즈')에 대항하여 스틸 파트너즈에 의한 경영권 취득이 불독소스의 기업가치를 훼손하고, 나아가서는 주주 공동의 이익을 해치는 것임을 이유로, 불독소스가 전주주에게 1주에 대해 3개의 신주예약권을 발행하고, 스틸 파트너즈 이외의 주주에게는 신주예약권 1개에 대해 1개의 주식 그리고 스틸 파트너즈에 대해서는 주식 싱딩액의 금전을 교부하는 것을 미리 주주총회의 특별결의를 거쳐 행하고, 신주예약권을 매입하는 수법 등에 의해 스틸 파트너즈에 의한 소유주비율을 4분의 1로 인하하려고 했던 것에 대해서 스틸 파트너즈가 신주예약권의 행사의 금지 등을 요구한 사건에 대해서 일본 최고재판소는 적법하다고 인정하였다.

133) 본건 공개매수의 대상 주권은 보통주식 및 2004년 6월 29일 피신청인의 주주총회 특별결의에 기해 발행된 신주예약권이며, 매수기간은 6월 28일까지, 매수가격은 1주당 1,584엔으로 하였다가, 6월 15일에 매수기간을 8월 10일까지로 연장하고 매수가격은 1주당 1,700엔으로 변경하였다.

134) 그 이유로는 신청인 등이 주주공동의 이익을 위해 경영할 능력이 없다는 사실, 본건 공개매수 후 피신청인의 경영에 대한 구체적 방침을 분명히 하지 않았다는 사실, 펀드의 성질상 추구하는 이익과 중장기적 관점에서 피신청인의 기업가치가 상충될 가능성이 있다는 사실 등에 비추어 보면, 신청인이 피신청인의 지배권을 취득하면 기업가치가 훼손된다는 점을 들었다.

건 신주예약권의 무상배정을 특별결의로 승인할 것을 구하는 의안을 주주총회에 상정하기로 결의하였다.135)

피신청인은 6월 24일 본건 정관변경안과 본건 신주예약권의 무상배정 결의를 위한 주주총회를 개최하였다. 본건 주주총회에서는 정관변경안과 신주예약권의 무상배정안 양자 모두 총 의결권의 94%의 주주가 출석하고 출석 주주의 88.7%(총 의결권의 83.4%)가 찬성함으로써 가결·승인되었다. 피신청인의 이사회는 같은 날 신청인의 본건 신주예약권 전부를 신청인에 대해 어떠한 부담이나 의무를 부과하지 않고 1개당 396엔을 지급하고 취득할 것을 결의하였다.

이러한 결의에 대하여 신청인은 본건 신주예약권의 내용이 ① 일본 회사법의 주주평등원칙(제109조 제1항)에 반하여 법령에 위반한다는 사실, ② 신청인 관계자의 지주비율을 대폭 희석화시킬 것만을 목적으로 하는 것이므로 현저히 불공정한 방법이라는 점을 이유로 하여 일본 회사법 제247조를 유추 적용하여 신주예약권의 발행 금지를 구하는 신청을 제기하였다.

(2) 사건의 전개

동경지방재판소의 결정136)은 신청인의 청구를 각하하였다. 즉, 지방재판소는 적어도 주주총회의 특별결의에 기하여 해당 신주예약권 무상할당을 한 경우에 해당 주주가 가지는 주식의 수에 따라 적정한 대가가 교부되어 주주로서의 경제적 이익이 평등하게 확보되고 있을 때에는 해당 신주예약권 무상할당은 주주평등 원칙이나 회사법 제278조 제2항의 규정에 위반하는 것은 아니라고 해석하는 것이 상당하다고 판시하였다.137) 고등재판소는 「주주 사이에 차별적인 취급이 이루어졌다고 해도, 관련하는 회사법의 제규정 등도 고려한 다음, 상기 차별적인 취급에 합리적인 이유가 있으면, 그것은 주주평등원칙 내지 그 취지에 위반하는 것은 아니다. … 회사법으로 정하는 주주의 권리행사는 당연한 것이기 때문에 신의성실 등 기본적인 법규범의 규율 하에서 권리의 남용에 관련되는 행사

---

135) 피신청인은 기업가치 및 주주공동의 이익 확보와 향상을 위해서 신주예약권자 중 일정한 자는 신주예약권의 행사 또는 취득에 있어서 다른 신주예약권자와 다르게 취급한다는 조건을 붙인 신주예약권 무상배정에 관한 사항에 관해서 이사회 결의에 의하든가, 주주총회 결의 또는 주주총회 결의(특별결의)에 의한 위임에 기초해 이사회 결의로 결정한다는 정관규정을 신설하였다.

136) 東京地裁決定, 平成19年6月28日,「商事法務」第1805号(2007. 7. 15), 43面 이하.

137) 東京地裁의 申立審決定(2007〔平19〕年6月28日決定),「民集」第61卷 第5号, 2243面.

는 허용되지 않는 것이기 때문에 다른 사람의 권리와의 상관관계에 있어서 일정한 경우에는 제약을 받는 일이 있는 것이다. 따라서 주주평등원칙은 회사법의 원칙의 하나이지만, 주주의 속성에 의해서 차이를 마련하는 것이 해당 회사의 기업가치의 훼손을 방지하기 위해 필요하고 상당하여 합리적인 것인 경우에는 그것은 주주평등원칙에 반하는 것은 아니다,고 하였다.138) 더 나아가 신청인을 "남용적 매수자"라고 인정하고 신청인의 항고를 기각하였다.139) 지방재판소와 달리 고등재판소는 주주총회의 특별결의 및 '해당 주주가 가지는 주식의 수에 따른 적정한 대가의 교부' 즉 경제적 이익의 평등은 요건으로 하고 있지 않다.140) 그리고 일본 최고재판소도 신청인의 청구를 기각하였다.

(3) 최고재판소의 결정 - 주주평등의 원칙 위반의 주장에 관한 결정내용

주주평등의 원칙은 개개의 주주의 이익을 보호하기 위해 회사에 대해 주주를 그 가지는 주식의 내용 및 수에 따라 평등하게 취급할 것을 의무화하는 것이지만, 개개 주주의 이익은 일반적으로는 회사의 존립·발전 없이는 생각할 수 없는 것이기 때문에 특정한 주주에 의한 경영지배권의 취득에 수반하여 회사의 존립·발전이 저해될 우려가 발생하는 등 회사의 기업가치가 훼손되고 회사의 이익 나아가서는 주주 공동의 이익이 손상되게 되는 경우에는 그 방지를 위해서 해당 주주를 차별적으로 취급했다고 하여도 해당 취급이 형평의 이념에 반하여 상당성을 결여한 것이 아닌 한 이것을 즉시 동 원칙의 취지에 반하는 것이라고는 할 수 없다.

그리고 특정한 주주에 의한 경영지배권의 취득에 수반하여 회사의 기업가치가 훼손되어 회사의 이익 나아가서는 주주의 공동의 이익이 손상되는지 아닌지에 대해서는 최종적으로는 회사 이익의 귀속주체인 주주 자신에 의해 판단되어야 할 것인 바, 주주총회의 절차가 적정을 결여한 것이었다든가, 판단의 전제로 여겨진 사실이 실제로는 존재하지 않거나 허위였다는 등 판단의 정당성을 잃게

---

138) 平成19年(ラ)第917号 株主総会決議禁止等仮処分命令申立却下決定に対する抗告事件(原審·東京地方裁判所 平成19年(ヨ)第20081号), 14面.

139) 東京 高等裁判所가 명시적으로 「남용적 매수자」라고 하는 말을 이용하여 스틸 파트너즈가 남용적 매수자에 해당한다고 하여 방어책의 유효성을 인정했다. 무엇보다, 그 직후에 최고재판소에서는 주주의 의사결정에 중심을 둔 판단기준을 채용하여 매수자가 「남용적 매수자」인지의 여부에 대한 판단기준은 이용되지 않았다.

140) 山田拓広, "「株式の敵対的買収に対する防衛策について－近時の裁判例を手がかりにして－」," 「Chukyo Lawyer」 Vol. 8(2008), 58面.

하는 중대한 하자가 존재하지 않는 한 해당 판단이 존중되는 것이 당연하다.

본건에서는 의결권 총수의 약 83.4%[141]의 찬성을 얻어 가결되었던 것이기 때문에 스틸 파트너즈 관계자 이외의 대부분의 기존주주가 스틸 파트너즈에 의한 경영지배권의 취득이 불독소스의 기업가치를 훼손하고, 불독소스의 이익 나아가서는 주주 공동의 이익을 해치게 된다고 판단한 것이라고 할 수 있다.

그리고 본건 총회의 절차에 적정이 결여된 점이 있었다고는 해도 또한, 상기 판단은 스틸 파트너즈 관계자에 있어서 발행주식 전부를 취득하는 것을 목적으로 하고 있음에도 불구하고, 불독소스의 경영을 실시할 예정은 없다고 하여 경영지배권 취득 후의 경영방침을 명시하지 않고, 투하자본의 회수 방침에 대해서도 분명히 하지 않았던 것 등에 의하여 엿보여지는 것이기 때문에 해당 판단에 그 정당성을 잃게 하는 중대한 하자는 인정되지 않는다.

스틸 파트너즈 관계자는 본건 취득조항에 근거하여 스틸 파트너즈 관계자가 가지는 본건 신주예약권의 취득이 실행되는 것에 의해 그 대가로서 금원의 교부를 받을 수 있고, 또한, 이것이 실행되지 않는 경우에 있어서도 불독소스 이사회의 본건 지불결의에 의하면, 스틸 파트너즈 관계자는 그 갖는 본건 신주예약권의 양도를 불독소스에 신청하는 것에 의해 대가로서 금원의 지불을 받게 되게 되는바, 상기 대가는 불독소스 관계자가 스스로 결정한 본건 공개매수의 매수가격에 근거하여 산정된 것으로 본건 신주예약권의 가치에 알맞는 것이라고 할 수 있다.

이러한 사실을 감안하여, 스틸 파트너즈 관계자가 받는 상기의 영향을 고려하여도 본건 신주예약권 무상할당이 형평의 이념에 반하여 상당성을 잃은 것이라고는 인정되지 않는다.

덧붙여 불독소스가 본건 취득조항에 근거하여 스틸 파트너즈 관계자가 갖는 본건 신주예약권을 취득하는 경우에 불독소스는 스틸 파트너즈 관계자에 대해서 고액의 금원을 교부하게 되어 그 자체, 불독소스의 기업가치를 훼손하고, 주주의 공동의 이익을 해칠 우려가 있는 것이라고 할 수 없는 것은 아니지만, 상기대로, 스틸 파트너즈 관계자 이외의 대부분의 기존주주는 스틸 파트너즈에 의한

---

141) 법원은 주주총회에 있어서 의결권 총수의 약 83.4%의 찬성을 얻었던 것에 주목하여 매수자에 의한 경영지배권의 취득은 주주 공동의 이익을 해치게 된다고 주주가 판단한 것이라고 지적하고 있다(最判 平成19年8月7日, 「金融·商事判例」 第1279号(2007), 25面).

경영지배권의 취득에 수반하는 불독소스의 기업가치의 훼손을 막기 위해서는 상기 금원의 교부도 어쩔 수 없다고 판단한 것으로 이 판단도 존중되어야 할 것이다.

따라서 스틸 파트너즈 관계자가 원심에서 말하는 남용적 매수자에 해당된다고 할 수 있는지 아닌지에 관계없이, 지금까지 설시한 이유에 의해 본건 신주예약권 무상할당은 주주평등의 원칙의 취지에 반하는 것이 아니고, 법령 등에 위반하지 않는다고 할 것이다.

(4) 판례에 대한 평석

불독소스 판결은 차별적 행사조건부 신주예약권과 주주평등의 원칙의 관계에 대해서 판단을 내리고 있다. 각 심급법원의 결정 모두 해당 신주예약권의 발행이 "바로 주주평등의 원칙에 위반하는 것이라고는 할 수 없다"고 하면서도 동시에 "그렇지만, 회사법 제109조 제1항에 정하는 주주평등의 취지는 신주예약권 무상할당의 경우에 대해서도 미치는" 것이라고 설시하는 점에 대체로 일치한다. 이것을 가지고, 이번 각 결정은 사법(司法)이 「지침」으로 채택한 견해를 부정하고, 차별적 행사조건부 신주예약권의 무상할당에 대해 주주평등의 원칙과의 저촉을 묻는 해석으로 크게 방향을 잡은 것이라고 평가하는 평석도 볼 수 있다.[142] 그 견해에 의하면, 차별적인 신주예약권을 주주할당으로 발행하는 경우(이른바 교부제한형)에 대해서도 주주평등의 원칙상 문제가 발생한다고 한다.[143] 그러나 이렇게 해석하면 신주예약권에 관한 할당자유의 원칙이 부정·붕괴될 지도 모른다고 하며 반대하는 견해가 있다.[144][145] 이 견해에 의하면 경영진의 지배권 유지 등의 관점에서 부적절한 태양의 주식 등의 발행에 대해서는 불공정발

---

142) 田中亘, "ブルドックソース事件の法的檢討[上]," 「商事法務」 第1809号(2007), 8面.

143) 田中亘, 上揭論文, 8面.

144) 村田敏一, 前揭論文, 438面.

145) 우리나라에서도 불독소스 사건의 판시는 '주주총회에서 특정 주주의 경영권 장악이 주주들의 공동의 이익을 해친다고 판단하여 그 특정 주주를 차별적으로 취급하는 결의를 하는 것은 유효하다'는 명제정도로 이해해야 한다고 전제하면서 다음과 같은 두 가지 이유로 주주평등의 원칙에 반한다고 보고 있다. 첫째, 특정 주주가 경영권을 장악하는 것이 주주공동의 이익을 해하는 것으로 이해하는 것은 인적회사에서나 가능한 판단이므로 주식회사는 적용될 수 없는 명제라고 한다. 둘째, 어느 주주에게 경영권 장악의 기회가 균등하게 주어졌으며, 다른 주주는 이에 대한 방어를 할 기회를 또한 균등하게 가지고 있다는 측면에서 다수결에 의해 다른 주주의 경영권 장악을 차단하는 수단을 마련한다는 것은 명백하게 주주평등의 원칙에 반하는 것으로 보아야 한다는 견해도 있다(이철송, 전게서, 320면).

행의 금지에 관한 판단구조(일본 회사법 제210조 제2호, 제247조 제2호) 중에서 대처하면 충분하고, 여기에 주주평등의 원칙을 적용하려고 하는 것은 분명하게 그 수비범위를 일탈하고 있는 것이라고 한다.[146]

불독소스 판결은 신주예약권 무상할당의 경우에도 주주평등의 원칙이 미치지만 전체 주주의 이익 및 회사의 이익을 해치는 예외적인 경우에는 주주평등의 원칙이 지켜지지 않아도 위법하지 않다고 한 것으로 이해할 수 있다. 주주평등의 원칙을 엄격하고 경직되게 적용하여 방어책의 적법성 여부를 일률적으로 해석하게 되면 합리적인 내용의 방어책도 허용되지 않을 것이고, 이로 인해 기업가치 또는 주주의 이익에 부합하지 않는 결과가 초래될 수도 있으며, 주주평등의 원칙은 선험적으로 주어진 것이라기보다는 탄력적 소유구조와 지배구조를 위해서 보다 융통성 있게 운용하는 것이 필요하고 다만 예외적으로 그 남용가능성을 통제하면 된다고 할 것이다.[147] 그러나 불독소스 사건의 일본 최고재판소 결정은 회사의 지배권이 다투어지고 있는 경우를 전제로 하고 있어 지배권의 다툼이 없는 경우에 대해 직접 적용될 것인가는 분명하지 않다. 다만, 판례의 배후에 있는 필요성과 상당성이라고 하는 구조는 행사제한부 신주예약권의 무상할당 일반에 대해 이용할 수 있음은 이론의 여지가 없다고 한다.[148]

최고재판소 결정이 주주평등의 원칙의 예외를 인정하면서 그 요건으로 정당한 목적(필요성)과 상당성을 요구하는 것은 타당하지만, 정당한 목적의 판단에 있어서 주주 판단의 내용 자체의 타당성에 관하여 판단을 하지 않은 점은 문제라고 지적하는 견해도 있다.[149] 하지만, 불독소스 사건의 판결을 통해 주주평등의 원칙의 의의와 한계, 남용적 매수자의 의의, 기업가치의 의미와 기업가치의 고려시 고려할 수 있는 이해관계자의 범위 및 이들 간의 관계와 같은 것을 언급한 것은 의미 있다고 할 수 있다. 특히 종래 일본 회사법의 대원칙이라고 일

---

146) 村田敏一, 前揭論文, 438面.

147) 최문희, "일본의 포이즌 필 발행 사례와 법적 쟁점-불독 사건에 관한 최고재판소 판례를 중심으로-,"「BFL」제26호(서울대학교 금융법센터, 2007. 11.), 108~109면. 따라서 적대적 M&A 상황에서 포이즌 필에 있어서도 주주평등의 원칙을 엄격히 적용하여 그 당부를 판단하기보다는 오히려 동 원칙의 취지에 비추어 방어책의 합리성·필요성·상당성을 검토하여 유연하게 해석하는 것이 바람직하다고 보고 있다.

148) 開示制度ワーキング・グループ 法制專門研究会, "開示制度ワーキング・グループ 法制專門研究会 (第2回会合) 議事要旨," (2011. 9. 1.), 1面 참조.

149) 이영철, 전게 "포이즌 필과 주주평등의 원칙," 214~215면.

컬어지는 주주평등의 원칙에 대해서 엄격 적용·해석의 원칙에서 벗어나 형평의 이념 하에 합리적인 해석을 도모하였다는 점에서 일보 진전된 해석이라 평가할 수 있으며, 회사법상 대원칙이 구체적인 사정에 따라 어느 정도로 수정·가변될 수 있는지, 그 한계는 어떻게 설정할 것인지에 대한 고찰을 절실한 과제로 부각시켰다는 점은 큰 의의가 있다고 평가할 수 있다.[150][151]

3) 주주평등의 원칙과 관련되는 상법적 쟁점

가) 이익배당의 문제

자본단체로서의 주식회사의 경제적 기능으로부터 주주의 재산권 내지 경제적 이익을 보호하기 위한 주주평등의 원칙에서 가장 중요한 것 중의 하나가 바로 이익배당이다.[152] 상법 제464조에서는 "이익배당은 각 주주가 가진 주식 수에 따라야 한다"라고 규정함으로써 명시적으로 주주평등의 원칙에 따라 이익배당할 것을 요구하고 있다. 그런데 이익배당에 있어서 일부 주식회사에서는 대주주의 양해 하에 소수주주와 그 배당률을 다르게 하는 경우가 있다. 이러한 차등배당은 보통 대주주의 배당률을 소수주주의 배당률 보다 작게 하고 소수주주에게 높은 배당률을 의결하는 것이 일반적이다. 이와 같이 차등배당을 주주총회에서 결의하는 것이 주주평등의 원칙을 위반하는 것은 아닌지가 문제되는데, 일반적으로 불이익을 당한 주주가 동의한다면 차등배당이 주주평등의 원칙을 위반하는 것으로 볼 수 없다고 평가하고 있으며,[153] 대법원[154]도 그 결의의 유효성을 인정하고 있다.[155][156]

---

150) 최문희, 전게논문, 115면.

151) 이 판결의 태도는 주주평등원칙은 회사이익을 위한 합리적 차별대우를 가로막시 않는 방향으로 유연하게 해석하는 최근의 경향과 일치한다고 한다(김건식, 전게서, 251면).

152) 村田敏一, 前揭論文, 401面.

153) 최준선, 전게서(2021), 244~245면.

154) 주주총회 결의를 통하여 대주주에게는 30%를 소수주주에게는 33%를 이익배당하기로 결의한 사건에서 대법원은 이러한 결의는 대주주가 자기가 받을 몫의 일부를 떼어 소주주들에게 나누어 주기로 한 것이므로 이는 주주 스스로가 배당받을 권리를 포기하거나 양도하는 것과 마찬가지여서 상법 제464조를 위반하는 것으로 볼 수 없다고 판시하였다(대법원 1980.8.26. 80다1263).

155) 그러나 일부 견해는 이러한 차등배당 결의가 가진 유효성은 인정되지만, 이 결의는 주주의 평등권을 침해하였으므로 하자를 가진 결의로서 해당 주주가 그 효력을 결의취소소송을 통해 다툴 수 있다고 한다(김재범, 전게논문, 694면).

156) 다만, 주주의 동의가 없는 경우에는 정관의 규정이나 주주총회의 결의 등으로 주주평등의 원칙에 반하여 의결권을 제한하더라도 효력이 없다(대법원 2009.11.26. 2009다51820).

나) 신주발행의 문제

상법 제418조에서는 "주주는 그가 가진 주식 수에 따라서 신주의 배정을 받을 권리가 있다"고 규정함으로써 신주배정에서도 주주평등의 원칙을 준수할 것을 요구하고 있다. 이렇게 신주의 발행 시에 주주가 신주를 자신의 주식수에 비례하여 인수할 수 있는 권리를 신주인수권이라고 하는데, 이러한 신주인수권은 기존 주주가 가진 회사에 대한 지배권을 지속적으로 유지할 수 있게 해줌으로써 출자의 비례적 가치를 보전한다는 측면에서 중요한 주주 보호제도라고 할 수 있다.157) 따라서 정관에 주주평등의 원칙에 위반하여 신주인수권을 부여하거나 제한하는 규정을 둔다면 그 규정은 무효가 되고,158) 그 규정에 따라서 발행된 신주는 신주발행유지청구(제424조) 또는 신주발행무효의 소(제429조)의 원인이 된다고 하겠다.

한편, 2005년 5월 27일 일본 경제산업성과 법무성 공동 릴리스에 의한 「기업가치·주주 공동의 이익확보 또는 향상을 위한 매수방위책에 관한 지침」에서는 매수자 이외의 주주에 대한 신주·신주예약권의 발행(매수자 이외의 주주에 대해서만 신주·신주예약권의 할당을 실시하는 것)은 주주평등의 원칙에 위반하는 것은 아니다라고 명기되어 있다.159) 종래에도 경제산업성과 법무성은 "신주예약권의 할당에 대해서 법률상 특히 제한은 설정되어 있지 않기 때문에 주주평등의 원칙에 반하지 않는다"는 입장을 견지하고 있었다.160) 그러나 경제산업성·법무성에 의한 「매수방위책에 관한 지침」에서 정의되고 있는 주주평등의 원칙은 "주주로서의 권리에 대해서 그 가지는 주식수에 따라 비례 평등적으로 취급되지 않으면 안 된다"라고 하고 있다.161) 이 정의에서 본다면, 무상할당에 대해서도 본래 일반주주가 보유하고 있는 주식 자체 내용의 취급에는 변경이 없는 것이기 때문에 원래 주주평등의 원칙과는 무관계하지 않을까 생각된다. 그러나 일본 지

---

157) 이철송, 전게서, 910면.
158) 신주발행과 관련해서 주주평등의 원칙을 위반하는 경우로는 특정한 일부 주주에게만 신주인수권을 부여하거나 주식수에 비례적으로 신주인수권을 배정하지 않는 경우 또는 신주발행가액을 인수권자별로 차별하는 경우 등을 예상할 수 있다.
159) 経済産業省·法務省, 「企業価値·株主共同の利益の確保又は向上のための買収防衛策に関する指針」(2005. 5. 27.), 7面.
160) 企業価値研究会, 「企業価値報告書－公正な企業社会のルール形成に向けた提案－」(2005. 5. 27.), 77面.
161) 経済産業省·法務省, 前掲 買収防衛策指針, 6面.

방재판소 결정에서 보이는 견해를 살펴보면 다소 의문이 있다. 즉, 일본 지방법원의 결정[162]을 보면, 할당 전의 주식보다 할당할 수 있는 신주예약권의 내용(행사조건에 차이가 있는 것, 취득방법에 차이가 있는 것) 자체에 초점을 맞추어 평등원칙의 「취지」가 적용된다고 여겨지고 있는 것 같다.[163] 마찬가지로 「매수방위책에 관한 지침」에서 이야기하는 것도 평등원칙이 적용되어야 하는 경우가 아닐까 하는 의문이다. 지방재판소 결정이 일본 회사법 제109조의 해석에 있어 "이 규정은, 주주로서의 자격에 근거하는 법률관계에 대해서는, 주주를 그 가지는 주식의 내용 및 수에 따라 평등하게 취급하지 않으면 안 된다"라고 하는 것을 「주주평등의 원칙」이라고 정의 붙이고 있다.[164] 이 "주주로서의 자격에 근거하는 법률관계에 대해서는"이라는 문구나 평등원칙의 적용이 있다고 하는 이유 등을 감안하면 주주평등의 원칙을 형식적으로가 아니라 실질적으로 파악하고 있는 입장으로 생각된다. 결국 매수방위책에 관한 심사지침과 지방재판소 결정의 이와 같은 차이는 「주주평등의 원칙」을 파악하는 방법에 관한 근원적인 차이에서 유래하는 것으로 생각할 수 있다.

이러한 신주인수권을 주주평등의 원칙에 따라 배정한 경우에 인수인이 납입을 하지 않아 실권주가 발생할 수 있는데,[165] 실권주의 처리와 관련해서 주주평등의 원칙이 적용되는지가 문제된다. 즉 회사는 실권된 주식을 나머지 주주들에게 균등하게 재배정해야 하는 의무가 주주평등의 원칙에 의해서 인정되는 것인지 검토할 필요가 있다. 그런데 신주의 발행은 회사의 자본금을 증가시키기 위해 행하는 것으로서 통상 긴급하고 완전한 자금조달의 필요성에 의하여 이루어진다. 즉 원활한 자금조달과 지배구조의 안정적인 유지라는 목적을 위해서는 실권주의 처리가 반드시 주주평등의 원칙을 준수해서 행해져야 한다고 볼 수는 없다고 할 것이다. 결국 실권주의 처리는 원활한 자금조달에 대한 요청과 주식의 균등한 배정에 대한 요청을 비교형량해서 결정할 문제로서, 예를 들어 긴급한 자금조달의 필요성이 균등배정의 요청보다 더 크다고 인정되는 경우에는 회사의

---

162) 東京地方裁判所 平成19(ヨ)20081.
163) "신주예약권이 제3자에 대한 할당이 아니고 주주에 대한 무상할당의 방법으로 발행되는 경우에는 … 해당 신주예약권에 대해서도 주주평등 원칙의 취지가 미친다고 해석하여야 할 것이다."(平成19年(ヨ)第20081号 株主総会決議禁止等仮処分命令申立事件, 18面).
164) 平成19年(ヨ)第20081号 株主総会決議禁止等仮処分命令申立事件, 17面.
165) 상법 제419조 제4항, 제423조 제2항 참조.

임의적인 주식 재배정이 주주평등의 원칙에 위반되는 것으로 평가할 수는 없다고 할 수 있다.[166]

다) 자기주식의 취득과 처분의 문제

2011년 개정상법은 자기주식취득의 규제를 크게 완화하여[167] 배당가능이익의 한도 내(재원규제)에서 전면적으로 허용(제341조)하는 한편, 특별한 목적이 있는 경우에는 개정 전의 규정과 마찬가지로 배당가능이익의 한도와 관계없이 자기주식을 취득할 수 있도록 하고 있다(제341조의2). 또한 주식평등의 원칙을 유지하도록 하는 등 자기주식 취득방법에 대하여 규제하고 있다.[168]

배당가능이익을 재원으로 할 때에는 자기주식취득으로 인해 자본충실이 저해되는 문제는 생기지 않지만, 회사가 어떤 방법으로 자기주식을 취득하느냐에 따라 주주간에 불공평이 생길 수 있다. 즉, 회사가 일부의 주주를 선정하여 자기주식을 취득한다면 그 선정에서 소외된 주주들은 투자를 회수하거나 투자수익을 실현할 수 있는 기회에 참여하지 못하는 불공평이 생기고, 또 자기주식의 취득가격을 정하기에 따라서는 주주 간에 이윤배분을 차별하는 결과가 될 수도 있다.[169] 그러므로 상법은 이러한 불평등이 생기지 않도록 취득방법을 한정하고 있다. 2011년 개정상법은 회사가 자기주식의 취득과 관련하여 가격결정과 상대방 선택에 있어서의 공정성 내지 주주 간의 평등을 담보하기 위해서 ⅰ) 거래소에서 시세가 있는 주식의 경우에는 거래소에서 취득하는 방법,[170] ⅱ) 각 주주

---

166) 김재범, 전게논문, 698면.
167) 개정상법이 자기주식취득규제를 크게 완화하기는 했지만, 이론적으로 상법상의 원칙은 여전히 취득금지라고 말할 수 있다(제341조 제1항, 제341조의2)고 한다. 즉 자기주식의 취득은 일반적으로 금지되며, 다만 배당가능이익을 가지고 취득하는 것과 상법 제341조의2 각호에서 열거하는 취득만이 허용되는 것으로 보아야 한다는 것이다(이철송, 전게 『2011 개정상법 －축조해설－』, 80면).
168) 개정 상법의 자기주식취득 규정을 취득가격의 총액에 제한이 있는 자기주식취득과 취득가격에 제한이 없는 자기주식취득으로 분류하는 견해도 있다(권재열, "개정상법상 주식관련 제도의 개선내용과 향후과제," 『선진상사법률연구』 통권 제56호(법무부, 2011. 10.), 21면).
169) 이철송, 전게 『2011 개정상법－축조해설－』, 83면; 공정가격보다도 높은 가격으로 특정한 주주로부터 발행회사가 자기주식을 매수하면 그 이외의 주주가 불이익을 입고 주주평등의 원칙이 문제된다(今川嘉文, "自己株式の買受規制と株主保護," 『神戸学院法学』 第33巻 第4号 (2004. 2.), 20面).
170) 거래소에서의 취득에 관해서 회사가 자기주식을 취득함에 있어서 모든 주주에게 공평한 매도의 기회를 부여할 수만 있다면 비록 상장주식이라고 하더라도 반드시 증권시장을 통해서만 취득할 필요는 없다고 하면서 입법적 보완의 필요성을 요구하고 있다(정준우, "2011년 개정상법상 자기주식의 취득·처분과 그 규제," 『한양법학』 제23권 제2집(한양법학회, 2012),

가 가진 주식 수에 따라 균등한 조건으로 취득하는 것으로서 대통령령으로 정하는 방법171)으로 제한하고 있으므로, 이상의 방법 이외의 방식으로 자기주식을 취득하는 것은 허용되지 않는다고 보아야 한다.

한편 개정상법에서는 자기주식처분에 관한 제342조 규정도 개정하여 이사회가 자기주식을 자유롭게 처분할 수 있다고 함으로써 이사가 회사의 소유구조에 변화를 가져올 수 있는 재량권을 가질 수 있게 하고 있다. 이와 같이 이사회에 자기주식 처분의 폭넓은 재량권이 부여됨으로 인하여 자기주식의 처분 시에 상대방의 선택에 있어서 주주평등의 원칙을 준수하는 공정성이 더욱 요구된다고 볼 수 있다. 특히 불공정으로 인해 야기되는 이해의 편차도 취득 시보다 크다고 할 수 있으며, 누구에게 처분하느냐에 따라 주주들의 비례적 지분관계 나아가 지배력의 균형에 변동이 생기기 때문이다. 따라서 자기주식의 처분 시에도 모든 주주에게 매수의 기회를 주는 것이 주식평등의 원칙에 부합한다.172) 그러나 우리 상법은 자기주식의 처분에 대해서는 구체적으로 처분방법에 관하여 규정을 두고 있지 않으므로 불공정한 처분의 효력은 해석론으로 다룰 수밖에 없다. 처분 시의 상대방의 선택이 불공정한 경우에는 상황에 따라서는 주주 간의 불평등이 크게 부각되지만, 우리 상법은 자기주식처분을 개인법적 거래로 다루고 있으므로173) 이론적으로 이를 바로 단체법적 이념에 해당하는 주식평등의 원칙을 원용하여 무효로 다투기 어렵다고 본다.174)175) 입법상의 불비이다.

254~255면.

171) 개정상법 시행령 제9조 제1항에서는 ① 회사가 모든 주주에게 자기주식취득의 통지 또는 공고를 하여 균등한 조건으로 주식을 유상으로 취득하는 방법, ② 자본시장법 제133조부터 제146조까지의 규정에 따른 공개매수의 방법을 제시하고 있다.

172) 이철송, 전게 「회사법강의」, 423면. 이 문제와 관련해서 외국의 입법례를 보면, 독일 주식법에서는 법정절차에 의하지 않는 자기주식의 취득과 처분은 주주평등의 원칙에 따를 것을 명문으로 규정하고 있으며(§71), 일본 회사법에서는 회사가 주주와의 합의에 의해 주식을 취득하는 경우에는 주주총회의 승인을 얻도록 하는 외에 모든 주주에게 매도의 청약의 기회를 주도록 하며(제156조 이하), 자기주식의 처분은 신주발행과 동일한 절차에 의하도록 하고(제199조 이하), 위법·불공정한 자기주식처분의 무효를 다투는 형성의 訴를 인정하고 있다(제828조 제1항 제3호).

173) 자기주식의 취득과 처분도 순자산을 증감시키는 거래인 경우에는 과세처분의 대상이 되는 손익거래에 해당한다(임재연, "상장법인의 자기주식취득제도," 「인권과 정의」 제225호(대한변호사협회, 1995), 64~65면; 종래부터 대법원의 확립된 입장이다(대법원 1992.9.22. 91누13571; 1992.9.8. 91누13670; 1980.12.23. 79누370).

174) 이철송, "불공정한 자기주식거래의 효력 ─ 주식평등의 원칙과 관련하여," 「증권법연구」 제7권 제2호(한국증권법학회, 2006), 18~19면 참조.

175) 이와 관련한 하급심 판례(서울서부지방법원 2006.3.24. 2006카합393; 2006.6.29. 2005가합

라) 다양한 종류주식의 인정 문제

(1) 종류주식의 의의

'종류주식'이란 소정의 권리에 관하여 특수한 내용을 부여한 주식을 말하는 것으로서, 본래적 의미의 주식은 주식평등의 원칙에 의해 회사에 대한 주주의 권리를 균등하게 표현하는 지분이지만, 투자자들이 보이는 성향의 다양성과 회사가 추구하는 자본조달의 효율을 감안하여 주식이 표창하는 권리의 조합을 달리할 수 있도록 허용된 것이 종류주식이다.[176] 즉, 자본시장이 개방되고 국제적인 자본이동이 자유로워진 오늘날의 세계 경제시장을 고려해 볼 때, 기업의 경쟁력 강화와 창의적인 경영활동을 촉진하기 위해서는 다양한 종류주식의 발행을 허용하는 것이 합리적이라 할 수 있다.[177] 물론 종류주식의 발행 시에도 주주평등의 원칙은 지켜져야 하지만, 이 원칙은 동종의 주식 상호 간에는 비례적 평등이 적용되나, 서로 다른 종류의 주식상호 간에는 비례의 원칙이 적용되지 않는다.[178]

상법이 인정하는 종류주식에는 이익배당이나 잔여재산의 분배에 관한 종류주식(제344조 제1항, 제344조의2), 의결권의 행사에 관한 종류주식(제344조 제1항, 제344조의3), 상환에 관한 종류주식(제345조), 전환에 관한 종류주식(제346조)이 있다.[179] 종류주식을 이같이 다양화한 것은 기업측에 대해서는 자금조달의 편의성을 제공하고, 투자자에게는 다양한 투자상품을 제시하고, 나아가 금융투자업자

8262)에서는 다음과 같이 판시하였다. "자기주식의 처분은 신주발행과 동일한 효과를 가져오므로 신주발행에서와 마찬가지로 통제를 가할 필요가 있다고 전제한 뒤, 유상증자가 이루어질 경우 자기주식을 양수한 자가 양수한 주식의 수에 비례하여 신주인수권을 행사하므로 다른 주주가 인수할 신주의 수가 줄어들게 되어, 결국 신주발행과 유사한 효과를 가져오는데, 다른 주주에게 매수의 기회를 부여하지 않고 회사가 일방적으로 처분하는 것은 주식평등의 원칙에 반하고 주주의 비례적 이익을 해하므로 무효이다."

176) 이철송, 전게서, 286면.

177) 정쾌영, 전게논문, 150면.

178) 물론 상법 제435조 제1항에서는 "어느 종류주식의 주주에게 손해가 미치게 될 때에는 주주총회의 결의 외에 종류주주총회의 결의가 있어야 한다"고 규정함으로써 어느 종류주식의 주주의 비례적 권리가 추상적인 권리라는 관점에서 변경되어, 당해 주주의 권리를 제거하거나 제한하는 경우 등에 있어서 종류주주의 권리를 보호하고 있다. 하지만 이러한 규정이 종류가 서로 다른 주식 상호 간의 비례적 평등에는 적용되지 않는다(이철송, 전게서, 651~652면 참조).

179) 2011년 개정전에는 이익이나 건설이자(개정법에서 폐지)의 배당 또는 잔여재산의 분배에 관해서만 종류주식을 인정하였고, 상환주식·전환주식·무의결권주식은 종류주식으로 다루지 않았으나, 개정법에서는 이러한 주식들도 종류주식으로 분류하고 있다(제344조 제1항).

에게는 취급할 수 있는 금융상품을 다양화함으로써 자본시장을 발전시킨다는 정책의 표현이라 할 수 있다.[180)

(2) 종류주식과 주주평등의 원칙

주주권의 변동을 초래할 수 있는 회사의 자본거래는 주주평등의 원칙이 적용되는 것이 원칙이지만, 상법에서는 주주평등의 원칙의 예외로서 종류주식을 발행한 때에는 정관에 다른 정함이 없는 경우에도 회사는 주식의 종류에 따라 신주의 인수, 주식의 병합·분할·소각 또는 합병·분할로 인한 주식의 배정에 관하여 특수하게 정할 수 있다(제344조 제3항)고 규정하고 있다. 하지만, 주주평등의 원칙이 종류주식들 사이에서는 적용되지 아니하여 차별이 허용되지만, 동종의 종류주식 내부 사이에서는 여전히 주식평등의 원칙이 적용된다. 또한 종류주식 제도는 주식의 종류에 따른 실질적인 평등을 실현하기 위한 것으로 이해되므로, 주식의 종류에 따라 '특수하게 정할 수 있다'라는 규정의 의미는 주주간의 실질적 평등의 실현이라는 범위 내에서 가능한 것이고 주식평등을 파괴하는 내용으로 정해질 수 없는 것으로 보아야 한다.[181) 따라서 각 종류주식의 내용과 수를 정관으로 정하는 경우에 각종 주식의 특성과 다른 종류주식과의 균형을 합리적으로 고려해서 이를 정해야 할 것이며,[182) 종류주식과는 아무런 상관이 없이 자의적인 차별 취급을 행해서는 안 될 것이다.

특히 황금주[183) 또는 포이즌 필[184)과 같은 다양한 종류주식의 발행이 가능하기 위해서는 우선 상법의 개정이 있어야 할 것이다. 주주평등의 원칙을 보다

---

180) 법무부, 「상법(회사편) 해설자료」(2008. 11.), 90면.
181) 이철송, 전게서, 289면.
182) 김순석, "종류주식의 다양화와 자금조달의 유연성에 관한 법적 쟁점 분석," 「상사법연구」 제27권 제2호(한국상사법학회, 2008), 43면.
183) 황금주(Golden Share)란 특정한 기업행동에 대해 거부권이 부여된 특수한 주식을 말한다. 예를 들어, 합병이나 이사의 해임 등 중요사항의 결의에 관해서 거부권을 가지는 주식을 우호적인 제3자가 보유토록 하면, 비록 적대적 매수자가 거의 100%의 주식을 매수하는 경우에도 단 1주의 황금주 보유자가 거부권을 행사하여 경영권을 지키는 것이 가능하다. 1933년 프랑스가 비례의 원칙(principle de proportionnalité)을 법제화한 이후 많은 유럽 국가 예컨대 벨기에, 포르투갈, 이탈리아 등이 복수의결권주식을 금지하였다. 그러나 복수의결권주식을 금지하며 주식의 비례적 이익을 강조한 많은 국가들이 공기업을 민영화하며 황금주를 도입하는 특별법을 제정하였다고 한다(奧平旋, "黃金株と民営化企業のガバナンス―民営化後の政府関与のあり方―," 「早稲田法学会誌」 第59巻 第2号(2009), 33面).
184) 포이즌 필과 주주평등의 원칙의 문제에 관해서는 본 논문의 "사) 포이즌 필에 따른 문제" 부분에서 자세하게 설명한다.

유연하고 탄력적으로 해석하여 회사의 이익을 최대화하고, 자금조달을 용이하게 하기 위한 실질적 필요를 인정하여 다양한 형태의 종류주식의 발행이 가능하다[185]고 해석할 여지도 있다. 그러나 상법의 개정이 이루어지지 않은 상태에서 특정 주주에게 의결권이나 거부권의 혜택을 부여하는 정관규정을 마련하는 것은 주주평등의 원칙 그 중에서도 1주 1의결권원칙이라는 회사법의 대원칙을 위반하는 중대한 무효행위라고 볼 수 있다.

(3) 소 결

주주평등의 원칙의 관념이 필요이상으로 정관자치를 제약하여 왔으며,[186] 주주평등의 원칙에 따라 권리내의 차별화를 엄격하게 제한하는 해석이 각 회사의 자금조달에 관한 창의성이나 노력을 방해하고 있지 않은가 하는 우려에서 동 원칙의 적용범위에 관한 재검토를 주장하기도 한다.[187)188] 동일 종류주식의 주주 간이든 다른 종류주식의 주주 간이든 그들 간의 합리적인 이해조정을 도모하는 회사법 전체 질서로서의 법원칙이 존재하여야 할 것이며, 이러한 역할을 주주평등의 원칙에 관한 개념 정립을 새롭게 하는 것에 의해야 할 것이다.[189] 주식의 균등성은 자본시장에서 공정한 시장가격 형성을 위한 필수적인 조건에 해당하지만, 투자자의 다양한 요구에 맞춘 자본조달을 용이하게 하기 위해 인정한 균등성의 예외로서 종류주식제도를 허용하는 것으로 이해해야 한다.[190]

마) 주주우대제도의 허용성 문제

'주주우대제도'란 회사가 주주에 대하여 회사의 사업에 관련한 편익을 부여하는 제도를 말한다.[191] 일반적으로 주식회사가 일정 수 이상의 주식을 보유하는

---

185) 이렇게 해석을 통한 다양한 종류주식의 발행을 인정한 견해가 있다(김태진, 전게논문, 41면).

186) 윤영신, 전게논문, 845면.

187) 江頭憲治郎, 「株式會社法」(有斐閣, 2007), 126面.

188) 주주평등의 원칙은 종류주식의 경우 주주와 회사 간의 법률관계에서의 이익조정원칙으로 취급할 수 있고, 주주와 주주 간에는 정관자치나 종류주주총회의 결의를 거치도록 함으로써 이익조정을 도모할 수 있다고 본다(김지환, "종류주주간의 이해조정에 관한 연구,"「상사판례연구」 제22집 제2권(한국상사판례학회, 2009), 100면).

189) 김지환, 상게논문, 99~100면. 즉 현재의 주주평등의 원칙의 개념은 형식적이고 기계적이며 경직된 경향이 있으므로, 그러한 형식적 의미에서 벗어나 실질적 의미에서 유연하게 구제적 타당성에 비추어 합리적으로 주주평등의 원칙의 개념정립을 할 필요가 있다고 보는 것이다.

190) 강영기, 전게논문, 131면.

191) 예를 들면 은행의 경우에 개인주주에게 은행거래 시 송금 또는 환전수수료를 면제해 주거

경우에 자사의 서비스를 이용할 수 있는 우대권을 주거나 자사제품 등을 제공하는 것으로서 우대 기준이 보유주식수에 비례하는 형태가 아니므로 주주평등의 원칙에 위반될 여지가 있다. 일정 주주만을 대상으로 혜택을 부여하는 주주우대제도에 대해서 요건을 충족하지 못하는 주주들을 차별한다는 측면에서 주주평등의 원칙에 위반한 것은 아닌지에 대하여 견해가 대립하고 있다.[192)]

일본에서는 주주우대제도에 관해서 주주평등의 원칙에 위반되어 무효라는 견해,[193)] 우대의 정도가 경미하다면 주주평등의 원칙에 위반되지 않는다는 견해,[194)] 회사의 합리적인 필요성이 있으면 주주평등의 원칙도 이에 양보해야 한다는 견해[195)] 등으로 대립하고 있다.[196)]

생각건대, 주주에 대한 우대를 통하여 회사가 가진 재산이 유출되는 결과가 발생한다면 실질적으로 이익배당적 성질을 갖는 것이므로, 탈법적인 위법배당에 해당할 수 있다.[197)] 그러나 주주에게 제공되는 이익이 회사의 자본을 잠식하는 정도까지는 이르지 않고, 이를 통해 기존 주주의 이탈 방지와 회사 이미지의 제고를 통한 주식가치의 유지 및 향상 그리고 주주들의 거래활성화를 촉진하기 위한 촉매제적 성격을 가진 것에 불과하다면, 주주평등의 원칙의 단순한 적용만으로 그 위법성을 인정하기보다는 경영진 또는 이사의 업무상 행위에 따르는 경영판단의 원칙이라는 측면에서 그 위법성여부를 판단해 보는 것이 합당할 것이다.

본래 주주우대제도의 취지에서 보면, 다소 주주의 비례적 취급이 문제가 있는 경우라 하더라도 회사가 출자자에 대한 감사의 뜻을 표하면서 주주에 대한 서비스 명목으로 제공하는 주주우대조치를 일률적으로 부정할 필요는 없다고 생각된다.[198)] 회사의 경영전략상 합리적인 범위 내라면 일부 주주만을 우대하더라

나 철도회사의 경우에 일부 주주를에게 철도비용의 할인 또는 좌석의 등급을 상향시켜주는 방식을 해주는 것이다. 실제로 우리은행의 경우에는 2007년 12월 말부터 우리금융지주 주식의 10주 이상 고객을 상대로 해서 등급에 따라서 송금, 수수료 등에 차이를 두어 주주우대제도를 시행하고 있다.

192) 주주우대제도에서 일정 주주들에게 특별우대권을 교부하는 것은 주식의 내용이라고 할 수 없으므로, 이에는 주주평등의 원칙이 적용되지 않는다는 견해도 있다(강위두, "주주평등의 원칙,"「고시계」제386호(국가고시학회, 1989), 116면).
193) 田中耕太郎,「改正会社法概論(下卷)」(岩波書店, 1955), 305面.
194) 落合誠一, "株主平等の原則,"「会社法演習Ⅰ」(有斐閣, 1983), 212面.
195) 大隅健一郎・今井宏,「会社法論(上卷)」第三版(有斐閣, 1991), 337面.
196) 김태진, 전게논문, 43~44면; 村田敏一, 前揭論文, 443面.
197) 정쾌영, 전게논문, 155면.
198) 주주우대제도는 적어도 ① 기관투자가와 개인주주의 취급의 차이, ② 1주에 대한 주주우대

도 주주평등의 원칙에 위반되지 않는 것으로 보아야 할 것이다.[199] 그러나 일부 주주에게 과다한 금전이나 현물을 제공[200]하는 경우에는 합리성을 인정할 수 없으므로 주주평등의 원칙에 반하는 것으로 보아야 할 것이다.[201] 예컨대, 일정 수 이상의 주식을 소유하는 주주에게만 우대조치가 이루어지는 경우, 주식의 일정수의 기준이 지나치게 높아서 일부의 대주주에게만 혜택이 돌아가고, 그 우대의 정도가 현저하여 배당가능이익에 영향을 미치는 때에는 주주평등의 원칙에 위배된다고 할 것이다.[202][203]

바) 주주총회운영에서의 문제

주주총회를 실제로 운영하는데 있어서도 주주평등의 원칙과 관련되는 문제가 발생할 수 있다. 예를 들면, 주주총회에서 되도록이면 앞좌석에 앉고자 하는 주주가 있는데, 이러한 주주들의 의사를 무시하고 특정주주 또는 회사에 우호적인 주주를 맨 앞줄에 배치하는 경우[204]에는 주주평등의 원칙의 측면에서 검토할

의 급부의 차이 등에서 주주평등의 원칙에 위배된다고 할 수 있다. 그러나 주주우대는 자사 기업의 상품, 할인권이 배포되는 경우가 많고, 개인주주는 주주우대의 이익을 향수할 수 있지만, 기관투자가의 대부분은 그 처분이 곤란하다. 주주평등의 원칙은, 1주의 권리에 대한 평등으로 100주를 소유하는 주주와 10,000주를 소유하는 주주의 권리는 100배의 차이가 있다(이익배당, 주주총회에서의 의결권 등). 그렇지만, 주주우대는 「100주 이상을 소유하는 주주에 대해서 자사 상품을 제공한다」 등 일정한 주주에 대하여 동일한 취급을 하는 경우가 많다.

199) 주주우대제도는 많은 경우 개인주주 확대나 자사 상품·서비스 등의 선전을 목적으로 소액의 상품을 분배하는 것에 지나지 않는다. 이러한 경우에는 주주에 대한 배당의 성격은 인정되지 않는다고 할 것이다. 그러나 합리적인 목적의 상당한 범위를 넘어 주주우대제도 하에서 고액의 회사재산을 환불하는 행위는 실질적인 현물배당으로서 상법상 배당규제(제462조 등)에 따르지 않으면 안 된다.

200) 주주에 대한 우대로 제공되는 이익이 금전 등 회사재산에 속하는 것이라면 실질적으로는 이익배당이나 현물배당에 해당하며, 배당의 탈법행위로서 위법배당의 문제를 제기할 뿐 아니라 보유주식 수를 기준으로 등급을 매겨 차등 지급하는 경우에는 주주평등원칙에도 어긋난다.

201) 임재연, 전게서, 330면. 그리고 상법 제467조의2 제1항에서는 '회사는 주주의 권리행사와 관련하여 재산상 이익을 공여할 수 없음'을 규정하고 있으므로 만약 주주의 권리행사와 관련한 회사의 이익공여가 있는 경우에는 본 규정을 위반한 것이므로, 재산상 이익을 공여받은 주주는 이를 회사에 반환해야 할 것이다(제467조의2 제3항).

202) 최기원·김동민 보정, 전게서, 578~579면.

203) 출석프리미엄을 통한 주주총회의 활성화 방안의 경우에도 마찬가지의 논리가 적용될 수 있다고 생각된다. 출석프리미엄을 통한 주주총회의 활성화 방안에 대해서는 다음 논문을 참조하시오. 정성숙, "출석프리미엄을 통한 주주총회의 활성화 방안," 「기업법연구」 제26권 제3호(한국기업법학회, 2012), 73면 이하.

204) 실제적으로 주주총회에서 앞쪽에 자리를 차지하게 되면, 다른 주주들을 설득하거나 의장의 지명을 쉽게 받아 발언권을 획득하여 의견개진의 기회가 많아진다는 측면에서 자신에게 유

필요가 있는가의 문제이다. 주주총회를 운영함에 있어서 회사 경영진의 의도에 비판적인 주주의 발언을 봉쇄하고 말살시켜 경영진이 의도하는 결과를 도출하기 위하여 일부 반대주주의 자리배치를 앞쪽에서 전면적으로 배제하거나 발언의 기회를 원천적으로 배제하는 정도에 이른 정도라면 주주평등의 원칙의 직접적인 위반은 아니더라도 신의칙상 허용될 수 없는 주주총회 결의절차의 하자문제로써 다루어질 수 있다고 생각된다.205)

사) 포이즌 필에 따른 문제

(1) 포이즌 필의 의의

포이즌 필(poison pill)은 여러 형태가 있지만, 일반적으로 포이즌 필이라고 하면 적대적 매수자가 대상회사의 주식을 일정한 비율 이상 취득하는 경우에 적대적 매수자를 제외한 기타 주주가 대상회사의 주식을 저렴한 가격으로 매수할 수 있는 선택권(call option) 또는 적대적 매수자가 대상회사를 흡수합병하여 존속회사로 남는 경우에 대상회사의 소멸 전에 대상회사의 주주에게 존속회사의 주식을 낮은 가격으로 매수할 수 있는 권리를 부여해 주는 것을 의미한다. 결국 포이즌 필은 어느 특정 기업을 상대로 적대적 M&A가 시도되는 경우에 해당 기업의 주주에게 대상회사의 신주 또는 이후 합병하는 회사의 신주를 매입할 수 있는 콜 옵션을 부여해 줌으로써 인수회사 또는 대상회사의 의결권이 엄청난 규모로 희석되게 하여 경영권 방어에 도움을 주는 방식에 해당된다.206)207)

(2) 포이즌 필과 주주평등의 원칙

포이즌 필에 있어서 주주 사이의 차별대우와 관련한 쟁점은 일반주주에게는 보유주식 1주당 주식 1개를 취득하도록 하는 반면에 발행주식총수의 일정비율 이상에 해당하는 주식을 가진 적대적 매수자에 대해서는 그 취득을 제한하는 것

　　리한 방향으로 주주총회를 운영하게 할 가능성이 많아진다고 볼 수 있다.
205) 김태진, 전게논문, 45면 참조.
206) 김화진·송옥렬, 「기업인수합병」(박영사, 2007), 345면.
207) 포이즌 필이 효용은 당초에 적대적 매수자와의 관계에서 대상회사 경영진의 협상력을 높여 대등한 위치에서 M&A에 대응하게 할 목적으로 고안된 것이다. 즉 적대적 M&A가 시도되는 경우에 당해 주주로 하여금 그 권리를 행사하게 함으로써 적대적 매수자가 보유하는 주식의 비율을 희석시켜 회사의 이익에 반하는 적대적 매수를 억제하고, 적대적 매수자에게 적절한 매수조건 등 정보를 개시하도록 하여 대상회사와의 교섭을 촉진시키고, 그 비용부담을 가중시켜 적대적 M&A를 방어하는 수단으로써 기능하게 한다(권재열, "포이즌 필 도입에 관한 연구," 「중앙법학」 제9집 제1호(중앙법학회, 2007), 294면).

이 주주평등의 원칙에 위반되는 것은 아닌가 하는 점이다.208) 이 문제와 관련해서 일본은 신주예약권209)의 발행조건은 균등하여야 한다는 규정(일본 회사법 제238조)을 두고 있어서 주주평등의 원칙 위반의 논란이 있는데, 이에 따라 일본에서는 주주평등의 원칙의 위반 논란을 회피하기 위한 수단으로 주주에게 신주인수권을 직접 부여하는 대신에 신탁방식을 이용하고 있다.210) 경우에 따라서는 SPC(특수목적회사)를 이용한 신탁방식을 이용하기도 한다.

미국의 경우에는 일반적으로 포이즌 필211)을 주주에게 배당하는 방식으로 교부하기 때문에 특정 주주에게만 포이즌 필을 교부할 수는 없으므로 기업매수자도 원칙적으로 포이즌 필을 배정받게 된다. 그러나 기업매수자의 행위를 배제하기 위해 통상적으로 "포이즌 필을 행사할 수 있도록 그 원인을 제공한 주주는 그 포이즌 필을 행사할 수 없다"212)는 내용의 조항을 포함시킨다.213)

(3) 견해의 대립

(가) 주주평등의 원칙에 위반되지 않는다는 견해

기회적 평등의 관점에서 보면, 포이즌 필에서는 누구라도 일정한 요건을 충족하는 경우에는 일정한 불이익을 발생시키므로 불평등한 취급이라고 할 수 없다.214) 또 주주평등의 원칙을 위반하더라도 불이익을 받는 주주가 승인하면 하

---

208) 포이즌 필에 있어서 배정대상의 차별뿐만 아니라 행사조건이나 취득조항을 다르게 정하는 경우에도 역시 주주평등의 원칙에 위반되는지가 문제된다.

209) 신주예약권이란 구체적으로 신주를 인수할 수 있는 콜 옵션을 말한다.

210) 신탁형 포이즌 필의 기본구조는 다음과 같다. ① 신주예약권을 발행한다. ② 신주예약권을 신탁회사에 맡긴다. ③ 장래 시점의 주주에게 신주예약권을 분배하도록 신탁회사와 계약한다. 이러한 방법에 의하여 「기발행의 신주예약권」을 「장래 시점의 주주」에게 할당하는 것이 가능해진다.

211) Moran 판결에서 사전의 방어책으로서 포이즌 필을 도입하는 것은 이사의 신인의무 (fiduciary duty)에 반하지 않는다고 판단하고 있다(Moran v. Household Intern., Inc., 500A. 2d 1346 (Del. 1985)).

212) 예컨대, 「매수자(acquiring person)가 된 경우에는 권리의 양도 또는 권리행사는 불가능하다」고 하는 규정을 두는 것이다(戸田裕之, "敵対的企業買収と防衛策－新株予約権を用いたポイズン・ピルー,"「立命館法政論集」第3号(2005), 340面).

213) 미국에 있어서는 기업매수에 대한 방어책에 대해 재판상 다투는 경우에는 Unocal 기준 (Unocal Corporation v. Mesa Petroleum Co., 493 A. 2d 946 (Del. 1985))에 의해서 판단된다. 방어책을 채용함에 있어서 ① 매수에 의한 위협의 합리적인 인식과 ② 방어책의 합리성에 대해서 의무위반과 해당 방어책의 구조상의 관점에서 사례마다 개별 구체적으로 판단되게 된다. 포이즌 필에 있어서도 이 기준이 적용된다.

214) 石綿学, "敵対的買収防衛策の枠組の検討－事前予防のための信託型ライツ・プラン(下),"「商事法務」第1721号(2005. 2. 5), 24面; 이영철, 전게 "포이즌 필과 주주평등의 원칙," 203면 재인용.

자가 치유된다고 해석되므로, 포이즌 필에 의하여 불이익을 받는다는 것을 인식하면서도 매수를 강행한 적대적 매수자에게는 주주평등의 원칙이 적용되지 않는다고 한다. 그리고 포이즌 필은 그 발행 당시부터 주주를 차별하는 것이 예정되어 있으므로 주주평등의 원칙에 반하는 것은 아니라고 한다.[215]

(나) 주주평등의 원칙 위반이라는 견해

포이즌 필은 적대적 매수자와 기타 주주를 차별적으로 취급하는 것으로서 주주평등의 원칙에 위반된다는 것이다. 즉 전체적인 거래구조는 처음부터 대상회사의 콜 옵션 행사에 있어서 인수회사가 차별받도록 대상회사가 그러한 구조를 만들고 있으며,[216] 특정한 주주(적대적 매수자)가 권리를 행사할 수 없는 조건으로 포이즌 필을 주주배정 방식으로 교부하는 것은 결국 주주간의 차별적 취급으로서 주주평등의 원칙에 반하는 것으로 보아야 한다.[217] 또 기회적 평등이 확보되는 경우, 사후적 평등은 달성되지 않아도 좋지만, 일정한 요건의 설정이 주주의 특정한 자격에 기초한 경우에는 오히려 차별취급으로 보아야 한다.

(다) 합리적 해석을 도모하려는 견해

적대적 기업매수의 방어책으로서 포이즌 필이 주주평등의 원칙을 위반하는가의 여부는 형식적 평등의 관점이 아니라, 목적의 정당성 및 수단의 상당성의 관점에서 실질적으로 판단하여 유연하고 탄력적으로 해석해야 한다는 입장이다.[218] 즉 주주의 이익과 기업가치의 보호라는 관점에서 주주평등의 원칙도 주주의 이익을 위하여 만들어진 제도이므로, 경영권의 방어가 대상회사의 주주의 이익을 보호하기 위하여 필요하거나 합리적인 방어책이 없어서 기업가치 또는

---

215) 김태진·이동건, "미국 법제하에서의 적대적 M&A 방어빙법의 한국 법제하에서의 활용 가능성,"「증권법연구」제8권 제2호(한국증권법학회, 2007. 12.), 317면; 최문희, "일본의 포이즌 필 발행 사례와 법적 쟁점,"「BFL」제26호(서울대학교 금융법센터, 2007. 11.), 98면.
216) 송옥렬, "포이즌 필의 적법성과 도입 가능성－일본에서의 논의를 중심으로,"「BFL」제12호(서울대학교 금융법센터, 2005. 7.), 47면.
217) 박정국, "포이즌 필에 관한 소고,"「법학논고」제40집(경북대학교 법학연구원, 2012), 529면; 이영철, 전게논문, 207면.
218) 불독소스 사건에서 일본 최고재판소는 ① 신주예약권의 무상배정에도 주주평등원칙의 취지가 미친다고 한 후, ② 기본적으로 매수방어책으로서 신주예약권 무상배정을 실시할 필요성("특정 주주에 의한 경영지배권 취득에 수반해서 회사의 존립, 발전이 저해될 우려가 발생하는 등 회사의 기업가치가 훼손되고, 회사이익 나아가서는 주주공동의 이익이 해하게 되는가 여부")과 그 대항조치의 상당성이 충족된다면 예외적으로 주주평등원칙의 취지에 반하지 않는다고 판시하였다.

주주의 이익에 중대한 침해를 발생시키는 경우라면 일부주주의 권리침해가 발생하더라도 주식회사에 있어서의 이해관계자 전체의 공공이익의 보호라는 측면에서 주주평등의 원칙에 대한 예외로서 이해해야 한다는 것이다.[219] 동일한 맥락에서 합리적인 이유가 있는 불평등의 취급은 허용된다거나 합리적인 정책적 목적을 위하여 주주평등의 원칙의 예외가 인정된다는 입장도 있다.[220]

(라) 소 결

주주평등의 원칙을 엄격하게 일률적으로 해석하기보다는 현실에 맞게 유연하게 해석할 필요가 있다는 전제에서,[221] 적대적 매수자에 대한 차별취급이 주주평등의 원칙에 반하는지 여부에 관하여는 주주 및 기업가치의 보호의 관점에서 주주의 이익침해의 정도와 회사의 이익보호의 필요성 등에 의하여 실질적으로 판단해야 할 것이다.[222][223]

포이즌 필의 부여가 주주평등의 원칙의 예외로서 허용되는 경우라면, 그 부여에 있어서 기업의 집단적 이익을 확보하거나 회사의 중대한 위협을 줄 것이라고 신뢰하고 그 위험을 제거하기 위하여 필요한 것이어야 하며, 그 방어책은 위협에 비하여 과도하지 않을 정도로 상당한 것이어야 한다는 비례성 원칙에 입각해야 한다.[224] 결국, 포이즌 필의 도입을 주주평등의 원칙의 예외로서 허용하는 것으로 입법한다면,[225] 정당한 목적과 수단의 상당성을 요하는 것으로 보아야 하고, 이러한 측면에서 적대적 기업매수 방어의 적법성의 기준과 포이즌 필의

---

219) 송종준, "포이즌 필의 도입과 경영권 방어의 적법기준─2008년 상법개정초안을 중심으로," 「저스티스」 통권 제109호(한국법학원, 2009), 172~173면.
220) 서완석, "포이즌 필 적법성과 도입 가능성," 「성균관법학」 제18권 제3호(성균관대학교 비교법연구소, 2006. 12.), 422면; 정쾌영, "포이즌 필의 도입에 관한 입법론적 고찰," 「기업법연구」 제20권 제2호(한국기업법학회, 2006. 6.), 172면; 이영철, 전게논문, 208면 참조; 노혁준·송옥렬·안수현·윤영신·천경훈·최문희, 전게서, 457면.
221) 송옥렬, 전게논문, 50면.
222) 이영철, 전게논문, 209면.
223) 상법개정안에서도 신주인수선택제도를 신설하면서 회사가 '회사의 가치 및 주주의 이익을 유지 또는 증진시키기 위하여 필요한 경우에' 한하여 주주의 일부에 대하여 신주인수선택권의 행사를 허용하지 않거나 그 행사내용에 관하여 또는 신주인수선택권의 상환에 관하여 다른 주주와 달리 정할 수 있도록 하는 입법방향을 설정하고 있는데, 이는 합리적인 차별을 허용함으로써 주주의 실질적 평등을 실현하기 위한 것으로 이해된다.
224) 송종준, 전게논문, 184~186면.
225) 주주평등의 원칙과 1주 1의결권의 원칙을 수정함으로써 또는 그 예외로서 포이즌 필(poison pill)을 도입할 수 있는 방안을 강구할 수 있을 것이다(김재형·최장현, "미국의 poison pill에 관한 동향," 「기업법연구」 제20권 제1호(한국기업법학회, 2006), 143면).

도입에 따른 남용을 억제할 수 있는 명확한 기준의 마련이 필요하다.[226]

아) 복수의결권제도의 문제

(1) 의 의

의결권은 주주평등의 원칙에 따라 1주마다 1개로 하도록 규정(제369조 제1항)하고 있으며, 다만 종류주식을 발행하는 경우 의결권이 없는 주식이나 의결권이 제한되는 주식을 발행할 수 있도록 함으로써(제344조, 제344조의3) 1주 1의결권 원칙의 예외를 인정하고 있다. 이러한 1주 1의결권제도는 주주들의 위험부담과 회사에 대한 영향력 행사간에 비례적 평등을 실현하고자 하는 배려에서 나온 것이므로 주식회사의 자본단체적 본질에서 나온 제도라고 할 수 있다.[227]

주주의 의결권은 주주평등의 원칙이 적용되는 것으로서 원칙적으로 1주 1의결권원칙이 적용되어야 하는 것이지만, 일부 발행된 주식 간에 의결권에 차등을 두는 경우가 있는데 이러한 주식을 '차등의결권주식'이라고 한다. 예를 들어 1주에 2개 이상의 의결권을 부여하는 주식(복수의결권주식), 반대로 1개 미만의 의결권을 부여하는 주식(부분의결권주식), 의결권이 부여되지 않는 주식(무의결권주식) 등이 그것이다.[228] 우리나라의 경우에는 2011년 상법개정을 통하여 무의결권주식뿐만 아니라 의결권이 제한되는 종류주식의 발행이 허용되고 있지만, 복수의결권주식[229]은 아직 도입되지 않은 상태에 있다.

(2) 복수의결권주식과 주주평등의 원칙

1주 1의결권원칙은 주주평등의 원칙이 의결권에서 표현된 것으로서 동 원칙을 부정할 필요는 없지만 이를 이해함에 있어서 보다 유연한 관점을 가질 필요가 있다고 한다.[230][231] 즉 주주 간의 의결권 배분 문제는 주주 간의 약정에 따

---

226) 이영철, 전게논문, 218면.
227) 김효신, "종류주식 다양화의 법적문제-복수의결권주식의 도입을 중심으로-,"「법학연구」 제51권 제1호(부산대학교 법학연구소, 2010), 172면.
228) 유영일, "차등의결권주에 관한 연구,"「상사판례연구」제21권 제4호(한국상사판례학회, 2008), 96~97면.
229) 복수의결권주식의 기능으로는 우선 경영진의 입장에서 자금조달의 방법을 다양화할 수 있으며, 경영권을 안정적으로 운영할 수 있는 법적인 수단을 제공해 주게 된다. 또한 주주입장에서는 복수의결권주의 도입으로 회사의 소유구조가 보다 명확해지기 때문에 시장에서 개별기업의 소유구조에 대한 평가가 용이해 지고, 기업공개의 촉진을 유도하여 대주주, 종업원 등의 이해관계를 조정하는 유용한 수단으로서 기능할 수 있다(김효신, 전게논문, 10~12면 참조).
230) 김효신, 전게논문, 9면.

라 정해지면 충분하므로, 다른 필요가 있는 경우에는 당사자 간의 약정으로 제한할 수 있도록 하는 권리를 부여해 줄 필요가 있다는 것이다. 합리적인 근거나 이유에 따라 1주 1의결권의 원칙을 배제하더라도 주주의 실질적 평등이 보장된다면 주주평등의 원칙에 어긋나는 것은 아니며, 특히 외국의 입법례를 보면 1주 1의결권원칙은 절대적 원칙은 아니며 입법정책의 문제라는 측면에서 논의된다고 한다.232)233) 특히 알리바바의 주식상장을 둘러싼 논의를 통하여 차등의결권주식에 대한 각국 정부 및 증권거래소의 시각은 다소 변화가 있고, 자본시장과 금융투자업의 발전에 필요하다면 차등의결권 주식의 발행도 허용되어야 할 것이라는 견해234)도 있다.

자) 기업매수에서의 문제

주주평등의 원칙은 적대적 기업인수의 방어수단의 적법성에 관련하여 문제될 수 있는데, 불평등한 취급이 주주에게 전체적으로 더 많은 이익을 가져다준다면 회사가 불평등하게 취급하는 것이 허용된다고 볼 여지도 있다. 델라웨어주를 비롯한 다수의 주법원에서는 이러한 차별은 주식에 대한 차별이 아니라 방어수단의 채택에 의하여 주주 사이에 차별이 생기는 것이므로 경영판단의 차원에서 허용된다고 판시하여 그 적법성을 확립하였다.235)

주주평등의 원칙의 근거가 법의 이념인 형평에 있는 이상, 그 형평의 개념에 합치하는 범위 내에서의 불평등은 주주평등의 원칙에 있어서도 당연히 허용된다

---

231) 중국 기업 알리바바가 IPO를 할 때 뉴욕증권거래소를 선택한 이유는 홍콩증권거래소 (SEHK)나 런던증권거래소가 차등의결권주식의 발행을 금지하고 있었기 때문이다. 뉴욕증권거래소의 경우에는 최초 상장의 경우에는 차등의결권주식도 인정하고 있다. 알리바바의 뉴욕증권거래소 상장과 관련한 상세는 김화진, 전게서, 203면 참조. 홍콩증권거래소는 상장규정을 개정하여 차등의결권 주식제도를 도입하였고 2018년 4월 30일부터 시행하고 있다 (문준우, "홍콩 회사법과 홍콩증권거래소 상장규정의 차등의결권주식,"「안암법학」 제60호 (안암법학회, 2020), 454면).

232) 김효신, 전게논문, 10면. 최근 차등의결권에 대한 연구로는 다음의 논문이 있다. 정혜련, "차등의결권에 관한 소고,"「기업법연구」 제29권 제1호(한국기업법학회, 2015), 79～106면.

233) 예를 들면, 미국의 구글 회사에서는 일반주(type A)와 창업자 2명과 현 CEO의 3명이 보통주식의 10배의 의결권을 가지는 복수의결권주식(type B) 2가지의 주식을 발행하고 있다고 한다. 페이스북이나 구글에서처럼 일반투자자들에게 기업을 공개하기 전에 창업자 그룹이 차등의결권제의 구체적 내용을 밝히고 투자자들의 동의를 얻는다면 제도시행에 따른 법이론적 문제점을 최소화할 수 있을 것이다(김정호, 전게서, 158면).

234) 송옥렬, "주주평등의 원칙과 평등대우의 원칙,"「선진상사법률연구」 제68호(법무부, 2014), 22～23면.

235) 송종준, 전게논문, 162면.

고 해석되기 때문에 적대적 기업인수에 대한 방어수단이 일부 적대적 기업인수인에 대한 불평등을 초래하더라도 전체적으로 형평의 개념에 합치한다면 허용된다고 할 것이다.[236] 다시 말해, 사회 통념상 합리적 한도를 넘지 않는 한에서의 차별대우는 허용된다고 해석하여야 할 것이다.[237] 따라서 적대적 기업매수의 상황에 있어서 주주평등의 원칙은 보유주식수에 비례한 평등으로 절대적으로 관철될 필요는 없으며, 불평등한 취급이 합리성이 인정되는 경우에는 예외적으로 불평등한 취급이 허용된다고 보아야 한다.[238][239]

2. 주식과 자본금
곽 관 훈*

가. 자본금제도

1) 자본금의 의의

가) 자본금의 개념

주식회사의 자본금[1]은 주식회사가 성립부터 해산시까지 회사 내에 유보할

---

236) 일본의 불독소스 고등재판소 결정은 적대적 기업인수에 대한 방어책이 주주평등의 원칙에 위반하는가의 여부는 방어책의 필요성과 상당성의 판단 중에서 소화되어야 할 문제라는 인식에 서는 것으로 보인다. 주주총회의 특별결의의 존재를 상당성의 한 요소라고 보고 있는 것에서도 그처럼 엿볼 수 있다. 최고재판소 결정도 이러한 고등재판소 결정의 견해를 기본적으로 지지하는 것이라고 해석된다. 그리고 이러한 견해는 타당하다고 생각된다. 왜냐하면, 방어책은 적대적 기업인수를 저지하는 구조인 이상, 매수자에게 불이익을 주는 것이 되지 않을 수 없고, 그러한 불이익을 주는 방어책이 법적으로 허용되는지를 검토하게 되면 평등원칙의 위반의 문제도 허용되는 불이익이라고 할 수 있는지의 관점에서 검토되어야 하기 때문이다(山田拓広, 前揭論文, 61面).

237) 落合誠一, "株主平等の原則,"「会社法演習Ⅰ」(有斐閣, 1983), 212面.

238) 강영기, 전게논문, 141면. 매수방어책의 적법성 판단에 적용하는 필요성, 상당성 기준을 바탕으로 형식적 불병능이 있는 경우라고 하더라도 주주평등의 원칙에 반하지 않는 것으로 평가할 수 있다.

239) 목적의 합리성이나 수단으로서의 상당성이라고 하는 것을 생각하여 유연하게 운용한다. … 즉, 신주예약권의 행사조건에 대해 차별적인 것이 발생하는 문제에 대해서도 합리적인 방어책에 머무른다고 하면 위법이 아닌, 적법하다고 할 여지가 있다(江頭憲治郎ほか, "(パネル・ディスカッション) 日本型ポイズン・ピルの導入に関する法的諸問題,"「企業買収防衛戦略」(商事法務, 2004), 242面(大杉謙一発言).

* 선문대학교 경찰행정법학과 교수

1) 2011년 상법 개정 이전에는 '자본'이라는 용어를 사용하였는데, 이는 기업회계기준상 '자본' 중에서 '자본금'을 의미하였다. 기업회계기준상 '자본'은 회사가 현실적으로 보유하고 있는 재산의 총체인 순자산을 의미하며 자본금, 자본잉여금, 자본조정, 기타 포괄순이익누계액, 이익잉여금(법정적립금, 미처분이익잉여금) 등으로 구성되며, 이 중 자본금이 상법상 자본을

추상적인 재산액을 의미한다.[2] 즉, 회사가 현재 보유하고 있는 재산을 뜻하는 것이 아니라, 법에 의해 그 보유가 강제되는 규범적 의미에서 확보하여야 할 금액이다.[3] 이러한 의미에서 자본금은 회사가 현실적으로 보유하고 있는 재산의 총체를 의미하는 순재산액으로서의 구체적이고 가변적인 회사재산과는 구별된다.[4]

자본금은 회사, 주주 및 채권자에 대해 각각 나름의 의미를 갖고 있다. 먼저 회사에 대해서는 성립의 기초가 되며 존속 중 자본충실을 위해 유지해야 할 순자산의 규범적 기준이 된다.[5] 또한 주주입장에서 자본금은 출자액 또는 책임의 한도를 의미하게 되는데, 주주는 각자의 출자가 자본금에서 차지하는 비율에 따라 법적인 권리를 행사하게 된다. 아울러 채권자에 대해서는 궁극적인 책임재산으로서 회사의 신용도 및 담보가치를 의미한다.[6] 주주는 주식인수가액을 한도로 유한책임을 지므로 회사채권자에 대해 변제의 담보가 되는 것은 오로지 회사의 재산이다.[7] 그러나 회사가 보유하고 있는 순재산은 증감변동이 심하며 결산기를 제외하고는 외부에서 이를 인식하기 어렵다. 이에 비해 자본금은 불변적인 계산상 금액이므로[8] 자본금을 기초로 회사의 대략적인 신용정도를 파악할 수 있게 된다. 이러한 측면에서 회사법상 자본금과 관련한 규제는 주주의 유한책임으로부터 채권자를 보호하기 위한 것이라고 할 수 있다.[9] 따라서 이익배당액을 산정할 때도 가장 먼저 자본금을 공제하도록 하고 있다(제462조 제1항).[10]

주식회사의 자본금은 주식에 의한 출자로 형성되고, 주식인수 이외의 방법으로 출자할 수는 없다.[11] 자본금의 구성은 액면주식을 발행하는 경우와 무액면주

의미하였던 것이다. 이에 2011년 개정상법은 종래 '자본'이라는 용어를 기업회계기준에 맞추어 '자본금'으로 변경하였다. 임재연, 「회사법 I 」(박영사, 2014), 316면.

2) 김건식, 「회사법연구 II 」(도서출판 소화, 2010), 259면.

3) 장덕조, 「상법강의」 제4판(법문사, 2021), 289면.

4) 최준선, 「회사법」 제16판(삼영사, 2021), 135면.

5) 이철송, 「회사법강의」 제29판(이하 '회사법강의'라 함)(박영사, 2021), 220면; 양동석·서성호, "주식회사 자본관련제도 개선에 관한 연구," 「기업법연구」 제21권 제2호(한국기업법학회, 2007), 167면.

6) 이철송, 상게서(회사법강의), 220면; 송옥렬, 「상법강의」(홍문사, 2015), 771면; 김건식, 「회사법」 제3판(박영사, 2018), 73면.

7) 최기원, 「상법학신론(상)」 제18판(박영사, 2009), 540면.

8) 양동석·서성호, 전게논문, 167면.

9) 임재연, 전게서, 315면; 김건식, 전게서, 73면.

10) 임재연, 상게서, 316면.

11) 대법원 1966.1.18. 65다880, 881.

식을 발행하는 경우가 구분된다. 액면주식을 발행하는 경우에는 발행주식의 액면총액이 자본금이 된다(제451조 제1항). 이에 대해 무액면주식을 발행하는 경우에는 주식 발행가액의 2분의 1 이상의 금액으로서 이사회나 주주총회에서 자본금으로 계상하기로 한 금액의 총액이 자본금이 된다(제451조 제2항).

나) 자본금의 범위

주식회사의 자본금은 회사가 보유하여야 할 추상적 재산으로 발행주식의 액면총액 또는 회사가 자본금으로 계상하기로 한 금액의 총액이 자본금이 된다. 따라서 기업회계기준 등 경제적 측면에서 다루어지는 자본금과는 개념이 구분된다. 예를 들어 사채 기타의 차입금과 같은 타인자본도 경제적으로는 자본금이라고 할 수 있지만, 상법에서 이야기하는 자본금과는 분명히 구분된다.

또한 자본금은 액면주식이나 무액면주식 모두 주식의 발행을 전제로 한다. 준비금의 경우 자본금에 전입되어 신주가 발행된 경우에만 자본금이 될 수 있기 때문에 자본금의 개념에 포함되지 않는다.[12]

다) 자본금에 관한 입법례

(1) 자본금총액의 인수여부에 따른 분류

주식회사의 자본금에 관한 입법례는 회사 설립시 자본금총액에 해당하는 주식의 전부를 인수해야 하는가에 따라 확정자본금제도와 수권자본금제도로 구분할 수 있다.

(가) 확정자본금제도

확정자본금제도는 주로 대륙법계 국가의 입법례로 자본금이 정관의 기재사항이고 회사 설립시 자본금총액에 해당하는 주식이 인수를 요하는 제도로 총액인수제도라고도 한다.[13] 확정자본금제도는 회사 설립시 자본적 기초를 확보하게 하여 채권자보호에는 유리하나 회사설립과 자본조달을 어렵게 한다는 점에서 단점이 있다.[14] 이러한 점을 고려하여 대륙법계 국가의 경우도 자본조달의 편의를 위해 확정자본금제도를 완화하여 규정하는 모습을 보이고 있다. 예를 들어 독일의 경우 회사 설립시 정관에 기본자본금을 기재하도록 하고(주식법 제203조), 원

---

12) 최기원, 전게서, 541면.
13) 정찬형, 「상법강의(상)」 제24판(박영사, 2021), 649면.
14) 정찬형, 상게서, 649면; 임재연, 전게서, 319면.

시정관에 기재된 수권자본금 범위 내에서 최장 5년까지 이사회 결의로 신주를 발행할 수 있도록 하고 있다(주식법 제202조 제1항).[15]

(나) 수권자본금제도

수권자본금제도는 영미법계 국가의 입법례로 정관에는 자본금이 기재되지 않으며 회사가 발행할 주식총수(수권주식총수)만이 기재된다. 즉 수권주식총수 중 일부만 인수되어도 회사는 설립할 수 있으며, 회사성립 후 미발행된 수권주식은 이사회결의만으로 발행할 수 있도록 하는 제도이다.[16] 예를 들어 미국의 경우 기본정관에 발행예정주식총수가 기재되며(MBCA §10.03(E), §7.25, §7.26), 이사회는 정관에 기재된 발행예정주식총수 범위 내에서 신주를 발행할 권리를 갖게 된다.[17] 수권자본금제도는 회사설립과 자금조달에 탄력성이 있다는 장점은 있지만,[18] 회사 설립시 자본금이 갖추어지지 않아 회사채권자 보호에 미흡하다는 단점도 지적된다.[19]

(다) 우리 상법의 입법주의

우리 상법은 의용상법 시절 확정자본금제도를 택하였으나 1962년에는 상법 제정시 수권자본금제도를 도입하였다. 따라서 원칙적으로는 수권자본금제도로 전환하였으나, 확정자본금제도적인 요소도 여전히 함께 가지고 있었다.[20] 상법은 자본금을 정관의 절대적 기재사항으로 하지 않고 회사성립시 정관에 수권주식총수만을 기재하도록 하고 있으며, 미발행주식은 이사회 결의만으로 발행할 수 있도록 함으로써 수권자본금제도를 채택하고 있다. 다만 종래 상법은 수권주식총수 중 4분의 1 이상의 주식이 발행되도록 하고 있었으며(구 상법 제289조 제2항), 발행된 주식은 전부 인수·납입되어야 하였으므로(제295조, 제303조) 확정자본금제도의 요소가 어느 정도 가미되었다고 보는 것이 통설의 입장이었다.[21]

그러나 2011년 개정상법에서는 회사설립시 발행주식총수가 수권주식총수의 4분의 1 이상이어야 한다는 설립자본금최저한도를 폐지하였다. 이러한 측면에서

---

15) 임재연, 상게서, 318면.
16) 정찬형, 전게서, 649면.
17) 임재연, 전게서, 318면.
18) 홍복기 외, 「회사법 사례와 이론」 제4판(박영사, 2015), 68면.
19) 최완진, 「新회사법요론」(한국외국어대학교 출판부, 2012), 36면.
20) 정찬형, 상게서, 650면; 최기원, 전게서, 542면; 임재연, 상게서, 319면.
21) 손주찬, 전게서, 536면; 정찬형, 상게서, 650면.

보면 우리 상법은 점차 수권자본금제도로 전환하고 있다고 보여진다. 상법은 1984년 개정을 통해 설립시 발행해야 할 주식을 수권주식총수의 2분의 1에서 4분의 1로 완화하였고, 2011년 개정에서는 동 규정을 폐지함으로써 수권자본금제도의 성격이 보다 강해졌기 때문이다. 그러나 현행 상법하에서도 발행주식은 전부 인수·납입되도록 하고 있으므로 확정자본금제도의 흔적이 아직 남아 있다.[22]

(2) 법정자본금의 유지여부에 따른 분류

(가) 법정자본금을 유지하는 입법례

미국 델라웨어주 일반 회사법(Delaware General Corporation Law; DGCL), 뉴욕사업회사법(New York Business Corporation Law; NYBCL) 등의 주법은 액면주식제도와 법정자본금제도를 유지하고 있다. 액면주식이 발행되는 경우 법정자본금은 발행주식의 액면총액이며, 무액면주식이 발행되는 경우에는 발행가액 중 이사회가 자본금으로 정한 금액이 법정자본금에 해당한다.[23]

(나) 법정자본금을 폐지한 입법례

캘리포니아 회사법(California Corporations Code; CCC)과 모범회사법(Model Business Corporation Act; MBCA)은 액면주식제도와 법정자본금, 잉여금, 이익잉여금, 자본잉여금, 순자산 등에 대한 정의규정을 삭제함으로써 법정자본금을 폐지하였다. 대신 자기주식취득과 주식상환의 방법으로 이익배당에 대한 규제를 회피하는 것을 방지하기 위해 이익배당, 자기주식취득, 주식상환을 모두 포괄하는 '분배(distribution)'라는 개념을 도입하였다.[24]

미국의 경우 주주에 대한 이익배당액을 제한할 목적으로 표시자본(stated capital) 등 법정자본금(legal capital) 개념을 사용하는 것은 의미를 상실하였다는 비판이 제기되었다. 오히려 법정자본금 개념은 회사의 경영진과 주주들에게 상당정도의 거래비용을 부과시키는 의미 없는 원칙에 불과하다는 지적도 있었다.[25] 이에 따라 1979년에 CCC와 RMBCA는 주식의 발행대가를 대차대조표의

---

22) 임재연, 전게서, 319면.
23) 임재연, 상게서, 316~317면.
24) 임재연, 상게서, 317면.
25) Peterson/Hawker, "Dose Corporate Law Matter – Legal Capital Restriction on Stock Distributions," 31 Akron L. Rev. 175, 197(1997).

대변란에 기입할 때 표시자본(stated capital)과 잉여금(surplus)으로 구분·계상함이 없이, 권면액(par vale) 및 표시자본의 개념을 폐지하고 단일한 계정으로 구분하도록 하면서 법정자본금제도를 폐지하였다.[26)]

(다) 우리 상법의 입법주의

현행 상법의 경우 액면주식을 발행하는 경우 액면총액을 자본금으로 하고 있으며, 무액면주식을 발행하는 경우에는 주식발행가액의 2분의 1 이상의 금액으로서 이사회 등에서 자본금으로 계상하기로 한 금액을 자본금으로 하도록 하고 있다.

즉, 현행 상법은 법정자본금제도를 유지하고 있으나, 무액면주식의 도입에 따라 액면주식에서의 권면액이 별로 의미가 없듯이 자본금도 그 자체로 큰 의미가 없다는 점에서 법정자본금의 폐지를 주장하는 견해도 있다.[27)] 주주에 대한 이익배당을 규제함에 있어서도 자본금의 개념은 큰 의미가 없고 회사채권자에게는 자본금의 크기가 아니라 순자산에 해당하는 자기자본의 크기가 더 중요하다. 이러한 점을 고려할 때, 회사가 자본금 이상의 순자산을 보유하여야 한다는 점에서 출발한 자본금 개념을 계속 유지할 필요성이 적다는 것이다.[28)]

2) 자본금제도의 연혁

가) 제정상법상 자본금제도

1962년 제정상법(법률 제1000호)의 경우 주식회사의 자본은 이를 주식으로 분할하여야 하며(제329조 제1항), 1주의 금액은 5천환 이상으로(제329조 제3항) 균일하게 정하도록 하였다(제329조 제2항).

나) 1984년 개정상법

1984년 개정된 상법(법률 제3724호)에서는 주식회사의 최저자본금을 5천만원으로 하는 최저자본금제도(Mindestkapital)가 도입되었다(제329조 제1항). 동 제도 도입의 기본적 취지는 주식회사의 남설을 방지하기 위한 것이었다. 당시 주식회사는 대규모 기업에 적합한 형태로 인식하였으나, 현실에서는 중소기업을 비롯

---

26) 양기진, "무액면주식의 도입 관련 회사법상 쟁점 연구," 「기업환경변화와 회사법의 대응」 건국대 법학연구소 학술자료집(2012. 3.), 19면.
27) 양기진, 상게논문, 19면 이하 참조.
28) 양기진, 상게논문, 18면.

한 소상인규모의 기업들이 주식회사 형태를 취하는 경우가 많았다. 이러한 현상은 경제질서를 문란하게 하였을 뿐만 아니라 일반공중의 주식회사제도에 대한 불신을 가중시킨다는 문제점들이 지적되었다. 따라서 주식회사의 남설을 방지하기 위한 취지에서 최저자본금제도를 도입한 것이다.[29]

아울러 1주의 금액을 종전의 500원(5,000환)에서 10배 인상하여 5,000원으로 하였다. 이는 주식관리의 편의를 위하여 경제적 여건의 변화에 따라서 조정을 한 것이었다. 다만 기존에 발행된 주식들에 대해서는 경과조치를 주어 기업들의 편의를 도모하였다.[30]

다) 1998년 개정상법

1998년 개정된 상법(법률 제5591호)에서는 1주의 금액이 5천원 이상에서 100원 이상으로 인하되었다(제329조 제4항). 당시 증권거래법은 1997년 12월 13일 개정에 의하여 주권상장법인 또는 협회등록법인의 주식은 상법 규정에 불구하고 1주의 금액을 100원 이상으로 할 수 있도록 하였다(증권거래법 제192조의2 제1항). 또한 1주의 금액이 5,000원 미만인 주식을 발행한 주권상장법인 또는 협회등록법인이 주권상장법인 및 협회등록법인 중 어느 쪽에도 속하지 아니하게 된 경우에도 그 발행한 주식은 유효하다고 하였다(증권거래법 제192조의2 제2항).[31] 상법에서 이와 달리 정할 필요가 없다는 측면에서 개정의 필요성이 제기되었다.

또한 주식발행에 의하여 자본을 조달할 회사의 입장에서는 자본시장의 사정에 따라서 가장 투자자가 인수하기 쉬운 주금액을 자유롭게 결정할 수 있도록 해주는 것이 필요하다는 견해도 제기되었다. 즉, 주금액을 5천원으로 법정하는 것보다 상황에 따라서 그 이하로도 얼마든지 발행할 수 있도록 해주는 것이 자본조달에 용이하다고 판단한 것이나.[32] 낭시 상법개정안의 제안이유에서도 1주의 금액을 대폭 인하한 것은 주식분할을 자유롭게 하고 신주발행시 기업자금조달의 편의를 돕기 위한 것으로 설명되고 있다.[33]

---

29) 최기원, 전게서, 552면.
30) 당시 경과조치를 보면 1984년 개정법이 시행되기 전에 성립한 주식회사가 발행한 주식의 권면액은 개정법 시행 후 3년 동안은 5백원 이상 5천원 미만으로 할 수 있으나, 3년이 경과하기까지 액면 5천원 미만의 주식은 모두 액면 5천원 이상으로 인상하도록 하고 있다. 그 방법으로 주주총회의 특별결의에 의한 주식병합을 하도록 하였다(상법 부칙 제5조).
31) 상법 개정으로 액면가가 100원으로 인하됨에 따라 증권거래법상 규정들은 특칙으로서의 의미를 상실하게 되었고, 상법개정과 함께 삭제되었다. 정찬형, 전게서, 708면 각주 4).
32) 손주찬 외, 「주석상법(II - 상)」(한국사법행정학회, 1991), 349면.

또 다른 관점에서 주금액이 가지는 의미가 중요하지 않다는 지적도 제기되었다. 주가의 형성은 주금액과 관계없이 변동하므로 투자자에게 주금액은 중요하지 않다는 것이다. 또한 주금액이 가지는 의미는 자본회사인 주식회사에서 최저담보의 기준이 되는 자본금을 정하는 요소(제451조)라고 하지만, 상환주식을 상환한 경우(제345조) 자본액이 발행주식의 액면총액과 일치하지 않는 경우가 있으므로 주금액이 가지는 의미가 중요하지 않다는 것이다.[34]

물론 주금액 인하에 대한 반대의견도 적지 않았다. 1984년 상법 개정시 주금액을 5천원으로 인상한 이유가 당시 경제적 상황을 고려한 것이라고 한다면, 그후 10여년이 지난 시점에서 오히려 주금액을 인상할 필요가 있다는 주장이 제기된 것이다. 더욱이 당시 일본의 경우 1주당 최저법정금액을 5만엔으로 정하였고, 주식분할시에도 그 이하로 분할하는 것을 제한하고 있었다. 이러한 점을 고려할 때 우리 법에서 이와 반대로 주금액을 인하하는 것은 바람직하지 않다는 주장들도 제기되었다.[35]

라) 2009년 개정상법

2009년 개정된 상법(법률 제9416호)에는 최저자본금제도를 폐지하였다. 최저자본금제도는 주식회사의 남설 방지와 채권자보호를 위한 제도이나 실질적으로 이러한 기능을 수행하지 못하고 있으므로 폐지하는 것이 바람직하다는 주장들이 제기되었다. 우리나라뿐만 아니라 많은 국가들도 최저자본금제도를 폐지하는 추세이며, 일본의 경우도 2005년 상법개정을 통해 최저자본금제도를 폐지하였다.[36]

최저자본금제도가 주식회사 남설방지를 위해 필요하다는 주장이 있으나, 남설의 기준을 정하기 어렵다는 점에서 설득력이 약하다. 최근에는 물적 자본보다는 아이디어나 기술 같은 무형재산만을 가지고 회사를 설립하는 것도 사회적으로 장려되고 있는 상황에서 오히려 회사 설립을 쉽게 해야 한다는 견해가 더 설득력을 가지게 된 것이다.[37] 더욱이 '벤처기업 육성에 관한 특별조치법'상 벤

---

33) 정찬형, 전게서, 708면 각주 4).
34) 손주찬 외, 전게 주석상법, 351면.
35) 손주찬 외, 상게서, 350면.
36) 相澤哲編著, 「立案擔當者による新・會社法の解說」(商事法務, 2005), 15面.
37) 송옥렬, "자본제도의 개정방향: 2008년 상법개정안을 중심으로," 「상사법연구」 제28권 제3호(한국상사법학회, 2009), 271면.

처기업의 경우 500만원을 최저자본금으로 하고 있으며, '소기업 및 소상공인 지원을 위한 특별조치법'상 소기업의 경우 자본금을 5,000만원 이하로 할 수 있도록 하는 등 이미 최저자본금에 대한 제한이 폐지되었다. 이러한 점을 고려하여 규제완화 차원에서 창업의 활성화를 도모하고 노하우 및 기술의 자본화를 촉진하기 위한 방안으로서 최저자본금제도가 폐지된 것이다.[38]

최저자본금제도가 폐지된 또 하나의 이유는 최저자본금제도가 채권자를 보호하는 역할을 하지 못하고 있다는 점이다. 최저자본금제도를 두고 있어도 가장납입을 통해 잠시 납입한 후 다시 인출하는 경우 실질적으로 최저자본금이 유지되지 않게 된다.[39] 또한 사업의 위험을 미리 법률로서 정하는 것이 불가능하므로 최저자본금을 가지고 이에 대처할 수 없을 뿐만 아니라, 만일 회사의 손실을 흡수하는 완충제의 역할을 수행할 목적이라면 최저자본금보다는 부채비율이나 자기자본비율 등을 법정하는 것이 더 효과적이라는 견해도 제기되었다.[40] 아울러, 실제 도산절차가 진행되는 경우 최저자본금 제도를 통해 보호하고자 하는 채권자는 담보채권자나 우선변제권을 가진 채권자보다 후순위에 처하게 되어 최저자본금으로부터 변제받을 가능성은 거의 없다는 점도 문제점으로 지적되었다.[41]

최저자본금제도가 폐지됨에 따라 재무기반이 취약한 회사가 성립될 가능성이 커졌다는 점은 분명하다. 이에 대해 향후 회사채권자에 대한 사후적 구제로서 이사의 제3자에 대한 책임이나 법인격부인의 법리에 의한 이사 및 지배주주의 책임이 추궁되는 사례가 증가될 것이라는 견해도 있다.[42]

마) 2011년 개정상법

2011년 개정상법은 상법 제정 이후 최대의 개정이라고 할 정도로 많은 개정이 이루어졌다. 그 중 자본금과 관련한 주요 개정을 보면 ① 무액면주식의 도입 및 ② 설립자본금제도의 폐지를 들 수 있다.

(1) 무액면주식의 도입

2011년 개정 상법(법률 제10696호)에서 자본금제도와 관련하여 가장 중요한

---

38) 최기원, 전게서, 552면.
39) 최완진, 전게서, 35면; 송옥렬, 전게서, 725면; 최준선, 전게서, 136면.
40) 상법개정위원회 제5차 전체회의록(2006. 1. 16.), 7~8면(권종호 위원 발언부문).
41) 윤영신·송옥렬, "자본제도,"「21세기 회사법 개정의 논리: 2008년 법무부 상법개정작업 기초실무 자료」제2판(2008), 170면.
42) 吉原和志, "株式会社の設立,"「ジュリスト」第1295号(2005), 19面.

변화는 무액면주식의 도입이다. 무액면주식(non par value stock; Quotenaktie)이
란 액면을 정하지 않고 발행되는 주식으로서, 1주당 금액을 갖지 않고 주권에는
주식의 수만 기재되는 주식이다. 종래 우리나라의 경우 액면주식만이 인정되었
으며, 예외적으로 '자본시장과 금융투자업에 관한 법률(이하 '자본시장법'이라 함)'
에 의해 설립된 투자회사는 무액면주식을 발행할 수 있도록 하였었다(제196조
제1항).

무액면주식은 1912년 미국 뉴욕주에서 액면미달발행에 따른 이사의 책임문
제를 해소하기 위한 제도로 도입되었다. 미국의 경우 캘리포니아주와 같이 무액
면주식의 발행만을 인정하는 주도 있으나, 많은 주에서는 액면주식의 발행도 인
정하고 있으며 실무상 액면가가 1달러인 '명목적 액면주식(nominal par value
shares)'도 많이 활용되고 있다. 그 이유는 주에 따라서 세제상 유리한 점이 있
기 때문이다.[43]

일본의 경우 1950년 상법 개정을 통해 무액면주식제도가 도입되었으며,
2001년 상법 개정시 액면주식제도를 폐지하고 무액면주식의 발행만 가능하도록
하였다. 일본이 액면주식을 폐지하고 무액면주식의 발행만 허용한 이유는 ① 주
식은 균일한 비율로 분할되기 때문에 액면주식이든 무액면주식이든 1주의 크기
및 그 권리의 내용에 차이가 없으며, ② 액면주식의 경우 자금조달에 다소 어려
움이 있고, ③ 무액면주식의 경우 회사가 주식분할에 의해 출자단위를 조정할
때 그 절차 등이 간단하다는 점 등이 제시되고 있다.[44] 그 밖에 독일과 프랑스
는 1998년 무액면주식을 허용하였으나 활발하게 이용되지는 않고 있으며, 영국
은 특수한 회사의 경우에만 무액면주식의 발행을 허용하고 있다.[45]

우리나라도 세계적인 흐름 등을 고려하여 2011년 상법개정을 통해 무액면주
식제도를 도입하였다. 주식발행의 효율성 및 자율성을 확대하고 소규모기업의
원활한 창업을 도모한다는 것이 주된 도입 목적이다. 액면주식의 경우 액면미달
발행 및 주식분할에 어려움이 있어[46] 아이디어나 기술은 있지만 자본금이 없는
사람이 회사를 설립하는 데 어려움이 있었다. 이러한 문제를 해결하고 회사설립
의 편의를 제공하는 차원에서 무액면주식이 도입된 것이다.[47] 다만 액면주식을

---

43) 江頭憲治郎, 「會社法」第3版(有斐閣, 2009), 120面.
44) 江頭憲治郎 外, 「會社法大系2」(青林書院, 2008), 7面.
45) 이철송, 「2011 개정상법－축조해설－」(박영사, 2012), 67면.
46) 장덕조, 전게서, 290면.

바로 폐지하기에는 제도적인 충격이 크기 때문에 일단 액면주식과 무액면주식을 병존시킴으로써 단계적으로 도입하는 방안을 선택하였다. 또한, 무액면주식을 발행하는 회사는 액면주식을 발행할 수 없도록 하여 혼란을 예방하고자 하였다.[48]

(2) 설립자본금제도의 폐지

종전 상법은 주식회사 정관에 발행예정주식총수와 설립시의 발행주식수를 기재하여야 하며(제289조 제1항 제3호 제5호), 설립시 발행주식수는 발행예정주식총수의 4분의 1 이상이어야 한다고 규정하고 있었다(제289조 제2항). 즉 설립자본금제도는 회사 설립시 강제되지만 회사가 설립된 이후에는 이를 강제하는 규정은 없었다. 상법은 이처럼 설립시와 설립 이후를 구별하여 발행예정주식총수에 대한 발행주식의 비율에 차등을 두고 있었다.

이는 수권자본금제도가 남용될 것을 우려한 규제였으나, 동 제도가 정착되면서 규제의 필요성은 거의 사라졌다.[49] 오히려 이러한 제약으로 인해 발행예정주식수는 크게 정해두고 설립시에는 소규모 자본금으로 사업을 시작하려는 기업에 장애가 될 수 있다는 점이 지적되었다.[50] 이에 개정상법에서는 설립자본금제도를 폐지하였다.[51]

3) 자본금에 관한 원칙

주식회사의 자본금은 회사채권자를 보호하기 위한 최소한도의 담보액이기 때문에 상법은 주식회사 자본금에 대해 세 가지 원칙을 제시하고 있다.[52] 이들 원칙은 상법상 명시적으로 규정되어 있는 것은 아니며, 상법의 자본금에 관한

---

47) 국회 법제사법위원회, 「상법 일부개정법률안(대안)」(2011. 3. 11.), 3면.

48) 송옥렬, 전게논문, 275면.

49) 송옥렬, 전게서, 726면.

50) 권종호, "2006년 회사법개정시안의 주요내용: 자금조달관련 사항을 중심으로," 「상사법연구」 제25권 제2호(한국상사법학회, 2006), 308면.

51) 설립자본금제도의 폐지는 2006년 법무부가 발표한 회사법개정시안에 이미 포함되어 있었던 내용이다. 당시에는 이와 함께 수권자본제도의 폐지에 대해서도 논의가 이루어졌었다. 당시 상법개정위원회에서는 우리나라의 경우 신주인수권이 주주의 권리로서 인정되고 있어 제3자 배정이 제한되는 등 규제가 엄격하기 때문에 수권자본제도를 폐지하고 이사회에 주식발행에 관한 전권을 줄 필요가 있다는 주장들이 제기되었다. 그러나 미국이나 일본 등 대부분의 국가에서 수권자본제도를 채택하고 있으며, 이를 폐지하는 것은 기업실무에 불필요한 혼란을 줄 수 있다는 점에서 수권자본제도는 존속시키는 것으로 결론을 내렸다. 따라서 당시 개정시안에서는 수권자본제도는 그대로 존속시키면서 설립자본금제도만 폐지하였다. 이에 대한 상세한 내용은 상게논문, 308면 이하 참조.

52) 최기원, 전게서, 541면.

여러 규정들에 의하여 원칙으로서 설명되고 있다.[53] 따라서 법률 규정의 변화함에 따라 자본금에 관한 3원칙도 변화하며, 이에 따라 현행법상 어느 범위까지 자본금원칙을 인정할 수 있는가에 대해서는 학설이 대립되고 있다.

다수설의 견해는 우리 상법은 주식회사 자본금에 관하여 기본적으로는 수권자본금제도를 채택하고 있지만 순수한 수권자본금제도가 아니고 확정자본금제도를 가미하고 있으므로 자본금에 관한 3원칙이 유지되고 있다고 보고 있다. 다만, 동 원칙은 본래적 의미를 그대로 유지하고 있는 것은 아니며 다소 수정되었다고 본다.[54] 이에 대해 소수설로서는 현행법상 자본금에 관한 원칙은 자본금유지의 원칙만 존재한다고 보는 견해[55]와 형식적 원칙과 실질적 원칙으로 구분하여 설명하는 견해도 있다.[56] 이하에서는 다수설을 바탕으로 개별 원칙에 대한 학설에 대해 살펴보기로 한다.

가) 자본금확정의 원칙(Prinzip des festen Grundkapitals)

(1) 의 의

자본금확정의 원칙이란 주식회사의 정관에 자본금총액을 기재하여야 하며, 회사의 설립시에는 이 자본금의 전부에 대한 주식의 인수가 확정되어야 한다는 원칙을 말한다.[57] 이는 자본금의 규모를 확정·공시함으로써 회사와 거래하는 자들에게 회사의 신용에 대한 예측가능성을 부여하기 위한 제도라고 할 수 있다.[58] 동 제도의 경우 회사 설립시에는 자본기초를 확보하게 하여 회사채권자를 두텁게 보호하는 것을 주된 목적으로 한다.[59] 우리 상법상 자본금확정의 원칙이 적용되는가에 대해서는 회사 설립시와 신주 발행시를 구분하여 각각 학설이 대립되고 있다.

---

53) 정찬형, 전게서, 650면.
54) 정찬형, 상게서, 650면; 손주찬, 전게서, 539~540면; 최기원, 전게서, 541~544면. 홍복기 외, 전게서, 68~70면; 장덕조, 전게서, 292~293면; 최완진, 전게서, 37면; 최준선, 전게서, 138면.
55) 정희철, 「상법학(상)」(박영사, 1989), 357~358면.
56) 정찬형, 전게서, 651면; 이기수·최병규·조지현, 「회사법」 제6판(박영사, 2008), 128면.
57) 최기원, 542면.
58) 이철송, 전게서(회사법강의), 221면.
59) 정찬형, 전게서, 650면.

(2) 회사 설립시 적용여부

(가) 적용긍정설

회사 설립시에는 자본금확정의 원칙이 적용된다고 보는 것이 다수설의 입장이다.[60] 종래 우리 상법은 수권자본금제도를 채택하고 있었으므로 회사 설립시에는 그 전부의 인수가 확정될 필요가 없으며, 이러한 의미에서는 자본금확정의 원칙이 적용되지 않는 것으로 볼 수 있다.[61] 하지만, 회사 설립시에 발행하는 주식의 총수를 정관에 기재해야 하며(제289조 제1항 제5호), 아울러 회사 설립시에는 수권주식총수의 4분의 1 이상이 반드시 발행되어야 하고(구 상법 제289조 제2항), 발행된 주식은 전부 인수·납입되어야 했다(제295조, 제305조). 이러한 점에서 회사 설립시에 자본금확정의 원칙이 적용된다는 것이 다수설의 입장이었다.

그러나 2011년 상법 개정으로 구 상법 제289조 제2항이 삭제되어 회사 설립시 수권주식총수의 4분의 1 이상이 반드시 발행되어야 하는 설립자본금 최저한도 규정이 폐지되었다. 따라서 회사 설립시 자본금확정의 원칙이 여전히 적용된다고 볼 수 있는지 의문이 제기될 수 있다. 그러나 액면주식을 발행하는 경우에는 여전히 1주의 금액과 회사 설립시 발행하는 주식의 총수를 정관에 기재해야 하며(제289조 제1항 제3, 4호), 설립시 발행주식은 전부 인수·납입되어야 하므로(제295조 제1항, 제305조) 자본금확정의 원칙은 여전히 적용된다고 보는 것이 타당하다.[62] 무액면주식을 발행하는 경우에는 1주의 금액은 정해지지 않지만 정관에 회사 설립시 발행하는 주식의 총수를 기재해야 하고(제289조 제1항 제4호), 전부 인수·납입되어야 하는 것은 액면주식과 동일하므로(제295조 제1항, 제305조) 자본금확정의 원칙이 적용된다고 볼 수 있다.[63] 이에 대해 무액면주식의 경우 자본금이 정관에 기재되지 않을 수도 있이 자본금확정의 원칙이 적용되지 않는다고 보는 견해도 있다.[64]

---

60) 정찬형, 상게서, 650면; 최기원, 전게서, 542면; 이철송, 전게서(회사법강의), 221면; 손주찬, 전게서, 538~540면; 정희철, 전게서, 358면; 최준선, 전게서, 139면; 송옥렬, 전게서, 727면; 임재연, 전게서, 319면.
61) 손주찬, 전게서, 589면.
62) 이철송, 전게서(회사법강의), 221면; 임재연, 전게서, 302면; 장덕조, 전게서, 293면.
63) 이철송, 상게서(회사법강의), 221면; 홍복기 외, 전게서, 69면.
64) 장덕조, 전게서, 293면.

(나) 적용부정설

회사 설립시 자본금확정의 원칙이 적용되지 않는다고 보는 견해로 소수설이다. 동 학설은 자본금확정의 원칙은 확정자본금제도와 관련된 원칙인데 우리 상법은 순수한 확정자본금제도를 버리고 원칙적으로 수권자본금제도를 도입하고 있으므로 자본금확정의 원칙을 상법상의 원칙이라고 보기 어렵다는 것이다.65) 수권자본제도에 따라 회사는 언제든지 신주를 발행할 수 있기 때문에 용이하게 변경될 수 없는 자본이란 없으며, 따라서 상법상 자본확정의 원칙은 폐기된 것이라고 보는 것이다.66)

(3) 신주 발행시 적용여부

(가) 적용긍정설

신주발행의 경우에도 자본금확정의 원칙이 적용된다는 학설로 소수설에 해당한다. 신주발행의 경우 인수와 납입이 있는 부분에 대해서는 변경등기를 하여야 한다. 또한 등기를 통해 공시한 자본금에 상당한 주식은 전부 그 인수가 확정되어야 하며 이에 대해 이사가 자본충실책임(제428조)을 부담하게 된다. 따라서 이 경우에도 자본금확정의 원칙이 적용된다는 것이다.67)

(나) 적용부정설

우리나라의 다수설의 입장으로 신주발행의 경우에는 자본금확정의 원칙이 적용되지 않는다고 본다. 우리 상법의 경우 수권자본금제도를 취하고 있으나 회사 성립시 수권주식 모두가 발행될 필요가 없다. 따라서 회사성립 후 자본금조달의 필요성이 있는 경우에는 이사회 결의로 수권주식총수 중 발행되지 않는 주식을 발행하는 것이 가능하다. 그러나 회사성립 후 신주발행의 경우에는 이사회에서 발행하기로 결정한 신주 전부의 인수가 없어도 인수된 주식만으로 자금조달이 가능하다(제421조). 따라서 자본금이 확정되고 그 자본금의 출자자, 즉 주식인수인도 확정되어야 한다는 자본금확정의 원칙이 적용되지 않는다고 본다.68)

---

65) 정동윤, 「회사법」 제6판(법문사, 2000), 78~79면.
66) 최완진, 전게서, 37면.
67) 최기원, 전게서, 542면.
68) 이철송, 전게서(회사법강의), 221면; 손주찬, 전게서, 589면; 정찬형, 전게서, 651면; 홍복기 외, 전게서, 69면; 송옥렬, 전게서, 727면.

나) **자본금충실의 원칙(Prinzip der Bindung des Grundkapitals)**

(1) 의 의

자본금충실의 원칙이란 회사가 자본액에 상당하는 재산을 실제로 보유하도록
하여야 한다는 원칙으로 자본금구속의 원칙 또는 자본금유지의 원칙이라고도 한
다. 자본금에 관한 3원칙 중 자본금충실의 원칙은 본래 의미대로 유지되고 있다
는 것이 통설적 견해이다.[69]

자본금충실의 원칙은 자본금에 상당하는 순자산을 유지해야 한다는 원칙이지
만, 실제로 순자산이란 회사의 경영성과에 따라 항상 변동하는 것이고 회사의
의지에 의해 유지할 수 있는 것은 아니다. 따라서 자본금충실 또는 자본금유지
란 자본거래를 통해 회사의 재산이 부당하게 유출되는 것을 금지한다는 의미로
이해하는 것이 타당할 것이다. 자본거래에 의해 유출되는 것은 대부분 주주에게
유출되는 것을 의미하므로 자본금충실의 원칙은 결국 자본금이 주주에게 환류되
는 것을 제한하는 것이다.[70]

(2) 상법상 주요제도

자본금충실의 원칙은 주주의 유한책임제도 하에서 채권자보호를 위해 중요한
의미를 가지고 있으며 이에 따라 상법에서는 이 원칙을 반영한 많은 규정을 두
고 있다.[71] 구체적인 규정들을 살펴보면 설립경과, 특히 현물출자 등에 관한 조
사(제299조 제1항, 제300조, 제310조, 제314조), 설립시 발기인의 주식인수·납입
담보책임(제321조), 신주의 액면미달발행의 제한(제330조), 가설인 또는 타인 명
의에 의한 인수인의 주금납입책임(제332조), 이익배당의 제한(제462조 제1항), 변
태설립사항에 대한 감독(제310조, 제314조), 자기주식의 취득 규제(제341조), 사후
설립 규제(제375조), 법정준비금제도(제458조, 제459조), 납입금보관자의 책임(제
318조 제2항), 납입의무를 불이행한 주식인수인에 대한 실권예고부 최고(제342조
의2, 제369조 제3항), 자본금감소의 엄격한 규제(제438조, 제439조), 주식의 상호
소유 금지와 제한(제342조의2, 제369조 제3항), 불공정가액에 의한 주식인수인의

---

69) 이철송, 상게서(회사법강의), 221면; 손주찬, 상게서, 590면; 정찬형, 상게서, 652면; 최기
   원, 전게서, 543면; 장덕조, 전게서, 293면; 홍복기 외, 전게서, 69면; 최준선, 전게서, 140
   면; 최완진, 전게서, 37면; 임재연, 전게서, 320면.
70) 이철송, 상게서(회사법강의), 221면.
71) 홍복기 외, 전게서, 69면; 최완진, 전게서, 37면.

책임(제424조의2), 이익공여의 금지(제467조의2) 등이 모두 자본금충실의 원칙과 관련이 있다.

다) 자본금불변의 원칙(Prinzip der Beständigkeit des Grundkapitals)

(1) 의 의

자본금불변의 원칙이란 이미 확정된 회사의 자본금을 임의로 변경시킬 수 없다는 원칙이다.[72] 자본금충실의 원칙이 회사로 하여금 자본금 이상의 순자산을 보유시키려는 것임에 대하여, 자본금불변의 원칙은 자본금유지의 기준이 되는 자본금을 법정 절차를 밟지 않고 변경하지 못하도록 규제하는 것이다.[73] 따라서 동 원칙은 본래 자본금의 증가와 감소에 모두 적용되는 원칙이라고 할 수 있다.[74]

(2) 적용범위

자본금의 변경은 자본금감소와 자본금증가의 경우를 나누어 볼 수 있다. 이 중 자본금감소의 경우 동 원칙이 적용됨에는 의심의 여지가 없다. 자본금감소는 회사의 담보기준을 저하시키며, 특히 실질적인 자본금감소의 경우에는 회사재산을 감소시키는 것이 되므로 주주총회 특별결의 및 채권자보호절차 등 엄격한 요건을 요하고 있다.[75] 그러나 자본금증가의 경우에는 회사채권자에게 유리할 뿐만 아니라 현행법은 수권자본금제도를 도입하여 수권자본금의 범위 내에서는 언제든지 이사회의 결의만으로 신주발행이 가능하도록 하고 있다. 즉, 자본금증가의 경우에는 자본금불변의 원칙이 적용되지 않는다. 이러한 점에서 볼 때 자본금불변의 원칙은 자본금감소제한의 원칙이라고 볼 수 있다.[76]

한편, 자본금증가의 경우에는 자본금불변의 원칙이 적용되지 않는다는 점에서 이 원칙은 자본금에 관한 원칙이라고 보기 어렵다는 견해도 있으며,[77] 자본금불변의 원칙도 결국은 자본금의 유지에 그 뜻이 있으므로 자본금유지의 원칙

---

72) 최기원, 전게서, 543면; 손주찬, 전게서, 590면; 홍복기 외, 전게서, 69면; 장덕조, 전게서, 293면; 최완진, 전게서, 38면.
73) 이철송, 전게서(회사법강의), 222면.
74) 정찬형, 전게서, 653면.
75) 손주찬, 전게서, 590면.
76) 손주찬, 상게서, 590면; 정찬형, 전게서, 653면; 홍복기 외, 전게서, 69면; 최완진, 전게서, 38면; 장덕조, 전게서, 293면; 최준선, 전게서, 140면; 송옥렬, 전게서, 728면; 임재연, 전게서, 320면; 江頭憲治郎, 前揭書, 34面.
77) 정희철, 전게서, 358면.

에 포함시킬 수 있다는 견해도 있다.[78]

나. 주식과 자본금의 관계

1) 의 의

주식회사의 주식은 크게 두 가지의 의미를 갖는다. 우선, 자본금의 구성요소인 금액을 의미하며, 두 번째로 권리발생의 기초인 독립된 사원의 지위 또는 자격을 나타내기도 한다.[79] 주식회사는 주식의 발행을 통해 자본금을 구성하게 된다. 2011년 상법개정을 통해 무액면주식의 발행이 가능함에 따라 자본금의 구성방법도 액면주식인 경우와 무액면주식인 경우가 구분된다. 액면주식의 경우 발행주식의 액면총액이 자본금이 되나(제451조 제1항), 무액면주식의 경우 발행가중 일부금액만을 자본금에 계상하게 된다(제451조 제2항). 이처럼 무액면주식의 경우 자본금의 액을 회사가 임의로 정하게 되므로 액면주식과 달리 매번 발행되는 주식마다 적립되는 자본금이 달라지며, 그 결과 회사의 자본금은 발행주식총수와는 무관하게 된다.[80] 아울러 발행가는 수시로 변하게 되며 그 중 자본금에 계상되는 금액도 상이하므로 자본금과의 비교치 내지는 산출근거가 되는 주식가격은 존재하지 않게 되며, 주주의 비례적 지위는 발행주식총수에서 주주가 소유하는 주식수의 비율로만 인식된다.[81]

2) 액면주식과 자본금

가) 액면주식의 발행

액면주식(par value stock; Nennbetragsaktie)이란 1주의 금액이 정관에 정해지고 또 그것이 주권에 표시되는 주식을 말한다.[82] 회사는 정관에 정함에 따라 액면주식과 무액면주식 중 선택하여 발행하는 것이 가능하다(제329조 제1항 본문). 또한 액면주식과 무액면주식을 병행하여 발행하지는 못하며(제329조 제1항 단서), 액면주식을 발행하는 경우 무액면주식을 발행할 수는 없다.

---

78) 이철송, 전게서(회사법강의), 222면; 前田庸, 「會社法入門」第11版(有斐閣, 2006), 21面.
79) 최기원, 전게서, 527면; 이철송, 상게서(회사법강의), 222면.
80) 송옥렬, "2011년 개정 회사법의 해석상 주요쟁점," 「저스티스」제127호(한국법학원, 2011. 12.), 48면.
81) 이철송, 전게서(회사법강의), 279~280면.
82) 이철송, 상게서(회사법강의), 281면.

회사 설립시 발행예정주식총수와 1주의 금액은 정관으로 정해지지만, 구체적으로 발행할 주식의 종류와 수 및 액면 이상의 주식을 발행할 때에는 그 수와 금액 등은 발기인이 정해야 한다(제291조). 그러나 회사설립 후 신주를 발행하는 경우 신주발행과 관련한 사항은 이사회에서 결정한다(제416조). 다만, 특수한 신주발행에 관하여 상법에 다른 규정이 있거나 정관으로 주주총회에서 결정하기로 한 경우에는 예외이다(제416조 단서). 하지만 정관에 정함이 있다고 하여도 대표이사에게 신주발행의 결정을 위임하지는 못한다.[83]

나) 액면주식의 금액

액면주식을 발행하는 경우 1주의 금액은 100원 이상으로 하여야 하며(제329조 제3항), 균일해야 한다(제329조 제2항). 주식의 액면가는 정관에 절대적 기재사항이며(제289조 제1항 제4호), 등기사항이다(제317조 제2항 제1호). 또한, 주식의 액면가는 자본금의 구성단위가 된다는 점에서 추상적인 가격이므로 실제 주식을 발행하면서 회사가 주식의 인수대가로 제시하는 발행가와는 구분된다.[84]

주식을 액면가 이하로 발행하는 경우에는 회사채권자의 이익을 침해할 우려가 있으므로 원칙적으로 금지하고 있다(제330조). 액면주식의 경우 액면가총액이 자본금을 구성하며, 이 경우 자본금은 회사가 보유하여야 할 명목상의 추상적인 금액이다. 따라서 액면가 이하로 발행하는 경우 명목상의 자본금과 회사에 실제 유입되는 자본금간의 괴리가 발생하게 된다. 이때 채권자는 명목상의 자본금을 기준으로 회사의 재산상태를 파악하게 되므로 명목상 자본금과 실제 납입된 자본금이 다를 경우 예측하지 못한 손해를 입을 가능성이 높다. 따라서 액면미달 발행을 원칙적으로 금지하고 있는 것이다.

그러나 회사의 실적부진 등의 이유로 신주에 대한 투자자의 수요가 없거나, 시장에서 거래되는 주식이 액면가를 밑도는 경우까지 액면가 이상의 발행을 고집한다면 회사가 자본조달을 하는데 어려움을 겪을 수밖에 없다.[85] 이러한 점을 고려하여 회사설립 후 2년이 경과한 후에 법원의 인가를 얻는 등의 일정한 요건을 갖춘 경우에는 액면가 이하로 발행하는 것을 허용하고 있다(제417조).

---

83) 최기원, 전게서, 991면.
84) 최기원, 상게서, 228면.
85) 최기원, 상게서, 999면; 이철송, 전게서(회사법강의), 907면.

다) 액면주식의 경우 자본금 구성

주식회사의 자본금은 현재 보유하고 있는 재산이 아니라 회사가 성립부터 해산시까지 유보하여야 할 추상적인 재산액을 의미하며, 액면주식을 발행한 경우에는 발행주식의 액면총액이 자본금이 된다(제451조 제1항). 주식의 발행가가 액면가를 초과하는 경우 액면가는 자본금에 산입되며(제451조), 액면을 초과하는 금액은 자본준비금으로 정립하여야 한다(제451조, 제459조 제1항).

예외적으로 액면미달발행을 한 경우에는 미달금액은 일정기준에 따라 처리하도록 하고 있다. 종전 상법의 경우 액면미달금액의 총액은 이연자산으로 계상할 수 있도록 하였으며 그 경우 3년 이내에 균등액을 상각하도록 하였다(제455조). 그러나 2011년 개정을 통해 회계에 관한 규정들이 상법에서 삭제됨에 따라 이연자산제도가 폐지되고 상각은 기업회계에 맡겨졌다.[86]

3) 무액면주식과 자본금

가) 무액면주식의 의의

(1) 무액면주식의 개념

무액면주식(non par value stock; Quotenaktie)이란 액면주식에 대비되는 개념으로 1주당 금액을 갖지 않고 주권에는 주식의 수만 기재되어 있는 주식을 말한다.[87] 무액면주식은 크게 기재식 무액면주식(stated value no-par stock)과 진정무액면주식(true no-par stock)의 두 가지로 구분된다. 기재식 무액면주식은 주식에는 액면금액이 없으나 정관에는 그 최저발행가액이 정해져 있어 주식을 발행할 때 그 금액 이하로 발행하지 못하는 것을 말한다. 이에 대해 진정무액면주식은 주권은 물론 정관에도 권면액에 해당하는 금액의 기재가 없는 주식을 말한다.[88] 통상적으로 무액면주식이라고 하면 진정무액면주식을 말하며, 미국의 대부분 주 및 일본의 경우 진정무액면주식제도를 도입하고 있다.[89]

---

86) 현 기업회계기준에서는 액면미달금액을 주식발행초과금과 상계하도록 한다. 미상계된 잔액이 있는 경우에는 자본계정의 주식할인발행차금으로 처리하고, 향후 발생하는 주식발행초과금과 우선적으로 상계한다. 이철송, 상게서(회사법강의), 983면.

87) 최준선, 전게서, 219면; 이철송, 상게서(회사법강의), 281면; 김순석, "무액면주식 제도 도입에 따른 법적 쟁점," 「저스티스」 제127호(2011. 12.), 172면; 神田秀樹, 「會社法」(弘文堂, 2002), 49~50面.

88) 김순석, 상게논문, 172면; 양기진, 전게논문, 3면; 최완진, "무액면주식제도에 관한 법적 고찰," 「외법논집」 제29집(한국외국어대학교 법학연구소, 2008. 2.), 281면.

(2) 무액면주식의 도입배경

무액면주식을 도입한 가장 큰 이유는 액면주식이 가지고 있는 한계를 극복하기 위한 것이며 최초로 법제화된 것은 미국 뉴욕주 회사법이다.[90] 종래 주식의 액면가는 발행가의 최저한이 되며 아울러 자본금은 이익배당 등의 형식으로 회사에서 유출할 수 없는 최저한으로 기능하였다. 이에 따라 액면주식이 도입된 초창기에는 액면주식은 납입금을 최소 권면액 이상으로 제한함으로써 주주간의 형평을 제고하고, 회사 내 순자산이 자본금에 미달하는 것을 방지하여 채권자보호에 긍정적 기능을 하였다고 평가되었다.[91]

그러나 액면주식의 가장 큰 문제점은 주식의 시장가격이 액면금액보다 낮은 때에는 주식발행에 의한 자본조달이 불가능하게 된다는 것이다.[92] 물론 현행법상 일정 요건을 갖춘 경우 액면미달발행을 허용하고 있다. 하지만 회사설립 후 2년이 경과해야 할 뿐만 아니라 주주총회 특별결의 및 법원의 인가가 요구되는 등 그 요건이 엄격히 제한된다. 따라서 주식의 시장가격이 액면가를 밑도는 경우에는 장래의 사업전망이 밝더라도 주식발행을 통한 자기자본 조달의 길이 막혀 회사의 금융비용 증가는 물론 지속가능성을 저해하기도 한다.[93] 뿐만 아니라 액면미달발행제도를 악용하는 경우도 있다. 정상적인 경우라면 시가가 액면미달인 때에는 주식을 발행하지 않겠지만, 실무에서는 이 경우에도 일반투자자들이 신주인수를 기피할 것을 노려 신주를 발행하여 대량실권을 유도한 후 이를 대주주등이 인수하는 방법으로 지배권을 공고히 하는 데 악용하기도 한다.[94]

이러한 문제점에도 불구하고 액면이 중요한 역할을 하고 있다면 존속이 필요할 것이다. 그러나 액면가의 경우 그 주식의 진정한 가치를 반영하는 것이 아니며, 시장가격과 일치하지 않는 경우가 대부분이다. 주식의 시장가격은 액면가와 전혀 관계없이 회사 자체의 경제적 가치에 의해 정해지기 때문이다.[95] 또한 액

---

89) 최완진, 상게논문, 282면; 임재연, 전게서, 353면.

90) 竝木俊守・竝木和夫,「現代アメリカ會社法」(中央經濟社, 1992), 96面.

91) Robert C. Clark, *Corporate Law*, Little, Brown and Company, 1986, pp. 707~709.

92) 최완진, 전게논문, 3면; 권종호, 전게논문, 311면; 김순석, 전게논문, 173면; 양기진, 전게논문, 4면; 이철송, 전게서(회사법강의), 281~282면.

93) 최완진, 상게논문, 284면; 임재연, 전게논문, 354면.

94) 권종호, 전게논문, 311면.

95) 北澤正啓, "額面株式と無額面株式,"「金融・商事判例」第651号(經濟法令硏究會, 1981), 31面.

면주식의 권면액은 채권자 보호 기능의 수행도 하지 못한다. 우리 상법을 비롯한 많은 입법례에서 이미 회사 설립시 최저자본금제도를 폐지하였고, 채권자들도 회사의 재무상태를 다양한 방법을 통해서 확인하고 있다.[96] 즉, 액면가를 기준으로 한 자본금 자체가 중요한 요소가 아니게 된 것이다.

이에 대해 무액면주식은 주식의 액면금액이 없으므로 회사가 주식을 발행할 때 액면가 이하로 할인발행하는 문제가 발생하지 않는다.[97] 따라서 무액면주식의 경우 자금조달에 용이하며,[98] 실질적으로는 액면주식의 권면액 인하를 보다 탄력적으로 허용한 것과 동일한 효과를 가지게 된다.[99] 또한 회사 채권자입장에서도 자금조달의 성공가능성이 커지고 이에 따라 채권만족의 기회가 증대된다는 점에서 긍정적인 의미가 있다.[100]

무액면주식은 회사의 운용에 있어서도 많은 장점이 있다. 예를 들어 증자시 이사회가 정하는 발행가액 중 자본금과 자본잉여금의 비율을 적절하게 조절할 수도 있다.[101] 또한 무액면주식은 자본금과 아무런 견련관계가 발생하지 않으며, 자본금의 증감과 주식수의 증감을 각각 별개로 할 수 있다. 따라서 자본금감소, 합병 등에 의한 자본금변경이나 주식의 분할 및 합병에 의한 주식의 변경이 탄력적으로 이루어질 수 있다는 장점도 있다.[102] 액면주식의 경우 주식분할이나 주식병합의 경우 액면가가 변동되므로 주주총회 특별결의를 거쳐 정관을 변경해야 하고 신주권을 교부해야 하는 등 번거로움이 있는데 반해, 무액면주식은 액면금액이 없으므로 정관변경 등의 절차가 필요하지 않기 때문이다.[103]

물론 무액면주식의 경우 단점도 있다. 먼저 무액면주식제도를 도입한 일본의 경험을 통해 살펴보면, 무액면주식을 도입한 기업은 재정상황이 좋지 않다는 이미지를 주어 기업의 평판에 악영향을 미치는 경우가 적지 않았다. 이에 따라 일

96) 정쾌영, "무액면주시제도의 도입에 관한 연구,"「산업경제연구」제14권 제2호(한국산업경제학회, 2001.), 297면.
97) 최완진, 전게논문, 3면; 권종호, 전게논문, 311면; 김순석, 전게논문, 173면; 양기진, 전게논문, 4면; 이철송, 전게서(회사법강의), 282면.
98) 정찬형, 전게서, 718면.
99) 김순석, 전게논문, 173면.
100) 최병규, "무액면주식제도의 도입가능성 연구,"「상사법연구」제20권 제1호(한국상사법학회, 2001.), 182면.
101) 강희갑, "무액면주식제도의 도입에 관한 고찰,"「상장협」제37호(한국상장회사협의회, 1998. 5.) 153면.
102) 김순석, 전게논문, 174면.
103) 국회 법제사법위원회, "상법 일부개정법률안 심사보고서,"(2010. 3. 10.), 47면.

본의 경우 액면주식이 폐지되기 전까지 무액면주식이 거의 이용되지 않았었다고 한다.[104] 또 다른 문제는 주주 측면에서 사기적 주식거래가 우려된다는 점이다. 무액면주식의 가치는 자본금에 대한 비율적인 지분비율이어서 투자자가 그 가치를 정확히 알기 어렵기 때문이다. 또한 발행가액 중 일부를 준비금으로 전입하고 이를 이익배당에 활용하면 이익배당이 불규칙해지고 투기적인 요소가 발생할 수 있다는 지적도 있다.[105]

나) 무액면주식의 발행

주식회사는 정관에서 정한 경우에는 주식의 전부를 무액면주식의 발행할 수 있다(제329조 제1항 전단). 상법은 제도의 급격한 변동으로 인한 혼란을 피하기 위해 액면주식과 무액면주식을 선택하여 발행할 수 있도록 하고 있다.[106] 다만, 무액면주식을 발행하는 경우 액면주식을 발행할 수 없다는 점(제329조 제1항 후단) 및 액면주식과 무액면주식을 병행발행하는 것도 금지된다는 점(제329조 제1항 단서)은 이미 설명한 바와 같다. 이러한 점을 고려할 때 존립 중인 기업이 무액면주식을 발행하고자 하는 경우에는 액면주식을 모두 무액면주식으로 전환하여야 한다. 기업입장에서 액면주식을 굳이 무액면주식으로 전환할 필요가 없다는 점에서 동 제도의 도입이 큰 의미를 가지기 어렵다. 무액면주식의 활성화라는 측면을 고려한다면 일본의 경우와 같이 액면주식제도를 폐지하고[107] 무액면주식만을 인정하는 방안을 모색할 필요가 있다는 견해가 있다.[108] 또한, 법률관계의 단순화라는 측면에서 무액면주식으로 일원화하는 것이 필요하다는 견해도 있다.[109]

일본의 경우는 1950년 상법개정을 통해 미국법상 무액면주식을 도입하였으며, 2001년 상법개정시 액면주식제도를 폐지하고 무액면주식의 발행만 가능하도록 하였다. 액면주식을 폐지한 이유는 (i) 주식은 균일한 비율적 단위 형태이기 때문에 액면주식이나 무액면주식은 1주의 크기 및 그 권리의 내용에 있어 차이

---

104) 김순석, 전게논문, 177면.
105) 장지석, "무액면주식제도 도입론," 「상장협」 제48호(한국상장회사협의회, 2003), 241면.
106) 임재연, 전게서, 354면.
107) 別冊商事法務編輯部 編, 「改正商法對應シリーズ 金庫株解禁等の理論と實務」 別冊商事法務 (商事法務, 2001), 20面 이하 참조.
108) 송옥렬, "전게 2011년 개정 회사법의 해석상 주요쟁점," 47면.
109) 권종호, 전게논문, 310면.

가 없고, 주권에 권면액이 기재되는가 아닌가의 차이밖에 없으며,110) (ii) 액면주식의 경우 자금조달이 곤란하고, (iii) 무액면주식의 경우 회사가 주식분할에 의해 출자단위를 조절할 때 그 절차가 간편하다는 점 등 때문이었다.111)

다) 무액면주식의 발행가

무액면주식의 발행가액은 회사성립시에는 정관이나 발기인 전원의 동의로 정하도록 하고 있으며(제291조), 회사성립 후에는 신주의 종류와 수 및 발행가액은 이사회나 주주총회가 정하도록 하고 있다(제416조 제2호). 그러나 최저발행가액 등에 대한 제한은 두고 있지 않다. 이에 대해 이사회가 발행가액을 정하면 된다는 견해와 입법적 보완이 필요하다는 견해가 있다. 전자의 견해는 이사회의 발행가액 결정에 대해 상법상 이를 제한하는 규정이 없으며, 따라서 회사의 자사가치와 수익가치를 합리적으로 산정하여 발행가액을 정하면 된다고 보고 있다.112) 반면 후자의 견해는 무액면주식이 공정한 시가에 미달하는 가격으로 발행되면 구 주권의 가치가 희석되어 기존주주가 손해를 입을 수 있으니 이에 대한 입법적 보완이 필요하다고 한다.113) 구체적으로 일본의 구 상법을 참고하여 회사설립시에는 발기인의 설명 이외에 공정한 시가를 산정할 만한 자료가 부족하다는 점 등을 고려하여 최저발행가액을 제한하고, 회사설립 후 신주발행시에는 공정한 시가의 산정이 가능하므로 이사회 또는 주주총회 결의로 발행가액을 정할 수 있도록 하자는 것이다.

한편, 회사설립시 무액면주식을 발행하는 경우 1주당 발행가액은 정관의 절대적 기재사항이 아니다(제289조 제1항 제4호). 자본금을 등기하도록 하고 있으나(제317조 제1항 제2호), 자본금의 경우 주식 발행가액의 2분의 1 이상의 금액 중 이사회나 주주총회가 정하는 금액을 적립하도록 되어 있으므로 이를 통해 발행가액을 유추할 수 없다. 따라서 최소한 설립시 등기사항으로 종류별 무액면주식의 발행가액을 포함시키는 것이 필요하다는 견해가 있다.114) 이에 대해 종류

---

110) 2001년 개정 전까지 일본의 경우 액면주식이 압도적으로 많이 발행되었으나, 대부분의 액면금액이 50엔 정도로 권면액이 크게 의미가 없었다. 神田秀樹・武井一浩, 「新しい株式制度−實務・解釋上論点を中心に」(有斐閣, 2002), 11頁.
111) 江頭憲治郎 外, 「會社法大系−株式・新株豫約權・社債−」(靑林書院, 2010), 7面.
112) 임재연, 전게서, 357면.
113) 최완진, 전게논문, 296면.
114) 김순석, 전게논문, 190면.

주식을 발행한다는 이유로 무액면주식제도의 장점을 포기하고 부진정무액면주식으로 전환할 이유는 없으며 이사회가 적절히 발행하도록 하는 것으로 충분하다는 견해도 있다.[115]

만일 이사회 결의에 의해 결정된 무액면주식의 발행액이 시가에 크게 미치지 못하는 경우에는 주주가 이사에 대해 주의의무 위반으로 인한 임무해태를 이유로 회사에 대한 책임을 물을 수 있으며(제399조), 이에 대해 이사는 경영판단의 원칙에 따라 항변할 수 있을 것으로 본다.[116]

라) 무액면주식의 경우 자본금 구성

회사가 무액면주식을 발행하는 경우 1주당 금액을 갖지 않기 때문에 액면주식의 경우와는 자본금 구성의 방법이 달라질 수밖에 없다. 개정상법은 이러한 점을 고려하여 무액면주식을 발행하는 경우 자본금을 구성하는 방법에 대해 상세하게 규정하고 있다. 회사가 발행가액 중 자본금에 전입하는 금액을 임의로 정하는 경우 적은 금액만 자본금에 전입될 수 있으며, 이 경우 회사채권자들의 담보가치가 감소할 뿐만 아니라, 주주에 대한 이익배당에도 영향을 미쳐 부당배당을 합법화하는 등의 문제가 발생할 수 있다.[117] 이러한 점을 고려하여 상법은 무액면주식 발행시 자본금구성에 대한 기준을 제시하고 있다.

구체적으로 주식회사가 무액면주식을 발행하는 경우 회사의 자본금은 주식발행가액의 2분의 1 이상의 금액으로서 이사회에서 정하게 된다(제451조 제2항). 다만 정관으로 주주총회에서 주식발행사항을 결정하기로 한 경우에는 주주총회에서 자본금으로 계상할 금액을 정하게 된다(제416조 단서, 제451조 제2항). 만일 발행가액 중 자본금으로 계상하는 금액에 관하여 이사회가 특별히 정하지 않는 경우에는 무액면주식의 발행가액총액이 자본금이 되는 것으로 보아야 한다는 견해가 있다.[118] 2001년 개정전 일본상법의 경우 회사의 자본금은 본법에서 별도로 정한 경우를 제외하고는 발행주식의 발행가액의 총액으로 한다고 규정한 예가 있다(구 일본상법 제284조의2 제1항).

한편, 무액면주식의 활성화를 위해서는 액면주식의 경우도 무액면주식처럼

---

115) 양기진, 전게논문, 7~8면.
116) 최완진, 상게논문, 297면.
117) 服部榮三・星川長七, 「基本法コメンタール會社法Ⅰ」(日本評論社, 1991), 168面.
118) 김순석, 전게논문, 189면.

발행가액의 2분의 1을 초과하는 금액에 대해서는 자본금에 전입하지 않을 수 있도록 해야 한다는 견해도 있다.[119] 액면주식의 경우 액면금액을 2배 이상 할증하여 발행하게 되면 무액면주식을 발행하는 경우보다 자본금으로 계상하는 금액이 적고 자본준비금으로 계상하는 금액이 더 크게 된다. 이 경우 무액면주식을 발행하는 경우가 액면주식보다 더 많은 금액을 자본금으로 편입해야 하므로 무액면주식의 보급에 부정적인 영향을 줄 수 있다는 것이다.

액면주식과 달리 무액면주식의 경우 자본금은 회사가 임의로 정하게 되므로 그 금액이 특정되지 않으며, 따라서 주식발행이 여러 차례 이루어지게 되면 회사의 자본금은 발행주식총수의 무관하게 된다.[120]

마) 무액면주식과 자본금감소

무액면주식을 발행하는 경우 자본금은 주식수와 관련이 없으며, 따라서 자본금을 감소하는 경우 주식을 소각하거나 병합할 필요가 없고, 주권을 교환할 필요도 없다. 자본금감소의 경우 주주총회 특별결의가 필요하며(제438조 제1항), 주주총회 결의시 그 감소의 방법을 정하도록 하고 있다(제439조 제1항). 따라서 무액면주식의 경우 자본금감소를 결의하는 주주총회에서 감소되는 자본금의 규모 및 구체적 방법을 정하면 된다. 다만, 자본금감소에 따른 주식소각이나 병합 등의 절차가 없음에 따라 자본금감소의 효력발생일을 따로 정할 필요가 있다. 이 또한 자본금감소의 방법에 해당하므로 자본금감소를 결의하는 주주총회에서 따로 정하면 된다고 보고 있다.[121] 아울러 해당 효력발생일에 채권자보호절차가 종료되지 않은 경우에는 상법 제441조 단서규정을 유추적용하여 채권자보호절차가 종료한 때 효력이 발생한다고 본다.[122]

바) 액면주식과 무액면주식의 전환

(1) 전환절차

주식회사는 정관이 정하는 바에 따라 발행된 액면주식을 무액면주식으로 전환하거나 무액면주식을 액면주식으로 전환할 수 있다(제329조 제4항). 상법은 액면주식과 무액면주식 중 하나만 발행할 수 있도록 하고 있으며, 어떠한 주식을

---

119) 김순석, 상계논문, 190면.
120) 김순석, 상계논문, 191면; 송옥렬, "전계 2011년 개정 회사법의 해석상 주요쟁점," 48면.
121) 이철송, 전게서(회사법강의), 964면.
122) 이철송, 상게서(회사법강의), 964면.

발행할 것인지는 정관으로 정하도록 하고 있다(제329조 제1항 전단). 따라서 액면주식을 무액면주식으로 전환하거나 그 반대의 경우에는 정관변경이 필요하다(제289조 제1항 제4호). 전환은 정관변경에 따라 일괄적으로 이루어지게 되며 개별 주주의 청구에 의해 발행주식의 일부를 전환하는 것은 허용되지 않는다.[123] 무액면주식을 액면주식으로 전환하는 경우에는 정관변경시 반드시 액면금액을 정해야 한다.[124] 다만, 최저액면금액이 100원이므로(제329조 제2항), 무액면주식을 액면주식으로 전환하는 경우 무액면주식의 1주당가치가 최소한 100원 이상이 되어야 한다.[125]

한편, 무액면주식이 액면주식의 액면금액 미만으로 발행된 후 액면주식으로 전환되는 경우, 실질적으로 할인발행과 동일한 문제가 발생할 수 있다는 지적이 있다. 액면주식을 할인발행하는 경우에는 엄격한 규제가 따른다. 그러나 무액면주식을 발행하면서 실질적인 할인발행을 하는 경우에도 발행가액은 유효하며, 그 후 전환하더라도 자본금은 변경되지 않는다. 이 경우 발행가액과 액면금액의 차액에 대해서는 누구도 책임을 부담하지 않게 되므로 이를 방지하기 위한 입법적 조치가 필요하다는 것이다.[126]

전환에 따른 채권자보호절차를 불필요하다고 본다. 후술하는 바와 같이 상법은 전환에 따른 자본금 변경을 금지하고 있다. 따라서 주식이 전환된다고 하여도 채권자에게 손해의 염려는 없으므로 채권자보호절차가 필요하지 않다는 것이다.[127]

그 밖의 전환에 관한 절차는 주식병합에 관한 절차를 준용한다(제329조 제5항). 회사는 1월 이상의 기간을 정하여 액면주식을 무액면주식으로 또는 그 반대로 전환한다는 뜻과 그 기간내에 주권을 회사에 제출할 것을 공고하고 주주명부에 기재된 주주와 질권자에 대해서는 각별로 그 통지를 하여야 한다(제329조 제5항→제440조). 주주가 구주권을 제출하는 경우 이에 갈음하여 새로운 무액면주권이나 액면주권을 교부하여야 한다. 구주권을 회사에 제출할 수 없는 자가 있

---

123) 이철송, 상게서(회사법강의), 283면.
124) 北澤正啓, 「會社法」 第6版(靑林書院, 2001), 153面.
125) 임재연, 전게서, 360면.
126) 권재열, "개정상법상 주식관련제도의 개선내용과 향후과제," 「선진상사법률연구」 제56호(법무부, 2011), 7면; 최병규, "개정 상법상 무액면주식제도에 관한 연구," 「경영법률」 제21권(경영법률학회, 2011), 351면.
127) 이철송, 전게서(회사법강의), 284면; 임재연, 전게서, 360면.

는 때에는 회사는 그 자의 청구에 의하여 3월 이상의 기간을 정하고 이해관계인
에 대한 이의가 있으면 그 기간 내에 제출할 뜻을 공고하고 그 기간이 경과한 후
에 신주권을 청구자에 교부할 수 있다(제329조 제5항 → 제442조 제1항).

(2) 전환의 효력발생시기

주식의 전환은 주주에 대한 공고기간이 만료한 때 그 효력이 발생한다(제329
조 제5항 → 제441조). 상법 제329조 제5항은 주식병합의 효력발생시기에 대해 제
441조 본문만 준용하고 단서규정은 준용하지 않고 있다. 이는 전환의 경우 별도
의 채권자보호절차가 필요하지 않기 때문에 공고기간이 만료하면 효력이 발생하
는 것으로 보는 것이다.[128]

(3) 자본금의 유지

주식회사는 정관이 정하는 바에 따라 발행된 액면주식을 무액면주식으로 전
환하거나 무액면주식을 액면주식으로 전환하는 것이 가능하다(제329조 제4항).
이 경우 회사의 자본금은 일정해야 하며 전환으로 변경될 수 없다(제451조 제3
항). 동 규정은 액면주식과 무액면주식의 전환에 의한 자본금변경은 불가하다는
점을 명백히 한 것이라 볼 수 있다. 액면주식과 무액면주식은 동등하다는 것을 나
타내는 것으로서 주주권과 자본금 구성에 변경이 없다는 것이 전환에 있어 중요
한 원칙이라는 점을 분명히 한 것이라고 할 수 있다.[129]

그러나 자본금의 계상방법이 액면주식과 무액면주식이 다를 수밖에 없는데
이를 무시하고 일원화하는 것은 바람직하지 않다는 주장이 있다. 동 주장에 따
르면 전환 전에 각각의 자본금계상방법에 따라 계상한 자본금에 관해서는 그대
로 자본금으로 인정하고, 전환 후에는 그 시점부터 각각의 자본계상방법에 따라
사본금을 계상하도록 하는 것이 바람직하다고 한다.[130]

---

128) 이철송, 상게서(회사법강의), 284~285면.
129) 松岡誠之助, "額面株式と無額面株式の轉換,"「商事法務」第1207号(1990), 3~4面.
130) 권종호, 전게서, 310면.

II. 종류주식

김 순 석*

1. 서 설

21세기 들어 세계 각국은 기업의 경쟁력을 높이기 위하여 모든 역량을 집중하여 보다 나은 삶의 조건을 국민들에게 제공하고자 한다. 이러한 기업의 경쟁력을 제고하는 데에는 가장 기본적인 생산요소인 자본, 노동, 기술 등을 가장 저렴하고 효율적으로 확보하는 것이 무엇보다 중요하다.

이러한 생산요소 중 회사법의 영역에서는 기업들이 자본을 효율적으로 조달할 수 있도록 하는 법제도를 어떻게 구축할 것인가가 중요한 과제로 등장하고 있다. 이를 위하여 미국, 일본, 유럽 등 주요 선진국들은 다양한 유형의 종류주식을 개발하여 투자가들을 기업활동에 유인함으로써 기업들이 원활하게 자금을 조달하도록 배려하고 있다. 이러한 직접금융을 통하여 기업들은 사채를 발행하거나 금융기관으로부터 차입하는 경우에 발생하게 되는 금융비용을 부담하지 않고 자금을 조달함으로써 국제 경쟁에서 한층 우위를 점할 수 있게 된다.

2011년 개정전 상법은 주식의 종류에 관하여 수종의 주식과 상환주식이나 전환주식 등의 특수한 주식으로 규정하고 있었다. 이러한 제한된 주식제도는 기업의 자금조달의 유연성이나 경영권 방어수단 등으로 활용할 수 있는 다양한 주식의 유형을 제공하지 못하고 있다는 비판을 받아 왔다. 특히 경제의 글로벌화에 따라 기업들은 주식제도에 있어서도 보다 경쟁력 있는 자본조달 체제를 요구하였다. 이에 따라 2011년 개정상법은 종류주식의 근거에 대하여 총론적으로 규정하고(제344조), 이익배당·잔여재산분배에 관한 종류주식(제344조의2), 의결권의 배제·제한에 관한 종류주식(제344조의3), 주식의 상환에 관한 종류주식(제345조) 및 주식의 전환에 관한 종류주식(제346조) 등을 도입하고 있다.

그러나 2011년 개정상법에서도 트래킹주식(tracking stock),[1] 거부권부종류주

---

* 전남대학교 법학전문대학원 교수

1) 트래킹주식(특정사업연동주식)이라 함은 그 가치가 발행회사의 특정 사업부문 또는 자회사의 업적에만 연동하도록 설계된 주식을 말하며, 이익배당에 관한 종류주식의 한 유형에 속한다. 트래킹주식에 관하여 자세한 내용은 김순석, "종류주식의 다양화와 자금조달의 유연성에 관한 법적 쟁점 분석,"「상사법연구」제27권 제2호(한국상사법학회, 2008), 11～31

식, 임원임면권부종류주식, 차등의결권부종류주식, 적대적 M&A에 대한 방어수단을 염두에 둔 포이즌 필(poison pill)로서 신주인수선택권 제도 등은 도입되지 않고 있다.

2. 종류주식의 총괄규정

가. 2011년 상법 개정 전 제도의 내용 및 문제점

2011년 개정전 상법 제344조는 내용이 다른 주식을 수종의 주식이라 하여 이익이나 이자의 배당 또는 잔여재산의 분배에 한하여 종류주식의 발행을 허용하고, 이익배당에 관한 우선주에 대하여는 의결권이 없는 것으로 할 수 있다고 규정하고 있었다(개정전 제370조 제1항 본문).

그 때까지 운영실정을 보면 이익배당에 있어서 내용이 다른 주식, 즉 배당우선주 이외의 주식은 발행사례가 거의 없는 실정이었다. 이처럼 기업들이 자금조달이나 경영권 방어 등을 위하여 활용할 수 있는 종류주식의 유형이 너무 제한적으로 규정됨에 따라, 경영환경 변화에 탄력적으로 대응하는데 지장을 초래하였다.

나. 2011년 개정상법의 내용

상법은 제344조에서 종류주식에 대한 총괄규정을 둔 다음 제344조의2부터 제351조까지 종류주식의 유형별로 별도의 조문을 두고 있다. 제344조는 종류주식의 유형을 다양화하였는데, 기존의 이익배당·잔여재산의 분배에 관한 종류주식 이외에 주주총회에서의 의결권의 행사, 주식의 상환 및 전환 능에 관하여 내용이 다른 종류주식을 발행할 수 있는 근거를 마련하고 있다(제344조 제1항). 한편 2011년 개정상법상 건설이자배당 제도가 철폐되었으므로(제463조), 건설이자배당에 관한 종류주식은 허용되지 아니한다.

다. 입 법 례

미국의 경우에는 증권의 발행에 관하여 최소한도의 제한만을 하고 있기 때문

면 참조.

에 증권의 유형을 자유롭게 설계할 수 있다.[2)]

영국 회사법의 경우 종류주식(classes of shares)에 관해서는 1985년 회사법은 물론 2006년 회사법에서도 정의규정이 없지만, 종류주식이란 보통법상 특정한 주식에 관하여 권리(의결권, 이익배당권, 잔여재산분배권)가 부여된 주식을 말한다.[3)] 회사는 정관의 정함에 따라 또는 주식의 내용을 결정하는 결의(resolution)에 따라 주주의 권리를 달리 정할 수 있는 다양한 종류주식을 발행할 수 있다.[4)] 공개회사 및 폐쇄회사를 위한 모델정관안은 각각 주주총회 보통결의로 종류주식을 발행할 수 있도록 규정하고 있다.[5)]

일본의 경우에도 2001년 상법개정을 통하여 종류주식을 대폭적으로 확대하였으며, 발행가능한 주식의 종류를 법률에서 열거하고 상세한 내용은 정관에 맡기는 방식을 채택하고 있다(일본회사법 제107조, 제108조, 제109조). 일본 회사법은 9가지의 종류주식을 도입하고 있다.[6)]

라. 2011년 개정상법의 검토

1) 종류주식의 개념 및 도입범위

2011년 개정상법 제344조 제1항은 종류주식의 개념에 대해서 "이익의 배당, 잔여재산의 분배, 주주총회에서의 의결권의 행사, 상환 및 전환 등에 관하여 내용이 다른 종류의 주식"으로 정의하고 있다. 즉, 종류주식이란 어떠한 주식에

---

2) RMBCA §6.01; Del. Code Ann. tit. 8, §151(c), §212(a); N.Y. Bus. Corp. Law §§501, 505, 512, 519; Cal. Corp. Code §§203.5, 400, 402, 403 등 참조.

3) Saleem Sheikh, A Guide to the Companies Act 2006, Routledge-Cavendish, 2008, p. 678.

4) 문준우, "영국 회사법의 종류주식과 그 시사점," 「상사법연구」 제29권 제4호(한국상사법학회, 2011), 181~182면.

5) 심영, "영국 회사법," 「주요국 회사법」(전국경제인연합회, 2009), 146면; Draft Model Articles for Public Companies, art. 42(1); Draft Model Articles for Private Companies, art. 21(1).

6) 즉, i) 잉여금의 배당, ii) 잔여재산의 분배, iii) 주주총회에서 의결권을 행사할 사항(의결권제한주식), iv) 양도에 의해 주식을 취득하는데 회사의 승인을 요하는 것(양도제한종류주식), v) 주주가 회사에 대하여 주식취득을 청구할 수 있는 것(취득청구권부종류주식), vi) 회사가 일정한 사유의 발생을 조건으로 주식을 취득할 수 있는 것(취득조항부종류주식), vii) 회사가 총회결의에 의해 전부 취득하는 것(전부취득조항부종류주식), viii) 주주총회(이사회설치회사의 경우 주주총회 또는 이사회) 결의사항 중 당해 결의 이외에 종류주주총회의 결의가 필요한 것(거부권부종류주식), ix) 종류주주총회에서의 이사 또는 감사를 선임하는 것(임원임면권부종류주식; 위원회설치회사와 공개회사에는 인정하지 않음) 등에 관하여 내용이 다른 종류주식을 발행할 수 있다(일본회사법 제108조 제1항).

대하여 권리의 내용이 다른 "종류의 주식"을 말한다.

발행주식 유형의 다양화는 투자자의 입장에서는 투자상품이 다양화되고, 금융회사 입장에서는 취급할 수 있는 금융상품이 다양화되는 것을 의미하여 자본시장 발전에도 긍정적인 영향을 미칠 수 있다. 그러므로 기존의 이익배당 등 이외에 의결권제한주식, 주식의 상환 및 전환에 관한 다양한 종류주식의 발행을 허용한 것은 국제적 흐름에 부합한다고 본다.

종류주식의 도입범위를 어디까지 확대할 것인가에 대하여는 각계의 의견이 대립하고 있다. 2011년 개정상법은 이익배당이나 잔여재산분배에 관한 종류주식 중 특정한 사업부문이나 자회사에 연동하는 트래킹주식에 대해 그 법률관계가 복잡하고 분쟁 가능성이 높은 반면 활용도는 많지 않다는 등의 이유로 해석상 논란은 있지만 그 도입을 유보하려는 의도로 입법되었다.[7] 또한 2006년 상법개정안은 원시정관을 통하거나, 총주주의 동의에 의한 정관변경을 통하여 임원임면권부종류주식과 거부권부종류주식의 도입을 허용하였으나, 2011년 개정상법에는 반영되지 않았다. 이는 경영권 방어수단으로의 남용 가능성을 우려하여 도입하지 않은 것이다. 또한 적대적 M&A에 대한 방어수단을 염두에 둔 포이즌 필이나 신주예약권과 같은 옵션형 잠재주식제도에 대해서도 경영권 방어수단으로서 남용 가능성이 매우 높다는 지적에 따라 보류되었다. 한편 주식의 양도에 관한 종류주식도 국회의 논의과정에서 삭제되었다. 이에 따라 2011년 개정상법 중 종류주식에 대해서 방어수단의 관점에서 보면 충분하지 않은 개정이라는 일부 견해도 있다.[8]

2011년 개정상법에서 종류주식의 유형을 다양화한 것은 바람직한 방향이지만, 우리나라 기업규모나 글로벌 경영환경 등을 고려할 때 주식제도가 기업의 창조적 경영활동을 하는데 제약요인이 되어서는 안된다고 본다. 종류주식에 대한 규제는 되도록 완화하여 정관자치에 위임하고, 그 남용을 방지하기 위한 사후적인 규제수단을 마련하는 데에 중점을 두어야 할 것이다.

---

7) 법무부, 「상법(회사편)개정 특별분과위원회 회의록」(2006), 626~630면.
8) 권종호, "방어수단으로서 종류주식-2006년 개정안과 2008년 개정안을 중심으로-," 「상사법연구」 제27권 제2호(한국상사법학회, 2008), 55면.

2) 보통주식이 종류주식에 포함되는지 여부

보통주식이 종류주식에 포함되는지 여부에 따라 i) 보통주식을 상환주식으로 발행할 수 있는지 여부, ii) 상환대가로 보통주식이 포함되는지 여부(현물상환), iii) 상환전환우선주의 발행, iv) 보통주식으로 전환되는 주식의 전환에 관한 종류주식(이하 전환주식이라 한다)의 발행이 가능한지 여부, v) 보통주식에 대한 종류주주총회가 허용되는지 여부 등에 차이가 발생하게 된다.[9] 또한 회사가 종류주식을 조합하여 발행할 수 있는 종류주식의 수를 결정하는 데에도 영향을 미치게 된다.[10]

가) 불포함설

보통주는 다른 종류주식의 기준이 되는 주식을 정하기 위하여 사용되는 개념이지 보통주 자체를 종류주식으로 볼 수 없다는 견해이다. 보통주를 종류주식에 포함시키면 사실상 모든 주식이 종류주식에 포함되므로 종류주식의 개념을 별도로 규정하는 체계와도 맞지 않다고 한다. 개정상법이 종류주식의 내용을 설명하는 조항(제344조)을 두고 개별 종류주식을 열거하는 형식을 취하고 있는 것도 이를 뒷받침한다고 본다.[11]

개정상법은 개정 전 "수종의 주식"을 "종류주식"으로 변경하여 의도적으로 개념을 바꾼 것은 아니다. 종류주식은 주주권의 내용이 다른 주식으로 정의되면서(제344조 제1항), 제344조의2 이하에서 구체적으로 그 유형을 열거하고 있기 때문에, 보통주는 종류주식에 포함되지 않는다고 한다.[12] 이에 따라 회사가 보

---

 9) 이영철, "개정상법상 상환주식의 해석상 쟁점에 관한 고찰,"「선진상사법률」제66호(법무부 상사법무과, 2014), 4면.
10) 김희준, "종류주식 발행의 실무상 쟁점과 법적 해결방안에 관한 연구-상환 및 전환에 관한 종류주식을 중심으로-,"「선진상사법률연구」통권 제64호(법무부 상사법무과, 2013), 7면.
11) 김홍기, "2011년 개정상법 및 동법시행령상 회사재무분야의 주요쟁점과 해석 및 운용상의 과제,"「기업법연구」제26권 제1호(한국기업법학회, 2012), 117면.
12) 김건식·노혁준·천경훈,「회사법」제3판(박영사, 2018), 152면; 이철송,「회사법강의」제29판(박영사, 2021)(이하 "회사법강의"라 한다), 287면. 개정상법에서 보통주식과 종류주식을 모두 지칭하는 경우에는 법문상 '주식의 종류'로 표현하고 있다고 보고, 구체적인 조문을 예시하기도 한다(심영, "개정상법상 종류주식에 대한 고찰,"「일감법학」제22호(건국대학교 법학연구소, 2012), 주) 11). 그러나 후술하는 바와 같이 상법 제344조 제1항에서 종류주식의 정의를 "… 등에 관하여 내용이 다른「종류의 주식」"으로 하고 있는 점에 비추어 타당하지 않다고 본다.

통주를 발행할 수 있는 근거가 종류주식에 관한 제344조 이하가 아니라 일반적인 주식에 관한 규정에 있다고 본다. 상법에서 종류주식이 보통주를 포함하지 않고 있다는 규정의 예로서 종류주식을 발행하려면 정관으로 그 내용과 수를 정해야 한다거나(제344조 제2항), 종류주식에는 종류주주총회가 인정되고(제435조 제1항), 주식배당은 같은 종류의 주식으로 할 수 있다는 규정 등을 열거하고 있다.[13] 또한 보통주식이 종류주식에 포함되지 않아야 제345조 제5항에서 규정한 보통주식을 상환주식으로 발행할 수 없다는 의미가 명확해 진다는 것이다.[14][15]

다만, 제346조 제1항과 제2항에 규정된 주식의 전환에 관한 종류주식에는 예외적으로 보통주가 포함된다고 해석하며, '다른 종류주식'이라는 문구는 '다른 종류의 주식'으로 읽을 필요가 있다고 한다.[16] 입법론으로 종류주식이라는 개념 대신 다른 일반적인 개념을 사용하여 보통주로도 전환이 허용된다는 점을 명확히 해야 한다고 한다.[17] 또한 제435조 제1항의 경우에도 예외를 인정하여 보통주의 경우에도 종류주주총회를 개최할 수 있다고 해석한다.[18]

나) 포함설

보통주식이 종류주식에 포함된다는 견해에 따르면, 주주가 가지는 권리 가운데 이익의 배당, 잔여재산의 분배, 주주총회에서의 의결권의 행사, 상환 및 전환 등 5개의 권리 중 어느 하나 또는 둘 이상의 권리에 관하여 조금이라도 내용이 다른 주식이 발행되면 그 주식은 모두 종류주식으로 본다. 즉, 회사가 권리의 내용이 다른 주식을 발행하면 그 모두가 종류주식이 되는 것이며, 보통주를 제외한 나머지 주식만이 종류주식이 되는 것은 아니라고 한다.[19] 즉, 종류주식이란 주식의 권리내용이 다른 주식을 말하며, 당연히 2종류 이상의 주식을 전제로 하는 것이고, 이 경우 어떠한 권리에 관한 표준이 되는 주식이 존재하게 되는데,

---

13) 송옥렬, 「상법강의」 제8판(홍문사, 2018)(이하 "상법강의"라 한다), 793면.
14) 심영, 전게논문, 115면; 정준우, "종류주식에 관한 주요 쟁점사항의 검토," 「법과 정책연구」 제17집 제2호(한국법정책학회, 2017), 241면.
15) 이러한 주장에 대한 반론으로는 정동윤, "보통주와 종류주의 개념에 관하여-개정상법의 해석과 관련하여-,"「상사법연구」 제31권 제1호(한국상사법학회, 2012), 46~50면 참조.
16) 정수용·김광복, "개정상법상 종류주식의 다양화," 「BFL」 제51호(서울대학교 금융법센터, 2012), 108~109면; 동지, 이철송, 회사법강의, 300면; 송옥렬, 상법강의, 806면.
17) 송옥렬, 상법강의, 806면.
18) 김홍기, 전게논문, 117면.
19) 정동윤, 전게논문, 41~42면.

그것이 보통주식이라는 것이다.[20] 종류주식은 표준이 되는 주식과 함께 그 표준주식과 내용이 다른 주식도 모두 포함하는 개념이므로[21] 각 종류주식별로 표준이 되는 보통주식은 그 표준주식과 내용이 다른 주식을 포함하여 모두 종류주식을 구성한다.[22]

　　보통주식을 종류주식에 포함하여야 하는 근거로는 i) 제344조의 종류주식은 개정 전 제344조 제1항의 '수종의 주식'을 변경한 것인데, 개정 전 '수종의 주식'에는 보통주, 우선주, 열후주, 혼합주가 있다고 보는데 이설이 없었다고 한다.[23] 2011년 개정상법 아래에서도 이러한 주식을 재산적 내용에 관한 종류주식으로 보기도 한다.[24] ii) 종류주식의 개념은 제344조의2 이하에서 규정하고 있는 것이 아니라 제344조 제1항에서 규정하고 있고, 제344조의2 이하에서는 제344조를 기본으로 하여 개별적인 종류주식에 대한 특칙과 세칙을 규정하고 있을 뿐이다.[25] iii) 주식의 내용은 상대적인 것이므로 보통주식도 상대적으로 정할 수 있다. 따라서 어느 회사가 내용이 다른 종류의 주식을 발행한 경우에는 모든 주식이 종류주식이 되는 것이고, 보통주식도 종류주식의 하나라는 것이다.[26] 예컨대, 보통주는 우선주와 후배주의 표준이 되는 주식인데 이들 구별은 상대적인 것이며, 보통주도 후배주를 기준으로 보면 우선주에 해당한다는 것이다. iv) 전환주식에 관한 개정상법 제346조 제1항과 제2항은 보통주가 종류주식임을 전제로 한 규정으로 본다.[27] v) 보통주에 손해를 미치는 결정이 있는 경우, 특히 보통주의 주주가 소수인 경우에는 보통주의 주주들에 의한 종류주주총회가 있어야 한다.[28] vi) 개정 전의 것으로서 보통주는 수종의 주식에 포함되지 않는다는 것

---

20) 박철영, "종류주식의 활용과 법적 과제 - 의결권제한주식을 중심으로 -,"「기업법연구」제25권 제4호(한국기업법학회, 2011)(이하 "종류주식의 활용과 법적 과제"라 한다), 36면.

21) 神田秀樹,「会社法」第20版(弘文堂, 2018), 77면 참조.

22) 권종호, "종류주식의 쟁점과 과제,"「상사법연구」제31권 제4호(한국상사법학회, 2013)(이하 "전게논문 I"이라 한다), 50면.

23) 정동윤, 전게논문, 43면.

24) 최준선,「회사법」제16판(삼영사, 2021)(이하 "회사법"이라 한다), 228~229면.

25) 정동윤, 전게논문, 46면.

26) 정동윤, 전게논문, 45면; 相澤 哲·葉玉匡美·郡谷大輔 編,「論点解説 新·会社法」(商事法務, 2006), 54~55면.

27) 이영철, 전게논문, 11면; 임재연,「회사법 I」개정5판(박영사, 2018)(이하 "회사법 I"이라 한다), 382면.

28) 권종호, 전게논문 I, 51면; 이승환, "종류주식의 활용방안에 관한 고찰,"「법학연구」제23권 제1호(연세대학교 법학연구원, 2013), 45면.

을 전제로 한 판례[29]가 있지만, 개정상법 아래에서는 보통주도 종류주식의 일종임을 전제로 한 명문의 규정이 있으므로 달리 해석하여야 한다.[30]

보통주식을 종류주식으로 본다면, 회사가 종류주식을 발행하려면 정관으로 각 종류주식의 내용과 수를 정하여야 한다는 제344조 제2항의 규정상, 보통주도 그 내용과 수를 정관에서 정해야 하는지 여부가 문제된다. 이를 근거로 보통주는 종류주식에 포함되지 않는다는 견해도 제기된다.[31]

보통주의 경우 다른 종류주식과 달리 정관에서 그 내용과 수를 정하지 않아도 된다고 해석해야 하는 이유로서는 i) 보통주는 어떠한 권리가 부가되거나 제한되지 않은 가장 기본적인 주식으로서 상법에서 기본사항이 정하여져 있으므로 정관에서 그 내용을 따로 정할 필요가 없다.[32] ii) 정관에 보통주의 수를 기재하는 것은, 자본금은 정관의 기재사항이 아니고 정관에는 회사가 발행할 주식총수(수권주식수)만을 기재하는 수권자본금제도에 정면으로 반한다.[33] iii) 정관으로 종류주식의 내용과 수를 정하도록 하는 것은 종류주식의 발행이 주주평등의 원칙의 예외가 되므로 다른 주주들의 이해관계에 영향을 미칠 염려가 있기 때문인데, 보통주의 경우에는 이러한 염려가 없다.[34]

또한 보통주식을 종류주식으로 보는 경우 상환주식에 관한 상법 제345조 제5항의 해석이 문제된다. 개정상법이 보통주를 상환주식으로 발행할 수 없도록 하기 위하여 "상환주식은 종류주식에 한하여 발행할 수 있다"고 규정하고 있다. 새로운 종류주식제도 아래에서는 이익배당 보통주도 의결권이 제한될 수도 있기 때문에, 개정 상법이 의도하는 것은 보통주가 아니라 '의결권에 제한이 없는 주식'이 상환주식으로 발행되어 소멸되는 것을 방지하고자 한 것이다. 즉, 상환에 의하여 소멸시킬 수 없도록 한 것은 의결권이지 이익배당에 관한 권리가 아니다. 개정 상법은 종래의 보통주, 즉 의결권이 있는 이익배당 보통주를 종류주식이 아닌 것으로 보고, 그 의결권에 주목하여 이를 상환할 수 없도록 한 것인데, 보통주의 개념과 성격에 대한 오해라고 본다.[35] 한편, 보통주식은 종류주식의

---

29) 대법원 2006.1.27. 2004다44575.
30) 임재연, 회사법 I, 382면.
31) 송옥렬, 상법강의, 793면.
32) 박철영, "종류주식의 활용과 법적 과제," 「기업법연구」 제25권 제4호(한국기업법학회, 2011. 12.), 37면; 최준선, 「2011년 개정상법 회사편 해설」(한국상장회사협의회, 2011), 81면.
33) 임재연, 회사법 I, 383면.
34) 임재연, 회사법 I, 383면.

하나이므로(제344조 제1항) 보통주식도 상환주식의 대상이 된다고 해석하는 견해
도 제기된다. 이 견해는 제345조 제5항을 상환주식은 종류주식을 발행하는 회
사, 즉 두 가지 종류 이상의 주식을 발행하는 회사에 한하여 발행할 수 있고,
하나의 주식, 즉 보통주식만을 발행하는 회사는 이를 상환주식으로 발행할 수
없다는 취지로 해석한다. 만일 이를 허용하면 보통주식을 모두 상환함으로써 자
본금이 없는 회사가 생길 수 있는데 이는 자본금이 없는 회사에 주주유한책임을
인정하는 것이 되어 주식회사의 본질에 반한다고 본다. 이 견해는 제345조 제5
항이 자본금이 없는 주식회사는 존립할 수 없다는 점을 주의적으로 규정한 것으
로 해석한다.[36)

다) 절충설

이 견해에 따르면 보통주식은 상법 제344조가 규정하는 종류주식 이외의 주
식, 즉 주주권의 내용에 관해 정관에 별도의 정함이 없어 상법 규정에 의해 획
일적으로 그 내용이 정해지는 일반 주식을 말한다. 종류주식은 정관에 의해 주
주권의 내용이 보통주식과 달리 정해지는 주식을 의미한다. 보통주식은 상법 제
344조 내지 제346조의 규정 체계상의 종류주식은 아니지만, 보통주식 가운데는
주주 간의 이해를 조정하기 위해 어느 한 종류의 주식을 다루어야 하는 경우가
있다.

이 견해는 원칙적으로 보통주식과 종류주식을 준별하지만, 각 사례마다 해석
에 의해 종류주식를 보통주식을 배제한 협의의 종류주식과 이를 포함한 광의의
종류주식으로 구분한다. 즉, 제344조 제2항, 제344조의3 제1항이나 제345조 제5
항 등의 경우는 협의로 해석하고, 제435조 제1항이나 제436조의 경우에는 광의
로 해석하는 것이다.[37)

라) 사 견

종류주식에 관한 상법상의 조문은 보통주식이 포함되는지 여부에 관하여 정
교하지 못한 입법으로 인하여 두 가지 견해에 모두 일부 타당한 근거를 제공하
고 있다고 본다. 종류주식에 보통주식이 포함되는지 여부에 관한 학설의 차이는

---

35) 박철영, 종류주식의 활용과 법적 과제, 36~37면.
36) 정동윤, 전게논문, 52~53면.
37) 권기범, 「현대회사법론」, 제6판(삼영사, 2015), 486면.

종류주식의 개념을 제344조 제1항에 비중을 두고 보는지, 아니면 제344조의2 이하의 규정에 비중을 두는지 여부에 따라 달라진다. 생각건대, 어느 견해를 취하거나 예외적인 현상이 발생하는 것은 사실이지만, 불포함설에 따를 경우 더 많은 문제점을 수반한다.[38] 따라서 입법에 의해 해결되기 전까지는 다음과 같은 근거에 의해 보통주식을 종류주식으로 보는 견해가 더 타당하다고 본다.

첫째, 상법 제344조 제1항은 종류주식의 정의를 "이익의 배당, 잔여재산의 분배, 주주총회에서의 의결권의 행사, 상환 및 전환 등에 관하여 내용이 다른 종류의 주식"으로 정의하고 있다.[39] 따라서 상법상 종류주식은 "종류의 주식"을 간략하게 표현한 것이므로 법문에 표현된 종류주식에 관한 모든 문언은 " … 등에 관하여 내용이 다른 종류의 주식"으로 읽어야 하며,[40] 보통주식을 이러한 "종류의 주식"의 하나로 보면 대부분의 문제가 해결된다.[41]

둘째, 보통주식은 이익의 배당이나 잔여재산의 분배에 관한 주식의 한 유형에 속하며, 이는 2011년 개정 전 상법과 그 법적 성격이 변화된 것은 없다. 즉, 보통주식은 다른 주식에 대한 상대적인 기준이 되는 주식이면서, 제344조 및 제344조의2에 따라 이익배당이나 잔여재산의 분배에 관하여 내용이 다른 "종류의 주식"의 한 유형에 속한다고 보아야 할 것이다.

셋째, 종류주식은 2종류 이상의 주식을 발행하는 경우에만 인정되는 개념이므로, 보통주식과 다른 종류주식을 발행한 경우 보통주식은 당연히 "종류의 주식"의 하나를 구성하게 된다.[42]

넷째, 보통주를 상환주식으로 발행하지 않는다는 점은 법무부 회의록이나 상법개정위원회의 논의과정에서는 언급이 없었다고 하지만, 포이즌 필에 대한 국회의 논의과정이나, 법무부가 2009년 별개의 입법을 통하여 포이즌 필을 도입하

---

38) 불포함설에 따른 문제점에 관해서는 이철송, "2011 개정상법의 정책적 및 기술적 오류,"「증권법연구」제13권 제2호(한국증권법학회, 2012), 12~13면 참조.

39) 제344조 이하의 상법개정안을 검토해 보면, 2007년 개정안에서는 "종류의 주식"과 "종류주식"으로 병기되었다가, 2008년 개정안부터 "종류의 주식"을 모두 "종류주식"으로 수정하였는데, 이 과정에서 이에 대한 특별한 논의는 없었다. 따라서 이러한 수정에 특별한 의미가 있었던 것은 아니고 법문언을 보다 간략하게 정리하려는 의도였던 것으로 보인다.

40) 동지, 송종준, "개정상법상 지배구조의 변화요소와 활용방안,"「상장협연구」제64호(한국상장회사협의회, 2011), 119면.

41) 즉, 상환전환우선주의 허용이나, 보통주 주주들에 의한 종류주주총회 개최 문제 등이 해결된다.

42) 동지, 박철영, 종류주식의 활용과 법적 과제, 36~37면; 이영철, 전게논문, 10면.

려고 추진하였던 점에 비추어 명백하다고 본다. 따라서 보통주식이 "종류의 주식"에 포함되는 것으로 해석하는 경우 제345조 제5항의 "종류의 주식"에는 보통주식이 포함되지 아니한다고 보아야 한다. 다만, '의결권이 없거나 의결권이 제한된 보통주식'43)의 경우에는 상환이 되어도 문제가 없으므로 "종류의 주식"에 포함될 수 있을 것이다.44)

3) 종류주식의 세부내용에 대한 이사회의 결정

종류주식을 발행하는 경우에는 정관변경을 수반하므로 주주총회의 특별결의가 필요하다(제344조 제4항). 또한 종류주식의 내용을 정관에서 정하도록 한 취지는 종류주식의 발행으로 손해를 입을 우려가 있는 종류주주의 승인을 받기 위한 것이다(제435조 제1항). 따라서 주식의 내용에 관한 정관기재는 종류주주가 자신에게 미치는 영향을 합리적으로 판단할 수 있을 정도로 명확하여야 한다.

그런데 종류주식의 권리내용을 정하는데 (종류)주주총회가 개최되어야 한다면, 경제 사정에 따라 기동적으로 그 권리내용을 정할 수 없게 된다. 이에 따라 종류주식을 발행하는 경우 정관에서는 주식의 내용에 관한 요강만을 정하고 그 세부적인 사항은 이사회가 종류주식을 발행할 때까지 정하도록 하는 규정이 필요하다고 본다(일본 회사법 제108조 제3항; 동 회사법시행규칙 제20조). 그 이유는 주식발행은 급박한 경영환경에 대응하기 위하여 신속히 이루어져야만 효과적인 경우가 많기 때문이다. 이 때 내용의 요강이 어느 정도 확정적으로 정해져야 하는가는 종류주식의 내용에 따라 다르겠지만, 일반적으로 다른 종류주주가 합리적으로 예측할 수 있을 정도로 명확하여야 할 것이다.45)

3. 이익배당 · 잔여재산분배에 관한 종류주식

가. 2011년 개정전 제도의 내용 및 문제점

개정전 상법 제344조는 이익이나 이자의 배당 또는 잔여재산의 분배에 관하

---

43) 엄밀하게는 "의결권이 없거나 제한된 「주식」"을 말한다. 그 이유는 보통주식은 일반적으로 의결권과 이익배당청구권을 가지기 때문이다.
44) 이철송, 회사법강의, 299면.
45) 松尾建一, 「逐條解說 會社法(酒卷俊雄 · 龍田節 編) 第2卷 株式 · 1」(中央經濟社, 2008), 69面.

여 내용이 다른 수종의 주식을 발행할 수 있도록 규정하고 있었다(개정전 제344조 제1항). 수종의 주식으로는 보통주, 우선주, 후배주, 혼합주 등이 발행될 수 있었다. 개정전 상법은 이익배당에 관한 우선적 내용이 있는 주식에 대하여는 정관으로 최저배당률을 정하도록 하고 있었다(개정전 제344조 제2항). 또한 이익배당에 관한 우선주에 대해서만 의결권이 없는 것으로 할 수 있었다(개정전 제370조 제1항 본문). 그 결과 배당우선주식이나 무의결권우선주식만이 활용되는 결과가 되어 기업의 자금조달 측면에서 유연성이 크게 부족하다는 문제가 지속적으로 제기되었다.[46) 이에 따라 실질적으로 의미가 있는 종류주식은 이익배당에 관한 우선주에 국한되고 그 이외의 종류주식은 발행사례가 별로 없었다.[47)

개정전 상법 제344조 제2항의 이익배당우선주에 대한 최저배당률제도는 그동안 악용되어 왔던 1% 배당우선주의 발행을 방지하기 위하여 1995년에 신설된 조항이다. 그러나 이 조항은 효율성이 별로 없고, 이를 운영하는 입법례도 드물며, 배당가능이익이 구체화되기 전에 먼저 최저배당률부터 정한다는 것은 비논리적이라는 비판이 제기되었다.[48)

나. 2011년 개정상법의 내용

상법 제344조의2는 개정전 이익배당·잔여재산분배에 관한 종류주식을 독립된 조문으로 신설하였다. 이익배당·잔여재산분배에 관한 종류주식이라 함은 이익배당·잔여재산분배에 관하여 내용이 다른 종류주식을 말한다. 개정상법 제463조에서 건설이자배당제도를 폐지함에 따라 기존의 종류주식 중 건설이자배당에 관한 종류주식은 삭제하였다(제344조 제1항).

건설이자배당제도[49)를 폐지한 것은 이 제도가 이용된 예가 거의 없고, 건설이자의 지급은 출자의 일부환급 내지 장래 발생할 이익배당의 선지급에 해당하여 채권자의 이익을 침해할 우려가 있으며, 자본잉여금과 이익잉여금 등 배당재원에

---

46) 박철영, "종류주식의 확대와 주주간 이해조정," 「상사법연구」 제24권 제2호(한국상사법학회, 2005), 48~50면.

47) 김순석, 전게논문, 11면.

48) 국회 법제사법위원회, "상법 일부개정법률안(정부제출) 검토보고[회사편]," 2008. 11, 66면.

49) 건설이자의 배당은 철도·항만 등 건설에 장기간을 요하는 사업을 목적으로 하는 회사의 경우 상당한 기간 이익배당을 할 수 없어 회사를 설립할 때 주주의 모집(자금조달)이 어려우므로, 이러한 회사의 설립을 용이하게 하고자 회사의 설립 후 일정기간 동안 이익이 없더라도 건설이자를 배당으로 지급할 수 있게 한 제도이다.

대한 규제의 완화로 건설이자제도의 유지 필요성이 감소되었기 때문이다.[50]

개정상법은 이익배당에 관한 종류주식을 발행하는 경우 정관에서 배당재산의 종류, 배당재산의 가액 결정방법, 이익을 배당하는 조건 등 이익배당에 관한 내용을 정하도록 규정함으로써 보다 유연한 규정으로 변경되었다(제344조의2 제1항). 또한 이익배당 우선주에 대하여 정관에서 최저배당률을 정하도록 한 개정 전 상법 제344조 제2항 후단의 규정을 삭제하였다(제344조 제2항). 최저배당률을 미리 정하도록 함에 따라 배당압박에 대한 염려로 우선주의 활용이 부진하여 자금조달이 어려운 점을 감안하여 이를 폐지한 것이다. 잔여재산분배에 관한 종류주식을 발행하는 경우에는 정관에 잔여재산의 종류, 잔여재산의 가액의 결정방법, 그 밖에 잔여재산분배에 관한 내용을 정하여야 한다(제344조의2 제2항).

이익배당에 관한 종류주식을 발행하는 경우 배당우선주에 관해서는 일반적으로 우선배당액, 참가적·비참가적인지 여부, 누적적·비누적적인지 여부, 우선권의 존속기간 등이 정관에서 정해져야 할 것이다. 또한 개정상법에서는 현물배당이 허용되었으므로(제462조의4), 종류주식에 대하여 배당하는 경우 금전배당, 주식배당, 현물배당 등 배당재산의 종류가 정해져야 한다. 배당재산 가액의 결정방법도 종류주식의 내용의 일부이기 때문에 다른 종류주주가 당해 종류주식의 창설에 의해 받을 영향을 합리적으로 판단할 수 있을 정도로 명확해야 한다. 또한 발행할 때 당해 종류주식의 발행이 유리발행에 해당하는지(불공정한 가격으로 발행되는지) 여부를 판단할 기회를 기존 주주들에게 보장하기 위하여, 종류주식의 가치결정의 요인으로 되는 배당액의 결정방법은 그러한 판단이 가능할 정도로 명확하여야 한다. 이러한 배당재산 가액의 결정방법은 현물배당제도가 도입됨에 따라 그 필요성이 높아졌다. 배당의 조건에 대해서는 예컨대, 트래킹주식에 대해 대상 자회사의 이사회가 정기주주총회에서 이익처분안의 제안을 결의한 경우에 배당금을 지불한다고 하는 방식으로 정할 수 있을 것이다.[51]

잔여재산 가액의 결정방법으로서 1주당 잔여재산분배액이 아니라 i) 당해 종류주식에 분배될 잔여재산의 총액을 정하는 총액기재방식, ii) 보통주식에 분배될 잔여재산의 가액의 몇 배에 해당하는 가액으로 정하는 배당성향방식, iii) 당해 종류주식의 발행가액에 상당하는 가액으로 정하는 발행가액상당액방식 등도

---

50) 국회 법제사법위원회, 전게 검토보고서, 101~102면.
51) 松尾建一, 前揭書, 73面.

가능하다.52)

다. 입 법 례

이익배당과 잔여재산분배에 관한 종류주식은 가장 전형적인 종류주식으로서 대부분의 국가가 채택하고 있다(RMBCA §6.01; 일본 회사법 제108조 제1항 제1호 및 제2호).

건설이자배당제도를 채택한 외국의 입법례는 거의 없으며, 우리나라는 일본 상법을 통하여 이 제도를 계수하였다. 그러나 일본도 2005년 회사법 제정에 따라 동 제도를 폐지하였다.

라. 2011년 개정상법의 검토

회사가 자금조달을 원활하게 하기 위하여 가장 활발하게 이용하는 것이 이익배당이나 잔여재산의 분배에 관한 종류주식이다. 개정상법 제344조의2는 개정전 상법 제344조 제1항과 유사한 규정으로서 그 입법형식은 제344조에서 종류주식의 총괄규정을 두고 각 종류주식별로 별도의 조항을 두는 것인데, 이는 일본 회사법의 방식을 도입한 것이다. 이익배당과 잔여재산분배에 관한 종류주식의 경우 개정상법은 일부 문구가 더 자세하게 규정된 점을 제외하고 개정전 상법과 근본적인 차이점은 없다.

제344조 제1항은 회사가 이익의 배당에 관하여 내용이 다른 종류주식을 정관에서 정하는 바에 따라 발행할 수 있도록 허용하고 있다. 그러나 그 내용은 공정하고 명확해야 할 뿐만 아니라 이익배당에 적용되는 상법상 다른 규정(예컨대, 제462조부터 제464조의2까지)에 따라 제한을 받는다. 그러므로 개성선 상법 아래에서 발행 가능여부가 논란되었던 종류주식이 개정상법 아래에서는 허용되는지 여부에 대한 검토가 필요하다.

1) 배당재산의 가액 결정방법의 한계

배당재산의 가액 결정방법으로서 A종류주식에 대하여 B종류주식의 10배에 해당하는 배당액을 지불한다는 방법이 가능한지 여부가 문제된다. 형식논리적으로 보면 B종류주식의 배당액이 결정되면 A종류주식의 배당액이 일률적으로 정

---

52) 松尾建一, 前揭書, 76面.

해지기 때문에 가액결정방법이라는 문언에 반하는 것은 아니며 적법하다고 해석된다.

그러나 우리나라 상법상 1주에 대해 2개의 의결권을 가진 복수의결권주식의 발행은 허용되지 않으며, 이는 사업위험의 부담정도와 회사에 대한 지배의 정도가 비례하여야 한다는 사고방식에 근거한 것으로 설명된다. 사업위험의 정도를 측정하는 것은 어려운 문제이지만, 예컨대 회사의 현금흐름에 대한 권리의 비율로 측정한다면, i) 이익배당에 대해 동등한 권리를 가진 2종류의 주식에 각각 1개와 10개의 의결권을 부여하는 것과, ii) 각각 1개의 의결권을 가진 2종류의 주식 중 일방에게 상대방의 10배의 배당을 받을 권리를 부여하는 것은 현금흐름에 대한 권리비율과 회사지배에 대한 권리비율의 괴리라는 관점에서는 마찬가지의 문제이다. 1주 1의결권의 원칙 또는 주주평등의 원칙의 내용에 위험부담의 정도와 회사지배의 정도가 비례하여야 한다는 요청도 포함된다고 해석하면, 위 배당액의 결정방법은 이러한 원칙에 반하여 무효로 해석될 여지가 있다.[53] 다만 비공개회사에 대해서는 이렇게 해석할 필요는 없다고 본다.[54]

2) 최저배당률의 폐지에 따른 우선주의 참가적 조건 설정(과거 1% 우선주 발행 문제)

2011년 개정상법은 우선주에 대한 최저배당률에 관한 규정을 폐지하였다(제344조 제2항). 최저배당률 규정은 종래 1% 우선주의 폐해를 방지하기 위하여 1995년 상법개정에서 도입된 규정이다. 당시 1% 우선주는 보통주의 배당률에 1%를 더 배당해 주면서 무의결권주식으로 발행되었다.[55] 그러나 이 주식은 보통주에 비하여 먼저 배당하는 것은 아니었기 때문에 상법상 우선주는 아니었다. 개정전 상법 아래에서는 무의결권주식은 우선주에 한하여 발행할 수 있었으므로

---

53) 洲崎博史, "平成13年·14年商法改正と一株一議決權原則," 「比較會社法研究(參本滋 編)」(商事法務, 2003), 330~331面.
54) 松尾建一, 前揭書, 74~75面.
55) 우선주에 대한 배당을 보통주 배당에 일정비율을 추가하여 지급하도록 하되 그 배당률을 이사회가 정하는 소위 "1% 무의결 우선주식"은 1980년대 초부터 발행되었다. 우선주가 먼저 배당을 받는 것이 아니고 보통주의 배당률이 정해진 후 그에 추가하여 몇 %를 더 받는 것인데, 이는 상법상 우선주가 아니다. 이러한 발행조건이 소액투자자에게 불리하다는 인식이 확산되면서 그 폐해를 시정하기 위하여 1995년 우선주에 대한 최저배당률 제도가 도입되었다(박상조, "회사법상 우선주의 법적지위," 「법학논집」 제18집(이화여자대학교 법학연구소, 2002), 206~207면).

과거 1% 우선주는 무의결권주식으로 발행되어서는 안되는 주식이었다. 이에 따라 1% 우선주의 발행을 금지하기 위하여 1995년 상법을 개정하여 우선주의 경우 정관에서 최저배당률을 정하도록 규정한 것이다.[56)]

　그러나 결산이 이루어지기 전에 최저배당률을 정하는 것은 불합리하다는 비판이 제기됨에 따라 2011년 개정에서는 우선주에 대한 최저배당률 조항을 삭제하였다. 이에 따라 우선주에 대하여 배당하는 경우 참가적 조건을 어떻게 정할 것인지가 문제된다.

　첫째, 단순참가(또는 보통참가)적 방식으로 우선주에 먼저 소정의 우선 배당금을 지급하고, 잔여이익은 보통주에 대해 우선주와 같은 비율로 배당한 후 그래도 남은 이익이 있으면 우선주와 보통주가 같은 비율로 배당에 참가하는 방식이다. 이 때 배당가능이익이 클 경우에는 우선주와 보통주의 배당률이 동일하게 될 것이며, 이 방식은 개정상법 아래에서도 유효하다.

　둘째, 즉시 참가적 방식은 우선주가 먼저 일정한 비율의 우선배당을 받고 그 후 즉시 잔여이익에 대하여 우선주와 보통주가 같은 비율로 배당에 참여하는 방식이다. 이 경우 배당가능이익이 충분하면 우선주는 항상 보통주보다 우선배당률만큼 더 많은 배당을 받는다.[57)] 2011년 개정상법에 따르면 우선주에 대하여 최저배당률에 관한 조항을 철폐하였으므로, 즉시 참가적 방식으로 배당하는 것은 유효하다고 본다.

　셋째, 과거 1% 무의결권 우선주식처럼 우선주가 먼저 배당을 받지 아니하고 보통주 배당률이 정해진 다음 몇% 추가하여 배당받는 방식이 2011년 개정상법 아래에서 허용될 것인지가 문제된다. 우선주의 개념은 개정상법 아래에서도 변경이 없으므로 "우선주"를 발행하면서 과거 1% 무의결권 우선주식처럼 보통주보다 먼저 배당이 보장되지 않는 주식의 발행은 허용되지 않을 것이다. 그러나 개정상법은 제344조 제1항에서 규정한 "이익의 배당에 관하여 내용이 다른 종류의 주식"의 경우 반드시 우선적 배당을 내용으로 할 필요는 없다. 따라서 과거처럼 이익배당에 관한 종류주식에 관하여 우선적 배당이 강제되지 않으므로, 보통주보다 우선적 배당이 보장되지 아니하고 단지 몇% 추가배당만을 허용하는

---

56) 이러한 최저배당률에 관한 규정도 법문이 불명확하여 실무상 혼선이 있었다(이철송, 회사법강의, 288면).
57) 박상조, 전게논문, 187면.

이익배당에 관한 종류주식(과거 1% 무의결권 우선주식)의 발행은 허용될 것이다.[58] 따라서 '과거 1% 우선주'는 개정상법 제344조의2 제1항의 이익배당에 관하여 내용이 다른 종류주식과 제344조의3의 의결권배제에 관한 종류주식의 성격을 동시에 가지고 있다고 볼 수 있다.[59] 이는 이익배당 우선주라기보다 이익배당률 우대주에 불과하다.[60]

3) 변동배당률부 우선주가 허용되는가?

개정전 상법 제344조 제2항 최저배당률 조항은 과거 1% 우선주를 금지하기 위한 것이었으므로 변동배당률부 우선주의 발행도 금지되는 것으로 해석되었다. 그러나 2011년 개정상법에서 최저배당률에 관한 조항이 삭제되었으므로 이익배당률을 3개월 만기 양도성예금증서(CD) 유통수익률 또는 6개월, 1년 만기 금융채 유통수익률이나 LIBOR 금리에 연동하는 조건 등으로 변동배당률부 주식을 발행할 수 있는지 여부가 문제된다. 이 경우 금리의 변동에 따라 우선주의 배당률이 변경되므로 변동배당률부 우선주의 발행이 기존 주주나 채권자의 이익을 침해하는지 여부의 문제이다.[61]

변동배당률부 종류주식의 발행을 결정하는 것은 기존 주주들이 하게 되므로 발행하는 단계에서는 기존 주주들의 이익을 침해하지는 않는다. 또한 종류주식의 이익배당은 배당가능이익의 범위 내에서 이루어지기 때문에 회사재산에 영향을 미치지 않으므로 회사채권자의 보호도 문제가 되지 않는다. 다만 변동배당률부 종류주식이 발행된 이후 이익배당을 하는 단계에서는 다른 종류주식의 주주들이 이익배당의 변동성으로 인하여 예측하지 못하는 손해를 입을 수 있는지 여부가 문제될 수 있다.

변동배당률부 우선주는 변동성이 있는 금리를 기초로 한 것이어서 확정성이 없을 뿐만 아니라 주주들에게 예견가능성을 부여하기 어렵고, 선순위 배당이 보장되지 않으므로 발행할 수 없다고 보는 견해가 제기된다.[62]

이익배당의 내용을 정관에서 정하도록 한 취지는 기존 주주가 예상하지 못하

---

58) 정준우, 전게논문, 244면.
59) 정수용·김광복, 전게논문, 100면.
60) 김교창, "구형우선주(무의결권 배당차등주식)의 발행," 「상장」 2014년 4월호(한국상장사협의회, 2014), 55면.
61) 정수용·김광복, 전게논문, 99면.
62) 정준우, 전게논문, 245면.

게 불평등하게 취급받는 것을 방지하기 위한 것이다. 따라서 이익배당의 조건은 주식의 종류간 배당액의 분배가 객관적이고 합리적으로 결정될 수 있는 명확한 기준이어야 한다. 변동배당률부 주식처럼 이익배당의 조건을 시중은행이나 국채의 금리 또는 LIBOR와 같은 객관적 지표로 할 경우 그 기준이 명확하고 어느 정도 예측 가능하기 때문에 다른 주주들이 예측하지 못한 손해를 입을 가능성은 적다. 따라서 2011년 개정상법 아래에서는 변동배당률부 종류주식 발행이 가능하다고 본다.63)

변동배당률부 종류주식을 허용하는 경우 이익배당의 상한과 하한을 정관에서 정할 필요가 있는지 여부에 대해 견해가 나뉜다. 최저배당률을 규정한 개정전 상법 제344조 제2항에 근거하여 한국상장회사협의회가 작성한 표준정관에 따르면 우선주식에 대하여 액면금액을 기준으로 상한선과 하한선의 비율을 정관에서 정하도록 규정하고 있었다(개정전 표준정관 제8조의2 제2항). 2011년 개정상법에 따라 변경된 표준정관에서도 우선배당주식에 대하여 액면주식의 경우 상한선과 하한선의 비율을 정하고, 무액면주식에 대해서는 비율이 아니라 상한선과 하한선의 "우선배당액"을 정하도록 규정하고 있다(2011년 개정 표준정관 제8조의2 제2항). 개정상법 아래에서도 자본충실을 유지하고 기존 주주나 채권자의 이익을 보호하기 위하여 정관에 우선배당률의 상한과 하한을 정할 필요가 있다는 견해가 제기된다.64)

우선주의 최고배당률은 개정상법 아래에서도 요구되는 정보는 아니지만 후순위자인 보통주주의 이익을 보호하기 위하여 정관에서 미리 정할 수 있다. 그러나 최저배당률을 정해 놓았다 하더라도 배당은 배당가능이익에 따라 이사회가 결정하므로, 최저배당률은 이해관계자에게 제공하는 정보로서의 가치가 없기 때문에 군이 정관에서 정할 필요는 없다는 견해가 있다.65) 그러나 우선주의 주주로서는 시장금리와 비교 등 우선주에 대한 투자를 위해 판단기준이 되므로 필요한 정보라고 본다.

---

63) 권재열, "개정상법상 주식관련제도의 개선내용과 향후과제," 「선진상사법률연구」 제56호(법무부 상사법무과, 2011), 10면; 권종호, 전게논문Ⅰ, 55면; 김홍기, 전게논문, 120면; 정수용・김광복, 전게논문, 100면.
64) 김홍기, 전게논문, 120면.
65) 송옥렬, "2011년 개정 회사법의 해석상 주요쟁점-기업재무 분야를 중심으로-,"「저스티스」 제127호(한국법학원, 2011), 55면.

생각건대, 우선주에 대한 배당률의 상한과 하한을 정하는 것은 우선주의 주주와 다른 종류주주 간에 이해관계를 명확히 규정할 수 있다는 장점이 있다. 그러나 개정상법에 따르면 우선주의 배당률에 대한 상한과 하한에 대한 제한이 없으므로 변동배당률부 주식을 도입할 수 있는데, 이때 이러한 상한과 하한에 관한 제한규정을 정관에 둔 채로 변동배당률부 주식을 발행하게 되면 정관에 위배될 수 있다.[66] 따라서 변동배당률부 주식을 발행하고자 하는 회사의 경우 정관에서 우선주의 배당률에 관한 상한과 하한에 관한 규정을 두지 않는 것이 바람직하다.

4) 배당의 시기를 달리하는 종류주식

배당의 조건으로서 배당시기를 달리하는 종류주식을 발행할 수 있는지 여부가 문제된다. 이익배당에 관한 상법개정에도 불구하고 중간배당에 관한 상법 제462조의3이 그대로 존치함에 따라 중간배당은 "영업년도 중 1회에 한하여" 할 수 있으므로(제462조의3 제1항) 정기배당과 중간배당 이외의 시기에 배당할 수는 없을 것이다. 다만 상장법인의 경우에는 분기배당 제도가 있으므로 3월, 6월, 9월 말일에 분기배당을 할 수 있다(자본시장법 제165조의12).

특정한 종류주식에 대해서만 중간배당 등을 실행하면 배당재원의 감소로 인해 나머지 주주들의 이익을 침해할 수 있다는 측면에서 배당시기가 다른 종류주식을 인정하지 않는 견해가 있다.[67]

그러나 상법은 이익배당에 관한 종류주식을 발행함에 있어서 정관에서 이익배당에 관한 조건을 정할 수 있으므로(제344조의2 제1항) 배당시기에 있어 내용이 다른 종류주식을 발행할 수 있을 것이다.[68] 즉, 보통주식에 대해서는 정기배당만 하고, 종류주식에 대하여 중간배당이나 분기배당을 통하여 우선배당금을 일할계산하여 지급하고, 정기배당시에 나머지 우선배당금을 지급하면서 보통주주와 동일하게 참가하여 추가적 배당금을 받는 종류주식을 발행할 수 있을 것이다.[69]

---

66) 정수용·김광복, 전게논문, 99면.
67) 정준우, 전게논문, 246면.
68) 권종호, 전게논문Ⅰ, 57면.
69) 권종호, 전게논문Ⅰ, 57면; 정수용·김광복, 전게논문, 99~101면.

5) 일시적 또는 영구적인 무배당주식의 발행 가능 여부

상법은 이익배당에 관한 종류주식을 발행하는 경우 정관으로 배당재산의 종류, 배당재산의 가액 결정방법, 이익배당의 조건 등 이익배당에 관한 내용을 정하도록 규정하고 있다(제344조의2 제1항). 여기서 이익배당을 일시적이나 영구적으로 허용하지 않는 주식을 발행할 수 있는지 여부가 문제된다.

이에 대해 사채의 경우 영구후순위채권이 인정되고 있는 것과의 형평성, 회사의 영리성은 잔여재산분배를 통해서도 실현될 수 있고, 기업실무의 필요성을 고려하여 명문규정으로 금지하지 않는 한 이를 해석으로 금지할 필요는 없다는 견해가 제기된다.[70]

그러나 이익배당청구권을 부정하는 주식은 회사법상 인정되는 주주의 기본적인 권리를 박탈하는 것으로 동 조항이 허용하는 종류주식으로 볼 수 없을 것이다. 이익배당을 부정하면 그 주식은 황금주의 기능을 할 수 있는데, 2011년 개정상법은 경영권 방어수단으로 활용될 수 있는 양도제한 주식을 허용하지 않았을 뿐만 아니라, 의결권의 배제·제한에 관한 종류주식의 발행한도를 발행주식의 4분의 1을 초과하지 못하도록 규정하였는데(제344조의3 제2항), 이러한 입법취지를 감안하면 이익배당을 전혀 하지 않는 종류주식의 발행은 허용되지 않는다고 본다.[71]

6) 트래킹주식의 도입문제

이익배당과 잔여재산분배에 관한 종류주식을 규정한 개정상법 제344조의2는 일부 문구가 더 자세하게 규정된 점을 제외하고 개정 전 상법 제344조 제1항과 근본적인 차이점은 없다. 이에 따라 특정한 사업부문이나 지회사의 실적에 연동하는 주식(트래킹주식)이 2011년 개정상법 아래에서 허용되는지 여부가 문제된다. 개정상법의 의도는 트래킹주식의 경우 법률관계가 복잡하고, 분쟁의 소지가 많을 뿐만 아니라 미국, 일본 등에서도 별로 활성화되고 있지 않다는 점 등을 고려하여 허용하지 않는 것으로 보인다.[72] 그러나 일본의 개정 전 상법 제222조 제1항(우리나라 개정 전 상법 제344조 제1항)에 근거하여 소니사가 2001년 자

---

70) 권종호, 전게논문 I, 57면.
71) 법무부, 전게서, 135면; 동지, 정준우, 전게논문, 247면.
72) 법무부, 「상법(회사편)개정 특별분과위원회 회의록」, 2006, 626~630면.

회사연동형 트래킹주식을 발행하였던 것과 동일한 논리로 트래킹주식의 발행이 가능하다는 견해도 유력하다.

당시 일본의 경우에도 상법 제222조 제1항에 대하여 수종의 보통주식을 인정하지 않는 것이 일반적인 해석이었으나, 소니사는 "내용이 다른 수종의 주식"으로서 보통주도 가능하다는 해석에 입각하여 자회사연동형 트래킹주식을 발행하였다.[73] 이러한 해석론은 상법이 종류주식에 관하여 이익배당 등에 관하여 "내용이 다른 주식"이라고 규정하고 있을 뿐이며, 그 취지는 그 다른 내용을 정관에 기재하여 주주간 이해를 조정하도록 한 것일 뿐 트래킹주식과 같이 내용이 다른 보통주식의 발행을 금지한 것은 아니라고 보는 것이다.[74] 이렇게 볼 경우 트래킹주식은 개정 전 상법 제344조 제1항에서 규정하는 "이익배당이나 잔여재산분배에 관하여 내용이 다른 수종의 주식"으로 볼 수 있고, 회사는 정관을 개정하여 종래의 보통주와는 다른 트래킹주식을 발행할 수 있게 된다.[75]

따라서 개정 전 상법 제344조 제1항 아래에서도 이익배당 및 잔여재산분배에 관하여 내용이 다른 주식의 한 종류로 트래킹주식의 발행을 허용할 수 있다는 견해도 있었다.[76] 개정상법 제344조의2 제1항의 경우에는 이익배당에 관하여 정관에서 정할 사항으로서 "배당재산의 가액의 결정방법, 이익을 배당하는 조건 등"을 다르게 정할 수 있도록 규정하고 있으므로, 이러한 배당기준의 하나로서 트래킹주식을 허용할 수 있을 것이다.[77]

그러나 이러한 해석론은 논란의 여지가 있고, 의결권에 관하여는 1주 1의결권의 원칙상 시장가치비율에 따라 의결권을 부여할 수 없는 등 제약요인이 있다. 그러므로 트래킹주식의 장점과 효용을 살리기 위해서는 새로운 입법조치가 필요할 것이다.[78]

---

73) 소니사의 자회사연동주식은 그 내용면에서 (i) 자회사연동주식에 대한 우선배당이 없는 경우에도 보통주에 대하여 배당을 할 수 있도록 한 점(정관 제10조의2 제4항), (ii) 주식소각에 있어 자회사연동주식만 자본감소의 규정에 의하여 소각할 수 있도록 한 점(정관 제10조의8), (iii) 회사의 필요에 의하여 트래킹주식 주주의 동의 없이 이를 보통주로 전환할 수 있도록 한 점(정관 제10조의9) 등에서 종래의 종류주식(우선주)과는 차이가 있다.

74) 黑沼悅郞, "日本におけるトラッンキング・ストックの導入と課題," 「證券法硏究」 제2권 제2호(韓國證券法學會, 2001), 337面.

75) 김순석, 전게논문, 24~25면

76) 동지, 이철송, 「회사법강의」 제19판(박영사, 2011), 240면.

77) 권기범, 「현대회사법론」 제7판(삼영사, 2017), 514~515면; 김건식·노혁준·천경훈, 전게서, 160면; 김순석, 전게논문, 17~19면, 24~25면; 송옥렬, 상법강의, 796면; 동지, 이철송, 회사법강의, 290면; 임재연, 회사법Ⅰ, 388면.

또한 다양한 트래킹주식을 발행하기 위해서는 일정한 선결조건의 충족이 전제되어야 한다. 즉, 사업부문연동형 트래킹주식의 경우 사업부문간 독립적인 회계제도나 공통비용을 사업부문간 배분하는 비율 등에 대한 제도가 구비되어야하지만 우리나라의 경우 아직 이러한 제도가 발달되어 있지 않으므로 그 도입에 어려움이 있다. 반면, 자회사업적연동형 트래킹주식의 경우에는 독립적인 법인의 실적에 연동되므로 전술한 회계제도상의 문제는 없으므로 도입하는 것이 가능하지만, 상법상 허용되는지 여부가 불확실하고, 구체적인 규정이 없는 상태에서 기업들이 트래킹주식을 발행하는 것은 현실적으로 어려울 것이다.[79]

7) 잔여재산분배에 관한 종류주식

개정상법은 잔여재산분배에 관한 종류주식을 발행하는 경우 정관에서 잔여재산의 종류, 잔여재산의 가액의 결정방법, 그 밖에 잔여재산분배에 관한 내용을 정하여야 한다(제344조의2 제2항).

이 조항에 대하여 잔여재산분배의 경우 주식을 분배하는 일이 있을 수 없고, 현물배당을 할 수 있는 근거가 없으므로(제538조) 잔여재산의 종류와 가액의 결정방법을 정관으로 정하라 함은 무의미한 규정이라는 비판이 제기된다. 이 견해는 잔여재산분배에 관해서는 다만 종류주식에 대한 분배의 순위와 내용에 관해서는 명시해야 한다고 한다.[80]

그렇지만 실무상 잔여재산분배에 관한 종류주식은 대부분 또한 이익배당에 관한 종류주식인 경우가 많다. 발행가액에 우선금리를 가산한 금액에서 우선배당액을 공제한 금액에 대하여 잔여재산분배의 우선권을 가지는 형태로 설계된다. 따라서 잔여재산의 환가방법, 환가가 청산기간 내에 불가능한 경우 어떠한 금액으로 평가하느냐에 따라 종류주주간 분배되는 재산에 차이가 발생할 수 있다. 그러브로 제344조의2 제2항은 잔여재산분배에 관한 종류주식에 관하여 잔여재산의 종류, 잔여재산의 가액의 결정방법으로서 환가 및 처분방법 등을 정하라는 의미로 보아야 한다는 견해가 타당하다고 본다.[81]

---

78) 박철영, "종류주식의 다양화를 위한 법적 연구," 성균관대학교대학원 박사학위논문, 2004, 107~108면; 박한성, "종류주식의 유형 및 개선방안에 관한 연구,"「외법논집」 제36권 제4호(한국외국어대학교 법학연구소, 2012), 146면.
79) 이에 대한 자세한 논의는 김순석, 전게논문, 24~27면 참조.
80) 이철송, 「2011 개정상법-축조해설-」(박영사, 2011)(이하 "2011 개정상법 축조해설"이라 한다), 103면.

4. 의결권의 배제·제한에 관한 종류주식

가. 2011년 개정 전 제도의 내용 및 문제점

개정전 상법은 이익배당 우선주에 한해 무의결권주식을 발행하도록 하고 있었으며(개정전 제370조 제1항 본문), 의결권의 일부를 제한하는 주식에 관한 규정은 없다. 개정전 상법은 무의결권우선주식에 대하여 우선적 배당을 하지 않는 경우 의결권이 부활하도록 법률에서 직접 규정하고 있었다(개정전 제370조 제1항 단서). 또한 무의결권주식의 발행한도에 관해서도 발행주식총수의 4분의 1로 제한하고 있었다(제370조 제2항). 이에 따라 주요국에서 도입하고 있는 보통주를 대상으로 한 의결권제한주식을 발행할 수 없었다. 또한 무의결권주식을 발행하는 경우 우선적 배당을 하여야 하므로 배당압력이 가중된다는 문제가 제기되었다.

나. 2011년 개정상법의 내용

의결권의 행사에 관한 종류주식이라 함은 주주총회에서 의결권을 행사할 수 있는 사항에 관하여 내용이 다른 주식을 말한다. 즉, ① 어떤 종류주식은 주주총회 결의사항 전부에 관하여 의결권이 있으나(의결권보통주식), ② 어떤 종류주식은 모든 사항에 대하여 의결권이 없거나(완전무의결권주식) 또는 특정사안에 관해서만 의결권을 가지는 것(일부무의결권주식)으로 할 수 있다.[82]

의결권의 내용은 '의결권의 수'와 '의결권을 행사할 수 있는 사항'으로 구분될 수 있으므로 의결권에 관한 종류주식도 이에 따라 구분 가능하다. '의결권의 수'가 다른 종류주식으로는 복수의결권주식과 부분의결권주식이 발행될 수 있으며, '의결권을 행사할 수 있는 사항'은 다시 '의결권의 유무' 및 '의결권의 인정범위'로 구분할 수 있다. 의결권의 유무에 관하여서는 의결권주식과 무의결권주식, 의결권의 인정범위에 대해서는 의결권의 제한이 전혀 없는 주식과 결의사항의 일부에 관해서만 제한이 있는 주식 등으로 구분할 수 있다.[83]

2011년 개정상법은 완전무의결권주식을 '의결권의 배제에 관한 종류주식'으

---

81) 정수용·김광복, 전게논문, 102~103면.
82) 江頭憲治郎, 「株式会社法」 第7版(有斐閣, 2017), 145面.
83) 박철영, 전게학위논문, 119면.

로, 일부무의결권주식을 '의결권의 제한에 관한 종류주식'으로 도입하였다(제344조의3 제1항). 즉, 의결권의 배제에 관한 종류주식은 모든 의안에 관하여 의결권이 없는 주식을 말하며, 의결권의 제한에 관한 종류주식은 특정한 의안(일부 의안)에 관해서만 의결권이 없는 주식을 말한다. 의결권의 배제·제한에 관한 종류주식은 이익배당에 대해 우선권을 가지지 않는 주식에 대해서도 의결권이 없는 것으로 정할 수 있다. 즉, 보통주식에 대해서도 의결권의 배제·제한 종류주식으로 발행할 수 있게 되었다. 또한 이러한 의결권의 배제·제한에 관한 종류주식의 발행한도를 개정전 발행주식총수의 4분의 1(제370조 제2항)에서 2008년 상법개정안에서는 2분의 1로 확대하였다(2008년 상법개정안 제344조의3 제2항 제1문). 이는 자본시장법상의 발행한도(동법 제165조의15 제2항)를 반영한 것이었다. 그러나 국회에서 최종 조율과정에서 지배주주의 폐해가 큰 우리 기업 현실에서 지배주주의 경영권을 고착화할 우려가 있다는 반론에 부딪혀 결국 개정전과 마찬가지로 발행한도는 발행주식총수의 4분의 1로 회귀하였다(제344조의3 제2항 제1문).[84]

한편 의결권의 배제·제한에 관한 종류주식이 발행한도를 초과하여 발행된 경우에는 무효로 하지 않고 지체 없이 그 제한을 초과하지 아니하도록 하기 위하여 필요한 조치를 하도록 규정하고 있다(제344조의3 제2항 제2문). 또한 무의결권우선주식에 관한 조항(개정전 제370조)이 삭제됨에 따라 우선적 배당을 하지 못하는 경우 의결권이 부활하는 규정(개정전 제370조 제1항)도 철폐되었다. 이에 따라 우선주에 관하여 우선적인 배당을 하지 못하는 때에 의결권은 개정전처럼 법률에 의하여 자동적으로 부활하는 것이 아니라, 정관에서 부활의 조건을 정한 경우에 한하여 의결권이 부활하게 된다(제344조의3 제1항).

다. 입 법 례

미국의 경우 의결권의 배제·제한에 관한 종류주식의 발행에 대해서는 각 주의 회사법에서 정관의 정함에 따라 발행할 수 있도록 규정하고 있다.[85]

---

84) 구승모, "상법 회사편 입법과정과 향후과제," 「선진상사법률연구」 제55호(법무부 상사법무과, 2011), 131면.
85) RMBCA §6.01(c)(1); Del Code Ann. tit. 8, §151(c), §212(a); N.Y. Bus. Corp. Law §§501, 505, 512, 519; Cal. Corp. Code §§203.5, 400, 402, 403 등.

한편 의결권의 배제·제한에 관한 종류주식의 상장문제를 다룬 규정인 SEC 의 Rule 19c-4조는 Business Roundtable v. SEC[86] 판결에 의해 SEC의 권한 을 넘었다는 이유로 무효화되었다.[87] 동 규정은 기존 발행된 보통주식에 대하여 다음의 행위를 통하여 의결권을 무효화하거나 제한하는 주식발행이나 여타 행위 를 금지하고 있다. 즉, i) 보유한 주식 수에 따라 보통주식의 의결권을 제한하는 행위, ii) 주식을 보유한 기간에 따라 의결권을 제한하는 행위, iii) 기존 발행 보 통주식보다 많거나 적은 의결권을 가진 신주식의 교환청약(exchange offer), iv) 기존 발행 보통주식의 의결권보다 많은 의결권을 가진 주식을 배당하거나 기타 분배의 일환으로 주식을 발행하는 행위 등이다.[88] 그러나 Rule 19c-4는 의결 권제한주식의 발행을 엄격하게 금지한 것은 아니며, 기업공개에 따른 주식발행 이나 기존 발행 보통주식보다 주당 의결권이 크지 않는 보통주식의 발행 등은 허용된다.[89] SEC의 Rule 19c-4조는 위법판결을 받았음에도 불구하고 자율규제 기관인 NYSE 등이 이를 수용하여 상장기준으로 채택함에 따라 공개기업에 대 해 규제기준이 되고 있다.[90]

독일은 의결권제한주식(일부무의결권주식)의 발행은 허용되지 않으며, 누적적 우선주에 한하여 무의결권주식(완전무의결권주식)으로 발행할 수 있다(주식법 제 139조 제1항).

일본은 주주총회에서 의결권을 행사할 수 있는 사항에 관하여 내용이 다른 주식의 발행을 인정하고 있다(일본회사법 제108조 제1항 제3호). 회사가 이 주식 을 발행하는 때는 ① 주주총회에 있어서 의결권을 행사할 수 있는 사항 및 ② 그 종류의 주식에 대해 의결권 행사의 조건을 정한 때는 그 조건 및 발행가능 주식총수를 정관에서 정해야 한다(동법 제108조 제2항 본문 및 제2항 제3호). 공개 회사의 경우 의결권제한주식의 총수가 발행주식총수의 2분의 1을 초과하는 때 에는, 회사는 즉시 의결권제한주식의 수를 발행주식총수의 2분의 1 이하로 하기 위하여 필요한 조치를 하여야 한다(동법 제115조).

---

86) 900 F.2d 406 (D.C. Cir. 1990).
87) 미국의 경우 주식종류에 관한 사항은 기업지배에 대한 것으로 전통적으로 州法의 소관사항 이다. Rule 19c-4가 위법판결을 받음에 따라 의결권제한주식에 관한 사항은 주회사법과 자 율규제기관이 관장하게 되었다.
88) 17 C.F.R. §240.19c-4(c).
89) 17 C.F.R. §240.19c-4(d).
90) NYSE, Listed Company Manual, §313.00(A).

라. 2011년 개정상법의 검토

1) 의결권의 배제·제한에 관한 종류주식의 범위

개정상법 제344조 제1항에 따르면 회사는 주주총회에서 의결권의 행사에 관하여 내용이 다른 종류주식을 발행할 수 있다. 또한 동법 제344조의3 제1항은 의결권이 없는 종류주식과 의결권이 제한되는 종류주식을 발행하는 경우에 한하여 규정하고 있다. 의결권의 행사에 관하여 내용이 다른 종류주식으로는 이러한 의결권의 배제·제한에 관한 종류주식뿐만 아니라 차등의결권 종류주식, 임원임면권부 종류주식, 거부권부 종류주식 등이 있을 수 있다.[91] 이에 따라 의결권의 행사에 관하여 내용이 다른 종류주식을 제344조의3 제1항이 규정하는 의결권의 배제·제한에 관한 종류주식 이외에 다른 유형을 발행할 수 있는지 여부가 문제된다.

종류주식은 주식평등의 원칙에 대한 예외로서 허용된 것이므로 법률이 허용하지 아니한 유형의 종류주식의 발행은 허용되지 않는다고 본다. 따라서 제344조의3 제1항에서 규정한 의결권의 배제·제한에 관한 종류주식 이외에 의결권의 행사에 관하여 내용이 다른 종류주식은 발행할 수 없다고 보아야 할 것이다.[92]

개정상법은 "의결권을 행사할 수 없는 사항"을 정관에서 정하도록 규정하고 있는데(제344조의3 제1항), 이는 의결권을 행사할 수 없는 사항을 확정하기 위한 것으로 해석된다. 따라서 "이익처분의안에 대해서만 의결권을 가지고 그 밖의 사항에 대해서는 의결권을 가지지 않는다"는 방식으로도 정할 수 있을 것이다. 또한 회사를 설립하는 경우에 창립총회의 결의사항에 대해서는 의결권을 제한할 수 있다. 창립총회에서도 이사 선임 등에 있어서 의결권 제한주식이 활용될 수 있기 때문이다.[93]

회사가 정관으로 제435조 및 제436조에서 규정한 종류주주총회의 결의사항에 대하여 의결권을 제한하는 주식을 발행할 수 있는지 여부가 문제된다. 이에 대해서는 부정적으로 해석하여야 한다. 그 이유는 첫째, 종류주주총회는 주주총

---

91) 최준선, 회사법, 225면.
92) 최준선, 회사법, 221면. 단지 제344조 제1항의 '의결권행사에 관한 종류주식'이라는 표현에서 의결권을 제한·배제하는 것 이외에 의결권에 특권을 부여하는 종류주식을 발행할 수 있다는 해석을 도출할 수는 없을 것이다(이철송, 회사법강의, 295면).
93) 박철영, 종류주식의 활용과 법적 과제, 17면.

회의 일부가 아니라 주주총회 결의의 효력발생요건으로서 특정한 종류주주의 동의절차이다. 따라서 종류주주총회의 결의사항에 대해 의결권을 제한하면 그 목적에 반하므로 허용될 수 없다.[94] 둘째, 이 규정들은 소수주주의 이익을 보호하기 위하여 마련된 강행규정이므로 상법상 명문의 규정 없이 회사가 정관으로 종류주주총회를 배제할 수 없기 때문이다.[95] 다만 종류주식이 발행됨에 따라 발생하는 종류주주총회에 관한 복잡한 법률관계를 해소할 수 있고, 특정한 종류주주가 종류주주총회를 통하여 사실상 거부권을 행사함으로써 사업수행에 지장을 초래하는 문제를 방지할 수 있다는 점에서 입법론적으로 그 도입의 필요성이 제기된다.[96] 일본의 경우 종류주식 발행회사는 종류주식의 내용으로서 종류주주총회의 결의를 요하지 않는다는 뜻을 정관에 정할 수 있다(일본회사법 제322조 제2항). 이 때 종류주식의 주주에게 손해를 미칠 우려가 있는 때에는 반대주주의 주식매수청구권을 인정한다(동법 제116조 본문 및 동조 제3항).[97]

2) 의결권을 배제·제한에 관한 종류주식의 발행을 위한 정관변경

의결권의 배제·제한에 관한 종류주식을 발행하기 위해서는 정관에서 의결권을 행사할 수 없는 사항과, 의결권 행사 또는 부활의 조건을 정한 경우에는 그 조건 등을 정하여야 한다(제344조의3 제1항). 또한 정관에서 종류주식의 내용과 수를 정하여야 하므로 의결권의 배제·제한에 관한 종류주식의 수도 정해야 한다(제344조 제2항). 의결권의 배제·제한에 관한 종류주식의 총수는 발행주식총수의 4분의 1을 초과하지 못하며, 초과하여 발행된 경우에는 지체 없이 그 초과분을 해소하기 위하여 필요한 조치를 하여야 한다(제344조의3 제2항).

기존에 발행된 주식의 내용을 변경하여 의결권을 배제·제한하는 조항을 추가하는 경우 정관변경의 요건이 문제된다. 의결권은 주주의 가장 중요한 공익권이고, 고유권의 일종으로서 정관규정으로 이를 박탈하거나 제한할 수 없으므로,[98] 상법의 정관변경에 관한 규정으로 이를 제한하거나 박탈할 수 없다. 따라

---

94) 박철영, 종류주식의 활용과 법적 과제, 17면.
95) 정수용·김광복, 전게논문, 104면.
96) 정수용·김광복, 전게논문, 104면.
97) 회사분할, 주식분할 등과 같이 원래 주식매수청구권이 인정되지 않은 경우 정관으로 종류주주총회를 배제하면 손해를 입은 주주의 보호수단이 없게 된다. 따라서 이러한 경우 종류주주총회의 배제를 조건으로 주식매수청구권을 인정할 필요성이 제기된다(박철영, 종류주식의 활용과 법적 과제, 36면).

서 기존에 발행된 주식의 내용을 변경하여 의결권을 배제·제한하는 경우에는 해당 종류주식 주주 전원의 동의가 있어야 할 것이다.[99]

3) 주식매수청구권 및 주주총회 소집통지

의결권의 배제에 관한 종류주식의 주주에게 주식매수청구권이 인정되는지, 또는 주식매수청권을 행사할 수 있도록 주주총회의 소집통지를 하여야 하는지 여부가 문제된다. 상법은 분할 또는 분할합병의 경우에 제344조의3 제1항에 의하여 의결권이 배제되는 주주도 의결권이 있다고 규정한 결과(제530조의3 제3항) 주식매수청구권이 인정되며, 이 경우 주주총회의 소집통지를 해야 한다. 그러나 그 이외의 사항에 대해서는 의결권이 배제되는 주주가 주식매수청구권을 가지는지 여부 및 주주총회의 소집통지가 필요한지 여부에 대하여 규정이 없다.

반면 자본시장법은 주권상장법인이 주식교환, 주식이전, 영업양도 등, 합병, 회사분할 및 분할합병에 관한 주주총회 소집의 통지 또는 공고를 하거나, 간이 주식교환 및 간이합병에 관한 통지 또는 공고를 하는 경우에는 주식매수청구권의 내용 및 행사방법을 명시하도록 규정하고 있다. 이때 의결권이 없는 주주에게도 그 사항을 통지하거나 공고하여야 한다(자본시장법 제165조의5 제5항).

상법에는 이러한 명문의 규정이 없을 뿐만 아니라, 의결권이 없는 주주에게는 주주총회의 소집통지나 소집공고를 하지 않아도 되는 것으로 규정하고 있다(제363조 제8항). 그러나 상법이 주식매수청구권의 행사요건으로서 사전반대의 통지만을 요구하고 주주총회에 출석하여 반대할 것을 요건으로 하지 않은 것은 의결권 없는 주주에게도 주식매수청구권을 인정하기 위한 취지로 보아야 한다.[100] 일본 회사법의 경우 명문의 규정으로 의결권 없는 주주에게 매수청구권을 인정하고 있다(일본회사법 제116조 제2항 제2호). 주권비상장법인이라고 하더라도 무의결권주식의 주주에게 주식매수청구권을 인정하지 않을 이론적 근거는 없다. 이는 입법적 불비로서 보완되어야 한다.[101]

---

98) 이철송, 회사법강의, 534면; 정찬형, 「상법강의(상)」 제24판(박영사, 2021)(이하 "상법강의(상)"이라 한다), 895면; 최기원, 「신회사법론」 제14대정판(박영사, 2012), 471면; 최준선, 회사법, 374면.
99) 박철영, 종류주식의 활용과 법적 과제, 31~32면.
100) 최기원, 전게서, 437면. 반대하는 견해로는 손주찬, 「상법(상)」 제15보정판(박영사, 2005), 733면.
101) 임재연, 「2018년 자본시장법」(박영사, 2018), 761면 각주 61).

4) 발행한도를 초과한 경우

개정전 상법 제370조 제2항은 "… 의결권 없는 주식의 총수는 발행주식의 총수의 4분의 1을 초과하지 못한다"고만 규정하였다. 그러나 개정상법은 의결권의 배제·제한에 관한 종류주식의 총수는 발행주식총수의 4분의 1을 초과하지 못한다고 규정하면서(제344조의3 제2항 제1문), 이 발행한도를 초과하여 의결권의 배제·제한에 관한 종류주식이 발행된 경우에는 "회사는 지체 없이 그 제한을 초과하지 아니하도록 하기 위하여 필요한 조치를 하여야 한다"고 규정하고 있다(제344조의3 제2항 제2문).[102] 따라서 발행한도를 초과하여 발행된 주식의 효력과 발행한도를 초과한 후 필요한 조치를 취하지 아니한 경우 당해 주식의 효력이 문제된다.

이미 발행한도를 초과한 상태를 두고 초과하지 아니하도록 필요한 조치를 하라고 하는 것은 논리적 모순이며, 이 조항은 의결권이 배제되는 종류주식과 의결권이 제한되는 종류주식을 합산하여 발행주식총수의 4분의 1 이하가 되도록 필요한 조치를 취하라는 의미로 해석하여야 한다.[103] 이렇게 발행한도를 제한을 하는 이유는 소수의 주식을 가진 주주가 회사를 지배하는 것을 방지하기 위한 것이다.

이처럼 개정상법은 개정 전과는 달리 의결권의 배제·제한에 관한 종류주식이 발행한도를 초과하여 발행된 경우 그 제한을 초과하지 아니하도록 필요한 조치를 취하도록 규정하고 있는 점에 비추어, 발행한도를 초과하여 발행된 주식이 바로 무효로 되는 것은 아니며, 회사가 필요한 조치를 취할 때까지는 유효하다고 본다.[104]

발행한도를 초과한 때에 필요한 조치는 초과분을 감소시키기 위하여 의결권의 배제·제한에 관한 종류주식을 소각하거나, 아니면 의결권이 있는 주식을 추

---

102) 이 조항은 일본회사법 제115조를 도입한 것이지만 약간의 차이가 있다. 즉, 일본회사법은 우리 상법 제344조의3 제2항 제1문에 해당하는 문구를 삭제하고 제2문의 취지로만 규정하고 있는데 이 방식이 더 명확하다고 본다. 또한 일본회사법은 발행한도에 관한 제한을 공개회사에게만 적용하여 비공개회사에 대하여 더 자율성이 부여하고 있다.

103) 이철송, 2011 개정상법 축조해설, 107면; 일본 회사법 제115조 참조.

104) 양만식, "종류주식의 다양화가 기업지배에 미치는 영향," 「상사법연구」 제30권 제2호(한국상사법학회, 2011), 42면; 송옥렬, 전게논문, 56면; 이철송, 2011 개정상법 축조해설, 107면; 임재연, 회사법 I, 392면.

가로 발행하여 의결권의 배제·제한에 관한 종류주식의 총수가 발행주식총수에
서 차지하는 비율을 4분의 1 이하로 줄이는 것이다.[105] 전자의 방식을 선택하
는 경우 의결권의 배제·제한에 관한 종류주식만을 회사가 취득하여 소각하여야
한다. 회사가 종류주식을 발행하는 때에는 정관에 다른 정함이 없는 경우에도
주식의 종류에 따라 주식의 소각에 관하여 특수하게 정할 수 있다(제344조 제3
항). 소각할 종류주식의 취득에 대해서는 자기주식 취득에 관한 절차에 따라야
할 것이다. 이러한 자기주식의 취득은 배당가능이익에 관계없이 자기주식을 취
득할 수 있는 상법 제341조의2에 해당하지 않으므로, 일반적인 자기주식의 취득
절차인 상법 제341조에 따라 취득하여야 한다. 즉, 배당가능이익의 범위 내에서
주주총회나 이사회의 결의를 거쳐 종류주주 간에 평등하게 취득하여야 하는 등
의 절차에 따라야 한다.[106]

한편 이러한 필요한 조치를 취하지 아니한 경우 법적 효과에 대해서는 규정
이 없다. 따라서 회사가 정당한 이유 없이 상당한 기간이 지나도록 필요한 조치
를 취하지 아니한 경우 의결권의 배제·제한에 관한 종류주식이 어떠한 법적
효과를 가지는지가 문제된다. 발행한도를 초과한 경우 필요한 조치를 취하지 않
는 경우에 대한 벌칙도 없고,[107] 손해배상청구나 이사의 해임청구에 의해서도
본 조항의 실효성은 확보되지 않는다.[108] 또한 일부 견해에 따르면 주주총회결
의취소의 소는 의결권을 전제로 하는 것이므로, 의결권이 없는 주식을 가진 주
주는 의결권이 있는 주주가 성립시킨 주주총회결의에 대한 취소의 소를 제기할
수도 없다.[109] 따라서 회사가 정당한 이유 없이 필요한 조치를 취하지 않은 경
우에는 의결권의 배제·제한에 관한 종류주식의 의결권의 배제·제한이 무효로
된다는 견해가 있다.[110] 그러나 이 경우 의결권의 비제·제한만이 부효로 된다

---

105) 이철송, 2011 개정상법 축조해설, 107면; 前田庸, 「會社法入門」 第12版(有斐閣, 2009), 101
면.
106) 송옥렬, 전게논문, 56~57면.
107) 이 경우 업무집행자에 대한 벌칙을 정하지 않은 것은 입법의 불비라는 지적이 있다(정동
윤, 전게서, 451면).
108) 江頭憲治郎, 前揭書, 148面 註) 15; 伊藤靖史, 「逐條解說 會社法(酒卷俊雄·龍田節 編) 第2
卷 株式·1」(中央經濟社, 2008), 131面.
109) 손주찬, 전게서, 742면; 임홍근, 「회사법[개정판]」(법문사, 2001), 416면. 이에 반해 제소권
은 의결권(경영참여권)의 부수적 요소가 아니고 별개의 주주권(경영감독권)으로 보아야 하
기 때문에 의결권이 없는 주식의 주주도 주주총회결의취소의 소의 제소권을 갖는다는 견해
도 제기된다(권기범, 전게서, 759면; 송옥렬, 상법강의, 970면; 이철송, 회사법강의, 620면;
최기원, 전게서, 241면; 최준선, 회사법, 424면).

고 하면 그 조건을 제외한 주식으로서는 유효한 것인지, 즉 의결권이 회복된다
는 것인지 불분명하다. 의결권이 회복되면 기존 주주의 의결권 지분이 희석되므
로 이러한 해석은 부당하다. 따라서 의결권의 배제 · 제한에 관한 종류주식이 무
효로 된다고 보아야 할 것이다.[111)

5) 방어수단으로 이용 문제

의결권제한주식의 이용형태로서는 예컨대, 벤처기업과 이에 투자하는 벤처캐
피털간의 이해를 조정하기 위하여 벤처캐피털이 보유하는 주식에 대해 이사선임
의안에만 의결권을 가지는 주식을 발행할 수 있다. 의결권제한주식은 임원임면
권부종류주식과는 다르며, 공개회사에서도 발행할 수 있을 뿐만 아니라 발행주
식수의 상한이 설정되어 있다.[112) 또한 중소기업의 동업자간이나 합작회사의 파
트너 간에 있어서 예컨대, 지주비율은 6 대 4이더라도 의결권비율은 1 대 1로
하는 등 자본다수결에 의하지 않는 지배권 분배를 할 필요성이 높다. 다수파가
소유하는 주식의 일부를 의결권제한주식으로 함으로써 이러한 수요를 충족시킬
수 있게 된다. 의결권에 관하여 인정된 주식내용의 차이는 어떤 사항에 대해 의
결권을 행사할 수 있는지 여부에만 있는 것이므로 1주에 대해 복수의결권을 부
여한다거나, 일정한 수준 이상의 주식을 가진 주주의 의결권에 상한제나 체감제
를 부과하는 것은 인정되지 않는다.[113)

의결권제한주식에 대하여 자금조달의 효율성을 제고한다는 입법취지와 무관
하게 법령이 아닌 정관의 정함에 의해 경영권 방어수단으로 악용될 수 있다고
하여 반대하는 견해가 제기되었다.[114) 즉, 기존 지배주주가 향후 신주를 임원임
면권에 관해서만 의결권이 제한되는 종류주식으로 발행함으로써 경영권을 고착

---

110) 양만식, 전게논문, 43면; 임재연, 회사법 I, 392면; 江頭憲治郎, 前揭書, 148面 註) 15; 伊藤
    靖史, 「逐條解說 會社法(酒卷俊雄 · 龍田節 編) 第2卷 柱式 · 1」(中央經濟社, 2008), 131面.
111) 동지, 송옥렬, 전게논문, 57면. 다만 무효로 보더라도 그 의미가 불확실하다는 지적이 제기
    된다. 즉, 신주가 발행된 다음에는 신주발행무효의 소에 의해서만 무효로 할 수 있는데, 초
    과발행주식은 신주발행무효의 사유에 해당하지만 제소되지 않고 6개월이 경과하면 유효가
    된다. 또한 해당 발행회차에 발행된 신주 중 초과분을 특정할 수 없기 때문에 신주발행무
    효의 소를 제기하는 경우 해당 발행회차에 발행된 신주 전부를 대상으로 하여야 하는 등의
    문제가 발생한다(송옥렬, 전게논문, 56~57면).
112) 松尾建一, 前揭書, 79面.
113) 江頭憲治郎, 前揭書, 147面.
114) 경제개혁연대, "상법 일부개정법률안(의안번호 1566호)에 대한 의견서," 2008. 11. 14, 2~
    4면, 〈http://www.ser.or.kr/upload/200906/Of200811400.pdf〉.

화할 수 있다는 것이다.[115)

이와는 반대로 자본조달 기능과 경영권 방어기능을 동시에 달성할 수 있는 재무경영전략을 효과적으로 수행할 수 있게 되었다는 점에서 긍정적인 평가도 있었다.[116) 결국 경영권 방어수단으로서 악용의 문제는 당해 조치가 기업가치 향상을 위한 것인지 여부에 따라 효력을 달리할 수 있으며, 시장의 감시나 제도적 보완을 통하여 해결할 수 있으므로, 지배권의 분배 및 자금조달의 수단을 다양화한다는 측면에서 의결권제한주식이 도입되게 되었다.

6) 의결권행사에 관한 조건을 정하는 방법과 주주평등의 원칙

보통주식의 의결권을 배제하거나 제한하면서 의결권을 부활하지 않는 조건의 종류주식으로 발행하면, 특히 상장주식의 경우 투자자 보호문제를 야기할 수 있다. 개정상법 아래에서는 개정전 의결권 부활조항(개정전 상법 제370조)이 삭제되고, 정관에서 의결권 행사 또는 부활조건을 자유롭게 정할 수 있으므로(제344조의1 제1항) 이러한 주식을 발행하는 데에 제한이 없다. 그러나 상장주식을 거래하는 일반 소액투자자에 대하여 이러한 주식의 위험성을 충분히 인식하고 대처하길 기대하는 것은 무리라고 본다. 따라서 미국이나 일본처럼 상법에서 이러한 주식을 허용하면서도, 투자자 보호문제는 자본시장법이나 한국거래소 상장규정을 통하여 규율하는 것이 바람직하다.[117) 미국 뉴욕증권거래소의 상장규정에 따르면 의결권 없는 우선주주들에게 6기 이상 우선배당이 이루어지 아니하면 이러한 우선주주들이 최소한 회사의 2인 이상의 이사를 선임할 권리를 부여받도록 규정하고 있다.[118)

---

115) 침여연대, "상법(회사편) 개정 법무부안에 대한 참여연대 의견서," 2008. 5. 27, 5면, 〈http:// blog.peoplepower21.org/Economy/23107〉.

116) 송종준, "방어적 주식제도의 국제적 입법동향과 도입 과제−2006년 회사법 개정안을 중심으로−,"「경영법률」제17집 제2호(한국경영법률학회, 2007)(이하 "전게논문 I"이라 한다), 115면.

117) 예컨대, 동경증권거래소의 경우 하나의 회사가 의결권제한주식만을 상장하거나, 보통주식과 의결권제한주식을 동시에 상장하는 것을 허용한다. 그러나 극히 적은 출자비율로 회사를 지배하는 상황이 생긴 경우에 의결권에 관한 종류주식을 해소할 수 있도록 하는 등 일정한 요건을 만족시키도록 요구하고 있다(江頭憲治郎, 前掲書, 146面 註) 14; 宇都宮純子, "議決権種類株式の上場制度の整備,"「會計・監査ジャーナル」第20卷 第9号(2008), 86面; 神谷光弘・西里廣, "上場を前提とした無議決權優先株式の設計上の留意点,"「商事法務」第1838号(2008), 28面.

118) 정수용・김광복, 전게논문, 104면; NYSE Listed Company Manual §313.00(ⓒ).

의결권 부활조건이 없는 의결권제한주식을 발행하면 연구개발이나 인프라 투자가 필요한 회사는 이익의 내부유보를 통하여 장기적인 성장투자정책을 추진하기가 용이한 장점이 있다. 그러나 투자자의 관점에서는 이익배당에 관한 권리를 확보할 수 있는 수단이 없다는 측면에서 매력적이지 않다. 따라서 일정한 요건이 충족되면 상환하거나, 의결권이 있는 주식으로 전환할 수 있는 조건을 추가하는 방식을 활용할 수 있을 것이다.[119]

의결권제한주식에 대해서는 의결권 행사에 대해서 조건을 정할 수 있지만, 다음과 같이 조건을 정함으로써 적대적 매수로부터 기업을 방어하는 수단으로 의결권제한주식을 이용할 수 있다고 하는 견해가 있다. 즉, 주주가 가지는 주식의 수가 발행주식총수의 일정비율(예컨대 20%) 미만인 것을 당해 주주가 의결권을 행사할 수 있는 조건으로 정하는 것이다.[120]

이처럼 주주의 지주수에 의해서 권리내용이 다르게 되는 정관의 정함은 일반적으로 주주평등의 원칙에 반하여 무효라고 해석되며,[121] 또한 이러한 형태로 의결권행사를 제한하는 것은 자본다수결의 원칙을 수정하는 것으로 되기 때문에 그 유효성에 대해서는 엄격히 심사되어야 한다. 일본에서의 논의를 보면 실효적인 매수방어의 구조를 구축하는데 있어서는 특정한 주주를 차별적으로 취급하는 것은 불가피하며, 또한 주주평등의 원칙도 주주를 구별하여 취급하는 것이 회사로서 필요하고 또한 합리적인 경우에까지 이를 금지하는 것은 아니라고 본다. 따라서 의결권의 행사조건을 이러한 방식으로 정하는 것도 적대적 매수에 대한 방어 목적과 관련해서는 유효하다고 해석할 여지가 있다. 그렇지만, 다른 매수방어책과 마찬가지로 '방어책을 취하는 것이 진정으로 필요한 국면에서만 발동되는 구조로 되어 있는가'라는 관점에서 엄격하게 심사되어야 한다는 견해가 일본에서 제기되고 있다.[122]

---

119) 박철영, 종류주식의 활용과 법적 과제, 22면.
120) 권종호, 전게논문 I, 60면; 양만식, 전게논문, 41면; 葉玉匡美, "議決權制限株式を利用した 買収防衛策,"「商事法務」第1742号(2005), 28面.
121) 鈴木竹雄・竹內昭夫,「會社法」第3版(有斐閣, 1994), 107面 註) 2; 江頭憲治郎, 前揭書, 132 面 註) 6.
122) 松尾建一, 前揭書, 81~82面; 江頭憲治郎, 前揭書, 132面 註) 6; 森本 滋, "會社法の下にお ける株主平等原則,"「商事法務」第1825号(2008), 9面; 大杉謙一, "新會社法における株主平 等の原則,"「會社法と商事法務」(辛堂幸司・山下友信 編), 商事法務, 2008, 19面.

5. 주식의 상환에 관한 종류주식

가. 2011년 개정 전 제도의 문제점

2011년 개정전 상법은 상환주식과 전환주식을 종류주식의 하나로 인정하지 않고 어떤 종류의 주식에 대해 특수한 약정이 부가된 것에 불과한 것으로 보았다. 종류주식은 주주평등 원칙의 예외이기 때문에 그 유형은 법률로 정하는 것만 인정되므로 상법 제344조에 규정하고 있지 않는 유형은 종류주식으로 볼 수 없기 때문이다.[123)

개정전 상법 제345조 제1항에 따르면 상환주식은 이익배당 우선주에 대하여만 발행할 수 있고 이익으로써만 소각하여야 하였다. 이로 인하여 상환재원이 배당가능이익으로 제한되어 있을 뿐만 아니라, 우선주 아닌 다른 종류주식에 대하여 회사에 의한 강제상환이 인정되지 않고 있었다. 따라서 상환주식을 이용하여 자금을 조달하는 경우에 장기적으로 우선배당의 부담을 해소하기 어렵고, 또한 향후 상법 개정에 따라 주식의 종류가 의결권제한주식 등으로 다양화되어도 회사가 이들 주식을 취득하여 소멸시키는 것이 거의 불가능하다는 점 등이 문제로 제기되었다.[124) 회사의 배당가능이익의 규모가 큰 경우에는 문제없으나, 그렇지 못한 경우에는 현실적으로 종류주식의 상환이 필요함에도 불구하고 상환을 할 수 없는 문제가 있다. 종류주식이 확대되는 경우 상환의 필요성은 그에 비례하여 높아지는 반면, 이익의 규모는 그만큼 증가하지 않는다. 또한 종류주식의 소멸방법으로서의 상환은 전형적인 보통주와 권리내용이 다른 모든 종류주식에 대하여 요구되는데, 개정전 상법은 우선주 아닌 다른 종류주식에 대한 상환을 인정하지 않았다.

또한 개정 전에는 회사가 상환할 권리를 갖는 주식만 발행할 수 있었고, 주주가 상환할 권리를 갖는 주식은 발행할 수 없었다. 따라서 개정 전 상환조건으로는 종류주식의 확대를 수용하는데 한계가 있었다.[125)

---

123) 권종호, "2006년 회사법개정시안의 주요내용," 「상사법연구」 제25권 제2호(한국상사법학회, 2006)(이하 "전게논문Ⅱ"라 한다), 321면.
124) 법무부, "상법(회사편) 개정안 설명자료," 2007. 10, 87~88면.
125) 박철영, 전게학위논문, 164면.

나. 2011년 개정상법의 주요 내용

2011년 개정상법은 상환주식을 종류주식의 한 유형으로 규정하고 정관이 정하는 바에 따라 이익으로 소각할 수 있도록 규정하고 있다(제344조 제1항). 상환주식은 회사가 상환권을 가지는 상환사유부주식(회사상환주식, 상환조건부주식이라고도 함)(제344조 제1항)과, 주주가 회사에 대하여 상환청구권을 가지는 상환청구권부주식(주주상환주식이라고도 함)(제344조 제3항)으로 구분되는데, 후자가 새로 도입된 것이다.

상환의 대가는 현금 이외에도 유가증권(다른 종류의 주식은 제외) 그 밖의 자산을 교부할 수 있도록 규정함으로써(제345조 제4항) 상환대가를 다양화하고 유연화 하였다. 다만 이 경우 교부하는 자산의 장부가액이 배당가능이익(제462조)을 초과하여서는 아니 된다(동조 제4항 단서). 여기서 상환대가로 다른 종류주식을 제외한 이유는 전환주식으로 기능하지 않도록 하기 위한 것이다. 그러나 상환의 대가로 주식의 교부를 허용하는 것이 상환주식의 본질에 반하는 것은 아니라고 본다.[126)]

회사상환주식을 발행하려는 회사는 정관으로 상환대가, 상환기간, 상환의 방법과 상환할 주식의 수를 정하여야 하고, 회사는 상환대상인 주식의 취득일 2주일 전에 그 사실을 그 주식의 주주 및 주주명부에 기재된 권리자에게 따로 통지 또는 공고하여야 한다(제345조 제1항, 제2항). 주주상환주식을 발행하고자 할 때에 회사는 정관으로 주주가 회사에 대하여 상환을 청구할 수 있다는 뜻, 상환가액, 상환청구기간, 상환의 방법을 정하여야 한다(동조 제3항).

상환주식은 제344조에서 규정한 종류주식에 한하여 발행할 수 있으며, 상환주식과 전환주식에 상환조건을 붙인 상환주식의 발행은 허용되지 않는다(동조 제5항). 이는 상환주식이 종류주식에 해당함을 명백히 한 것이며, 보통주에 대하여 상환조건을 붙이는 것을 허용하지 않으려는 의도로 본다.[127)]

다. 입 법 례

일본의 경우 2001년 종류주식의 다양화 이후 이익배당우선주와 트래킹주식

---

126) 동지, 송종준, 전게논문 I, 112면.
127) 송종준, 전게논문 I, 113면; 권종호, 전게논문 II, 322면.

외에 통상의 보통주식도 상환주식으로 할 수 있다. 또한 2005년 회사법에서는 상환주식과 전환주식의 구분을 철폐하고 취득청구권부주식, 취득조항부주식, 전부취득조항부주식 등으로 규정하고 있다(일본 회사법 제108조 제1항 제5호~제7호).

미국 및 영국의 경우에도 상환주식의 발행에 제한이 없기 때문에 보통주도 상환주식으로 할 수 있다.[128] 특히 미국의 1969년 MBCA는 우리 상법과 같이 상환주식을 배당우선주에 한하여 인정하였었는데(MBCA §15), 1984년의 개정(RMBCA)에서는 이를 "인위적인 제한"(artificial restriction)으로 보아 폐지하고 그 대상을 모든 종류의 주식으로 확대하였다.[129]

미국, 일본은 주식의 상환과 전환을 동일한 조건으로 규정함으로써 상환에 의하여 전환의 효과를 달성할 수도 있고 전환이 사실상 상환의 결과가 되기도 한다.[130]

영국은 자본준비금 및 신주발행대금으로 상환하는 것이 가능하며,[131] 폐쇄회사의 경우에는 기존의 자본금으로도 상환할 수 있다.[132] 또한 미국도 상환재원에 제한을 두지 않아 지급불능의 경우를 제외하고는 자본준비금이나 자본금으로도 상환할 수 있다.[133]

라. 2011년 개정상법의 검토

1) 의 의

주식의 상환에 관한 종류주식이라 함은 정관의 정함에 따라 장차 회사 스스로 또는 주주의 청구에 의해 이익으로써 소각할 수 있는 주식을 말한다(제345조 제1항, 제3항). 상환주식은 회사가 자금이 필요할 때 주로 우선주식을 대상으로 상환주식을 발행하였다가 나중에 자금사정이 호전되면 상환함으로써 회사의 지배관계에 영향을 미치지 않고 자금을 조달할 수 있는 장점이 있다. 또한 새로

---

128) RMBCA §6.01(c)(2); Companies Act 2006, §684(1), (3).
129) ABA, Model Business Corporation Act Annotated 3rd ed., Vol. 1, Prentice Hall & Business, 1993, p. 315.
130) 미국의 경우 상환 및 전환의 재원은 현금(cash) 외에 채무(indebtedness), 유가증권(securities) 및 현물(property)도 가능하므로(RMBCA §6.01(c)(2)), 주식을 사채로 상환하는 경우에는 전환과 동일한 결과가 되며, 주식을 현금 또는 현물로 전환하는 경우에는 상환과 동일한 결과가 된다(RMBCA Official Comment §6.01(c)(2)).
131) Companies Act 2006 §687(4), (5).
132) Companies Act 2006 §§709, 710, 734.
133) RMBCA §6.01(c)(2).

도입된 "주주가 상환을 청구할 수 있는 주식"의 경우에는 회사의 경영상황에 따라 투자회수를 쉽게 할 수 있는 장점이 있다.[134] 상환주식과 사채는 기업의 자금조달수단으로서 유사한 기능을 하지만 상환주식은 이자가 지급되지 않고 이익이 있어야만 상환할 수 있다는 점에서 사채와 구별된다. 그러나 경제적 실질은 사채에 가깝다고 볼 수 있으므로 한국채택 국제회계기준에서는 상환주식을 부채로 처리한다.[135]

2) 상환주식의 대상

가) 보통주식의 포함 여부

우선 보통주식을 상환주식으로 발행할 수 있는지 여부가 문제된다. 상환주식은 상법 제344조에서 규정한 종류주식에 한하여 발행할 수 있으며, 상환주식과 전환주식에 상환조건을 붙인 상환주식의 발행은 허용되지 않는다(제345조 제5항).[136]

보통주식을 종류주식으로 보면서 제345조 제5항이 상환주식과 전환주식을 제외한 종류주식에 한하여 상환주식으로 발행할 수 있다고 규정하고 있으므로 보통주식을 상환주식을 발행할 수 있다는 견해가 있다.[137]

그러나 제345조 제5항은 보통주식이 종류주식에서 제외된다는 주장의 근거로 활용된다. 즉, 상환주식이 종류주식에 해당함을 명백히 한 것이며, 보통주에 대하여 상환조건을 붙이는 것을 허용하지 않으려는 의도로 본다. 한편 보통주식을 종류주식으로 보는 견해를 취하는 경우에도 제345조 제5항의 종류주식에는 의결권 있는 보통주식은 포함되지 않는 것으로 본다.[138] 보통주에 대해 상환조건을 붙이는 것을 허용할 경우 정관에서 정한 일정한 조건이 충족되면, 회사가 보통주를 상환하여 소각시킬 수 있는데, 이 경우 보통주는 초기 형태의 포이즌 필과 유사한 기능을 하게 된다. 이러한 결과는 종류주식이 방어수단으로 활용되

---

134) 이철송, 회사법강의, 298면.
135) 송옥렬, 상법강의, 800면.
136) 상법 제345조 제5항: 제1항(회사상환주식)과 제3항(주주상환주식)에 규정한 주식은 종류주식(상환과 전환에 관한 것은 제외한다)에 한정하여 발행할 수 있다.
137) 김정호, 「회사법」 제4판(법문사, 2015), 144면; 임재연, 회사법 I, 402면; 송종준, "상장회사의 자본질서의 변화와 법적 과제," 「상사법연구」 제31권 제2호(한국상사법학회, 2012), 153~154면; 이영철, 전게논문, 13~15면; 정동윤, 전게논문, 51면 이하.
138) 전술한 II.2.라.2)나) 참조.

는 것을 허용하지 않는다는 입법방향과 배치되기 때문이다.[139] 상장회사 표준정
관 주석에서는 보통주식은 상환주식으로 발행할 수 없다고 설명한다(상장회사 표
준정관 제8조의4, 2013. 12. 27. 개정).

보통주식 가운데서도 의결권 없거나 또는 의결권이 제한된 주식일 경우에는
상환주식으로 발행할 수 있다는 견해가 제기된다.[140] 당초 입법의도가 경영권
방어목적으로 종류주식이 활용되는 것을 방지하기 위한 것이므로, 이러한 영향
을 초래하지 않는 의결권이 제한되거나 의결권이 없는 보통주식의 경우에는 상
환주식으로 발행할 수 있다고 보는 것이 타당하다고 본다.

나) 상환전환우선주

2011년 상법개정 전부터 널리 활용되던 상환전환우선주(Redeemable Convertible
Preferred Share: RCPS)[141]를 개정법 아래에서도 발행할 수 있는지 여부이다.[142]
상법 제345조 제5항에서 '상환과 전환에 관한 것은 제외한다'라는 문구가 입법과
정에서 추가된 이유는 전환주식과 상환주식이 개념상 구별되어야 한다는 취지에
서 주의적으로 규정된 것이다. 따라서 입법의도는 전환상환우선주의 발행을 금지
하려는 것은 아니었다고 한다.[143] 그러나 문언의 해석상 이러한 입법의도대로
해석할 수 있을지에 대해서는 논란의 소지가 있다. 우선 '상환에 관한 것은 제외
한다'라는 문구는 상환주식을 상환주식으로 발행한다는 것은 무의미하기 때문에
당연한 사항을 주의적으로 규정한 것에 불과하다. 반면 '전환에 관한 것은 제외
한다'라는 문구에 따르면 전환주식을 상환주식으로 발행하는 것은 허용되지 아니
한다.[144]

전환주식에 상환권을 붙이지 못한다고 하는 것은 입법오류로 지적된다.[145]
현재 비상장회사 특히 벤처기업의 경우에 널리 활용되고 있는 상환전환우선주가

---

139) 송종준, 전게논문Ⅰ, 113면; 권종호, 전게논문Ⅱ, 322면.
140) 이철송, 회사법강의, 299면.
141) 상환전환우선주란 상환권과 전환권을 동시에 가지고 있는 우선주를 말한다. 투자자들은 이
    를 통하여 투자대상회사의 사업이 성공할 경우에는 상장과 연계하여 보통주식으로 전환권
    을 가지고, 만약 사업이 실패하는 때에는 일정한 기간이 지난 다음 상환을 받음으로써 투
    자금액을 회수할 수 있게 된다(정수용·김광복, 전게논문, 106면).
142) 상환전환우선주에 관한 자세한 내용은 임정하, "상환전환우선주의 발행현황과 문제," 「상사
    법연구」 제34권 제1호(한국상사법학회, 2015), 135~177면 참조.
143) 법무부, 「상법 회사편 해설」, 2012, 151면.
144) 최준선, 2011 개정상법 회사편 해설, 96면.
145) 송옥렬, 상법강의, 801면.

개정상법 아래에서도 유효하다고 하기 위해서는 이 조항을 목적론적 해석에 의하여 수정할 필요성이 제기된다. 이에 따라 전환주식에 상환권을 붙이는 것은 실무상 필요가 있고 이론상 문제도 없으므로 '전환에 관한 것은 제외한다'는 문구를 축소해석하여 '전환주식의 내용이 상환주식으로 전환하는 것'만을 의미한다는 것으로 좁게 해석하는 견해가 있다.146) 2011년 개정상법에서도 이익배당우선주의 경우에는 상환주식과 전환주식으로 발행할 수 있으므로 상환전환우선주를 발행할 수 있다는 견해가 제기된다.147) 또는 전환주식을 상환주식으로 발행할 수는 없지만 상환주식을 전환주식으로 발행할 수 있다고 해석하는 견해가 있다.148) 그러나 이러한 해석에는 논란의 소지가 있는 만큼 상법 제345조 제5항 괄호부분을 삭제하는 개정이 조속히 이루어져야 할 것이다.149)

3) 상환주식의 발행

상환주식을 발행하기 위해서는 원시정관에 규정이 없을 경우 정관을 개정하여 상환조건을 정하여야 하며, 정관에 다른 규정이 없을 경우 이사회가 신주발행절차에 준하여 상환주식을 발행할 수 있을 것이다.

가) 정관의 개정

상환주식을 발행하여 상환하게 되면 배당가능이익이 감소하게 되므로 상환주식의 발행은 정관에 명문의 규정이 있어야 하고 상환조건도 마찬가지이다. 정관에서 일정한 범위를 정하고 세부사항을 이사회에 위임하는 것은 허용된다. 그러나 상환조건이나 상환기간을 전부 이사회에 위임하는 것은 허용되지 않는다.150)

정관에서 정해야 할 사항은 회사상환주식의 경우에는 회사가 이익으로 소각할 수 있다는 뜻, 상환가액, 상환기간, 상환방법과 상환할 주식의 수를 정해야 한다(제345조 제1항). 주주상환주식의 경우에는 주주가 회사에 대하여 상환을 청구할 수 있다는 뜻, 상환가액, 상환청구기간, 상환의 방법을 정하여야 한다(제

---

146) 송옥렬, 상법강의, 801면. 예컨대, 전환우선주가 전환권을 통하여 보통주로 전환된 이후에 이러한 보통주에 대해 상환권이 존속하여서는 아니된다(만일 보통주로 전환된 이후에도 상환권이 존속하게 되면 경영권 방어수단으로 악용될 우려가 있다)는 의미로 해석하는 것이다(정수용·김광복, 전게논문, 107면).

147) 권종호, 전게논문 I, 72면.

148) 임재연, 회사법 I, 402면.

149) 이영철, 전게논문, 19면.

150) 임재연, 회사법 I, 399면.

345조 제3항).

　　회사가 종류주식을 발행한 경우에 정관을 변경함으로써 어느 종류주식의 주주에게 손해를 미치게 될 때에는 주주총회의 결의 외에 그 종류주식의 주주의 총회의 결의가 있어야 한다(제435조 제1항). 회사가 상환주식을 발행할 때 보통주식이나 다른 종류주식이 존재하는 경우 이러한 주식의 주주들에 의한 종류주주총회가 필요한지 여부가 문제된다. 상환주식은 통상적인 우선주보다 고율의 배당을 받는 경우가 많고 상환기간이 도래하면 투자위험의 부담 없이 발행가액 자체를 회수할 수 있는 점에서 다른 주식보다 유리한 측면이 있는 반면 기존 주주는 어느 정도 불리하게 되는 측면이 있기 때문이다.[151]

　　2011년 상법 개정 전에도 정관에서 보통주 발행만이 예정되어 있는데 우선주 발행을 위한 정관개정을 하는 때에도 보통주주들의 종류주주총회가 필요하지 않다고 보는 것이 실무상 관행이었으며, 상환주식의 상환은 배당가능이익으로 하기 때문에 자본금이 환급되지도 않는다는 점에서 보통주 주주들의 종류주주총회가 필요하지 않다고 보았는데,[152] 2011년 개정상법 아래에서도 마찬가지라고 본다.

　　한편 상환주식을 종류주식으로 규정한 개정상법 아래에서 상환주식을 발행하면 다른 종류주식에 대하여 영향을 미칠 수 있다. 종류주식의 도입을 위한 주주총회 특별결의에서 기존 종류주식 주주들의 의사가 이미 반영되기 때문에 특정한 종류주식에 대해서만 특별하게 불리하게 발행되지 않는 한[153] 그 종류주식 주주의 총회결의는 필요가 없다고 할 것이다.

　　이미 발행된 종류주식을 정관을 변경하여 상환주식(또는 전환주식)으로 전환할 수 있는가? 이에 대해 해당 종류주주를 포함한 주주 전원의 동의가 있으면 가능하다는 견해[154]와 불가능하다는 견해[155]가 대립한다. 일본의 경우 이미 발

---

151) 한원규·이제원, "상환주식과 전환주식의 법적 성질," 「증권법연구」 제3권 제1호(한국증권법학회, 2002), 279면.
152) 한원규·이제원, 전게논문, 279~280면.
153) 예컨대, 상환우선주식의 주주가 다른 우선주 주주들에 비하여 먼저 우선적 배당을 받도록 하여, 기존 우선주 주주들의 이익배당에 있어서 지위를 상환주 주주보다 후순위로 만드는 조건으로 상환주식이 발행되는 경우에는 다른 우선주 주주들의 종류주주총회가 필요할 것이다(한원규·이제원, 전게논문, 281면 주) 6).
154) 김재범, "2011년 개정상법에 의한 종류주식 발행의 법적 문제," 「사법」 제19호(사법발전재단, 2012), 21면; 임재연, 회사법Ⅰ, 399면; 박철영, 종류주식의 활용과 법적 과제, 31면.
155) 정준우, 전게논문, 254면; 최준선, 회사법, 230면.

행된 종류주식에 관한 내용을 정관에서 변경할 수 있도록 하고 있는데, 이때에는 정관변경을 위한 주주총회특별결의(일본회사법 제309조 제2항 제1호)와 해당 종류주주 전원의 동의(동법 제110조, 제111조 제1항)를 요건으로 하고 있다. 우리 나라의 경우에도 이러한 절차를 거쳐서 이미 발행된 종류주식을 변경하여 상환 주식(또는 전환주식)으로 전환할 수 있다고 본다.

나) 상환조건

(1) 상환가액

상환가액이란 회사가 주주에게 상환주식의 상환 대가로 지급하는 금액이다. 상환가액은 특정한 금액으로 정할 수도 있고, 아니면 액면가액, 발행가액 또는 상환시점에서의 시가처럼 상환가액의 기준만을 정관에서 정하고 이러한 기준에 따라 이사회가 실제 상환가액을 정할 수도 있다. 다른 주주가 상환가액의 결정 기준을 사전에 예측할 수 있어야 하므로 이러한 이사회의 재량은 제한적일 수밖에 없다. 상환가액이 지나치게 고액일 경우 다른 주주들의 이익배당청구권을 해하게 되므로 상환주식의 발행무효사유가 될 수 있을 것이다.[156]

상환가액을 시장가격으로 하는 경우 시장가격이 발행가격보다 더 하락하게 되면 상환주식의 주주가 손해를 볼 우려가 있으며, 회사의 입장에서도 시장가격의 변동으로 상환자금을 적립하기 어려운 문제가 있다. 이에 따라 발행가액을 상환가액으로 하는 경우가 많다.[157]

유·무상증자와 주식배당을 하는 때에 상환주식에 대하여 동일한 상환주식을 배정 또는 배당하는 경우 새롭게 발행된 상환주식의 상환가액을 기존 상환주식의 상환가액과 동일하게 정할 수 있는지 여부가 문제된다.[158]

상환가액을 발행가액으로 정한 경우 유상증자를 하는 때에는 유상증자에 의한 상환주식의 추가 인수분에 대해서는 당해 유상증자를 할 때의 발행가액을 상환가액으로 하면 될 것이다. 동일한 조건에서 무상증자를 하는 때에 무상증자에 의한 상환주식의 추가 인수분에 대해서는, 추가 인수한 상환주식의 발행가액은 무상증자를 할 때 자본금으로 전입된 금액을 의미한다고 보아야 할 것이므로 상

---

156) 이철송, 회사법강의, 300면.
157) 한원규·이제원, 전게논문, 282면.
158) 이 때 상법 제344조 제3항에 근거하여 상환주식에 대하여 보통주를 배정 또는 배당할 수 있는 것으로 정하면 이러한 복잡한 문제를 피할 수 있다.

환주식 1주당 자본전입금액을 상환가액으로 정하면 될 것이다. 그러나 무상증자를 할 때 상환주식에 대하여 상환주식을 배정하면 상환주식의 주주가 상환기일에 자신이 회사에 납입한 주식대금에 비하여 더 많은 금액을 상환받게 되므로 이는 발행가액을 상환금액으로 정한 취지와 어긋나게 된다. 즉, 무상증자를 할 때 총 상환금액은 동일하여야 할 것이며, 1주당 상환가액이 비례적으로 줄어들어야 한다. 한편 상환주식에 대한 주식배당을 상환주식으로 하는 때(제462조의2)에는 무상증자의 경우와 동일한 문제가 발생한다. 상환가액을 액면가액으로 정한 경우에도 상환가액이 발행가액인 경우처럼 1주당 상환가액의 조정문제가 발생하게 될 것이다.[159]

이러한 번잡함을 피하기 위하여 상환주식을 발행하면서 향후 유·무상증자를 하는 경우 상환주식에는 신주를 배정하지 아니하기로 정할 수도 있을 것이다. 상환주식을 무의결권 우선주식으로 발행하는 경우 유·무상증자를 하는 때에 상환주식에 대하여 신주를 배정하지 아니하여도 상환주식의 주주에게 손실이 발생하지는 않는다.[160] 의결권 있는 주식이 상환주식인 경우에 유·무상증자를 할 때 상환주식의 인수인이 신주를 배정받지 못하게 되면 이에 동의하지 않겠지만, 개정상법에서는 의결권이 있는 주식을 상환주식으로 발행할 수 없다고 보므로, 이러한 문제는 발생하지 않을 것이다.

(2) 상환기간

상환기간은 상환이 이루어져야 할 기간을 말하는데, 통상 시기와 종기를 정한다. 회사상환주식은 상환기간을, 주주상환주식은 상환청구기간을 각각 정하여야 한다. 상환기간에 대해서는 명문의 규정이나 판례가 없으므로 어느 정도 구체적으로 상환기간을 정해야 하는지가 문제된다. 상환기간은 정관에서 구체적으로 정해져야 하며, 그 종기가 사회통념상 합리적인 기간 이내이어야 한다.[161]

상환기간 내에 상환을 하지 못하는 경우에는 상환기간이 연기된다고 본다. 정관의 규정에 따라 회사상환주식은 물론 주주상환주식을 발행한 경우일지라도 정관규정은 배당가능이익의 범위 내에서 상환해야 한다는 상법의 강행규정을 위반할 수 없으므로 배당가능이익이 없으면 상환할 수 없고 상환기간이 연기된다.

---

159) 한원규·이제원, 전게논문, 283~284면.
160) 한원규·이제원, 전게논문, 283~284면.
161) 한원규·이제원, 전게논문, 284~285면.

상장회사의 표준정관도 상환기간 내에 상환하지 못한 경우나 우선적 배당이 완료되지 아니한 경우에는 그 사유가 해소될 때까지 상환기간이 연기된다고 규정하고 있다.[162]

상환조항은 주식청약서에 기재하고(제302조 제2항 제7호, 제420조 제2호), 등기하여야 한다(제317조 제2항 제6호).

(3) 상환시기

상환시기는 회사상환주식의 경우 정관에 정한 기간이 되며, 주주상환주식의 경우 주주가 청구한 때이다. 회사에 이익이 없어서 상환이 지연되더라도 회사나 이사의 손해배상책임은 발생하지 않는데, 그 이유는 상환의 지연이 상환주식에 내재하는 본질적 위험(fundamental risk)이기 때문이다.

(4) 상환방법 및 상환할 주식의 수

상환방법으로는 강제상환이나 임의상환, 일시상환이나 분할상환 등을 들 수 있다. 임의상환의 경우에는 회사가 상환을 원하는 주주로부터 개별적으로 주식을 취득하여야 한다. 강제상환을 하는 경우에는 상법상 명문의 규정이 없으나, 모든 주주에게 획일적으로 처리하기 위하여 주식병합절차를 준용하여 1월 이상의 기간을 정하여 주권을 제출하도록 하고, 이 기간이 만료한 때에 상환의 효력이 생기는 것으로 보아야 할 것이다(제440조, 제441조 본문).[163]

이 경우 상환주식 상호간에는 주식평등의 원칙에 따라 비례적인 상환이 이루어져야 할 것이다. 또한 주식불가분의 원칙상 주금액의 일부상환은 허용되지 아니한다.

4) 상환주식의 상환

가) 상환절차

회사가 상환권을 가지는 회사상환주식의 경우 정관의 규정에 따르는 한 다른 절차 없이 이사회의 결의만으로 상환할 수 있다. 상환에 사용할 자금은 이익처분안(제447조 제1항 제3호, 상법 시행령 제16조 제1항 제2호)에 포함시켜 주주총회의 승인을 얻어야 하므로(제449조) 그 범위에서는 주주총회의 의사결정이 필요하다.[164] 다만 이 때에도 정관에 규정을 두어 일정한 요건을 충족하는 경우 주

---

162) 상장회사 표준정관 제8조의2 제1항 제2호.
163) 이철송, 회사법강의, 304면; 송옥렬, 상법강의, 802면; 정준우, 전게논문, 254면.

주총회에 갈음하여 이사회가 이익처분안을 승인하게 할 수도 있으며(제449조의2 제1항), 이사회가 승인한 경우에는 이사는 이익처분안의 내용을 주주총회에 보고하여야 한다(제449조의2 제2항). 배당가능이익의 확정과 상환자금의 결정은 결국 주주총회 또는 정관에 규정이 있는 경우 이사회의 권한사항이 된다.

회사상환주식의 경우 상환을 결정한 이후에는 상환대상인 주식의 취득일부터 2주 전에 그 사실을 그 주식의 주주 및 주주명부에 적힌 권리자에게 따로 통지하여야 한다. 다만, 통지는 공고로 갈음할 수 있다(제345조 제2항). 주식의 취득일은 상환의 효력발생일을 의미하며, '그 주식의 주주'는 주주명부상의 주주를, '주주명부에 적힌 권리자'는 질권자를 말한다. 상환의 효력발생일에 대해서는 전환의 효력발생에 관한 제350조 제1항 및 제346조 제3항 제2호처럼 명문의 규정이 없어 입법적 보완이 필요하다.165) 상법은 통지와 공고를 선택할 수 있도록 하고 있으나, 회사에 의한 상환주식의 상환은 주주에게는 중요한 사항이므로 입법론상 통지를 원칙으로 하는 것이 타당하다.166)

한편 주주가 상환권을 가지는 주주상환주식의 경우에 주주의 상환청구권은 형성권이므로, 주주가 상환을 청구하면 회사는 상환에 응할 의무를 진다. 그러나 배당가능이익이 없으면 상환할 수 없으므로 이 경우에는 상환이 연기된다.167)

나) 상환권의 행사와 주주의 지위 이전 시기

주주가 상환권을 행사하면 회사는 주식 취득의 대가로 주주에게 상환금을 지급할 의무를 부담하고, 주주는 상환금을 지급받음과 동시에 회사에게 주식을 이전할 의무를 부담한다. 따라서 정관이나 상환주식인수계약 등에서 특별히 정한 바가 없으면 주주가 회사로부터 상환금을 지급받을 때까지는 상환권을 행사한 이후에도 여전히 주주의 지위에 있다.168)

---

164) 이철송, 회사법강의, 301면.
165) 이영철, 전게논문, 29면; 상환의 효력발생일에 관해서는 회사가 강제상환하는 경우, ⅰ) 회사가 설정한 주권제출기간이 경과하면 효력이 발생한다는 견해(이철송, 회사법강의, 299면), ⅱ) 주권을 회사에 제출하여 대가를 교부받을 수 있는 날에 발생한다는 견해(권기범, 전게서, 527면), ⅲ) 회사가 상환주식을 취득한 후 주식실효의 절차를 마친 때 효력이 발생한다는 견해(정찬형, 상법강의(상), 731면), ⅳ) 등으로 나누어진다.
166) 임재연, 회사법Ⅰ, 403면; 이철송, 회사법강의, 302면.
167) 이철송, 회사법강의, 302면; 송옥렬, 상법강의, 802면.
168) 대법원 2020.4.9. 2017다251564.

다) 상환대금의 불확정과 지체 책임

상환대금의 액수에 다툼이 있어 주주가 수령을 거절한 경우 회사가 자신이 제안한 상환금을 공탁한 사안에서, 대법원은 이는 일부 공탁으로서 변제의 효력이 없을 뿐만 아니라, 주주의 지연손해금 전액 청구가 신의성실의 원칙에도 반하지 않는다고 보아 상환가액 전체에 대한 지연책임을 부과하였다.[169]

라) 상환재원

상법 제345조 제1항에 따르면 회사상환주식의 경우 회사의 이익이 상환재원임을 명시하고 있다. 따라서 정관에서 정한 상환조건이 충족되더라도 배당가능이익이 없는 경우에 회사가 상환을 하면 이사의 손해배상책임이 발생한다(제399조).[170]

그러나 제345조 제3항은 주주상환주식에 관하여 "회사의 이익으로써"라는 문구가 없으므로 상환재원이 회사의 이익에 한정되는지가 문제된다. 제1설은 상환재원은 배당가능이익에 한정된다는 견해이다. 그 근거를 제345조 제4항에서 찾거나, 또는 주주상환주식의 상환을 배당가능이익 이외에 회사의 기본재산으로도 할 수 있다고 해석하는 경우 자본금감소절차(제438조)를 따라야 하므로 상환주식을 발행하는 의의가 없어진다는 데에 둔다.[171] 제2설은 주주상환주식의 경우 회사상환주식과는 달리 상환재원에 관한 명시적인 규정이 없으므로, 회사가 상환의무를 이행하기 위하여 정관에서 정한 상환기금을 적립한 경우에는 배당가능이익을 확정하지 않거나 배당가능이익이 없더라도 적립된 상환기금에서 상환할 수 있다고 본다. 제3설은 주주상환주식의 경우 정관에서 정한 상환기금에서 상환하는 것을 원칙으로 하고, 정관에서 정함이 없거나 적립된 상환기금이 상환하기에 부족한 경우 배당가능이익의 범위 내에서 상환할 수 있다고 보는 견해이다.[172] 생각건대, 회사상환주식과 주주상환주식을 차별해야 할 특별한 이유가 없으므로 양자 모두 배당가능이익으로 상환할 수 있다고 보는 제1설이 타당하다고 본다.

---

169) 대법원 2020.4.9. 2016다32582.
170) 임재연, 회사법Ⅰ, 405면.
171) 김홍기, 「상법강의」, 박영사, 2015, 426면; 이철송, 회사법강의, 302면; 임정하, 전게논문, 138면; 정준우, 전게논문, 251면.
172) 임재연, 회사법Ⅰ, 406면.

배당가능이익이 적립되어 주주총회에서 상환결정이 이루어지더라도 실제 상환시점에서 배당가능이익이 없을 경우에는 상환할 수 없다. 정기주주총회에서 이익잉여금처분계산서가 승인되어 배당가능이익이 확정되더라도 이는 전(前) 회계연도 말을 기준으로 하는 것이므로,[173] 정기주주총회 이후 실제 상환시점에 배당가능이익이 존재하지 않을 수도 있다.[174] 또한 상환적립금을 적립하였더라도 이는 임의적립금이므로 적립된 이후 다음 회계연도에 결손이 발생하는 경우 다른 적립금에 우선하여 결손에 보전된다(기업회계기준 제78조 제2항 가목). 따라서 상환기금을 적립하였더라도 상환기일이나 상환청구가 있을 때 결손이 발생하게 되면 배당가능이익이 없어서 상환하지 못할 위험도 존재한다. 이러한 위험은 상환주식의 특성에 따른 것으로 상환주식의 주주가 부담해야 한다.[175]

한편 배당가능이익이 존재함에도 불구하고 이사회나 주주총회에서 상환에 필요한 조치를 취하지 아니한 경우 상환주식의 주주의 보호가 문제된다. 이는 상환기간의 종류나 상환청구시 정기주주총회에서 상환의 건을 포함한 이익잉여금처분계산서의 승인이 반드시 필요하다고 보는지 여부에 따라 견해가 달라진다.

승인필요설의 입장에 따르는 경우 상환주식의 주주는 상환을 받을 수 없고 이사나 회사에 대하여 손해배상청구를 할 수 있을 뿐이다. 반면 승인불요설의 입장에 따르면 상환기간 종료나 상환청구시 회사에 상환을 청구할 수 있으며, 회사가 불응할 경우 가압류를 하고 손해가 있으면 회사에 대해 손해배상청구를 할 수 있을 것이다.[176] 생각건대, 회사상환주식의 경우에는 주주총회의 승인이 필요하지만, 주주상환주식의 경우에는 배당가능이익이 존재하는 한 주주총회의 승인이 없더라도 상환하여야 한다고 본다. 회사가 일방적으로 상환의 건을 이익잉여금처분계산서에 포함하였는지에 따라 상환여부가 좌우되는 것은 부당하기 때문이다.[177]

마) 현물상환

상법 제345조 제4항은 주식의 상환대가로 현금 외에 유가증권(다른 종류주식을 제외한다)이나 그 밖의 자산을 교부할 수 있도록 함으로써 현물상환을 허용하

---

173) 김춘, 전게논문, 128~129면; 이영철, 전게논문, 27면.
174) 한원규·이제원, 전게논문, 290면.
175) 한원규·이제원, 전게논문, 292면.
176) 한원규·이제원, 전게논문, 291~292면.
177) 이영철, 전게논문, 26~27면; 한원규·이제원, 전게논문, 285~286면.

고 있다. 현물상환이란 미리 정관에서 정해진 바에 따라 상환가액에 상응하는 다른 재산을 교부하는 것을 말한다. 정관에 정함이 없이 주주와 협의를 통하여 현물을 교부하는 것은 대물변제이지 상법상 현물상환은 아니다.

상환주식의 대가로 지급하려면 소규모로 단위화되어 있는 것이어야 할 것이므로 현물상환으로 교부되어야 하는 자산은 발행회사의 사채, 모회사 또는 자회사 그리고 계열회사의 주식이나 사채 등 대부분 유가증권이 될 것이다. 현물상환에서 발행회사의 다른 종류주식을 허용하지 않는 것은 이를 허용하면 전환주식과 구별이 되지 않기 때문이다. 보통주식이 종류주식에서 제외된다고 보는 견해를 취하는 경우, 발행회사의 '다른 종류주식'에 보통주식은 포함되지 않으므로 보통주식으로 현물상환하는 것이 허용된다고 본다.[178] 그러나 보통주식이 종류주식에 포함된다는 견해를 취하면, 보통주식으로 현물상환은 허용되지 않게 된다.[179] 한편, 자기주식을 단순한 자산으로 취급하여 종류주식에 포함되지 않는다고 보고 상환대가로 교부할 수 있다는 견해가 있다.[180] 그러나 회계기준은 상법상 자기주식의 자산성을 부정하고 있으므로 자기주식을 상환대가로 교부할 수 없다고 본다.[181]

한편 제345조 제4항 단서의 "자산의 장부가액이 제462조에 따른 배당가능이익을 초과하여서는 아니 된다"라는 문구는 입법의 오류로 지적된다. 우선 현물상환으로 유출되는 가액은 현물자산의 시가 내지 공정한 가치에 해당하는 금액이며 장부가액과는 무관하다. 또한 현물상환의 공정성 확보를 위해서는 현물자산의 공정한 가액이 상환가액을 초과할 수 없다고 규정해야 할 것이다.[182] 이러한 내용은 해석론으로도 도출할 수 있는 것이므로 이 단서조항은 불필요한 조항이다.[183]

---

178) 권기범, 전게서, 526면; 김건식·노혁준·천경훈, 전게서, 170면; 이철송, 회사법강의, 303면. 보통주식이 종류주식에 포함되지 않는다는 견해를 취하는 경우 입법론적으로 제345조 제4항은 상환대가로 교부할 수 있는 '유가증권'에서 발행회사의 주식을 제외하도록 괄호를 개정해야 할 것이다.
179) 이영철, 전게논문, 22면; 임재연, 회사법 I, 404면.
180) 송옥렬, 상법강의, 803면.
181) 김춘, "주식회사의 이익분배에 관한 연구," 성균관대학교 박사학위논문, 2013, 45~46면; 황남석, "상법상 배당가능이익에 의한 자기주식 취득의 쟁점," 「상사법연구」 제31권 제3호 (한국상사법학회, 2012), 71면.
182) 송옥렬, 상법강의, 803면; 이영철, 전게논문, 22면.
183) 이철송, 회사법강의, 303~304면.

5) 상환의 효과

주주가 상환을 청구하는 경우 회사는 청구일자에 상환주식을 취득하고 주주는 그 대가로 교부받은 재산을 취득한다. 상환의 개념 자체에 이익으로 소각한다는 의미가 포함되어 있으므로 회사상환주식이든 주주상환주식이든 상환된 주식은 소각하여야 한다.[184]

가) 자본금에 미치는 영향

상환주식을 상환하더라도 자본금은 감소되지 않는다. 그 이유는 이것은 자본감소절차(제438조 이하)에 의한 주식소각이 아니므로 자본감소가 되지 않기 때문이다(제343조 제1항).[185] 따라서 이때 액면주식을 발행한 회사의 경우에는 발행주식의 액면총액은 자본금(제451조 제1항)이라는 등식이 성립하지 않는다. 왜냐하면 자본금에서 상환하는 것이 아니라 배당가능이익 내지 임의준비금인 상환적립금을 재원으로 하여 상환하기 때문이다. 자본금이 감소하지 않으므로 채권자보호절차도 불필요하다.

나) 수권주식 총수에 미치는 영향

상환주식을 상환하면 그 주식은 소멸하므로 발행주식의 총수는 그 수만큼 감소되고, 따라서 변경등기를 하여야 한다(제317조 제2항 제3호, 제183조). 그러나 수권주식총수는 영향이 없다.

한편 상환된 주식만큼 신주를 새로 발행할 수 있는가 의문이다. 그러나 회사가 상환한 부분에 대하여는 다시 신주를 발행할 수 없다고 본다(통설). 왜냐하면 그 부분에 대한 주식의 발행권한은 이미 행사되었기 때문에, 재발행을 인정하면 이사회에 대한 이중의 발행수권이 되기 때문이다.[186] 또한 상환주식의 상환과 발행을 반복하면 이익이 사본금으로 전환되는 효과가 발생하고 이에 따라 주주의 이익배당을 받을 권리를 침해하면서 채권자에게 유리하게 된다는 것이다.[187]

이에 대하여 소수설로서는 상환주식의 재발행은 인정될 수 없으나, 보통주식

---

184) 임재연, 회사법 I, 409면.
185) 상법상 주식소각은 제343조 제1항에 따라 자본금감소 절차에 따르는 것이 원칙이지만, 이익으로 주식을 소각할 수 있는 예외적인 경우로서 배당가능이익으로 취득한 자기주식의 소각(제343조 제1항 단서) 및 상환주식의 상환(제345조 제1항, 제3항)이 인정되고 있다.
186) 정동윤, 「회사법」 제7판(법문사, 2001)(이하 "회사법"이라 한다), 197면.
187) 임재연, 회사법 I, 409면 주) 173.

의 재발행은 정관의 규정이 있으면 가능하다고 보는 견해와,[188] 상환된 주식수만큼 주식을 재발행할 수 있다는 견해가 있다(재발행가능설).[189]

생각건대 근래 제기된 재발행가능설의 근거가 설득력이 있다고 본다. 그 주된 논거는 우리나라는 일본과는 달리 주주에게 신주인수권이 인정되어 재발행을 하더라도 주주의 신주인수권이 보장되므로 일본처럼 기존 주주의 비례적 지분이 감소하는 불이익이 발생하지 않는다고 한다. 또한 발행주식총수의 개념을 주주가 이사회에 발행을 수권한 주식수의 누적 최대치를 의미하는 것이 아니라, 회사가 현시점에 발행할 수 있는 주식수의 최대치(스톡 개념으로서 최대수량)를 의미하는 것으로 보아야 한다는 것이다. 이렇게 해석하면 소각된 주식은 발행예정주식총수 중 미발행주식수를 구성하고 재발행이 가능하다는 것이다.[190] 또한 이익이 자본금으로 전환하는 효과가 발생되어 주주에게 불리하다고 하지만, K-IFRS의 경우 이미 상환주식으로 부채로 처리하고 있으며, 재발행된 신주도 원칙적으로 기존 주주가 배정받게 되므로 결국 이익배당을 현금으로 받느냐, 아니면 새로 발행된 상환주식으로 받느냐의 차이에 불과하게 된다.

6. 주식의 전환에 관한 종류주식

가. 2011년 개정 전 제도의 내용 및 문제점

전환주식은 정관으로 주주의 청구에 의하여 다른 종류주식으로 전환할 것을 청구할 수 있는 권리를 부여함으로써 주주모집을 용이하게 하여 회사의 자금조달을 원활하게 한다.

2011년 개정전 상법상 전환주식의 전환권은 주주에게만 인정되고 회사측에는 인정되지 않음으로써(개정전 상법 제346조 제1항) 자금조달을 위하여 우선주를 발행한 회사는 우선배당의 부담을 해소하기 어려웠다. 또한 회사가 적대적 M&A의 대상이 된 경우 무의결권우선주식을 보통주식으로 전환하면 효과적으로 경영권을 방어할 수 있으나 이러한 전환권의 행사가 불가능하다는 등의 문제가 있

---

188) 정찬형, 상법강의(상), 733면.
189) 김건식·노혁준·천경훈, 전게서, 171면; 송옥렬, 상법강의, 804면; 이철송, 회사법강의, 304, 458~459면; 최준선, 회사법, 232면.
190) 이철송, 회사법강의, 459면.

다. 기업공개나 기업구조조정의 과정에서 종류주식을 단순화하거나, 주주관리비용 등을 절감하기 위하여 전환주식을 활용하기 어려운 실정이었다. 또한 다양한 종류주식이 도입되는 경우 그 소멸방법으로 강제전환권을 행사할 필요성도 제기되었다.

회사가 종류주식을 발행하는 때에는 이와 같이 회사가 강제전환권을 행사할 필요가 있음에도 불구하고 2011년 개정 전 상법에서는 이에 관한 규정이 없었다. 이에 따라 정관에 일정한 기한의 도래 또는 조건의 성취로 우선주가 자동적으로 보통주로 전환된다는 조항을 두는 방법처럼 우회적인 방법을 통하여 강제전환의 목적을 달성하였다.[191)

나. 2011년 개정상법의 주요 내용

2011년 개정 전 상법상 전환주식의 전환권은 주주에게만 있었으나(개정전 상법 제346조 제1항) 2011년 개정상법은 회사에 대하여도 이를 허용하는(제346조 제2항) 한편 전환주식의 절차와 관련한 규정을 일부 개정하였다. 2011년 개정상법에서 종류주식의 유형이 확대되었으므로 전환주식의 대상과 전환으로 발행할 주식도 개정전보다 더 확대되어서 전환주식의 발행을 통한 자금조달이 보다 용이해질 것으로 기대된다. 또한 회사의 경영판단에 따라 우선배당 등의 부담해소가 가능해지고 회사가 적대적 M&A의 대상이 된 경우 종류주식(무의결권우선주)을 보통주식으로 전환하여 효과적으로 경영권을 방어할 수 있는 등의 긍정적인 효과가 있을 것으로 예상된다.

2011년 개정상법은 전환의 대가를 다른 종류주식에 한하도록 하면서 현금 등의 자산을 제외하였다(제346조 제1항, 제2항). 미국이나 일본 회사법처럼 전환대가로 현금이나 사채 등을 지급하는 경우에는 상환주식과 구별되지 않으며, 전환주식의 본질상 전환구주는 소멸되는데 이는 자본금감소절차를 거치지 않고 자본금을 감소시키는 효과를 초래하는 점을 방지하기 위한 것이다.[192)

다. 입 법 례

미국은 정관의 규정에 근거하여 회사·주주·타인의 선택이나 또는 정관에서

---

191) 鳥本喜章, "優先株式に關する實務的問題(1)," 商事法務 No. 1337 (1993), 10面.
192) 송종준, 전게논문 I, 114면.

정한 사항의 발생에 따라 상환주식이나 전환주식을 발행할 수 있다. 또한 특정한 주식을 다른 종류의 주식이나 현금, 부채, 증권 또는 기타 재산으로 전환할 수 있다(RMBCA §6.01(c)(2)). 델라웨어주회사법, 뉴욕주회사법, 캘리포니아주회사법, 텍사스주회사법 등에도 유사한 규정을 두고 있다.[193]

일본은 2005년 회사법 제정으로 상환주식과 전환주식의 개념을 폐지하고 이를 대신하여 종류주식으로 취득청구권부주식(회사법 제108조 제1항 제5호)과 취득사유부주식(회사법 제108조 제1항 제6호)을 도입하였다. 또한 이들 주식은 모두 회사가 주주로부터 주식을 취득함에 있어서 대가로 교부하여야 하는 재산의 내용에 대하여 특별한 제한은 없다(회사법 제107조 제2항 제2호 ホ, 제107조 제2항 제3호 ト). 따라서 현금 이외에도 사채, 다른 종류주식, 신주예약권 및 기타 재산을 대가로 지급할 수 있게 되어 상환주식 및 전환주식과 동일한 효과를 얻을 수 있게 되었다.[194]

라. 2011년 개정상법의 검토

1) 의 의

주식의 전환에 관한 종류주식이라 함은 회사가 종류주식을 발행하는 경우에 정관으로 정하는 바에 따라 주주가 인수한 주식을 다른 종류주식으로 전환을 청구하거나, 정관에서 정한 일정한 사유가 발생하는 경우 회사가 주주의 인수 주식을 다른 종류주식으로 전환할 수 있는 주식을 말한다.

정관으로 일정한 기한의 도래, 조건의 성취에 의해 다른 종류의 주식으로 자동전환되는 주식도 발행할 수 있다고 해석되지만,[195] 이러한 주식이 상법이 규정하는 주식의 전환에 관한 종류주식은 아니다.[196]

2011년 개정 전 상법에서는 주주가 전환을 청구할 수 있는 전환청구권부주

---

193) Del Code Ann. tit. 8, §151; N.Y. Bus. Corp. Law §§501, 505, 512, 519; Cal. Corp. Code §§203.5, 400, 402, 403; Tex. Bus. Org. Code Ann. §§21.151-21.154.
194) 금전을 교부하는 경우 의무상환주식형이 되며, 회사의 다른 주식을 교부하면 전환예약권부주식형이 된다(江頭憲治郞, 前揭書, 151面 註) 19).
195) 예컨대, 삼성전자주식회사 정관 제8조 제5항
    ⑤ 우선주식의 존속기간은 발행일로부터 10년으로 하고 이 기간만료와 동시에 보통주식으로 전환된다. 그러나 위 기간 중 소정의 배당을 하지 못한 경우에는 소정의 배당을 완료할 때까지 그 기간을 연장한다. 이 경우 전환으로 인하여 발행하는 주식에 대한 이익의 배당에 관하여는 제8조의2(신주의 배당 기산일)의 규정을 준용한다.
196) 정동윤, 「상법(상)」 제6판(법문사, 2012), 457면; 정찬형, 상법강의(상), 733면.

식(주주전환주식)만이 허용되었으나(제346조 제1항), 2011년 개정상법은 그 이외에도 정관에서 정한 사유가 발생할 경우 회사가 전환을 할 수 있는 전환사유부주식(회사전환주식)을 추가하였다(제346조 제2항).

2) 발행절차

가) 정관의 규정

전환주식의 경우 상환주식과는 달리 전환조건 등을 정관에서 정해야 한다고 규정하지 않고 있다. 그러나 주주의 전환청구권은 '정관으로 정하는 바에 따라', 회사의 전환권은 정관에서 정한 '일정한 사유가 발생할 때' 각각 행사할 수 있으므로 전환주식의 발행과 전환조건 등을 정관에서 정해야 한다.[197]

회사전환주식을 발행하는 경우 전환사유는 어느 정도로 구체적으로 정관에 규정하여야 하는가? 상법 제346조 제2항에 따르면 정관에서 정한 일정한 사유가 발생하는 경우 회사가 주주의 인수 주식을 다른 주식으로 전환할 수 있다(회사전환주식). 이 때 회사는 전환조건, 전환기간, 전환으로 인하여 발행할 주식의 수와 내용을 정하여야 한다.

전환사유로서 "일정한 사유"에 확정성(자의적이지 않을 것), 객관성 및 명확성이 인정되면 적법하다고 할 수 있다. 그러나 구체적으로 어떠한 경우에 이러한 기준이 충족되는지를 결정하는 것은 쉽지 않으며, 이를 엄격히 하면 상품설계의 폭이 현저하게 좁아지게 된다. 이렇게 제한적으로 운영할 경우 실무상의 합리적인 수요가 충족되지 않기 때문에 발생하는 기회비용이 높아진다는 점도 고려하여야 한다. 이처럼 법이 강제적으로 종류주식 상품설계의 폭을 한정하는 것은 폐해가 있으므로 바람직하지 않다. 불확정성의 평가라는 점에서는 전환가액, 전환비율 등 전환조건을 발행회사가 발행 후에 임의로 정하는 것만 금지되면, 시장에 의한 합리적인 가격형성이나 (상장하지 않은 전환주식에 있어서도) 투자자의 자기책임에 맡기는 것은 타당하다.[198]

실제로는 전환사유가 문제되는 경우는 해제조건의 성취에 의해 보통주식으로 전환하는 경우이다. 종류주식의 발행자는 해제조건을 탄력적으로 부과함으로써 보다 유연하고 기동성이 풍부한 종류주식의 종결방법을 선호하게 된다. 다음의

---

197) 임재연, 회사법 I, 411면.
198) 大杉謙一, "優先株の實務的問題(II)," 「商事法務」 No. 1443 (1996), 21~22面.

해제조건은 일반적으로 그 유효성이 인정되고 있다. 즉, ① 보통주식에 대한 배당액이 일정기간 계속하여 일정한 수준에 달하는 경우, ② 보통주식의 주가가 우선주식 발행 시에 비하여 일정한 비율 이상 상승한 경우, ③ 잔존하는 종류주식의 수가 일정한 수 이하로 감소하는 경우(그 원인으로서는 전환권행사소각 등을 상정) 등이다.[199] 상장회사 표준정관에 따르면 무의결권 배당우선 전환주식을 발행하는 경우 전환사유로서 i) 보통주식의 주가가 전환주식의 주가를 상회하는 경우, ii) 전환주식의 유통주식 비율이 일정한 비율 미만인 경우, iii) 특정인이 일정한 비율 이상 주식을 취득하는 경우 등을 예시하고 있다(상장회사 표준정관 제8조의4, 2013. 12. 27. 개정).

결국 남용 가능성이 큰 전환조건을 제외하고 원칙적으로 어떠한 전환조건의 정함도 유효한 것으로 하면서, 구체적인 폐해가 생긴 경우에만 개별적인 해석으로 대응할 수밖에 없을 것이다.[200]

나) 새로 발행할 주식 수의 유보

회사가 전환에 관한 종류주식을 발행하는 경우에는 전환으로 인하여 신주를 발행되게 된다. 따라서 수권주식 가운데 미발행주식의 종류 및 수가 전환청구기간 또는 전환기간 내에는 그 여분이 남아있어야 한다(제348조, 제346조 제4항).

다) 발행사항의 공시

전환주식을 발행하는 때에는 주식청약서 또는 신주인수권증서에 i) 주식을 다른 종류의 주식으로 전환할 수 있다는 뜻, ii) 전환의 조건, iii) 전환으로 인하여 발행할 주식의 내용, iv) 전환청구기간 또는 전환의 기간 등을 기재하여야 한다(제347조). 또한 동일한 내용을 등기하여야 하며(제317조 제2항 제7호), 주권(제356조 제6호)[201] 및 주주명부에 기재하여야 한다(제352조 제3항).

전환청구기간은 시기와 종기를 함께 정한다. 종기를 두지 않을 경우 전환청

---

199) 吉川 純, "エクイティ・ファイナンスの新展開(8)―多様化をめぐる法的論点(その2)," 「商事法務」 第1555号(2000), 44面.

200) 太田 洋・小野美恵, "トラッキング・ストック," 「ファイナンス法大全(上)」(西村總合法律事務所 編), 商事法務, 2003, 427面; 大杉謙一, 前揭論文, 21~22面.

201) 2011년 개정상법은 개정 전 제356조 제7호 및 제8호를 개정상법 제356조 제6호에 포함된다고 보아 삭제하였다(법무부, 전게서, 164면). 그러나 제356조 제6호의 "종류주식이 있는 경우에는 그 주식의 종류와 내용"이라는 문구가 상환주식에 관한 제345조 제2항과 전환주식에 관한 제347조를 포함한다고 볼 수 있을지는 의문이다.

구시기를 주주가 예측할 수 없어 주주의 권리가 불안정하게 되고, 또한 회사도 장기간 불안정한 자본구조를 가지게 된다. 따라서 종기를 두지 않거나 무기한이나 다름없는 장기로 하는 것은 허용되지 아니한다.[202)

회사전환주식의 경우 회사가 전환권을 행사할 수 있는 사유는 주주에게 중대한 이해가 걸린 문제임에도 불구하고 주식청약서 또는 신주인수권증서에 기재할 사항 및 등기할 사항에서도 누락되었다(제317조 제2항 제7호, 제347조).[203) 입법적 보완이 필요하다고 본다.

3) 전환절차

가) 주주전환주식

주주전환주식의 경우 전환을 하기 위해서는 전환을 청구하는 자가 청구서 2통에 주권을 첨부하여 회사에 제출하여야 한다. 전환청구서에는 전환하고자 하는 주식의 종류, 수와 청구연월일을 기재하고 기명날인 또는 서명하여야 한다(제349조 제1항 및 제2항). 상법 제352조 제2항에 비추어 주주명부 폐쇄기간에도 전환청구가 가능하다.

나) 회사전환주식

회사전환주식의 경우 정관에서 정한 전환사유가 발생할 때 전환할 수 있으나(제346조 제2항), 반드시 전환해야 하는 것은 아니고 이사회가 전환을 결정하여야 한다. 회사가 전환을 결정한 경우 이사회는 주주 및 주주명부에 적힌 권리자에게 i) 전환할 주식, ii) 2주 이상의 일정한 기간 내에 그 주권을 회사에 제출하여야 한다는 뜻, iii) 그 기간 내에 주권을 제출하지 아니할 때에는 그 주권이 무효로 된다는 뜻 등을 통지하여야 한다. 다만, 통지는 공고로 갈음할 수 있다(제346조 제3항). 상법 제346조 제3항에서 이사회가 전환에 관한 사항을 통지하라는 문구는 이사회가 전환을 결정해서 통지하라는 취지로 해석한다.[204)

다) 다른 종류주식으로 전환(보통주식으로 전환 문제)

상법 제346조 제1항과 제2항은 주주가 인수한 주식을 다른 종류주식으로 전환할 수 있다고 규정하고 있다. 2011년 개정상법에서 도입된 종류주식을 활용하

---

202) 이철송, 회사법강의, 308~309면; 임재연, 회사법Ⅰ, 413면.
203) 이철송, 회사법강의, 308면.
204) 이철송, 회사법강의, 309면; 임재연, 회사법Ⅰ, 414면; 정준우, 전게논문, 255면.

여 전환주식을 구성하면 매우 다양한 유형의 전환주식을 발행할 수 있을 것이다.[205]

보통주식을 종류주식으로 보지 않는 견해를 취하면 전환할 수 있는 "다른 종류주식"에 보통주식이 포함되지 않게 된다. 이 경우 전환주식의 대부분을 차지하는 우선주를 보통주로 전환하는 것이 불가능하게 되어 전환주식 제도를 유명무실하게 만드는 결과를 초래한다. 이에 따라 보통주식을 종류주식으로 보지 않는 견해를 취하는 경우에도 이 때에는 예외적으로 보통주식이 다른 종류의 주식(또는 전환주식)에 포함되는 것으로 해석한다.[206] 보통주식이 종류주식에 포함되지 않는다는 견해를 취하는 경우 입법론적으로는 제346조 제1항과 제2항의 "종류주식"을 "종류의 주식"으로 개정하여 인수한 주식을 보통주식으로 전환할 수 있도록 규정해야 할 것이다.[207]

4) 전환의 효력

가) 전환의 효력발생

주주전환주식의 경우 주주의 전환청구권의 법적 성질은 형성권이므로 회사의 승낙이나 신주발행절차를 요하지 않고 주주가 전환청구를 한 때에 전환의 효력이 발생한다. 회사전환주식의 경우 전환결정의 통지일로부터 2주 이상의 주권제출기간이 끝난 때에 전환의 효력이 발생한다(제350조 제1항). 2주의 기간 내에 주권을 제출하지 않을 경우 무효가 되는 것은 주권이며, 주주가 전환에 의해 발행되는 신주식에 대한 권리를 상실하는 것은 아니다.[208]

주주명부 폐쇄기간이라 할지라도 전환청구는 허용되지만, 폐쇄기간 중 전환된 주식의 주주는 그 기간 중의 주주총회 결의에 관해서는 의결권을 행사할 수 없다(제350조 제2항).

나) 신주의 발행가액 및 전환조건(전환비율)

전환조건이란 전환주식 1주에 대하여 전환으로 발행하는 신주식 몇 주로 전

---

205) 2011년 개정상법에 의해 발행 가능한 주식의 유형에 관해서는 최준선, 「2011 개정상법 회사편 해설」(한국상장회사협의회, 2011)(이하 "2011 개정상법 회사편 해설"이라 한다), 82~84면; 이철송, 회사법강의, 306면 참조.
206) 이철송, 회사법강의, 305면; 동지, 송옥렬, 상법강의, 806면.
207) 동지, 정준우, 전게논문, 255면.
208) 이철송, 회사법강의, 310면.

환할 것인가의 비율을 말한다. 상법은 전환주식의 전환비율에 대하여 특별하게
규정하지 않고 있다.

상법 제348조는 전환으로 인하여 신주식을 발행하는 경우에는 전환 전의 주
식의 발행가액을 신주식의 발행가액으로 한다고 규정한다. 이는 신주식의 발행
가액의 합계가 기존 전환주식의 발행가액의 합계와 동일할 것을 요구하는 것으
로 전환조건을 통제하는 규정으로 해석된다. 또한 액면주식을 발행한 회사의 경
우에는 제417조에 따라 액면미달 발행이 금지되므로 제348조는 전환비율을 제
한하는 효과가 생긴다.[209) 상법 제348조는 이사회가 자금조달을 위해 무모하게
전환주식을 발행함으로써 자본충실의 원칙을 해하는 것을 방지하기 위한 것이
다.[210)

또한 상장회사의 경우에는 전환주식의 발행가액이 「유가증권의 발행 및 공시
등에 관한 규정」 제5-18조에서 규정하고 있는 기준주가와 합치하여야 하고, 전
환신주의 발행가액은 전환주식 발행 당시의 기준주가와 합치되어야 한다.[211)

다) 이익배당

전환에 의하여 발행된 신주식의 이익배당에 관해서는 주주전환주식의 경우에
는 주주가 전환을 청구한 때가 속하는 영업연도 말에 또는 회사전환주식의 경우
에는 주권제출기간이 끝난 때가 속하는 영업연도 말에 전환된 것으로 본다. 즉,
원칙적으로 해당 결산기분의 이익배당에 대해서는 전환 전 주식을 기준으로 한
다. 다만, 정관으로 정하는 바에 따라 직전 영업연도 말에 전환된 것으로 할 수
있다(제350조 제3항).

중간배당과 관련하여 상법 제462조의3 제5항은 제350조 제3항의 적용에 관
하여 특칙을 두었다. 즉, 제350조 제3항의 이익배당을 '중간배당'으로, 영업연도
말을 '중간배당의 기준일'로 간주한다. 이에 따라 제350조 제3항 제1문은 전환
에 의하여 발행된 주식의 중간배당에 관하여는 주주가 전환을 청구한 때 또는
주권제출기간이 끝난 때가 속하는 중간배당의 기준일에 전환된 것으로 본다고
해석된다. 그러나 제2문의 경우에는 중간배당에 관하여는 정관이 정하는 바에
따라 주주가 전환을 청구한 때 또는 주권제출기간이 끝난 때가 속하는 영업연도

---

209) 송옥렬, 상법강의, 807면.
210) 이철송, 회사법강의, 311면.
211) 한원규·이제원, 전게논문, 209면.

의 직전 중간배당기준일에 전환된 것으로 할 수 있다고 해석하여야 하는데 이는 직전 영업연도말에 전환된 것으로 규정하는 것과 같은 의미이므로 간주규정이 무의미하게 된다.[212)

라) 자본금에 미치는 영향

액면주식을 발행한 회사의 경우 전환비율이 1:1을 넘을 때에는 발행주식수가 증가하게 되어 자본금이 증가하게 된다. 반면 전환비율이 1:1 미만일 경우 발행주식수가 감소하여 자본금이 감소하게 되는데, 이 경우 자본금의 감소절차를 거치지 않고 자본금이 감소하게 되므로 허용되지 않는다는 것이 통설이다. 이 때에도 채권자보호절차를 거치면 1:1 미만의 전환비율이 허용된다고 본다.[213)

무액면주식을 발행한 회사의 경우에는 주식수와 자본금의 상관관계가 없으므로 1:1 미만으로 전환비율을 정하여도 무방하다.

마) 미발행주식수에 대한 영향

전환주식을 발행하여 전환이 이루어지면 전환 전 주식의 종류에 관하여 발행예정주식총수 중에서 미발행주식수가 증가하게 된다. 이 경우 미발행주식의 재발행 문제가 제기되는데, 상환주식의 경우와는 달리 통설은 재발행이 가능하다고 본다. 그 근거는 재발행을 인정하더라도 이사회에 의한 수권주식의 한계가 준수되기 때문이다. 미발행주식을 재발행하는 경우에는 전환권이 없는 전환 전 종류주식이 발행된다고 본다.[214) 그 이유는 전환에 따라 전환 전 종류주식수만큼 발행예정주식총수 중 미발행주식수가 증가하기 때문이다.

바) 질권의 물상대위

주식의 전환이 있는 때에는 이로 인하여 종전의 주주가 받을 금전이나 주식에 대하여도 종전의 주식을 목적으로 한 질권을 행사할 수 있다(제339조).

사) 전환의 등기

주식의 전환으로 인한 변경등기는 전환을 청구한 날 또는 주권제출기간이 끝난 날이 속하는 달의 마지막 날부터 2주 내에 본점소재지에서 하여야 한다(제

---

212) 이철송, 회사법강의, 311면.
213) 이철송, 회사법강의 312면; 임재연, 회사법Ⅰ, 416면.
214) 이철송, 회사법강의, 312면; 임재연, 회사법Ⅰ, 416면. 이에 대해 재발행을 다시 전환주식으로 발행하더라도 특별히 문제될 것이 없다는 견해도 제기된다(송옥렬, 상법강의, 808면).

351조).

7. 주주평등의 원칙과 종류주식

주식평등의 원칙이라 함은 주주가 주주로서의 자격에 근거한 법률관계에 대해 그가 가지는 주식의 내용 및 수에 따라 평등하게 취급받는 것을 말한다. 주주평등의 원칙은 종래 주식의 내용이 동일하다는 것을 전제로 지주수에 비례한 취급이 이루어지는 것을 의미하며, 수종의 주식제도는 주주평등의 원칙에 대한 예외적인 제도로 해석되었다.[215]

현행 상법상 주주평등의 원칙에 관한 일반적 규정은 없는 실정이며, 개별적인 규정에서 구체적인 주식평등의 원칙을 규정하고 있다. 즉, 이익배당청구권(제464조), 의결권(제369조 제1항), 잔여재산분배(제538조) 등의 규정에서 각 주식을 평등하게 취급하여야 한다는 취지의 규정을 두고 있다.[216] 통설은 주주평등의 원칙은 주식회사법 전체를 관장하는 기본원칙으로서 다른 단체에서 구성원평등의 원칙과 기본적으로 동일한 정의·형평의 이념으로부터 인정되는 것이며, 회사와 주주 간에 모든 관계를 규율하지만, 주식을 균일한 비율적 단위로 다루기 위하여 지주수에 비례한 평등원칙이라고 본다. 더욱이 일반주주 내지 소수주주를 보호하기 위하여 정관에 의해 주주평등의 원칙을 수정하는 것은 인정되지 않는다는 면에서 강행규정의 성격을 가지는 데(다수결원리의 한계)에 특징이 있다고 설명된다.[217]

주주평등의 원칙에 관한 입법례로서는 독일 주식법 제53a조는 "주주는 동일한 조건 아래에서 평등하게 취급된다."고 규정하고 있다. 이는 'EU회사법 조정을 위한 제2지침' 제42조가 이 원칙을 규정하였기 때문에 도입된 것이지만, 이러한 내용은 EU에서 예외적인 현상이다. 프랑스는 다수결남용법리를 기초로 하여 대응하고, 영국은 불공정취급금지규정에 의해 제2지침의 취지가 실현된다고 본다. 즉, 2006년 영국회사법 제172조 제1항 (f)는 '주주를 공정하게 취급하는 것'을 이사의 의무로 규정하고 있다. 미국의 경우 주주평등의 원칙에 관한 명문

215) 森本 滋, "會社法の下における株主平等原則," 「商事法務」第1825号(2008), 8面.
216) 최준선, 회사법, 241면.
217) 南保勝美, "新會社法における株主平等原則の意義と機能," 「法律論叢」第79卷 第2·3合併号 (2007), 340面 이하.

의 규정은 없다.[218] 반면, 2005년 일본 회사법 제109조 제1항은 그동안 명문의
규정없이 법원리로 인정되어 오던 주주평등의 원칙을 명문화하였다. 즉, "주식회
사는 주주가 가진 주식의 내용 및 수에 따라 평등하게 취급하여야 한다."고 규
정하였다.

그러나 독일이나 일본처럼 주주평등의 원칙에 관한 일반규정을 두고 있는 입
법례는 비교법적으로 예외적인 경우이며, 시대에 뒤진 것으로 평가된다.[219] 주
주평등의 원칙이 중시되는 것은 독일, 일본 및 우리 나라의 특수한 사정으로서,
개별적 구제법리의 발전과 그 실효성에 대한 신뢰가 결여되어 있기 때문에 경직
적인 주주평등의 원칙에 의존하지 않을 수 없게 된다는 것이다.[220]

주주평등의 원칙을 검토하는 실익은 이 원칙이 회사에서 다수결의 남용으로
부터 소수주주의 이익을 보호하는 기능을 가진다는 점에 있다. 즉, 주주총회나
이사회에 있어서 다수결로 가결된 사항도 그것이 주주평등의 원칙에 반하는 경
우에는 그 결의의 효력이 부정된다. 다만, 주주평등의 원칙에 반하는 불평등취
급도 그것에 의해 불이익을 받은 개별 주주가 승인하는 경우에는 허락된다.[221]

지배주주의 자본다수결의 남용을 규제하는 많은 법리 중에서 주주평등원칙의
장점은 적용요건이 비교적 객관적이라는 점이다. 그러나 단점으로는 요건의 객
관성, 명확성으로 인하여 기계적, 경직적이며, 지배주주와 회사간 이익충돌거래
와 같은 주주 이외의 자격으로 이루어지는 지배주주의 권한남용(형식적으로는 주
주는 평등하게 손해를 입음)에 대처할 수 없는 점이다.[222] 이에 따라 독일에서도
주주평등원칙으로부터 주주의 성실의무 등 다른 일반법리로 관심이 이동하고 있
는 것으로 보인다.[223]

현행 상법상 주주평등의 원칙은 주주가 가지는 지주수에 따른 비례적 평등을
의미하며, 주식평등의 원칙을 말한다. 주식평등의 원칙은 모든 주식에 대하여
평등하게 대우하는 것이 아니라 같은 종류의 주식에 대하여 동일하게 대우하는
상대적 평등을 말한다. 주식평등의 원칙은 민법의 신의성실의 원칙처럼 상법의

---

218) 森本 滋, 前揭論文, 11面 註 11).
219) 森本 滋, 前揭論文, 12面.
220) 上村達男, "株主平等原則," 「特別講義商法 I」(竹內昭夫編)(有斐閣, 1995), 20面.
221) 前田 庸, 「會社法入門」 第12版(有斐閣, 2009), 88面.
222) 江頭憲治郎, 前揭書, 132面 註 5).
223) Dirk A. Verse, Der Gleichbehandlungsgrudsatz im Recht der Kapitalgeschellschaften
    (2006), S. 577 ff.

기본이념 중의 하나로 이를 위반한 정관변경, 주주총회 결의, 이사회 결의, 이사의 업무집행 등은 원칙적으로 무효로 보는 등 엄격한 강행규범의 하나로 보고 있다.224) 종류주식을 도입한 2011년 개정상법에서도 주주평등의 원칙에 대해서는 특별한 규정을 두지 않고 있다.

주주평등원칙의 결과 종류주식 등 법률에 규정이 있는 경우를 제외하고는 지주수에 비례하지 않고 주주의 권리를 차별화하는 것은 인정되지 않는다. 그러나 동 원칙을 구체적으로 적용하는 데에는 미묘한 문제가 적지 않다. 예컨대, 의결권제한주식의 의결권행사조건을 지주수에 따라 차별적으로 정하는 것, 일정한 주식수 이상을 가진 주주만을 '주주우대제도'225)의 대상으로 하는 것 등이 주주평등의 원칙에 반하는 것은 아닌가 하는 문제이다. 또한 회사가 주주에게 무상배정하는 신주예약권의 내용에도 주주평등의 원칙의 취지가 영향을 미치는지 여부 등 법리의 확장도 검토할 필요가 있는 반면, 권리내용의 차별화를 엄격하게 제약하는 해석이 각 회사의 창의적인 자금조달을 방해하지 않을지 우려가 제기된다. 이러한 여러 가지 관점에서 주주평등의 원칙의 타당한 범위에 대하여 검토가 필요한 실정이다.226)

2011년 개정상법의 경우 자본조달의 유연화 등을 위하여 종류주식을 다양화하고 있는데, 종류주식을 주주평등원칙의 예외로 보아야 하는지 아니면, 주주평등의 원칙에 포함되어 주식의 내용에 따라 평등하게 취급하여야 한다고 해석할 것인지 여부가 문제된다. 일본의 경우 회사법 아래에서 종류주식제도는 회사법 제109조 제1항이 정한 주주평등의 원칙의 예외가 아니라, 주식의 내용에 따라 평등하게 취급하는 것으로 해석하는 것이 일반적이다.227) 우리나라의 경우에도 주주평등의 원칙을 명문으로 규정하고 있지 않지만 회사법의 기본원칙으로 인정하고 있으므로 일본과 같이 해석할 수 있을 것이다.

그러나 2011년 개정상법이나 일본 회사법은 '주식의 내용'을 법정하고 있으며, 법정의 종류내용 이외의 새로운 종류주식을 창출하는 것은 인정하지 않는다.228) 따라서 종류주식제도가 주주평등의 원칙의 예외인지 여부는 표현의 문제

---

224) 이철송, 회사법강의, 319면.
225) 예컨대, 철도회사가 일정한 주식수를 가진 주주에게 우대승차권을 제공하는 것을 말한다.
226) 江頭憲治郎, 前揭書, 132面; 前田 庸, 前揭書, 89~90面.
227) 森本 滋, 前揭論文, 8面; 前田 庸, 前揭書, 88面.
228) 江頭憲治郎, 前揭書, 131面.

에 불과하다.229) 2011년 개정상법이나 일본 회사법은 '주식의 내용' 그 자체를 어떻게 정하여야 하는가에 대하여 특별히 규정하고 있지 않지만, 주식의 내용이 회사법상의 규제를 잠탈하는 경우에는 일정한 제한이 가해지는 것으로 해석한 다.230)

주주평등의 원칙은 종류주식제도에서 정관자치의 제약원리로서도 기능하며, 종류의 특성과 무관한 자의적인 차별취급은 주주평등의 원칙에 위반한다고 해석 하는 것이 합리적이다. 종류주식의 구체적 내용에 대해서는 정관 내지 회사자치 가 인정되지만 주주평등의 원칙으로부터 제약을 받는다.231)

종류주식제도 아래에서도 주주의 이익을 부당하게 침해하는 차별적 조항은 주주평등의 원칙에 근거하여 위법무효이다. 의결권제한주식에 관한 행사조건은 종류주식의 '내용'이며(제344조의3 제1항, 일본회사법 제108조 제2항 제3호 ㅁ), 주 주가 가지는 주식(의결권)수가 일정비율 미만인 것을 당해 주주의 의결권행사의 '조건'으로 할 수 있다는 견해도 있다.232) 그러나 이 경우에도 주주평등의 원칙 의 이념으로부터 제약이 가해지며, 합리적인 이유가 있는 경우에 예외적으로 인 정되는데 불과하다고 해석하여야 할 것이다.233)

8. 종류주주총회

가. 의 의

종류주주총회라 함은 회사가 종류주식을 발행한 경우에 정관을 변경함으로써 어느 종류주식의 주주에게 손해를 미치게 될 때에 주주총회 결의 이외에 그 종 류주식의 주주만에 의해 개최되는 주주총회를 말한다. 종류주주총회는 주주총회 결의가 효력을 발생하기 위하여 요구되는 부과적 요건일 뿐 그 자체가 주주총회 나 회사의 기관도 아니다.234) 종류주주총회는 회사가 복수의 종류주식을 발행하

---

229) 森本 滋, 前揭論文, 8面.
230) 弥永眞生 外 3人, 「新會社法實務相談」(商事法務, 2006), 59面; 葉玉匡美, "議決權制限株式を 利用した買收防衛策," 「商事法務」 第1743号(2005), 30面.
231) 南保勝美, 前揭論文, 352面 以下; 野村修也, "新會社法の意義と問題點－株式の多樣化とその 制約原理," 「商事法務」 第1775号(2006), 32面 以下; 森本 滋, 前揭論文, 8面.
232) 葉玉匡美, 前揭論文, 30面.
233) 江頭憲治郎, 前揭書, 132面 註 7); 森本 滋, 前揭論文, 9面.
234) 이철송, 회사법강의, 651면.

는 경우 주주간 이해관계가 다르기 때문에 다수결원리에 따른 소수의 종류주식의 주주를 보호하고 주주간 이해를 조정하는 수단이다.[235]

나. 종류주주총회가 필요한 경우

상법은 종류주주총회가 필요한 경우를 제435조 제1항과 제436조에서 규정하면서, 공통적인 요건으로서 '어느 종류주식의 주주에게 손해를 미치게 될 때'를 규정하고 있다. 여기서 손해란 일반적 추상적 손해로서 종류주주의 비례적 권리가 종전보다 추상적으로 불이익하게 변경되는 것을 의미하며, 실제로 손해가 발생할 것까지 요구하는 것은 아니라고 본다.[236] 또한 판례에 따르면 어느 종류의 주주의 지위가 정관의 변경에 따라 유리한 면이 있으면서 불이익한 면을 수반하는 경우에도 종류주주총회가 필요하다고 본다.[237]

상법상 종류주주총회가 필요한 경우는 i) 회사가 정관을 변경함으로써 어느 종류주식의 주주에게 손해를 미친 경우(제435조 제1항), ii) 주식의 종류에 따라 신주인수, 주식병합·분할·소각, 회사합병·분할로 인한 주식의 배정에 관하여 주식의 종류에 따라 특수한 정함을 하는 경우에 어느 종류의 주주에게 손해를 미치게 되는 경우(제436조 및 제344조 제3항) 및 iii) 회사분할·분할합병, 주식교환·이전 및 회사합병으로 인하여 어느 종류의 주주에게 손해를 미치게 되는 경우(제436조) 등이다.

한편 종류주식을 발행한 경우 보통주의 주주들에 의한 종류주주총회가 가능한지 여부가 문제된다. 종류주식의 발행에 따라 보통주식의 주주에게 손해를 미치는 경우[238]가 발생하는 때에는 종류주주총회가 필요하게 된다.[239]

---

235) 박철영, 종류주식의 활용과 법적 과제, 32면.
236) 정관변경에 따른 주주의 손해는 정관변경으로 인한 업무집행이 있어야 구체화되는데, 종류주주총회는 정관변경을 위한 동의절차로 요구되기 때문에 이 경우의 손해는 이론적 추상적일 수밖에 없다(박철영, 종류주식의 활용과 법적 과제, 33면).
237) 대법원 2006.1.27. 2004다44575, 44582.
238) 예컨대 '의결권제한 배당우선주'를 '의결권 있는 배당주'로 전환하는 정관변경을 하는 경우 의결권 없는 배당우선주의 의결권 부활로 인하여 의결권 있는 다른 주식(보통주)의 의결권이 희석되는 결과를 초래하게 된다(최준선, 회사법, 229면).
239) 보통주식이 종류주식에 포함되지 않는다는 견해를 취하는 경우 제435조 제1항의 문언에 따르면 보통주식의 주주에 의한 종류주주총회를 개최할 수 없다고 해석된다. 따라서 이 때에는 제435조 제1항의 문언을 "회사가 종류주식을 발행하는 경우에 정관을 변경함으로써 어느 종류의 주식의 주주에게 손해를 미치게 될 때에는 주주총회의 결의 외에 그 종류의 주식의 주주의 총회의 결의가 있어야 한다."로 수정하여야 할 것이다.

또한 제435조 제1항과 제436조 규정에서 열거하지 아니한 사항 이외에 정관으로 종류주주총회를 요구하는 경우를 추가할 수 있는지 여부가 문제된다. 제435조 제1항과 제436조에 열거된 사항만으로는 종류주식의 다양한 이익충돌의 문제를 해결하기 어렵다고 보고, 동 조항에서 열거된 사항을 예시적인 것으로 보고 종류주주총회를 요구할 수 있다고 보는 견해가 제기된다.[240] 그러나 이러한 해석은 명문의 규정없이 주주총회 결의의 효력을 제약하고 일부 종류주주에게 거부권을 부여하는 것과 같은 효과를 발생시키므로 타당하지 않다고 본다.[241]

다. 결의요건

종류주주총회는 출석한 주주의 의결권의 3분의 2 이상의 수와 그 종류의 발행주식총수의 3분의 1 이상의 수로써 하여야 한다(제435조 제2항). 이 결의요건과 다른 결의방법을 정할 수 없다는 것이 통설이다. 또한 종류주주총회에서는 의결권 없는 종류의 주식도 의결권을 가진다(제435조 제3항).[242]

라. 결의의 하자

상법 제435조 제3항에 따르면 종류주주총회에 관해서는 주주총회에 관한 규정을 준용하게 되므로 종류주주총회의 결의에 하자가 있을 때에는 종류주주총회 결의의 취소의 소로 다투면 된다는 것이 다수설이다.[243] 반면 종류주주총회의 결의는 주주총회결의의 효력발생요건에 불과하므로 주주총회결의의 하자로 다투면 된다는 소수설이 제기된다.[244] 소수설은 다수설에 대해 주주총회결의의 효력을 부정하기 위해서는 종류주주총회결의의 하자를 다투는 소송에서 승소한 후 다시 이를 원인으로 주주총회 결의의 효력을 다투는 소를 제기하여야 하므로 독립하여 다툴 실익이 없다고 비판한다. 생각건대, 주주총회 자체는 아무런 하자가 없기 때문에 주주총회결의 하자를 다투는 것은 부당하고 종류주주총회의 결

---

240) 박철영, 종류주식의 활용과 법적 과제, 33면; 相澤哲, 「新會社法の解說」(商事法務, 2006), 88面.
241) 이철송, 회사법강의, 651~652면.
242) 입법론적으로는 제435조 제3항의 "의결권없는 종류의 주식"은 "의결권없는 종류주식"으로 수정해야 할 것이다.
243) 권기범, 전게서, 773면; 이기수·최병규, 「회사법」 제9판(박영사, 2011), 492면; 임재연, 「회사법Ⅱ」 개정5판(박영사, 2018), 162면; 정동윤, 회사법, 363면; 최기원, 전게서, 525면.
244) 서헌제, 「회사법」, 법문사, 2000, 286면; 이철송, 회사법강의, 655면.

의의 하자를 다투는 다수설이 타당하고 본다.245)

마. 종류주주총회결의 흠결의 효과

종류주주총회결의가 필요함에도 불구하고 이를 거치지 아니한 주주총회결의의 효력이 문제된다. 다수설인 결의불발효설(또는 부동적무효설)은 주주총회는 종류주주총회가 없으면 완전한 효력을 발생하지 못하고, 종류주주총회의 유무에 따라 확정적으로 유무효가 결정된다고 본다.246) 소수설은 종류주주총회의 결의는 주주총회의 결의가 유효하기 위한 절차적 요건이므로 이를 흠결한 경우 주주총회결의 취소의 사유로 본다.247)

판례는 주주총회의 결의 외에 추가로 요구되는 종류주주총회의 결의는 정관변경이라는 법률효과가 발생하기 위한 하나의 특별요건이라고 할 것이므로, 그와 같은 내용의 정관변경에 관하여 종류주주총회의 결의가 아직 이루어지지 않았다면 그러한 정관변경의 효력이 아직 발생하지 않은 데에 그칠 뿐이고, 그러한 정관변경을 결의한 주주총회결의 자체의 효력에는 아무런 하자가 없다고 본다. 종류주주총회결의가 흠결된 경우 정관변경이 무효라는 확인을 구하면 족한 것이지, 그 정관변경을 내용으로 하는 주주총회결의 자체가 아직 효력을 발생하지 않고 있는 상태(이른바 불발효 상태)라는 관념을 애써 만들어서 그 주주총회결의가 그러한 '불발효 상태'에 있다는 것의 확인을 구할 필요는 없다고 본다.248) 판례와 다수설의 차이점은 결의불발효의 대상이 정관변경인지 아니면 주주총회결의인지의 차이에 불과하다.249)

9. 종류주식의 활용

가. 종류주식의 조합

종류주식의 다양화는 기업의 자금조달을 원활하게 하는 역할 이외에도 지배

245) 송옥렬, 상법강의, 979면.
246) 이기수, 전게서, 492면; 정동윤, 회사법, 363면; 최기원, 전게서, 525면.
247) 이철송, 회사법강의, 656면.
248) 대법원 2006.1.27. 2004다44575, 44582.
249) 송옥렬, 상법강의, 980면.

권 분배를 통하여 사업제휴, 경영승계, 적대적 M&A에 대한 방어 등 다양한 필요에 부합하는 경영수단을 제공하는 기능도 하고 있다. 종류주식을 설계하는데 있어서는 주식의 재산권과 지배권이라는 양면적 성질을 어떻게 조합시킬 것인가 하는 점이 가장 중요하다. 즉, 주식이 가지는 가장 중요한 권리인 이익배당과 의결권의 내용을 어떻게 구성할 것인가의 문제이며, 이는 종류주식의 발행목적에 따라 다를 수밖에 없다.[250]

상법은 종류주식을 이익배당, 잔여재산의 분배, 의결권의 배제·제한, 상환 및 전환에 관한 종류주식을 규정하고 있는데, 이는 내용을 달리할 수 있는 권리의 유형을 규정한 것이며, 실제로 발행할 수 있는 주식의 종류를 다양한 조합과 다양한 발행조건이 결합되어 매우 많은 유형이 발행될 수 있을 것이다.[251]

〈표〉 상법상 종류주식의 결합 유형

이익배당/잔여재산	이익배당의 성격	의결권	상환권	전환권
보통주	-	-	-	-
우선주	참가적	의결권 존재	회사상환	회사전환
열후주	비참가적	의결권 배제	주주상환	주주전환
후배주	누적적	의결권 제한		
	비누적적			
	참가적/누적적			
	참가적/비누적적			
	비참가적/누적적			
	비참가적/비누적적			
잔여재산분배				

---

250) 박철영, 종류주식의 활용과 법적 과제, 15면.
251) 상법상 발행할 수 있는 종류주식의 유형에 대해서는 24가지, 42가지, 63가지, 220가지 등 다양한 견해가 존재한다(최준선, 2011 개정상법 회사편 해설, 82~84면; 박철영, 종류주식의 활용과 법적 과제, 15면 주) 25; 김희준, "종류주식 발행의 실무상 쟁점과 법적 해결방안에 관한 연구-상환 및 전환에 관한 종류주식을 중심으로-,"「선진상사법률」통권 제64호(법무부 상사법무과, 2013), 126~128면; 이철송, 2011 개정상법-축조해설-, 116면).

나. 종류주식의 활용 사례

1) 자금조달

회사가 의결권제한 종류주식을 발행하는 가장 큰 이유는 회사 지배권의 영향을 받지 않고 필요한 자금조달을 하기 위해서이다. 이를 위해 의결권의 일부를 제한하는 종류주식을 활용할 수 있다. 즉, 경영권을 확보하고자 하는 창업주주와 투자수익을 위해 자본참가하는 벤처캐피탈 등 투자주주 간에 투하자본 회수 불능 위험을 경감시키는 등 이해조정을 위해 후자에게 이익처분안 등 일정한 사항에 대해서만 의결권을 부여하는 방법이 그 예이다.[252]

2) 경영권 방어

적대적 M&A에 대한 경영권 방어대책으로 의결권제한 종류주식에 회사의 강제전환권을 부여하는 방식이 있는데 다음 두 가지가 있다. 첫째, 매수자가 보유하는 주식의 의결권을 제한하는 것이다(보통주식 → 의결권제한주식). 의결권있는 주식을 의결권제한주식으로 전환하는 전환주식으로 발행하면서 전환사유를 "○○% 이상의 주식을 취득하는 경우"로 하면 평상시에는 의결권이 있으나 적대적 기업매수가 발생하는 때에는 의결권이 제한되기 때문에 기업매수의 목적을 저지할 수 있게 된다. 그러나 이 방식은 동일한 종류주식 간에 의결권을 행사할 수 있는 주식보유비율 및 주식수를 달리하는 것이 되기 때문에 주주평등의 원칙에 반하여 허용되지 않는다고 보아야 한다.[253]

둘째, 매수자가 보유하는 주식의 지분율을 희석시키는 방법이다(의결권제한주식 → 보통주식). 사전에 우호적 제3자에게 의결권제한주식을 발행하면서 전환사유를 "○○% 이상의 주식매수가 성공한 경우"로 함으로써 이를 의결권있는 주식으로 전환하면 매수자의 지분율을 낮출 수 있기 때문에 방어효과를 가질 수 있다.

3) 경영승계와 종류주식의 활용

경영승계를 위하여 종류주식을 활용하는 방안으로서 의결권의 배제·제한에

---

252) 박철영, 종류주식의 활용과 법적 과제, 18면.
253) 동지, 박철영, 종류주식의 활용과 법적 과제, 21면; 김재범, "2011년 개정상법에 의한 종류주식 발행의 법적 문제," 「사법」 제19호(사법발전재단, 2012), 16면.

관한 종류주식, 주식의 상환에 관한 종류주식 및 주식의 전환에 관한 종류주식
을 활용할 수 있다.[254]

Ⅲ. 주식의 평가 박 영 욱*· 김 범 진**

1. 서   설

회사법의 여러 영역에서 주식의 평가는 다양한 형태의 M&A거래, 소수주주
의 보호, 기업의 지배구조 변경 등 중요한 쟁점과 밀접하게 관련되어 있다. 또
한 주식이나 전환사채, 신주인수권부사채의 발행, 구주의 매매 등과 관련한 이
사의 책임 유무 판단에 있어 주식의 평가가 빈번하게 문제가 되고 있는 것이
현실이다.

상장 또는 비상장 주식에 관하여 개별 법령에서 평가의 목적에 부합하는 평
가방법을 규정하고 있는 경우가 있다. 예컨대 상속세 및 증여세법에서는 과세가
액 산정 목적의 주식평가 방법을 규정하고 있고, 자본시장과 금융투자업에 관한
법률(이하 '자본시장법') 및 증권의 발행 및 공시 등에 관한 규정(이하 '발행공시규
정')에서는 상장법인이 다른 법인과 합병을 하는 경우 합병비율 산정을 위한 주
식의 평가방법에 관하여 규정하고 있다. 이와 같이 법령에서 구체적인 평가방법
을 규정하고 있는 경우와 달리, 앞서 본 쟁점들과 관련해서 주식의 평가가 필요
한 경우에 있어 회사법 영역에서는 평가방법에 관하여 구체적으로 규정하지 않
고 해석에 맡겨 두고 있다. 법원에 의한 주식 가격 결정이 필요한 경우로는 합
병, 분할, 영업양도, 주식의 포괄적 교환과 이전 등 주주의 이해관계에 중요한
영향을 미치는 주주총회의 결정에 반대하는 주주가 회사에 대하여 주식매수청구
권을 행사한 때[1]와 지배주주의 소수주주에 대한 매도청구나 소수주주의 지배주

---

254) 경영권 승계와 종류주식에 관한 자세한 내용은 김순석, "중소기업의 경영권 승계 원활화를
    위한 회사법제의 개선방안 - 종류주식의 활용을 중심으로-,"「비교사법」, 제20권 제1호(한
    국비교사법학회, 2013), 239~272면; 김순석,「주식 및 자본금 제도」(전남대학교출판부,
    2015), 117~140면 참조.

 * 법무법인(유) 광장 변호사
** 법무법인(유) 광장 변호사
 1) 주식매수청구권이 인정되는 경우는, 정관에 의하여 주식의 양도가 제한된 때 회사가 주주의

주에 대한 매수청구의 경우(제360조의24, 제360조의25)가 있다.

이와 같은 매수청구에 있어 상법은 당사자간 협의에 의하여 매수가격을 정하되, 매수청구일로부터 30일 이내에 협의 불성립 시 당사자 일방이 법원에 매수가격의 결정을 청구할 수 있도록 하고 있다(제374조의2 제3항, 제4항, 제360조의24 제7항, 제8항, 제360조의25 제3항, 제4항). 그리고 자본시장법은 상장법인에 대한 특칙을 두어, 주식의 매수가격은 주주와 해당 법인 간의 협의로 결정하되 협의가 이루어지지 아니하는 경우 이사회 결의일 전일을 기준으로 과거 2개월, 1개월, 1주일간의 거래소 최종시세가격을 실물거래에 의한 거래량을 가중치로 하여 각 가중산술평균한 가격을 다시 산술평균한 금액으로 하며, 해당 법인이나 매수를 청구한 주주가 그 매수가격에 대하여도 반대하면 법원에 매수가격의 결정을 청구할 수 있다고 규정하고 있어(자본시장법 제165조의5 제3항, 동 시행령 제176조의7 제3항), 종국적으로 법원이 매수가격을 정한다는 점은 상법과 다르지 않다. 금융산업의 구조개선에 관한 법률(이하 '금산법') 제5조 제8항, 제12조 제8항, 제9항과 금융지주회사법 제62조의2 제3항, 제4항에서도 최종적으로 법원에 매수가격의 결정을 청구하는 형태로 규정되어 있는 점은 마찬가지이다.[2][3] 그런데 이와 같이 법원이 매수가격을 결정하는 경우 상법은 법원이 "회사의 재산상태와 그 밖의 사정을 고려한 공정한 가액"으로 매수가격을 산정하여야 한다고 규정하고 있을 뿐이다(제374조의2 제5항, 제360조의24 제9항, 제360조의25 제5항).

또한, 주식이나 전환사채, 신주인수권부사채의 발행, 구주의 매매 등과 관련한 이사의 주의의무 위반의 판단에 있어 거래 당사자들에 의한 주식의 평가가 공정한 것인지, 나아가 주식의 공정가액을 얼마로 보아야 하는지에 관한 판단이

양도승인청구를 거부한 경우(제335조의2 제4항, 제335조의6), 주식의 포괄적 교환과 이전, 영업양도, 합병, 분할에 관한 주총에서 주주가 반대결의를 한 경우(제360조의5, 제360조의22, 제374조의2, 제522조의3, 제530조의11) 등이 있다. 주식매수청구권이 인정되는 경우와 그 행사요건, 효과 등에 관한 구체적 내용은 이 책의 "주식매수청구권"(이형근 · 구대훈) 부분 참조.

2) 금산법 제12조 제8항 제9항과 금융지주회사법 제62조의2 제3항 제4항은 주주와 회사가 협의하여 매수가격을 결정하고, 협의가 이루어지지 아니하는 경우에는 회계전문가가 재산가치 및 수익가치 등을 고려하여 가격을 산정하되, 회사 또는 매수청구한 주주가 보유한 주식의 30% 이상이 그 가격을 매수가격으로 하는데 반대하는 경우 법원에 매수가격의 결정을 청구할 수 있도록 하고 있다.

3) 금융지주회사법은 금융위원회에 매수가격을 청구하도록 되어 있으나, 대법원은 금감위(현 금융위)의 조정 절차를 거치지 않고 곧바로 법원에 결정 청구를 하는 것도 가능하다고 판시한 바 있다(대법원 2011.10.13. 2008마264).

필요한 경우가 많은데, 이와 관련한 주식의 평가방법에 관한 판단 역시 해석에 의할 수밖에 없다.

여기에서는 주식가치의 공정한 평가방법에 관한 이론을 살펴보고 나아가 구체적이고 다양한 사례에서 판례가 채택한 상장 및 비상장 주식의 평가방법을 고찰하여 주식의 공정한 가격을 평가하는 합리적 방법을 모색하고자 한다. 아울러 주식평가와 관련하여 실무적으로 문제되는 쟁점들에 대해서도 논의한다. 이하에서 살펴보는 학설과 판례는 주식매수청구시의 매수가격 결정에 대한 것이 많지만 이사의 책임 등 다른 영역에서의 주식평가와 관련한 것도 포함한다. 본질적으로 양자에 있어 주식의 평가방법은 다르지 않기 때문이다.

2. 주식평가의 일반적 방법론

가. 주식 본질론과 주식가치 평가방법

주식의 가치평가방법으로 주로 논의되는 것은 시장가치법, 자산가치법, 수익가치법으로, 이는 주식본질론과도 상관성을 갖는다. 주식의 본질에 관하여 (1) 회사재산에 대한 권리의 단위인 물권이라고 보는 설(주식물권설), (2) 회사의 주주가 회사에 대하여 가지는 각종 청구권(이익배당청구권, 잔여재산분배권 등)에 중점을 두어 채권이라는 설(주식채권설), (3) 주주가 회사에 대하여 가지는 권리의무의 기초인 사원권이라는 설(사원권설)이 있고, 사원권설이 현재의 통설이다.[4] 주식물권설에 의하면 주식의 가치는 회사재산의 가치(순자산가치)로 설명되고, 주식채권설은 주식의 가치를 배당환원가치(투자가치)로 파악하고 있는바 이는 현금흐름할인법(Discount of Cashflow Method)이나 배당환원방식에 의한 수익가치와 연결된다.[5] 사원권설은 주식의 가치를 지분의 경제적 가치로 보는 것이므로, 시장가치와 관련이 있다.[6]

또한 사원권설에 의하면 주식은 해당 주식 발행회사의 기업가치를 지분적 측면에서 나타낸 것이므로 기업가치를 해당 주식이 차지하는 지분비율로 나누어

---

4) 이철송, 「회사법강의」 제29판(박영사, 2021), 275~280면; 최기원, 「신회사법론」 제12대정판(박영사, 2005), 638~642면.

5) 김상곤·박영욱, "비상장주식 가격 평가의 제문제-이사의 민형사 책임을 중심으로-," 「서울대 법학평론」 창간호(2010), 359면.

6) 森淳二郎, "株式價値の法的解釋,"「民商法雜誌」 第82卷 第2號(1980. 5.), 208面 以下.

주식가치를 산정하게 된다.[7] 사원권설은 주식의 등가치성(等價値性)을 전제로 하는 것이어서 경영권 프리미엄이 포함된 지배주주의 주식은 소수주주의 주식에 비하여 주당 높은 가격에 거래되는 현실을 반영하지 못하는 이론적 한계가 있다. 반면 주식채권설에 의하면 기업가치와 주식가치의 논리적 연계성은 부정되고[8] 주식의 부등가치성(不等價値性)이 인정되므로 주식의 가치가 지분의 크기, 경영권 포함 여부 등에 따라 달라지는 이유를 설명할 수 있다. 주식가치를 기업가치의 비례적 지분으로 평가하는 것에 대하여는 부정적인 견해[9]와 긍정적인 견해[10]가 있는데, 논의의 실익은 소위 경영권 프리미엄의 인정 범위 내지 정도에 있다. 주식채권설은 경영권 프리미엄 가산의 정당성 근거를 제공하나, 사원권설에 의할 경우 지배주주 주식에 대한 경영권 프리미엄의 인정에 부정적 또는 소극적일 수밖에 없다.

생각건대, 주식가치와 기업가치는 표리의 관계에 있는 것이므로 주식가치를 기업가치와 별개로 파악하여야 한다는 견해에는 찬동할 수 없고, 부정설도 기업가치를 기초로 주식가치를 산정하여야 한다는 점까지 부정하고 있지는 않은 것으로 보인다. 주식은 기업에 대하여 갖는 출자자로서의 지위이고 자본의 구성단위이다. 주식이 기업을 지배하는 비례적 구성 단위인 이상 주식의 가치는 기업가치를 표창한다고 할 것이므로, 기업가치와 주식가치를 분리할 수는 없다. 주식가치는 기업가치로부터 출발하는 것이어서 기업가치에 대한 평가 없이 주식가치를 논하는 것은 불가능하지만, 주식은 기업 그 자체가 아니므로, 모든 발행주식의 가치의 합이 기업가치와 반드시 일치하는 것은 아니고, 모든 주식에 등가성이 인정되어야 하는 것도 아니다. 예컨대 채무초과 회사의 기업가치는 부(負)의 금액이 될 수 있으나, 주주유한책임의 원칙상 주식의 가치는 0 미만일 수 없나. 또한 경영권이라는 개념은 기업가치 평가에는 개입될 수 없는 것이지만, 주

---

7) 김홍기, "현행 주식가치평가의 법적 쟁점과 공정한 가액의 연구,"「상사법연구」제30권 제1호 통권 제70호(한국상사법학회, 2011), 161면.

8) 河本一郎, "判例にすける非公開柱式評價例の分析,"「商事法務」第41號 46面. 장지석, "주식의 가치에 관한 법적 고찰,"「연세법학연구」제7집 제1권(연세법학회, 2000. 6.), 557~558면에서 재인용.

9) 장지석, 전게논문, 558면. 이 견해에 의하면 주식가치를 지분 개념을 기초로 산정하더라도 주식가치에 대해서는 별도 독립된 주식가치의 논리를 전개하여야 한다고 한다.

10) 김홍기, 전게논문, 163면. 이에 의하면 원칙적으로 주식가치와 기업가치는 동일하다고 보며 주식가치 평가에 있어 해당 주식이 가지는 비례적 지분가치는 가장 중요한 요소가 된다고 한다.

식가치 평가에 있어서는 주주총회의 의사결정에 미치는 영향을 고려하여 경영권의 가치가 반영되는 것이 타당하다.

나. 주식가치 평가방법의 구분

주식가치는 해당 기업가치의 지분 단위당 가치에 기초하는 것이므로 주식가치의 평가는 결국 기업가치 평가를 통하여 구체화된다. 기업가치는 그 평가방법에 따라 시장가치와 본질가치(내재가치)로 나뉘는데, 전자는 시장원리에 따라 팔려는 자와 사려는 자 사이의 균형에 의하여 형성된 가격, 즉 정상적인 거래에서 객관적으로 형성되었거나 형성될 가격으로 기업 내지 주식의 가치를 평가하는 것이고, 후자는 당해 기업의 내재적 본질적 가치를 기준으로 주식을 평가하는 개념이다. 본질가치를 산정하는 방법으로는 자산가치법과 수익가치법이 있다. 자산가치(Net Asset Value)는 기업이 현재 보유하고 있는 순자산(자산-부채)의 가치를 기업의 가치로 평가하는 방법이고, 수익가치(Revenue Value)는 기업이 보유하고 있는 유무형의 자산을 통하여 향후에 얼마만큼의 수익 또는 현금흐름을 창출할 수 있는지라는 관점에서 미래의 수익창출능력을 기업의 가치로 평가하는 방법이다. 그 외에 상대가치 평가방법도 존재하는데, 이는 본질가치에 기초하되 시장의 선호도를 반영한 것이다.

1) 시장가치

시장가치란, 당해 주식 거래와 유사한 상황의 정상적 거래에서 적용된 시장 거래가격을 말한다. 시장가치에 의한 주식가치 평가방법은 경험적 거래가격으로 주식가치를 평가하므로 복잡한 평가과정이 필요 없고, 객관성이 보장된다는 장점이 있다. 당해 주식이나 기업에 관한 모든 정보가 알려진 상황에서 자유로운 의사결정능력을 가진 자 사이에서 경쟁과 협상을 거쳐 형성된 가격은 그 주식의 본질가치와 유사한 것일 것이다.[11] 하지만 현실의 세계에서 위와 같은 시장가격이 존재하는 경우는 많지 않을 것이고, 특히 비상장주식의 경우 거래사례 자체가 없는 경우가 많아 그 적용에 한계가 있다. 또한 시장가치는 시장의 수요 공급 원리에 따라 쉽게 변동한다는 단점이 있다.

---

11) 서규석·김병기, "주식매수청구권 행사시 매수가격에 대한 연구,"「기업법연구」제4집(한국기업법학회, 1999), 463면.

실무적으로 시장가치를 평가함에 있어, 경험적 거래가격이 형성된 거래가 정상적이고 객관적 거래인가 하는 점, 그 거래가 평가대상 거래에 대하여 비교 가능한 유사거래에 해당하는지 여부가 주로 다투어진다. 정상적 객관적 거래인지 여부는 거래 당사자의 관계, 거래의 횟수와 규모 및 빈도, 건전한 사회통념 및 상관습 등을 고려하여 판단하여야 하고, 비교가능성 있는 유사 거래인지 여부는 거래되는 주식의 규모, 거래의 시점과 목적, 비교대상 거래 시부터 당해 거래 사이에 기업의 가치를 변경시킬 만한 사정이 있는지 여부, 매매대금 지급방법 등 거래조건이 유사한지 여부 등을 종합적으로 고려하여야 한다. 비교 대상이 될 수 있을 정도로 유사한 거래라고 하더라도 완전히 동일할 수는 없을 것인데, 그 경우에는 차이점을 적절히 반영하여 평가액을 조정할 수도 있을 것이다.

2) 본질가치

본질가치란 무엇인가? 물건의 가격은 수요와 공급에 의하여 결정된다는 관점에 의하면 물건에 본질가치 내지 내재가치라는 것이 존재하는지에 관한 근본적인 의문이 제기된다. 오늘날의 시장경제질서는 본질가치라는 개념에 기초하여 거래를 규율하지 않고 시장에서 물건의 가치 내지 가격을 결정하는 것이 옳다고 보는 시스템을 가지고 있고, 이러한 사고는 주식가치의 평가방법에 관하여 규율하고 있는 여러 법률 규정(이에 대해서는 후술한다)에 반영되어 있다.[12)

예컨대, 어떤 물건의 생산에 100원의 비용이 소요되지만 시장에서 수요공급의 법칙에 따라 형성된 가격이 50원인 경우를 생각해 보자. 시장경제 하에서 이 가격은 장기적으로 유지될 수 없다. 가격이 원가 미만인 이상 공급이 줄어들게 되고 자연스럽게 가격은 올라간다. 반대로 이 물건에 대하여 시장에서 형성된 가격이 200원이라고 하면 이윤을 쫓는 공급이 발생하여 필연적으로 가격은 하락한다. 또한, 당해 물건으로 인하여 장래 얻게 될 이익의 현재가치가 100원인 물건의 현재 시장가격이 50원이라면 그 물건에 대한 수요가 증가하게 되어 자연스럽게 가격은 인상되고, 반대로 시장가격이 200원이라면 수요가 감소하여 가격은 하락하고 결국 균형가격은 100원을 찾아가게 된다. 즉 이론적으로 시장가

---

12) 최승재, "주식가치 평가와 공정한 가액에 대한 고찰 – 반대주주의 주식매수청구권을 중심으로 –," 「연세 글로벌 비즈니스 법학연구」(연세대학교 법학연구원 글로벌비즈니스와 법센터, 2010), 164면.

치는 그 물건의 생산비용에 적정이윤을 더한 금액 또는 그 물건이 창출할 수 있는 효익을 현재가치로 할인한 금액 등 객관적이고 공정하다고 볼 수 있는 금액에 수렴하게 되는바, 이와 같이 장기적으로 수렴할 것으로 예상되는 금액 또는 이론적으로 그 물건의 가격이 됨이 합당한 금액을 본질가치라고 정의한다면 본질가치란 결국 장기적 균형상태에서 형성되는 시장가치와 같은 금액이 되는 것이다.13)

이와 같이 본질가치는 시장가치와 연결되는 개념임에도 대부분의 주식평가에 있어 시장가치와 별도로 자산가치 또는 수익가치 등의 본질가치를 논하는 이유는 현실에 있어서는 균형상태에 있지 않는 경우가 더 많기 때문이다. 앞서 본 사례에서 50원 또는 200원의 가격은 시장에서 형성된 가격이지만 이 가격이 미래에도 계속 유지될 것이라거나 "공정한 가격"이라고 할 수는 없다. 즉, 단순히 시장에서 형성된 가격이라는 이유만으로 "공정한 가격"이 될 수는 없고, 시장에서 형성된 가격은 그것이 당해 주식이나 기업에 관한 모든 정보가 알려진 상황에서 불특정 다수의 자유로운 협상과 의사결정과정을 거쳐 안정적으로 형성될 가격임이 소명된 경우에 한하여 "공정한 가격"이 될 수 있다. 본질가치는 이와 같은 가격이 존재하지 않거나 알 수 없는 현실에서 완전시장이라는 가정적 상황이라면 형성되었을 가격을 의미한다. 앞서 예를 든 바와 같이 물건을 만들어 내는 데 소요되는 비용에 적정이윤을 더한 금액 또는 그 물건이 창출할 수 있는 효익을 현재가치로 할인한 금액 등이 그러한 것인데, 주식평가에 있어 전자에 대응하는 본질가치가 자산가치이고 후자에 대응하는 본질가치가 수익가치이다.

가) 자산가치

자산가치는 기업이 현재 보유하고 있는 순자산, 즉 총자산에서 총부채를 차감한 금액을 기업가치로 평가하는 방법으로, 이해하기 쉽고 간편하여 주식평가 방법으로 널리 사용되고 있다. 자산과 부채를 평가하는 방법에 따라 장부가치법

---

13) 이와 관련하여 서울고등법원 2005.6.10. 2003노1555, 2004노1851(병합) 판결이 "재화의 가격 내지 교환가치(P)는 그 수급균형이 이루어지는 지점에서 결정되므로 공급 측면(즉, 그 재화를 만드는데 필요한 비용)에 중점을 두어 파악한 주식의 자산가치(X)나 수요 측면(즉, 그 재화를 이용하여 누릴 수 있는 효용)에 중점을 두어 파악한 주식의 수익가치(Y)가 바로 가격으로 되지는 않고 그 수급균형이 이루어지는 지점에서 가격이 결정된다(이를 일응 수식으로 표현하면 X=Y=P로 된다). 만약 자산가치와 수익가치가 서로 일치하지 않을 때에는 재화에 대한 수요와 공급이 조절되어 다시 균형을 이루는 지점에서 새로운 가격이 형성될 것으로 볼 수 있다"라고 판시한 점은 주목할 만한 가치가 있다.

과 시가법이 있고, 시가법 중에는 무엇을 시가로 볼 것이냐에 따라 공정시장가
치법(시장에서 정해진 객관적 교환가격), 대체원가법(동일 자산을 시장에서 구입하는
데 소요되는 금액), 감정가치법(감정가액), 청산가치법(기업이 영업을 중단하고 청산
한다는 가정을 전제로 회사의 모든 재산을 처분할 때 받을 수 있는 가치) 등으로 분
류된다.[14] 일반적으로 M&A거래에서는 주로 사용되는 자산가치 평가방법은 시
가법으로, 장부가치에 자산, 부채의 각 항목을 적절히 평가한 후 그 평가차액을
가감하는 방법을 사용한다.

자산가치는 기업의 성장성, 영업 활동을 통한 수익창출 능력, 비계량적 요소
(예컨대 영업기반, 고객관계, 이미지 등)에 의한 기업가치 등을 반영하지 못하는 단
점이 있는 반면, 현재 실현되어 있는 기업의 재무상태를 기초로 측정하기 때문
에 수익가치에 비하여 간편하고 객관적 측정이 용이하다는 장점이 있다.

나) 수익가치

수익가치 평가방법은 현재의 재무 상황 그 자체보다는 현재의 유무형의 자산
을 통하여 실현 가능한 미래의 수익창출능력을 기준으로 기업 내지 주식의 가치
를 평가하는 방법이다. 미래의 경제적 수익을 추정한 후 이를 적정한 할인율로
현재가치화하여 평가하는 것이 기본적인 수익가치 평가의 개념이다. 수익가치의
측정을 위하여 고려되어야 하는 기본 요소는 ① 기대수익, ② 할인율, ③ 수익
창출의 기간(기대수익의 지속기간), ④ 잔존가치 등인데, 특히 무엇을 기대수익으
로 볼 것인가 내지 기대수익을 어떻게 산정할 것인가에 따라, 현금흐름할인가치
법, 이익할인가치법, 배당평가법 등으로 분류된다.[15]

현금흐름할인가치법(Discount of Cashflow Method; 흔히 DCF Method라 약칭
함)은 미래의 영업을 통해 기대되는 순현금흐름을 적정한 할인율로 할인한 현재
가치를 기업의 가치로 평가하는 방법으로 이론적으로는 가장 우수한 것으로 평
가되고 있다. M&A 거래에 있어 가장 널리 사용되고, 미국 법원에서는 합리적인
평가 방법으로 인정하고 있다.[16] 이 방법에 의하여 수익가치를 산출하기 위해서
는 미래 기대현금흐름(액수 및 발생시점)에 대한 추정 및 적절한 할인율의 산정

---

14) 김상곤·박영욱, 전게논문, 361면.
15) 김상곤·박영욱, 전게논문, 362면.
16) 남도현, 주식매수청구권에 대한 매수가격 산정에 관한 고찰, 「증권법연구」 제19권 제1호(한
   국증권법학회, 2018), 44면.

이 필요하다. 기업이 영구히 존속하는 것으로 가정하지만, 미래의 영업을 무한정 추정할 수는 없으므로 통상 5년 내지 10년의 미래 현금흐름을 추정재무제표를 통한 추정이익에서 비현금성거래의 요소를 가감하는 방법으로 추정하고, 그 이후의 기간에 대해서는 영구성장률을 가정하거나 그 시점의 잔존가치를 가정하여 추정한다. 이런 미래 현금흐름을 현재가치로 환산하기 위한 할인율은 기업에 대한 투자자가 그 기업에 요구하는 요구수익률을 의미하는 것으로 해당 기업의 자본조달비용 및 위험프리미엄(Risk Premium)에 대한 평가를 통하여 계산된다. 가장 널리 이용되는 할인율은 가중평균자본비용(WACC; Weighted Average Cost of Capital)으로 자기자본비용과 타인자본비용을 계산한 후 이를 부채와 자본비율에 따라 가중평균하는 방법으로 산정된다. 현금흐름할인가치법은 기업의 존재 목적과 기업에 대한 투자 목적을 고려할 때 가장 합리적인 평가방법이지만, 평가과정이 너무 복잡하고 미래 현금흐름, 할인율 등을 산정하는 과정에서 평가자의 주관이 개입될 요소가 많아 실용성과 객관성이 떨어지는 단점이 있다.

이익할인가치법은 이와 같은 현금흐름할인가치법의 단점을 고려하여 현금흐름 대신 추정이익을 사용하여 평가방법을 단순화하고 정기예금이자율 등 시장이자율을 기초로 할인율을 산정하여 객관성을 높이도록 변형한 방법으로, 개정 전 발행공시규정에서 채택하고 있던 방법이기도 하다. 이익할인가치법은 현금흐름할인가치법에 비하여 단순하고 객관적인 장점이 있으나 현금흐름을 동반하지 않는 회계상의 이익을 기준으로 기업가치를 평가하거나 기업의 개별 위험을 고려하지 않은 일률적 할인율을 이용한다는 면에서 논리적이지 못한 단점이 있다.

배당평가법은 투자자의 입장을 강조하여 향후 기대되는 배당수익을 일정한 할인율로 할인한 현재가치로 주식가치를 평가하는 방법이다. 기업가치가 아닌 투자자에게로 유입되는 현금을 기준으로 주식가치를 평가한다는 점에서 주식채권설에 부합하는 평가방법이라고 할 수 있겠다. 투자수익은 배당금뿐만 아니라 자본이득을 통해서도 실현되고, 기업가치가 기업의 배당정책에 관한 의사결정에 따라 좌우될 수는 없다는 점에서 이 방법에 대한 비판이 있고, 특히 배당보다는 자본이득을 선호하고 이익 대비 배당금 지급비율이 낮은 우리나라에서의 현실과는 맞지 아니하여 실무에서 거의 사용되지 않는다.

그 외에 1990년 이후 미국에서 이용되기 시작한 경제적 부가가치법(EVA; Economic Value Added)도 수익가치 평가방법의 하나인데, 경제적 부가가치는 영업활동을 통하여 창출한 순가치의 증가분(세후 영업이익)에서 투자자본에 대한 자본비용을 차감하는 방법으로 계산된다. 하지만 이 역시 우리나라에서는 잘 사용되지 않는 방법이다.

수익가치 평가방법은 생명체로서의 기업이 가진 수익창출능력을 기초로 가치를 평가하는 것이어서 기업의 본질에 부합하고 이론적으로도 가장 타당한 평가방법이지만, 미래의 수익이나 현금흐름, 할인율 등을 추정하는 과정에서 필연적으로 평가자의 주관이 개입될 수밖에 없어 평가가 객관적이지 못하다는 단점이 있다. 주식매수가격결정에 있어 시장가치, 자산가치보다 수익가치의 결정이 가장 어렵고 다툼이 많은 것도 이 때문이다.

3) 기타(상대가치)

상대가치는 거래 대상 주식 그 자체가 아니라 당해 기업과 유사한 법인의 가치 또는 그 법인의 주가와의 비교를 통하여 간접적으로 당해 주식의 가치를 평가하는 방법이다. 본질가치가 평가대상 기업의 고유한 재무상황 또는 수익창출능력을 기준으로 기업 또는 주식 그 자체를 직접 평가하는 개념인 반면, 상대가치는 본질가치를 기초로 하되 시장 메커니즘을 중시한다는 점에서 시장가치와 유사하다. 그런 이유에서 상대가치를 시장가치의 하나로 분류하는 견해[17]가 있으나, 상대가치는 당해 기업 내지 주식에 대하여 시장에서 형성된 가격이 아니라 평가대상 기업과 유사한 본질가치를 가졌을 것으로 추정되는 다른 비교대상 기업의 시장에서의 평가를 기초로 평가대상 기업의 가치를 측정하는 점에서 차이가 있으므로, 시장가치와는 다른 별도의 평가방법으로 보는 것이 타당하다고 생각한다(다만, 논의의 편의상 이하에서는 시장가치의 하나로 분류하여 설명하기로 한다). 상대가치 평가방법은 본질가치를 측정하면서도 시장의 평가를 반영하고 평가 과정에 추정이나 가정이 개입될 요소가 적어 객관적이고 간단하다는 장점이 있으나, 당해 주식에 대한 선호도를 직접 반영할 수 없으며, 유사기업의 산정이 어렵고 유사기업의 선정에 따라 평가가 왜곡된다는 단점이 있다.

상대가치 평가방법에는 유사기업비교평가법과 시장승수(Market Multiple)평가법이 있다. 유사기업비교평가법은 평가대상기업과 유사한 업종 및 규모를 가진 상장기업 또는 거래가 빈번한 비상장 법인의 주가 또는 일반적 거래가격을 기준

---

17) 김홍기, 전게논문, 165~166면.

으로 시장가치를 평가하는 방법으로 평가대상 주식에 대한 시장가치가 존재하지 않을 때 그 대안으로 주로 사용되는 방법이다. 시장승수평가법은 해당 업종에 통용되는 특정 변수의 승수 내지 비율을 곱한 금액으로 시장가치를 평가하는 방법으로 M&A거래에 있어서 종종 활용되는 평가방법이다. 예컨대, 증권거래소에 상장된 유사기업의 세후 순이익 대비 주가비율을 계산한 후, 그 비율에 평가대상 기업의 세후 순이익을 곱하여 계산하는 방식 등이다. 상대가치를 판단할 요소는 매출액이나 순이익 외에 업종의 특성에 따라 다양한 것이 될 수 있고, 판례 중에는 평가대상기업의 특성을 고려하여 케이블TV회사의 주식을 해당 케이블TV 가입자 수에 가입자 당 수익(ARPU; Average Revenue Per User)을 곱한 금액을 기초로 평가한 것을 지지한 것이 있다.[18]

3. 각종 법령상의 주식가치 평가방법

위와 같은 주식평가의 이론은 이론적 논의로만 그치는 것이 아니라, 우리 주식평가방법을 정의한 규정 속에 녹아 있다. 아래에서 보는 바와 같이 법령에 규정된 주식평가방법은 모두 앞서 설명한 시장가치(상대가치), 자산가치, 수익가치 평가방법의 범주를 벗어나지 않는다. 하지만, 시장거래가격의 판단 방법, 자산과 부채의 평가방법, 수익가치 산정시 고려할 요소 등에 대한 평가에 있어 차이가 있기 때문에 실제 산정 결과는 큰 차이가 있다.

가. 상 법

상법은 주식매수가격결정과 관련하여 주식의 가치산정 기준으로 "회사의 재산상태와 그 밖의 사정을 참작한 공정한 가액"으로 정하도록 규정하고 있을 뿐이고(제374조의2 제5항, 제360조의24 제9항, 제360조의25 제5항), 구체적 평가방법은 법원의 재량에 맡겨 두고 있다. 이와 관련하여 대법원은 일관되게 주식에 관하여 객관적 교환가치가 적정하게 반영된 정상적인 거래의 실례가 있으면 그 거래가격을 시가로 보아 주식의 매수가액을 정하여야 하나, 그러한 거래사례가 없으면 비상장주식의 평가에 관하여 보편적으로 인정되는 시장가치방식, 순자산가

---

18) 대법원 2006.11.24. 2004마1022.

치방식, 수익가치방식 등 여러 가지 평가방법을 활용하되, 어느 한 가지 평가방법[19])이 항상 적용되어야 한다고 단정할 수 없고, 당해 회사의 상황이나 업종의 특성 등을 종합적으로 고려하여 공정한 가액을 산정하여야 한다는 취지로 판시하고 있다.[20])

나. 법인세법

법인세법 제52조는 특수관계자 사이에 시가와 달리 거래를 하는 방법으로 일방이 타방에게 이익을 분여하는 행위를 재제하기 위하여 부당행위계산부인 규정을 두고 있다. 동조 제2항은 "건전한 사회통념 및 상관습과 특수관계자가 아닌 자간의 정상적인 거래에서 적용되거나 적용될 것으로 판단되는 가격"을 "시가"라고 규정하고 있다. 그리고 동조 제4항의 위임을 받은 동 시행령 제89조 제1항은 ① 원칙적으로 "당해 거래와 유사한 상황에서 당해 법인이 특수관계자 외의 불특정다수인과 계속적으로 거래한 가격 또는 특수관계자가 아닌 제3자간에 일반적으로 거래된 가격이 있는 경우에는 그 가격"을 시가로 보도록 하고,[21]) ② 다만 그러한 기준에 의한 시가가 불분명한 경우에는 보충적으로 상속세 및 증여세법 제63조에 따라 평가한 금액[22])을 시가로 보도록 규정하고 있다. 이와 같은 법인세법은 주식에 대하여 객관적 시장가치가 존재하는 경우에는 시장가치, 시장가치를 평가할 수 없는 경우에는 본질가치(자산가치와 수익가치)로 주식가치를 평가하는 것으로 이해된다. 현금흐름할인가치법(Discount of Cashflow Method) 등을 이용한 회계법인 등 전문가의 주식 감정 금액은 법인세법상의 "시가"로 인정되지 않는다(법인세법 시행령 제89조 제2항 제1호 단서).

다. 상속세 및 증여세법

상속세 및 증여세법(이하 '상증법') 제63조는 주식의 평가에 관하여 비교적 상

---

19) 예컨대, 자본시장법 시행령 제176조의5 제1항의 평가방법이나 상속세 및 증여세법 시행령 제54조의 평가방법 등을 말한다.
20) 대법원 2006.11.24. 2004마1022 외 다수.
21) 상장 주식의 경우 거래일의 거래소 종가를 시가로 보되, 경영권 이전이 수반된 거래의 경우에는 거래소 종가에서 20% 할증평가한 금액을 시가로 본다(법인세법 시행령 제89조 제1항 단서).
22) 동법에 의한 비상장주식 평가는 자산가치와 수익가치를 기준으로 하는데, 이에 대해서는 후술하기로 한다.

세한 규정을 두고 있다. 동 법조에 의한 상장주식과 비상장주식의 평가방법은 다음과 같다.

1) 상장주식의 평가방법

유가증권시장과 코스닥시장에 상장된 주식은 평가기준일 이전·이후 각 2개월 동안 공표된 매일의 최종 시세가액(거래실적의 유무를 불문함)의 평균액에 의하여 평가한다(상증법 제63조 제1항 제1호 가목). 상장주식의 장내 거래가격은 정상적 거래에서 형성된 객관적 시장가치라고 볼 가능성이 높지만 가격 등락이 심한 점을 감안하여 일정기간 동안(총 4개월간)의 종가 평균액을 시가로 보고 있는 것이다. 종래 평가기준일전 1개월간의 최종시세가액의 평균액과 평가기준일의 최종시세가액 중 낮은 가액에 의하여 평가하였다가(구 상속세법 제9조 제2항, 동시행령 제5조 제6항 제1호 가목), 1997. 1. 1. 법률 제5193호로 상증법이 전면 개정되면서 평가기준일 이전 3월간의 최종시세가액의 평균액으로 하는 것으로 개정되고, 2000. 1. 1. 현재와 같이 평가기준일 전후 각 2개월 동안의 평균 시세가액으로 평가하는 것으로 변천되어 왔다.

2) 비상장주식의 평가방법

비상장주식의 1주당 가액은 원칙적으로 주당 순손익가치(수익가치)와 순자산가치를 각각 3과 2의 비율로 가중평균한 금액으로 하되 순자산가치의 80%를 하한으로 한다(상증법 제63조 제1항 제1호 나목, 동 시행령 제54조 제1항). 다만, 청산절차중에 있거나 사업자의 사망 등으로 인하여 사업의 계속이 곤란하다고 인정되는 법인, 사업개시전 또는 사업개시후 3년 미만의 법인과 휴·폐업중에 있는 법인, 법인의 자산 총액 중 부동산 또는 부동산을 취득할 수 있는 권리 등의 합계액이 차지하는 비율이 80% 이상인 법인, 법인의 자산총액 중 주식 가액의 합계액이 차지하는 비율이 80% 이상인 법인, 잔여 존속기간이 3년 이내인 법인의 주식은 순자산가치로만 평가한다(상증법 시행령 제54조 제4항). 이와 같은 법인의 경우에는 수익가치가 의미가 없거나 당해 주식의 가치를 적정하게 나타내는 지표가 되지 못하기 때문이다. 상증법의 비상장주식 평가방법의 변천을 보면, 종래 순손익가치와 순자산가치를 산술평균하였으나, 2001. 1. 1.부터는 순손익가치와 순자산가치 중 큰 금액으로 평가하는 것으로 변경하였다가[23] 2004. 1. 1.

현행 규정과 같이 순손익가치(수익가치)와 순자산가치를 3:2의 비율로 가중평균하는 것으로 개정되었다.[24]

"1주당 순손익가치"는 다음 산식에 의하여 계산된 1주당 최근 3년간의 순손익액의 가중평균액을 3년만기 회사채의 유통수익률을 고려하여 기획재정부령으로 정하는 이자율(순손익가치환원율)로 나눈 금액이다(상증법 시행령 제54조 제1항, 제56조 제1항). 다만, 일시적 우발적 사건으로 최근 3년간의 손익이 비정상적으로 증가하는 등 위와 같이 순손익가치를 산정하는 것이 비합리적인 경우[25]에는 신용평가기관, 회계법인 등이 기획재정부령이 정하는 기준에 따라 산출한 추정이익에 의하여 순손익가치를 평가할 수 있다(상증법 시행령 제56조 제2항).

1주당 최근 3년간의 순손익액의 가중평균액
=[(평가기준일 이전 1년이 되는 사업연도의 1주당 순손익액×3)
 +(평가기준일 이전 2년이 되는 사업연도의 1주당 순손익액×2)
 +(평가기준일 이전 3년이 되는 사업연도의 1주당 순손익액×1)]×1/6

수익가치는 그 개념상 미래의 수익 내지 현금흐름을 기초로 산정하는 것이 적절하나[26] 세법에서는 미래의 수치를 추정함에 있어 개입될 수 있는 평가자의 자의 내지 오류를 차단하여 세금 부과의 객관성과 공정성을 도모하기 위한 목적

---

23) 국세청 2004년 개정세법 해설, 국세청 납세홍보과, 2004. 1, 217면 이하에 의하면 개정 이유는 "기업의 진정한 가치는 미래의 수익력이 반영된 재산가치인 순손익가치라고 보아야 하기 때문에 이를 원칙적인 평가액으로 하여야 하며, 결손법인이라고 하더라도 최소한 기업 매각시 순자산가치만큼은 인정된다는 점에서 순손익가치가 순자산가치에 미치지 못할 경우에도 최소한 순자산가치만큼 받을 수 있는 것이 일반적인 점을 감안하여 그러한 경우는 순자산가치를 평가액으로 한 것"이라고 한다.

24) 박준석, "상속세및증여세법상 비상장주식 평가방법의 적정성에 관한 연구,"「조세법연구[X-1]」(한국세법연구회, 2004), 107면에 의하면, 개정 이유는 "회계이론상 기업의 가치는 순이익과 순자산가치에 의하여 서로 보완적으로 결정된다고 보는 것이 일반적이고, 상당수 비상장법인의 경우 순자산가치가 선택되는 경우가 많아 기업이 순자산의 집합체로만 평가되어 기업의 실질가치에 비하여 과대평가된다는 지적이 있어 순손익가치와 순자산가치의 가중평가제를 도입한 것"이고, 다만 순손익가치와 순자산가치를 3과 2의 비율로 가중평균한 것에 대한 이론적이거나 실증적인 근거는 없다고 한다.

25) 순손익가치의 평가의 대상이 되는 최근 3년간 ① 대규모의 자산수증이익, 채무면제이익, 보험차익, 재해손실이 있었던 경우, ② 합병·분할을 하였거나 주요업종이 바뀐 경우, ③ 1년 이상 휴업한 경우, ④ 대규모의 유가증권·유형자산 처분손익이 있었던 경우, ⑤ 정상적인 매출 발생 기간이 3년 미만인 경우 등을 말한다(상증법 시행령 제56조 제2항, 동 시행규칙 제17조의3 제1항).

26) 대법원 2006.11.23. 자 2005마958.

에서 과거의 평균 수익이 미래에도 유사하게 발생할 것이라는 가정 하에 과거의
수익을 기초로 수익가치를 산정하도록 규정하고 있는 것이다.

한편, "1주당 순자산가치"는 평가기준일 현재 당해 법인의 자산을 상증법(제
60조 내지 제66조)의 규정에 의하여 평가한 가액27)에서 부채를 차감한 순자산가
액을 평가기준일 현재의 발행주식총수로 나누어 계산한다(상증법 시행령 제54조
제2항). 특이한 것은 기업의 자산 상태를 표시하고 있는 재무상태표의 기재 여
부를 불문하고 영업권을 따로 평가하여 순자산가액에 포함시키고 있다는 점이다
(상증법 제64조, 동 시행령 제59조 제2항).

3) 최대주주 보유 주식에 대한 할증 평가

상증법 제63조 제3항은 최대주주 및 그 특수관계인의 주식에 대해서는 앞의
주식가치 평가방법에 의하여 평가된 가액에 20%의 할증률을 가산하여 평가하는
데(상증법 제63조 제3항), 이는 경영권이 포함되어 있을 가능성이 높은 최대주주
(특수관계인 포함)의 주식은 다른 주식보다 더 큰 경제적 가치를 가진다고 보기
때문이다. 다만 개별기업의 특성을 고려하지 않고 지분율에 따라 일률적인 할증
률을 적용하는 것에 대해서는 비판적 견해가 있다.28) 상증법 제63조 제3항에
따른 할증평가는 당해 주식이 최대주주의 보유 주식이면 적용되는 것으로 평가
대상이 되는 주식의 규모를 불문한다. 예컨대 최대주주가 보유하고 있는 주식이
라면 그 주식 중 1주의 가액을 평가할 때도 할증평가를 하여야 한다.

라. 자본시장법 및 발행공시규정

자본시장법 및 발행공시규정은 상장법인이 상장법인 또는 비상장법인과 합병
하는 경우 상장주식과 비상장주식의 합병가액을 산정하는 방법에 관하여 다음과
같이 규정하고 있다.29)

---

27) 이는 대체로 시가에 의한 평가에 가깝다.
28) 이정란, "상속세 및 증여세법상 비상장주식 평가에 관한 연구,"「부산대학교 법학연구」제
52권 제2호 통권 제68호(부산대학교 법학연구소, 2011. 5.), 577면.
29) 한편, 주식매수청구권에 관해 상법과 자본시장법에서 별도 규정을 두는 법체계에 대한 비
판적 견해로는, 정재우, "주식매수청구권에 있어서 매수가격의 결정에 관련된 쟁점사항 검
토,"「증권법연구」제17권 제2호(한국증권법학회, 2016), 417~418면 참조(자본시장법은 자
본시장에 관한 특별법이므로 회사와 소수주주의 이해관계 조정 규정인 주식매수청구권 규
정을 굳이 상법과 자본시장법으로 분리하여 규정할 이유가 없다는 취지).

1) 상장주식의 평가방법

상장주식은 평가기준일 전 최근 1개월간 평균종가, 최근 1주일간 평균종가, 평가기준일 전일의 종가를 산술평균한 가액과 평가기준일 전일의 종가 중 낮은 금액으로 평가한다(자본시장법 시행령 제176조의5 제1항 제1호).[30] 자본시장법 역시 상장주식은 시장가치로 평가하는 것을 원칙으로 하되 주가의 급격한 변동성으로 인한 평가의 왜곡을 막기 위한 완충장치로 평균주가 개념을 이용하고 있다.

2) 비상장주식의 평가방법

비상장주식은 자산가치와 수익가치를 1과 1.5의 비율로 가중평균한 가액으로 평가한다(자본시장법 시행령 제176조의5 제1항 제2호 나목, 발행공시규정 제5-13조, 동 시행세칙 제4조).

자산가치는 순자산을 발행주식수로 나눈 금액으로 계산한다. 순자산은 재무상태표의 자본총계(즉 장부상 순자산가액)에 실질가치가 없는 무형자산 및 회수가능성이 없는 채권, 자산의 손상차손 등을 차감하고, 자기주식 등을 가산하는 방법으로 계산하는데, 이는 순자산의 장부가액과 실질가치 또는 시가와의 차이를 조정하기 위한 것이다(발행공시규정 시행세칙 제5조).

수익가치는 현금흐름할인모형, 배당할인모형 등 미래의 수익가치 산정에 관하여 일반적으로 공정하고 타당한 것으로 인정되는 모형을 적용하여 합리적으로 산정한다(발행공시규정 시행세칙 제6조). 개정 전 시행세칙에서는 수익가치 산정방법으로 장래 2개 사업연도의 주당 추정이익 가중평균액을 자본환원율로 나누는 방법(이익할인가치법)을 특정하고 있었으나 2012. 12. 6. 발행공시규정 시행세칙 제6조를 위와 같이 개정하여 한 가지의 수익가치 평가방법을 특정하는 대신 다양한 평가방법을 사용할 수 있도록 길을 열어 획일적 수익가치 평가를 지양하고 평가대상 주식별로 구체적 타당성을 제고할 수 있는 방법을 선택할 자율성을 부여한 것이다. 개정 이후 실무에서는 구 시행규칙상의 평가방법(이익할인가치법)과 현금흐름할인법(DCF Method)이 주로 사용되고 있다.

종래 자본시장법은 발행공시규정은 상대가치, 자산가치, 수익가치를 모두 반

---

30) 이는 상장주식에 대한 매수청구시 1차적으로 적용되는 가격 산정방식(자본시장법 시행령 제176조의7 제2항 제1호)과는 다르다.

영하여 비상장주식을 평가하는 것을 원칙으로 하고 다만 상대가치를 구하기 어려운 경우에는 자산가치와 수익가치만으로 평가하도록 규정하고 있었으나, 비교대상기업의 선정이 어렵다는 현실을 반영해서 현재는 자산가치와 수익가치만으로 평가하게 하고, 상대가치는 참고 목적으로 비교 공시하도록 하고 있다(자본시장법 시행령 제176조의5 제2항).

상대가치는 평가대상 비상장법인과 업종, 순자산, 법인세비용차감전 이익 등이 유사한 상장법인의 평가기준일 전 1개월간 평균 주가에 두 법인의 법인세차감전이익 및 순자산 규모의 차이를 반영하여 조정한 비교가치를 30% 이상 할인한 가액으로 한다(발행공시규정 제5-13조 제1항, 동 시행세칙 제7조). 즉, 유사 업종의 상장법인의 주가를 기준으로 평가대상 비상장법인의 주식가치를 환산하되, 평가대상 주식이 시장성 없는 비상장주식임을 감안하여 유동성(시장성) 프리미엄을 차감하여 계산하고 있다.

3) 최대주주 보유 주식에 대한 할증 평가

앞서 본 발행공시규정에서는 상증법에서 본 것과 같은 최대주주의 할증 평가에 관한 규정은 존재하지 않는다. 이는 위 규정이 최대주주 주식의 경영권 프리미엄을 인정하지 않아서가 아니라, 동 규정의 주식평가규정은 회사의 합병에 있어 합병가액을 평가하기 위한 목적에서 존재하는 것인데, 합병은 둘 이상의 당사회사의 전부 또는 하나를 제외한 전부가 해산되어 그 재산이 포괄적으로 청산절차 없이 신설 또는 존속회사로 승계되고 동시에 해산회사 사원에게 신설 또는 존속회사의 사원권을 부여함으로써 사원도 수용되는 회사법상의 제도인바,[31] 모든 주식은 동일하게 평가되어야 하고 주식에 따라 다른 평가가액이 적용될 여지가 없기 때문이다.[32]

마. 감정평가에 관한 규칙

감정평가에 관한 규칙[33] 제24조 및 감정평가 실무기준 650에 의하면 상장주

---

31) 권기범, 「기업구조조정법」 제3판(삼지원, 2002), 42면.
32) 최대주주의 할증평가를 인정하고 있는 상증법에서도 합병가액의 평가에 있어서는 할증평가 규정을 적용하지 않고 있다(상증법 시행령 제53조 제5항, 제28조).
33) 부동산 가격공시 및 감정평가에 관한 법률 제31조의 위임에 의하여 국토교통부령으로 제정된 것이다.

식은 평가기준일 이전 30일간의 가중산술평균가격(시장가치)으로, 비상장주식은 기업가치³⁴⁾에서 부채의 가치를 빼고 산정한 자기자본의 가치를 발행주식수로 나누어 평가한다. 다만, 비슷한 주식의 거래가격이나 시세 또는 시장배수 등을 기준으로 감정평가할 때에는 비상장주식의 주당가치를 직접 산정할 수 있다.

동 규칙 제12조는 규칙에서 정하는 감정평가방법을 적용하는 것이 곤란하거나 부적절한 경우에는 다른 감정평가방법을 적용할 수 있도록 하여 예외적으로 위 기준과 달리 평가할 수 있는 길을 열어두고 있다. 요컨대, 감정평가에 관한 규칙은 상장주식은 시장가치로, 비상장주식은 수익가치를 원칙으로 하되 예외적으로 시장가치 등 다른 방법에 의하여 평가할 수 있도록 규정하고 나아가 감정인이 그러한 평가가 적정하지 않다고 판단하는 경우 다른 평가방법을 선택·사용하는 것도 가능하다.

바. 기   타

그 외에도, 독점규제 및 공정거래에 관한 법률상의 불공정거래행위를 심사하기 위한 사무처리준칙인 부당지원행위심사지침,³⁵⁾ 국유재산법³⁶⁾ 등에도 주식의

---

34) 기업가치는 할인현금흐름분석법, 직접환원법, 옵션평가모형 등 수익환원법(수익가치)을 적용하여 평가하되, 수익환원법을 적용하는 것이 곤란하거나 적절하지 아니한 경우에는 거래사례비교법(시장가치)이나 원가법 등 다른 방법으로 평가할 수 있다.

35) 부당지원행위심사지침은 공정거래위원회 내부의 사무처리준칙으로 일반 국민을 기속하는 법규성은 없다(대법원 2004.4.23. 2001두6517). 동 지침에 의하면, 정상가격은 원칙적으로 거래 당시의 특수관계가 없는 독립된 자간에 형성될 시가에 의하되, 그 방법에 의하여 시가를 산정하기 어려운 경우에는 당해 자산의 종류, 규모, 거래상황 등을 참작하여 상증법에서 정하는 방법을 준용하여 평가하도록 하고 있다.

36) 국유재산법 제44조는 일반재산의 처분가격을 시가로 하도록 규정하고, 시가의 산정방법은 대통령령에 위임하고 있는데, 그 위임을 빋은 시행령 제43조 및 제44조는 다음과 같이 규정하고 있다.
제43조(상장증권의 예정가격) ① 상장법인이 발행한 주권을 처분할 때에는 그 예정가격은 다음 각 호의 어느 하나에 해당하는 가격 이상으로 한다.
1. 평가기준일 전 1년 이내의 최근에 거래된 30일간의 증권시장에서의 최종 시세가액을 가중산술평균하여 산출한 가액으로 하되, 거래 실적이 있는 날이 30일 미만일 때에는 거래된 날의 증권시장의 최종 시세가액을 가중산술평균한 가액과 제44조제1항의 방법에 따른 가액을 고려하여 산출한 가격. 다만, 경쟁입찰의 방법으로 처분하거나 「자본시장과 금융투자업에 관한 법률」 제9조제9항에 따른 매출의 방법으로 처분하는 경우에는 평가기준일 전 1년 이내의 최근에 거래된 30일간(거래 실적이 있는 날이 30일 미만인 경우에는 거래된 날)의 증권시장에서의 최종 시세가액을 가중산술평균한 가액과 제44조제1항의 방법에 따른 가액을 고려하여 산출한 가격으로 할 수 있다.
2. 제41조제3호에 따라 공개매수에 응모하는 경우에는 그 공개매수 가격
3. 제41조제4호에 따라 주식매수청구권을 행사하는 경우에는 「자본시장과 금융투자업에 관

평가방법에 관하여 참고할 만한 규정이 있다.

4. 주식평가방법에 관한 구체적 고찰 -법원의 판례[37]를 중심으로-

가. 원 칙

주식의 가치평가에 관하여, 법원은 "객관적 교환가치가 적정하게 반영된 정상적인 거래의 실례가 있는 경우에는 그 거래가격을 시가로 보아 주식의 가액을 평가하여야 할 것이나, 만약 그러한 거래사례가 없는 경우에는 보편적으로 인정되는 여러 가지 평가방법들(순자산가치방식, 수익가치방식, 유사업종비교방식 등)을 토대로, 당해 거래의 특수성을 고려하여 객관적 교환가치를 반영한 적정거래가액을 결정하여야 할 것"이라고 하면서,[38] 앞서 본 것과 같은 제 법령상의 평가방법을 이용하는 경우에도 "그러한 평가방법을 규정한 관련 법규들은 각 그 제정 목적에 따라 서로 상이한 기준을 적용하고 있음을 감안할 때 어느 한 가지 평가방법(예컨대, 상증법 시행령 제54조의 평가방법)이 항상 적용되어야 한다고 단정할

한 법률」 제165조의5에 따라 산출한 가격
4. 제41조 제5호에 따라 매각가격을 특정할 수 있는 경우에는 그 가격
② 제1항 외의 상장증권은 평가기준일 전 1년 이내의 최근에 거래된 증권시장에서의 시세가격 및 수익률 등을 고려하여 산출한 가격 이상으로 한다.
③ 제1항 및 제2항에도 불구하고 상장증권을 증권시장 또는 기획재정부장관이 가격 결정의 공정성이 있다고 인정하여 고시하는 시장을 통하여 매각할 때에는 예정가격 없이 그 시장에서 형성되는 시세가격에 따른다.
제44조(비상장증권의 예정가격) ① 비상장법인이 발행한 지분증권을 처분할 때에는 그 예정가격은 기획재정부령으로 정하는 산출방식에 따라 비상장법인의 자산가치, 수익가치 및 상대가치를 고려하여 산출한 가격 이상으로 한다. 다만, 기획재정부령으로 정하는 경우에는 수익가치 또는 상대가치를 고려하지 아니할 수 있다.
② 제1항에도 불구하고 국세물납으로 취득한 지분증권의 경우에는 물납재산의 수납가액 또는 증권시장 외의 시장에서 형성되는 시세가격을 고려하여 예정가격을 산출할 수 있다.
③ 비상장법인이 발행한 지분증권을 현물출자하는 경우에는 그 증권을 발행한 법인의 재산상태 및 수익성을 기준으로 하여 기획재정부장관이 재산가격을 결정한다.
④ 제1항 외의 비상장증권의 예정가격은 기획재정부령으로 정하는 방식에 따라 산정한 기대수익 또는 예상수익률을 고려하여 산출한 가격 이상으로 한다.
37) 이하에서 분석하는 법원의 결정은 주로 주식매수가격결정 사건에서의 판례이지만, 주식의 공정한 가격 평가가 문제가 된 민사 또는 형사사건에서의 판례도 포함한다. 이사의 민형사 책임에 관한 판례에서 주식의 공정한 가액 평가가 쟁점이 되는 사례가 종종 있는데, 그 경우의 공정한 주식가치 평가방법은 주식매수가격 결정에 있어서와 이론적으로나 실무적으로나 다르지 않다.
38) 대법원 2006.11.24. 자 2004마1022; 2006.11.23. 자 2005마958, 959, 960, 961, 962, 963, 964, 965, 966; 2005.10.28. 2003다69638.

수는 없고, 거래 당시 당해 비상장법인 및 거래당사자의 상황, 당해 업종의 특성 등을 종합적으로 고려하여 합리적으로 판단하여야 할 것"이라고 한다.[39]

요컨대, 법원은 정상적인 거래에서 형성된 가격으로 객관적 교환가치가 적정하게 반영된 시장가치가 존재하는 경우에는 그 시장가치로, 그것이 없는 경우에는 자산가치, 수익가치, 시장가치(상대가치) 등의 여러 평가요소를 종합하여 주식을 평가하도록 하고 있다. 이와 같은 원칙을 바탕으로 법원이 인정하고 있는 자산가치, 수익가치, 시장가치의 각 평가방법 및 각 평가금액을 종합하여 주식가치를 산정하는 방법에 관하여 개별적으로 고찰하기로 한다.

나. 상장주식의 경우

1) 상장주식의 공정한 가액 평가방법

상장주식은 공개시장을 통하여 형성된 가격이 존재하고 이 가격은 일반적으로 비상장주식의 거래사례가격에 비하여 시장가치로서 신뢰성이 높다.[40] 상장주식의 이러한 특성을 고려하여 거래소에서 형성된 가격을 곧바로 시가 즉 공정한 가액으로 인정할 것인지, 아니면 상장주식의 경우에도 앞서 본 여러 가지 주식가치평가요소를 모두 고려하여 그 가치를 평가할 것인지 관하여 논란이 있다. 학설은 원칙적으로 시장주가를 기준으로 가치를 평가하되, 다만 그 시장주가가 객관적 교환가치가 반영된 정상적인 거래가격에 해당하지 않는다는 특별한 사정이 있는 경우 자산가치, 수익가치 등 다른 가격평가요소를 반영하여 평가하여야 한다는 견해[41]와 상장주식도 비상장주식과 마찬가지로 시장가치, 자산가치, 수익가치 등 모든 요소를 당해 기업의 구체적 사정에 맞게 고려하여 가격을 결정하는 것이 타당하다는 견해[42]로 나뉜다. 전자의 견해를 뒷받침하는 주요 근거

---

39) 대법원 2005.4.29. 2005도856 등.

40) 그런 이유로 상장주식에 대해 주식매수가격 결정을 구하는 사건은 비상장주식에 비하면 그리 많지 않다. 최근에는 이와 같이 상장주식은 시장에서 곧바로 매각할 수 있으므로 굳이 주식매수청구권을 인정할 이유가 없다는 견해도 제기되고 있다(이른바 "시장성 예외" 이론). 이에 대한 최근 논의에 대해서는, 이상훈, "주식매수청구권 시장성예외 도입논의 검토,"「증권법연구」제21권 제1호 통권 제50호(한국증권법학회, 2020. 4.) 참조.

41) 진상범, "주권상장법인의 합병 등 반대주주가 주식매수청구권을 행사한 경우 그 매수가격의 산정방법,"「BFL」제53호(서울대학교 금융법센터, 2012. 5.), 127면.

42) 권기범, 전게서, 251~252면; 서규석·김병기, 전게논문, 479면; 오창석, "주식매수청구권의 행사와 매수가격결정에 관한 연구,"「법학논총」제24집(숭실대학교 법학연구소, 2010. 7.), 17면.

는, 상장법인의 시장주가는 다수의 시장참가자가 형성한 종합적 평가가치이고, 상장주식의 거래에는 기업의 실질가치가 반영될 수 있도록 정보 공개 등 제도적 장치가 마련되어 있다는 점이다. 반면 후자의 견해는 매도인과 매수인 사이의 기업가치에 대한 정보의 부족, 투기나 경영진에 의한 주가 조작, 주식시장이 갖는 공정한 가격결정기구로서의 한계 등 기업가치와 무관한 사정에 의하여 주가가 변동될 수 있다는 위험 때문에 상장주식의 경우에도 시장가치로만으로 주식가치를 산정할 수는 없다고 한다.43)

거래소 주가는 객관적 가치가 반영될 수 있도록 각종 제도적 장치가 마련되어 있다는 점, 거래소에서는 공시제도를 통하여 당해 기업 및 주식에 대한 정보가 충분히 제공되고 그 정보를 바탕으로 자유롭게 거래가 형성된다는 점 등을 감안하면 거래소 시가는 원칙적으로 "객관적 교환가치가 적정하게 반영된 정상적인 거래의 실례"에 해당한다고 보아야 할 것이다.44) 다만, 투기적 거래나 시세조종행위에 의하여 일시적으로 본질가치와 심각한 괴리가 있는 주가가 형성되었을 개연성이 있는 경우에는 비록 거래소에서 형성된 가격이라고 하더라도 그것을 "객관적 교환가치가 적정하게 반영된 정상적인 거래가격"이라거나 공정한 가액이라고 할 수 없을 것이므로 이 경우에는 객관적 시장가치는 존재하지 않는 것으로 보고 그 외의 평가방법(자산가치, 수익가치, 상대가치 등)으로 주식가치를 산정할 수밖에 없을 것이다. 시장주가가 자산가치 또는 수익가치와 차이가 크다는 이유만으로 시장주가가 객관적 가치를 반영하고 있지 못하다고 단정할 수 없고 시장주가가 자연스럽게 형성된 것인지 인위적 개입(투기·주가조작 등)이나 잘못된 정보 기타 외부적 요인으로 형성된 것인지 여부를 살펴 보아야 한다.45)

상장주식에 대한 거래소 시가는 객관적 시장가치로 추정된다고 보아야 하고 그것이 객관적 교환가치가 적정하게 반영된 정상적인 거래가격이 아니라는 점은 주장하는 자가 입증책임을 진다.46)

---

43) 김성진, "반대주주의 주식매수청구권 행사시 상장법인 주식의 매수가격 결정에 관한 연구," 「경영법률」 제23집 제3호(한국경영법률학회, 2013), 19~24면.

44) 유가증권 시장의 주가는 정상적 거래가격으로 볼 수 있지만, 코스닥 시장의 주가는 신뢰성이 떨어지므로 객관적 시장가치로 볼 수 없다는 견해가 있으나(김홍기, 전게논문, 184면) 개별적으로 각 주가가 정상적으로 형성된 것인지를 기준으로 판단하여야 하지, 유가증권 시장인지 코스닥 시장인지에 따라 획일적으로 달리 판단할 것은 아니라고 생각한다.

45) 김순석, "주식매수청구권 제도의 재검토," 「기업법연구」 제32권 제1호(한국기업법학회, 2018), 171면.

2) 판례의 태도

가) 종래의 판례

주식매수가격 결정 사건 중에서 상장주식들임에도 불구하고 자산가치, 수익 가치, 시장가치를 각 1:1:1로 하여 단순 산술평균한 가액을 매수가격으로 결정한 사례가 있다.[47] 하지만 이는 협의 불성립 시 회계전문가가 "당해 부실금융기관의 재산가치와 수익가치 등을 고려하여 산정한 가격"으로 매수가액을 결정하도록 규정하고 있는 금산법에 의한 매수청구사건이어서,[48] 금산법이 적용되는 영역 외의 주식평가에 일반적으로 적용될 수 있는 판례라고 보기는 어렵다. 또한 하급심 판례 중에 상장주식임에도 시장가치와 자산가치를 1:1로 산술평균한 것이 있으나 이는 영업의 전부를 양도함으로써 주식이 거래정지되고 상장폐지 및 폐업이 예정된 특수한 사정이 있어,[49] 역시 일반화하기는 어려운 사례로 보인다.

나) 최근의 판례 동향

대법원은 주권상장법인의 합병 등에 반대하여 주식매수를 청구한 주주가 법원에 매수가격 결정을 청구한 사안에서, 당해 법인이 회사정리절차 중에 있었던 관계로 주식의 시장가치가 저평가되어 있고 회사정리절차가 진행되는 동안 주식

---

46) 최승재, 전게논문, 186~187면; 양기진, "반대주주의 주식매수청구권에 관한 연구,"「기업법연구」 제26권 제1호(한국기업법학회, 2012), 206면.

47) 서울지방법원 1999.7.28. 99파204; 1999.10.22. 99파300; 제주지방법원 2001.3.16. 2001파1; 창원지방법원 2001.2.14. 2001파1. 참조. 평가기준일전 2개월간 종가 평균, 1개월간 종가평균, 1주간 종가평균의 산술평균을 시장가치로 산정하였다.

48) 제주지방법원 2001.3.16. 2001파1. "주권이 증권시장에 상장되어 거래되고 있는 회사의 경우에는 통상적으로 그 시장가격이 주식의 객관적 가치를 일정하게 반영하여 형성되는 것으로 기대되고, 이에 따라 주주들도 주식의 가치를 시장가격으로 평가하여 보유하거나 그 매매 여부를 결정하게 되므로, 상장법인의 주식매수가액을 결정함에 있어서는 주주의 재산권 보호를 위하여 시장거래가격을 그 산정요소 중 하나로 삼아야 할 것이다. 한편 법 제12조 제8항에서는 주식의 재산가치와 수익가치를 매수가액 결정의 기준으로 제시하고 있는바, 1주당 순자산가치와 수익가치는 주식의 본질적 가치를 나타내는 가장 중요한 지표라 할 것인데도, 주식의 시장거래가격은 이와 같은 지표들을 충실히 반영하지 못하는 경우가 많을 뿐만 아니라 오히려 비경제적 요소들에 의하여 부당하게 고가로 평가되는 경우마저도 있으므로, 이와 같은 점들을 종합하면 이 사건 주식의 매수가액은 1주당 시장가치와 순자산가치 및 수익가치를 각각 균등한 비율로 산술평균하여 결정하는 것이 타당할 것으로 판단된다"고 판시한 것 참조.

49) 서울고등법원 2005.8.11. 2005라37. 시장가치는 상장폐지 정리기간 동안의 평균 거래가격으로 산정하였다.

이 유가증권시장에서 관리대상종목에 편입됨으로써 주식 거래에 다소의 제약을 받고 있었다는 이유로 시장주가가 당해 법인의 객관적 교환가치를 제대로 반영하고 있지 않다고 보아 시장가치 외에 순자산가치까지 포함시켜 매수가격을 산정한 원심결정50)을 파기하였다.51)

위 대법원 결정은 일반적으로 주권상장법인의 시장주가는 유가증권시장에 참여한 다수의 투자자가 당해 법인에 관하여 공시된 정보에 기초하여 내린 투자판단에 의하여 형성된 것인 점, 주권상장법인의 주주는 통상 시장주가를 전제로 투자행동을 취한다는 점에서 시장주가를 기준으로 매수가격을 결정하는 것은 당해 주주의 합리적 기대에 합치하는 점 등을 고려하여 상장주식에 있어서 법원은 원칙적으로 시장주가를 참조하여 매수가격을 산정하되, 구체적 시장주가를 산정하는 방법에 있어서는 반드시 구 증권거래법 시행령52)에서 정한 산정 방법 중 어느 하나에 의하여 매수가격을 산정하여야 하는 것은 아니고, 법원이 이사회결의일 이전의 어느 특정일의 시장주가를 참조할 것인지, 또는 일정기간 동안의 시장주가의 평균치를 참조할 것인지, 그렇지 않으면 구 증권거래법 시행령에서 정한 산정방법 중 어느 하나에 따라 산정된 가격을 그대로 인정할 것인지 등을 합리적으로 결정할 수 있다고 판시하였다. 다만, 상장주식이라고 하더라도 유가증권시장에서 거래가 충분히 형성되지 아니하거나 시장주가가 가격조작 등 시장의 기능을 방해하는 부정한 수단에 의하여 영향을 받는 등으로 당해 주권상장법인의 객관적 가치를 제대로 반영하지 못하고 있다고 판단되는 경우에는, 시장주가를 배제하거나 또는 시장주가와 함께 순자산가치나 수익가치 등 다른 평가요소를 반영하여 당해 법인의 상황이나 업종의 특성 등을 종합적으로 고려한 공정한 가액을 산정할 수도 있다고 예외를 두었다. 하지만 단순히 시장주가가 순자산가치나 수익가치에 기초하여 산정된 가격과 다소 차이가 난다는 사정만으로

---

50) 이 사건의 1심 법원인 서울중앙지방법원은 순자산가치와 수익가치, 시장가치를 2:1:1로 가중평균한 금액을 매수가격으로 결정하였는데(서울중앙지방법원 2005.11.2. 2004비합151), 항고심인 서울고등법원 2008.1.29. 2005라878은 수익가치는 배제하고 시장가치와 자산가치를 1:1로 산술평균하여 매수가격을 산정하는 것으로 1심 결정을 변경하였다.

51) 대법원 2011.10.13. 2008마264.

52) 구 증권거래법 시행령(2005.1.27. 대통령령 제18687호로 개정되기 전의 것, 이하 '구 증권거래법 시행령'이라 한다) 제84조의9 제2항 제1호에 의한 방법으로, 자본시장법 제165조의5 제3항, 동 시행령 제176조의7 제2항의 방법(이사회 결의일 전일을 기준으로 과거 2개월, 1개월, 1주일간의 거래소 최종시세가격을 실물거래에 의한 거래량을 가중치로 하여 가중평균한 가격)과 같다.

위 시장주가가 주권상장법인의 객관적 가치를 반영하지 못한다고 쉽게 단정해서는 안된다고 하여 이와 같은 예외적인 평가방법의 선택에는 신중하여야 한다고 한다. 위 판례는 상장주식의 가치평가에 대한 기준을 비교적 명확히 제시한바, 그 취지는 상장주식 시장가치의 중요성 및 신뢰성을 강조한 것으로 이해된다.

또한, 대법원은 주권상장법인의 합병에 반대하는 주주가 주식이 과점 상태에 있다는 점, 장외에서 대주주로부터 더 높은 가격에 주식이 매매된 사례가 있다는 점, 주식 가격에 부정적인 영향을 미치는 자본감소 결정이 있었다는 점 등을 이유로 거래소 시가가 당해 상장주식의 객관적 가치를 반영하지 못한다고 주장한 사건에서, 그 주장을 배척한 다음 구 증권거래법 제191조, 구 증권거래법 시행령 제84조의9 제2항 제1호에 정한 산정방법에 따라 합병을 위한 이사회결의 전일부터 과거 2월간, 1월간, 1주간 공표된 매일의 유가증권시장에서 거래된 최종시세가격을 실물거래에 의한 거래량을 가중치로 한 각 가중산술평균가격의 산술평균가격을 매수가액으로 정한 원심 결정에 위법이 없다고 판단하기도 하였다.[53] 최근 하급심 결정 가운데에도 상장주식에 대해 자본시장법 시행령 제176조의7 제3항에 따라 과거 2개월, 1개월, 1주간 가격으로 주식매수가격을 결정한 사례들이 있다.[54]

다. 비상장 주식의 경우

1) 비상장 주식의 공정한 가액 평가의 기본 원칙

판례는 비상장주식의 가치평가에 대하여, 객관적 교환가치가 적정하게 반영된 정상적인 거래의 실례가 있으면 그 거래가격을 시가로 보아 주식의 매수가액을 정하여야 하나, 그러한 거래사례가 없으면 회사의 사산총액에서 부채총액을 뺀 금액을 발행주식총수로 나는 금액(순자산가치), 회사의 장래수익을 일정한 자본환원율에 따라 현가화한 금액을 발행주식총수로 나눈 금액(수익가치), 통상적인 경우에 거래를 통하여 주식의 객관적 가치를 반영하는 가액(시장가치) 또는 객관적 시장가치를 산정하기 어려운 경우에는 시장가치를 대신하여 또는 위 각 산정요소와는 별도의 산정요소로서 유사업종비교에 따른 가액(상대가치)을 모두

---

53) 대법원 2011.10.13. 2009마989.

54) 서울중앙지방법원 2021.1.27. 자 2020비합30330; 대전지방법원 2021.2.16. 2020비합50003, 50011, 50012.

고려하여 가격을 산정하여야 하고, 시장가치(상대가치), 순자산가치, 수익가치 등 여러 가지 평가요소를 종합적으로 고려하여 비상장주식의 매수가액을 산정하는 경우에는 당해 회사의 상황이나 업종의 특성, 위와 같은 평가요소가 주식의 객관적인 가치를 적절하게 반영할 수 있는 것인지, 그 방법에 의한 가치산정에 다른 잘못은 없는지 여부 등에 따라 평가요소를 반영하는 비율을 정하여 가중평균하는 방법으로 평가하여야 한다는 원칙을 일관되게 유지하고 있다.[55] 이러한 원칙하에 종래 우리 법원이 택한 비상장주식 평가방법[56]을 정리하면 대체로 다음과 같다.

① 객관적 교환가치가 적정하게 반영된 정상적인 거래의 실례가 있으면 그 거래가격을 시가로 볼 수 있다. 하지만, 비상장주식의 거래사례가격이 이러한 거래실례가격에 해당하는지 여부는 엄격히 판단한다.

② 객관적 교환가치가 적정하게 반영된 정상적인 거래의 실례가 없다면, 원칙적으로 여러 평가요소, 즉 시장가치(상대가치), 자산가치, 수익가치 모두를 고려하여 주식가치를 판단한다.

③ 시장가치는, 객관적인 거래사례가격 또는 영업의 종류, 자산 및 매출의 규모가 유사한 복수의 상장회사의 주가를 기준으로 산정한 상대가치에 의한다. 객관적이고 신뢰성 있는 시장가치가 없으면 시장가치는 반영되지 않는다.

④ 자산가치는, 주로 순자산장부가액에서 시가와 장부가액의 차이를 조정하여 반영하는 방식을 취한다(발행공시규정에 의한 자산가치 또는 상증법상 자산가치도 이 범주에 속한다). 재무제표를 신뢰할 수 없는 상황에서는 자산가치가 반영되지 않는다.

⑤ 수익가치는, 향후 2년간의 추정이익을 기준으로 한 구 발행공시규정에 의한 평가방법 또는 과거 3년간의 순손익을 기준으로 하는 상증법상 평가방법을 주로 이용하되, 사안에 따라 세부적 평가방법이나 요소를 일부 변형하는 것도 가능하다. 최근에는 현금흐름할인가치법(DCF법)으로 평가한 가격으로 수익가치를 인정한 사례들도 많다. 이 점은 뒤에서 자세히 본다.

⑥ 당해 회사의 상황이나 업종의 특성,[57] 각 평가요소에 대한 신뢰도 등을

---

55) 대법원 2006.11.24. 자 2004마1022 외 다수.
56) 주로 주식매수가격결정 사건에 대한 것이지만, 이사의 책임이 문제되는 민형사 사건에서도 다르지 않다.
57) 예컨대, 장치산업의 경우에는 자산가치, 성장산업의 경우에는 수익가치가 중시된다.

종합적으로 고려하여 채택된 각 평가요소별로 가중치를 판단하여, 그 가중치로 가중평균한 금액을 주식의 가격으로 산정한다.

이하에서 이에 대하여 상술(詳述)한다.

2) 시장가치

가) 객관적 교환가치가 적정하게 반영된 정상적인 거래가격으로서의 시장가치

대부분의 법령상 평가방법이 시장가치(객관적 거래사례가격)를 최우선적으로 가치평가에 고려하고 있고, 판례 역시 객관적 교환가치가 적정하게 반영된 정상적인 거래의 실례가 있는 경우에는 그 거래가격 자체를 바로 시가로 보아 주식의 가액을 평가하여야 한다고 설시하고 있다. 이는 자유로운 경쟁이 보장된 상태에서 형성된 시장가치는 당해 주식의 정당한 가격, 즉 본질가치와 다르지 않을 것이라는 기대에 기초한 것이다. 그러나 현실에서는 비상장주식에 대하여 이러한 이론적 시장가치가 존재하는 경우가 흔치 않다. 비상장주식에 대한 주식매수가격결정 사건에서 시장가치만으로 주식가치를 인정한 사례가 있으나[58] 이는 비상장주식의 거래가격을 객관적 교환가치가 적정하게 반영된 정상적인 거래의 실례로 보아 그 가격을 주식가치를 판단한 것이 아니라 그 가격을 주식가치 산정을 위한 고려 요소 중의 하나인 시장가치로 보되, 자산가치와 수익가치에 관한 당사자의 주장이 없거나 주장이 있더라도 재무제표가 제출되지 않아 산출이 불가능하거나 자산가치나 수익가치로 주장된 금액이 신뢰할 수 없고 달리 적정한 자산가치 내지 수익가치라고 볼 수 있는 금액이 확인되지 않아 결과적으로는 시장가치만으로 주식가치가 산정되었던 것일 뿐이다.[59]

비상장주식 중에서 인터넷 중개 사이트를 통하여 장외에서 빈번하게 거래되는 주식이 있다. 이런 주식은 비상장주식이라도 거래사례가 많고, 인터넷 중개 사이트에서는 각 주식별로 매도/매수 호가와 시세정보도 제공하고 있다. 주식매수청구권을 행사하는 주주들이 이와 같은 중개 사이트에서 제공하는 시세 또는 매도/매수 호가를 시장가치라고 주장하는 경우가 종종 있으나, 법원은 비록 빈

---

58) 서울고등법원 2008.1.18. 2006라1783; 서울중앙지방법원 2004.7.2. 2004비합100.
59) 주식의 고가매수에 대한 이사의 형사책임이 문제된 사안(대법원 2007.3.15. 2004도5742)에서 거래사례가격을 시가로 인정하였으나, 이 역시 거래사례가격의 실제 및 신뢰성만이 쟁점이 된 사건이고 자산가치나 수익가치에 대한 주장 내지 변론이 없었으므로, 이를 비상장주식의 시장가치 인정의 사례로 볼 수는 없다.

번하게 거래되는 주식이라고 하더라도 비상장주식의 장외거래가격을 객관적 교
환가치가 적정하게 반영된 정상적인 거래가격으로 보아 그 가격을 주식매수가격
으로 결정하는 것에는 소극적인 입장이다.[60]

자본시장법 제286조 제1항 제5호에 의하여 한국금융투자협회가 운영하는 프
리보드시장에서 형성된 비상장주식의 거래가격은 어떠한가? 판례는 이 거래가격
역시 매수가격 그 자체가 되는 거래실례가격이 될 수 없다고 판단하고 있
다.[61][62]

나) 주식가치를 산정하기 위한 고려 요소 중의 하나로서의 시장가치

판례가 주식가치 산정요소 중의 하나인 시장가치로 인정하고 있는 것으로 당
해 주식에 대한 거래사례가격과 상대가치가 있다.

(1) 거래사례가격

어떤 거래사례가격이 객관적 교환가치가 적정하게 반영된 정상적인 거래실례
가격으로서 그 자체가 시가로 인정되지 못한 경우 그 가격을 주식가치 산정을
위한 고려요소 중의 하나인 시장가치로서는 인정할 수 있을 것인지에 관하여 의
문이 있다. 객관적 교환가격이라고 인정되지 못한 것인 이상 시장가치로서의 기
능은 상실한 것이므로 가격결정 요소의 하나로서도 고려될 수 없다는 견해가 있
을 수 있으나, 판례는 긍정한다.[63] 주식가치 평가에 있어 그 가격이 얼마가 되
는 것이 정당하다는 가치평가 외에 현실에서 얼마에 거래되고 있는가 하는 사실
도 반영하지 않을 수 없다. 자산가치와 수익가치라는 본질가치 내지 내재가치는
정당한 가격이 될 수 있을지는 몰라도 시장의 현실과 선호도를 반영하지 못한다

---

60) 대법원 2012.2.24. 2010마315, 316, 317, 318, 319, 320(병합). 약 2~3개월간 60여회에 걸친
비교적 안정적인 매매가 있었음이 인정된 사례이지만 상장주식과 비교하여 매매수량 및 빈
도가 적고 매매회전율이 낮다는 이유로 객관적 교환가치가 적정하게 반영된 정상적인 거래
가격에는 해당되지 않는다고 판단하였다. 다만, 매수가격을 산정하기 위한 고려 요소 중의
하나로는 인정하였다. 참고로 삼성SDS 신주인수권부사채와 관련한 형사사건에서도 삼성
SDS주식의 장외거래가격을 시가로 인정하지 않은 바 있다(대법원 2009.5.29. 2008도9436
판결. 및 동 판결의 파기 환송심인 서울고등법원 2009.8.14. 2009노1422 참조).
61) 서울고등법원 2011.7.1. 2010라332, 333(병합). 다만, 매수가격을 산정하기 위한 고려요소 중
의 하나로는 인정하였다.
62) 다만 프리보드시장은 2014년 K-OTC(Korea Over-The-Counter) 시장으로 개편되었다.
63) 대법원 2012.2.24. 2010마315, 316, 317, 318, 319, 320(병합); 서울고등법원 2011.7.1. 2010
라332, 333(병합); 2008.1.18. 2006라1783; 서울중앙지방법원 2017.11.7. 2016비합30098(서
울고등법원 2018.4.13. 2017라21374).

는 점을 고려하면, 객관적 교환가치가 적정하게 반영된 정상적인 거래실례가격
으로서 시가 그 자체에 해당하기는 부족한 거래사례가격이라고 하더라도 그 가
격을 주식가치 산정을 위한 고려요소 중의 하나인 시장가치로서는 반영하는 것
이 타당하다고 생각한다. 객관적 정상적 시장가치로서의 신뢰도가 부족한 점은
아래에서 설명할 가격결정요소에 대한 가중치 결정에 있어 고려할 요소로 삼으
면 족할 것이다.

주식가치 산정을 위한 고려요소 중의 하나인 시장가치에 해당하는지 여부는
거래당사자의 관계, 거래의 동기와 목적,[64] 거래의 횟수, 빈도 및 규모, 거래에
특수한 조건이 부가되는 등의 사정의 존부,[65] 매매계약 체결 당시 매도인과 매
수인이 각 그 이익을 위하여 최선의 노력을 다한 협상과 합의가 있었는지 여부
등을 종합적으로 고려하여 건전한 사회통념 및 상관습에 따라 판단하여야 한다.
나아가 거래사례가격이 형성된 거래와 주식평가시점 사이에 주식가치의 상당한
변동이 있을 수 있는지 여부도 살펴 보아야 한다. 그 기간 중 주식가치에 변동
이 있었다면 비교가능성이 없기 때문이다. 주식가치의 변동 가능성은 거래사례
가격과 주식평가시점의 시간적 근접성, 양 시점 사이에 영업실적의 변경이나 중
요한 사업 또는 재산의 처분, 법인이 보유한 자산의 시가 변동이 있었는지 여부,
배당 등 이익처분 · 증자 · 감자 또는 대규모 투자나 자금 차입 등으로 인하여
재무구조나 유동성의 변경이 있는지 등을 통하여 판단된다.[66]

거래사례가격을 형성한 거래에 존재하는 특수한 상황이 없었더라면 형성되었
을 가격으로 조정된 금액을 시장가치로 볼 수 있는 것인가 하는 문제가 있다.
판례 중에는 경영권을 포함한 주식거래에서 형성된 가격에서 경영권 프리미엄에
해당하는 금액을 차감한 가격으로 시장가치를 산정히기나[67] 거래사례가격에서
거래사례가 발생한 이후의 무상증자로 인한 주가의 희석 효과를 고려하여 무상
증자 이후 주식의 시장가치를 산정한 것이 있다.[68]

---

64) 예컨대, 안정적 공급계약 체결을 위하여 다소 불리한 금액으로 주식을 매수하기로 한 거래
   는 객관적 거래라고 할 수 없을 것이다.
65) 예컨대, 정해진 매매대가의 지급에 일정 경영성과달성 등의 조건이 부가되어 있거나, 장래
   당해 주식을 매도 또는 매수할 수 있는 권리(put/call option)가 부여된 경우에는 일반적
   매매가격이라고 할 수 없을 것이다.
66) 김상곤 · 박영욱, 전게논문, 384면.
67) 서울고등법원 2008.1.18. 2006라1783.
68) 서울고등법원 2011.7.1. 2010라332, 333(병합).

(2) 상대가치

실무적으로 상대가치로 사용되는 것은 거의 대부분 유사상장기업의 주가를 이용하여 발행공시규정에 따라 상대가치를 산정하는 방법이다. 법원도 동 규정에 따라 산출된 상대가치를 주식가치 산정을 위한 고려요소 중의 하나인 시장가치로 인정한 사례들이 있다.[69] 유사상장법인과의 비교에 의한 상대가치는 당해법인과 업종, 산업상 위치 및 경쟁력, 브랜드 인지도, 자본구조, 매출 및 이익 규모, 신용도 등을 비교하여 유사성이 인정되어야 한다. 비교대상기업의 주가로서 적용 가능한 금액은 평가기준일 현재의 종가, 기준일 전 일정기간(예컨대 1개월 등) 동안의 종가 평균 등이 있는데, 기준일 당일 비교대상기업의 주가가 예외적으로 높거나 낮은 경우(예컨대 일시적 수급 괴리로 주가가 이상 변동한 경우)에는 평균 가격을 사용하는 것이 타당하고, 평균을 산정하는 기간은 동 기간 동안 주가에 영향을 미친 요소(예컨대 유무상 증자, 배당 등이 있은 경우)가 있었다면 이를 고려하여 기간을 선택하거나 그 요소를 반영하여 주가를 조정하여야 할 것이다.

상장주식의 주가를 통하여 비상장주식의 상대가치를 산정함에 있어 상장주식의 유동성 프리미엄에 해당하는 금액은 차감되어야 하는지 여부가 문제된다. 발행공시규정 시행세칙 제7조 제1항 제1호는 유사상장주식의 주가에서 30% 이상을 할인하도록 규정하고 있어, 발행공시규정에 따라 상대가치를 산정하는 경우에는 상장주식에 존재하는 유동성 프리미엄을 차감하는 것이 된다. 생각건대, 이론적으로나 현실에서나 환금성 내지 시장성이 있는 주식과 그렇지 않은 주식의 시장에서의 선호도가 다름은 부인할 수 없는 사실이므로 유동성 프리미엄을 차감하는 것이 타당할 것이다. 다만, 시장성 없는 비상장주식과 상장주식에는 미치지 못하더라도 장외시장 등에서 활발히 거래되는 등으로 어느 정도 시장성이 있는 주식은 서로 할인율이 다를 수 있을 것이다.[70]

3) 자산가치

자산가치는 시장가치법(보유자산을 시가로 평가하는 방법)에 따르되, 구체적으로는 재무제표의 순자산가액에 장부가액과 시가가 차이나는 자산·부채의 시가

---

69) 서울서부지방법원 2004.3.24. 2003비합26, 27; 수원지방법원 2019.8.2. 2018비합1010.
70) 참고로, 최근 하급심 결정 가운데 수익가치 산정 관련하여 비상장주식에 대한 비시장성 할인 주장을 배척한 사례로 서울고등법원 2018.4.13. 2017라21374 참조.

와 장부가액과의 차액을 가감하는 방식이 가장 널리 사용된다. 발행공시규정이나 상증법에 의한 자산가치 평가방법도 이와 같은 개념에 기초하고 있는바 이 방법으로 자산가치를 산정하더라도 큰 차이가 없는 경우가 많다. 자산가치는 현재 존재하는 기업의 재산상태를 측정하는 것이기 때문에 수익가치에 비하여 객관적 측정이 용이하고, 그런 이유에서 다른 가치평가방법에 비하여 평가방법상의 논란은 그리 많지 않은 편이다. 다만, 자산가치 평가와 관련하여 실무에서 다음과 같은 점들이 주로 다투어진다.

첫째, 장부에 기재되지 않는 자산 또는 부채(부의자산과 부의부채)에 관하여 권리의무의 존부 및 주체에 대한 다툼이 있는 경우가 종종 있다. 권리 또는 의무가 성립하여 있고 그 법률상 귀속 주체가 당해 법인인 경우에는 장부에 기록되어 있는지 여부를 불문하고 순자산가액 산정에 포함되어야 할 것이다.

둘째, 계류중인 소송, 보증채무 등 우발채무에 대한 평가이다. 이와 같은 우발채무는 소송의 승패 가능성, 주채무자의 변제자력 등을 감안하여 적정가액으로 평가하여야 하는 것이 원칙이겠지만, 자산가치에 반영하는 것은 패소가 거의 확실시된다거나 주채무자가 이미 변제자력을 상실하였다거나 하는 등으로 발생 가능성이 객관적으로 확인되는 경우에 한하는 것이 타당하다고 본다. 판례도 당해 비상장회사가 부담하는 보증채무가 있더라도 만약 그 주채무의 내용, 주채무자의 자력 내지 신용 기타 제반 사정에 비추어 볼 때 실제 손해의 발생이라는 결과로까지 이어질 가능성이 희박하다면 이를 부채로 보지 아니하고 순자산액을 계산하여야 한다고 한다.[71]

셋째, 영업권을 평가하여 순자산가액에 포함할지 여부이다. 영업권의 본질에 대하여 동일 또는 유사한 산업에 있어서 장래 기대되는 이익이 정상이익을 초과하는 이익, 즉 초과이익을 자본환원율로 할인한 현재가치라는 견해와 전체기업의 적정가치가 개별적으로 확인되는 취득 유형자산의 적정가치의 합을 초과하는 경우 그 차액이라는 견해의 대립이 있는데,[72] 판례는 "그 기업의 전통, 사회적 신용, 입지조건, 특수한 제조기술 또는 거래관계의 존재 등 영업상의 기능 내지 특성으로 인하여 동종의 사업을 영위하는 다른 기업의 통상수익보다 높은 수익

---

71) 대법원 2006.6.2. 2005다18962.

72) 송우철, "기업의 합병과 관련된 세법상의 몇 가지 문제점," 「사법논집」 제33집(법원도서관, 2001), 132면.

을 올릴 수 있는 초과수익력이라는 무형의 재산적 가치"라고 정의하고 있다.[73] 상증법상 자산가치 평가방법에서는 투자자본 대비 초과이윤을 현재가치화하여 평가한 영업권을 순자산가액에 포함하도록 규정하고 있으나, 한국채택 국제회계기준(K-IFRS)에서는 내부적으로 창출한 영업권은 자산으로 인식하지 않도록 하고 있다(기업회계기준서 제1038호, 무형자산, 문단 48 내지 49).

하지만 대법원 판례는 비상장법인의 순자산가액에 당해 법인이 가지는 영업권도 당연히 포함된다고 하고,[74] 하급심 결정 중에도 대상 회사의 지역 독점적 공급자 지위, 원가 경쟁력 있는 수익구조 등에 비추어 대상 회사에 무형의 영업권이 존재한다고 판단한 뒤 상증법에 규정된 초과수익력 판단 방법으로 영업권을 평가하여 순자산가액에 포함함이 타당하다고 한 것이 있다.[75]

생각건대, 영업권은 법인의 영업을 통하여 내부적으로 창출된 것인바 미래 기대수익의 현재가치로 표현되는 것으로 수익가치와 표리에 있다. 영업을 통하여 실현되는 미래 수익력은 수익가치를 통하여 반영되고, 자산가치는 당해 자산을 얻기 위하여 들인 비용에 상응하는 것이다.[76] 사업권, 허가권, 기술, 노하우, 고객관계 등 그 자체적으로 자산성을 갖는 무형자산의 경우 그 금액을 합리적이고 객관적으로 측정할 수 있다면 자산가치에 반영하여야 할 것이지만, 상증법상 영업권 평가방법처럼 투자자본 대비 초과이윤을 현재가치화하는 방법에 의한 영업권 평가액을 자산가치에 포함하는 것은 자산가치를 수익가치화하는 것이고, 수익가치 평가와 중복이어서 주식가치가 과대평가될 우려가 있어 타당하지 않다고 본다.[77]

---

73) 대법원 1997.5.28. 95누18697; 1985.4.23. 84누281.

74) 대법원 2006.11.24. 2004마1022; 2012.2.24. 2010마315, 316, 317, 318, 319, 320(병합).

75) 서울고등법원 2009.12.9. 2009라508. 다만 그 평가액이 0이어서 실제 순자산가액에 반영된 금액은 없다.

76) 서울고등법원 2005.6.10. 2003노1555, 2004노1851(병합) 판결에 의하면, "주식의 가격은 실현되는 가치의 크기를 의미하므로 자산가치와 수익가치라는 내재적 가치의 실현을 전제로 하는 것이고, 자산가치와 수익가치는 전혀 다른 방식을 통하여 실현되므로 기업의 자산 전부 또는 대부분이 영업활동에 사용되는 경우에 주식이 갖는 자산가치 전부 또는 수익가치 전부를 실현하고자 하면 다른 가치의 실현은 전부 포기하여야 하고, 그 일부를 실현하는 경우에도 그에 상응한 다른 가치의 일부를 포기하여야 한다. 즉, 수익가치는 그 실현이 영업활동의 지속을 조건으로 하고, 자산가치는 그 실현이 영업활동의 중단을 조건으로 하므로 한 쪽의 가치를 실현하는 것은 다른 한 쪽의 가치 실현을 포기하는 관계에 있는 것이다. 같은 이유로 한 쪽의 가치 실현을 포기하는 것은 다른 가치의 실현을 선택하는 관계에 있다"고 한다.

77) 동지: 이정란, 전게논문, 577면. 상증법상 평가방법에 대한 비판이기는 하나, 영업권은 순손

4) 수익가치

주식매수청구사건에서 가장 많은 다툼의 대상이 되는 것이 수익가치이다. 수익가치의 측정에 있어서는 많은 가정과 추정이 사용되기 때문에 그 적정성 내지 신뢰성에 대하여 이론(異論)이 생기기 쉽다.

결정례들을 보면, 종래 수익가치 평가방법으로 발행공시규정에 따라 장래 2년간의 추정이익에 평가방법,[78] 상증법에 의한 평가방법 등에 의한 결과로 인정한 사례들이 많았다.[79] 최근 하급심결정 가운데에는 현금흐름할인가치법(DCF법)에 의한 평가결과를 인정한 사례들이 많아졌다.[80] 적절한 수익가치 평가금액에 해당하는지는 당해 평가방법이 평가대상주식의 특성에 비추어 적합한지, 선택된 평가방법의 적용에 있어 객관적 수치의 반영과 합리적 추정이 이루어졌는지를 기준으로 판단하는 것이 타당하고, 특정한 평가방법에 의한 평가금액이 항상 적합하거나 부당하다고 할 수는 없다.

수익가치는 과거의 실적이나 현재의 재무 상황이 아니라 미래의 수익창출력을 기준으로 기업 내지 주식의 가치를 평가하는 것이므로 미래 추정이익 내지 현금흐름을 기초로 산정하는 것이 옳고[81] 과거의 수익을 이용하는 상증법의 수익가치 평가방법은 수익구조가 상당히 안정적인 경우로서 미래에도 과거의 추세대로 이익이 유지된다는 가정이 합리적인 경우에 한하여 정당성이 인정된다. 경기 변동에 따라 수익이 급변하는 고위험사업이나 수익의 추세가 변경될 여지가 많은 성장산업, 사양산업 등에 상증법상 평가방법을 적용하면 수익가치가 왜곡되는 문제가 있으므로[82] 신중하여야 한다. 또한 사업이 아직 초기단계이거나 그

익을 기반으로 하고 있으므로 자산가치에 영업권을 포함하면 법인의 순손익이 순손익가치뿐만 아니라 순자산가액에 중첩적으로 반영되는 비합리성이 있다고 한다.

[78] 서울고등법원 2011.7.1. 2010라332, 333(병합); 2010.2.9. 2008라2433; 2003.11.21. 2002라636, 637(병합); 서울중앙지방법원 2005.11.2. 2004비합151; 2003.4.14. 2002비합70; 서울서부지방법원 2004.3.24. 2003비합26 등.

[79] 서울중앙지방법원 2007.5.15. 2006비합157; 2007.5.15. 2006비합158.

[80] 가령 서울중앙지방법원 2017.11.7. 2016비합30098(서울고등법원 2018.4.13. 2017라21374); 서울중앙지방법원 2018.9.21. 2017비합30006, 30117; 서울중앙지방법원 2019.9.17. 2018비합30199(서울고등법원 2019.12.19. 2019라21057); 부산지방법원 2020.12.2. 2018비합200018; 서울북부지방법원 2021.7.21. 2021비합1006 등.

[81] 대법원 2006.11.23. 자 2005마958은 "미래에 발생할 추정이익 등을 고려하여 수익가치를 산정하여야 한다"라고 한다.

[82] 성장산업의 경우에는 기업가치를 과소평가하고, 사양산업의 경우는 기업가치를 과대평가하게 된다.

간 대규모 투자에 따른 감가상각, 금융비용으로 인하여 이익이 나지 않았으나 평가기준일 이후부터는 이익이 증가할 것으로 예상되거나 가까운 장래에 업종의 변경, 신규사업 진출, 대규모 투자 등이 예정되어 있는 등 평가기준일 이후 영업 환경이 급격히 변경되는 경우에 상증법상 평가방법은 적절한 선택이 되지 못한다.[83]

종래 발행공시규정에 의한 수익가치 평가방법(이익할인가치법)이 많이 사용된 이유는 미래 기대수익을 사용하면서도 추정기간이 짧고 할인율 등이 객관적으로 특정되어 있어 현금흐름할인가치법(DCF법)보다 평가자의 자의가 개입될 여지가 적다는 장점이 있기 때문이기도 하였지만, 현실적으로는 2012. 12. 6. 개정되기 전의 구 발행공시규정 시행세칙 제6조에 기인하는 측면이 크다. 즉, 상장법인과 비상장법인의 합병에 있어서 비상장주식의 수익가치 평가방법이 이익할인가치법으로 강제되어 있던 관계로(자본시장법 시행령 제176조의5 제1항 제2호), 주식의 평가에 관한 판례의 상당 부분을 차지하는 합병 반대 주주의 주식매수가격결정 신청 사건에서, 주식매수청구 당시 이미 위 규정에 의한 수익가치가 산정되어 있고, 신청인과 피신청인이 평가방법 자체의 적정성을 다투기보다는 위 규정에 의한 평가방법의 적용을 전제로 한 상태에서 구체적인 추정금액의 적정성 내지 공정성을 다투는 경우가 많아서이다. 당사자들이 평가방법 자체는 현금흐름할인가치법(DCF법)으로 하는 것에 동의하고 그 평가방법 내에서 구체적 가정과 추정에 관해서만 다투는 경우라면 법원의 입장에서 현금흐름할인가치법(DCF법)에 의한 평가 자체를 부정할 이유는 없을 것이라 생각한다. 발행공시규정에 의한 수익가치 평가에 비하여 현금흐름할인가치법(DCF법)에 의하여 수익가치를 평가하는 경우에 훨씬 다툼의 대상이 되는 요소가 많을 것이다.

이익할인가치법에 의하든 현금흐름할인가치법(DCF법)에 의하든 미래 기대수익 또는 현금흐름은 당해 기업이 속한 산업의 환경 및 성장성, 당해기업의 시장 점유율, 기술이나 노하우의 보유 정도, 시장에 대한 영향력, 제품의 주기, 원가 및 자본 구조 등을 모두 고려하여 객관적·합리적으로 추정하여야 하고, 미래에 대한 추정이지만 그것은 과거 및 현재의 실적, 능력, 제반 경제 여건에 터잡아 이루어져야 한다.

---

83) 김상곤·박영욱, 전게논문, 386~387면.

라. 제반 평가요소를 종합한 주식가치의 산정 방법

1) 일반론

위와 같이 대상회사의 가치를 산정할 수 있는 여러 요소를 찾아 그에 따른 가액을 산정한 후 당해 회사의 상황이나 업종의 특성, 위와 같은 평가요소가 주식의 객관적인 가치를 적절하게 반영할 수 있는 것인지, 그 방법에 의한 가치산정에 다른 잘못은 없는지 여부 등에 따라 평가요소를 반영하는 비율을 정하여 가중평균하는 방법으로 주식의 공정한 가액을 평가한다. 객관적이고 적정한 시장가치(상대가치)가 존재하면 그것을 가치 평가의 한 요소로 반영함이 타당하나, 거래가격이 존재하지 않거나 신뢰할 수 없는 경우에는 본질가치(자산가치와 수익가치)만으로 평가할 수 있다.[84] 자산가치와 수익가치는 산출이 불가능하거나 현저히 곤란한 경우가 아닌 한,[85] 반영되어야 한다.

발행공시규정에서는 자산가치와 수익가치를 1과 1.5의 비율로 가중평균하여 본질가치를 산출한 후 상대가치가 있으면 본질가치와 상대가치를 산술평균한 가액으로 평가하는 2단계의 방법을 사용하고 있는데, 이는 결국 상대가치가 있으면 자산가치, 수익가치, 상대가치를 2:3:5의 비율로 가중평균하고, 상대가치가 없으면 자산가치와 수익가치를 2:3의 비율로 가중평균하는 것과 같다. 하지만 기업이나 주식의 특성, 각 평가요소의 신뢰성이 개별 사건마다 다르므로 주식매수가격결정에 있어서 일률적인 가중치를 적용하는 것은 타당하지 않다. 가중치는 결국 법원이 개별 사건에서의 구체적 타당성을 고려하여 법관의 자유심증으로 결정할 수밖에 없는 문제라고 본다.

시장가치에 대한 가중치는 그 시장가치의 객관성 및 신뢰도에 가장 큰 영향을 받는다. 거래사례가격에 해당하는 시장가치는 당해 거래의 당사자간 관계, 횟수, 빈도 및 규모, 거래의 동기와 목적 등에 비추어 객관적인 거래로 신뢰할 만한 것일수록 그 가중치가 높아질 것이다. 판례는 장외에서 다수 당사자 사이에 빈번하게 거래되고 상당기간 안정적인 가격이 형성되었던 주식의 거래사례가

84) 서울고등법원 2003.11.21. 2002라636, 637(병합).
85) 회사의 장부 등이 존재하지 않거나 분식회계 등으로 신뢰할 수 없는 경우에는 객관적이고 공정한 자산가치의 산정이 불가능할 것이고, 그로 인하여 현재와 과거의 실적 및 원가 구조 등을 알 수 없다면 합리적 수익가치의 추정 역시 어려울 것이다.

격의 평균금액을 시장가치로 인정하면서 그에 대한 가중치를 7분의 1로 반영하였고,[86] 장외거래가 자본시장법 제286조 제1항 제5호에 의하여 한국금융투자협회가 운영하는 프리보드시장을 통하여 이루어진 경우에도 그러한 거래에서 형성된 시장가치를 자산가치나 수익가치보다 높은 가중치로 평가할 수 없다고 하여 6분의 1의 가중치만을 반영한 바 있다.[87] 한편, 하급심 결정 중에 상대가치를 시장가치로 인정한 사례에서 어느 하나의 가치평가 요소를 다른 것에 비하여 가중할 합당한 근거가 없다는 이유에서 시장가치, 자산가치, 수익가치를 균등하게 산술평균한 것이 있는데,[88] 법원이 직권으로 판단하여야 하는 가중치에 대하여 달리 볼 근거가 없다는 이유로 동일한 가중치를 부여하는 것이 타당한 이유가 될 수 있는지는 의문이다.

자산가치와 수익가치의 가중치는 평가금액에 대한 신뢰도뿐만 아니라 평가대상법인의 현황과 업종 등에 큰 영향을 받는다. 영업활동을 지속하는 계속기업의 경우에는 수익가치의 실현가능성이 높으므로 수익가치가 주식의 가격을 결정하는 가중치가 높게 되고 영업활동을 중단하는 청산기업의 경우에는 자산가치가 주식의 가격을 결정하는 가중치가 높다. 다만 실제로 영업활동을 계속 하고 있는 기업의 경우에도 자산의 일부를 처분하거나 담보로 활용(이 경우에는 잠정적으로 자산가치가 실현된다고 할 것이나 자산 처분의 경우와 마찬가지로 금융비용이 그에 상응하는 수익가치를 상쇄시키고 있고, 만약 금융비용이 수익가치를 전부 상쇄시킨다면 계속기업으로서의 존재의의를 잃게 된다)하여 자산가치를 실현할 수도 있으며, 잠재적으로는 늘 청산의 가능성을 안고 있으므로 자산가치 역시 계속기업 주식의 가격 결정에 제한적으로나마 영향을 미친다.[89] 따라서, 특별한 사정이 없는 한 자산가치와 수익가치 모두에 의하여 본질가치가 평가되어야 하고 청산을 통한 기업가치의 실현 가능성이 높은 경우에는 자산가치, 계속기업의 영업수익을 통한 기업가치의 실현가능성이 높은 경우에는 수익가치에 대한 가중치를 높게 하는 것이 타당하다.

---

86) 대법원 2012.2.24. 2010마315, 316, 317, 318, 319, 320(병합). 시장가치, 자산가치, 수익가치를 1:3:3의 비율로 가중평균함.
87) 서울고등법원 2011.7.1. 2010라332, 333(병합). 시장가치, 자산가치, 수익가치를 1:3:2의 비율로 가중평균함.
88) 서울서부지방법원 2004.3.24. 2003비합26, 27.
89) 서울고등법원 2005.6.10. 2003노1555, 2004노1851(병합).

2) 자산가치, 수익가치, 시장가치의 추출방법

앞서 본 것처럼 자산가치, 수익가치, 시장가치를 평가하는 방법은 다양하다. 이와 같은 여러 방법들 중에 어떠한 방법을 택할지는 전적으로 법원의 재량이다. 다만 실무상 법원의 선택은 변론주의에 따른 제한을 받는 것이 현실이다. 주식매수가격결정 사건은 소송이 아닌 비송사건이고[90], 그 한도에서 변론주의가 아닌 직권주의가 적용되는 것이 원칙이다.[91] 하지만 실무상 법원이 자산가치, 수익가치, 시장가치를 직접 조사하는 경우는 드물고, 당사자들이 현출한 자료 범위 내에서 판단하는 것이 보통이다. 즉 법원은 당사자들이 저마다 산정한 자산가치, 수익가치 수치들 중에 가장 적정하다고 인정하는 가격을 선택하게 되므로, 선택지에 한계가 있을 수밖에 없다. 이는 달리 말하면 최선의 가격이 되기 위해서는 당사자들이 가급적 많은 자료들을 제출하는 것이 필요하다는 것을 의미한다.

3) 각각의 평가치를 같은 법령에서 정한 방법 가운데 추출해야 하는지, 법령에서 정한 방법을 변형할 수 있는지 여부

비상장주식 가치평가가 문제되는 사건에서 이러한 개별항목들은 반드시 같은 법령에서 정한 방법에 의해 추출되어야 하는 것은 아니다. 가령 자산가치는 발행공시규정, 수익가치는 상증법, 반대로 자산가치를 상증법, 수익가치는 DCF법에 따르는 방법도 얼마든지 가능하다.

나아가 각 항목의 계산에서 법령에서 정한 방법에 구속되는지가 문제된다. 가령 상증법상 자산가치와 발행공시규정의 자산가치는 각기 계산방법이 다르고, 현금흐름할인법이나 상증법상의 수익가치 평가도 다르다. 그런데 특정 법령이 정한 방법을 택하면서도 그 내부의 변수를 바꾸는 것이 가능한지 여부가 문제된다. 원칙적으로는 법령에서 정한 방법을 따라야 하지만, 공정한 가격 산정을 위해서는 어느 정도의 변형이 가능하다는 것이 판례의 입장이다. 이 점은 자산가치와 수익가치를 나누어 살펴본다.

---

90) 비송사건절차법 제86조의2.
91) 비송사건절차법 제11조.

가) 자산가치

우선 자산가치의 경우 법원은 개별 사건의 특수성을 반영하여 법령에서 정한 방법을 변형하거나 특정 자산항목의 평가방법을 달리하여 자산가치를 산정하는 것을 허용해 왔다. 가령 서울고법 2011.7.1. 2010라332는 부동산을 장부가격으로 평가하는 경우 자산가치가 저평가된다는 이유로 부동산은 공시지가로, 그 외의 자산은 장부가격으로 평가하여 자산가치를 산정하였다.[92] 또한 최근 결정례 중에는 상증법상의 자산가치와 발행공시규정에 의한 자산가치의 평균값으로 1주당 자산가치를 산정한 사례도 있다.[93]

나) 수익가치

수익가치 평가방법은 고도로 전문적인 영역에 속할 뿐만 아니라 만일 법령이 정한 방법을 자의적으로 수정하는 것을 허용하기 시작하면 당사자들은 저마다 자신에게 유리하게 각종 변수를 조작할 수 있어 사건이 지나치게 복잡해지고 장기화될 우려가 있다. 그런 이유로 수익가치의 평가방법의 변형한 사례는 거의 없었는데, 최근 대법원 2018.12.17. 2016마272는 그러한 방법을 인정하였다. 위 사건에서 법원은 상증법에서 정한 3년의 수익가치 평가를 2년으로 변형하는 것을 인정하면서, 그 이유에 대해 다음과 같이 판시하였다.

> "... 그러나 상증세법과 그 시행령의 위 규정들은 납세자의 법적 안정성과 예측가능성을 보장하기 위하여 비상장주식의 가치평가방법을 정한 것이기 때문에, 합병반대주주의 비상장주식에 대한 매수가액을 정하는 경우에 그대로 적용해야 하는 것은 아니다. 비상장주식의 평가기준일이 속하는 사업연도의 순손익액이 급격하게 변동한 경우에 이러한 순손익액을 포함하여 순손익가치를 산정할 것인지는 그 변동의 원인이 무엇인지를 고려하여 결정해야 한다. 가령 비상장주식의 평가기준일이 속하는 사업연도의 순손익액이 급격하게 변동하였더라도 일시적이고 우발적인 사건으로 인한 것에 불과하다면 평가기준일이 속하는 사업연도의 순손익액을 제외하고 순손익가치를 산정해야 한다고 볼 수 있다. 그러나 그 원인이 일시적이거나 우발적인 사건이 아니라 사업의

---

92) 구체적으로 장부가액은 476억 원인 반면 공시지가는 868억 원으로 약 391억 원 차이가 났다.

93) 서울중앙지법 2018.9.21. 2017비합30006, 30117.

물적 토대나 기업환경의 근본적 변화라면 평가기준일이 속하는 사업연도의 순손익액을 포함해서 순손익가치를 평가하는 것이 회사의 미래수익을 적절하게 반영한 것으로 볼 수 있다. 법원이 합병반대주주의 주식매수가액결정신청에 따라 비상장주식의 가치를 산정할 때 위와 같은 경우까지 상증세법 시행령 제56조 제1항에서 정한 산정방법을 그대로 적용하여 평가기준일이 속하는 사업연도의 순손익액을 산정기준에서 제외하는 것은 주식의 객관적 가치를 파악할 수 없어 위법하다."

이 대법원 결정에 따르면 법원의 비상장주식 가치 판단에 더욱 구체적 타당성을 기할 수 있는 장점은 있겠지만, 주식가치 평가의 전문가가 아닌 법원이 과도한 재량을 갖게 되고,[94] 사건이 지나치게 복잡화, 장기화되고 법적 안정성이 손상되는 단점이 있을 수 있다.[95]

그 밖에 수익가치와 관련해서도 최근 결정례 중에는 DCF법에 의한 수익가치와 상증법에 의한 수익가치의 평균으로 주당 수익가치를 인정한 사례도 있다.[96]

5. 기타 주식평가와 관련된 몇 가지 논점

가. 평가의 기준시점

상법은 매수가격 결정에 있어 평가의 기준시점에 관하여 규정하지 않고 있다. 다만, 자본시장법은 상장주식의 매수가격을 산정하는 기준시점으로 이사회 결의일 전일을 규정하고 있다(자본시장법 제165조의6 제3항, 자본시장법 시행령 제176조의7 제2항). 발행공시규정에 의한 평가에 있어서는 분석기준일을 평가의 기준시점으로 삼고 있는데, 분석기준일은 주요사항보고서를 제출하는 날의 5영업일 전일을 의미한다(발행공시규정 시행세칙 제8조). 상증법에 의한 평가는 납세의무가 성립한 날, 즉 상속개시일 또는 증여일이다(상증법 제60조 제1항).

---

94) 주식가치 평가 전문기관이 아닌 법원이 과도한 재량을 갖는 것에 대한 비판적 견해로는, 김순석, "주식매수청구권 제도의 재검토," 「기업법연구」 제32권 제1호(한국기업법학회, 2018) 참조.
95) 다만 위 대법원 판결 이후 하급심 결정례들을 보면 위와 같은 변형을 인정한 사례는 거의 발견되지 않는다. 상증법상 수익가치 평가에서 평가기준연도의 수익가치도 포함되어야 한다는 당사자의 주장을 배척한 사례로, 수원고등법원 2021.1.11. 2019라10003 참조.
96) 서울중앙지법 2018.9.4. 2018비합30152.

주식평가의 기준시점은 평가의 목적에 부합하게 판단되어야 한다. 예컨대 주식의 매매 또는 신주의 발행이 공정한 가액으로 이루어졌는지를 판단하기 위하여 주식을 평가하는 경우는 매매계약체결일 또는 신주인수일이 기준시점이 될 것이다. 주식매수청구권 행사의 경우 학설은 합병 등 주식매수청구권을 발생시키는 결의사항의 예정에 의해 주가가 영향을 받기 전의 시점을 기준으로 주식의 가치를 산정하여야 한다는 점에 견해가 일치한다.[97) 판례는 주식의 가치는 주식매수청구권 발생의 원인이 된 이사회 결의일 전일을 기준으로 산정하여야 한다고 하는바,[98) 이사회 결의일 이후의 주가는 영업양도나 합병 등 결의사항에 의해 영향을 받은 가격이어서 이로부터 공정한 가치를 이끌어낼 수 없다는 점에서 타당하다고 생각한다.[99) 다만 이사회 결의에 의하여 비로소 영업양도 또는 합병이 결정된다는 측면에서 이사회 결의일 이전을 기준시점으로 삼는 것이므로, 이사회 결의일 이전에 영업양도나 합병 등이 사실상 결정되어 있었고 그 사실이 시장에 알려져 주가에 반영된 경우라면 주가가 영향을 받기 전 시점을 기준시점으로 할 수 있을 것이다. 하급심 결정 중에 이사회 결의 전일에 이미 합병 자체가 하나의 이해관계로 작용하면서 합병 계획이 주가에 영향을 미치고 있었으므로 그 영향이 반영되기 이전을 매수가격 산정의 기준 시점으로 삼아야 한다고 한 것이 있으나,[100) 주가는 그 속성상 항상 장래 사업계획이나 미래전망, 시장의 기대 등에 영향을 받는다는 점에서, 합병 계획 또는 소문이 주가에 영향을 미친 경우와 합병이 확정된 후 그로 인한 효과가 주가에 반영된 경우를 동일시할 수는 없다고 생각한다.

---

97) 이철송, 전게서, 591606면; 권기범, "주식매수청구권," 「상사법연구」 제31집(한국상사법학회, 1994), 101면; 정준우, "주식매수청구권에 있어서 매수가격의 결정에 관련된 쟁점사항 검토," 「증권법연구」 제17권 제2호(한국증권법학회, 2016), 423면.

98) 대법원 2012.2.24. 2010마315, 316, 317, 318, 319, 320(병합).

99) 이철송, 전게서, 592~606면; 박수영, "주식매수청구시 주식매수가액의 결정," 「기업법연구」 제28권 제4호(한국기업법학회, 2014), 76~77면.

100) 삼성물산과 제일모직의 합병 사건에서 1심 법원은 "비록 삼성물산의 이사회가 합병계약을 체결하기로 결의한 날 이전에 삼성물산과 제일모직이 합병할 것이라고 증권시장에 알려졌다 하더라도 이는 소문이나 단순한 예측에 불과하여 시장주가에 영향을 미쳤다고 인정할 수 없다"라고 판시하였으나(서울중앙지방법원 2016.1.27. 2015비합91), 2심 법원은 삼성물산의 주가는 합병에 관한 이사회의 결의일 전일 이전부터 이미 합병계획의 영향을 받고 있었다는 사실 판단 하에 이사회 결의일 훨씬 전인 제일모직 상장일 전일을 기준시점으로 삼은 바 있다(서울고등법원 2016.5.30. 2016라20189 결정).

나. 지배주주 주식의 할증과 소수주주 주식의 할인

만약 평가의 대상이 되는 주식이 지배주주가 보유한 주식이고 동 주식으로 경영권의 행사가 가능한 경우 기업가치에 대한 비례적 가치 외에 경영권 프리미엄을 가산하여야 하는지 여부가 문제된다. 판례는 평가대상 주식이 회사의 경영권을 행사할 수 있는 이른바 경영권 프리미엄을 지니고 있는 경우에는 그 가치를 평가하여 주식의 적정가액 산정에 가산하여야 한다고 하여 이를 긍정한다.[101] 이때 경영권 프리미엄의 가치는 통상 회사의 현재 및 미래 가치, 경영권 획득으로 인한 파급효과, 경영권 확보에 필요한 주식을 공개시장에서 매수할 경우의 필요비용 등을 고려하여 결정되는 것이지만 궁극적으로는 거래 상대방과의 교섭조건, 교섭능력 등에 따라 구체화될 수밖에 없는 것이므로, 이를 과세관청이 과세표준을 산정하기 위하여 사용하는 상증법 제63조 제3항의 규정에 따라 일정 비율을 할증하는 방법으로 일률적으로 산정할 것은 아니다.[102] 지배주주의 주식이라는 이유로 항상 경영권 프리미엄이 인정된다고 할 수는 없고, 평가대상이 되는 주식이 지배주주로서의 경영권 행사를 가능하게 하는 주식인 경우에 한하여 평가의 목적에 비추어 경영권 프리미엄을 인정하여야 한다. 예컨대 계열사의 주식을 매수한 법인의 이사가 그 임무를 해태하여 주식을 고가로 취득하였는지가 문제되는 사안에서 법인이 당해 주식을 취득하더라도 출자총액제한으로 인하여 의결권을 행사하지 못하는 경우에는 주식을 매수한 법인 입장에서 경영권 프리미엄을 지급할 이유가 없으므로 그 경우의 공정한 가액 판단에 있어서는 당해 주식에 경영권 프리미엄을 가산하여 평가할 수 없다.[103]

한편 소수주주의 주식에 대하여 가격 할인을 인정하여야 하는 것인지 여부도 논란이 될 수 있다. 주식본질론에 관한 사원권설의 입장에 의하면 주식은 해당 주식 발행회사의 기업가치를 지분적 측면에서 나타낸 것이므로 주식가치의 합은 기업가치와 동일하여야 하는바, 만약 지배주주의 주식을 할증 평가한다면 반대로 소수주주의 주식은 할인 평가되어야 하는 것이 아닌가 하는 의문이 있는 것이다. 하지만 경영권 프리미엄이라는 것은 기업가치와 무관하게 당해 주식 그

---

101) 대법원 2007.12.13. 2005두5963; 2011.10.13. 2009마989.
102) 대법원 2009.10.29. 2008도11036.
103) 서울고등법원 2005.6.10. 2003노1555, 2004노1851(병합).

자체에 형성되는 가치인 것이어서 지배주주 주식에 경영권 프리미엄을 인정한다고 하여 그것이 소수주주 주식의 할인 평가로 귀결될 필요는 없다고 생각한다. 특히 주식매수가격결정은 합병 등 그 주식매수청구권의 발생 원인이 된 행위 없이 사업을 계속 유지하였을 때 주식매수청구권을 행사한 주주가 보유한 주식의 공정한 가치가 얼마인가를 탐구하는 것이므로 소수주주 할인을 하는 것은 적절하지 못하다.[104]

다. 자산가치를 본질가치의 하한으로 볼 수 있는지 여부

주식을 보유하고 있는 주주가 주식의 가치를 실현하는데 장애가 없다면 자산가치와 수익가치 어느 한 쪽의 가치 전부 혹은 적절한 조합을 통하여 주식가치를 실현할 수 있다. 수익가치가 자산가치보다 높은 경우에는 계속영업을 통하여 수익가치를 실현하는 것이 유리하지만, 수익가치가 자산가치보다 낮을 때는 기업을 청산하고 자산을 매각함으로써 자산가치를 실현할 수 있는 것이므로 주식의 가치는 자산가치를 하한으로 하여야 하는 것이 아닌가 하는 의문이 있다. 구 상증법 시행령(2003. 12. 30. 대통령령 제18177호로 개정되기 전의 것) 제54조는 이런 이론적 배경 하에서 비상장주식을 순손익가치로 평가하되 순손익가치가 자산가치에 미달하면 자산가치로 평가하도록 규정하기도 하였다.

그러나, 위와 같은 평가방법은 주주가 아무런 의사결정의 제약 없이, 또한 의사결정이 있으면 빠른 시간 내에 별다른 거래비용 없이 가치를 실현할 수 있다는 비현실적인 가정에 기초한 것이어서 부당하다. 영업활동의 지속 또는 중단이 가치실현의 조건을 이루고, 이러한 조건을 주식 소유자가 임의로 선택할 수 없는 것이라면, 주식소유자가 실현할 수 있는 가치 및 그 대가인 가격은 개별기업의 구체적인 사정에 따라 정해지는 영업활동의 지속 또는 중단의 가능성의 크기에 따라 정해지는 것이라고 보아야 한다.[105] 현행 상증법이 자산가치와 수익가치를 2:3으로 가중평균하도록 하고 있는 것은 기업의 가치가 순이익과 순자산가치에 의하여 서로 보완적으로 결정된다고 보아야 한다는 측면에서 타당한 입법이다. 하급심 판례 중에도 "수익가치가 순자산가치보다 낮다거나 적자로 평가

---

104) 정영철, "판례를 통하여 본 주식의 공정한 가액,"「비교사법」제16권 제1호 통권 제44호 (한국비교사법학회, 2009. 3.), 358면.
105) 서울고등법원 2005.6.10. 2003노1555, 2004노1851(병합).

된다는 이유만으로 순자산가치가 주식가치의 하한이 된다고 볼 수 없다"고 하여 같은 견해를 취한 것이 있다.[106]

---

106) 서울고등법원 2011.7.1. 2010라332, 333(병합). 합병에 따른 매수가액의 산정은 계속기업 (going concern)을 전제로 하는 것이므로 청산가치가 아닌 계속기업가치를 기준으로 하여야 하고 이 경우 주식의 수익가치는 기업의 미래가치를 반영하여 이를 현재화한 것이므로 중요한 요소라고 보아야 하는 점, 기업의 목적은 이윤 추구에 있고 주주들 역시 회사의 자산뿐만 아니라 수익성을 검토하여 투자할 회사를 선정하는 점 등을 고려하면 자산상 태뿐만 아니라 수익구조도 주식매수가액 산정에 있어 고려 요소에 포함하는 것이 마땅하다고 한다.

제2절 주 주

Ⅰ. 주주의 권리와 의무

육 태 우*

1. 주주의 의의

주주(shareholder; Aktionär)는 주식회사의 사원으로서, 주주권의 귀속주체이다. 주식회사에서는 주식의 취득이 주주자격의 전제가 되므로 자본금의 구성단위인 주식을 취득함으로써 사원이 된다.[1] 따라서 주식회사의 사원인 주주의 지위는 주식의 인수 또는 양수로 취득되고,[2] 주식의 소각 또는 양도로 상실된다.[3] 이와 다른 약정은 무효이다.

주주가 될 수 있는 자격에는 원칙적으로 제한이 없어서, 자연인이든 법인이든, 내국인이든 외국인이든, 행위능력이 있든 없든 상관없이 모두 주주가 될 수 있다.[4] 하지만 예외적으로 상법이나 특별법에 의하여 주주가 될 수 없도록 제한되는 경우도 있다(제341조, 자본시장법 제172조, 독점규제법 제7조 제1항 등).

주주의 수에는 제한이 없다. 따라서 주식회사에 주주가 1인만 남게 되더라도 해산사유가 되지 않고(제517조 제1호), 주주의 수의 최고한도에 관한 제한도 없다.

주주는 회사가 채무초과상태에 빠지더라도 회사의 채권자에게 변제할 책임을 지지 않는다(주주의 유한책임).

---

* 강원대학교 법학전문대학원 교수
1) 이철송, 「회사법강의」 제29판(박영사, 2021), 313면; 임재연, 「회사법 Ⅰ」(박영사, 2012), 320면.
2) 대법원 1967.6.13. 62다302.
3) 대법원 1991.4.30. 90마672(주주권은 주식의 소각 또는 주금체납에 의한 실권절차 등 법정사유에 의하여서만 상실되는 것이고 주주가 사실상 주권을 포기하고 주권을 멸각하거나 회사에 주식포기의 의사표시를 하고 반환하더라도 위와 같은 행위만으로는 주식이 소멸되거나 주주의 지위를 상실하지 아니한다).
4) 장덕조, 「상법강의」 제4판(법문사, 2021), 346면.

2. 주주의 권리

가. 주주의 권리의 의의

「주주의 권리」란 주주가 주주권을 원천으로 하여 회사에 대하여 가지는 여러 가지 권리로서, 주주권을 귀속주체의 입장에서 본 것을 말한다(개별적·구체적 권리).5) 이에 비하여 「주주권(株主權)」은 주주가 회사에 대하여 갖는 사원권으로서의 지위로서 주주가 회사에 대하여 가지는 여러 가지 개별적 권리의 원천을 의미한다(일체적·단일적 권리).6)

주주의 권리는 주주의 지위를 전제로 하므로, 주식의 취득이 아닌 별도의 원인에 의하여 취득될 수 없고,7) 독립적으로 양도되거나 입질 또는 압류의 대상이 될 수 없으며, 시효에도 걸리지 아니한다. 따라서 주식에 대해 질권이 설정되었다고 하더라도, 질권설정계약 등에 따라 질권자가 담보제공자인 주주로부터 의결권을 위임받아 직접 의결권을 행사하기로 약정하는 등의 특별한 약정이 있는 경우를 제외하고, 질권설정자인 주주는 여전히 주주로서의 지위를 가지고 의결권을 행사할 수 있다.8) 하지만 주주의 권리가 구체적 사안에서 채권적 권리로

---

5) 대법원 2017.1.12. 2015다68355, 68362([1] 상법 제467조의2 제1항에서 정한 '주주의 권리'란 법률과 정관에 따라 주주로서 행사할 수 있는 모든 권리를 의미하고, 주주총회에서의 의결권, 대표소송 제기권, 주주총회결의에 관한 각종 소권 등과 같은 '공익권'뿐만 아니라 이익배당청구권, 잔여재산분배청구권, 신주인수권 등과 같은 '자익권'도 포함하지만, 회사에 대한 계약상의 특수한 권리는 포함되지 아니한다. 그리고 '주주의 권리행사와 관련하여'란 주주의 권리행사에 영향을 미치기 위한 것을 의미한다. [2] 갑 주식회사가 운영자금을 조달하기 위해 을과 체결한 주식매매약정에서 을이 갑 회사의 주식을 매수하는 한편 갑 회사에 별도로 돈을 대여하기로 하면서 을이 '갑 회사의 임원 1명을 추천할 권리'를 가진다고 정하였는데, 주식매매약정 직후 을이 임원추천권을 행사하지 아니하는 대신 갑 회사가 을에게 매월 돈을 지급하기로 하는 내용의 지급약정을 체결한 사안에서, 을이 가지는 임원추천권은 '주식매매약정에 정한 계약상의 특수한 권리'이고 이를 주주의 자격에서 가지는 공익권이나 자익권이라고 볼 수는 없으므로 상법 제467조의2 제1항에서 정한 '주주의 권리'에 해당하지 아니하고, 지급약정은 을이 갑 회사에 운영자금을 조달하여 준 것에 대한 대가를 지급하기로 한 것일 뿐 주주의 권리행사에 영향을 미치기 위하여 돈을 공여하기로 한 것이라고 할 수 없으므로, 지급약정이 상법 제467조의2 제1항에 위배된다고 볼 수 없다고 한 사례).

6) 이철송, 전게서, 312면; 임재연, 전게서, 323면; 송옥렬, 「상법강의」 제2판(홍문사, 2012), 790면; 김홍기, 「상법강의」 제3판(박영사, 2018), 417면.

7) 주주가 주주(사원)의 지위와는 관계없이, 예를 들면, 매매계약, 소비대차, 고용계약 등에 의하여 회사에 대하여 일정한 권리를 가지더라도, 이는 사단외적인 권리 또는 채권자의 권리로서 주주의 권리와는 차이가 있다(최기원, 전게서, 282면).

8) 대법원 2017.8.18. 2015다5569.

특정된 경우(예를 들면, 특정사업년도에 주주총회가 이익배당안을 승인하여 주주에게 발생한 구체적 이익배당청구권)에는 독립적으로 양도, 입질 또는 압류의 대상이 되며, 시효에도 걸린다. 주주의 채권자적 권리는 회사에 대한 권리행사에 있어서 일반채권자와 동일한 지위에 있다.9)

주주는 단순히 주주권에 기초하여 회사의 제3자에 대한 재판상의 청구권을 직접적으로 또는 대위하여 행사할 수 없으며,10) 주식을 매수하여 주주로서의 권리를 가진다는 것만으로 회사 소유의 부동산에 관하여 어떠한 청구권을 가진다

---

9) 정동윤, 「상법(상)」 제6판(법문사, 2012), 443면; 최기원, 「회사법강의」 제13판(박영사, 2009), 282면; 임재연, 전게서, 323면.

10) 대법원 2001.2.28. 2000마7839([1] 주식회사의 주주는 주식의 소유자로서 회사의 경영에 이해관계를 가지고 있다고 할 것이나, 회사의 재산관계에 대하여는 단순히 사실상, 경제상 또는 일반적, 추상적인 이해관계만을 가질 뿐, 구체적 또는 법률상의 이해관계를 가진다고는 할 수 없고, 직접 회사의 경영에 참여하지 못하고 주주총회의 결의를 통해서 또는 주주의 감독권에 의하여 회사의 영업에 영향을 미칠 수 있을 뿐이므로 주주는 일정한 요건에 따라 이사를 상대로 그 이사의 행위에 대하여 유지(유지)청구권을 행사하여 그 행위를 유지시키거나, 또는 대표소송에 의하여 그 책임을 추궁하는 소를 제기할 수 있을 뿐 직접 제3자와의 거래관계에 개입하여 회사가 체결한 계약의 무효를 주장할 수는 없다. [2] 주식회사의 주주가 주주총회결의에 관한 부존재확인의 소를 제기하면서 이를 피보전권리로 한 가처분이 허용되는 경우라 하더라도, 주주총회에서 이루어진 결의 자체의 집행 또는 효력정지를 구할 수 있을 뿐, 회사 또는 제3자의 별도의 거래행위에 직접 개입하여 이를 금지할 권리가 있다고 할 수는 없다); 대법원 1998.3.24. 95다6885([1] 대표이사의 업무집행권 등은 대표이사의 개인적인 재산상의 권리가 아니며, 주주권도 어떤 특정된 구체적인 청구권을 내용으로 하는 것이 아니므로, 특별한 사정이 없는 한 대표이사의 업무집행권 등이나 주주의 주주권에 기하여 회사가 제3자에 대하여 가지는 특정물에 대한 물권적 청구권 등의 재산상의 청구권을 직접 또는 대위 행사할 수 없다. [2] 회사 이외의 제3자 간의 법률관계에 있어서는 상법 제380조, 제190조가 적용되지 않는다. [3] 법인의 대표자가 이사회의 결의를 거쳐야 할 대외적 거래행위에 관하여 이를 거치지 아니한 경우라도 그 거래 상대방이 그와 같은 이사회 결의가 없었음을 알았거나 알 수 있었을 경우가 아니라면 그 거래행위는 유효하고, 이 경우 거래 상대방의 악의나 과실은 거래행위의 무효를 주장하는 자가 주장·입증하여야 한다. [4] 상법 제374조 제1호 소정의 주주총회의 특별결의를 요하는 '영업의 전부 또는 중요한 일부의 양도'라 함은 일정한 영업 목적을 위하여 조직되고 유기적 일체로서 기능하는 재산의 전부 또는 중요한 일부를 양도하는 것을 의미하고, 회사의 영업 그 자체가 아닌 영업용 재산의 처분이라고 하더라도 그로 인하여 회사의 영업의 전부 또는 중요한 일부를 양도하거나 폐지하는 것과 같은 결과를 가져오는 경우에는 그 처분행위를 함에 있어서 그와 같은 특별결의를 요한다. [5] 회사가 회사 존속의 기초가 되는 영업재산을 처분할 당시에 이미 영업을 폐지하거나 중단하고 있었던 경우에는 그 처분으로 인하여 비로소 영업의 전부 또는 중요한 일부가 폐지되거나 중단되기에 이른 것이라고 할 수 없으므로, 그와 같은 경우에는 주주총회의 특별결의를 요하지 않는다.); 대법원 1990.11.27. 90다카10862(주주권은 상법상의 이익배당청구권 등의 자익권과 의결권 등의 공익권을 그 본질적 내용으로 할 뿐 주식회사 소유의 재산을 직접 이용하거나 지배, 처분할 수 있는 권한은 여기에 포함되지 않으므로 회사가 그 소유의 골프장을 운영함에 있어 소위 주주회원제를 채택하기로 하였다고 할지라도 골프장이용권(회원권)을 판매하여 그 대금(가입금)을 취득할 권리는 원칙적으로 회사에 귀속된다고 할 것이다).

고 볼 수 없기 때문에, 주주로서의 권리를 보전하기 위하여 회사가 소유한 부동산에 대한 처분금지처분을 구하는 것은 허용되지 않는다.[11] 이와 같이 법인의 주주는 법인에 대한 행정처분에 관하여 사실상이나 간접적인 이해관계를 가질 뿐이어서 스스로 그 처분의 취소를 구할 원고적격이 없는 것이 원칙이라고 할 것이지만, 그 처분으로 인하여 법인이 더 이상 영업 전부를 행할 수 없게 되고, 영업에 대한 인·허가의 취소 등을 거쳐 해산·청산되는 절차 또한 처분 당시 이미 예정되어 있으며, 그 후속절차가 취소되더라도 그 처분의 효력이 유지되는 한 당해 법인이 종전에 행하던 영업을 다시 행할 수 없는 예외적인 경우에는 주주도 그 처분에 관하여 직접적이고 구체적인 법률상 이해관계를 가진다고 보아 그 효력을 다툴 원고적격이 있다.[12]

주주의 권리는 정관의 규정이나 주주총회 또는 이사회의 결의로 제한할 수 없다. 하지만 정관에 정하는 바에 따라 주주 외의 자에게 신주를 배정할 수 있도록 하여 기존주주의 신주인수권을 제한하는 것(제418조 제2항)과 같이 상법이 유보하는 경우에는 예외이다(특정주주가 아닌 모든 주주의 권리를 일반적으로 제한하는 경우에 한함).

나. 주주의 권리의 종류

주주의 권리는 다음과 같은 분류가 가능하다.

1) 자익권과 공익권(재산권과 관리권)

이는 권리행사의 목적(내용)에 따른 분류이다.

가) 자익권(재산권)

자익권(自益權; selbstnützige Recht)이란 주주가 회사에 직접적인 경제적 이익이나 기타 편익을 청구할 수 있는 개인적 권리(재산권)이다. 자익권에는 이익배당청구권(제462조, 제464조), 중간배당청구권(제462조의3), 주권교부청구권(제355조), 주식의 양도권(제335조 제1항), 주식전환청구권(제346조), 주권의 전환청구권(제357조 제2항), 신주인수권(제418조, 제416조), 잔여재산분배청구권(제538조), 주식매수청구권(제335조의6, 제360조의5, 제360조의22, 제374조의2, 제522조의3, 제530

---

11) 대법원 1998.9.18. 96다44136; 최기원, 전게서, 282면.
12) 대법원 2005.1.27. 2002두5313.

조의11), 주식의 명의개서청구권(제337조), 주권불소지조치청구권(제358조의2 제1
항~3항), 주권의 재발행청구권(제358조의2 제4항), 전환사채청구권(제513조의2 제
1항), 신주인수권부사채의 인수권(제516조의10, 제513조의2) 등이 있다.

자익권을 다시 「출자금에 대한 수익을 위한 권리」(이익배당청구권, 중간배당청
구권, 신주인수권 등)와 「출자금의 회수를 위한 권리」(잔여배산분배청구권, 주식매
수청구권, 주권교부청구권, 명의개서청구권, 주식의 양도권 등)로 분류하는 학자도 있
다.13)

자익권 행사의 효과는 그 권리를 행사한 주주에게만 귀속되고, 1주를 소유하
는 주주라도 행사할 수 있는 단독주주권이다.

나) 공익권(관리권)

공익권(共益權; gemeinnützige Recht)이란, 자익권을 확보하기 위한 권리로
서,14) 주주가 회사의 운영(관리·경영)에 참가하거나 이사 등의 행위를 감독·시
정하기 위하여 행사할 수 있는 권리(관리권 또는 행정권)를 의미하는데, 회사경영
에의 관여, 부당한 경영의 예방이나 사후구제를 구하는 것, 또는 이들 조치를
보조하는 것을 내용으로 하여, 회사와 주주 전체의 이익을 확보하는 것에 이용
될 수 있다.15)

공익권에는 주주총회의결권(제368조, 제369조), 주주제안권(제363조의2, 제542
조의5 제2항), 집중투표청구권(제382조의2, 제542조의7), 설립무효소권(제328조),
주식교환무효소권(제360조의14), 주식이전무효소권(제360조의23), 주주총회결의무
효·부존재확인소권(제380조), 주주총회결의취소소권(제376조), 신주발행유지청구
권(제424조), 신주발행무효소권(제429조), 감자무효소권(제445조), 합병무효소권
(제529조), 분할무효·분할무효소권(제530조의11 제1항, 제529조)과 해산판결청구
권(제520조 제1항), 주주총회소집청구권(제366조, 제542조의6 제1항), 이사·감
사·청산인해임청구권(제385조 제2항, 제415조, 제539조 제2항, 제542조의6 제3항),
정관 등의 열람권(제396조 제2항), 재무제표 등의 열람청구권(제448조 제2항), 회

---

13) 정찬형, 「상법강의(상)」 제24판(박영사, 2021), 713면; 임재연, 전게서, 325면; 송옥렬, 전
　　게서, 791면.
14) 공익권은 자익권의 가치를 보장하기 위한 것이므로, 자익권의 성격을 겸유한다고 보는 견
　　해도 있다(장덕조, 전게서, 347면).
15) 정동윤, 전게서, 443면; 최기원, 전게서, 283면; 임재연, 전게서, 325면; 송옥렬, 전게서,
　　791면; 江頭憲治郎, 「株式會社法」 第3版(有斐閣, 2009), 124面.

계장부열람청구권(제466조, 제542조의6 제4항),[16] 검사인선임청구권(제467조, 제542조의6 제1항), 이사·집행임원·감사(감사위원회설치회사의 경우에는 감사위원회위원)에 대한 대표소송제기권(제403조, 제408조의9, 제415조, 제467조의2 제4항, 제542조의6 제6항),[17] 이사·집행임원·청산인의 위법행위유지청구권(제402조, 제408조의9, 제542조의6 제5항), 회사의 업무 및 재산상태의 검사청구권(제467조), 불공정한 전환사채 또는 신주인수권부사채발행의 유지청구권(제516조 제1항, 제424조, 제516조의10) 등이 있다.

공익권을 다시 「경영참여를 위한 권리」(① 단독주주권으로서의 주주총회의결권과 ② 소수주주권으로서의 주주제안권 및 집중투표청구권)와 「경영감독을 위한 권리」(① 단독주주권으로서의 설립무효소권, 주식교환무효소권, 주식이전무효소권, 주주총회결의무효·부존재확인소권, 주주총회결의취소소권, 신주발행유지청구권, 신주발행무효소권, 감자무효소권, 합병무효소권, 분할무효·분할무효소권과 ② 소수주주권으로서의 해산판결청구권, 주주총회소집청구권, 이사·감사·청산인해임청구권, 회계장부열람청구권, 검사인선임청구권, 이사·집행임원·감사(감사위원회설치회사의 경우에는 감사위원회 위원)에 대한 대표소송제기권, 이사·집행임원·청산인의 위법행위유지청구권, 회사의 업무 및 재산상태의 검사청구권 등)로 분류하는 학자도 있다.[18]

이사 등의 행위를 감독 시정하는 공익권은, 그 성질상, 반드시 권리행사주주가 직접 불이익을 받고 있지 않아도 행사할 수 있다고 해석되지만, 신주발행유지청구권은 직접 불이익을 받는 주주만이 행사할 수 있는 것으로 되어 있으며 「자익권적 공익권」이라고 일컬어지기도 한다.[19]

---

16) 일본에서는, 이사회 의사록 등 각종 서류의 열람 등 청구권(日本 會社法 31條 2項, 125條 2項, 318條 4項, 371條 2項, 442條 3項, 782條 3項, 794條 3項, 803條 3項, 815條 4項)은, 이사 등의 행위의 감독 시정 목적에도 행시되지만, 주주의 투자판단재료를 얻는 목적 등에도 행사되어(특히 계산서류·부속명세서(日本 會社法 442條 3項), 합병 등 관계서류(日本 會社法 782條 3項, 794條 3項, 803條 3項, 815條 4項)), 후자의 경우에는 자익권적인 성격을 가진다고 보는 견해도 있다(江頭憲治郎, 前揭書, 124面).

17) 우리나라에서는 2020년 12월 상법 개정을 통해, 다중대표소송 제도를 명문으로 도입하였다. 즉, 모회사 발행주식총수의 100분의 1 이상에 해당하는 주식을 가진 주주는 자회사에 대하여 자회사 이사의 책임을 추궁할 소의 제기를 청구할 수 있고, 자회사가 이러한 청구를 받은 날로부터 30일 이내에 소를 제기하지 아니하는 경우에는 즉시 자회사를 위하여 소(다중대표소송)를 제기할 수 있도록 하였다. 위와 같은 청구 후 모회사가 보유한 자회사의 주식이 자회사 발행주식총수의 100분의 50 이하로 감소한 경우에도 제소의 효력에는 영향이 없으나, 발행된 주식을 보유하지 아니하게 된 경우는 예외로 규정하였다(제406조의2).

18) 정찬형, 전게서, 713면; 임재연, 전게서, 325면; 송옥렬, 전게서, 791면; 江頭憲治郎, 前揭書, 124面.

19) 江頭憲治郎, 前揭書, 125面, 註(2).

공익권의 행사효과는, 자익권과는 달리, 회사와 전체주주에게 귀속되는데,[20] 이에는 단독주주권인 공익권과 소수주주권인 공익권이 있다.

2) 단독주주권과 소수주주권

이는 일정 수의 주식소유가 권리행사의 요건으로 되어 있는지 여부에 따른 분류이다.

가) 단독주주권

단 1주만 소유하고 있어도 인정되는 주주의 권리를 단독주주권(Einzelrecht)이라고 하는데, 자익권은 예외 없이 단독주주권이고 공익권도 대부분 단독주주권이다.[21]

단독주주권에는 주주총회의결권, 설립무효소권, 합병무효소권, 분할·분할무효소권, 주주총회결의무효소권, 주주총회결의취소소권, 감자무효소권, 신주발행유지청구권, 신주발행무효소권, 불공정한 전환사채 또는 신주인수권부사채발행의

---

20) [공익권의 특색과 사원권(주주권)부인론] 주식회사를 포함하는 사단법인의 사원에 대하여 물권도 채권도 아닌 「사원권」(Mitgliedschaftsrechte)을 관념화하고, 그 내용을 자익권·공익권으로 이분하는 생각은, 독일에서 시작된다(현재의 독일에서는, 재산권(Vermögensrechte)·공동관리권(Mitverwaltungsrechte)이라는 용어가 많이 쓰인다).

　하지만 공익권은 다른 주주에 영향을 미치는 권리이기 때문에 권리행사주주 개인의 이익이 아닌 회사 전체의 이익을 위해서 행사되어야만 하며, 따라서 자익권이 순수한 주주의 권리인 것에 반해, 공익권은 인적회사 사원의 업무집행권과 같은 수준, 즉 주주가 회사의 기관이라고 하는 자격에서 가지는 권한에 지나지 않고(田中耕太郎, 「機關ノ觀念」 商法学特殊問題 上, 225面, 248面 [春秋社, 1955]), 그러므로 자익권·공익권 양자를 포함한 개념(사원권 또는 주주권)을 세워야 할 것이 아니라, 양자를 분리하여 분석해야만 한다는 주장이 있으며, 이를 「사원권부인론」이라 일컫는다. 이 공익권·자익권의 본질적 차이를 강조하는 사원권부인론의 사고방식을 상장회사 등 공개형 타입의 주식회사의 이론으로서 발전시킨 것이, 주식채권설(松田二郎, 株式会社の基礎理論 [岩波書店, 1942], 同, 株式会社法の理論 [岩波書店, 1962]) 및 주식회사재단론(八木弘, 株式会社財団論 [有斐閣, 1963])이다. 이러한 견해는, 공개형 타입의 주식회사에서의 구조변혁(경영자 지배, 기업결합의 발전 등; 大隅健一郎, 新版株式会社法変遷論, 93面 [有斐閣, 1987] 参照)으로부터 발생하는 폐해로의 입법론적·해석론적 대응의 근거를 마련한 독창적 이론으로서 주목할 만한 것이었지만, 그 공익권의 윤리적 성질, 인격권적 성질(일신전속성; 最判 昭和 45(1970).7.15 民集 24卷 7号, 804面), 침해가능성의 강조 등은, 많은 학설의 지지를 받는 데까지는 이르지 못했다.

　또한 가령 「지배주의 공익권 남용에 대한 대처」에 초점을 맞추는 방식을 사용하지 않고 공익권의 성질 전반을 문제시 한 것도 그 후의 논쟁을 추상적 성격으로 하였다.

　또한 공익권에는 경제적 가치의 인정에 특유의 곤란함이 있는 것(가령, 기업매수 등의 비상시에 다수(지배주)를 아우르면 특별한 가치가 생겨나는 등, 돌연 그 경제적 가치가 인식되는 경우)에서 발생하는 법적 취급의 어려움이 있다(江頭憲治郎, 前揭書, 125~126面, 註3), 403面 註4)).

21) 장덕조, 전게서, 347면.

유지청구권, 정관 등의 열람권, 재무제표 등의 열람청구권 등이 있다.

나) 소수주주권

(1) 의 의

일정 수 이상의 주식을 소유해야 행사할 수 있는 주주의 권리를 소수주주권 (Minderheitsrecht)이라 하고, 공익권의 일부에 대하여 인정된다.

소수주주권 제도는 소유와 경영의 분리라는 주식회사법의 원칙에 대한 예외 로서 주주에게 경영참여를 허용하는 것이다. 이는 다수파주주의 전횡방지와 개 별 주주에 의한 주주권(단독주주권) 남용의 방지에 유용하고, 영세주주에게 주주 권 인정의 실익이 없을 경우에도 사용될 수 있다.[22]

상법에서는 이를 다시 일반회사와 상장회사의 소수주주권으로 나누어 규정하 고 있다.

(2) 종 류

(가) 일반회사의 소수주주권

먼저, 일반회사의 소수주주권은 ① 발행주식총수의 100분의 10 이상을 요하 는 소수주주권으로서 해산판결청구권(제520조)과 ② 발행주식총수의 100분의 3 이상을 요하는 소수주주권으로서의 주주총회소집청구권(제366조), 이사·감사· 청산인해임청구권(제385조 제2항, 제415조, 제539조 제2항), 검사인선임청구권(제 467조), 회계장부열람청구권(제466조), 주주제안권(제363조의2 제1항), 집중투표청 구권(제382조의2 제1항), 업무·재산상태검사청구권(제467조 제1항) 및 ③ 발행주 식총수의 100분의 1 이상을 요하는 소수주주권으로서의 대표소송제기권(제324 조, 제403조, 제467조의2 제4항),[23] 이사·감사의 위법행위유지청구권(제402조)으 로 분류할 수 있다.

(나) 상장회사의 소수주주권

상장회사의 주식은 여러 주주에게 널리 분산되어 있는 것이 일반적이므로 상 법상 일반회사의 요건을 그대로 적용하면 소수주주권행사가 사실상 어렵기 때문 에, 상장회사에서의 소수주주권 행사의 요건은 크게 완화되어 있다(제542조의6, 제546조의7 제2항). 이에 더하여 상장회사 중 최근 사업연도 말 현재의 자본금이

---

22) 이철송, 전게서, 314면; 최기원, 전게서, 286면; 송옥렬, 전게서, 791면.
23) 일본과 미국의 대표소송제기권은 단독주주권(MBCA §7.40, 일본회사법 제847조)이다.

1천억원 이상인 회사의 경우의 소수주주권 행사요건은 다시 2분의 1로 경감되어 있다(제542조의6, 상법 시행령 제32조).

① 주주총회소집청구권(제366조; 제542조에서 준용하는 경우를 포함) 및 업무·재산상태검사청구권(제467조)은 6개월 전부터 계속하여 상장회사 발행주식총수의 1천분의 15 이상에 해당하는 주식을 보유한 자가 행사할 수 있고, ② 주주제안권(제363조의2; 제542조에서 준용하는 경우를 포함)은 6개월 전부터 계속하여 상장회사의 의결권 없는 주식을 제외한 발행주식총수의 1천분의 10(최근 사업연도 말 현재의 자본금이 1천억원 이상인 상장회사의 경우에는 1천분의 5) 이상에 해당하는 주식을 보유한 자가 행사할 수 있으며, ③ 이사·감사해임청구권(제385조; 제415조에서 준용하는 경우를 포함) 및 청산인해임청구권(제539조)은 6개월 전부터 계속하여 상장회사 발행주식총수의 1만분의 50(최근 사업연도 말 현재의 자본금이 1천억원 이상인 상장회사의 경우에는 1만분의 25) 이상에 해당하는 주식을 보유한 자가 행사할 수 있고, ④ 회계장부열람청구권(제466조; 제542조에서 준용하는 경우를 포함)은 6개월 전부터 계속하여 상장회사 발행주식총수의 1만분의 10(최근 사업연도 말 현재의 자본금이 1천억원 이상인 상장회사의 경우에는 1만분의 5) 이상에 해당하는 주식을 보유한 자가 행사할 수 있으며, ⑤ 이사의 위법행위유지청구권(제402조; 제542조에서 준용하는 경우를 포함)에 따른 주주의 권리는 6개월 전부터 계속하여 상장회사 발행주식총수의 10만분의 50(최근 사업연도 말 현재의 자본금이 1천억원 이상인 상장회사의 경우에는 10만분의 25) 이상에 해당하는 주식을 보유한 자가 행사할 수 있고, ⑥ 대표소송제기권(제403조; 제324조, 제415조, 제424조의2, 제467조의2 및 제542조에서 준용하는 경우를 포함)은 6개월 전부터 계속하여 상장회사 발행주식총수의 1만분의 1 이상에 해당하는 주식을 보유한 자가 행사할 수 있으며,[24] ⑦ 집중투표청구권은 최근사업연도 말 현재의 자산총액이 2조원 이상인 상장회사의 의결권 없는 주식을 제외한 발행주식총수의 100분의 1 이상에 해당하는 주식을 보유한 자가 행사할 수 있다(제542조의6 제1항~제6항,

---

24) 상장회사의 경우에도 2020년 12월 상법 개정을 통해 다중대표소송 제도가 도입되었다. 즉, 6개월 전부터 계속하여 상장회사인 모회사 발행주식총수의 1만분의 50 이상에 해당하는 주식을 보유한 자는 자회사에 대하여 자회사 이사의 책임을 추궁할 소의 제기를 청구할 수 있고, 해당 자회사가 이러한 청구를 받은 날로부터 30일 이내에 소를 제기하지 아니한 때에는 즉시 자회사를 위하여 소(다중대표소송)를 제기할 수 있다(제542조의6 제7항, 제406조의2).

제542조의7 제2항).

여기서의 "주식을 보유한 자"란 주식을 소유한 자, 주주권 행사에 관한 위임을 받은 자, 2명 이상 주주의 주주권을 공동으로 행사하는 자를 말한다(제542조의6 제8항).

상장회사는 정관에서 위에서 규정된 것보다 단기(6개월 미만)의 주식 보유기간을 정하거나 낮은 주식 보유비율을 정할 수 있다(제542조의6 제7항). 하지만 정관의 규정에 의하더라도 주식보유비율을 늘이거나 주식보유기간을 장기로 하는 것은 허용되지 않는다.

한편, 상장회사에 대한 특례의 적용범위를 다루고 있는 제542조의2 제2항(이 절은 이 장 다른 절에 우선하여 적용한다.)이 일반규정의 적용을 배제하는 것은 아니라고 보아야 한다(양자택일의 경합관계).[25] 따라서 6개월의 보유기간을 충족하지 못하더라도 일반규정의 지분비율을 보유하는 주주는 소주주주권을 행사할 수 있을 것이다.[26] 과거에는 2009년 1월에 상장회사에 대한 특례가 상법에 편입·신설된 이후, 이에 반대하는 의견 및 하급심 판례가 존재하여 혼선이 있었지만,[27] 2020년 12월 상법개정을 통해 제542조의6 제10항을 신설하여 근본적인 문제를 해결하였다.

자본시장법에서는 일정한 금융투자업자에 대하여 다시 소수주주권의 행사요건을 낮추고 있다(자본시장법 제29조 제1항~제6항). 자본시장법상의 소수주주권은 그에 상응하는 상법상의 소수주주권의 행사에 영향을 미치지 아니하므로(자본시장법 제29조 제7항), 6개월 전부터 계속하여 해당주식을 보유하고 있지 않아 자

---

25) 동지: 이철송, 전게서, 13면; 임재연, 전게서, 30면; 송옥렬, 전게서, 792면.

26) 대법원 2004.12.10. 2003다41715(증권거래법 제191조의13 제5항은 상법 제366조의 적용을 배제하는 특별법에 해당한다고 볼 수 없고, 주권상장법인 내지 협회등록법인의 주주는 증권거래법 제191조의13 제5항이 정하는 6월의 보유기간요건을 갖추지 못한 경우라 할지라도 상법 제366조의 요건을 갖추고 있으면 그에 기하여 주주총회소집청구권을 행사할 수 있다); 서울고등법원 2011.4.1. 2011라123(상법 제542조의2 제2항에서 상장회사에 대한 특례규정의 적용범위에 관하여 일괄하여 상법의 다른 규정에 '우선하여 적용한다'는 규정이 있다고 하더라도, 이는 특례규정과 관련된 모든 경우에 상법 일반규정의 적용을 배제한다는 의미라기보다는 '1차적'으로 적용한다는 원론적 의미의 규정이므로, 상법 일반규정의 배제 여부는 특례의 각 개별 규정에 따라 달리 판단하여야 한다. 나아가 상법 제542조의6 제1항은 상법 제366조의 적용을 배제하는 특별규정에 해당한다고 볼 수 없고, 상장회사의 주주는 상법 제542조의6 제1항이 정하는 6개월의 보유기간 요건을 갖추지 못한 경우라 할지라도 상법 제366조의 요건을 갖추고 있으면 그에 기하여 주주총회소집청구권을 행사할 수 있다); 최기원, 전게서, 284~286면.

27) 서울중앙지방법원 2011.1.13. 2010카합3874.

본 시장법상의 소수주주권 행사요건을 충족시키지 못한 경우라고 하더라도 상법
상의 소수주주권의 요건을 충족시킨다면 그 상법상의 소수주주권을 행사할 수
있다고 할 것이다.

비상장회사에서는 소수주주권의 행사시점에 소수주주권의 행사를 위하여 요
구되는 지분율이 갖추어져 있으면 충분하지만, 상장회사의 경우에는 소수주주권
의 행사시점에서 소급하여 일정기간(6개월) 동안 소정비율의 주식을 소유할 것
을 요구하고 있다. 그리고 6개월 전부터 어느 시점에서든 그때그때의 발행주식
총수에 비례한 소정의 주식을 소유하였어야 하므로, 권리행사시에 필요한 소정
의 지분율에 상당하는 주식의 수를 6개월 전부터 보유하여야 한다는 것은 아니
다.[28] 이는 소수주주권 행사만을 목적으로 하여 주식을 취득하는 경우를 막기
위한 예방조치라고 할 수 있다. 그러나 상장회사의 소수주주권도 일반회사의 소
수주주권의 행사에 영향을 미치지 아니한다고 할 것이다.[29]

(3) 행사요건

소수주주권의 행사를 위하여 요구되는 주식의 보유자의 수는 1인에 한정되는
것이 아니다. 예를 들면, 수인의 소유주식을 합하여 주식보유비율을 충족하면
그 수인의 명의로 소수주주권을 행사할 수 있다고 보아야 한다.[30] 심지어는 다
른 종류의 주식을 소유하는 주주와도 공동으로 행사할 수 있다고 본다.[31] 물론,
1인의 주주가 소정의 비율의 주식을 소유하고 있다면 그 주주는 단독으로 이를
행사할 수도 있을 것이다. 이는 소수주주권을 인정하는 기준은 해당 사안에 관
한 이해의 정도나 규모에 관련되므로, 소수주주권을 행사하는 1인의 주주의 보
유주식수가 아니라 '소수주주권의 행사를 위하여 동원된 주식의 수'가 중요할 뿐
이기 때문이다.[32]

소수주주권자가 주주총회의 소집을 청구하였을 때에는 그 결의가 있을 때까
지 소정의 주식수를 보유하여야 한다.[33] 또한 소수주주권이 재판상 행사되는 때
에는 '사실심의 변론종결시까지' 소정의 주식을 보유하고 있어야 하는 것이 원칙

---

28) 최기원, 전게서, 284면.
29) 정동윤, 전게서, 446면.
30) 江頭憲治郎, 前揭書, 125面; 송옥렬, 전게서, 791면.
31) 최기원, 전게서, 286면.
32) 이철송, 전게서, 316면.
33) 최기원, 전게서, 286면.

이지만, 대표소송에는 예외가 적용되어, 대표소송을 제기한 주주의 보유주식이 제소후 발행주식총수의 100분의 1 미만으로 감소하였다 하더라도(발행주식을 보유하지 아니하게 된 경우는 제외) 제소의 효력에는 영향이 없다(제403조 제5항).

주주는 총회소집청구를 할 때에 회의의 목적사항과 소집의 이유를 기재한 서면만 제출함으로써(제366조 제1항), 회계장부열람청구를 할 때에는 이유를 붙인 서면으로(제466조), 대표소송의 경우에는 그 이유를 기재한 서면으로 청구함으로써(제403조 제2항) 소수주주권을 행사할 수 있다.

3) 비례적 권리와 비비례적 권리[34]

가) 비례적 권리

비례적 권리란 「소유주식수에 비례하여 권리의 내용이 양적으로 늘어나는 것」으로서, 이익배당청구권(제462조), 의결권(제369조), 잔여재산분배청구권(제538조), 신주인수권(제418조), 준비금 자본전입시의 신주배정청구권(제461조) 등이 있다. 이는 일반적으로 출자에 대한 대가로서의 권리라고 할 수 있다(비례적 평등).

나) 비비례적 권리

비비례적 권리란 「1주 이상(단독주주권의 경우) 또는 소정의 주식수 이상(소수주주권의 경우)을 보유한 주주에게 주식의 수량에 관계없이 균등하게 주어지는 것」으로서, 각종 소제기권 및 재무제표열람청구권(제448조 제2항)을 들 수 있다. 이는 주로 차등이 불가능한 권리로 구성된다(절대적 평등).

4) 고유권과 비고유권

이는 주주의 권리를 해당주주의 동의 없이 박탈할 수 있는가에 따른 분류이다.

가) 고유권

고유권(wohlerworbene Rechte)이란 주주의 개별적 동의가 없다면 정관 또는 주주총회 또는 이사회의 결의로도 박탈할 수 없는 주주의 권리로서(스위스채무법 제646조 제1항), 의결권(제369조), 이익배당청구권(제464조) 등이 이에 해당한다. 이는 다수결의 원칙이 지배하는 단체법의 통제로부터 투자자인 주주 개인의 독

---

34) 이철송, 전게서, 317면.

립된 존재를 보호하기 위한 권리이며, 지분율과 관계없이 모든 주주에게 인정되는 권리로서 인적요소를 내포한 권리이다.[35] 따라서 주주의 동의 없이 고유권을 침해하는 주주총회의 결의나 정관의 규정은 무효이다.

우리 상법에 고유권에 관한 규정은 없지만, 스위스채무법 제646조에서는 특히 사원의 지위, 의결권, 주주총회의 결의의 취소권, 이익배당청구권, 잔여재산분배청구권을 주주의 동의 없이는 박탈할 수 없는 고유권의 예로 들고 있다. 그러나 이에 한정되는 것은 아니고, 주주의 주권교부청구권(제355조 제1항), 주식의 양도권(제355조 제1항 본문), 주주 전원의 동의를 요하는 특수결의사항(제400조 제1항, 제604조), 정관상의 주주의 권리 등도 고유권에 속한다고 할 수 있다.[36]

나) 비고유권

비고유권이란 정관의 규정 또는 주주총회의 결의에 의하여 회사가 일방적으로 박탈할 수 있는 권리를 의미한다.

현행 상법상 주주의 권리에 관한 규정은 모두 강행법규로 되어 있으므로, 타 주주 전원의 일치에 의하더라도 주주의 권리에 대한 박탈이 불가능하므로 고유권과 비고유권에 관한 논의의 실익이 적다.[37] 즉, 주주권은 법률에 정하여진 사유에 의하여만 상실되고, 당사자 사이의 특약이나 주주권 포기의 의사표시만으로는 상실되지 아니한다.[38]

다. 주주의 권리의 행사

주주가 회사에 대하여 권리를 행사하기 위해서는, 주주명부에 명의개서하면 되고 주권을 제시할 필요가 없다(제337조).[39] 회사는 특별한 사정이 없는 한 주

---

35) 최기원, 전게서, 288면.
36) 최기원, 전게서, 288면.
37) 정동윤, 전게서, 447면; 이철송, 전게서, 317면; 정찬형, 전게서, 740면; 최기원, 전게서, 288면; 송옥렬, 전게서, 792면; 최준선, 「회사법」 제16판(삼영사, 2021), 249면.
38) 대법원 2002.12.24. 2002다54691([1] 주주권은 주식의 양도나 소각 등 법률에 정하여진 사유에 의하여서만 상실되고 단순히 당사자 사이의 특약이나 주주권 포기의 의사표시만으로 상실되지 아니하며 다른 특별한 사정이 없는 한 그 행사가 제한되지도 아니한다. [2] 주주가 일정기간 주주권을 포기하고 타인에게 주주로서의 의결권 행사권한을 위임하기로 약정한 사정만으로는 그 주주가 주주로서의 의결권을 직접 행사할 수 없게 되었다고 볼 수 없다고 한 사례).
39) 과거에는 무기명주식의 경우에 주권을 회사에 공탁하여야 하여야 했지만(구 상법 제358조, 제368조 제2항), 2014년 5월 상법개정으로 무기명주식제도가 폐지되었으므로 이는 더 이상

주명부에 기재된 자의 주주권 행사를 부인하거나 주주명부에 기재되지 아니한 자의 주주권 행사를 인정할 수 없다.[40)]

공유주주의 경우에는 주주의 권리를 행사할 자 1인을 정하여야 하고, 주주권 행사자를 복수로 지정할 수는 없다(제333조 제2항). 주주는 자신의 의결권을 대리행사시킬 수도 있고(제368조 제3항) 불통일로 행사할 수도 있다(제368조의2).

자본시장법에 의하면 예탁결제원에 예탁한 주식에 대하여 예탁자 또는 투자자의 신청이 있으면 예탁결제원이 주주권을 행사할 수 있지만(자본시장법 제314조 제1항), 실질주주의 이해관계에 중대한 영향을 미치는 의결권, 신주인수권, 이익배당청구권에 한하여 실질주주가 직접 행사할 수도 있다.[41)] 즉, 실질주주는 예탁주식의 공유자로서(자본시장법 제315조 제1항) 실질주주명부(자본시장법 제316조 제1항)에 의하여 각자의 공유지분에 따라 이러한 주주의 권리를 행사할 수 있다.

3. 주주의 의무

주주의 의무란 주주가 주주의 자격에 따라 회사에 대하여 부담하는 의무를 의미한다. 여기서의 주주의 의무에는 주주가 주주의 지위를 떠나 매매나 대차 등을 원인으로 하여 회사에 대하여 부담하는 의무(제3자적 의무)를 포함하지 않는다.[42)] 주주의 의무는 국가에 따라 다르며, 우리나라에서는 출자의무가 핵심적인 것이며, 최근에는 주주의 충실의무에 대한 논의가 많이 이루어지고 있다.

가. 출자의무

주주는 회사에 대하여 출자의무(또는 납입의무)를 부담한다(제331조; 일본회사법 제104조).[43)] 주식의 인수가액을 납입해야 할 의무로서의 출자의무는 회사성립 전 또는 신주발행 전에 전부 이행되어야 하므로(제295조, 제303조, 제305조,

---

문제되지 않는다.
40) 대법원 2017.3.23. 2015다248342 전원합의체.
41) 최기원, 전게서, 289면.
42) 정동윤, 전게서, 460면.
43) 출자의무의 내용은 주식의 인수가액을 한도로 하는 유한책임이다(정찬형, 전게서, 741면; 송옥렬, 전게서, 795면; 김홍기, 전게서, 419면; 최준선, 전게서, 250면; 江頭憲治郎, 前揭書, 126面).

제421조, 제423조; 일본회사법 제45조 제1항, 제36조, 제63조 제1항·제3항, 제208조 제1항·제2항·제5항, 제280조 제3항~제5항, 제282조), 엄격히 말하면 이러한 출자의무는 주주의 의무가 아니라 「주식인수인으로서의 의무」에 해당된다.

주식의 인수가액이란 액면가액뿐만 아니라 발행가액이 그 액면가액을 초과하는 경우에는 그 초과금액을 포함한다.[44] 주식인수인이 인수가액의 전액을 납입하면 주주(주식인수인)는 회사에 대하여 아무런 책임을 지지 아니한다(주주유한책임원칙). 이는 정관이나 주주총회의 결의로도 달리 정할 수 없다.[45] 다만, 파산상태에 이른 회사에서 주주의 전원 또는 일부가 자발적으로 회사채무를 분담하기로 합의하는 것은 개인적인 약정으로서 무효가 아니다.[46]

회사성립 후 또는 신주발행으로 인한 변경등기 후에도 아직 인수되지 아니한 주식이 있는 경우나 주식의 인수가 취소된 경우에는 발기인 또는 이사가 이를 인수하여 주주가 되고 그에 대한 납입의무를 지게 된다(제321조 제1항, 제428조 제1항). 또한 회사성립 후 납입을 완료하지 아니한 주식이 있는 경우에는 발기인이 납입담보책임을 지지만(제321조 제2항), 그 주식의 인수인인 주주도 납입의무를 부담한다. 이러한 주주의 납입의무와 발기인의 납입담보책임은 부진정연대채무의 관계에 있다. 하지만 신주발행의 경우에는 납입을 한 주식인수인만이 납입기일의 다음 날로부터 주주가 되므로(제423조 제1항), 미납입주주란 있을 수 없다.

이사와 통모하여 현저하게 불공정한 발행가액으로 주식을 인수한 자는 회사에 대하여 공정한 발행가액과의 차액에 상당한 금액을 지급할 의무를 부담하게 되는데(제424조의2 제1항; 일본회사법 제212조 제1항), 이는 실질적으로 추가출자의무(차액납입의무)로서 납입기일 후에도 부담해야 하는 경우(납입기일 전에 이행되지 않고 납입기일이 경과한 경우)도 있을 것이다.[47]

출자는 재산출자에 한정되며 인적회사에서 허용되는 노무출자나 신용출자는

---

44) 최기원, 전게서, 289면.
45) 이철송, 전게서, 322면; 최기원, 전게서, 290면; 임재연, 전게서, 331면.
46) 대법원 1989.9.12. 89다카890; 1983.12.13. 82도735(상법 제331조의 주주유한책임원칙은 주주의 의사에 반하여 주식의 인수가액을 초과하는 새로운 부담을 시킬 수 없다는 취지에 불과하고 주주들의 동의 아래 회사채무를 주주들이 분담하는 것까지 금하는 취지는 아니다). 주주의 개별적인 동의나 포기 없이 주주의 유한책임을 부인하는 이론으로는 '법인격부인론'이 있다(정찬형, 전게서, 742면).
47) 정동윤, 전게서, 461면; 최기원, 전게서, 290면; 송옥렬, 전게서, 795면.

허용되지 않는다. 또한 금전출자가 원칙이고 현물출자는 일정한 요건 하에 예외적으로 인정될 뿐이다(제290조 제2호 등). 금전출자의 이행은 현실적으로 이루어져야 하므로, 대위변제[48) 또는 대물변제는 허용되지 않는 것이 원칙이다.[49) 특히 어음이나 당좌수표로 납입하였을 경우에는 어떠한 경우일지라도 '변제에 갈음하여' 한 것(대물변제)이 아니고 '변제를 위하여' 한 것으로 보아야 하므로, 어음이나 수표가 현실적으로 결제 된 때에 납입이 있다고 볼 수 있다.[50)

회사에 대한 채권도 출자의 목적이 될 수 있다. 과거에는 주금의 납입은 모든 경우에 주주의 반대채권으로 상계하지 못하였는데, 2011년 4월 공포되어 2012년 4월 15일 시행된 개정상법에서는 이러한 제한규정을 삭제하였다(제334조 삭제). 즉, 일부채권자의 출자전환을 다른 채권자가 반대할 이유도 없고 자금조달에 어려움을 겪는 기업에게는 채무 재조정의 수단을 제공하는 측면에서 효용성이 있으므로 금지할 이유가 없다는 이유로, 2011년 개정상법에서는 '회사가 동의하는 출자전환'(신주인수인의 주금납입채무와 회사에 대한 채권의 상계)을 허용하였다(421조 2항). 물론, 주주가 일방적으로 하는 출자전환은 여전히 계속 금지되고 있다. 따라서 (신주인수인의 일방적인 의사표시에 의한 것이 아닌) 회사의 동의를 얻은 상계(출자전환)는 허용되는데(제421조 제2항),[51) 예를 들면, 금융기관 등이 회사의 동의를 얻어 회사에 대해 갖는 대출채권을 출자로 전환하는 경우에는 상계가 허용된다.[52) 또한 변제기에 이른 채권은 가액평가에 별다른 문제가

---

48) 대법원 1963.10.22. 63다494(원고회사가 아니고 원고회사의 중역이 개인 자격으로 피고가 불입한 원고회사 주금을 입체 지급하였다면 몰라도 주금불입의 현실적 이행의 효과를 거둘 수 없는 원고 회사 자체에 의한 입체 불입이란 허용될 수 없는 바임에도 불구하고 원판결이 피고가 불입할 원고회사 주금을 원고 회사 자체가 입체지급하여 이행하였다고 판단한 원판결에는 주금 불입 의무이행에 관한 법리를 오해한 위법이 있다).

49) 장덕조, 전게서, 355면.

50) 대법원 1977.4.12. 76다943.

51) 대법원 1960.11.24. 4292민상874, 875(주금납입에 있어 현금수수의 수고를 생략하는 의미의 대물변제나 상계는 회사측에서 이를 합의한 이상 이를 절대로 무효로 할 이유는 없다.).

52) 대법원 1999.1.25. 등기예규 제960호; 송옥렬, 전게서, 796면(회사의 채권자가 그 채권을 주식으로 전환하는 것을 출자전환(debt-equity swap)이라고 하는데, 회사가 재정적 위기를 탈출하는 방법으로서 도산절차에서 인정하고 있다. 하지만 2011년 4월 상법개정 이전에는 도산절차 이전에는 자본(금)충실의 원칙상 주금의 납입이 현실로 이행되어야 한다고 생각하여 출자전환이 허용되지 않았는데(구 상법 344조), 이러한 제도에 대하여 일부채권자의 출자전환을 다른 채권자가 반대할 이유도 없고 자금조달에 어려움을 겪는 기업에게는 채무 재조정의 수단을 제공하는 측면에서 효용성이 있으므로 금지할 이유가 없다는 이유로, 2011년 개정상법에서는 주주가 일방적으로 하는 출자전환은 계속 금지하지만 회사가 동의하는 출자전환을 허용하였다); 장덕조, 전게서, 354~355면.

없으므로 현물출자의 검사를 면제한다(제422조 제2항 제3호).

회사는 주주의 주금납입의무를 대신 이행할 수 없다.[53] 납입금의 환급도 자본금감소의 경우 외에는 인정되지 않는다(독일 주식법 제57조).

주식인수로 인한 회사의 납입청구권은 10년의 소멸시효가 적용된다(민법 제162조).

나. 출자의무 이외의 재산적 의무

상법상의 명문규정은 없지만 주주의 의무가 출자의무에 한정되지 않는 경우로서, ① 법인격부인론에 의하여 주주가 회사의 채무에 대하여 개인적인 변제책임을 지는 경우, ② 설립중의 회사의 채무에 대하여 주주가 차액책임을 지는 경우 및 ③ 부당한 이익배당을 받은 경우에 이를 회사에 반환해야 할 의무(제462조 제3항) 등이 있을 것이다.[54]

세법상 과점주주에게는 제2차납세의무가 부과되는 것도 출자 이외의 재산적 의무라고 할 수 있을 것이다(국세기본법 제39조, 지방세법 제22조).

다. 주주의 충실의무[55]

1) 의 의

주주의 충실의무(shareholder's duty of loyalty, Die Treupflicht des Aktionär)란 주주가 법에 의하여 인정된 권리 및 사원자격에 기하여 회사에 대하여 영향력을 행사하는 경우에 회사의 이익 및 다른 동료주주의 이익을 해하지 않을 배려의무인데, 법인격부인론과 함께 '주주의 유한책임'을 악용하는 지배주주의 횡포로부터 소수파주주와 선의의 채권자를 보호하는 법리로서 활용될 수 있다.[56] 과거에는 주식은 주주의 사유재산이고 사유재산의 처분은 자유라는 이유로 주주는 그 의결권의 행사에 있어 아무런 의무도 부담하지 않는다고 해석하였고 우리

---

53) 대법원 1963.10.22. 63다494.
54) 정동윤, 전게서, 461면.
55) 육태우, "주주억압법리에 관한 연구─미국의 폐쇄회사를 중심으로─," 고려대학교대학원 박사학위논문, 2006. 6, 240∼252면 참조.
56) 홍복기, "주주의 충실의무─독일연방최고법원 리노티페판결(BGHZ 103, 194, vom 1.2. 1988)─,"「사법행정」제391호(한국사법행정학회, 1993. 7.), 34면; 정동윤, 전게서, 462면; 최기원, 전게서, 290면.

나라 대법원 판례에서도 아직까지 주주의 충실의무를 인정한 바가 없었지만,[57] 최근에는 지배주주가 그 의결권의 행사에 있어서 '다수결의 원칙'이라는 명목 하에 회사와 다른 주주의 이익을 침해하면서 자기의 이익을 추구하여서는 안 될 '충실의무'를 부담한다고 보는 견해가 많아지고 있다.[58]

일반적으로 지배주주란 「어느 회사의 주요 의사결정과 일상적인 경영의사결정에 결정적인 영향을 미칠 수 있는 주주」를 의미한다. 주주는 발행주식총수의 과반수만 보유하더라도 주주총회의 보통결의시 자신의 의사를 관철시킬 수 있고, 이때 자신이 추천하는 자를 이사로 추천하여 일상적인 경영상의 의사결정과정을 지배할 수 있다. 이에 더하여 상장법인의 경우 주식이 여러 주주에게 널리 분산되어 있고 소액주주들의 주주총회 출석률이 낮아 통상 발행주식총수의 20~30% 정도의 지분만으로도 회사를 지배할 수 있는 경우가 많다. 지배주주는 지배권이라는 사회학적 힘을 이용해 다른 주주들이 누리지 못하는 기회를 가질 수 있는데, 이로 인하여 지배주주는 각종 불공정한 기회를 누리는 경우가 많다.[59] 예를 들면, 주주가 자신의 지위를 이용하여 회사와 거래하면서 회사의 이익을 해하거나 주주총회에서 의결권을 행사하여 다른 주주의 이익을 침해하는 경우에 주주의 충실의무 위반이 있다고 할 수 있다.[60]

주주의 충실의무는 의무부담의 상대방에 따라 회사에 대한 충실의무와 타주주에 대한 충실의무로 분류할 수 있고, 의무부담의 주체에 따라 지배주주 또는

---

57) 일본에서도 주주 중 지배주주는 일종의 부수적 의무로서 회사 및 다른 주주에 대해서 성실의무 또는 충실의무(Treuepflicht)를 진다고 하는 학설이 있다. 이는 誠實義務가 (사실상의 영향력의 행사를 포함한) 지배주주의 권리행사 시의 행동기준 또는 한계를 구분 짓는다고 해석함으로써, 특히 결합기업관계로부터 발생하는 여러 문제의 해결을 도모하고자 하는 견해이지만, 그 성격이 일반조항적인 것으로서 요건이 불명확하다는 등의 이유로, 일본에서는 아직 판례 등의 승인을 얻는 데까지는 이르지 못했다(江頭憲治郞, 前揭書, 126面). 지배주주의 권한남용을 규제하는 기타의 법리(사원권부인론과 그 계열의 학설), 주주평등의 원칙, 자본다수결남용이론] 등)과 비교해볼 때, 동 법리는 ① 지배주주의 의결권 등의 권리행사의 무효뿐만 아니라, ② 회사에 대한 사실상의 영향력을 행사하는 것에 따른 손해배상책임의 근거가 될 수 있다는 점에 특징이 있다. 하지만 江頭憲治郞 교수에 의하면, 결합기업관계를 처리하는 주된 법리로 인정되기 위해서는, 일반조항으로서 요건의 불명확성 및 ②에 따른 Enforcement의 방책이 있는가 등의 점에 있어서 아직 해결되어야 할 과제가 남아있다고 한다(江頭憲治郞, 前揭書, 126~127面 註4)).

58) 다수결 남용에 대한 규제의 원리로 작용할 수 있는 것으로 주주평등의 원칙, 민법 제103조의 규정(반사회질서의 법률행위) 등이 있으나, 지배주주의 충실의무, 합리적 기대원칙 등이 중요한 규제원리로서의 역할을 할 수 있을 것이다.

59) 이철송, 전게서, 322면; 김홍기, 전게서, 421면.

60) 최기원, 전게서, 290면.

대주주의 충실의무와 소수파주주의 충실의무로 나눌 수 있다. 또한 소극적 부작위와 적극적 작위의무로 분류할 수도 있다.[61] 폐쇄회사는 그 실질이 합명회사 또는 조합과 유사하므로 일반적으로 폐쇄회사의 주주들은 지배주주인가 소수파주주인가를 묻지 않고 서로 충실의무를 부담한다고 해석된다. 따라서 주주의 충실의무가 특히 문제되는 것은 공개회사의 경우라고 할 수 있다.[62]

충실의무를 회사법에서 특별히 인정하여야 할 이유는 법률과 정관에 의하여 그 해결방안이 예정되어 있지 아니한 회사 내에서의 갈등을 법적으로 극복하려는 데 있다. 따라서 충실의무는 회사법상의 일반조항과 동일한 성격을 가지고 그 구체적인 내용과 적용범위는 회사의 종류와 각 회사의 실질적 구조에 따라 다르다.[63] 미국과 독일의 판례에서는 이사에게 인정되는 신인의무(fiduciary duty)를 주주에게도 인정하여야 한다는 개념이 인정되고 있다.[64] 특히 성문법국가인 독일에서는 지배주주의 충실의무에 대한 명문규정이 없음에도 불구하고, 기존의 법규정으로 해결하기 힘든 부당한 경우에 대한 해결책으로 충실의무를 인정하고 있다는 점이 주목할 만하다.[65] 현재 우리나라에서는 지배주주의 충실의무를 인정해야 할 필요성을 인정하는 학자들이 많은데, 인정하는 근거가 무엇인지 그리고 현행 상법 하에서 별도의 입법이 필요한지에 대하여는 여러 가지 견해가 있다.

2) 주주의 충실의무의 인정가능성

가) 기존의 일반조항 및 일반원칙을 근거로 한 충실의무의 도입가능성

우리나라에서도 주주의 충실의무를 인정하자는 주장이 점차 늘어가고 있는 추세이다.[66]

---

61) 최기원, 전게서, 290면.

62) 정동윤, 전게서, 462면.

63) 홍복기, 「회사법강의」(법문사, 2005), 170, 178, 179면.

64) Donahue v. Rodd Electrotype Co., 328 N.E.2d 505 (Mass. 1975); BGHZ 103, 184, 195. 성실의무는, 원래, 독일의 민법상의 조합 또는 인적회사에 대하여, 구성원 상호간에 단순한 채권관계(독일 민법 제242조의 「신의성실의 원칙」)보다도 강고한 인적결합관계를 인정하는 이론이었지만, 현재의 독일에서는, 유한회사의 사원 상호간 및 주식회사의 지배주주에 대해서도 그 의무의 존재가 인정되고 있다(江頭憲治郞, 前揭書, 126面, 註4)).

65) 장덕조, 전게서, 355면.

66) 이기수, "주주의 충실의무," 「월간고시」(월간고시사, 1987. 5.), 163면; 이기수·최병규·조지현, 「회사법」 제8판(박영사, 2009), 230면; 홍복기, 회사법강의, 172면; 최완진, "주식회사 지배구조에 관한 법적 연구—법무부의 기업지배구조 개선 권고안을 중심으로—," 「외법논

먼저, 다수결원칙이라는 이름 아래 지배주주가 군소주주를 희생시키면서 자기의 이익만을 꾀하는 것은 허용되지 않으므로, 우리나라에서도 지배주주가 회사의 비상한 사항(합병, 정관의 변경, 회사재산 전부의 양도와 같이 회사의 기초적 변경을 가져오는 상황)에 관한 결의를 하거나, 회사의 업무를 지휘하거나, 지배적 영향력을 행사하는 경우 등과 같이 회사의 경영과 회사의 기초적 변경에 대하여 실질적 지배를 함으로써 회사나 소수파주주와 이해가 충돌하는 경우에는 지배주주가 충실의무를 부담한다는 주장이 있다.[67]

가족회사 내지는 폐쇄회사의 틀을 벗어나지 못하고 있는 우리나라에서야말로 지배주주의 충실의무의 인정이 필요한데, 이 주장의 근거로서는 "타인을 지배하는 사람은 그 지배에 따르는 책임을 져야 한다."는 일반적인 법원칙,[68] 권리의 행사는 신의에 좇아 성실히 하여야 한다는 신의칙 및 지배주주는 회사의 경영에 지배력을 미칠 수 있어서 실질적으로 이사와 같은 지위에 있으므로 이사의 의무와 책임에 관한 규정을 유추적용할 수 있는 점 등을 원용하고 있다. 또한 소수파주주가 결의를 저지할 수 있는 경우에는 대주주와 같은 지위에 있으므로 대주주와 마찬가지로 충실의무를 진다고 한다.[69]

둘째, 충실의무의 법적 근거는 주식회사 존립의 법적 기초인 조직계약(Organisationsvertrag) 또는 '사원관계에서의 공동체 관계(Das mitgliedschftliche Gemeinschaftsverhältnis)'에서 찾아야 한다는 주장이 있다.[70] 인적회사 또는 유한회사의 경우에는 사원이 소수에 한정되고 조합계약적 기초 위에서 사원 상호간에 인적 신뢰를 통한 강한 법적 결속이 나타나므로, 인적신뢰에 따른 공동체관계를 근거로 충실의무가 확고하게 인정되고 있다. 이에 반하여 주식회사의 경우에서

집」제9집(한국외국어대학교 법학연구소, 2000. 12.), 27면; 정동윤, 상법(상), 462면; 김정호, 「상법강의(상)」(법문사, 2000), 462면; 최기원, 전게서, 291면; 강희갑, 「회사법강의」(책과 사람들, 2004), 227면; 김건식, "소수주주의 보호와 지배주주의 성실의무," 「서울대 법학」(서울대학교 법학연구소, 1991), 100면.

67) 이기수·최병규·조지현, 전게서, 230면; 정동윤, 전게서, 462면; 강희갑, 전게서, 227면.
68) 이기수, "주주의 충실의무," 163면.
69) 정동윤, 전게서, 462면; 독일 연방법원의 1995.3.20. Girmes 판결(BGH WM 1995, 882) 참조.
70) 홍복기, 전게서, 172면; 김정호, 전게서, 462면; 김정호, "주주의 충실의무," 「21세기 상사법의 전개」(정동윤 선생 화갑기념)(법문사, 1999. 6.), 149면; 남기윤, 「유형론적 방법론과 회사법의 신이론」(학우출판사, 1999), 419면; 이완휘, "지배주주의 충실의무에 관한 연구-폐쇄회사의 소수주주 보호를 중심으로-," 건국대학교대학원 박사학위논문(2000. 11.), 274면.

는 원칙적으로 다수의 사원이 존재하므로 주로 회사와 주주간의 법률관계에서만
충실의무가 인정되었고 주주 상호간에는 이를 부정하는 것이 일반적이었다.[71]
그러나 인적회사의 사원관계와는 비교가 안 되겠지만, 주식회사의 주주 간에도
어느 정도의 법적 결속은 존재하고, 이러한 법적 결속은 조직계약의 형상 또는
사원관계에서의 공동체관계에서 확인될 수 있을 것이다.[72] 이러한 공동체 관계
에서 사원의 회사에 대한 조직적인 구속과 사원상호간의 인적 관계가 결정적이
라면, 이 '사원관계에서의 공동체관계'라는 표준은 회사형식에 관계없이 적용될
수 있는 전제요건이고, 따라서 주식회사에 이 표준을 대입하는 것이 부당하지
않다는 것이다. 여기서 충실의무의 인정여부와 그 범위여하의 문제는 당사자의
회사형식의 선택에 달려 있는 것이 아니라, 주식회사에 있어서도 법현실에서의
개별회사의 실재적 구조에 초점을 맞추어야 할 것이라는 결론이 나온다.[73]

그러므로 공개회사의 경우 원칙적으로 투자주주의 충실의무는 거의 영에 가
깝다고 할 수 있지만, 지배주주는 소수파주주의 주주권의 내용에 영향을 미칠
수 있는 지위에 있는 자이기 때문에 이 같은 지배권에 대한 제한으로써 충실의
무가 원용될 수 있다. 특히 내부관계에서 마치 인적회사와 같이 운영되고 있는
인적 주식회사 또는 폐쇄적 주식회사에서는 소유와 경영의 일체성과 주주의 경
영담당이 주주들의 생활의 기초를 이루고 있다는 점 때문에 회사의 주주간에 특
별한 신뢰관계가 형성되고, 이 신뢰관계가 바로 사원관계의 기초를 이루고 있다.
다시 말해서, 폐쇄적 주식회사는 실질적으로 인적회사와 같은 조직구조를 가지고
사원상호간에 조합계약적 결합관계에 있기 때문에 폐쇄적 주식회사에 있어서 사
원 상호간에 직접적인 관계를 인정할 수 있는 것은 이와 같은 회사의 현실적 내
부관계에 의해서 가능하다. 따라서 이들 회사에서 주주가 부담하는 충실의무는
그 정도나 범위에 있어서 공개회사의 주주보다 훨씬 광범위하고 깊어야만 하고,
그 의무의 내용과 범위결정은 인적회사법상의 원칙이 유추적용되어야 한다.[74]

셋째, 우리나라의 경우에는 특히 대부분의 회사에 지배주주가 존재한다는 점
을 고려할 때, 주식회사제도의 건전한 발전을 위하여, 대주주가 소수파주주의
이익을 부당하게 해하는 것을 금지하는 충실의무를 인정하여, 소수파주주를 보

---

71) 이기수·최병규·조지현, 회사법, 228면; 김정호, 전게서, 462면.
72) 김정호, 전게서, 462면.
73) 남기윤, 전게서, 419~420면.
74) 남기윤, 전게서, 420면; 이완휘, 전게논문, 274면.

호할 필요가 있다는 주장이 있다.[75] 주주의 충실의무는 권리행사의 내재적 한계, 사원자격의 본질, 수탁자적 지위 등으로부터 도출할 수 있다고 본다. 또한 주주의 충실의무는 단순한 의결권행사의 구속 내지 제약과 같은 주주권행사의 국면뿐만 아니라, 지배적 영향력행사와 같은 주주권행사 이외의 국면까지 규율하는 이론이라고 주장한다.[76]

넷째, 주주 상호간의 충실의무의 실정법적 기초로서 권리의 행사와 의무의 이행은 신의에 좇아 성실히 할 것을 규정하고 있는 민법 제2조 제1항을 드는 주장도 있다. 주주들은 같은 회사의 사원으로서 상호간에 회사법적인 특수한 결합관계에 있으므로 신의칙에 의하여 다른 주주들의 사원권적인 이익을 고려해야 할 의무를 부담한다고 해석하여, 주주의 다른 주주에 대한 충실의무는 일반법상의 신의성실의 원칙의 회사법적인 특수한 표현으로 이해할 수 있다고 한다.[77]

다섯째, 주식회사에서 주주 상호간의 특수한 결합관계를 인정함으로써, 지배주주가 회사나 다른 주주에 대하여 행사하는 권원이나 영향력에 상응하는 지배주주의 충실의무를 인정할 수 있다는 주장이 있다. 주주 사이에 계약관계가 존재하지 않음은 명백하지만, 주주가 회사의 의사결정이나 영업활동에 영향력을 행사할 수 있다면 회사나 다른 주주의 이익을 직접적으로 침해할 수 있는 지위에 있으므로 이러한 주주와 다른 주주 사이에는 일정한 특수결합관계를 인정할 수 있다고 한다.[78]

현실에 있어서 소규모의 폐쇄적인 주식회사에 있어서도 대규모의 공개회사에서와 같이 자본다수결제도가 적용되고 있고 자본다수결에 의한 회사의 의사형성을 통해 사원상호간의 이해조정이 이루어지고 있는 결과, 소수파주주의 의사가 무시되고 지배주주의 의사가 회사 전체의 의사로 관철될 수 있다. 회사의 다수파인 주주가 주주총회에서 의결권행사를 통하여 또는 사실상의 지배력을 이용해 업무집행기관에 대한 영향력을 행사함으로써 소수파주주의 이익을 침해할 수 있게 된다. 즉 지배주주는 자본다수결제도 아래서 우월적인 지위를 이용하여 소수

75) 최완진, "주식회사 지배구조에 관한 법적 연구," 27면; 최기원, 「신회사법론」, 290~291면.
76) 정승욱, "주식회사 지배주주의 법적 책임에 관한 연구," 서울대학교대학원 박사학위논문 (1998. 2.), 62면.
77) 임중호, "주주의 충실의무론," 「법학논문집」 제20집(중앙대학교, 1995), 201면; 장덕조, "지배주주의 충실의무," 「민주법학」 제18호(민주주의법학연구회, 2000. 8.), 185면.
78) 박세화, "지배주주의 의무와 책임에 관한 연구," 연세대학교대학원 박사학위논문(연세대학교, 1997), 93면.

파주주를 억압할 수 있다는 것이다. 따라서 소수파주주의 이익을 보호하기 위하여 지배주주의 불합리한 지배력을 제한할 필요가 있고, 이에 따라 충실의무가 인정될 필요가 있다는 것이다.[79]

여섯째, 주주가 회사의 업무집행에 영향을 주거나 개입하는 경우에는 회사의 이익과 다른 주주의 이익을 침해해서는 안 될 충실의무를 부담한다고 보는 것이 타당한 것이며, 이러한 경우는 상법 제399조의 이사의 책임에 대한 책임규정과 제401조의 이사의 제3자에 대한 책임규정의 유추적용을 인정할 수 있다는 주장이 있다.[80] 예를 들어 상법 제401조를 유추적용하여 "주주가 의결권행사에 의하여 또는 주주자격에 기하여 영향력을 행사하여 회사의 업무집행을 행하게 하는 것에 대하여 고의 또는 중대한 과실이 있는 경우에는 그 주주는 이사와 동일한 책임을 부담한다."고 해석할 수 있다고 한다.[81]

또한 지배주주가 이사회를 지배하는 등 회사의 경영에 지배적 영향력을 행사하는 경우에는 실질적으로 이사와 같은 지위에 있다고 볼 수 있으므로, 지배주주와 소수파주주간에 이해의 충돌이 염려될 때에는 충실의무를 인정할 수 있으며, 같은 취지에서 1998년 12월 상법 개정으로 도입된 이사의 충실의무에 관한 규정(제382조의3)과 업무집행지시자를 사실상 이사로 보아 이사와 같은 책임을 묻고 있는 업무집행지시자 등의 책임에 관한 규정(제401조의2)도 지배주주의 충실의무를 인정하는 해석론적 근거가 될 수 있다는 의견도 있다.[82]

나) 입법을 통한 주주의 충실의무 규정의 도입가능성

우리나라에서는 대규모 기업집단 또는 대부분의 주식회사에 있어서는 재벌이나 지배주주가 그 우월적 지위를 이용하여 이사회를 지배하고 경영을 전횡하고 있는 것이 현실이므로 회사와 소수파주주를 보호할 필요가 많다. 이러한 경우에 민법상의 신의칙(제2조), 반사회적 질서행위에 대한 무효규정(제103조), 불법행위 규정(제750조, 제760조), 상법상의 주주평등원칙, 특별이해관계인의 의결권행사의 제한(제368조), 회사의 기초적 변경에 관한 여러 규정(제374조, 제433조, 제522조 이하), 업무집행지시자 등의 책임(제401조의2) 등을 적용하여 규제할 수 있으나,

79) 이완휘, 전게논문, 274~275면.
80) 홍복기, 회사법강의, 179면.
81) 송인방, "지배주주의 충실의무에 관한 연구,"「충남대 법학연구」(충남대학교 법학연구소, 1997), 263~264면.
82) 강희갑, 전게서, 276면.

이것만으로는 회사와 지배주주간, 지배주주와 소수파주주간의 이해충돌을 만족스럽게 조정하여 회사와 소수파주주를 충분히 보호할 수 없다. 따라서 미국법상의 지배주주의 충실의무의 관념을 도입할 필요가 있다는 데에 여러 학자들이 동의하고 있다.[83]

그런데, 현행법의 해석만으로도 지배주주의 충실의무를 인정할 수 있다는 주장과는 달리, 별도의 입법을 통해 충실의무를 인정하여야 한다는 주장도 있다.[84] 그 근거를 살펴보면 첫째, 현행 상법에는 지배주주가 회사나 소수파주주에 대하여 이해의 충돌을 방지할 의무가 있다는 일반규정이 없는 상태에서 지배주주의 충실의무를 인정하는데 필요한 실정법상의 근거를 찾기가 어렵다는 점을 든다.[85]

둘째, 충실의무의 관념은 주주평등의 원칙이나 민법 제2조의 신의칙과는 다른 개념이므로 지배주주의 충실의무를 이들 원칙에 근거하여 인정하기는 어렵다고 한다. 즉 신의칙은 권리의 행사와 의무의 이행에 한계를 정하는 규범이고 지배주주이든 소수파주주이든 상관없이 모든 주주에게 요구되는 것이지만, 지배주주의 충실의무의 원형이라고 할 수 있는 미국법상의 지배주주의 충실의무는 회사와 주주들을 위하여 충성을 다해야 할 지배주주의 일방적 의무일 뿐만 아니라 단순히 권리행사에 한계를 설정하는 의미 이상의 강도를 지닌 요구라는 것이다.

지배주주의 충실의무에 대한 일반규정을 신설하면 이러한 문제들은 해결될 수 있을 것이다. 기존의 이사의 충실의무와는 별도로, 지배주주는 자신 또는 다른 제3자를 이롭게 하기 위하여 회사뿐만이 아니라 다른 주주들의 이익을 해하여서는 안 된다는 취지로 지배주주의 충실의무를 명시적으로 규정해야 할 것이다.[86]

---

83) 강희갑, 전게서, 276면.
84) 장덕조, 전게서, 356면; 최완진, "주식회사 지배구조에 관한 법적 연구,"「외법논집」(한국외국어대학교, 2000); 송종준, "폐쇄기업화거래의 공정요건과 소수파주주의 보호,"「상사법연구」제19권 제1호(한국상사법학회, 2000), 248면; 강희갑, "지배주주의 충실의무,"「상사법연구」제12집(한국상사법학회, 1996), 135~137면; 이철송, 전게서, 324면; 이완휘, 전게논문, 273면; 박명서, "지배주주의 책임,"「기업법연구」제2집(한국기업법학회, 1996. 6.), 176면.
85) 송옥렬, 전게서, 796면.
86) 예를 들면 "지배주주는 회사의 복지를 위하여 지배권을 행사하고 다른 주주의 권리와 이익을 성실히 (또는 충실하게) 존중하여야 한다."라는 충실의무의 규정을 둘 수 있을 것이다 (강희갑, "지배주주의 충실의무," 137면).

다) 지배주주의 충실의무에 근거한 주주억압문제의 해결

우리 회사법에서는 자본다수결원칙의 남용을 주도할 수 있는 다수파 주주를 직접적으로 규제하는 방식을 취하고 있지 않다. 단지 지배주주가 회사에 대한 자신의 영향력을 행사하여 이사에게 업무집행을 지시하는 방식으로 그 지위를 남용하여 소수파주주를 억압하는 경우, 상법 제401조의2를 통하여 간접적으로 어느 정도 억제할 수 있을 뿐이다.[87] 이러한 회사법의 태도로 인해 주식회사에서의 주주간 분쟁으로 인한 대부분의 소송에서는 주주총회의 결의를 다투게 되는데, 이는 회사법상의 다수결의 남용을 제한할 수 있는 제도가 조정기능을 원활하게 수행할 수 없다는 점을 반영한다. 이는 회사법이 자본단체인 주식회사의 경우에 인적회사와는 달리 사원상호간의 관계가 존재하지 않는다는 것을 전제하기 때문이라고 볼 수 있다.

이러한 문제의 해결을 위하여 억압의 문제를 해결하기 위한 미국에서의 법리가 고려될 수 있을 것이다.[88] 미국에서 발전된 충실의무의 법리는 회사해산의 근거로서의 성문법상의 억압규정[89]이 없는 경우에 발생할 수 있는 소수파주주

---

87) 임재연, 전게서, 332면.

88) 미국에서는 입법과 판례 그리고 학설을 통하여 주주간 이해충돌 가운데 "억압받는" 폐쇄회사 주주를 위한 정책과 이론들을 발전시켜왔다. 이를 포괄하여 주주억압법리(the doctrine of shareholder oppression)라고 하는데, 이는 폐쇄회사의 다수파주주의 부적절한 지배권 행사로부터 소수파주주를 보호하는데 주된 목적이 있다. 입법을 통하여 회사의 비자발적 해산의 근거로서 지배주주에 의한 "억압"을 포함하였고, 그에 대한 구제수단을 다양화시키려는 노력이 있었다. 또한 판례와 학설상으로도 충실의무의 법리, 합리적기대이론 등을 발전시켜 억압의 정의와 구제수단의 적용 그리고 사전적 예방조치의 필요성의 근거로 삼아왔다 (육태우, "주주억압법리에 관한 연구－미국의 폐쇄회사를 중심으로－," 고려대학교대학원 박사학위논문, 2006. 6, 2면).

89) 미국의 많은 주입법부들은 회사의 비자발적인 해산(involuntary dissolution)의 근거로서 지배주주에 의한 "억압(oppression)"을 포함하도록 회사해산법규들을 개정해 왔다. 폐쇄회사에 대해서는 비자발적 해산에 대해 자동적으로 적용되는 조항들(automatic rules)을 두되, 공개회사에 대해서는 그렇지 않은 주들이 많다. 그러나 억압행위가 발생했을 때, 사실상의 해산이 법원이 제공할 수 있는 유일한 구제수단인 것은 아니다. 각주의 법률과 사법상의 선례는 해산보다 완화된 대안적 구제수단을 허락해 왔다. See, e.g., MINN. STAT. ANN. §302A.751 subd. 1 (West Supp. 2000) (형평법상의 구제를 허용하고 구체적으로 주주의 지분을 매수하도록 명령함); N.J. STAT. ANN. §14A:12-7 (West Supp. 1999) (주식매수명령과 임시이사 또는 관리인의 선임을 포함한 구제목록을 제공함); Brenner v. Berkowitz, 634 A.2d 1019, 1033 (N.J. 1993) ("중요한 것은 법원은 억압에 대한 성문법상의 구제에 제한되지 않고 광범위한 형평법상의 구제수단들을 가지고 있다는 것이다."); Balvik v. Sylvester, 411 N.W.2d 383, 388-9 (N.D. 1987) (억압행위에 대하여 관리인(receiver)의 선임, 주식매수의 허용, 이익배당의 명령과 같은 대안적 형태의 구제수단을 열거함); Masinter v. Webco Co., 262 S.E.2d 433, 441 & n.12 (W. Va. 1980) (과도한 급

보호의 흠결을 보완하도록 적용되어 왔다. 즉 억압관련규정이 없는 미국의 주들에서는 주주의 신인의무에 관한 이론과 이와 관련된 직접소송(direct suit)이 발전하여 소수파주주 보호의 측면에서 억압규정의 흠결을 보완하고 있다.

미국의 폐쇄회사에 있어서도 Donahue 사례[90] 이전의 매사추세츠 주의 회사법에서는 주주 사이에 아무런 법률관계가 인정되지 아니하였다.[91] 이사에 의하여 불법행위적인 재산의 침해행위가 있는 경우에도 그것은 회사에 손해를 가하는 것이지 주주에게 손해를 가하는 것이 아니라고 보았다. 주주는 상호간 그리고 회사와의 관계에서 아무런 결합관계가 없다고 판단되었다. 그리고 주식을 소유하는 것은 원칙적으로 의결권을 가지고 이익배당과 수익을 갖는다는 것을 의미하며, 주식의 자유로운 양도가능성 때문에 의미 있는 법률관계 또는 충실의무관계가 없다고 보았다.[92] 그러나 이와 같이 회사를 중심으로 고찰하는 관점은

여의 감축명령과 더 이상의 억압행위에 대한 금지명령과 같은, 억압행위에 대한 열 가지 가능한 구제형식을 열거함). But see Giannotti v. Hamway, 387 S.E.2d 725, 733 (Va. 1990) (억압을 원인으로 한 해산에 의한 구제는 "배타적"이라면서, 법원은 "다른 형평법상의 구제수단을 명하도록" 허용되지 않는다고 결론내림).

90) Donahue v. Rodd Electrotype Co., 328 N.E.2d 505 (Mass. 1975). 폐쇄회사에 관한 선도적인 판결인, Donahue 사례에서는, 폐쇄회사가 35년이나 장기 근속한 경영자의 주식을 매수하였는데, 이 경영자는 당시 77세로 건강이 좋지 못했다. 그는 당시 지배주주가 아니었는데, 회사설립자의 아들들인 지배주주측은 그의 은퇴를 원했으므로 그의 주식의 일부를 회사가 매입하도록 인가하였다. 이에 지배주주 가족과 특별한 관계가 아닌 유일한 주주였던 나머지 한 여성이 회사로 하여금 동일한 조건으로 자신의 주식을 매수해 줄 것을 청구했지만, 회사는 충분한 자금이 없다는 이유로 청구를 거절하였다. 그러자 그녀는 지배주주가 회사로 하여금 일부 주식의 매수는 인가하게 하면서, 이와 동일한 혜택을 다른 주주에게는 베풀기를 거절한 것은 신인의무의 위반이라는 이유로 소를 제기하였다.

매사추세츠 대법원은 이 거래가 위법하다고 판결하였는데, 폐쇄회사의 주주들에게 "더욱 엄격한 조합원으로서의 의무(more rigorous duty of partners)"를 적용하면서, 주주들은 서로 최대의 신의와 충실의무(the utmost duty of good faith and loyalty)를 부담하며 이 의무의 기준은 공개회사의 그것보다 높다고 하였다. 자신의 이익을 도모하기 위해 지배주주라는 지위를 이용하는 지배주주는 이러한 높은 수준의 의무로 인해 동일한 이익을 모든 주주에게 베풀어야 할 의무가 있다. 따라서 지배주주 측의 주식매입은 그들의 신인의무를 위반한 것이었다. 피해구제의 방법으로서 법원은 피고회사에게 주식매수를 취소하거나 아니면 장기근속 경영자에게 지급했던 가격과 동일한 금액으로 원고의 주식을 매수하도록 명령했다(육태우, "주주억압법리에 관한 연구-미국의 폐쇄회사를 중심으로-," 85~86면).

91) 폐쇄회사와 관련된 특별한 문제들은 미국의 법원과 의회 그리고 학계에서 주주억압관련법리가 발전하는 계기가 되었다. 폐쇄회사에서 회사의 경영과 지배에 관한 다양한 독특한 문제들이 나온다. 이러한 문제들에는 소수파주주들에 대한 억압(oppression of minority shareholders), 회사의 停頓 또는 교착상태(corporate deadlock), 사기와 불법행위(fraudulent and illegal acts), 회사의 낭비와 부실경영(corporate waste and mismanagement) 그리고 폐쇄회사의 소유와 지배권의 양도와 관련된 문제들이 포함된다(육태우, "주주억압법리에 관한 연구-미국의 폐쇄회사를 중심으로-," 8면).

Donahue 사례와 Wilkes 사례[93]를 계기로 법원이 주주간의 충실의무를 인정함으로써 변경되었다. Donahue 사례에서 법원은 당사자가 소속된 폐쇄회사를 조합에 유추함으로써 폐쇄회사 내부의 분쟁을 해결하려고 하였던 것이다.[94] Donahue 법원의 뒤를 이어서, 매사추세츠 이외의 여러 주들의 법원도 역시 폐쇄회사의 주주 사이의 강화된 신인의무를 부과해 왔다.[95]

지배주주는 단순히 대주주이기 때문에 수탁자로서 충실의무를 지는 것이 아니고, 회사의 경영에 대한 실질적인 지배가 있는 경우에 한하여 회사와 소수파

---

92) 김재범, "주주의 충실의무에 관한 연구," 고려대학교대학원 박사학위논문, 1993, 83면.

93) Wilkes v. Springside Nursing Home, Inc., 353 N.E.2d 657 (Mass. 1976). Wilkes 사례에서 Stanley Wilkes, Leon Riche, Edwin Quinn, 그리고 Hubert Pipkin은 한 요양소(nursing home)의 운영을 담당하는 폐쇄회사를 설립했다. 네 명의 설립자 모두 처음에 1,000달러씩 투자하여 회사의 25% 소유지분을 얻었다. 그들 모두 동일한 급여를 받았고 회사의 운영에 적극적으로 참여하였다. 수년 후에 Pipkin은 Connor에게 자신이 보유하던 회사주식을 팔았고, 이후에 Quinn, Riche, 그리고 Lawrence Connor는 부당하게도 Wilkes를 회사의 임원과 이사의 자리로부터 쫓아냈다. 이에 더하여 다른 주주들은 계속해서 그들의 보수를 받고 있었지만 Wilkes의 급여는 중단되었다.

이러한 조치에 대하여, Wilkes는 회사와 다른 주주들을 고소했다. Wilkes 사건의 판결에서, 법원은 다음과 같이 의견을 제시하였다. "회사의 설립 당시에 모든 주주는 각자 회사의 주주이면서도 회사의 경영과 의사결정에 적극적으로 참여할 것이라고 생각하였다. 더욱이 주주 각자가 사업운영에 필요한 비용의 일부를 적극적이고 계속적으로 부담하는 한, 회사의 형편이 허락하는 이상 각자가 회사로부터 동일한 급여를 받는다는 것을 모든 당사자들이 양해하여 합의하였다."

당사자들 상호의 양해합의(understandings), 의도(intentions), 보증(guarantees), 그리고 정책(policies)을 언급하면서, Wilkes 법원의 의견은 계약위반의 결정이라는 인상을 준다. 결국 Wilkes의 승소는 최소한 부분적으로는 투자자들 사이에 공유된 정책과 양해합의에 대한 Quinn, Riche 그리고 Connor의 "무시"에 근거한다. 물론 그러한 무시는 당사자들 사이의 묵시적 합의의 위반에 밀접히 관련되어 있는 것처럼 보인다. 더욱이 법원은 피고들에게 만일 Wilkes가 회사의 임원이자 이사로 남았더라면 그에게 지급되었을 급여에 대한 손해배상을 명령하였다. 그러한 구제는 계약위반소송에 흔히 있는 기대이익손해배상의 표준적 부여(a standard award of expectation damages)라고 할 수 있다.

그러나 Wilkes 법원은 그 결정을 할 때 계약법이 아닌 주주억압법리를 근거로 했다. 원고인 Wilkes는 "피고들은 회사의 다수파주주들로서 소수파주주인 Wilkes에 대한 신인의무를 위반하였기 때문에 Wilkes에게 손해배상을 하여야 한다"고 주장하였고, 이와 마찬가지로 법원도 "Quinne, Riche, Connor가 회사에서 소수파주주인 Wilkes에 대한 신인의무를 위반하였다는 판결이 내려져야 한다"고 결론 내렸다(육태우, "주주억압법리에 관한 연구－미국의 폐쇄회사를 중심으로－," 86~87면).

94) Donahue, 328 N.E.2d at 586.

95) See, e.g., Guy v. Duff & Phelps, Inc., 672 F. Supp. 1086, 1090(N.D. Ill. 1987); Orchard v. Covelli, 590 F. Supp. 1548, 1556-59 (W.D. Pa. 1984); W&W Equip. Co. v. Mink, 568 N.E.2d 564, 574 (Ind. Ct. App. 1991); Evans v. Blesi, 345 N.W.2d 775, 779 (Minn. Ct. App. 1984); Fought v. Morris, 543 So. 2d 167, 170-71 (Miss. 1989); Crosby v. Beam, 548 N.E.2d 217, 220 (Ohio 1989); Estate of Schroer v. Stamco Supply Inc., 482 N.E.2d 975, 981 (Ohio Ct. App. 1984).

주주에 대하여 수탁자적 관계에 서고 충실의무를 진다. 여기서 회사에 대한 실질적인 지배란 주식의 과반수 소유 그 자체를 의미하는 것이 아니라, 의결권 있는 주식의 소유를 통하여 직접, 간접으로 회사의 경영방침과 경영정책을 지휘할 만한 힘을 의미한다. 이는 지배주주가 주주로서의 역할을 넘어서 회사경영에 관한 이사회의 권한을 지배한 경우를 말한다. 구체적인 적용범위로는 회사기회의 유용, 지배권형성주식의 매도, 내부자거래, 경영권을 이용한 소수파주주에 대한 억압 등에 지배주주의 충실의무를 인정하고 있다.96)

미국에서 지배주주의 충실의무를 인정하는 근거는 지배주주가 회사의 영업과 활동에 결정적인 영향을 미칠 수 있고 이러한 지배주주의 영향력 행사로 인하여 소수파주주에게 손해를 끼칠 수 있다는 데 있다. 그렇다고 해서 지배주주의 충실의무라는 것이 지배주주가 자신의 사적인 이익을 추구하지 못한다는 것을 의미하지는 않고, 지배주주가 자신의 권리를 행사함에 있어 회사의 이익과 소수파주주의 이익을 아울러 고려하여야 한다는 것을 의미한다.97)

그리고 지배주주가 회사와 거래하는 등의 충실의무위반이 발생하면, 일반적인 주의의무위반에 대한 면책사유인 경영판단원칙이 엄격하게 적용된다. 이사 또는 임원은 그가 적당한 주의를 기울이고, 선의로, 그리고 합리적인 사업상 목적의 연장선상에서 결정했다면, 정직한 판단상의 실수로 책임지지 않는 것이 경영판단의 원칙이다.98) 다시 말하면 이사의 행위에 있어서는 악의 또는 불성실(bad faith), 위법(illegality), 회사와의 이익충돌(conflict of interest)과 같은 사실의 입증이 없는 한 이사의 경영판단은 존중되어야 하며, 비록 이사의 행위로 인하여 회사에 손해가 발생하였다고 하더라도 이사의 책임을 물을 수 없다는 것이 판례법상 형성된 경영판단의 원칙이다.99) 이러한 원칙의 결과로서, 고용, 성영 또는 이익배당의 문제를 다루는 이사회의 결정에 법원이 간섭하는 경우는 드물다.100) 그리고 경영판단원칙은 일반적으로 경영진의 선의(good faith)를 추정하

---

96) 송인방, "지배주주의 충실의무에 관한 연구," 256면.

97) See Ferber v. American Corp., 469 A.2d 1046 (Pa. 1983); 장덕조, "지배주주의 충실의무," 171면.

98) See, e.g., Wheat, 970 F.2d at 130-31 & n.13; see also Sinclair Oil Corp. v. Levien, 280 A.2d 717, 720 (Del. 1971).

99) Harry G. Henn & John R. Alexander, Laws of Corporations, 661 (1983); 김병연, "이사의 충실의무와 영미법상 신인의무," 「상사법연구」 제24권 제3호(한국상사법학회, 2005), 70면.

므로 이를 반박하는 측에서 악의(bad faith)를 증명하여야 하지만, 지배주주의 충실의무위반이 발생하면 공정성에 관한 입증책임을 지배주주가 부담하게 된다.[101]

주주억압법리에서는, 다수파가 지배하는 이사회에 의한 경영판단들이 소수파 주주를 축출하는 과정의 일부일 수 있다고 인정한다. 따라서 주주억압법리는 묵시적으로, 폐쇄회사의 고용, 경영 그리고 이익배당에 관한 결정을 할 때, 다수파의 행위에 대한 단순한 표면적인 조사 이상이 필요하다는 생각을 전제로 한다. 실제로 주주억압법리가 다수파의 행위들을 "합리적인 기대들" 또는 "부담스럽고 가혹하고 부당한 행위"기준에 맞추려하는 것은, 법원이 다수파주주들이 경영판단을 할 때 단순히 합리적인 영업목적을 가질 것 이상을 요구한다는 것을 암시한다.[102] 사실상 미국의 어떤 법원들은, 폐쇄회사에서 다수파주주의 결정에는 전통적인 경영판단원칙보다 더 많은 사법적인 심사가 요구된다고 명시적으로 인정해 왔다.[103]

특히 폐쇄회사의 주주들 중에는 공개회사의 주주와는 달리 직접 경영에 참여하기를 원하는 자가 많다.[104] 즉 공개회사에서는 주주가 경영권을 경영전문가인 이사 또는 임원에 위임시키고 그들이 수임자로서 성실하게 행동하는 한 그들의 판단에 간섭하지 않는 것이 경영을 원활하게 이끄는 데 도움이 된다고 생각되지만, 폐쇄회사에서는 소유와 경영이 분리되지 않고 주주가 회사경영에 대한 적극

---

100) See, e.g., Donahue v. Rodd Electrotype Co., 328 N.E.2d 505, 513 (Mass. 1975).

101) 장덕조, "지배주주의 충실의무," 174면 참조. 미국법률가협회(ALI)도 지배주주의 충실의무에 관한 부문에서 공정성에 대한 입증책임을 지배주주에게 부담시켜야 한다고 제안하고 있다(See American Law Institute, Principles of Corporate Governance: Analysis and Recommendations §5.12(c) (1994)). 공정성(fairness)이라고 하는 요건은 '공정한 거래'(fair dealing)였느냐의 여부와 '공정한 가격'(fair price)이 형성되었느냐 하는 점을 포함하여 "전체적으로 공정"(entire fairness test)하여야 한다. 공정한 거래라 함은 당해 거래가 시기적으로 적절하였는지 여부 즉 어떻게 당해 거래가 시작되었으며 어떻게 계약이 진행되었는지 그리고 이사회와 주주들의 승인을 얻는 절차가 적법하게 진행되었는지 라는 절차적인 면에서의 공정성을 의미한다. 그리고 공정한 가격이 형성되었는지 여부는 단독적으로 판단할 문제는 아니고 공정거래의 문제와 더불어 종합적으로 판단되어야 한다(김병연, "이사의 충실의무와 영미법상 신인의무," 73면 참조).

102) See, e.g., O'Donnel v. Marine Repair Servs., 530 F. Supp. 1199, 1205-08 (S.D.N.Y. 1982); Zimmerman v. Bogoff, 524 N.E.2d 849, 854 (Mass. 1988; Wilkes, 353 N.E.2d at 663-65.

103) See, e.g., Smith v. Atlantic Properties, Inc., 422 N.E.2d 798, 801, 804 (Mass. App. Ct. 1981); Exadaktilos v. Cinnaminson Realty Co., 400 A.2d 554, 561 (N.J. Super. Ct. Law Div. 1979); Grato v. Grato, 639 A.2d 390, 396 (N.J. Super. Ct. App. Div. 1994).

104) 공개회사에서는 원칙적으로 주주 상호간의 의무가 인정되지 않기 때문에, 폐쇄회사에 비하여 상대적으로 신인의무가 인정된 판례가 많지 않다(임재연, 전게서, 332면).

적인 참여를 원하는 경우가 많으므로 이사나 지배주주의 경영상의 재량에 간섭할 수 없다는 것은 주주의 기대에 반하므로 폐쇄회사에서는 경영판단원칙의 적용이 제한될 필요가 있다.[105]

미국의 판례법에서 발전된 주주억압에 대한 구제수단의 유형은, 충실의무의 위반행위에 대하여 법원에서 전통적으로 부여하는 구제수단의 유형과 동일하다. 미국 법원의 이러한 경향은 주주간 분쟁을 합리적이고 효율적으로 조정하기 위하여 억압에 대한 구제와 충실의무의 위반에 대한 구제 사이에 상호이동이 이루어지고 있음을 보여준다. 즉 판례법상의 충실의무의 위반과 제정법상의 억압에 대한 규정을 상호배타적으로 보지 않고, 사안의 성격에 따라 양자를 분리하여 적용함으로써 주주에게 적절한 구제수단을 부여하여 주주간의 이해 조정을 유연하게 도모하고 있다고 할 수 있다.[106]

한편 독일의 경우에는 종래에, 주주가 주주총회에서 그의 의결권을 행사함에는 회사의 이익과 다른 주주들의 이익을 침해해서는 안 되는 의무를 부담하게 되지만 이 경우의 의무의 근거는 일반법상의 신의성실원칙 등에서 찾으면 되지, 이를 위하여 특별한 의미의 회사법상의 충실의무라는 것을 인정할 필요가 없다고 하는 것이 학설과 판례의 입장이었다.[107] 이러한 견해에 대하여 최근에는 일반법상의 신의성실원칙의 적용 이외에 특별한 의미의 충실의무 즉 하나의 행동규범으로서의 충실의무를 회사법의 일반조항으로 인정하여야 한다는 견해가 유력시되고 있다.[108] 이러한 견해의 근거로는 오늘날 회사 내에서 다수파주주와 소수파주주간 또는 주주와 경영자간에 발생하는 갈등은 충실의무의 적용을 통한 해결방법 이외의 다른 적절한 방법이 없다는 것과 나아가서는 오늘날의 회사법의 전체적인 발전추세에 비추어 보더라도 종전보다 더 강한 법윤리적 요소가 회

---

105) 홍복기, "미국회사법에 있어서 경영판단의 원칙," 「사회과학논총」 제2집(동아대학교 부설 사회과학연구소, 1984. 12.), 87면.
106) 허덕회, "미국회사법에 있어서 주주간의 이해조정," 「상사법연구」 제20권 제4호(한국상사법학회, 2002), 22, 36면.
107) A. Hueck, Der Treuegedanke im modernen Privatrecht, Sitzungsberichte der Bayerischen Akademie der Wissenschaften, 1944 / 46, Heft 7, S. 15; G. Hueck, Gesellshaftsrecht, S. 248f.(송인방, "지배주주의 충실의무에 관한 연구," 252면에서 재인용).
108) Gotz Hueck, Gesellschaftsrecht, 19.Aufl., S.264ff; Raiser, Recht der Kapital-gesellschaften, S.46ff; Wiedemann, Gesellshaftsrecht, S. 95. 431ff.(홍복기, "주주의 충실의무," 30면에서 재인용).

사법상의 법률관계에 영향을 미치고 있다는 것이 제시되고 있다.[109] 따라서 사원권에 있어서의 물적 요소와 다수결원칙과 같은 형식적인 구속성이라는 주식회사의 본질적 속성은 그 남용가능성 때문에 수정·보완될 필요가 있으며 그 남용여부를 판단하는 가치규범이 바로 충실의무라고 한다. 주주의 충실의무의 인정범위에 대해서는 아직 정설은 없지만 첫째, 충실의무의 범위와 내용은 당해 기업의 실질적 구조(예컨대 주식의 분산비율)에 따라 결정되어야 한다는 것과 둘째, 충실의무의 법리는 주주와 회사간 또는 주주 상호간에 발생하는 이익충돌을 기존의 사법규정을 통해서는 적절하게 해결할 수 없는 경우에만 적용되어야 한다는 것이다.[110] 성문법국가인 독일의 주식법에는 지배주주의 충실의무에 대한 명문규정이 없지만, 기존의 법규로 해결되기 어려운 주주간 분쟁, 특히 지배주주의 부당행위에 대하여 충실의무를 인정하고 있는 것이 특이하다.

우리나라에 지배주주의 충실의무를 인정하여 자본다수결로 인한 주주간 분쟁을 해결하자는 주장은 미국과 독일에서 회사를 지배하는 자 또는 다수파주주의 억압으로 인한 주주간 분쟁을 해결하기 위하여 발전된 법리와 궤도를 같이한다. 충실의무를 회사법에서 특별히 인정해야 할 필요성은 법률과 정관에 의하여 그 해결방안이 미리 예정되어 있지 아니한 회사 내에서의 갈등을 법적으로 극복하려는 데 있다.[111] 따라서 미국에서 발전된 주주억압법리의 한 내용인 주주의 충실의무를 인정하면, 여러 가지 제한으로 인한 대표소송의 한계를[112] 극복하고 주주가 직접 충실의무 위반을 근거로 소송을 제기할 수 있다는 점에서, 주주의 간접손해를 상법 제401조의 제3자의 손해에 포함시켜야 한다는 학계의 통설[113]과 이를 포함하지 않고 있는 대법원 판결의 괴리를 해결하는데 도움이 될 수 있을 것이다.[114] 또한 이사와 지배주주의 충실의무를 인정하여 주주억압의 개념

---

109) 이기수, "주주의 충실의무," 160면; Raiser, Recht der Kapitalgesellschaften, S. 47(송인방, "지배주주의 충실의무에 관한 연구," 252~253면에서 재인용).

110) Raiser, a.a.O., S. 199(송인방, "지배주주의 충실의무에 관한 연구," 253면에서 재인용).

111) 홍복기, "주주의 충실의무," 30면; 송인방, "지배주주의 충실의무에 관한 연구," 251면.

112) 대표소송은 비상장회사의 경우에는 발행주식총수의 100분의 1 이상에 해당하는 주식을 가진 소수주주권자, 상장회사의 경우에는 6개월 전부터 계속하여 상장회사 발행주식총수의 10,000분의 1 이상에 해당하는 주식을 보유한 소수주주권자만이 제기할 수 있고 또한 일정한 경우에는 담보를 제공하여야 하는 제약이 있다(정찬형, 전게서, 1099면).

113) 정찬형, 전게서, 1086면; 이기수·최병규·조지현, 「회사법」, 360면; 최완진, 「상법학강의」, 353면; 정동윤, 전게서, 645면; 홍복기, 「회사법강의」, 362면.

114) 육태우, "회사지배구조 관련 판례와 학설의 불일치와 극복," 「상사판례연구」 제25집 제2권(한국상사판례학회, 2012. 6. 30.), 154면.

을 정립하면 이에 대한 적절한 구제수단을 발전시키는 데도 이바지할 수 있을
것이다.

　이와 같이 지배주주의 자의를 억제할 수 있는 실효성 있는 수단이 없는 우리
나라의 현실을 고려하여 지배주주의 충실의무를 인정할 필요가 있는데, 단지 몇
가지 걸림돌이 있다.

　먼저, 이를 인정할 명시적 규정이 없는 것이 문제이다. 주주의 충실의무를
인정한다면 주주의 일정한 행동이 충실의무에 위반하므로 무효라거나 손해배상
책임을 져야 한다는 등 사법적인 효과를 가지고 주주의 행동을 제약하는 방향으
로 운영될 것이다. 그런데 아무런 실정법적 근거 없이 이 같은 사법적인 효과를
인정할 때 회사법적 생활관계는 매우 불안정해질 수 있다. 다시 말하면, 주주들
에게 제시하는 행동기준이 매우 불투명하고 또 그 충실의무에 위반하는 행동의
사법적 효과마저도 확립된 것이 아니므로 예측가능성을 부여할 수 없다는 것이
다.115) 이에 대하여 법의 일반원칙은 명시적 규정이 없어도 인정될 수 있으므로
별문제가 없다는 주장도 있다. 그렇지만 우리나라의 법원이 법을 해석할 때 비
교적 보수적이므로 명시적인 규정이 없다면 주주의 충실의무를 인정하기 어려울
수 있으므로 명문의 규정으로 입법함으로써 해결하여야 할 것이다.

　둘째, 내용이 추상적이라는 점이 문제일 수 있는데, 지배주주의 충실의무를
우리 법에서 인정하면 법원이 그 내용을 구체화하여 지배주주의 행위의 공정성
을 판단할 것이다. 차후에 구체적인 사안에 따라 부당한 행위의 유형을 분류하
면서 선례를 쌓아나갈 수 있을 것이고, 이렇게 함으로써 경제정의의 확립을 비
롯한 우리 사회 법규범의 실효성을 증진시키는 초석이 될 것이다.116)

---

115) 이철송, 전게서, 324면("주주의 충실의무론은 향후 입법론의 방향 제시로서의 의미는 인정
　　할 수 있되, 현행법의 해석론으로는 위험한 시도이다."); 송종준, "폐쇄기업화거래의 공정요
　　건과 소수파주주의 보호," 248면("이사와 소수파주주 또는 지배주주와 소수파주주 간의 이
　　해충돌이 있는 행위로부터 소수파주주를 실질적으로 보호하기 위해서는 이사 또는 지배주
　　주도 소수파주주에 대하여 충실의무를 지울 입법조치가 필요하다고 본다. 이러한 충실의무
　　는 폐쇄기업화거래의 남용 또는 불공정을 억지하는 효과가 있을 뿐만 아니라, 사후적인 책
　　임추궁의 근거로서도 작용할 수 있을 것이다.").
116) 장덕조, "지배주주의 충실의무," 185면.

4. 주식의 공유 및 공유주주에 의한 권리의 행사

가. 서 론

주금액은 균일하여야 하므로(제329조 제3항), 하나의 주식을 다시 분할하여 그 일부분의 주주를 인정할 수는 없다(주식불가분의 원칙). 따라서 1개의 주식을 수인이 분할하여 소유할 수는 없지만, 그 주식을 수인이 공유할 수는 있다.[117]

주식의 공유는 주권이 발행되기 전에도 가능하다. 정관의 정함으로 주식의 공유를 제한하는 것은 주식의 양도 자체를 제한하는 결과를 낳을 수 있기 때문에 허용되지 않는다.[118]

나. 주식공유의 발생원인

주식의 공유는 수인에 의한 주식의 공동인수(제333조 제1항), 공동상속(민법 제1006조), 공동양수, 주주상호간의 약정, 발기인 또는 이사가 미인수주식에 대하여 인수담보책임을 부담하는 경우(제321조 제1항, 제428조 제1항) 등을 원인으로 하여 발생한다. 주식의 합유는 조합이 주식을 취득하는 경우에 성립하고(민법 제704조), 주식의 총유는 법인이 아닌 사단이 주식을 취득하는 경우에 성립한다.[119]

다. 공유관계의 특칙

일반적으로 주식의 공유에는 민법 제262조 내지 제270조가 준용되는데, 이를 통해 주로 공유자 사이의 내부관계를 다룰 수 있다(準共有, 민법 278조). 그러나 공유자와 회사의 관계에 대하여는 상법 및 자본시장법에 특칙을 두고 있다.[120]

① 수인이 공동으로 주식을 인수한 경우에 해당 공동인수인(공유주주)들은 연대하여 납입할 책임이 있다(제333조 제1항). 그들 중 권리행사자를 정한 경우에도 마찬가지이다.

117) 편집대표 정동윤·손주찬, 「주석상법(회사 II) §288~§360조의23」 제4판(한국사법행정학회, 2003. 4.), 286면.
118) 최기원, 전게서, 268면.
119) 최기원, 전게서, 269면.
120) 이철송, 전게서, 324면.

② 주식이 수인의 공유에 속하는 때에는 공유자는 주주의 권리를 행사할 자 1인을 정하여야 하고, 주주권 행사자를 복수로 지정할 수는 없다(제333조 제2항). 따라서 주주권을 행사할 때에는 공유자 각자가 공유지분에 따라 행사할 수 없고 반드시 그 대표자를 통해 행사하여야 한다. 공유주주들 사이에 조합이나 법인 아닌 사단이 존재하는 경우에 조합의 업무집행자나 사단의 이사가 여러 사람이라면 권리행사자 1인을 정하여야 한다. 공유주주가 아닌 외부인도 권리행사자가 될 수 있지만, 이에 대하여 정관에 제한을 두는 것도 어느 정도 가능할 것이다.[121] 즉, 외부인을 통한 의결권 행사시 주주총회의 개최가 방해받거나 회사의 이익이 침해될 염려가 있는 경우처럼 합리적인 이유가 있다면, 정관에서 공유주주의 대리인(권리행사자) 자격을 상당한 정도로 제한하는 것이 허용될 것이다(제한적 유효설).[122] 여기서 합리성과 상당성에 대한 판단은 구체적인 상황에 따라 개별적으로 이루어져야 할 것이다. 이에 따르면 공유주주의 직원(법인주주의 경우) 또는 가족(개인주주의 경우)에게 권리행사자 자격을 주는 것은 주주총회의 교란으로 인한 회사의 이익침해가능성이 없는 경우로서 제한하기 어려울 것이다.[123]

주주의 권리를 행사할 자를 정하는 것은 일종의 부진정의무 내지 간접의무일 뿐이기 때문에 공유자들이 이를 반드시 해야 하는 것은 아니고 단지 간접적으로

---

[121] 최기원, 전게서, 271면.

[122] 정동윤, 전게서, 334면; 최기원, 전게서, 475면; 최준선, 전게서, 377면; 송옥렬, 전게서, 901면.

[123] 육태우, "회사지배구조 관련 판례와 학설의 불일치와 극복," 135면; 대법원 2009.4.23. 2005다22701(상법 제368조 제3항의 규정은 주주의 대리인의 자격을 제한할 만한 합리적인 이유가 있는 경우 정관의 규정에 의하여 상당하다고 인정되는 정도의 제한을 가하는 것까지 금지하는 취지는 아니라고 해석되는바, 대리인의 자격을 주주로 한정하는 취지의 주식회사의 정관 규정은 주주총회가 주주 이외의 제3자에 의하여 교란되는 것을 방지하여 회사 이익을 보호하는 취지에서 마련된 것으로서 합리적인 이유에 의한 상당한 정도의 제한이라고 볼 수 있으므로 이를 무효라고 볼 수는 없다. 그런데 위와 같은 정관규정이 있다 하더라도 주주인 국가, 지방공공단체 또는 주식회사 등이 그 소속의 공무원, 직원 또는 피용자 등에게 의결권을 대리행사하도록 하는 때에는 특별한 사정이 없는 한 그들의 의결권 행사에는 주주 내부의 의사결정에 따른 대표자의 의사가 그대로 반영된다고 할 수 있고 이에 따라 주주총회가 교란되어 회사 이익이 침해되는 위험은 없는 반면에, 이들의 대리권 행사를 거부하게 되면 사실상 국가, 지방공공단체 또는 주식회사 등의 의결권 행사의 기회를 박탈하는 것과 같은 부당한 결과를 초래할 수 있으므로, 주주인 국가, 지방공공단체 또는 주식회사 소속의 공무원, 직원 또는 피용자 등이 그 주주를 위한 대리인으로서 의결권을 대리행사하는 것은 허용되어야 하고 이를 가리켜 정관 규정에 위반한 무효의 의결권 대리행사라고 할 수는 없다).

강제될 뿐이다.[124] (대표자를 정하지 아니하였거나 기타의 이유로) 주주의 권리를 행사할 자가 없는 때에는 공유자에 대한 통지나 최고는 그 중 1인에 대하여 하면 된다(제333조 제3항).

이는 하나의 주식에 수인의 주주가 존재함으로써 주주의 권리행사, 주주에 대한 각종 통지와 관련하여 회사에게 생길 수 있는 불이익과 어려움을 예상하여 회사의 이익을 보호하기 위하여 필요하다.[125] 이 제도는 주주총회에서 공유주식의 권리행사자만이 권리를 행사함으로써 주주총회의 기능성을 강화시켜 준다는 점에서 유용하다. 또한 주식이 공유에 속하는 경우에 의결권은 상법 제386조의2에 의하여 불통일행사할 수 있다고 본다.[126]

상법 제333조 제2항 및 제3항의 적용대상이 되는 주식의 공유는 "회사에 알려져 있고 따라서 회사에 대항할 수 있는 공유"를 의미하므로 공유사실이 주주명부에 기재되어야 한다.

권리행사자가 정해지지 않은 공유주식에 대하여 회사는 그 권리행사에 응할 필요는 없고, 의결권을 계산할 때 주주총회에 출석하지 않은 것으로 처리하면 된다.[127] 권리행사자가 정해지지 않았다 할지라도 회사가 공유주주들의 공동권리행사를 인정하는 것은 허용된다. 이 경우에 다른 공유주식들이 있는 경우에는 주주평등원칙에 따라 모든 공유주식의 주주들에게 이를 허용하여야 할 것이다.[128]

③ 자본시장법에 따라 상장주식을 한국예탁결제원에 예탁한 자(예탁자) 및 그의 고객(투자자)은 예탁한 주식의 종목별로 예탁할 수량에 따라 공유지분을 가지는 것으로 추정된다(자본시장법 제312조 제1항). 하지만 발행회사는 한국예탁결제원이 통보해 준 명단대로 실질주주명부를 작성하게 되므로 예탁자와 투자자는 공유가 아니라 각자 예탁한 수량대로 단독으로 주주권을 행사하게 된다(자본시장

---

124) 권기범, 「신회사법론」 제4판(삼영사, 2012), 420면.
125) 최기원, 전게서, 269면.
126) 최기원, 전게서, 269면.
127) 하지만 이에 대하여 공유주식이 회사가 발행한 주식의 일부이고 공동상속인의 1인을 이사로 선임한다는 결의가 있었던 것으로 등기된 경우와 같이 특별한 사정이 있는 경우는 권리행사자를 정하지 않은 때에도 공동상속인은 주주총회 결의부존재확인의 소를 제기할 수 있는 원고적격을 갖는다고 판시한 일본의 판례가 있기는 하다(日最高判 1990.12.4. 民集 44. 9. 1165).
128) 최기원, 전게서, 274면.

법 제315조 제1항).

라. 공유주주의 권리행사

1) 권리행사방식

권리행사자는 공유주주들의 임의대리인이다. 이때 권리행사자와 공유주주들 사이에는 위임관계가 성립되고, 권리행사자는 수임인이 되므로 선량한 관리자의 주의를 다하여 주주의 권리를 행사하여야 한다. 공유주주들은 대리권을 수여할 때 권리행사자가 행사할 주주의 권리의 범위를 제한할 수 없다(포괄적 대리; 제333조 제2항). 권리행사자가 공유주주들의 지시를 위반한 때는 대리권이 없다는 식의 대리권의 내용적 제한도 허용되지 않으므로, 권리행사자는 단독으로 각종의 주주의 권리를 행사할 수 있다.[129]

하지만 주주의 지위에 변동을 가져오는 주주의 권리의 행사에는 제한이 있다. 즉, 주식매수청구권의 행사, 상환주식에 대한 상환권의 행사, 전환주식에 대한 전환권의 행사 등은, 주식으로부터 나오는 개별권리의 행사가 아니라, 주식자체에 대한 처분 내지 변경으로서 주주의 지위에 변동을 초래할 수 있으므로 그 행사를 위한 별도의 수권이 없으면 대리할 수 없다.[130]

권리행사자는 본인인 공유주주들의 지시에 구속되고, 권리행사자가 공유주주들의 지시에 위반되는 행위를 하면 공유주주들은 그를 해임할 수 있다. 공유주주들의 지시가 없는 경우에 권리행사자는 선관의무에 따라 재량으로 행동할 수 있지만, 권리행사자가 자진하여 공유주주들의 지시를 받아내야 하는 일반적인 의무는 없다. 하지만 예외적으로 특별결의사항이나 특수결의사항의 결의 등 그 결과가 공유주주들의 주주로서의 지위에 영향을 미칠 수 있는 구체적인 경우에는 권리행사자는 공유주주들의 지시를 받아야 한다.[131]

대리인이 그의 대리권의 범위 내에서 행위를 하였다면, 내부관계에서 그의 권능을 벗어났다고 하여도, 대리인의 행위는 외부관계에서 유효하고 본인들을 구속한다. 이 점에서 권리행사자의 대리권과 지배인의 대리권은 유사하다. 물론, 회사(행위상대방)가 권리행사자의 대리권의 남용에 대하여 알았거나 중대한 과실

---

129) 최기원, 전게서, 270면.
130) 최기원, 전게서, 271면.
131) 최기원, 전게서, 273면.

로 알지 못한 경우에는, 권리행사자의 남용행위는 유효하지 않다고 보아야 한다.132)

주식이 조합의 명의로 취득된 경우 권리행사는 어떠한 방식으로 이루어져야 하는지가 문제된다. 조합의 소유형태가 共有가 아닌 合有이기는 하지만, 이 경우에는 조합원이 공유하는 것으로 보고 상법 제333조 제2항에 의해 권리행사할 자를 정하여야 할 것이다.133) 이에 대하여 상법 제333조의 '공유'는 '공동소유'로 해석해야 하므로, 동조는 합유와 총유에도 적용된다고 보아야 한다는 견해도 있다.134) 조합이 이미 존재하는 경우에는 달리 정함이 없으면 조합의 업무집행자(민법 제706조)가 권리행사자가 된다.135)

또한 권리능력 없는 사단이 소유하는 주식에 대한 권리행사는 어떤 방식으로 이루어져야 하는지도 문제된다. 우선, 주주명부에 대표자의 개인 명의로 등재되어 있다면 회사에 대한 관계에서는 그 대표자가 주주권을 행사할 수 있고(제337조), 사단의 명의로 등재되어 있는 경우에는 조합의 경우와 마찬가지로 상법 제333조를 준용하여야 할 것이다.136) 권리능력 없는 사단에서는 이사가 권리행사자가 되는데, 사단과 이사 사이의 관계는 일종의 위임관계이므로 권리행사자는 수임인의 지위를 가진다.137)

2) 권리행사자의 선임절차

가) 총유의 경우

총유물의 관리와 처분은 사원총회의 결의에 따르고 사원총회의 결의는 다른 정함이 없다면 사원 과반수의 출석과 출석사원의 결의권의 과반수로써 하므로(민법 제75조 제1항), 총유의 경우에 권리행사자는 사원 과반수의 출석과 출석사원 과반수의 찬성으로 선임한다.138)

나) 공유 및 합유의 경우

합유물과 공유물의 처분과 변경은 합유자 또는 공유자 전원의 동의가 있어야

---

132) 최기원, 전게서, 274면.
133) 이철송, 전게서, 325면.
134) 최기원, 전게서, 269면.
135) 최기원, 전게서, 271면.
136) 이철송, 전게서, 325면.
137) 최기원, 전게서, 271면.
138) 최기원, 전게서, 272면.

가능한데(민법 제264조, 제272조), 주식에 대한 모든 권리를 행사할 수 있는 포괄적인 대리권의 수여를 '주식의 처분 또는 변경'으로 보아야 하는지가 문제된다. 결론적으로, 권리행사자는 주주의 지위에 변동을 가져올 수 있는 행위를 할 수 없으므로 권리행사자의 선임은 주식의 처분 또는 변경에 상당한 것이 아니다. 따라서 공유관계에 있어서의 권리행사자의 선임은 공유물의 '관리행위'로 보아 공유주주의 과반수의 찬성으로 하면 된다(민법 제265조).[139]

조합에서 업무집행자를 권리행사자로 선임할 때는 조합원의 3분의 2 이상의 찬성으로 하여야 하고(민법 제706조 제1항), 업무집행자가 아닌 자를 권리행사자로 정하는 것은 그 자체가 업무집행에 해당하므로 조합원 또는 업무집행자 과반수로써 결정한다(민법 제706조 제2항).[140]

마. 공유주식의 분할

공유주식을 분할하기 전에는(공유물분할; 민법 제268조) 공유지분을 양도할 수 있을 뿐이고, 그 지분의 이동에 따라 명의개서를 할 수 있다.[141] 회사에 대하여 공유관계를 주장하기 위해서는 우선 공유자 전원의 성명, 주소 및 공유관계가 주주명부에 등재되어야 할 것이다.[142]

우리나라 대법원에서는, "주식의 공유자들 사이에 공유 주식을 분할하는 판결이 확정되면 그 공유자들 사이에서는 별도의 법률행위를 할 필요 없이 자신에게 귀속된 주식에 대하여 주주로서의 권리를 취득하는 것이고, 이와 같이 공유물 분할의 방법에 의하여 주식을 취득한 자는 회사에 대하여 주주로서의 자격을 보유하기 위하여 자기가 그 주식의 실질상의 소유자라는 것을 증명하여 단독으로 명의개서를 청구할 수 있으므로, 주식의 공유자로서는 공유물 분할의 판결의 효력이 회사에 미치는지 여부와 관계없이 공유주식을 분할하여 공유관계를 해소함으로써 분할된 주식에 대한 단독소유권을 취득하기 위하여 공유물 분할의 소를 제기할 이익이 있다."고 판시한 바 있다.[143]

---

139) 최기원, 전게서, 272면; 권기범, 전게서, 420면.
140) 최기원, 전게서, 272면; 日最高判 1997.1.28. 判時 1599, 139.
141) 서울민사지방법원 1968.9.5. 68가7597.
142) 이철송, 전게서, 325면; 최기원, 전게서 314면.
143) 대법원 2000.1.28. 98다17183.

Ⅱ. 주권과 주주명부 및 주식의 양도   장 근 영*

1. 주 권

가. 주권의 의의

주권(株券)이란 주식을 표창하는 유가증권을 말한다. 주식회사의 주주가 회사에 대하여 가지는 권리인 주식을 주권에 화체시키는 이유는 유가증권이 가지는 일반적인 특징에서 찾아볼 수 있다. 우선 추상적 권리인 주식을 주권으로 유가증권화하면 그 주권을 소지하는 자가 회사에 대해 자신이 권리자, 즉 주주임을 손쉽게 증명할 수 있다. 여기에 더하여 주주가 주식을 양도할 때 해당 주식이 화체된 주권의 교부로 그 권리의 이전을 공시하게 함으로써 유통성을 보장하고 양도를 촉진하게 된다.

반면 유가증권에는 통상적으로 선의취득이 인정되는 까닭에 주식이 주권에 화체되어 유가증권화 됨으로써 권리상실의 위험이 커질 수 있다. 이러한 점을 고려하여 상법은 주주가 원하는 경우 주권을 소지하지 않을 수 있는 주권의 불소지(不所持)제도를 두고 있다. 또한 2011년 개정상법이 도입하고 2019년 9월부터 시행되고 있는 전자등록제도를 채택한 회사의 경우에는 주권을 발행하지 않고 주식을 전자등록할 수 있다. 종래 실물발행된 주권을 예탁기관에 예탁한 후 계좌대체로 주권의 교부에 갈음하도록 함으로써 주권 없는 주식양도를 가능하게 했던 자본시장법상의 예탁결제제도는 여전히 남아 있다. 하지만 예탁결제제도는 주권의 발행을 전제로 한다는 점에서 주권의 불발행을 전제로 하는 전자등록제도와는 전혀 다르다. 상장주식은 전자등록이 강제되며(전자증권법 제25조 제1항 제1호), 전자등록된 주식에 관해 예탁결제제도는 더 이상 적용되지 않는다(자본시장법 제308조 제1항).

나. 주권의 법적 성질

주권은 회사성립이나 신주발행에 의하여 이미 존재하는 주식을 표창하는 것

---

* 한양대학교 법학전문대학원 교수

이므로 비설권증권(非設權證券)이다. 이처럼 주권은 권리의 발생과는 무관하고, 권리의 이전에만 주권의 소지를 요하므로 불완전유가증권(不完全有價證券)이다. 그리고 주주권은 주권의 기재문언이 아니라 정관 등에 따라 그 내용이 결정되므로 주권은 비문언증권(非文言證券)이다. 또한 주권의 기재사항이 법정되어 있으나(제356조) 어음·수표처럼 엄격하지 않으므로 완화된 요식증권(要式證券)이며, 주권의 효력이 주권의 유효한 발행 등 원인관계의 존부에 의해서 좌우되므로 요인증권(要因證券)이다.

다. 주권의 종류

1) 기명주권과 무기명주권의 구분 폐지

1963년에 시행되어 2014년에 개정되기 전까지 상법은 주식을 기명주식과 무기명주식으로 구분하여 규정하고 있었으며, 그에 따라 주권의 종류 역시 기명주권과 무기명주권으로 나눌 수 있었다. 주주의 성명이 주주명부와 주권에 기재되는 기명주식의 경우에는 회사가 그 주주를 인식하기 용이할 뿐만 아니라, 주주의 입장에서도 회사를 상대로 권리행사를 할 때에 편리한 점이 많다. 이와 달리 주주명부에 주주의 이름이 기재되지 않는 무기명주식의 경우에는 회사가 주주를 주권의 소지에 의하여 인식할 수밖에 없다. 그러다 보니 경영권의 안정을 염려하는 국내회사들은 무기명주식의 발행을 기피해 왔던 것이 사실이다. 실제로 무기명주식은 현재까지 발행된 사례가 없는 것으로 알려져 있다.

이처럼 무기명주식은 현실적으로 기업의 자본조달에 기여하지 못하고 있으며, 소유자 파악이 곤란하여 양도세 회피 등 과세사각지대의 발생 우려가 있다는 비판을 받아왔다. 비교법적으로도 프랑스·일본·미국·독일 능 주요 선진국들이 무기명주식 제도를 폐지하는 추세이다. 이에 2014년 개정상법은 무기명주식 제도를 더 이상 유지할 실익이 없다고 판단하여 이를 폐지하고 주식을 기명주식으로 일원화하였다. 이제 현행 상법에서 사용되는 주식이라는 용어는 구법상의 기명주식만을, 아울러 주권이라는 용어는 구법상의 기명주권만을 의미하게 되었다.

2) 단일주권과 병합주권

주권은 1매의 주권에 1개의 주식을 표창하는 단일주권과 1매의 주권에 복수의 주식을 표창하는 병합주권으로 구분할 수도 있는데, 이는 하나의 주권에 표창되는 주식의 수에 따른 분류로서 법적인 의미는 없다. 보통 정관에 임의적 기재사항으로 주권의 발행단위를 정해 놓지만, 이와 다른 주권을 발행하더라도 무효는 아니다.[1]

3) 액면주권과 무액면주권

2011년 개정상법에 의해 무액면주식이 도입됨에 따라(제329조 제1항), 주권 역시 액면주식을 표창한 액면주권과 무액면주식을 표창한 무액면주권으로 구분할 수 있다.

라. 주권의 발행

1) 주권의 기재사항

주권은 요식증권으로서 다음의 사항과 번호를 기재하고 대표이사가 기명날인 또는 서명하여야 한다(제356조). ① 회사의 상호, ② 회사의 성립연월일, ③ 회사가 발행할 주식의 총수, ④ 액면주식을 발행하는 경우 1주의 금액, ⑤ 회사의 성립 후 발행된 주식에 관하여는 그 발행연월일, ⑥ 종류주식이 있는 경우에는 그 주식의 종류와 내용, ⑦ 주식의 양도에 관하여 이사회의 승인을 얻도록 정한 때에는 그 규정.

이상의 기재사항 중 일부를 결한 경우 주권의 효력이 문제된다. 설권증권이 아닌 주권은 엄격한 요식성이 요구되지는 않으므로 누락된 기재사항이 본질적인 것인가에 따라 그 효력이 결정된다. 따라서 대표이사의 기명날인·서명을 결한 주권은 효력이 없지만, 주주명의·발행연월일 등은 누락되더라도 주권은 유효하다.[2] 그러나 주권에 기재할 사항을 기재하지 아니하거나 부실한 기재를 한 때에는 과태료의 제재(제635조 제1항 제6호)와 이사의 책임(제399조)이 뒤따른다.

---

1) 대법원 1996.1.26. 94다24039: 설사 대표이사가 정관에 규정된 병합 주권의 종류와 다른 주권을 발행하였다고 하더라도 회사가 이미 발행한 주식을 표창하는 주권을 발행한 것이라면, 단순히 정관의 임의적 기재사항에 불과한 병합 주권의 종류에 관한 규정에 위배되었다는 사유만으로 이미 발행된 주권이 무효라고 할 수는 없다.
2) 대법원 1996.1.26. 94다24039: 기명주권의 경우에 주주의 이름이 기재되어 있지 않다거나 또한 주식의 발행연월일의 기재가 누락되어 있다고 하더라도 이는 주식의 본질에 관한 사항이 아니므로, 주권의 무효 사유가 된다고 할 수 없다.

2) 주권의 발행절차

가) 주권발행시기

회사는 주주로부터 제358조의2 제1항에 따른 주권불소지신고가 있는 경우를 제외하고는 회사성립 후 또는 신주의 납입기일 후 지체 없이 주권을 발행하여야 한다(제355조 제1항). 상법은 주식양도의 자유를 인정하고 있는데, 주식의 양도를 위해서는 원칙적으로 주권이 있어야 하므로 주권의 발행이 강제되는 것이다. 여기서 "지체 없이"란 제335조 제3항의 취지로 보아 6개월 이내로 해석하기도 하지만,[3] 특별한 사정이 존재하지 않는 한 문자 그대로 가능한 한 빠른 시기를 말한다고 보기도 한다.[4] 상법은 주권발행 강제 대상으로 회사설립의 경우와 납입을 수반하는 신주발행의 경우만을 명시하고 있으나 그 밖에 준비금의 자본금 전입으로 인한 신주발행(제461조 제2항), 전환주식의 전환으로 인한 신주발행(제350조). 전환사채의 전환으로 인한 신주발행(제516조 제2항) 등의 경우에도 회사는 주권을 지체 없이 발행할 의무가 있다고 볼 것이다.[5] 이러한 의무규정에도 불구하고 소규모의 폐쇄적 회사는 주권을 발행하지 않는 경우가 많으며, 주식을 전자등록한 회사는 주권을 발행할 수 없다(전자증권법 제36조).

주권의 발행은 대표이사의 권한에 속하므로 이사회의 결의는 요하지 않으며,[6] 대표이사 아닌 자가 발행한 주권은 무효이다.[7]

나) 주주의 주권발행교부청구권

회사가 주권발행의무가 있음에도 주권을 계속 발행하지 않는다면 어떠한가? 실제로 주권발행이 강제됨에도 불구하고 대부분의 비상장회사는 설립 후 수년이 지나도록 주권을 발행하지 않고 있는 것이 현실이다. 주식양도를 위해서는 원칙

---

3) 임재연, 「회사법 I」(박영사, 2012), 385면.

4) 김건식·노혁준·천경훈, 「회사법」 제5판(박영사, 2021), 182면; 최기원, 「신회사법론」 제4판(박영사, 2012), 301면.

5) 김건식·노혁준·천경훈, 전게서, 182면; 이철송, 「회사법강의」 제29판(박영사, 2021), 332면.

6) 대법원 1996.1.26. 94다24039: 대표이사가 주권 발행에 관한 주주총회나 이사회의 결의 없이 주주명의와 발행연월일을 누락한 채 단독으로 주권을 발행한 경우, 특별한 사정이 없는 한 주권의 발행은 대표이사의 권한이라고 할 것이고, 그 회사 정관의 규정상으로도 주권의 발행에 주주총회나 이사회의 의결을 거치도록 되어 있다고 볼 근거도 없다.

7) 대법원 1970.3.10. 69다1812: 대표이사가 주권을 발행하지 않는다고 하여 전무이사가 그 명의로 발행한 주권은 무효이다.

적으로 주권이 필요하므로, 주주는 회사의 주권발행의무를 규정하는 제355조 제1항에 근거하여 주권의 발행 및 교부청구권을 가진다고 본다.

이러한 주주의 주권발행 및 교부청구권은 일신전속적인 권리가 아니므로 주주의 채권자가 대위하여 행사하는 것도 가능하다(민법 제404조 제1항).[8] 또한 주주는 주권을 발행하지 않는 이사에게 제401조에 근거하여 손해배상을 청구할수 있다. 아울러 회사가 6월이 지나도록 주권발행을 게을리하고 있으면 주주는주권이 없어도 유효하게 주식을 양도할 수 있다(제335조 제3항).

다) 주권발행제한

회사의 성립 전이나 신주의 납입기일 전에는 주권을 발행하지 못한다(제355조 제2항). 해당 시점 이전에는 주식이 존재하지 않는 상황이므로 주식을 표창하는 주권을 발행할 수 없는 것은 이론상 당연하다.[9] 이에 위반하여 발행한 주권은 무효이며, 발행한 자에 대하여 손해배상을 청구할 수 있다(제355조 제3항). 주권발행시기를 위반한 회사의 이사는 과태료의 제재를 받는다(제635조 제1항 제19호).

회사성립 전 또는 신주의 납입기일 전에 발행한 주권의 무효는 회사성립 또는 납입기일의 경과로 자동치유되거나 또는 회사가 그 효력을 인정할 수 있는가의 문제가 있다. 이를 인정한다면 그 전에 이루어진 권리주의 양도가 소급적으로 유효해진다는 문제가 있으므로 회사성립 또는 납입기일 경과로 하자가 자동치유되지 않으며 회사도 그 효력을 인정할 수 없다고 보는 학설이 있다.[10] 이러한 입장에 선다면 회사는 주식인수인에게 회사성립 또는 납입기일 후에 새로운 주권을 발행해야 할 것이다. 이와 달리 구태여 새로 주권을 발행하도록 할 실익이 없으므로 일단 주식의 효력이 발생한 후에는 효력발생 전에 발행된 주권이 유효하게 된다고 보는 시각도 있다.[11]

---

8) 대법원 1982.9.28. 82다카21; 1981.9.8. 81다141: 주권발행 전의 주식을 전전 양수한 원고가 회사에 대하여 원시 주주를 대위하여 직접 원고에게 주권의 발행교부를 청구할 수는 없다 할지라도 원시 주주들의 회사에 대한 주권발행 및 교부청구권을 대위행사하여 원시 주주에의 주권발행 및 교부를 구할 수 있다.

9) 김건식·노혁준·천경훈, 전게서, 182면.

10) 이철송, 전게서, 332면; 최기원, 전게서, 302면.

11) 김건식·노혁준·천경훈, 전게서, 183면.

마. 주권의 효력발생시기

주권의 효력이 언제 발생하는가는 주주 및 제3취득자에게 중대한 이해가 걸린 문제이다. 주권의 효력발생시기는 주식이 적법한 공시방법을 갖추어 양도될 수 있는 시기 및 선의취득이 가능해지는 시기를 정하는 뜻이 있는 까닭이다. 언제 주권의 효력이 발생하는가에 대하여는 아래와 같은 학설이 대립한다.

첫째, 작성시설(作成時說, 創造說)은 회사가 적법하게 주권을 작성한 때, 즉 주권 용지에 법정사항을 기재하고 번호를 부여한 후 대표이사가 기명날인하여 어느 주주의 것인가를 확정한 때(예컨대 주주의 성명이 주권에 기재된 때)에 유가증권으로서 성립한다고 본다. 이 학설에 의하면 주권이 회사의 의사에 반하여 주주 아닌 자에게 유출되더라도 선의의 제3자가 취득하면 선의취득이 성립할 수 있으며, 주주는 그 유출된 주권에 관해 제권판결을 받지 않으면 주권의 재교부를 청구할 수 없다.

둘째, 발행시설(發行時說)은 회사가 주권을 작성하고 주주에게 교부한다는 의사로써 누구에게든 교부하는 때에 주권으로서의 효력이 생긴다고 본다. 주권이 도난당한 경우와 같이 회사의 의사에 의하지 않고 유출된 경우 주권이 무효라는 점에서 작성시설과 다르며, 반드시 주주가 아니더라도 누구에게든 교부하면 주권의 효력이 발생한다는 점에서 아래의 교부시설과도 다르다.

셋째, 교부시설(交付時說)은 회사가 그 의사에 기해 주권을 주주에게 교부한 때에 주권으로서의 효력이 발생한다고 보는데, 통설과 판례의 입장이다.[12] 주권이 주주에게 교부되기 전에는 주권으로서의 외형이 완성되더라도 단순한 지편에 불과하므로 이를 제3자가 취득하더라도 선의취득이 성립할 수 없다. 따라서 주주는 회사에 대하여 주권의 발행·교부청구권을 가지며, 주주의 채권자는 이 주권의 발행·교부청구권을 압류할 수 있다. 교부시설에서 말하는 교부 대상으로서의 '주주'의 의미와 관련하여, 주권의 효력을 발생시키는 교부 대상으로서의

---

12) 대법원 2000.3.23. 99다67529; 1996.1.26. 94다24039; 1987.5.26. 86다카982, 983; 1977. 4.2. 76다2766: 상법 제355조의 주권발행은 같은 법 제356조 소정의 형식을 구비한 문서를 작성하여 이를 주주에게 교부하는 것을 말하고 위 문서가 주주에게 교부된 때에 비로소 주권으로서의 효력을 발생하는 것이므로 회사가 주주권을 표창하는 문서를 작성하여 이를 주주가 아닌 제3자에게 교부하여 주었다 할지라도 위 문서는 아직 회사의 주권으로서의 효력을 가지지 못한다.

주주란 실질주주만을 말한다는 시각과 명의주주에게 교부된 주권도 효력이 발생
된다고 보는 견해가 대립할 수 있다.[13]

통설과 판례인 교부시설에 의하면 다른 학설에 비해 주주는 두텁게 보호되지
만, 반대로 선의의 제3취득자의 보호는 약해진다. 주권을 선의취득하지 못한 선
의의 제3자는 부당이득반환의 법리에 의해 양도인으로부터 양도대금을 회수하고
양도인에 대하여 손해배상을 청구할 수 있으며, 그 외에 주권의 분실이나 도난
에 회사에 과실이 있음을 들어 회사에 대해 불법행위책임에 기한 손해배상을 청
구할 수도 있을 것이다.

판례가 어음·수표의 효력발생시기와 관련해서는 발행시설[14]이나 교부계약
설을 전제로 하는 권리외관설[15]의 입장에 서면서도 주권의 효력발생시기에 대
해서는 교부시설을 취하고 있는 까닭은 어음·수표는 완전유가증권으로서 거래
의 안전을 우선적으로 고려할 수밖에 없는 반면, 주권은 불완전유가증권으로서
진정한 권리자의 보호에도 상당한 비중을 두고 있기 때문이라고 이해할 수 있
다.[16]

바. 주권의 불소지제도

1) 의의 및 취지

주권불소지제도란 주주가 주권을 소지하지 않겠다는 뜻을 회사에 신고하고
주권을 소지하지 않을 수 있는 제도를 말한다(제358조의2). 주식의 양도시에는
주권의 교부가 있어야 하므로 회사가 주권을 발행해야 하는 것이 원칙이다. 그
러나 주식을 장기간 보유하는 주주의 경우 소지한 주권의 분실·도난 및 제3자
의 선의취득 가능성으로 인해 권리를 잃을 위험성이 크다. 그런데 주주는 주주

---

13) 송옥렬, "주권의 효력발생에 관한 몇 가지 문제들,"「증권법연구」제21권 제2호(한국증권법
학회, 2020), 95면 참조.
14) 대법원 1989.10.24. 88다카24776: 약속어음의 작성자가 어음요건을 갖추어 유통시킬 의사
로 그 어음에 자기의 이름을 서명날인하여 상대방에게 교부하는 단독행위를 발행이라 일컫
는 것이다.
15) 대법원 1999.11.26. 99다34307: 어음을 유통시킬 의사로 어음상에 발행인으로 기명날인하
여 외관을 갖춘 어음을 작성한 자는 그 어음이 도난·분실 등으로 인하여 그의 의사에 의
하지 아니하고 유통되었다고 하더라도, 배서가 연속되어 있는 그 어음을 외관을 신뢰하고
취득한 소지인에 대하여는 그 소지인이 악의 내지 중과실에 의하여 그 어음을 취득하였음
을 주장·입증하지 아니하는 한 발행인으로서의 어음상의 채무를 부담한다.
16) 송옥렬,「상법강의」제11판(홍문사, 2021), 828면.

명부의 기재만으로도 회사에 대한 권리행사가 가능하므로 권리상실의 위험성을 무릅쓰고 굳이 주권을 소지할 필요가 없다. 이러한 점을 고려하여 상법은 주주가 원하는 경우 주권을 소지하지 않겠다는 뜻을 신고할 수 있도록 하는 것이다. 주권불소지제도는 주주의 선택에 따라 주권을 발행하지 않을 수 있다는 점에서, 주주의 선택과 상관없이 회사가 모든 주주에 대하여 주권을 발행하지 않을 수 있는 주식의 전자등록제도와 구별해야 한다.

종래 주권불소지제도는 상장주권을 예탁받아 보관하던 한국예탁결제원(이하 "예탁결제원")에게 매우 유용하였다. 예탁결제원이 보관하는 주권에 관해 불소지제도를 이용하면 보관비용을 크게 절감할 수 있었기 때문이다. 특히 일괄예탁의 방법에 의하여 새로이 발행되는 주권이 바로 예탁결제원에 예탁되는 경우에는 주권의 발행단계에서부터 불소지제도를 이용함으로써 주권의 발행비용을 크게 줄일 수 있는 이점이 있었다.[17] 이제 전자등록이 강제되는 상장주식의 경우에는 예탁결제제도가 적용되지 않지만(자본시장법 제308조 제1항), 비상장주식으로서 전자등록제도를 채택하지 않는 경우에는 여전히 예탁제도를 이용할 수 있다.

2) 불소지신고의 허용 요건

주주의 주권불소지신고는 정관에 이를 금지하는 규정이 없는 경우에만 인정된다(제358조의2 제1항). 주권불소지제도는 회사 사무의 번잡을 야기할 수 있으므로 회사가 동 제도를 도입하지 않을 수 있도록 하는 것인데,[18] 주주평등의 원칙에 반하는 부분적인 배제나 제한에 관한 정관의 규정은 무효이다.[19]

3) 불소지신고의 절차

가) 신고자격

주주는 회사에 주권을 소지하지 아니하겠다는 뜻을 신고할 수 있으며(제358

---

17) 증권회사 또는 그 투자자가 증권 등을 인수 또는 청약하는 경우에 그 증권 등의 발행인은 증권회사 또는 그 투자자의 신청에 의하여 이들을 갈음하여 예탁결제원을 명의인으로 하여 그 증권 등을 발행할 수 있는데, 이를 일괄예탁이라 부른다(자본시장법 제309조 제5항). 즉 일괄예탁이라는 것은 사전 예탁신청을 통하여 증권을 발행하는 단계에서 예탁결제원의 명의로 일괄발행하는 것으로서 실물증권의 발행을 생략하고 그 수량을 바로 계좌부에 기재하는 방식인데, 실물증권의 불발행수단으로서 주권의 불소지제도나 채권의 등록제도와의 결합을 전제로 하는 것이다.

18) 최준선, 「회사법」 제16판(삼영사, 2021), 259면.

19) 최기원, 전게서, 306면.

조의2 제1항), 회사가 명의개서대리인을 둔 때에는 그에게 신고하여도 상관없다고 본다.[20)]

주주라도 주주명부상의 주주에 한하여 신고할 수 있고, 명의개서를 하지 않은 주주는 불소지신고를 할 수 없다. 왜냐하면 불소지신고가 있는 경우에 회사는 주주명부와 그 복본에 이를 기재하는 등의 조치를 취해야 하는데 명의개서 전의 주식에 대하여는 이러한 조치가 불가능하기 때문이다. 예탁결제원의 이름으로 명의개서된 주식에 관해서는 예탁결제원도 불소지신고를 할 수 있다(자본시장법 제314조 제3항).

명문의 규정은 없지만 회사설립 중이나 신주발행의 효력발생 전의 신주인수인도 주권발행을 사전에 거절하기 위해 불소지신고를 할 수 있다고 본다.[21)] 주식이 입질된 경우에는 주주가 질권자에게 교부된 주권을 회사에 제출할 수 없으므로 불소지신고가 기술적으로 불가능하며, 이와 반대로 이미 불소지신고된 주식은 입질할 수 없다. 다만 예탁결제원에 예탁된 주권의 경우에는 계좌대체기재에 주권교부의 효력을 인정하므로(자본시장법 제311조 제2항) 불소지신고된 주식이라도 입질이 가능하다.

나) 신고시기

불소지신고는 그 시기나 방식에 제한이 없다. 따라서 주주는 주권발행 전이든 후이든 불소지신고를 할 수 있는데, 주권발행 후에 불소지신고를 하는 경우에는 그 주권을 회사에 제출하여야 한다(제358조의2 제3항). 주주명부의 폐쇄기간 중이라도 신고할 수 있다.[22)]

4) 회사의 조치

가) 주권발행전 신고의 경우

불소지의 신고가 있으면 회사는 지체 없이 주권발행을 하지 아니한다는 뜻을 주주명부와 그 복본에 기재하고, 그 사실을 주주에게 통지하여야 한다(제358조의2 제2항 제1문). 만일 회사가 이를 위반하여 주주명부에 기재를 하지 아니한 경

---

20) 송옥렬, 전게서, 829면; 이철송, 전게서, 335면; 정동윤, 「회사법」 제7판(법문사, 2001), 216면; 최준선, 전게서, 259면.
21) 이철송, 전게서, 335면; 최준선, 전게서, 259면.
22) 정동윤, 전게서, 216면; 최준선, 전게서, 259면.

우에는 해당 이사에게 500만원 이하의 과태료가 부과된다(제635조 제1항 제20호).

그리고 이 경우 회사는 주권을 발행할 수 없으므로(제358조의2 제2항 제2문), 주권을 발행하더라도 이는 효력이 없다. 주권발행이 금지되는 효력은 주주명부 또는 그 복본에 주권을 발행하지 아니한다는 뜻을 기재한 때에 발생하고 주주에게 통지한 때에 발생하는 것은 아니다.[23]

나) 주권발행후 신고의 경우

이미 발행된 주권이 있는 상태에서 주주가 불소지신고를 할 경우에는 이를 회사에 제출하여야 하며, 회사는 제출된 주권을 무효로 하거나 명의개서대리인에게 임치하여야 한다(제358조의2 제3항). 어느 쪽이든 회사는 자유롭게 선택할 수 있는데, 회사가 주권을 명의개서대리인에게 임치한 후라도 보관료의 부담을 줄이기 위해 이를 무효화시키는 것은 가능하다고 본다.[24] 다만 이 경우 변경된 사실을 주주에게 통지하여야 하며, 무효화된 주권을 다시 발행하여 임치할 수는 없다고 할 것이다.[25]

회사가 제출된 주권을 무효로 할 수 있다는 법문과 관련하여, 회사의 의사결정으로 주권의 유·무효가 결정될 수 있는 것은 아니므로 회사가 주권을 '무효'로 한다는 것은 법리상 성립할 수 없다는 견해가 있다. 즉 주권을 무효로 한다는 규정은 주권을 폐기함과 아울러 주권발행 전에 불소지신고가 있은 경우와 마찬가지로 주주명부에 주권을 발행하지 않는다는 뜻을 기재해야 한다는 취지로 읽어야 하고, 이 기재에 의해 주권이 무효가 된다는 것이다.[26] 주권의 폐기처분 시가 아닌 주주명부에의 불발행기재시에 주권이 무효가 된다는 점에는 다른 학설도 일치하며, 그 결과 불발행기재 후에는 주권이 폐기되지 않고 불법으로 유통되어도 선의취득이 불가능하지만 불발행기재 이전에 주권이 유통된 경우에는 선의취득이 성립한다.[27]

회사가 제출된 주권을 무효로 하지 않고 임치할 수 있도록 하는 이유는 주권을 무효화할 경우 주권의 폐기와 재발행에 따르는 불경제를 고려한 것으로 보인

---

23) 김건식·노혁준·천경훈, 전게서, 189면; 이철송, 전게서, 335면; 최기원, 전게서, 307면.
24) 정동윤, 전게서, 218면; 최기원, 전게서, 307면; 최준선, 전게서, 260면.
25) 최기원, 전게서, 307면.
26) 이철송, 전게서, 336면.
27) 권기범, 「현대회사법론」 제8판(삼영사, 2021), 668면; 정동윤, 전게서, 217면; 최기원, 전게서, 307면; 최준선, 전게서, 260면.

다.28) 그러나 이 경우에는 주주명부와 그 복본에 주권을 발행하지 않는다는 뜻을 기재할 수 없기 때문에 주권은 여전히 유효하고, 그 결과 동 주권의 유통으로 인한 선의취득의 가능성이 생긴다. 즉 명의개서대리인이 보관중인 주권이 유출되어 타인이 선의취득한 경우 주주는 단지 회사에 대해 손해배상을 청구할 수 있을 뿐 주권의 점유를 회복할 수 없는 문제점이 생긴다.29) 다만 주권이 명의개서대리인에 임치되는 경우에도 회사가 주주명부에 불발행사실을 기재할 수 있음을 전제로 하여 기재 시점에 주권으로서 효력이 없다는 견해도 있다.30)

5) 신고주주의 주권발행청구

불소지신고를 한 주주는 주식의 양도와 입질 등의 필요가 있을 때 언제든지 회사에 대하여 주권의 발행 또는 반환을 청구할 수 있다(제358조의2 제4항). 발행이나 반환의 청구는 방식의 제한이 없으며 주주명부폐쇄기간에도 할 수 있다. 이는 정관에 의해서도 배제 또는 제한하지 못하는데, 주주가 주식을 양도하기 위하여는 주권이 필요하기 때문이다. 법문에서는 "반환"이라고 하고 있으나 명의개서대리인에 임치된 주권도 무효가 된다는 견해에 의하면 임치된 주권이 반환되는 경우에도 주권이 발행되는 것으로 보게 된다.31)

회사가 명의개서대리인을 둔 경우에는 주주가 명의개서대리인에 대하여도 주권의 발행 또는 반환을 청구할 수 있다고 보는 견해와,32) 주주는 임치계약의 당사자가 아니므로 명의개서대리인에게는 반환청구를 할 수 없다는 견해가 대립한다.33)

주권의 재발행 또는 반환에 드는 비용에 대해서는 회사가 부담한다는 견해,34) 주권발행 후 불소지신고시는 주주가 부담하지만 주권발행 전의 불소지신고시는 회사가 부담한다는 견해,35) 주주가 부담한다는 견해,36) 원칙적으로 회사가 부담하지만 주권발행 후 불소지를 신고하는 경우에는 회사가 정관으로 주

---

28) 법무부, 「상법개정공청회 자료」(1994. 5. 25), 41면 참조.
29) 권기범, 전게서, 668면; 이철송, 전게서, 336면.
30) 김건식·노혁준·천경훈, 전게서, 189면.
31) 김건식·노혁준·천경훈, 전게서, 190면.
32) 최기원, 전게서, 308면.
33) 송옥렬, 전게서, 830면; 정동윤, 전게서, 218면.
34) 이철송, 전게서, 336면.
35) 최기원, 전게서, 309면.
36) 권기범, 전게서, 669면; 최준선, 전게서, 261면.

주가 비용을 부담하는 것으로 정할 수 있다는 견해[37] 등으로 나뉜다.

사. 주권의 선의취득

상법은 수표법 제21조를 준용함으로써 주권의 선의취득을 인정한다(제359조). 따라서 어떤 사유로 주권의 점유를 잃은 자가 있는 경우에, 그 주권의 소지인이 악의 또는 중대한 과실로 인하여 주권을 취득한 경우가 아니라면 그 주권을 반환할 의무가 없다. 주권의 선의취득은 유효한 주권을 취득하는 경우에만 인정되므로, 위조나 실효된 주권은 선의취득의 대상이 아니다.

선의취득은 거래의 안전을 보호하기 위한 제도이므로 주식의 양도에만 인정되고, 상속이나 합병에 의해 취득하는 경우에는 그 적용이 없다. 통상의 양도에서 주권의 교부는 현실의 인도·간이인도·목적물반환청구권의 양도·점유개정에 의해서도 행해질 수 있지만, 점유개정은 외관상 종전의 권리상태에 아무런 변화도 가져오지 않으므로 통설과 판례는 점유개정에 의한 동산의 선의취득을 부정한다.[38] 따라서 동산물권의 거래에서보다 외관주의가 더욱 강하게 요청되는 주식거래에서도 점유개정에 의한 선의취득은 부정해야 할 것이다.[39] 그리고 목적물반환청구권의 양도에 의하여 주권의 선의취득에 필요한 요건인 주권의 점유를 취득하였다고 하려면, 양도인이 그 제3자에 대한 반환청구권을 양수인에게 양도하고 지명채권양도의 대항요건(통지 또는 승낙, 민법 제450조)을 갖추어야 한다.[40]

선의취득자는 주권을 적법하게 취득함에 따라 그 주권에 표창된 주주권을 취득하게 되며, 원래의 권리자는 주주권을 상실하며 주권에 대한 질권 등 담보권

---

37) 김건식·노혁준·천경훈, 선게서, 190면.
38) 대법원 1964.5.5. 63다775: 동산의 선의취득(즉시취득)에 있어서의 점유취득은 점유개정에 의하여서의 점유 취득도 포함된다고 해석하여야 함에도 불구하고 원심이 동산의 즉시 취득에는 현실적 인도가 있어야 하고 점유개정으로서는 즉시 취득의 요건을 구비할 수 없다고 판시하였음은 법의해석을 그릇한 위법이 있다는 것이나 동산의 즉시 취득에 필요한 점유의 취득은 현실적인 인도가 있어야 하고 소외 점유개정에 의한 점유 취득만으로서는 그 요건을 충족할 수 없다고 해석함이 타당하다.
39) 최준선, 전게서, 262면.
40) 대법원 2000.9.8. 99다58471; 1999.1.26. 97다48906: 주권의 점유를 취득하는 방법에는 현실의 인도(교부) 외에 간이인도, 반환청구권의 양도가 있으며, 양도인이 소유자로부터 보관을 위탁받은 주권을 제3자에게 보관시킨 경우에 반환청구권의 양도에 의하여 주권의 선의취득에 필요한 요건인 주권의 점유를 취득하였다고 하려면, 양도인이 그 제3자에 대한 반환청구권을 양수인에게 양도하고 지명채권 양도의 대항요건을 갖추어야 할 것이다.

도 소멸한다.

아. 주권의 상실과 재발행

1) 주권의 상실·멸실

주주가 분실·도난 등의 사유로 주권을 상실하거나 주권이 멸실된 경우, 해당 주권을 명의개서 전에 상실하였다면 주주권의 행사·양도가 불가능하고, 명의개서 후에 상실하였다면 주주권을 행사할 수 있지만 그 양도는 할 수 없다. 따라서 이러한 주주를 구제하기 위하여 주권을 재발행할 필요성이 있으나, 다른 한편 상실된 주권은 선의의 제3자가 선의취득할 수 있으며(제359조), 멸실도 객관적으로 증명되는 것이 아니므로 상실·멸실이라는 이유로 무조건 주권을 재발행할 수 없다. 그러므로 상법은 주권상실·멸실의 경우 민사소송법이 정하는 바에 따라 공시최고절차(公示催告節次)를 거쳐 제권판결(除權判決)을 얻어 주권을 무효로 한 다음에 주권의 재발행청구를 할 수 있도록 규정하고 있다(제360조). 공시최고에 의한 공고가 있어도 제권판결 전에는 주권의 선의취득이 가능하지만, 제권판결 이후에는 주권을 선의로 취득하여도 보호받을 수 없다.

2) 공시최고와 제권판결

주권은 공시최고의 절차에 의하여 이를 무효로 할 수 있다(제360조 제1항). 공시최고절차란 법원이 이해관계인에게 권리 또는 청구의 신고를 최고하고 그 신고가 없는 경우 권리를 상실시키는 효과를 발생시키기 위한 절차로, 법률이 정한 경우에 한하여 인정된다. 상실·멸실된 주권을 무효로 하기 위한 공시최고절차는 민사소송법상의 증서의 무효선언을 위한 공시최고절차에 관한 규정에 의한다(민소법 제492조 제1항). 관할은 회사의 본점소재지를 관할하는 지방법원에 속한다(민소법 제476조 제2항).

주권을 최후에 소지하였던 자가 공시최고절차를 신청할 수 있으며(민소법 제493조), 신청의 근거로서 증서(주권)의 등본을 제출하거나 증서의 존재 및 그 중요취지를 충분히 알 수 있게 함에 필요한 사항을 제시하고, 증서의 도난·분실·멸실과 공시최고절차를 신청할 수 있는 원인사실 등을 소명하여야 한다(민소법 제494조). 공시최고의 허부의 재판은 결정으로 하며(민소법 제478조), 공시최고의 신청을 허가한 때에는 법원이 공시최고를 하여야 한다(민소법 제479조 제

1항). 이 공시최고에서는 공시최고기일 내에 권리 또는 청구의 신고를 할 것과
증서를 제출할 것을 최고하고, 이를 해태하면 실권으로 증서무효의 선고가 있을
것을 경고하여야 한다(민소법 제495조). 그 기일은 공고종료일로부터 3월 후로
정하며(민소법 제481조), 이 기간 동안 신청인이 주장하는 권리를 다투는 자는
그 취지 및 자기의 권리를 신고하여야 한다. 공시최고기간 내에 신고가 없을 때
에는 제권판결을 선고하고, 신고가 있을 때에는 그 권리에 관한 재판의 확정시
까지 공시최고절차를 중지하거나 그 권리를 유보하고 제권판결을 한다(민소법 제
485조).

제권판결에서는 주권의 무효를 선고하여야 하고(민소법 제496조), 이로써 주
권은 효력을 상실하는데, 이를 제권판결의 소극적 효력이라고 한다. 제권판결이
내려진 때에는 신청인은 회사에 대하여 주권에 따른 권리를 주장할 수 있는데
(민소법 제497조), 이를 제권판결의 적극적 효력이라고 한다. 그러나 제권판결은
주권의 점유에 대신하는 효력을 줄 뿐이고 실체적 권리관계까지 창설·확정하는
효력은 없으므로 신청인이 정당한 소지인이라거나 주권 또는 그 표창하는 주식
의 내용까지 확정하는 것은 아니다.[41] 그러므로 주주권의 내용이나 존재 자체
또는 신청인이 정당한 소지인인가의 여부는 별개의 소로 다투어져야 한다.

3) 제권판결과 선의취득의 관계

제권판결의 소극적 효력으로 인해 주권은 무효가 되므로 제권판결 이후에는
주권을 선의로 취득하더라도 보호받을 수 없다. 즉 주권의 선의취득은 제권판결
전에만 가능하다. 그런데 제권판결 전에 선의취득을 하였지만 공시최고절차에서
권리신고를 하지 않아 제권판결이 선고된 경우 누구를 주주로 인정할 것인가의
문제가 있다.

우선 제권판결을 받은 자를 우선하는 제권판결취득자우선설이 있다.[42] 즉 제
권판결제도의 실효성을 보장하기 위하여 선의취득자도 권리신고를 하지 않는 한
제권판결에 의하여 권리를 잃는다는 입장이다. 그 이유로서는 제권판결이 주권

41) 대법원 1993.11.9. 93다32934; 1965.7.27. 65다1002: 약속어음에 관한 제권판결의 효력은
   그 판결 이후에 있어서 당해 어음을 무효로 하고 공시최고 신청인에게 어음을 소지함과 동
   일한 지위를 회복시키는 것에 그치는 것이고, 공시최고 신청인이 실질상의 권리자임을 확정
   하는 것은 아니다.
42) 김건식·노혁준·천경훈, 전게서, 188면; 이철송, 전게서, 340면; 임재연, 전게서, 405면; 최
   기원, 전게서, 313면; 최준선, 전게서, 264면.

의 무효를 선언하고 신청인에게 점유를 회복시켜 주는 효과가 있으므로 선의취
득자는 주권을 반환한 것과 같은 상태가 되어 권리를 잃는다는 것이다.

이와 달리 선의취득자가 권리신고를 하지 않더라도 권리를 잃지 않는다는 선
의취득자우선설도 있다.43) 공시최고에 의한 공고가 완전한 공지성을 갖기 어려
우며, 제권판결을 받은 자를 우선하면 주권의 유통보호에 장애가 된다는 점을
그 이유로 든다.

그 밖에 절충적인 입장으로서, 제권판결전 주권을 취득하고도 법원에 권리신
고를 하지 않았으나 명의개서를 함으로써 회사에는 권리신고를 하였다면 법원에
권리신고를 한 것과 동일하게 선의취득자를 보호하자는 견해도 있다.44)

판례는 제권판결취득자우선설의 입장으로 보인다.45) 다만 제권판결은 권리자
를 확정하는 판결이 아니므로 선의취득자는 제권판결 취득자에 대하여 제권판결
정본의 반환을 청구하거나 제권판결 후 재발행된 주권의 반환을 청구할 수 있다
는 견해도 있으나,46) 이는 원래 주권의 효력을 상실시키고 신청인에게 주권 소
지 상태를 회복시키려는 제권판결의 취지와 모순된다는 입장도 있다.47)

4) 주권의 재발행

주권을 상실한 자는 제권판결을 얻지 아니하면 회사에 대하여 주권의 재발행
을 청구할 수 없다(제360조 제2항). 이는 상실된 주권이 무효로 처리되지 않은

---

43) 김정호, 「상법강의(상)」 제3판(법문사, 2000), 529면; 손주찬, 「상법(상)」 제3정증보판(박영
사, 2002), 640면; 이기수·최병규, 「회사법」 제9판(박영사, 2011), 251면; 정동윤, 전게서,
221면.

44) 서헌제, 「사례중심체계 회사법」(법문사, 2000), 200면.

45) 대법원 1994.10.11. 94다18614; 1993.11.9. 93다32934; 1991.5.28. 90다6774: 약속어음에
관한 제권판결의 효력은 그 판결 이후에 있어서 당해 어음을 무효로 하고 공시최고 신청인
에게 어음을 소지함과 동일한 지위를 회복시키는 것에 그치는 것이고, 공시최고 신청인이
실질상의 권리자임을 확정하는 것은 아니나, 취득자가 소지하고 있는 약속어음은 제권판결
의 소극적 효과로서 약속어음으로서의 효력이 상실되는 것이므로 약속어음의 소지인은 무
효로 된 어음을 유효한 어음이라고 주장하여 어음금을 청구할 수 없는 것이고 … 원고가
공시최고 전에 선의취득하였다고 하여 달리 볼 것이 아니다.

46) 최준선, 전게서, 264면. 대법원 1969.12.23. 68다2186: 수표에 관하여 제권판결이 있으면,
제권판결의 소극적 효과로서 그 수표는 수표로서의 효력을 상실하고 수표의 정당한 소지인
이라 할지라도 그 수표상의 권리를 행사할 수 없고 공시최고를 신청한 사람이 실지 이 수
표를 도난당하였거나 또는 분실한 자가 아닌 경우에도 수표상의 실질적 권리자는 제권판결
의 효력을 소멸시키기 위하여 불복의 소를 제기하여 취소판결을 얻지 않는 한 수표상의 권
리를 주장할 수 없다.

47) 김건식·노혁준·천경훈, 전게서, 188면.

상황에서 새로운 주권이 재발행됨으로써 생길 수 있는 권리의 충돌을 방지하지 위함이다. 따라서 회사가 스스로 발행하는 것도 허용되지 않으며, 회사가 주권을 보관하던 중 분실한 경우에도 제권판결이 없으면 주주가 재발행을 청구할 수 없다.[48]

5) 제권판결의 취소

제권판결은 상소가 허용되지 않지만 일정한 경우에는 신청인에 대한 소로써 법원에 불복할 수 있다(민소법 제490조). 그 결과 제권판결을 취소하는 판결이 확정되면 제권판결은 소급하여 효력을 잃고 정당한 권리자가 소지하고 있던 주권은 소급하여 그 효력을 회복하고 제권판결에 기하여 재발행된 주권은 소급하여 무효가 된다.[49]

2. 주주명부

가. 주주명부의 의의

주주명부란 주주 및 주권에 관한 현황을 나타내기 위하여 상법의 규정에 의하여 회사가 작성·비치하는 장부이다(제352조). 주식의 양도는 당사자 간의 양도에 관한 합의와 주권의 교부에 의하여 이루어지는데(제336조 제1항), 이처럼 당사자 사이의 주권의 교부만으로 주식이 양도될 수 있으므로 회사로서는 주주권의 행사와 관련하여 누가 주주인지 획일적으로 확정할 필요가 있다. 이를 위해 마련된 것이 바로 주주명부이다.

나. 주주명부의 비치와 공시

이사는 회사의 주주명부를 본점에 비치하여야 하는데, 명의개서대리인을 둔 때에는 대리인의 영업소에 주주명부 또는 복본을 둘 수 있다(제396조 제1항). 주주 및 회사채권자는 영업시간 내에는 언제든지 주주명부 또는 그 복본의 열람

---

48) 대법원 1981.9.8. 81다141: 주권이 상실된 경우에는 공시최고절차에 의하여 제권판결을 얻지 아니하는 이상 회사에 대하여 주권의 재발행을 청구할 수 없다. 따라서 주권을 분실한 것이 원고가 아니고 주권발행 회사라 하더라도 위 주권에 대한 제권판결이 없는 이상 동 회사에 대하여 주권의 재발행을 청구할 수 없다.
49) 대법원 2013.12.12. 2011다112247, 112254.

또는 등사를 청구할 수 있다(제396조 제2항). 이 때 열람목적을 소명하거나 그 정당성을 증명할 필요는 없으나,[50] 판례는 회사가 그 청구의 목적이 정당하지 아니함을 주장·증명하는 경우에는 이를 거부할 수 있다고 한다.[51]

다. 주주명부 기재사항

1) 주식을 발행한 경우

주식을 발행한 경우에는 주주명부에 ① 주주의 성명과 주소, ② 각 주주가 가진 주식의 종류와 그 수, ③ 각 주주가 가진 주식의 주권을 발행한 때에는 그 주권의 번호, ④ 각 주식의 취득연월일을 기재한다(제352조 제1항). 전자주주명부를 작성한 경우에는 ①의 주주의 성명과 주소에 더하여 전자우편주소를 기재해야 한다(제352조의2 제2항).

2) 전환주식을 발행한 경우

전환주식을 발행한 경우에는 위의 기재사항 외에 ① 주식을 다른 종류주식으로 전환할 수 있다는 뜻, ② 전환조건, ③ 전환으로 인하여 발행할 주식의 내용, ④ 전환을 청구할 수 있는 기간 또는 전환의 기간 등을 주주명부에 기재하여야 한다(제352조 제2항).

라. 주주명부의 효력

1) 대항력(주주권행사의 대항요건)

상법상 주주가 주주로서의 권리를 회사에 대하여 행사하려면, 즉 회사에 대하여 대항하려면 그 성명과 소유주식이 주주명부에 기재되어야 한다(제337조 제1항). 이를 주주명부의 대항력이라고 하며, 주주명부의 가장 중요한 효력이다. 회사가 명의개서대리인을 둔 경우에는 명의개서대리인이 주식취득자의 성명과 주소를 주주명부의 복본에 기재하여야 취득자가 회사에 대하여 대항력을 갖추게 된다(제337조 제2항).

---

50) 이철송, 전게서, 354면.
51) 대법원 2010.7.22. 2008다37193; 1997.3.19. 97그7: 주주 또는 회사채권자가 상법 제396조 제2항에 의하여 주주명부 등의 열람등사청구를 한 경우 회사는 그 청구에 정당한 목적이 없는 등의 특별한 사정이 없는 한 이를 거절할 수 없고, 이 경우 정당한 목적이 없다는 점에 관한 증명책임은 회사가 부담한다.

2) 자격수여적 효력(권리추정력)

주주명부에 주주로 기재된 자는 적법한 주주로 추정되므로 회사에 대하여 자신의 실질적인 권리를 증명할 필요 없이 단순히 그 기재만으로써 주주임을 주장할 수 있는데, 이를 주주명부의 자격수여적 효력 또는 권리추정력이라 한다. 명문의 규정은 없지만, 주권점유의 권리추정력(제336조 제2항)과 명의개서의 대항력(제337조 제1항)을 근거로 인정되는 효력이다. 이처럼 주주명부에 권리추정력이 인정되지만 주주명부에 주주로 등재되어 있다는 사실 자체는 주주권을 주장하는 자가 입증하여야 한다.[52]

그러나 주주명부의 기재에 권리를 창설하는 효력이 있는 것이 아니므로 명의개서가 되었다고 해서 주주임이 확정되는 것이 아니고 어디까지나 주주임이 추정되는 것에 불과하다.[53] 그러므로 명의개서를 한 자가 무권리자라는 사실이 증명되면 그의 주주권은 부인되며, 이 때 증명책임은 주주명부에 기재된 자의 주주권을 부인하는 측이 부담한다.[54]

주주명부의 자격수여적 효력은 주권점유에 주어지는 추정력(제336조 제2항)과는 구별하여야 한다. 제336조 제2항은 주권을 점유하는 자를 그 적법한 소지인으로 추정하고 있어서 그 결과 (i) 주권의 점유자는 자신이 권리자임을 입증할 필요 없이 회사에 대해서 권리를 행사할 수 있고, (ii) 그 권리행사에 응한 회사도 악의나 중과실이 없는 한 책임을 면하며, (iii) 주권의 점유자로부터 주권을 교부받은 자는 점유자가 무권리자라 하더라도 악의 또는 중과실이 없는 한 주권을 선의취득하게 된다. 그런데 (i)에서 주권의 점유자가 '회사에 대해서 권리를 행사'할 수 있다 함은 명의개서를 청구할 수 있다는 것에 그침을 주의해야 한다. 회사에 대하여 주주권을 행사하기 위해서는 수주라는 추정을 받아야 하는데, 그

---

52) 대법원 1993.1.26. 92다11008: 어떤 사람이 주식회사의 주주명부에 주주로 기재되었다는 점은 그가 기명주식의 이전을 회사에 대항할 수 있는 주주라는 사실을 주장하는 자가 주장·입증하여야 되므로, 상대방이 이 점에 관하여 주장을 하지 아니하였다 하더라도 법원이 그 점에 관하여 판단할 수 있다.

53) 대법원 2018.10.12. 2017다221501: 상법은 주주명부의 기재를 회사에 대한 대항요건(제337조 제1항)으로 정하고 있을 뿐 주식 이전의 효력발생요건으로 정하고 있지 않으므로 명의개서가 이루어졌다고 하여 무권리자가 주주가 되는 것은 아니고, 명의개서가 이루어지지 않았다고 해서 주주가 그 권리를 상실하는 것도 아니다.

54) 대법원 1989.7.11. 89다카5345; 1985.3.26. 84다카2082: 주주명부에 주주로 등재되어 있는 자는 일응 그 회사의 주주로 추정되며, 이를 번복하기 위해서는 그 주주권을 부인하는 측에 입증책임이 있다.

러한 추정은 주주명부의 기재에만 부여되기 때문이다. 주권의 점유와 명의개서 두 단계로 추정이 이루어진다는 점을 구별하여야 한다.[55]

3) 면책적 효력

주주명부에 주어지는 자격수여적 효력의 반사적 효과로서 회사는 주주명부에 주주로 기재된 자를 주주로 보고 주주의 권리를 인정하면 주주명부상의 주주가 진정한 주주가 아니더라도 면책되는데(제353조 제1항), 이를 주주명부의 면책적 효력이라 한다.

이와 관련하여 종전의 판례는 회사가 주주명부상의 주주가 권리 없는 자임을 알았거나 중과실로 알지 못하고 또한 용이하게 무권리자임을 증명할 수 있음에 도 주주권의 행사를 허용한 경우에는 면책되지 않는다고 보았다.[56] 그러나 대법 원 2017.3.23. 선고 2015다248342 전원합의체 판결에 따르면 주주명부상의 기 재는 회사도 구속하므로 회사는 원칙적으로 주주명부에 형식주주가 기재되었음 을 알았다 하더라도 그의 주주권 행사를 부인할 수 없으므로, 결국 종전 판례는 이 점에서 폐기되었다. 그 결과 회사가 주주명부상의 주주가 형식주주에 불과함 을 알았다 하더라도 회사는 실질적 법률관계와 상관없이 주주명부상의 주주에게 주주권을 인정해야 면책된다.

주의할 것은 이러한 새로운 법리가 "부적법하게" 이루어진 명의개서의 경우 까지 적용되지는 않는다는 점이다.[57] 예컨대 주권을 절취하거나 습득한 자가 임 의로 명의개서한 경우 이 명의개서는 원천적으로 부적법하므로 그 자의 주주권 행사는 허용되지 않는다. 따라서 부적법하게 명의개서를 한 명의자라도 일단 적

---

55) 송옥렬, 전게서, 838면.
56) 대법원 1998.9.8. 96다45818: 주식회사가 주주명부상의 주주에게 주주총회의 소집을 통지 하고 그 주주로 하여금 의결권을 행사하게 하면, 그 주주가 단순히 명의만을 대여한 이른 바 형식주주에 불과하여도 그 의결권 행사는 적법하지만, 주식회사가 주주명부상의 주주가 형식주주에 불과하다는 것을 알았거나 중대한 과실로 알지 못하였고 또한 이를 용이하게 증명하여 의결권 행사를 거절할 수 있었음에도 의결권 행사를 용인하거나 의결권을 행사하 게 한 경우에는 그 의결권 행사는 위법하게 된다.
57) 대법원 2017.3.23. 2015다248342 전원합의체: 주주명부에 "적법하게" 주주로 기재되어 있 는 자는 회사에 대한 관계에서 주식에 관한 의결권 등 주주권을 행사할 수 있고, 회사 역 시 주주명부상 주주 외에 실제 주식을 인수하거나 양수하고자 하였던 자가 따로 존재한다 는 사실을 알았든 몰랐든 간에 주주명부상 주주의 주주권 행사를 부인할 수 없으며, 주주 명부에 기재를 마치지 아니한 자의 주주권 행사를 인정할 수도 없다(인용부호는 필자가 추 가).

법한 주주로 추정되다보니 그를 주주로 취급한 회사는 주주명부의 면책적 효력에 의해 면책될 수 있지만, 만약 회사가 해당 명의인이 무권리자라는 점을 알았거나 쉽게 알 수 있었고 그러한 점을 용이하게 증명할 수 있었음에도 그 자를 주주로 취급한 경우에는 면책되지 않는다고 해석해야 할 것이다.[58] 반면 대법원 2017.3.23. 선고 2015다248342 전원합의체 판결의 취지에 비추어, 회사에 어떤 의미에서든 탐지의무를 부과할 수 없기 때문에 회사가 중과실로 무권리를 알지 못하여 주주권 행사를 인정한 경우에는 면책을 인정한다고 보는 견해도 있다.[59]

만약 최초 명의개서 시점에는 회사가 무권리자의 명의개서임을 중과실 없이 몰랐으나 이후 그 사실을 알게 되고 이를 용이하게 증명할 수단도 갖게 되었다면 어떠한가? 회사가 무권리자라는 점을 알게 되었더라도 진정 명의 회복시점까지는 그 명의인을 주주로 취급해도 면책적 효력을 적용받는다는 견해가 있는 반면,[60] 면책력 배제사유에 해당하게 된 시점부터 회사는 더 이상 무권리자를 주주로 취급할 수 없다고 보아야 한다는 입장도 있다.[61] 한편 무권리자의 부적법한 명의개서로 인해 명의를 잃게 된 주주는 명의개서 자체가 무효이므로 그 상태로 회사 및 제3자에 대하여 주주의 지위를 주장할 수 있다고 보는 견해가 있다.[62]

4) 주권불발행기재의 효력

주주의 주권불소지신고에 의해 회사가 주주명부에 주권을 발행하지 아니한다는 뜻을 기재하면 주권을 발행할 수 없고, 주주가 제출한 주권은 무효가 된다(제358조의2 제3항). 이 역시 주주명부의 효력으로 볼 수 있다.

---

58) 이러한 측면에서 보면 앞서 폐기된 법리라고 언급된 대법원 1998.9.8. 선고 96다45818 판결은 그 취지가 일부 유지된다고 할 수 있다. 즉 대법원 1998.9.8. 96다45818 판결은 대법원 2017.3.23. 2015다248342 전원합의체 판결에 의해 (i) 회사가 주주명부상 주주가 '형식주주'라는 점을 알았거나 중과실로 몰랐던 경우에 관하여 폐기되었으나, (ii) 주주명부상 주주가 '주권절취자에 의한 신청, 신청오류 등으로 기재된 무권리자'라는 점을 알았거나 중과실로 몰랐던 경우에는 그 취지가 유지된다고 볼 수 있다. 김건식·노혁준·천경훈, 전게서, 196면.

59) 송옥렬, 전게서, 839면.

60) 심영, "명의주주와 주주권의 행사,"「상사법연구」제36권 제3호(한국상사법학회, 2017), 49면.

61) 김건식·노혁준·천경훈, 전게서, 196면.

62) 김건식·노혁준·천경훈, 전게서, 253면.

마. 주주명부의 폐쇄와 기준일

1) 의 의

주식은 유통되어 주주가 항상 변동되므로 회사의 입장에서 의결권행사나 이익배당, 기타 권리행사에 있어서 주주권을 행사할 권리자를 확정할 필요가 있다. 이러한 필요에 따라서 인정된 것이 '주주명부의 폐쇄'(명의개서의 정지)와 '기준일'(등록일)제도이다(제354조).

명문의 규정은 없지만 주주명부의 폐쇄와 기준일은 주주총회의 소집권자인 이사회가 결정하고 대표이사가 집행한다고 본다.[63] 일반적으로 정관에서 임시주주총회를 위한 주주명부의 폐쇄기간과 기준일은 이사회가 정하도록 하고, 정기주주총회를 위한 주주명부의 폐쇄기간과 기준일에 관하여 규정한다. 이러한 경우 정기주주총회를 위한 주주명부의 폐쇄기간과 기준일을 이사회가 따로 정할 필요는 없는데, 정관변경절차 없이 이사회가 임의로 달리 정할 수 있는지 여부에 대해서는 견해가 나뉜다.[64]

2) 주주명부의 폐쇄

가) 의 의

주주명부의 폐쇄란 회사가 의결권을 행사하거나 배당을 받을 자 기타 주주 또는 질권자로서 권리를 행사할 자를 정하기 위하여 일정한 기간을 정하여 주주명부의 기재를 정지하는 제도를 말한다(제354조 제1항). 주주명부를 폐쇄하면 명의개서가 금지되므로 폐쇄 당시 주주명부상에 주주로 등재되어 있는 자는 자동적으로 특정의 주주권을 행사할 자로 확정된다. 예컨대 회사가 주주총회를 2021. 3. 25.에 개최하면서 2021. 1. 1.부터 2021. 3. 25.까지 주주명부를 폐쇄하면 결국 2020. 12. 31.자 주주명부상의 주주가 주주권자로 확정된다.

폐쇄기간 중에는 명의개서는 물론, 질권의 등록이나 말소, 신탁재산의 표시나 말소 등 주주 또는 질권자의 권리를 변동시키는 기재는 일체 할 수 없다. 그러나 주주의 개명이나 상호변경, 주소변경, 법인의 대표자 변경 등과 같이 주주

---

63) 이철송, 전게서, 360면; 임재연, 전게서, 483면.
64) 이사회가 임의로 정할 수 없다는 견해로 임재연, 전게서, 483면. 반면 이사회가 임의로 정할 수 있다는 견해로 최기원, 전게서, 323면.

권 행사에 영향을 주지 않는 경우에는 주주명부의 기재를 변경할 수 있다고 본다.65)

나) 폐쇄기간 중 명의개서의 효력

폐쇄기간 중 주식양수인 또는 질권자의 청구에 의하여 회사가 명의개서 기타의 기재를 하는 것은 주주평등원칙에도 반하고 다른 주주의 권리를 침해할 수 있으므로 허용되지 않는다는 것이 통설이다. 예컨대 이익배당을 받을 주주를 확정하기 위해 주주명부를 폐쇄하였는데, 그 기간 중에 주식을 양수한 자의 청구를 회사가 받아들여 명의개서를 해 준다면 양도인이 받아야 할 이익배당을 양수인이 받게 될 수 있다는 것이다.

그럼에도 회사가 폐쇄기간에 명의개서 등을 해 주었다면 그 효력은 어떠한가? 이에 대하여 일부 학설은 회사가 양수인의 청구를 받아들여 명의개서를 해 주더라도 양도인의 이익을 보호하기 위해 명의개서의 효력을 부인하여야 한다고 본다.66) 이와 달리 폐쇄기간 중의 명의개서를 무효로 본다면 양수인은 폐쇄기간 종료 후 다시 명의개서를 청구하고 회사는 기존의 명의개서 부분을 말소하고 다시 새롭게 명의개서를 해야 한다는 의미 없는 절차가 요구됨을 지적하며, 명의개서 자체는 유효하되 다만 폐쇄기간 중에는 그 효력이 발생하지 않는다고 보는 학설도 존재한다.67)

다) 폐쇄기간 및 공고

주주명부의 폐쇄기간 중에는 주식이 양도되더라도 명의개서를 할 수 없기 때문에 사실상 유통을 제약하게 된다. 따라서 상법은 폐쇄기간을 제한하고, 사전 예고절차를 두고 있다. 즉 폐쇄기간은 3개월을 초과하지 못하며(제354조 제2항), 회사가 주주명부 폐쇄기간을 정한 때에는 그 기간의 2주간 전에 이를 공고하여야 한다(제354조 제4항 본문). 다만 정관에 폐쇄기간이 정해져 있을 경우에는 공고할 필요가 없다(제354조 제4항 단서).

회사가 3개월을 초과하여 주주명부를 폐쇄하거나, 2주간 전에 이를 공고하지 않는 경우 그 효력은 어떠한가? 통설은 법정폐쇄기간인 3월을 초과하여 기간을

---

65) 이철송, 전게서, 359면; 임재연, 전게서, 484면.
66) 손주찬, 전게서, 699면; 정동윤, 전게서, 226면; 최기원, 전게서, 395면.
67) 권기범, 전게서, 556면; 이철송, 전게서, 359면; 임재연, 전게서, 485면; 정찬형, 전게서, 763~764면; 최준선, 전게서, 276면.

정하였을 때에는 초과하는 일부 기간만 무효이고, 공고기간을 위반한 경우에는 폐쇄가 무효라고 본다.[68]

명의개서대리인이 있는 경우 주주명부 폐쇄에 관한 업무도 명의개서대리인의 업무이므로, 실무상으로는 회사와 명의개서대리인 공동명의로 주주명부 폐쇄 공고를 한다.

3) 기준일

가) 의 의

회사는 일정한 날을 정하여 그 날에 주주명부에 기재된 주주 또는 질권자를 권리행사자로 일률적으로 확정할 수 있는데(제354조 제1항), 그 날을 기준일 (record date)이라 한다. 예컨대 "2020 사업연도의 배당금지급은 2020. 12. 31. 17시 현재의 주주로 한다"와 같이 기준일을 정할 수 있다. 기준일은 주주명부의 기재변경을 정지하지 않고 주주를 확정하는 방법이므로 주주명부를 폐쇄하는 경우와 달리 주식양도의 자유성을 실질적으로 제약하지 않는 장점이 있다.

나) 설 정

기준일은 정관으로 미리 정할 수 있으나, 이러한 경우에도 필요에 따라 이사회 또는 대표이사가 다시 정할 수 있다고 본다.[69] 하지만 어떠한 경우이든 기준일은 주주 또는 질권자로서 권리를 행사할 날에 앞선 3월 내의 날로 정하여야 한다(제354조 제3항).

회사가 3월을 초과하는 날로 기준일을 설정한 경우는 어떠한가? 기준일이 3월을 현저하게 초과하여 설정된 경우에는 무효라고 보아야 할 것이다.[70] 다만 초과일이 미미한 경우에는 유효한 것으로 인정하여도 무방하다는 견해도 있는데, 주주명부 폐쇄와 달리 기준일 설정은 명의개서에 아무런 영향을 미치지 않는다는 점을 이유로 한다.[71]

---

68) 손주찬, 전게서, 698면; 이철송, 전게서, 361면; 정찬형, 전게서, 764면; 최기원, 전게서, 322면; 최준선, 전게서, 275면.
69) 최기원, 전게서, 323면.
70) 손주찬, 전게서, 698면.
71) 최기원, 전게서, 323면.

다) 공 고

이사회가 기준일을 정한 경우에는 회사는 기준일의 2주간 전에 이를 공고하여야 한다(제354조 제4항 본문). 공고시 설정의 목적도 명확하게 공고하여야 하는데, 왜냐하면 기준일은 주주명부의 폐쇄와 달리 특정한 권리의 행사자를 확정하는 제도이기 때문이다.[72]

공고가 없거나 공고를 하더라도 그 기간이 2주간에 미달하는 때에는 기준일 설정이 무효라고 본다.[73] 그러나 정관으로 기준일을 지정한 때에는 공고할 필요가 없다(제354조 제4항 단서).

4) 주주명부 폐쇄와 기준일의 병용

통상적으로 주주총회와 배당금지급이 서로 다른 시기에 이루어지므로 정기주주총회에 참석하여 재무제표를 승인할 주주와 배당금을 받을 주주를 일치시키기 위해서 흔히 주주명부 폐쇄와 기준일 설정 양자를 병용한다. 예컨대 종래 다수의 상장회사는 결산기말 주주명부에 기재된 주주에게 이익배당을 하도록 정하고, 이를 위하여 정관에 영업연도 말일 다음 날부터 정기주주총회일까지 주주명부를 폐쇄한다는 규정을 두고 있었다.

하지만 이와 같이 결산기말의 주주가 주주총회에서 의결권을 행사하고 이익배당을 받도록 하는 관행은 다음과 같은 문제가 있음이 지적된다.[74] 첫째, 기준일인 결산기말 이후 총회결의일 사이가 3개월 정도로 장기화됨에 따라 그 사이에 주식이 양도될 가능성이 높다 보니, 총회일 현재 주주가 아닌 과거의 주주였던 매도인이 의결권을 행사하는 공의결권(empty voting) 문제가 야기된다. 둘째, 우리나라 대부분 상장회사가 주주총회 기준일을 결산기말로 하나 보니 주주총회가 3월말로 집중되는 현상이 나타난다. 셋째, 회사로서는 3월에 개최되는 총회를 위한 소집통지를 준비해야 하는데, 그 시점에서 사업보고서 등은 아직 나와 있지 않으므로 주주에게 제공되는 회사에 대한 정보가 부족하다. 넷째, 결산기말과 총회 사이에 주식이 거래되는 경우에 결산기말 주주인 양도인이 이익배당

---

72) 최기원, 전게서, 324면.
73) 최기원, 전게서, 324면.
74) 김건식 · 노혁준 · 천경훈, 전게서, 201면; 송옥렬, 전게서, 845면; 천경훈, "2020년 개정상법의 주요 내용과 실무상 쟁점,"「경제법연구」제20권 1호(한국경제법학회, 2021), 31면.

을 받으므로 양도인과 양수인이 주식의 거래가격을 정할 때에는 이를 공제해야 할 것이나, 총회가 열리기 전에는 그 금액이 미정이므로 주식거래시 가치평가가 어렵다는 문제가 있다.

바. 전자주주명부

1) 의 의

정보기술의 발달로 전자문서가 종이문서를 대체하는 경우가 많아짐에 따라 상법도 주주명부를 전자문서로 작성할 수 있도록 하는데, 이렇게 전자문서로 작성한 주주명부를 "전자주주명부"라고 부른다(제352조의2 제1항).[75] 상법은 전자문서에 관한 정의를 따로 두고 있지 않으므로 전자거래기본법상의 개념을 따라야 한다. 동 법에서는 전자문서를 "정보처리 시스템에 의하여 전자적 형태로 작성, 송신·수신 또는 저장된 정보"라고 정의한다(전자거래기본법 제2조 제1호).

주주명부가 어떠한 형태로 존재하는가는 모든 주주에게 영향을 미치므로 주주명부를 전자문서로 작성할 경우에는 정관에 규정을 두어야 한다(제352조의2 제1항). 전자주주명부는 종이로 작성되는 기존의 주주명부 대신 전자문서 형태로 작성되는 것이므로 주주명부의 일종이고, 전자등록부와는 다른 개념이다.[76]

주식의 전자등록제도를 채택한 회사의 경우 주주명부는 전자등록기관의 소유자명세 통지에 의해서 일괄적·전자적으로 작성되므로(전자증권법 제37조 제6항), 전자등록계좌부는 '사실상' 전자주주명부의 기능을 하게 될 것이다.

2) 전자주주명부의 기재사항

전자주주명부를 작성하는 경우에는 종래의 주주명부 기재사항(제352조 제1항) 외에 전자우편주소를 기재하여야 한다(제352조의2 제2항). 이와 관련하여, 주주 또는 질권자에 대한 회사의 통지 또는 최고는 주주명부에 기재된 주소 또는 그 자로부터 회사에 통지한 주소로 하면 회사는 면책되는데(제353조 제1항), 이 면책적 효력이 전자우편주소에 적용되느냐는 문제가 있다. 전자우편주소는 제352

---

75) 독일 주식법은 2001년의 이른바 기명주식법 개정(Gesetz zur Namensaktie und zur Erleichterung der Stimmrechtsausübung(NaStraG), BGBl. 2001 1, 123)시 전자정보기록 장치에 의한 주주명부의 작성을 허용하였고(독일 주식법 제67조), 일본 역시 2001년의 회사법 개정시 이를 도입하였다(일본 회사법 제121조). 권기범, 전게서, 676면.

76) 임재연, 전게서, 488면.

조 제1항 제1호 및 제353조 제1항에서 말하는 주소는 아니므로 전자우편주소가
전면적으로 주소를 갈음한다고 해석할 수는 없다고 본다.[77] 따라서 회사가 주
주·질권자에 대한 통지·최고를 전자우편주소로 한 경우에는 면책적 효력이
인정되지 않는다. 다만 주주가 자신이 통지받을 주소로서 전자우편주소를 회사
에 신고하였다면 회사가 그 주소에 통지할 경우 제353조 제1항에 의해 면책된
다고 볼 것이다.[78]

3) 전자주주명부의 효력

전자주주명부는 종이문서로 작성되는 주주명부를 대체하는 정본의 주주명부
이다. 즉 정관에 규정을 두어 전자문서로 주주명부를 작성하면 그 문서가 유일
한 주주명부로서의 효력을 지니는 것이다. 따라서 회사가 정관에 따라 전자문서
로 주주명부를 작성한 뒤 주주명부의 신중한 관리를 위해 서면으로 별도의 주주
명부를 작성한 경우, 그 내용이 상이하다면 전자주주명부의 내용에 따라 자격수
여적 효력이 생긴다.

4) 전자주주명부의 비치·공고

이사는 회사의 주주명부를 회사의 본점에 비치하여야 하고, 명의개서대리인
을 둔 때에는 주주명부 또는 그 복본을 명의개서대리인의 영업소에 비치할 수
있다(제396조 제1항). 회사가 전자주주명부를 작성하는 경우에 회사의 본점 또는
명의개서대리인의 영업소에서 그 내용을 주주·채권자가 서면으로 인쇄할 수 있
으면 이를 제396조 제1항에 따라 비치한 것으로 본다(시행령 제11조 제1항).

주주와 채권자는 영업시간 내에 언제든지 전자주주명부에 기록된 사항을 서
면 또는 파일의 형태로 열람 또는 복사를 청구할 수 있다(시행령 제11조 제2항
제1문). 이 과정에서 다른 주주들의 개인정보가 유출될 수 있으므로 회사는 다
른 주주의 전자우편주소를 열람 또는 복사의 대상에서 제외하는 조치를 해야 한
다(시행령 제11조 제2항 제2문).

---

77) 이철송, 전게서, 362면; 임재연, 전게서, 488면.
78) 이철송, 전게서, 362면. 입법론상으로는 제353조 제1항은 "주소"를 "주소 또는 전자우편주
　　소"로 변경하는 것이 바람직하다는 견해가 있다. 임재연, 전게서, 488면.

사. 실질주주명부

실질주주명부란 발행인이 예탁결제원으로부터 통지받은 실질주주명세에 의하여 작성·비치하는, 주식의 실질소유자에 대한 명부를 말한다.

주권이 예탁결제원에 예탁된 경우, 예탁결제원은 이렇게 자신에게 예탁된 주권에 대하여 자기의 이름으로 명의개서를 할 수 있다(자본시장법 제314조 제2항). 그리고 주권의 발행인이 주주명부폐쇄기간이나 기준일을 정하여 예탁결제원에 통지한 경우, 예탁결제원은 그 주식의 실질주주에 관한 사항을 발행회사에 통지하여야 한다(자본시장법 제315조 제3항). 이렇게 통지받은 실질주주에 관한 사항에 근거하여 발행회사는 실질주주명부를 작성·비치해야 한다(자본시장법 제316조 제1항). 이 실질주주명부에 기재되면 주주명부에 기재된 것과 동일한 효력이 있으므로(자본시장법 제316조 제2항), 실질주주가 주주권을 행사하게 된다.

주식예탁증서(DR)의 경우에는 해외예탁기관이 실질주주명부의 주주로 기재되므로 자격수여적 효력, 면책적 효력은 이 해외예탁기관에 대해 발생하고, 주식예탁증서의 실질소유자에게는 미치지 않는다.[79]

3. 타인명의에 의한 주식인수의 법률관계

주식은 인수인이 자신의 진실한 성명을 사용하여 인수하는 것이 일반적이지만, 경우에 따라서는 타인의 명의로 인수하거나 심지어 사자(死者)나 허무인의 명의로 인수하는 사례도 있다. 이와 관련하여 (i) 누가 회사에 대해 주금의 납입의무를 지는가, (ii) 누가 주식의 소유권을 가지는가, (iii) 회사는 누구를 주주로 보아야 하는가의 문제가 있다. 아래에서 보듯 (i)의 문제는 상법 제332조에 의해 해결되고, (ii)와 (iii)에 대해서는 2017년에 등장한 관련 대법원 판례들을 참고할 수 있다.

---

79) 대법원 2009.4.23. 2005다22701, 22718: 해외예탁기관이 국내 법인의 신규 발행주식 또는 당해 주식발행인이 소유하고 있는 자기주식을 원주로 하여 이를 국내에 보관하고 그 원주를 대신하여 해외에서 발행하는 주식예탁증서(Depositary Receipts; DR)의 경우, 해외예탁기관이 발행회사의 실질주주명부에 실질주주로 기재되므로, 발행회사로서는 실질주주명부에 실질주주로 기재된 해외예탁기관에게 주주총회 소집통지 등을 하면 이로써 면책되고, 나아가 주식예탁증서의 실제 소유자의 인적 사항과 주소를 알아내어 그 실제 소유자에게까지 이를 통지할 의무는 없다.

가. 납입의무

상법은 가설인 또는 타인명의에 의한 주식인수도 유효함을 전제로 한 제332조를 두고 있다. 제332조는 타인의 명의로 주식을 인수한 경우를 구분하여 각각의 납입의무에 관해 규정하고 있다. 첫째, 가설인 명의를 사용하거나 타인의 승낙 없이 그 명의를 사용하여 주식을 인수한 자는 실질적인 주식인수인으로서의 납입책임을 진다(제332조 제1항). 가설인이 납입책임을 질 수 없는 것은 당연하고, 명의사용을 승낙하지 않은 자가 책임을 지지 않는 것도 자연스럽다. 둘째, 타인의 승낙을 얻어 그 명의를 사용하여 주식을 인수한 경우에는 명의를 대여한 자와 실질적인 주식인수인이 연대하여 납입책임을 진다(제332조 제2항). 이러한 연대책임을 통해 회사는 영업재산을 확보하게 된다.

나. 주주권의 귀속

타인명의로 주식을 인수한 경우 누가 대세적으로 주주의 지위를 취득하는지는 결국 주식인수계약의 당사자 확정의 문제라는 것이 판례의 입장이다. 대법원 2017.12.5. 선고 2016다265351 판결은 아래와 같이 판시하고 있다.

"타인의 명의로 주식을 인수한 경우에 누가 주주인지는 결국 주식인수를 한 당사자를 누구로 볼 것인지에 따라 결정하여야 한다. 발기설립의 경우에는 발기인 사이에, 자본의 증가를 위해 신주를 발행할 경우에는 주식인수의 청약자와 회사 사이에 신주를 인수하는 계약이 성립한다. 이때 누가 주식인수인이고 주주인지는 결국 신주인수계약의 당사자 확정 문제이므로, 원칙적으로 계약당사자를 확정하는 법리를 따르되, 주식인수계약의 특성을 고려하여야 한다. …
첫째, 가설인 명의로 또는 타인의 승낙 없이 그 명의로 주식을 인수하는 약정을 한 경우이다. 가설인은 주식인수계약의 당사자가 될 수 없다. 한편 타인의 명의로 주식을 인수하면서 그 승낙을 받지 않은 경우 명의자와 실제로 출자를 한 자(이하 '실제 출자자'라 한다) 중에서 누가 주식인수인인지 문제되는데, 명의자는 원칙적으로 주식인수계약의 당사자가 될 수 없다. 자신의 명의로 주식을 인수하는 데 승낙하지 않은 자는 주식을 인수하려는 의사도 없고 이를 표시한 사실도 없기 때문이다. 따라서 실제 출자자가 가설인 명의나 타인의 승낙 없이 그 명의로 주식을 인수하기로 하는 약정을 하고 출자를 이행하였다면, 주식인수계약의 상대방(발기설립의 경우에는 다른 발기인, 그 밖의 경우에는 회사)의 의사에 명백히 반한다는 등의 특별한 사정이 없는 한, 주주의 지위를 취득한다고 보아야 한다.

둘째, 타인의 승낙을 얻어 그 명의로 주식을 인수하기로 약정한 경우이다. 이 경우에는 계약 내용에 따라 명의자 또는 실제 출자자가 주식인수인이 될 수 있으나, 원칙적으로는 명의자를 주식인수인으로 보아야 한다. 명의자와 실제 출자자가 실제 출자자를 주식인수인으로 하기로 약정한 경우에도 실제 출자자를 주식인수인이라고 할 수는 없다. 실제 출자자를 주식인수인으로 하기로 한 사실을 주식인수계약의 상대방인 회사 등이 알고 이를 승낙하는 등 특별한 사정이 없다면, 그 상대방은 명의자를 주식인수계약의 당사자로 이해하였다고 보는 것이 합리적이기 때문이다."

요컨대 판례에 따르면 (i) 가설인 명의를 이용하거나 무단히 타인의 명의를 이용한 경우에는 실제 납입을 한 출자자가 주주의 지위를 가지고, (ii) 타인의 승낙을 얻어 차명으로 주식을 인수한 경우에는 원칙적으로 명의자에게 주주권이 귀속된다. (ii)의 경우에 명의자가 주주권을 취득한다고 보는 이유는, 명의자와 실제 출자자 사이에 어떠한 약정이 있었다 하더라도 이를 모르는 회사의 입장에서는 일반적으로 명의자를 상대방으로 이해하고 그와 인수계약을 체결하기 때문이다. 다만 ① 실제 출자자와 명의자 사이에 실제 출자자를 주식인수인으로 하기로 약정하고 ② 이를 인수계약의 상대방인 회사도 알고 승낙하는 등 특별한 사정이 있다면 예외적으로 실제 출자자에게 주주권이 귀속될 수 있다.

회사와 주주간에 주주권의 귀속에 관한 실체법적 다툼이 있어 회사가 주주명부상의 주주의 지위를 부정하는 경우에는 회사가 명의주주에게 실체법상의 권원이 없음을 증명하여 주주명부의 권리추정력을 깰 수 있다.[80]

---

80) 대법원 2020.6.11. 2017다278385, 278392: 주식의 소유권 귀속에 관한 권리관계와 주주의 회사에 대한 주주권 행사국면은 구분되는 것이고, 회사와 주주 사이에서 주식의 소유권, 즉 주주권의 귀속이 다투어지는 경우 역시 주식의 소유권 귀속에 관한 권리관계로서 마찬가지라 할 것이다(원고 회사가 주주명부상 주주로 기재되었던 피고를 상대로, 그 이후 작성된 주주명부에 피고가 주주가 아닌 것으로 기재되어 있다는 등의 이유를 들어 피고가 원고의 주주가 아니라는 확인을 구한 사안).

다. 주주권의 행사

앞서 살펴본 '주주권의 귀속'이 누가 주식을 취득하는지의 문제였다면, '주주권의 행사'는 회사에 대해 주주권을 행사할 자격이 누구에게 있는지의 판단 문제이다.[81] 기존에 회사에 대한 주주권 행사와 관련해서는 이른바 실질설과 형식설이 대립하고 있었다. 실질설은 명의자가 누구인가에 관계없이 실질적인 주식인수인이 주주이므로 회사에 대한 관계에서도 실질주주가 주주권을 행사할 수 있다고 보는 학설로, 종래 판례 역시 이러한 입장이었다. 이에 대해 형식설은 명의상의 주식인수인을 주주로 보고, 회사에 대해서도 명의주주가 주주권을 행사할 수 있다고 보는 학설이다.

그러나 2017년 대법원은 전원합의체 판결을 통해 기존 판례의 입장을 변경하여 명의개서를 한 자만이 회사에 대해 주주권을 행사할 수 있고, 회사도 이를 달리 인정할 수 없음을 분명히 하였다.[82] 따라서 동 판결에 따를 때 누가 주주권을 행사할 수 있는가는 다음과 같이 볼 수 있다.

첫째, 가설인 명의를 이용하거나 무단히 타인의 명의를 이용하여 주식을 인수한 경우에는 앞서 보았듯이 실제 출자자가 주주의 지위를 갖지만, 실제 출자자가 명의개서를 하지 않는 이상 회사에 대해 주주권을 행사할 수는 없다. 그렇다면 주주로서 주주명부에 최초로 기재된 가설인이나 명의를 도용당한 자가 주주권을 행사할 수 있을 것인가? 이와 관련하여 실제 출자자에 의해 무단으로 이루어진 주주명부의 기재는 무효라 보는 시각이 있으나,[83] 상법 제332조는 이러한 무단 기재 역시 유효함을 전제로 하여 납입책임을 규정하고 있다고 볼 여지도 있다. 현실적으로 가설인이 회사에 대해 주주권을 행사하는 경우는 생각할 수 없고, 명의를 도용당한 자 역시 자신의 명의도용을 알지 못하는 이상 주주권 행사에 나설 것을 기대하기 어렵다. 만약 명의를 도용당한 자가 자신의 이름이 주주명부에 기재된 것을 알게 되어 이를 기화로 주주권을 행사했을 경우, 회사가 그 자를 주주로 취급한 때에는 주주명부의 면책력(제353조 제1항)을 주장할 수 있을 것이다.[84]

---

81) 김건식·노혁준·천경훈, 전게서, 247면.
82) 대법원 2017.3.23. 2015다248342 전원합의체.
83) 김건식·노혁준·천경훈, 전게서, 250면.

둘째, 타인의 승낙을 얻어 주식을 인수한 경우에는 원칙적으로 명의자에게 주주권이 귀속되는데, 주주명부 역시 명의인의 이름이 기재된 상태이므로 명의인은 적법하게 주주권을 행사할 수 있다. 만약 특별한 사정이 인정되는 경우라면 어떠한가? 즉 회사가 실제 출자자와 명의자 사이에 실제 출자자를 주식인수인으로 하기로 한 약정을 알고 실제 출자자의 주주 지위를 승낙한 경우이다. 이러한 경우에도 주주명부에 기재된 명의자만이 주주권을 행사할 수 있다고 보아야 하는데, 왜냐하면 대법원 2017.3.23. 선고 2015다248342 전원합의체 판결에 따르면 회사가 주식의 소유권 귀속에 관한 법률관계를 내세워 주주권 행사 주체를 임의로 선택할 수는 없는 까닭이다. 이렇게 되면 실체적 권리를 결여한 명의주주가 실제 권리자인 출자자를 제치고 권리를 행사하는 모순이 생기지만, 이러한 결과는 주주권의 귀속에 관해 실질과 형식의 괴리를 창출한 명의차용인이 부담해야 할 위험과 불이익이라 할 것이다.[85] 결국 대세적으로 누가 주주권의 귀속주체인지와 상관없이, 회사와의 관계에서는 주주명부상 명의자만이 주주권을 행사할 수 있다.

이상의 논의를 아래 표와 같이 정리할 수 있다.

〈실제출자자 A가 타인 B의 명의로 주식을 인수하여 B가 주주명부에 주주로 기재된 경우〉

	B가 가설인이거나 명의사용을 미승낙한 경우	B가 명의사용을 승낙한 경우
주금납입의무	A	A+B
주식의 귀속	A	B (예외적으로 ① A를 주식인수인으로 하기로 A와 B가 약정하고 ② 이를 회사도 알고 승낙한 경우에는 A에게 주식 귀속)
주주권의 행사	B (현실적으로 주주권 행사 가능성은 낮음)	B

---

84) 김건식·노혁준·천경훈, 전게서, 250면.

85) 이철송, 전게서, 381면; 대법원 2017.3.23. 2015다248342 전원합의체("언제든 주주명부에 주주로 기재해 줄 것을 청구하여 주주권을 행사할 수 있는 자가 자기의 명의가 아닌 타인의 명의로 주주명부에 기재를 마치는 것은 적어도 주주명부상 주주가 회사에 대한 관계에서 주주권을 행사하더라도 이를 허용하거나 받아들이려는 의사였다고 봄이 합리적이다. 그렇기 때문에 주주명부상 주주가 그 주식을 인수하거나 양수한 사람의 의사에 반하여 주주권을 행사한다 하더라도, 이는 주주명부상 주주에게 주주권을 행사하는 것을 허용함에 따른 결과이므로 그 주주권의 행사가 신의칙에 반한다고 볼 수 없다").

이러한 법리는 어디까지나 당사자 사이에 명의차용에 관한 합의가 있는 등 명의개서가 적법하게 이루어졌을 것을 전제로 한다. 주주로서의 지위를 갖지 못한 무권리자도 명의개서가 되어 있으면 주주권을 행사할 수 있다고 말할 수는 없다(현실적인 행사 가능성은 별론으로 하더라도). 즉 무권리자도 명의개서가 되어 있으면 일단 주주권을 행사할 수 있겠지만, 무권리자라는 사실이 증명되면 그의 주주권은 부인된다.

4. 주식의 양도

가. 주주권의 변동원인과 주식양도의 의의

인적회사의 사원의 지위와 달리 주주의 지위는 주식을 취득·상실함으로써 발생·소멸한다. 주식의 취득은 원시취득과 승계취득으로 분류되는데, 회사설립시나 신주발행시의 주식인수 및 선의취득은 전자에 속하고, 상속·합병·유증에 의한 포괄승계와 주식양수·전부명령·경락 등에 의한 특정승계는 후자에 속한다. 주식의 상실은 회사의 해산이나 주식소각에 의한 절대적 상실과 주식양도에 의한 상대적 상실로 분류된다.

이상의 주주권 변동원인 가운데 당사자 사이의 법률행위에 의하여 주식을 이전하는 것을 주식의 양도라 한다. 주식의 양도에 의하여 양수인은 양도인으로부터 주주권을 특정승계하는데, 이 때 승계되는 주주의 권리는 공익권과 자익권 모두를 포함하며 그 일부의 권리만 분리하여 양도할 수는 없다. 그러나 이미 주주권으로부터 분리되어 구체화된 권리, 예컨대 주주총회 결의에 의한 배당금지급청구권과 같은 채권적 권리는 이전히지 아니한다.

나. 주식양도자유의 원칙과 그 제한

주식은 자유롭게 양도할 수 있는 것이 원칙이다(제335조 제1항 본문). 인적회사와 달리 사원의 퇴사나 출자환급이 인정되지 않는 주식회사에서는 투자자보호 및 자본집중의 원활을 위하여 주식양도의 자유를 필수적인 요소로 삼고 있다. 그렇지만 주식회사에서도 인적 구성의 중요성을 전적으로 배제할 수는 없으므로 주식의 양도를 제한할 필요가 있을 수 있다. 이러한 관점에서 상법은 정관에 의한 자치적인 양도제한을 허용하고 있다(제335조 제1항 단서).

다. 주식의 양도방법

1) 양도의 합의

주식의 양도를 위해서는 당사자 간에 양도의 합의가 있어야 하는데, 특별한 방식이 요구되는 것은 아니다. 주식양도의 원인행위로는 매매인 경우가 대부분이겠으나 이에 한정되는 것은 아니고 교환·증여·현물출자·양도담보 등도 포함한다.[86] 이처럼 주식의 양도는 매매·교환 등 채권거래가 선행하고 그 이행으로서 행해지는 준(準)물권행위이다.[87] 주식양수인이 매수대금을 지급하지 않았더라도 주주의 지위를 취득하는 데 방해되지 않는다.[88]

2) 주권의 교부

주식의 양도에는 양도의 합의 외에 주권의 교부를 요한다(제336조 제1항). 이러한 주권의 교부는 주식양도의 대항요건이 아니라 성립요건인데, 주권의 교부를 요하는 제336조 제1항은 강행규정이므로 정관으로도 달리 정하지 못한다.

무기명증권은 증권의 교부만으로 양도하고, 기명증권은 배서·교부에 의해 양도하는 것이 유가증권의 일반법리이다(민법 제508조, 제523조 참조). 그런데 상법은 기명증권이라 할 수 있는 주식을 교부만으로 양도할 수 있게 하고 있다. 과거에는 기명주식 양도시 지시증권의 일반적인 양도방법에 따라 주권에 배서하여 교부하거나 양도인의 기명날인이 있는 양도증서를 첨부하여 주권을 교부해야 했지만, 1984년 상법 개정으로 단순한 교부만으로 양도할 수 있게 된 것이다. 결국 주식은 회사에 대한 관계에서는 명의개서의 대항력으로 인해 '기명'성을 유지하지만, 주권의 교부만으로 양도할 수 있는 결과 주식의 유통에 있어서는 무기명증권화 되었다고 할 수 있다.[89]

---

86) 권기범, 전게서, 586면.
87) 이철송, 전게서, 365면; 최준선, 전게서, 289면.
88) 대법원 2017.8.18. 2015다5569: 소외 1이 주식매매계약에 따른 주식매매대금을 지급하지 않았다고 하더라도 주식매매대금 지급채무를 부담하는 것은 별론으로 하고 소외 1이 원고 주식의 주주가 아니라고 할 수 없다.
89) 이철송, 전게서, 367면.

3) 적용범위

주권의 교부요건은 주식의 '양도'에 관해서만 적용되며, 상속이나 합병과 같은 포괄승계에 있어서는 주권의 교부가 요구되지 않는다. 물론 이 경우에도 주식을 이전받은 자가 회사에 대항하려면 명의개서를 해야 하는 것은 당연하다.

주권불소지제도(제358조의2)에 따라 주권을 소지하지 않은 자가 주식을 양도할 경우에도 주권의 교부는 요구되는가? 이러한 주주 역시 주식을 양도하기 위해서는 먼저 회사에 주권의 발행 또는 반환을 청구하여 주권을 교부받은 뒤 이를 양수인에게 교부하여야 한다고 본다.[90]

주권 없이 주식을 양도할 수 있는 예외적인 경우가 존재한다. 첫째, 예탁결제원이 예탁받아 보관중인 주식에 대해서는 불소지신고를 할 수 있는데, 그 상태에서 양도인과 양수인 사이의 계좌대체만으로 양도가 가능하다(자본시장법 제311조 제2항, 제314조 제3항). 이는 자본시장법이 계좌대체에 교부가 있었던 것과 동일한 효력을 인정하는 까닭이다. 둘째, 주식의 전자등록제도를 채택한 회사의 경우 주식의 양도나 입질은 전자등록부에 등록하는 방식으로 한다(제356조의2 제2항). 셋째, 회사가 주권을 발행하지 않은 채 일정한 기간이 경과하여 예외적으로 주식의 양도가 허용되는 경우(제335조 제3항)에는 주권이 없으므로 당사자간의 의사표시만으로 주식을 양도할 수 있다.

주식의 압류 역시 주권의 점유에 의해 가능하다.[91]

4) 주권점유의 권리추정력

주권의 점유자는 적법한 소지인으로 추정하는데(제336조 제2항), 그 이유는 주권의 교부만으로 주식을 양도할 수 있도록 하는 제도의 논리적 전제로서 주권의 점유를 권리의 외관으로 인정해야 할 필요가 있기 때문이다. 이러한 권리추정력의 결과 주권의 점유자는 자기가 권리자임을 달리 증명할 필요가 없다. 여

---

90) 송옥렬, 전게서, 835면; 이철송, 전게서, 368면.
91) 대법원 1988.6.14. 87다카2599, 2600: 甲이 자기를 위하여 압류된 주식에 대하여 추심에 갈음한 양도명령을 받아 그 양도명령이 제3채무자인 丙에게 송달되었다면 설사 乙을 위하여 한 위 주식에 대한 압류명령이 甲이 받은 양도명령과 동시에 제3채무자인 丙에게 송달되었다고 하더라도 집달관이 위 주식을 점유하지 않는 한 그 압류명령의 송달자체만으로는 법률상 아무런 효력이 없다고 할 것이므로 甲에 대한 위 양도명령은 乙의 압류로 인하여 그 효력에 아무런 지장이 없다.

기서 주의할 점은 (i) 주권의 점유로 적법한 소지인으로 추정된다는 것과 (ii)
회사에 대하여 주주로서의 권리를 행사할 수 있다는 것은 구분하여야 한다는 것
이다. 즉 주권을 점유하였다고 바로 회사에 대해 주주권을 행사할 수 있는 것은
아니고, 별도의 요건을 갖추어야 비로소 회사에 대하여 권리를 행사할 수 있다.
주식의 경우 회사에 대하여 권리를 행사하려면 주주명부에 명의개서를 하여야
하는데(제337조 제1항: 주주권행사의 대항요건), 주권의 점유자는 적법한 소지인으
로 추정되므로 실체적 권리의 증명 없이 주권을 제시함으로써 명의개서를 청구
할 수 있다는 것이다.

이렇게 주권점유에 권리추정력이 인정되므로 회사는 주권의 점유자를 적법한
권리자로 보아 그의 권리행사에 응하면 점유자가 실제로 적법한 권리자가 아니
더라도 회사는 악의나 중과실이 없는 한 책임을 면한다(면책적 효력). 또한 주권
의 점유에 위와 같은 추정력이 있으므로 이를 토대로 주권의 선의취득이 가능
하다.

물론 주권을 점유하는 자는 적법한 소지인으로 '추정'을 받는 형식적 자격이
주어지는 데 불과하고 실질적 권리가 주어지는 것은 아니다. 그러므로 반대의
사실을 주장하는 자는 증명을 들어 그 추정을 깨뜨릴 수 있음은 당연하다.[92]

주식이 전자등록된 경우 전자등록계좌부의 기재도 주권 점유와 같은 추정력이
인정된다(제356조의2 제3항; 전자증권법 제35조 제1항).

5) 주권교부의 모습

주권의 교부는 주권을 인도하는 것, 즉 주권의 점유를 이전해 주는 것이다.
주권의 교부는 현실의 인도가 일반적이겠으나(민법 제188조 제1항), 동산의 인도
에서와 마찬가지로 간이인도(민법 제188조 제2항), 점유개정(민법 제189조), 목적
물반환청구권의 양도에 의한 인도(민법 제190조)도 가능하다.[93] 이 중 목적물반

---

92) 대법원 1989.7.11. 89다카5345: 상법상 주권의 점유자는 적법한 소지인으로 추정하고 있으
    나(제336조 제2항) 이는 주권을 점유하는 자는 반증이 없는 한 그 권리자로 인정된다는 것,
    즉 주권의 점유에 자격수여적 효력을 부여한 것이므로 이를 다투는 자는 반대사실을 입증
    하여 반증할 수 있고, 또한 등기주식의 이전은 취득자의 성격과 주소를 주주명부에 기재하
    여야만 회사에 대하여 대항할 수 있는바(제337조 제1항), 이 역시 주주명부에 기재된 명의
    상의 주주는 실질적 권리를 증명하지 않아도 주주의 권리를 행사할 수 있게 한 자격수여적
    효력만을 인정한 것뿐이지 주주명부의 기재에 창설적 효력을 인정하는 것이 아니므로 반증
    에 의하여 실질상 주식을 취득하지 못하였다고 인정되는 자가 명의개서를 받았다 하여 주
    주의 권리를 행사할 수 있는 것은 아니다.

환청구권의 양도에 의한 인도의 중요한 예로 증권대체결제제도(자본시장법 제311조 제2항)가 있다.

라. 명의개서(주식양도의 대항요건)

1) 의 의

명의개서란 법률행위 또는 법률의 규정에 의한 주식의 이전으로 주주가 교체되었을 경우 그 취득자를 주주명부에 주주로 기재하는 것을 말한다. 주주명부상의 기재사항 중 주주의 동일성에는 관계없이 오기를 바로잡는 정정, 주소의 변경·개명 등을 이유로 하는 변경기재, 주권불발행의 기재(제358조의2 제2항) 등은 주식이전으로 주주가 교체된 것이 아니므로 명의개서가 아니다.

2) 주식양도의 회사에 대한 대항요건

상법은 "주식의 이전은 취득자의 성명과 주소를 주주명부에 기재하지 아니하면 회사에 대항하지 못한다"고 규정함으로써 명의개서가 회사에 대한 권리행사를 위한 대항요건임을 밝히고 있다(제337조 제1항). 따라서 주식이 양도되었더라도 양수인이 명의개서를 하지 않고 있다면 회사와의 관계에서는 여전히 양도인이 주주로서 권리를 행사할 수 있다.[94] 명의개서가 회사에 대한 대항요건이라는 것은 주식의 양도와 같은 특정승계뿐만 아니라 상속·합병·유증과 같은 포괄승계에 의하여 주식이 이전된 경우에도 마찬가지이다. 또한 주식의 매매계약이 해제되었다 하더라도 매도인이 회사에 대해 주주권을 행사하기 위해서는 자기 앞으로 다시 명의개서를 하여야 한다.[95]

명의개서제도는 주주와 회사의 권리관계를 보다 안정적으로 유지·관리하기

---

93) 권기범, 전게서, 587면; 김건식·노혁준·천경훈, 전게서, 203면; 이철송, 전게서, 369면.

94) 대법원 1988.6.14. 87다카2599, 2600: 상법 제461조에 의하여 주식회사가 이사회의 결의로 준비금을 자본에 전입하여 주식을 발행할 경우에는 회사에 대한 관계에서는 이사회의 결의로 정한 일정한 날에 주주명부에 주주로 기재된 자만이 신주의 주주가 된다고 할 것이므로 甲이 丙 주식회사의 기명주식을 실질적으로 취득하였으나 丙 주식회사의 이사회가 신주를 발행하면서 정한 기준일 현재 甲이 기명주주의 명의개서를 하지 아니하여 乙이 그 주주로 기재되어 있었다면 丙 주식회사에 대한 관계에서는 신주의 주주는 乙이라 할 것이다.

95) 대법원 2002.12.24. 2000다69927; 1963.6.20. 62다685: 기명주식이 양도된 후 주식회사의 주주명부상 양수인 명의로 명의개서가 이미 이루어졌다면, 그 후 그 주식양도약정이 해제되거나 취소되었다 하더라도 주주명부상의 주주 명의를 원래의 양도인 명의로 복구하지 않는 한 양도인은 주식회사에 대한 관계에 있어서는 주주총회에서 의결권을 행사하기 위하여 주주로서 대항할 수 없다.

위한 취지에서 둔 것이라고 할 수 있다. 즉 주식이 유통되더라도 장기적으로 주식을 보유할 자들만이 주로 명의개서를 하게 되므로 회사의 지배구조가 빈번한 주주의 교체로 동요되지 않고, 유통과정에서 분쟁이 발생하더라도 회사는 명의개서를 통해 주주로 등록된 자들만을 상대로 하면 되므로 비교적 중립적 입장을 취할 수 있는 것이다.96)

3) 명의개서 절차

가) 청구권자와 상대방

명의개서청구권은 주식을 취득한 자가 회사에 대하여 주주권에 기하여 그 주식에 관한 자신의 성명·주소 등을 주주명부에 기재하여 줄 것을 청구하는 권리이다. 이러한 명의개서의 청구는 주식의 양수인이 단독으로 할 수 있다. 자신이 주주임을 주장하는 자는 주권의 제시 또는 다른 방법으로 주주임을 증명하여 회사에 대해서 명의개서절차의 이행을 청구할 수 있으므로, 회사를 상대로 주주권의 확인을 구하는 소는 확인의 이익이 없어 부적법 각하되어야 한다.97)

주식의 양도인이 양수인의 명의로 명의개서를 청구할 수 있는가? 주식의 취득자는 원칙적으로 자신이 취득한 주식에 관하여 명의개서를 할 것인가의 여부를 자유로이 결정할 권리가 있다. 따라서 다른 특별한 사정이 없는 한 양도인이 회사에게 양수인의 이름으로 명의개서해 줄 것을 청구하는 것은 유효한 명의개서청구가 아니다.98) 이러한 법리는 회사성립 후 6월이 경과하도록 주권이 발행

---

96) 이철송, 전게서, 370면.

97) 대법원 2019.5.16. 2016다240338: 원고는 원래 피고회사의 주주명부상 주식의 소유자로 기재되어 있었는데 소외인이 위조한 주식매매계약서로 인해 타인 앞으로 명의개서가 되었으므로 여전히 원고가 피고회사의 주주라고 주장하면서, 이 사건 소를 통해 피고회사를 상대로 주주권 확인을 구하고 있음을 알 수 있다. 이러한 사정을 앞서 본 법리에 비추어 보면, 원고는 이 사건 주식의 발행인인 피고회사를 상대로 직접 자신이 주주임을 증명하여 명의개서절차의 이행을 구할 수 있다. 따라서 원고가 피고회사를 상대로 주주권 확인을 구하는 것은 원고의 권리 또는 법률상의 지위에 현존하는 불안·위험을 제거하는 유효·적절한 수단이 아니거나, 분쟁의 종국적 해결방법이 아니어서 확인의 이익이 없다.

98) 대법원 2010.10.14. 2009다89665: 명의개서청구권은 기명주식을 취득한 자가 회사에 대하여 주주권에 기하여 그 기명주식에 관한 자신의 성명, 주소 등을 주주명부에 기재하여 줄 것을 청구하는 권리로서 기명주식을 취득한 자만이 그 기명주식에 관한 명의개서청구권을 행사할 수 있다. 또한 기명주식의 취득자는 원칙적으로 취득한 기명주식에 관하여 명의개서를 할 것인지 아니면 명의개서 없이 이를 타인에게 처분할 것인지 등에 관하여 자유로이 결정할 권리가 있으므로, 주식 양도인은 다른 특별한 사정이 없는 한 회사에 대하여 주식 양수인 명의로 명의개서를 하여 달라고 청구할 권리가 없다. 이러한 법리는 주권이 발행되어 주권의 인도에 의하여 기명주식이 양도되는 경우뿐만 아니라, 회사성립 후 6월이 경과

되지 않아 주권 없이 양도인과 양수인 사이의 합의에 의하여 주식이 양도되는 경우에도 동일하게 적용된다.[99]

명의개서는 회사만이 할 수 있으므로 명의개서 청구의 상대방은 해당 주식의 발행회사이고, 양도인은 청구의 상대방이 될 수 없다.

나) 주권의 제시 및 승계원인의 증명 요부

(1) 주권의 점유자

주식취득자가 회사에 대하여 명의개서를 청구하기 위해서는 자기가 주주임을 증명하여야 하는데, 주권을 제시하여 명의개서를 청구하는 자는 따로 주주임을 증명할 필요가 없다. 주권의 점유자는 적법한 소지인으로 추정되는 까닭이다(제336조 제2항). 즉 주권의 점유자는 회사에 명의개서를 청구할 때에 주권의 소지 외에 별도로 주식의 취득원인을 증명할 필요가 없다. 주권의 제시 없이 단지 회사에 대해 주식을 양수한 사실만 통지한 것은 명의개서를 청구한 것으로 볼 수 없다.[100]

(2) 주식의 포괄승계인

상속·합병 등으로 주식을 포괄승계한 자도 주권을 점유한 경우에는 명의개서 청구시 주권의 소지 외에 따로 포괄승계 사실을 증명할 필요가 없다. 그러나 포괄승계자가 주권이 없는 경우에는 어떠한가? 이 경우에는 주권의 제시 없이 상속·합병 등의 포괄승계의 사실을 증명하여 명의개서를 청구할 수 있다고 본다.[101] 다만 제3자가 포괄승계된 주식의 주권을 소지하고 있고, 그 제3자가 주권을 점유하고 있음에 기해 회사에 명의개서를 청구한다면 그의 명의개서 청구에는 대항하지 못한다. 이 경우 포괄승계자는 주권을 제3자로부터 반환받거나 또는 제권판결을 얻어 주권을 무효로 한 뒤에 주권의 소지인에게 대항할 수 있다.

하도록 주권이 발행되지 아니하여 양도인과 양수인 사이의 의사표시에 의하여 기명주식이 양도되는 경우에도 동일하게 적용된다.

99) 위의 판례 참조.

100) 대법원 1995.7.28. 94다25735: 기명주식을 취득한 자가 회사에 대하여 주주로서의 자격을 인정받기 위하여는 주주명부에 그 취득자의 성명과 주소를 기재하여야 하고, 취득자가 그 명의개서를 청구할 때에는 특별한 사정이 없는 한 회사에게 그 취득한 주권을 제시하여야 하므로, 주식을 증여받은 자가 회사에 그 양수한 내용만 통지하였다면 그 통지 사실만 가지고는 회사에 명의개서를 요구한 것으로 보기 어렵다.

101) 김건식·노혁준·천경훈, 전게서, 193면; 이철송, 전게서, 372면; 임재연, 전게서, 496면.

(3) 주권이 미발행된 주식의 양수인

회사성립 후 또는 신주납입기일 후 6월이 경과하도록 주권이 발행되지 않아 주권 없이 주식을 유효하게 양수한 경우에는 주권의 제시가 원시적으로 불가능하다. 이처럼 주권발행 전에는 주권이 없는 관계로 주권의 교부에 의해 양수받는 자가 누리는 적법성의 추정(제336조 제2항)이 있을 수 없으므로, 결국 양수인은 아래와 같은 별도의 방법으로 취득을 증명하여 명의개서를 청구해야 한다.

첫째, 양수인은 민법 제450조의 지명채권양도에 준하여 회사에 대한 양도인의 통지 또는 회사의 승낙이라는 요건을 갖추어 명의개서를 청구할 수 있다.[102] 즉 주권발행 전 주식은 지명채권양도의 일반원칙에 따라 당사자의 의사표시에 의해 양도의 효력이 발생하는데,[103] 이 때 양도인이 회사에 대해 통지하거나 회사 대표이사의 승낙이 있으면 회사에 대한 대항요건이 갖추어져서 명의개서를 청구할 수 있다는 것이다. 양도인은 회사에 이러한 양도통지를 해 줄 의무를 부담한다.[104] 물론 여기서 말하는 대항요건이란 주식이 양도되었음을 회사에게 주장하며 명의개서를 청구할 수 있는 요건이라는 의미이지, 이러한 통지·승낙만을 근거로 양수인이 주주권을 행사할 수 있는 것은 아니다. 회사에 대해 주주권을 행사하기 위한 대항요건은 어디까지나 명의개서이기 때문이다.[105]

---

102) 송옥렬, 전게서, 860면; 이철송, 전게서, 403면; 최준선, 전게서, 298면.

103) 대법원 1988.10.11. 87누481: 주권발행 전의 주식의 양도는 지명채권양도의 일반원칙에 따라 당사자 사이의 의사표시만으로 성립하는 것이므로, 주권이 발행된 경우의 기명주식양도의 절차를 밟지 않았다고 하여 주식양도의 효력이 없다고는 할 수 없다.

104) 대법원 2006.9.14. 2005다45537.

105) 주권발행 전 주식양도의 경우 지명채권양도절차만 밟으면 양수인은 '명의개서 여부와 관계없이' 회사의 주주가 된다고 설시한 일련의 판례가 있다. 대법원 2000.3.23. 99다67529; 1999.7.23. 99다14808; 1996.8.20. 94다39598("주권발행 전의 주식양도라 하더라도 회사성립 후 6월이 경과한 후에 이루어진 때에는 회사에 대하여 효력이 있으므로 그 주식양수인은 주주명부상의 명의개서 여부와 관계없이 회사의 주주가 되고, 그 후 그 주식양도 사실을 통지받은 바 있는 회사가 주식양도인의 회사에 대한 채무이행을 확보하기 위하여 그 주식에 관하여 주주가 아닌 제3자에게 주주명부상의 명의개서절차를 마치고 나아가 그에게 기명식 주권을 발행하였다 하더라도, 그로써 그 제3자가 주주가 되고 주식양수인이 주주권을 상실한다고는 볼 수 없다"). 그런데 이들 판례의 설시 내용은 마치 명의개서가 없더라도 주식양수인은 회사에 대하여 주주권을 행사할 수 있다고 읽혀질 가능성이 충분하다. 실제로 일부 학설은 주권발행 전 주식의 양도를 위한 지명채권양도절차는 주권발행 후 주식양도에 있어서의 '주식의 교부'에 갈음할 뿐, 주권에 의한 양도에도 인정되지 않는 '명의개서에 갈음하는 효과'를 가질 수는 없으므로 이들 판례의 태도는 수긍하기 어렵다고 비판하기도 한다. 이철송, 전게서, 404면; 임재연, 전게서, 413면. 그러나 판례를 잘 읽어보면 '명의개서에 갈음'한다는 표현을 쓰고 있지는 않다. 판례에서 '명의개서 여부와 관계없이 회사의 주주가 된다'는 문구의 의미는 주주권이 귀속되는 실질주주로서 회사에 대하여 단독으

둘째, 일반원칙에 따라 양수인이 적법하게 주식을 양수했다는 사실을 회사에 입증하는 방법이 있다. 민법 제450조에 의한 통지·승낙이라는 대항요건이 명의개서의 전제조건은 아니므로 양수인이 민법 제450조에 의한 요건을 갖추지 않고 다른 방식으로 주식양수 사실을 증명할 수 있다는 것이다.[106] 예컨대 양도인이 협력하지 않아 '양도인의 통지'라는 요건을 갖출 수 없고 회사도 승낙해 주지 않더라도 양수인이 양도인으로부터 받은 주식보관증, 주금납입영수증, 청약증거금영수증, 가(假)주권, 미교부주권확인증 등이 있다면 이러한 주식양도사실에 관한 서류를 회사에 제출하여 명의개서를 청구할 수 있다. 판례 역시 주권발행 전 주식을 양수한 자는 단독으로 자신이 주식을 양수한 사실을 증명함으로써 회사에 대하여 그 명의개서를 청구할 수 있다고 하여 이러한 방식을 인정하고 있다.[107]

(4) 주권이 미발행된 주식의 이중양도

만약 주권발행 전 주식의 양도인이 주권이 발행되지 않았음을 기화로 주식을 이중으로 양도하였다면 어떠한가? 이 경우 제3자에 대한 대항요건 역시 민법상 지명채권양도의 법리에 따라 확정일자 있는 증서에 의한 통지 또는 승낙에 의하여 갖추어진다. 따라서 제1양수인이 민법 제450조 제2항에 따라 확정일자 있는 증서에 의한 양도통지나 양도승낙 없이 민법 제450조 제1항에 따라 단순히 회사에 통지하거나 회사의 승낙을 얻어 명의개서를 하였더라도, 제2양수인이 확정일자 있는 증서로써 회사에 양도사실을 통지하거나 양도승낙을 받은 경우에는

로 명의개서를 청구할 수 있고, 주주명부상 주주를 상대로 주주권의 확인을 구할 수 있다는 취지에 불과한 것이지, 명의개서가 이루어지기 전까지는 의결권을 행사할 수 없다는 취지로 해석하는 것이 적절하다. 신현탁, "주권미발행 회사의 명의개서에 관한 연구-대상판결: 대법원 2014.4.30. 선고 2013다99942 판결," 「고려법학」 제77호(고려대학교 법학연구원, 2015), 48면; 천경훈, "2014년 회사법 판례회고," 「BFL」 제69호(서울대학교 금융법센터, 2015), 67면.

106) 송옥렬, 전게서, 860면; 최준선, 전게서, 298면.
107) 대법원 2006.9.14. 2005다45537; 1995.5.23. 94다36421: 상법 제335조 제2항 소정의 주권발행 전에 한 주식의 양도는 회사성립 후 또는 신주의 납입기일 후 6월이 경과한 때에는 회사에 대하여 효력이 있는 것으로서, 이 경우 주식의 양도는 지명채권의 양도에 관한 일반원칙에 따라 당사자의 의사표시만으로 효력이 발생하는 것이고, 상법 제337조 제1항에 규정된 주주명부상의 명의개서는 주식의 양수인이 회사에 대한 관계에서 주주의 권리를 행사하기 위한 대항요건에 지나지 아니하므로, 주권발행 전 주식을 양수한 사람은 특별한 사정이 없는 한 양도인의 협력을 받을 필요 없이 단독으로 자신이 주식을 양수한 사실을 증명함으로써 회사에 대하여 그 명의개서를 청구할 수 있으므로, 주주명부상의 명의개서가 없어도 회사에 대하여 자신이 적법하게 주식을 양수한 자로서 주주권자임을 주장할 수 있다.

제2양수인의 권리가 제1양수인에 우선한다.[108] 또한 주식의 양도통지가 확정일자 없는 증서에 의하여 이루어짐으로써 제3자에 대한 대항력을 갖추지 못하였더라도 후에 그 증서에 확정일자를 얻은 경우에는 그 일자 이후에는 제3자에 대한 대항력을 취득하는 것이지만,[109] 그 대항력 취득의 효력이 당초 주식 양도통지일로 소급하여 발생하는 것은 아니다.[110] 따라서 예컨대 주식의 이중양도에서 확정일자 있는 증서 없이도 제1양수인이 이미 명의개서를 받았다면 제2양수인이 나중에 회사에 대하여 확정일자를 갖춘 통지를 하였더라도 그 통지 이전의 기존의 법률관계는 변동이 없다(예컨대 제1양수인이 참여하여 이미 이루어진 주주총회결의는 무효로 되지 아니한다).[111]

주권발행 전 주식이 이중으로 양도되었지만 이중으로 양수한 두 당사자 모두 회사(채무자)에 대하여 확정일자 없는 일반적 대항요건만 갖춘 경우에는 어떠한가? 이런 경우에는 회사에 먼저 통지하거나 승낙을 받은 자가 제1양수인으로서 우선한다고 볼 것인데,[112] 그 근거에 대해서는 다음과 같이 견해가 갈릴 수 있다. ① 첫째, 제1양수인과 제2양수인 사이에 서로 대항력이 없으므로 권리변동의 일반 원칙에 따라 먼저 양도통지를 하거나 승낙을 받은 자가 그 주식에 대한 권리를 취득한다고 봄이 상당하기 때문이라는 입장이 있다.[113] ② 둘째, 누구도 제3자에 대한 대항요건을 갖추지 못하였기 때문에 서로 우열을 주장할 수는 없으며, 제1양수인이 우선하는 이유는 그가 주식에 대한 권리를 취득했기 때문이 아니라 단순히 먼저 회사에 통지했기 때문에 반사적으로 우월적 지위를 가지는 것처럼 되기 때문이라는 시각이 있다.[114] 이처럼 제1양수인이 우선한다고

---

108) 대법원 1995.5.23. 94다36421.

109) 대법원 2006.9.14. 2005다45537.

110) 대법원 2010.4.29. 2009다88631. 이 판결에서는 마치 확정일자 없이 통지한 후에 동 통지문에 확정일자를 얻으면 대항력을 구비하는 듯한 오해를 주는데, 확정일자는 통지한 시점을 증명하는 데에 의의가 있으므로 단지 확정일자를 얻은 것으로는 대항력이 생길 수 없고, 확정일자를 얻은 문서를 재차 통지해야 대항력이 생긴다. 이철송, 전게서, 404면.

111) 이철송, 전게서, 403면; 최준선, 전게서, 302면.

112) 매수시기는 늦지만 대항요건을 먼저 갖춘 양수인이 회사에 대하여 명의개서를 신청한 경우 회사가 이를 거부할 수 없으므로 주식매수가 아니라 대항요건구비의 선후가 제1양수인 여부의 판단기준이 되어야 한다. 김건식·노혁준·천경훈, 전게서, 214면.

113) 이러한 취지로 서술한 판례가 있으나(대법원 1971.12.28. 71다2048; 광주고등법원 2013.11.20. 2013나1364) 이것이 대법원의 입장인지는 분명하지 않다고 본다. 김홍기, 「상법강의」 제3판(박영사, 2018), 443면; 김정호, 「회사법」 제4판(법문사, 2015), 246면.

114) 송옥렬, 전게서, 861면. 이미 회사가 제1양수인으로부터 통지를 받아 명의개서를 해주었다면 주주명부의 자격수여적 효력에 따라 이 자를 주주로 추정하여야 하므로, 이후 주주명부

보는 근거는 다르지만, 제2양수인이 우선적 지위를 주장할 수 없다는 결론에서는 같다. 따라서 제1양수인의 신청에 따라 명의개서가 이루어진 경우, 제2양수인이 이를 말소하고 자기명의로 바꾸어 달라고 신청할 수는 없다.[115] 설사 회사가 제2양수인의 신청을 받아들여 다시 제2양수인 앞으로 명의개서를 해주더라도 이는 무효이고 회사에 대한 주주권을 행사할 수 있는 자는 여전히 제1양수인이다.[116] 그 결과 제1양수인은 제2양수인 앞으로 이루어진 명의개서의 말소와 자신의 명의개서의 회복을 회사에 청구할 수 있고, 그러한 청구를 하였다면 명의개서의 말소 및 회복 전이라도 회사에 대하여 주주권을 행사할 수 있다.[117]

한편 회사에 먼저 통지한 제1양수인이 아직 명의개서를 하지 않은 상태에서 제2양수인이 먼저 명의개서를 마친 경우는 어떠한가? 마찬가지로 일반적 대항요건을 먼저 갖춘 제1양수인이 우선한다는 원칙에 따른다면 제2양수인의 명의개서는 무효로 보아야 할 것이다.[118] 이 원칙에 따르면 양도인으로부터 이미 제1양수인으로의 주식양도 통지를 받은 회사가 재차 제2양수인으로의 주식양도 통지를 받았다는 이유로 제2양수인으로 명의개서를 해 준 경우에도 회사는 명의개서의 면책적 효력을 주장할 수 없을 것이다. 이미 제1양수에 관한 통지를 받은 이상 회사는 제1양수인의 우선적 지위를 인식한 것으로 볼 것이기 때문이다. 판례 역시 주권발행 전 주식을 양수한 제1양수인이 회사에 대하여 확정일자 있는 문서에 의하지 않은 양도 통지나 승낙의 요건을 갖춘 후, 제2양수인이 위 주식 중 일부를 이중으로 양수하여 명의개서를 마쳤으나 역시 확정일자 있는 문서에 의한 양도 통지나 승낙의 요건을 갖추지는 않은 경우, 제2양수인은 제1양수인에 대한 관계에서 주주로서 우선적 지위를 주장할 수 없다고 한다.[119] 다만 이 경우 제1양수인은 명의개서를 하지 않았으므로 자신이 양수한 주식에 관한 주주권을 행사할 수는 없으며, 그 결과 회사가 제1양수인에게 소집통지를 하지 않고 총회를 개최하여 결의를 하였다 하더라도 그 결의에 부존재나 무효에 이르는 중

상 주주가 아닌 본래의 양도인으로부터 다시 한 번 제2양수인에 대한 주식의 양도를 통지 받은 경우라도 이는 통지로서의 효력이 없다고 보아야 한다는 견해도 동일한 입장으로 보인다. 최준선, 전게서, 301면.
115) 대법원 2010.4.29. 2009다88631.
116) 대법원 2010.4.29. 2009다88631.
117) 김건식·노혁준·천경훈, 전게서, 214면; 송옥렬, 전게서, 861면.
118) 김건식·노혁준·천경훈, 전게서, 215면; 최준선, 전게서, 301면.
119) 대법원 2014.4.30. 2013다99942.

대한 흠이 있다고 할 수는 없다.[120]

위와 같이 양도인이 주식을 이중양도하고 제2양수인이 명의개서를 받는 등으로 제1양수인이 회사에 대한 관계에서 주주로서의 권리를 제대로 행사할 수 없게 된 경우, 양도인은 제1양수인에 대하여 불법행위로 인한 손해배상책임을 지며, 이 책임은 제1양수인이 적법하게 취득한 양수인으로서의 지위를 위법하게 침해한 것에 기초한 것이기 때문에 제1양수인 또는 제2양수인에게 대항요건을 갖추어 주었는지 여부와 무관하다.[121] 즉 제2양수인이 먼저 확정일자 있는 증서로 대항요건을 갖추어 제1양수인이 제2양수인에 대하여 그 주식의 취득을 대항할 수 없게 될 가능성이 있더라도, 양도인의 불법행위책임은 영향을 받지 않는다.[122]

이상 설명한 원칙의 중대한 예외로서, 양도인이 제1양수인을 위한 채권양도의 통지를 하기 전에 제3자에게 이중으로 양도하고 회사에게 확정일자 있는 양도통지를 하는 등 대항요건을 갖추어 줌으로써 양수인이 그 제3자에게 대항할 수 없게 되었을 때, 대항력을 갖춘 이중양수인이 이중양도라는 양도인의 배임행위에 적극 가담한 경우라면, 그 양수인(제3자)에 대한 양도행위는 사회질서에 반하는 법률행위로서 무효라고 본다.[123] 설사 그 이중양수인이 명의개서를 마쳤다고 하더라도 그 명의개서도 무효이고, 따라서 회사에 대하여 주주권을 행사할 수 없다.

다) 회사의 심사

주권을 점유한 자는 적법한 소지인으로 추정되므로 회사는 주권의 제시를 받아 주권 자체의 진정 여부만 조사하고 명의개서를 해주면 된다. 주권의 점유자가 무권리자라 하더라도 회사가 이를 알지 못한 데 대해 중과실이 없는 한 책임을 면한다.[124]

---

120) 제1양수인과 제2양수인이 모두 확정일자를 갖추지 못한 상태에서 제2양수인으로의 명의개서가 이루어진 경우에는 그 명의개서는 무효이므로 회사로서는 결국 주주명부상 유효한 명의주주인 양도인에게 주주총회 소집통지를 해야 할 것이며, 대법원 2014.4.30. 2013다99942 판결은 회사가 양도인에게 적법하게 소집통지 할 수 있음을 전제로 한다. 김건식·노혁준·천경훈, 전게서, 215면.
121) 대법원 2012.11.29. 2012다38780.
122) 대법원 2012.11.29. 2012다38780.
123) 대법원 2006.9.14. 2005다45537.
124) 대법원 1974.5.28. 73다1320: 주주인 甲회사가 乙회사로 상호가 변경되었다고 주권발행회

한편 회사는 주권의 점유자가 적법한 소지인이 아님을 증명하여 명의개서를 거절할 수 있으며, 또한 증명이 가능한 이상 명의개서를 거절하지 않으면 면책되지 않는다.[125] 반대로, 적법한 소지인이 아니라는 증명 없이 명의개서를 거절하거나 또는 점유자로 하여금 적법한 소지인임을 달리 입증하게 할 수는 없다. 회사에 주권의 도난 또는 분실이 신고되거나 공시최고가 있더라도 마찬가지이다.

라) 주권상의 기재요부

주권이 최초로 발행된 때에는 주권에 주주의 성명이 기재된다. 그러나 주식이 이전될 경우에는 취득자의 성명을 주권에 표시할 필요는 없다. 왜냐하면 주권의 점유만으로 권리추정력이 인정되므로 주권에 취득자의 성명을 기재하는 것은 무의미하기 때문이다.

마) 명의개서요건의 강화 불가

명의개서 청구인은 주권의 제시 또는 기타 방법으로 주식취득 사실을 증명하면 족하다. 회사에 따라서는 정관의 규정으로 명의개서 청구시에는 양도인의 인감증명을 요한다거나 기타 서류의 제출을 요하는 예가 있는데, 이러한 규정은 무효로서 구속력이 없다.[126]

바) 전자등록된 주식

주식을 전자등록한 주주는 주권을 제시하여 명의개서를 청구할 수 없으며,

사에 신고하면서 신주의 교부를 청구한 경우에 주권발행회사는 상호변경절차가 적법하게 된 것인가를 법인등기부등본 등 이를 증명할 수 있는 자료에 의하여 조사한 후가 아니면 주식에 대한 명의개서와 신주를 교부하지 아니할 의무가 있다(사안에서 회사가 조사를 게을리하여 명의개서를 해 준 경우 중대한 과실이 있다고 하였다).

125) 대법원 1998.9.8. 96나45818: 주식회사가 주주명부상의 주주에게 주주총회의 소집을 통지하고 그 주주로 하여금 의결권을 행사하게 하면, 그 주주가 단순히 명의만을 대여한 이른바 형식주주에 불과하여도 그 의결권 행사는 적법하지만, 주식회사가 주주명부상의 주주가 형식주주에 불과하다는 것을 알았거나 중대한 과실로 알지 못하였고 또한 이를 용이하게 증명하여 의결권 행사를 거절할 수 있었음에도 의결권 행사를 용인하거나 의결권을 행사하게 한 경우에는 그 의결권 행사는 위법하게 된다.

126) 대법원 1995.3.24. 94다47728: 회사성립 후 또는 신주의 납입기일 후 6월이 경과하도록 회사가 주권을 발행하지 아니한 경우 그 주식을 취득한 자는 특별한 사정이 없는 한 상대방의 협력을 받을 필요 없이 단독으로 자신이 주식을 취득한 사실을 증명함으로써 회사에 대하여 그 명의개서를 청구할 수 있는 것이고, 이 경우에 명의개서의 청구에 소정 서류의 제출을 요한다고 하는 정관의 규정이 있다 하더라도, 이는 주식의 취득이 적법하게 이루어진 것임을 회사로 하여금 간이명료하게 알 수 있게 하는 방법을 정한 것에 불과하여 주식을 취득한 자가 그 취득사실을 증명한 이상 회사는 위와 같은 서류가 갖추어지지 아니하였다는 이유로 명의개서를 거부할 수는 없다.

또한 전자등록계좌부는 주주명부가 아니므로 주식의 양도방법인 계좌대체의 등록으로써 명의개서가 있었다고 볼 수는 없다.[127] 결국 전자등록된 주식의 경우에는 회사가 주주 전원을 일시에 인식할 목적에서(제354조 제1항; 전자증권법 제37조 제1항·제2항) 전자등록기관에 "소유자명세"를 요구하여 이를 근거로 주주명부를 작성하는데(전자증권법 제37조 제6항), 직전의 주주명부와 상위한 부분에 관해 명의개서가 이루어지는 것과 같은 효과가 생긴다.[128]

전자등록된 주식을 양수한 자가 개별적으로 명의개서를 청구할 수 있는가와 관련하여, 양수인은 "소유자증명서"(전자증권법 제39조)를 발급받거나 "소유내용 통지제도"(전자증권법 제40조)를 통해 자신이 주주임을 증명할 수 있으나, 상장주식의 거래에서처럼 주주명부에서 말소해야 할 양도인을 특정할 수 없는 경우에는 현실적으로 명의개서의 청구가 불가능하다.[129] 요컨대 주식의 전자등록이 강제되는 상장회사의 경우에는 전자등록기관의 소유자명세 통보에 의해 발행인이 일괄적으로 주주명부를 작성하는 때에 일괄적으로 명의개서가 이루어지는 것으로 볼 수밖에 없다.[130]

4) 명의개서의 효과

주식의 취득자는 명의개서를 함으로써 회사에 대하여 주주권을 행사할 수 있다(제337조 제1항). 그러나 명의개서를 하여 주주명부에 주주로 기재되더라도 적법한 주주로 추정되는 효력이 있을 뿐이고, 무권리자가 주주로 되는 설권적 효력이 인정되는 것은 아니다. 따라서 명의개서 후에라도 무권리자임이 밝혀진다면 그간의 주주권 행사는 소급해서 효력을 잃는다.

마. 명의개서미필주주의 지위

주식을 취득하였지만 명의개서를 하지 않은 자의 법적 지위와 관련하여, 취득자가 회사 이외의 제3자와의 관계에서 주주권을 주장할 수 있음은 당연하다(제337조 제1항의 반대해석). 그러나 (i) 회사가 명의개서를 하지 아니한 실질주주에게 주주권을 인정할 수 있는가의 여부, (ii) 회사가 부당하게 명의개서를 거절한

---

127) 최준선, 전게서, 282면.
128) 이철송, 전게서, 372면.
129) 이철송, 전게서, 372면.
130) 최준선, 전게서, 282면.

다면 취득자는 어떤 지위에 놓이게 되는가, (iii) 양수인이 명의개서를 하지 아니하는 동안 주주명부상의 주주가 주주권을 행사하여 이익배당을 받거나 신주를 인수하는 등 이익을 얻었을 경우 그 이익은 누구에게 귀속되는가의 문제가 있다.

1) 회사의 권리인정문제

회사가 명의개서를 하지 않은 주식의 취득자를 주주로 인정하는 것은 가능한가? 주주가 명의개서를 하지 않으면 "회사에 대항하지 못한다"라고 규정하는 제337조 제1항의 해석과 관련하여, 취득자가 주주임을 주장하지 못할 뿐이고 회사가 스스로 주주임을 인정하는 것은 무방하다고 하는 설(편면적 구속설)과[131] 취득자가 주주임을 주장하지 못할 뿐 아니라 회사도 이를 주주로 인정하지 못한다는 설(쌍방적 구속설)이[132] 대립한다.

가) 편면적 구속설

편면적 구속설은 (i) 명의개서란 회사의 사무처리의 편의를 위한 것이므로 회사가 스스로 이 편익을 포기하고 자기의 위험부담 하에 주권의 점유자를 주주로 인정하는 것을 막을 이유는 없고, (ii) 제337조 제1항 역시 "회사에 대항하지 못한다"고만 규정하고 있어 주주만 구속할 뿐 회사는 구속하지 못하는 규정이기 때문에 회사가 취득자를 주식의 양수인으로 인정하여 주주권 행사를 인정하더라도 법문에 반하지 아니하며, (iii) 명의개서의 효력은 추정력에 불과하여 진정한 주권의 소지인이 나타나는 경우에는 진실한 권리관계대로 주주권의 행사를 인정할 수도 있다고 주장한다.

나) 쌍방적 구속설

쌍방적 구속설에 따르면 (i) 제337조 제1항은 항상 변동하는 다수의 주주와 회사와의 관계를 획일적으로 처리하기 위해서 사단법상 요구되는 법기술적 제도이므로 회사도 주주명부상의 주주에게만 권리행사를 시켜야 할 것이며, (ii) 편면적 구속설처럼 해석하면 회사가 주주명부상 주주와 실질적인 주주 중 누구를 주주로 인정해도 무방하다는 선택의 자유를 갖게 되어 부당할 뿐만 아니라, 주

---

131) 손주찬, 전게서, 727면; 정동윤, 전게서, 276면; 정찬형, 전게서, 811~812면; 최준선, 전게서, 286면.
132) 서헌제, 전게서, 212면; 이기수·최병규, 전게서, 264면; 이철송, 전게서, 376면; 최기원, 전게서, 398면.

주명부상의 주주에게는 실질적인 주주가 아니라고 권리를 부인하고 실질적인 주주에게는 명의개서를 하지 아니하였다고 권리를 부인할 수도 있게 되어 부당하다고 한다.

다) 판례: 2017년 전원합의체 판결

기존 판례는 편면적 구속설을 취하고 있었으나,[133] 2017년 전원합의체 판결에 의하여 쌍방적 구속설의 입장으로 전환하였다.[134] 이 판례에 따르면 신규주식을 인수하는 주식발행 단계이든 기발행된 주식의 양도 단계이든 구분하지 않고 회사에 대해 주주권을 행사할 자는 주주명부의 기재에 따라 획일적으로 정해지고, 회사가 실질적인 취득자를 임의로 주주로 인정할 수 없다. 다만 주주명부에 절대적 효력이 인정되는 것은 아니므로, 주주명부에 적법하게 주주로 기재된 자에 한하여 이러한 법리가 적용된다.[135] 아울러 자본시장법에 따라 예탁결제원에 예탁된 주식에 관해 작성하는 실질주주명부의 기재는 상법상 주주명부의 기재와 같은 효력을 가지므로(자본시장법 제316조 제2항), 실질주주명부상의 기재에도 쌍방적 구속설이 적용됨을 위 전원합의체 판결은 주의적으로 설시하고 있다.

위 전원합의체 판결은 회사법률관계를 획일적·강행적으로 해결하는 단체법적 법원리를 통하여 다수인의 이해를 안정적으로 관리하려는 법정책을 채택하고 있는 회사법의 원리를 확인한 것이라는 평가와,[136] 동 판결은 제337조 제1항의 문언에 반할 뿐만 아니라 정확성을 담보할 수 없는 주주명부에 과도한 효력을 인정하는 문제가 있다는 시각이 병존한다.[137]

또한 "회사가 주주명부상의 주주 외에 실제의 주식인수인 또는 양수인이 존재함을 알았든 몰랐든, 또 이들의 존재가 증명된다 하더라도, 회사에 대한 관계에서는 주주명부상의 주주만이 주주권을 행사할 수 있다"는 취지의 판시 내용을 근거로, 이러한 설시는 제337조 제1항이 단지 주주권의 소재에 관한 증명책임의 배분을 정한 것이 아니고 명의개서에 의해 회사와의 관계에서 주주권이 창설되

---

133) 대법원 2001.5.15. 2001다12973; 1989.10.24. 89다카14714: 상법 제337조 제1항의 규정은, 기명주식의 취득자가 주주명부상의 주주명의를 개서하지 아니하면 스스로 회사에 대하여 주주권을 주장할 수 없다는 의미이고, 명의개서를 하지 아니한 실질상의 주주를 회사측에서 주주로 인정하는 것은 무방하다고 할 것이다.

134) 대법원 2017.3.23. 2015다248342 전원합의체.

135) 김건식·노혁준·천경훈, 전게서, 197면.

136) 이철송, 전게서, 377면.

137) 송옥렬, 전게서, 841면.

는 효과가 있음을 선언한 것이라는 해석론이 있다.[138] 반면 동 판례는 부동산 등기부조차 공신력을 인정하고 있지 않은 상황에서 사문서에 불과한 주주명부에 공신력을 부여한 것과 같은 우를 범한 것이며, 회사가 실질주주가 따로 있음을 알고 있는 경우 회사의 위험부담으로 실질주주에게 권리행사를 허용하는 것까지 불허하는 동 판례는 잘못된 것이라는 시각도 있다.[139]

주의할 것은 2017년 전원합의체 판결이 주주명부의 기재에 절대적인 효력을 부여하고 있지만, 그렇다고 해서 주주명부상 주주이기만 하면 항상 주주권을 행사할 수 있는 것은 아니라는 점이다. 동 판결 역시 주주명부에 "적법하게" 주주로 기재된 경우에만 주주권을 행사할 수 있음을 밝히고 있다. 따라서 예컨대 주권을 절취하거나 습득한 자가 임의로 명의개서한 경우 이 명의개서는 원천적으로 부적법하므로 그 자의 주주권 행사는 허용되지 않는다고 할 것이다. 다만 명의자가 일단 주주로 추정되므로 해당 주주권을 부인하는 자가 그 사실에 대한 입증책임을 지게 될 것이다.[140]

2) 명의개서의 부당거절

가) 부당거절의 의의

명의개서의 부당거절이란 주식의 취득이 적법하고 취득자의 명의개서 청구절차도 적법함에도 회사가 명의개서를 거부하는 것을 말한다. 다만 명의개서대리인제도로 인하여 실제로 명의개서 부당거절 문제가 발생하는 일은 드물다.

나) 부당거절에 대한 구제책

회사가 정당한 사유 없이 명의개서를 거부한 경우에 취득자는 회사를 상대로 명의개서절차이행청구의 소를 제기할 수 있고(민법 제389조 제2항, 민사집행법 제263조 제1항), 명의개서청구권 또는 주주권확인청구권을 피보전권리로 하여 임시주주의 지위를 구하는 가처분신청도 할 수 있다(민사집행법 제300조 제2항). 그 밖에 취득자는 회사 및 이사에 대하여 명의개서 부당거절을 이유로 손해배상을 청구할 수 있을 것이며(제401조, 제389조 제3항→제210조), 이사 등에게는 벌칙이 적용된다(제635조 제1항 제7호).

---

138) 이철송, 전게서, 381면.
139) 최준선, 전게서, 286면.
140) 송옥렬, 전게서, 838면.

다) 명의개서 없이 주주권의 행사가 가능한지의 여부

회사로부터 부당하게 명의개서를 거부당한 취득자는 신의칙상 명의개서 없이 주주권을 행사할 수 있다는 것이 통설과 판례의 입장이다.[141] 대법원 2017.3. 23. 선고 2015다248342 전원합의체 판결에서도 주주명부의 기재 또는 명의개서 청구가 부당하게 지연되거나 거절되는 등의 사정이 인정되는 경우에는 주주명부에 기재를 마치지 못한 주주라도 회사에 대한 관계에서 주주권을 행사할 수 있음을 다시 한 번 확인하고 있다. 따라서 취득자는 명의개서 청구 이후의 이익배당, 신주발행에 관해 권리를 주장할 수 있으며, 소집통지를 받지 못한 주주총회의 결의의 취소를 청구할 수 있다. 회사가 과실로 명의개서를 거부한 경우에도 마찬가지이다.

이상의 법리에 따르면 명의개서를 부당하게 거절한 그 시점에 명의개서가 이루어진 것처럼 취급하게 되므로, 예컨대 주주총회 기준일 이후에 청구한 명의개서가 부당히 거절되었다 하더라도 해당 주주총회에서 의결권을 행사할 수 있는 것은 아니다.[142]

3) 명의개서 지체 중의 이익귀속관계

가) 서 설

주식양수인이 명의개서를 하지 않고 있는 상황에서 회사가 주주명부상 여전히 양도인이 주주로 등재되어 있음을 이유로 양도인에게 이익배당을 하거나 신주를 발행하는 수가 있다. 이 경우 회사와의 관계에서 누가 권리행사를 할 것인지, 양도인과 양수인간의 관계에서 누구에게 권리행사의 효과가 귀속될 것인지의 문제가 있다.

나) 회사와의 관계

회사와의 관계에서는 양도인이 권리행사를 하는 것이 주주명부상의 형식적 자격에 부합하므로, 회사는 양도인에게 이익배당을 하거나 신주를 배정하면 되

---

141) 이철송, 전게서, 373면; 정동윤, 전게서, 276면; 대법원 1993.7.13. 92다40952: 주식을 양도 받은 주식양수인들이 명의개서를 청구하였는데도 위 주식양도에 입회하여 그 양도를 승낙 하였고 더구나 그 후 주식양수인들의 주주로서의 지위를 인정한 바 있는 회사의 대표이사 가 정당한 사유 없이 그 명의개서를 거절한 것이라면 회사는 그 명의개서가 없음을 이유로 그 양도의 효력과 주식양수인의 주주로서의 지위를 부인할 수 없다.

142) 송옥렬, 전게서, 841면.

고 이로써 면책된다. 동일한 취지에서, 아직 명의개서를 하지 않은 양수인은 대항력을 갖추지 못하였으므로 회사에 대하여 다시 이익배당이나 신주발행을 청구하더라도 회사는 이에 응할 필요가 없다. 여기서 명의개서를 하지 않고 있던 주식을 광의의 실기주(失期株), 양도인에게 배정된 신주를 협의의 실기주라고 부른다. 이상의 법리는 회사가 양수인이 실질주주임을 알았다 하더라도 마찬가지이다.[143]

다) 양도인과 양수인간의 관계

주식의 양도인과 양수인간의 관계에서 누구에게 주주권 행사의 효과가 귀속될 것인지는 두 당사자의 개인법적 문제이고 회사법상의 문제는 아니다. 우선 양도인과 양수인 사이에 그 권리의 귀속에 관해 별개의 합의가 있다면 그에 따르면 될 것이다.

이러한 합의가 없는 경우는 어떠한가? 당사자 간에 있어서는 이미 주주권이 양수인에게 이전되었다고 할 것이므로 그 권리는 양수인에게 귀속되어야 한다는 것이 통설인데, 그 법적 근거에 대해서는 견해가 나뉜다.

첫째, 부당이득설은 양도인이 법률상 원인 없이 이득을 얻었다고 보고 부당이득반환의 법리(민법 제741조)에 의해 그 이득을 양도인에게 반환하여야 한다고 본다.[144] 특히 실기주 문제와 관련하여, 부당이득설은 신주 자체는 반환할 필요가 없고, 양도인이 취득한 부당이득(신주의 발행가액과 시가와의 차액)의 반환만을 인정한다. 이러한 부당이득설에 대하여는 양수인이 명의개서를 미필한 것일 뿐이고 주식양도사실이 존재하므로 법률상 원인이 없다고 보기 어렵다는 비판이 있다. 또한 부당이득반환청구시 반환범위는 수익자가 선의인 경우에는 이익현존 한도이고, 악의인 경우에는 받은 이익에 이자를 붙여 반환하고 손해가 있으면 손해도 배상하여야 하는데, 주식양도인을 악의의 수익자로 보는 것은 부당하다는 문제점도 있다.[145]

둘째, 사무관리설은 양도인이 실질적 권리자인 양수인의 사무관리자로서 이익 또는 신주를 취득한 것이므로 사무관리의 법리에 의하여 이익이나 신주를 양수인에게 반환하여야 한다고 본다.[146] 사무관리설의 난점으로는, 사무관리시에

---

143) 대법원 2017.3.23. 2015다248342 전원합의체.
144) 정동윤, 전게서, 277면.
145) 임재연, 전게서, 568면.

타인을 위한 의사(사무관리의사)가 있어야 하는데 양도인은 일반적으로 본인을 위한 의사에 기하여 이익이나 신주를 받는다는 점이 지적된다.

셋째, 준사무관리설은 양도인을 준사무관리의 관리자로 보고 이에 따른 의무를 부담한다고 설명한다.[147] 준사무관리설에 의하면 양도인은 주주권 행사로 인한 모든 이익(예: 신주 또는 매각대금, 신주로 인한 배당금, 무상주, 유상신주 등 신주에 의해 얻은 모든 이익)을 반환하고, 주주권행사에 소요된 비용(예: 신주의 납입금)은 유익비로서 청구할 수 있으므로 형평을 기할 수 있다는 장점이 있다(민법 제739조). 다만 준사무관리설은 민법상 확립된 개념이 아니라는 지적이 있다.

Ⅲ. 주식·사채의 전자등록 박 철 영*

1. 서 설

자본시장 발달에 따라 도입된 증권의 예탁결제제도는 유가증권의 발행과 유통을 획기적으로 효율화하였다. 자본시장에서 예탁계좌를 통한 증권의 보유와 거래가 일반화되었고, 이를 통해 유가증권의 부동화(immobilization)와 무권화(dematerialization)가 달성되었다. 그 결과 주식·사채 등의 권리를 유통하는데 있어 더 이상 주권·사채권 등의 유가증권은 불필요하게 되었고, 정보통신기술 발전에 따라 유가증권을 아예 발행하지 않고 그에 표시되었던 권리를 전자등록부에 전자적으로 기재하여 그 발행·유통의 전 과정을 전자화하는 전자등록제도[1]가 등장하였다.

전자등록제도는 1980년대부터 세계적으로 도입되었지만[2] 우리나라에서는 2011

---

146) 정찬형, 전게서, 813면.
147) 임재연, 전게서, 569면; 송옥렬, 전게서, 842면; 최기원, 전게서, 402면; 최준선, 전게서, 639면.

  * 한국예탁결제원 전무이사, 법학박사
 1) 상법상 주식·사채 등의 권리를 전자등록하는 것을 내용으로 하므로 '전자등록제도'로 부르기도 하고, 자본시장법상 '증권'을 전자등록의 방법으로 전자화하는 것이므로 '전자증권제도'로 부르기도 한다. 법제처(법률제명약칭위원회)는 「주식·사채 등의 전자등록에 관한 법률」의 약칭을 '전자증권법'으로 정하였다(20017.5.26.).
 2) 덴마크가 1980년 Danish Securities Center Act를 제정하여 1983년부터 단계적으로 증권을 전자화한 것이 처음이고, 이후 프랑스(1988년), 영국(1996년) 등으로 확대되었다.

년 상법 개정과 2016년 「주식·사채 등의 전자등록에 관한 법률」(이하 '전자증권법'이라 한다)의 제정에 의해 뒤늦게 도입되었다.[3] 2019년 전자증권법이 시행됨에 따라 1950년대 초 증권시장 형성 이후 70년 이상 지속되어 온 종이 형태 유가증권 대부분이 전자화되었다. 유가증권에 표시되었던 주식·사채 등의 권리 자체를 전자등록부 기록 형태로 유통하는 것이 가능해졌다. 주식·사채 등을 전자등록한 회사는 더 이상 주권·사채권 등 유가증권을 발행할 수 없게 되었고, 주주·사채권자 등은 자신의 명의로 주식·사채 등을 직접보유하게 되었으며, 예탁결제제도에 의한 주식의 간접보유에 따라 형해화되었던 주주명부는 본래의 모습을 되찾게 되었다.

주식·사채 등의 전자등록 여부는 원칙적으로 발행인의 선택에 맡겨진다. 전자등록제도 도입에 불구하고 자본시장법상 예탁결제제도 역시 그대로 유지된다. 따라서 주식·사채 등의 발행·유통에 관한 사항은 주권·사채권 등의 유가증권을 발행하면 상법·자본시장법에 의해서, 주식·사채 등의 권리를 전자등록하면 전자증권법에 의해서 각각 규율된다. 한편, 상장증권에 대해서는 전자등록제도 적용이 의무화되기 때문에 주식·사채 등의 발행·유통에 관한 상법·자본시장법의 규정은 비상장회사를 위한 법률이 된다. 자본시장에서의 증권 발행·유통체계가 상장증권과 비상장증권, 전자등록제도와 예탁결제제도, 전자증권법과 상법·자본시장법 등으로 이원화된 것이다. 이러한 상태에서 전자등록제도를 유가증권이 아닌 권리 자체의 전자등록이라는 성질과 증권 발행·유통의 완전한 전자화라는 목적에 맞게 구성·운영하는 데에는 한계가 있을 수밖에 없다.[4] 그러므로 주식·사채 등의 전자등록에 관한 상법·자본시장법과 전자증권법의 조화로운 해석·운용이 요구되고, 제도적으로 미흡한 부분에 대한 법률적·실무적

---

3) 우리나라의 경우 1990년대 후반들어 예탁결제제도 발전 차원에서 유가증권의 완전한 무권화 내지 전자화가 논의되었다(이철송, "예탁유가증권의 선진화와 증권무권화를 위한 법적 정비," 「증시 효율화를 위한 예탁결제제도 및 무권화제도 발전방향」(증권예탁원세미나자료집, 1996. 10.), 50면; 정찬형, "유가증권의 무권화제도," 「비교사법」 제3권 제2호(증권예탁결제제도의 법적 과제, 1996. 12.), 179면 등). 그러나 그 당시 이미 예탁결제제도에 의해 유가증권의 부동화와 무권화가 높은 수준으로 이루어졌기 때문에 새로운 법률의 제정을 요하는 전자등록제도의 도입은 반드시 필요한 것이 아니었다.

4) 전자등록제도는 기술적인 면에서 예탁결제제도를 승계한 것으로서 운영구조가 거의 같고, 예탁결제제도가 유지됨에 따라 같은 종류의 증권에 대해 양 제도가 병행되는 경우가 있다(비상장주식이 대표적이다). 그렇기 때문에 전자등록제도가 유가증권의 존재를 부정하면서도 예탁결제제도 하에서 유가증권을 기반으로 형성된 원칙과 관행을 완전히 탈피하기가 어렵다.

보완도 필요하다.

2. 전자등록제도의 도입

가. 2011년 상법 개정

2011년 4월 14일 개정 상법은 정보통신기술 발달과 세계적인 유가증권의 무권화(dematerialization) 내지 전자화 추세를 수용하여 주식·사채 등 상법상 유가증권의 전자등록제도를 도입하였다(2012년 4월 15일 시행). 주식·사채 및 신주인수권(주주 및 신수인수권부사채권자의 신주인수권을 포함한다. 이하 같다)의 전자등록에 관한 사항을 신설하고(제356조의2, 제420조의4, 제478조 제3항, 제516조의7), 유가증권에 관한 총칙규정을 개정하여 금전의 지급청구권, 물건 또는 유가증권의 인도청구권 및 사원의 지위를 표시하는 유가증권도 전자등록할 수 있게 하였다(제65조 제2항).[5)]

그러나 상법은 주식·사채 및 신주인수권 등의 전자등록제도를 완결적으로 규정하지 아니하고 그 구체적인 내용을 다른 법률에 위임하였다. 상법에서는 회사가 주권·사채권 등을 발행하는 대신 정관으로 정하는 바에 따라 주식·사채 등을 전자등록기관의 전자등록부에 등록할 수 있다는 뜻과 그러한 주식·사채 등의 양도·입질방법, 전자등록부 등록의 권리추정력과 선의취득 등 전자등록제도의 기본사항만을 규정하였다. 전자등록기관, 전자등록의 절차·방법 등 전자등록제도의 구체적인 사항은 다른 법률(전자증권법)에서 정하도록 하였다(제356조의2 제4항).[6)] 주식, 사채, 신주인수권증서, 신주인수권증권 등은 자본시장법상

---

5) 상법 제65조는 유가증권 총칙규정으로서 유가증권의 개념과 적용법규를 규정하고 있다. 2011년 개정에서는 유가증권의 범위에 '사원의 지위를 표시하는 유가증권'을 추가하였고(제1항), 주식의 전자등록에 관한 규정을 준용하는 방식으로 다른 종류 유가증권의 전자화 근거를 마련하였다(제2항). 그런데 금전의 지급청구권이나 물건 또는 유가증권의 인도청구권을 표시하는 유가증권을 모두 다 주식과 같은 전자등록방식으로 발행할 수 있는 것은 아니고, 전자문서방식 등 다른 방법으로 전자화할 수도 있다. 따라서 입법론적으로는 제65조 제2항을 유가증권의 전자등록 근거규정이 아니라 유가증권 전자화에 관한 선언적 규정으로 하는 것이 타당하다(정경영, 「유가증권 전자화의 법리 연구」(동방문화사, 2019), 16면).

6) 2011년 개정 상법 제356조의2 제4항은 전자등록제도에 관하여 필요한 사항을 대통령령으로 정하도록 하였으나, 실제 이에 따른 대통령령은 제정되지 못했다. 전자등록제도에 관하여 필요한 사항은 대부분 법률로 정해야 하는 것이기 때문이다. 이에 전자증권법이 제정되었고, 동법은 상법 제356조의2 제4항의 '대통령령'을 '법률'로 개정하였다(부칙 제10조 제1항). 그 구체적 경위에 대해서는 정찬형, "전자증권제도 도입에 따른 관련제도의 정비·개

증권으로 예탁결제제도를 통하여 발행·유통되고 있고, 전자등록제도가 기술적
으로는 예탁결제제도의 계좌구조를 승계하지만 법률적으로 예탁결제제도를 대체
하는 것이기 때문에 실제 주식·사채 등의 전자등록제도를 도입하기 위해서는
자본시장법 개정 또는 새로운 법률 제정이 필요하였다. 상법의 규정은 주식·사
채 등 상법상 유가증권을 전자등록방식으로 전자화할 수 있는 법적 근거를 마련
한 데에 의의가 있다.

나. 2011년 전자단기사채법 제정

기업의 주된 단기자금 조달수단으로 활용되고 있는 기업어음(Commercial
Paper)은 융통어음으로서 신속하고 간편하게 발행할 수 있는 장점에도 불구하고
경제적 실질(사채)과 다른 법적 형식으로 인하여 발행·유통상 많은 문제를 낳
고 있었다. 약속어음이라는 성질상 권면 분할이 불가능하여 유통성에 한계가 있
고, 발행·유통정보가 충분히 공시되지 않아 투자자가 정보 부족으로 인한 투자
위험에 노출되며, 실물증권이 발행되어야 하기 때문에 발행비용 외에 위·변조,
분실 등의 위험도 발생한다. 이뿐만 아니라, 단기금융상품이라는 성질에도 불구
하고 상환이 어음교환방식으로 이루어져 3일 이하 단기물은 거의 없고, 대부분
6개월 내지 1년 이상 장기로 발행되어 회사채 시장을 잠식하는 기형적 모습을
보였다.[7]

이에 정부는 2011년 7월 일본의 예[8]에 따라 「전자단기사채 등의 발행 및
유통에 관한 법률」(이하 '전자단기사채법'이라 한다)을 제정하여 종이 형태의 약속
어음을 대신하는 전자단기사채를 도입하였다(2013년 1월 15일 시행). 전자단기사
채는 기업어음과 같은 상품성을 갖는 만기 1년 미만의 사채로서[9] 그 법적 형식

선,"「예탁결제」 제100호(한국예탁결제원, 2017), 15면 참조.

7) 기업어음의 문제점에 대해서는 박철영, "전자단기사채제도의 법적 쟁점과 과제,"「상사법연
  구」 제32권 제3호(한국상사법학회, 2013), 10면 참조.

8) 우리나라와 유사한 기업어음제도를 운영하고 있던 일본은 기업어음을 단기사채로 전환하고
  신대체제도(우리나라의 전자등록제도에 해당한다)를 도입하기 위해 2001년 「단기사채 등의
  대체에 관한 법률」(短期社債等の振替に關する法律)을 제정하였다. 2002년에는 신대체제도의
  적용대상을 일반사채, 국채 등으로 확대하기 위해 동법을 「사채 등의 대체에 관한 법률」(社
  債等の振替に關する法律)로 개정하였고, 2004년에는 다시 주식을 포함한 자본시장의 모든
  유가증권으로 적용대상으로 확대하기 위해 동법을 「사채, 주식 등의 대체에 관한 법률」(社
  債,株式等の振替に關する法律)로 개정하였다. 이하에서는 「사채, 주식 등의 대체에 관한 법
  률」을 '대체법'으로 약칭한다.

9) 상법상 사채는 (만기에 관한 직접적인 규정은 없지만) 회사의 장기적인 자금 조달을 염두

을 약속어음에서 상법상 사채로 전환하고(기업어음의 사채화) 전자등록방식으로
그 발행·유통을 전자화한 것이다(사채의 전자화).[10] 전자단기사채법은 2011년
개정 상법이 도입하고자 한 주식·사채 등의 전자등록제도를 구체화한 최초의
입법이고, 전자단기사채는 전자등록제도에 의하여 발행된 최초의 전자증권이다.

다. 2016년 전자증권법 제정

2011년 개정 상법에 의하여 주식·사채 등의 전자등록제도를 도입할 필요와
근거가 명확해졌다. 유가증권을 폐지하고 그에 표시되었던 권리를 전자적으로
등록하여 유통하는 전자등록제도를 법적으로 어떻게 구성할 것인가에 관해서는
유가증권의 무권화 필요성이 제기된 1990년대부터 많은 논의가 있었다. 그 결과
2011년 상법 개정 직후 단기사채를 대상으로 한 전자등록제도(전자단기사채제도)
가 빠르게 도입되었다. 전자단기사채제도는 전자등록제도의 시범적 실시라는 성
격이 있었는데, 전자단기사채법 제정에 의해 그동안 논란을 거듭하여 온 전자등
록제도의 운영구조와 법률 구성의 적합성이 이론적·실무적으로 확인되었다. 전
자등록계좌의 구조, 전자등록의 대상(유가증권이 아니라 그에 표시될 수 있거나 표
시되어야 할 권리), 전자등록의 효력, 전자등록된 권리의 양도·입질방법, 선의취
득 등 전자등록제도의 주요내용이 명확히 규정되었다. 2013년부터 동법에 의해
전자단기사채의 발행·유통이 안정적으로 이루어짐으로써 그동안 낯설었던 전자
등록제도가 법적·실무적으로 정착되었다.

이를 바탕으로 전자등록제도를 주식, 일반사채, 투자신탁 수익증권 등 자본
시장법상 모든 증권에 대하여 전면적으로 도입하는 입법이 본격적으로 추진되었
다. 그 결과 2016년 3월 29일, 주식·사채 등 자본시장 증권에 대한 전자등록
제도를 마련하여 그 권리의 유통을 원활하게 하고 투자자의 권익을 보호함으로
써 자본시장의 효율성과 건전성을 제고하기 위한 목적으로 전자증권법이 제정되

에 둔 것인 반면 기업어음은 주로 1년 이내의 단기자금 조달을 목적으로 하는 것이기 때문
에 이를 대체하는 단기사채의 만기를 1년 미만으로 제한하였다. 만기를 1년 이상으로 할
경우 그 기간 중 상환조건이 변경될 가능성이 높아지고 사채권자 보호를 위해 사채권자집
회를 개최하여야 하는 등 단기자금 조달수단으로서의 이점이 상실된다. 전자단기사채에 대
해서는 기업어음과 같은 상품성을 유지하도록 하기 위해 상법에 대한 여러 가지 특례, 즉
대표이사에 대한 사채발행권한 위임, 사채원부 작성의무 면제, 사채권자집회 배제 등이 부
여된다(자세한 내용은 아래 5. 마. 참조).
10) 박철영, 전게논문(2013), 11면.

었다. 이 법은 상법 제356조의2 제4항 및 이를 준용하는 제65조 제2항 등의 규정에 의하여 제정된 상법의 특별법이다. 종래 사채에 관한 특별법으로 운영되었던 전자단기사채법 및 공사채등록법은 폐지되었다. 전자증권법은 약 2년 반의 준비기간을 거쳐 2019년 9월 16일 시행되었다.

3. 전자등록제도의 구성

가. 전자등록제도의 의의

유가증권의 전자화 방식은 크게 유가증권 권면을 전자문서화하는 전자문서방식[11]과 유가증권에 표시되어야 할 권리를 전자등록부에 등록하는 전자등록방식으로 구분된다. 전자문서는 권리가 표시된 유가증권이기 때문에 종이 유가증권과 같이 증권번호로 특정되고, 문서 형식이기 때문에 권리의 이전·행사를 위한 배서와 송수신이 가능하다. 반면, 전자등록에서는 주식·사채 등의 권리가 전자등록부에 의하여 공시되고 이전되는데, 전자적 정보저장장치(disk) 내에 데이터 형태로 존재하고 유가증권과 같이 고유식별번호로 특정되지 아니하고 수량 또는 금액으로만 기재·관리된다. 2004년 제정된 「전자어음의 발행 및 유통에 관한 법률」(이하 '전자어음법'이라 한다)에 의한 전자어음제도가 전자의 대표적 예이고, 전자증권법에 의한 주식·사채 등의 전자등록제도가 후자의 대표적 예이다.

전자등록제도는 종래 주권·사채권 등 유가증권이 수행하였던 기능을 전자등록부 기록이 대신하는 것이다. 전자적 방식으로 작성·관리되는 법적 장부, 즉 전자등록부에 유가증권에 표시되어야 할 권리의 내용을 기재하여 유가증권을 발행하지 않고 오직 전자등록부 기록에 의하여 권리 귀속을 결정하는 제도라고 할 수 있다.[12] 전자증권법은 전자등록을 "주식 등의 종류, 종목, 금액, 권리자 및

---

11) 전자문서방식도 전자문서화한 유가증권을 전자증권관리기관에 등록한다는 점에서 전자등록 방식으로 설명하는 견해가 있다. 이 경우 유가증권의 전자화 방식을 전자등록 대상이 유가 증권인지 그에 표시될 수 있는 권리인지에 따라 권리등록방식과 증권등록방식으로 구분한다(손진화, "개정 회사법(2011)의 체계와 논점,"「경영법률」제21집 제3호(한국경영법률학회, 2011), 199~200면). 그러나 전자어음의 경우와 같이, 증권등록방식에서의 등록은 단지 유가증권의 발행·유통이 전자증권관리기관을 통해 이루어질 것을 요구하는 것일 뿐 권리의 발생, 이전 등과는 무관하다는 점에서 굳이 전자등록방식으로 정의할 것은 아니라고 본다.

12) 유가증권에 표시되어야 할 권리를 전자등록부에 등록하는 사실에 대해서는 다른 설명이 있을 수 없으나, 그 법률적 의미에 대한 설명은 조금씩 다르다. "전자등록부에 의해 증권을

권리내용 등 주식 등에 관한 권리의 발생·변경·소멸에 관한 정보를 전자등록
계좌부에 전자적 방식으로 기재하는 것"으로 정의하였다(제2조 제2호). 주식·사
채 등의 권리를 취득·보유하려는 자가 중개기관에 '계좌'를 개설하면 그 권리내
용 및 거래에 관한 정보를 기재하는 장부, 즉 '계좌부'가 전자적 방식으로 작성
된다. 이러한 계좌부상 정보의 기재를 '전자등록'이라 하고, 그 계좌부를 '전자등
록부'(제356조의2 제1항) 또는 '전자등록계좌부'(제2조 제3호)라 한다.[13]

　　이러한 전자등록의 실질은 예탁결제제도에서와 같은 계좌부 기록인데, 그 법
적 성질 및 효과는 서로 다르다. 예탁결제제도는 유가증권을 발행하고 이를 예
탁계좌에 예탁(혼장임치)하여 예탁계좌부에 예탁수량(공유지분)을 기재하는 것인
반면, 전자등록제도는 유가증권을 발행하지 않고 그에 표시될 권리 자체를 전자
등록계좌부에 기재하는 것이다. 어느 경우에나 유가증권의 기능을 계좌부 기록
이 대신한다고 하지만 그 내용은 다르다. 전자의 경우에는 유가증권의 점유와
교부를 대신하는 것이고, 후자의 경우에는 유가증권 자체를 대체하는 것이다.

나. 전자등록의 법리

1) 유가증권법리 적용 여부

　　유가증권이 권리를 표창한다는 것은 단순히 사실을 증명하는 것이 아니라 권
리와 어떠한 매체가 밀접하게 결합되는 화체(verkörpern)를 의미한다. 권리가 매
체에 완전히 동화되어 유체물로서의 법적 성질을 갖게 된다. 그 결과 권리의 이
전은 그 매체의 이전에 의하여야 하고 권리를 주장하기 위해서는 그 매체를 소
지·제시해야 한다. 그런데 전자등록제도에서는 탈증권화한 권리의 정보가 서면

　　둘러싼 일체의 권리관계를 나타내는 제도"로 보기도 하고(노혁준, "전자증권법상의 상법상
　　쟁점에 관한 연구: 주식 관련 법리를 중심으로," 「비교사법」 제24권 제4호(한국비교사법학
　　회, 2017), 1646면), "전자등록부상 기재에 권리관계 변동의 법적 효력을 인정하는 제도"로
　　보기도 한다(정경영, "전자증권의 법적 성질과 전자등록제도에 관한 고찰," 「상사법연구」
　　제22권 제3호(한국상사법학회, 2003), 133면). 또한 "전자등록부상 등록을 통하여 증권에
　　대한 권리의 이전과 행사가 가능한 제도" 또는 "전자등록부의 등록으로써 권리내용 및 권
　　리자를 정하고 그러한 권리의 양도, 담보설정 및 권리행사 등을 인정하는 제도"로 설명하기
　　도 한다(정순섭, "전자증권제도의 구조와 범위," 「BFL」 제96호(서울대금융법센터, 2019), 6
　　면; 김순석, "주식 등의 전자등록제도 도입의 필요성과 법적 검토과제," 「상사법연구」 제24
　　권 제3호(한국상사법학회, 2005), 131면; 정찬형, "전자증권제도 도입에 따른 법적 과제," 「상
　　사법연구」 제22권 제3호(한국상사법학회, 2003), 13면 등).
13) 이하에서는 '전자등록부'와 '전자등록계좌부'를 같은 의미로 혼용한다.

대신 전자적 방식으로 작성되는 계좌부(전자등록계좌부)에 기재되어 공시되고 이 계좌부상 대체기재 방식으로 이전된다. 이 계좌부 또는 계좌부상 기록이 유가증권의 권리표창기능을 대신하게 되는데, 권리의 '유통성 강화'라는 유가증권의 본질적인 기능은 더 향상된다. 계좌부 기록에 유가증권의 점유와 같은 권리외관을 인정할 수도 있다.

한편, 유가증권은 권리표창수단으로 반드시 종이매체를 요한다고는 할 수 없다. 종래 종이매체에 표시되었던 권리가 계좌부 기록이라는 형태로 전자매체에 표창된다고 보면, 이를 새로운 형태의 유가증권으로 볼 수도 있다. 즉, 전자등록은 유가증권(종이매체)에서 계좌부 기록(전자매체)으로 권리표창방법이 바뀌는 것에 불과할 뿐 유가증권의 본질이 변경되는 것은 아니라고 할 수 있다. 이러한 이론 구성은 일찍이 독일에서 '전자적권리표창이론'으로 주장된 바 있고[14], 국내에서도 일부 견해가 이를 따르고 있다. 이에 의하면 전자등록된 주식·사채 등은 종래의 유가증권 틀을 벗어난 권리일 수 없고 유가증권 개념의 연장선상에 존재하는 것이므로 권리표창방법의 차이에 따라 유가증권법리를 수정하여 적용해야 한다고 한다.[15]

그러나 전자등록제도에 있어 권리와 매체의 결합은 존재하지 않는다. 종이매체와 같은 전자매체 자체가 없다. 흔히 계좌부 또는 계좌부 기록을 전자매체로 보지만, 이는 관념적일 뿐이다. 전자등록시스템상 계좌부의 실질은 디스크(disk)라는 전자적 정보저장장치이고, 계좌부 기록의 실질은 이 정보저장장치 내에 저장된 전자데이터(digital data)이다. 어느 것에도 권리가 화체되지 않는다. 전산시스템 내의 디스크와 데이터는 유체물도 아니고, 권리 이전이 이 디스크나 데이터 이전에 의하여 이루어지는 것도 아니다. 권리 이전방법인 계좌간 대체[16]는 양도인 계좌부와 양수인 계좌부상 권리수량의 증감기재일 뿐 계좌부 기록 자체

---

14) Lütticke에 의해 주장된 이론으로, 독일 연방등록채관리국이 전산시스템으로 작성·관리하는 연방등록채원부에 전자적으로 등록되는 연방등록채의 유가증권성을 설명한 이론이다. 이 등록채의 경우 유가증권(債券)이 전자적 권리표창수단, 즉 디스크 등 전자적 정보저장장치에 의하여 대체되는 것으로 보고, 이러한 전자매체를 새로운 형태의 유가증권으로 인정하는 것이다. 이에 관한 자세한 내용은 임중호, "증권대체거래에 있어서의 유가증권 무권화 현상과 그 법적 문제,"「비교사법」제5권 제1호(한국비교사법학회, 1998), 411~412면 참조.

15) 정찬형, 전게논문(2003), 20면.

16) 법률상 표현은 '계좌간 대체'이지만(제30조 등), 이하에서는 일반적 용례에 따라 '계좌대체'로 약칭한다.

를 이전하는 것이 아니다. 유가증권제도에 있어 유가증권의 인도는 모든 종류의 유가증권에 공통적으로 요구되는 권리이전요건인데, 전자등록제도에서는 유가증권으로 볼 수 있는 매체의 이전이 없다.

이와 같이 전자등록제도에는 유가증권으로 볼 수 있는 권리표창수단, 즉 권리가 결합된 전자매체가 존재하지 않는다. 따라서 계좌부 기록 형태로 존재하는 전자등록된 주식·사채 등을 유가증권으로 볼 수가 없다. 계좌부 기록과 별도로 유가증권이 존재하지 않기 때문에 예탁결제제도에서와 같이 계좌부 기록을 유가증권으로 간주할 수도 없다.

2) 전자등록의 법리 구성

전자등록제도의 법리 구성을 검토함에 있어 초기에는 종이매체 유가증권에 관하여 형성된 법리를 그에 표시되었던 권리의 계좌부 기록에 그대로 적용할 필요가 있다고 보았다.[17] 전자등록된 권리도 계좌부 기록 형태로 존재하고 계좌대체의 방법으로 이전되며 계좌부 기록에 유가증권의 점유와 같은 권리외관이 부여되어 선의취득이 인정되는 등 예탁유가증권(공유지분)과 존재형식 및 유통방법이 별로 다르지 않기 때문에 비록 유가증권으로서의 물리적 특성을 갖지는 않지만 권리의 유통 면에서는 유가증권법리를 그대로 승계할 수 있다고 보았다.

그러나 유가증권법리라는 것은 반드시 종이매체는 아니더라도 어디까지나 유체물을 전제로 하는 법리이다. 유가증권법리를 승계할 필요를 인정한다고 해도 종이매체를 대신하는 전자매체가 존재하지 않는다. 계좌부 기록에 종이매체와 같은 유체성 및 권리와 매체의 결합을 인정할 수 없기 때문이다. 거래 현실과 기술 변화를 고려하여 유가증권성 판단에 있어 매체의 차이를 초월할 필요가 있다고 해도 이러한 유체성 요건을 포기할 수는 없는 것이다. 따라서 전자등록된 주식·사채 등의 권리에 대해서는 유가증권법리를 적용할 수가 없다. 유가증권법리와는 다른 전자등록의 법리, 즉 유가증권에 표시되어야 할 권리 자체를 계

---

17) 우리나라의 전자등록법리 구성에 직접 영향을 준 입법례는 일본의 「단기사채 등의 대체에 관한 법률」이었다. 동 법 제정을 위한 연구에서는 대체제도 정비방향에 관하여 "실물증권(권면)을 대신하는 전자적 기록에 권리의 발생, 이전, 소멸 등의 효과를 부여하는 법제도 정비가 필요하다"는 의견이 제시되었는데(CPのPaperless化に關する硏究會, 「CPのPaperless化を法制度の整備について」, 2000. 3.), 이는 실물증권을 대신하는 계좌부 기록에 유가증권으로서의 법적 효과를 부여한다는 생각을 표현한 것이었다(森田宏樹, 「有價證券のペーパーレス化の基礎理論」(日本銀行金融硏究所, 2006), 35~36面).

좌부에 기재하고, 그 기록에 의하여 권리를 이전하는 새로운 이론 구성이 필요하다.[18]

일본은 전자등록방식의 대체제도를 "대체계좌부 기록에 따라 권리의 귀속이 정해지는 것"으로 정의하였다(대체법 제66조, 제128조 제1항). 유가증권에 표시되어야 할 권리 자체가 대체계좌부에 기재되고, 그 기록에 따라 계좌 명의자에게 권리가 귀속된다. 우리나라의 전자증권법도 동일한 법률 구성을 취하였다. 전자등록의 대상을 주식·사채 등의 '권리'로 규정하고(제2조 제1호 각목), 전자등록을 "주식 등 권리의 발생·변경·소멸에 관한 정보를 전자등록계좌부에 전자적 방식으로 기재"하는 것으로 정의하였다(제2조 제2호). 전자증권법상 주식·사채 등의 권리는 유가증권이 아니라 권리 그 자체일 수밖에 없다. 따라서 전자등록된 권리의 이전, 행사 등에 대해서는 유가증권에 관한 민·상법의 규정이 적용될 여지가 없고, 전자증권법에 의하여 새로운 요건이 적용된다.

이러한 전자등록은 이미 발생한 권리를 전자등록계좌부에 기재하여 공시하는 것이다. 주식·사채 등의 권리는 전자등록에 따라 발생하는 것이 아니라(전자등록에 권리창설적 효력은 없다) 여전히 상법 등 관련 법률의 규정이나 계약내용에 따라 발생한다.[19] 약속어음과 같이 권면의 작성에 의하여 비로소 권리가 발생하는 설권증권은 전자등록의 대상이 될 수 없다. 전자등록계좌부 기록에 권리의 발생·이전·소멸의 효력이 부여되는 것이 아니고, 권리의 발생·이전·소멸에 관한 정보를 전자등록계좌부에 기재하는 것이다. 다만, 권리의 이전은 전자등록

---

18) 전자등록된 권리의 법적 성질이 종래와 같은 유가증권일 수는 없지만, 유가증권법리의 이점을 살리고 기존 제도와의 조화를 도모할 필요는 있다. 프랑스의 경우에는 민법상 동산으로 유체동산(chose corporelle) 뿐만 아니라 무체동산(droits mobiliers incorporels)도 인정되기 때문에 계좌부 기록을 유가증권으로 인성하는데 있어 유체성의 문제를 극복할 수 있다. 계좌부 기록이 무체동산에 해당하면 종이매체와 형식상 차이가 있지만 법적으로는 동일한 취급이 가능하다. 이에 프랑스의 다수 견해는 전자등록 권리가 비록 유체성은 없지만 계좌부 기록 형태로 실재성(materialite)을 갖는다는 점에서 이를 무체동산으로 보고 유가증권성을 인정한다. 애초의 주식·사채 등의 권리 그 자체가 아니라 계좌부 기록이라는 새로운 존재형식(instrumentum)을 가지고 소유권의 객체가 된다고 본다(森田宏樹, 上揭書, 16~18面). 우리나라의 민법은 현재 물건을 "유체물 및 전기 기타 관리할 수 있는 자연력"으로 정의하고 있지만(제98조), 데이터 보호 및 데이터산업 발전을 위하여 물건의 정의에 '관리할 수 있는 데이터'를 포함시키는 입법 논의가 이루어지고 있다(김세연의원 대표발의, "민법 일부개정법률안," 2019.11.18.). 데이터를 물건(무체동산)으로 인정하는 입법이 이루어진다면 우리나라에서도 전자등록된 권리의 유가증권성을 인정할 수 있을 것이다.
19) 김태진, "최근 일본의 주권 전자화 관련 법적 동향 분석," 「금융법연구」 제18권 제2호(한국금융법학회, 2021), 44면.

에 따라 비로소 그 효력이 발생한다.

3) 전자등록된 권리의 증권성

전자등록제도를 적용할 수 있는 유가증권은 전자등록에 적합한 것이어야 한
다(제65조 제2항). 기본적으로 비설권증권이고 유통성이 있을 것이 요구된다. 예
탁결제제도가 적용되는 자본시장법상 모든 증권이 그 대상이다.[20]

자본시장법상 증권은 기본적으로 투자성을 요소로 하는 '권리'로서[21] 특정한
존재형식을 요하지 않는다. 자본시장법이 종래의 증권거래법과 다르게 '유가증
권'이 아니라 '증권'이라는 용어를 사용한 것은 단순히 그 규정방식을 열거주의
에서 포괄주의로 변경하였기 때문만은 아니고, 금융의 증권화 및 각종 투자기법
의 발달에 따라 자본시장의 금융투자상품은 더 이상 유가증권의 형식, 즉 증서
(證書)를 요하지도 않고 그 틀에 가둘 수도 없기 때문이었다. 유가증권의 형식이
아니라 권리의 실질, 즉 투자성을 기준으로 증권성을 판단하고자 한 것이다. 여
기서 유가증권(증서)의 발행은 큰 의미가 없다. 유가증권에 관하여 우리나라의
민·상법이 독일의 전통적 유가증권법리에 따라 권리와 증서의 결합을 중시한
반면, 자본시장법은 미국의 증권법을 본받아 증서 형식을 엄격히 요구하지 않는
다.[22]

자본시장법상 증권의 개념과 그 구성요소는 상법상 유가증권의 그것과는 기
본적으로 다르다. 유가증권이 권리를 표창하는 형식(증서)을 기준으로 한 개념인
반면, 자본시장법상 증권은 그 권리의 내용(투자성)을 기준으로 한 개념이다. 이
에 따라 일반적으로 유가증권 또는 증권으로 알려져 있는 것들은 그 형식과 내

---

20) 전자증권법이 전자등록의 대상을 자본시장법상 증권으로 명시한 것은 아니고, 아래에 설명
하는 바와 같이 그에 해당하는 권리를 열거하고 있다(제2조 제1호 각목).
21) 자본시장법상 증권을 포함하는 금융투자상품이란 이익을 얻거나 손실을 회피할 목적으로
현재 또는 장래 특정시점에 금전, 그 밖에 재산적 가치가 있는 것을 지급하기로 약정함으
로써 취득하는 '권리'이다(제3조 제1항).
22) 자본시장법은 증권을 정의함에 있어 유가증권의 개념 내지 그 형식적 요소를 완전히지는
탈피하지는 못했다. 즉, 증권을 "금전 등을 지급하기로 약정함으로써 취득하는 권리"로 보
면서도 6가지 유형의 증권 모두 "…권리가 표시된 것"으로 규정하였다(제4조 제3항~제8
항). 권리표창수단으로 반드시 증서일 필요는 없으나 어떠한 매체를 요구한 것이다. 그러나
실제 자본시장에서는 증서가 발행되지 않는 경우가 대부분이고 어떠한 매체의 존재를 반드
시 요구할 수가 없다. 따라서 자본시장법은 "증권에 표시될 수 있거나 표시되어야 할 권리
는 그 증권이 발행되지 아니한 경우에도 그 증권으로 본다"고 함으로써(제4조 제9항) 권리
가 화체된 유체물이 존재하지 않더라도 그 권리 자체를 증권으로 인정하였다.

용에 따라 상법상 유가증권과 자본시장법상 증권이라는 이중적 지위를 갖게 된다. 자본시장법상 증권 중 증서나 어떠한 매체에 표시된 것은 유가증권에 해당하고, 상법상 유가증권 중 투자성이 있는 것은 자본시장법상 증권에 해당한다. 상법상 유가증권과 달리 종이매체를 반드시 요구하지 않는 자본시장법상 증권에 있어서는 탈증권화된 권리 자체를 증권으로 인정하는데 아무런 문제가 없다. 따라서 전자등록제도에 의하여 전자등록된 권리는 상법상 유가증권은 아니나 자본시장법상 증권에는 해당한다. 다만, 자본시장법이 권리 형태의 증권을 정면으로 인정하지 않기 때문에 계좌부 기록 형태로 존재하는 권리는 자본시장법상 당연한 증권이 아니고 증권으로 의제된다.[23)

이와 같이 전자등록제도에 의하여 전자등록된 권리는 상법상 유가증권이 아니나 자본시장법상 증권이기 때문에 일반적으로 '전자증권'이라 부른다. 전자등록된 권리는 유가증권이 아니므로 전자증권이라는 용어는 부적합하다고 볼 수도 있지만, 여기서 '증권'이 의미하는 것은 '유가증권'이 아니라 자본시장법상 '증권'이다. 전자증권은 전자등록된 권리의 유가증권성과는 무관한 개념이다. 전자등록된 유가증권, 즉 전자어음법상 전자어음과 같은 '전자유가증권'이 아니라, 자본시장법상 증권으로서 전자등록제도에 따라 전자등록된 것(전자등록증권)을 말한다. 법제처가 「주식, 사채 등의 전자등록에 한 법률」의 공식 약칭을 '전자증권법'으로 정한 것도 이러한 점을 고려한 것이다.

다. 적용대상

1) 적용대상 증권

상법상 모든 종류의 유가증권은 원칙적으로 전자등록제도 적용대상이 된다. 다만, 그에 표시되어야 할 권리가 전자등록에 적합한 것이어야 한다. 상법은 금전의 지급청구권, 물건 또는 유가증권의 인도청구권, 사원의 지위를 표시하는 유가증권 중 권리의 발생·변경·소멸을 전자등록하는데 적합한 유가증권을 전자등록제도 적용대상으로 규정하였다(제65조 제2항). 그리고 그 중 가장 대표적이고 전자등록의 필요가 큰 주권, 사채권, 신주인수권증서 및 신주인수권증서에

---

23) 자본시장법상 증권의 개념을 재정의하여 권리 상태의 증권을 정면으로 인정할 필요가 있다. 이 경우 증권은 미국(UCC) 등과 같이 증서증권(certificated securities)과 무증서증권(uncertificated securities)으로 구분되고, 전자증권은 후자의 한 유형이 된다.

대해서는 구체적인 근거규정을 두었다(제356조의2, 제420조의4, 제478조 제3항, 제516조의7).

상법의 특별법으로 제정된 전자증권법은 자본시장법상 '증권'의 대부분을 전자등록제도 적용대상으로 하였다. 구체적으로 주식, 사채(신탁사채, 파생결합사채 및 조건부자본증권도 포함한다), 국채, 지방채, 특수채, 신주인수권, 신탁법상 수익권, 투자신탁 수익권, 파생결합증권(파생결합사채나 신탁법상 수익권에 해당되는 것은 제외한다), 증권예탁증권, 주택저당증권, 학자금대출증권, 자산유동화증권 등을 열거하였다(제2조 제1호, 시행령 제2조). 외국법인 등이 국내에서 발행하는 증권도 포함된다. 그러나 자본시장법상 증권 중 기업어음(CP)은 전자등록을 할 수 없는 설권증권(약속어음)이라는 성질상 제외하였다. 또한 주식 이외의 지분증권은 유통성에 제약이 있어서, 투자계약증권은 권리내용이 비정형적이어서 전자등록에 적합하지 않기 때문에 제외하였다. 반면, 자본시장법상 증권에는 해당하지 않지만 발행·유통상 전자등록의 필요가 있고 전자등록에 적합한 금융투자상품은 적용대상에 포함시켰다. 양도성예금증서(CD)가 그것이다. 이와 같은 증권은 이미 예탁결제제도에 의해 해당 유가증권의 기능을 계좌부 기록이 대신해 왔기 때문에 전자등록에 적합하고, 자본시장에서 대량으로 발행·유통되는 특성상 전자문서방식으로는 전자화할 수 없는 증권이다.

전자등록제도 적용대상을 규정하는 방식으로서 이러한 열거주의보다는 포괄주의 방식이 바람직하다고 할 수 있다.[24] 열거주의에 의하면 법령에 규정되지 않은 증권은 원천적으로 전자등록을 할 수 없고, 새로운 종류의 증권이 출현했을 때 신속히 수용할 수 없는 문제가 발생하기 때문이다. 그러나 전자증권법은 전자등록제도의 법적 안정성과 예측 가능성을 고려하여 열거주의 방식을 택하였다. 다만, 전자등록 대상인 증권(권리)과 '비슷한 권리'로서 전자등록에 적합한 것에 대해서는 전자증권법시행령이 규정하도록 함으로써 열거주의의 문제를 최소화하였다(제2조 제1호 거목).

---

24) 노혁준, 전게논문, 1652면; 고동원, "주식 등의 전자등록제도 도입에 따른 관련 법제의 개선방안," 「예탁결제」 제109호(한국예탁결제원, 2019), 20면(발행인으로부터 종목별로 전자등록의 신청을 받은 전자등록기관이 전자등록의 적합성을 심사하여 전자등록 여부를 판단하기 때문에 포괄주의 방식으로 해도 법적 안정성에는 문제가 없다고 본다).

2) 전자등록의 대상

전자등록제도는 주권이나 社債券 등을 발행하는 대신 그에 표시되어야 할 주식이나 社債權 등을 전자등록계좌부에 전자적 방식으로 기재하는 것이다. 주식이라는 권리를 표시한 주권을 전자등록하는 것이 아니라 주식이라는 권리 그 자체를 전자등록하는 것이다. 전자증권법은 전자등록제도 적용대상인 증권을 규정함에 있어 "표시될 수 있거나 표시되어야 할 권리"임을 명확히 하고(제2조 제1호 각목), 전자등록계좌부 기재되는 것을 "권리의 발생·변경·소멸에 관한 정보"로 규정하였다(제2조 제2호). 상법은 "유가증권 등의 전자등록업무"(제356조의2 제1항), "유가증권으로서…전자등록부에 전자등록할 수 있다"(제65조 제2항) 등 마치 유가증권 자체를 전자등록하는 것처럼 규정하고 있는데, 이는 전자등록에 관한 정확한 표현이 아니므로 수정되어야 한다.[25]

기술한 바와 같이, 이렇게 전자등록되는 권리는 자본시장법상 '증권'이지만, 유가증권이 아니고 민법상 물건에도 해당되지 않는다. 그렇다면 이에 대한 전면적·배타적 지배권(사용·수익·처분권), 즉 물건의 소유권과 같은 권리를 무엇으로 보아야 하는지가 문제된다.[26] 전자증권법은 이 역시 소유권으로 보았다. 전자등록된 주식 등의 권리자로서 '소유자'를 인정하고(제2조 제5호), 소유자의 성명 등을 기재하는 소유자명세, 소유자증명서, 소유내용 통지 등을 규정하였다(제37조, 제39조, 제40조). 유가증권이 아닌 그에 표시되어야 할 권리 그 자체에 소유권을 인정하는 것은 민법상 물권의 법리에 맞지 않는다. 그러나 일반적·추상적 권리와 달리 계좌부 기록이라는 실체를 가지는 전자등록된 권리에 대해서는 사실상 지배관계에 따라 준점유(민법 제210조)가 인정되듯이 그 권리자는 전자등록제도 내에서 소유권과 같은 전면적·배타적 지배권을 행사할 수 있다. 전자등록된 권리에 대하여 물성을 인정하지 않는다 해도 민법상 물건의 소유에 준하는 효과는 인정할 수 있다고 본다.

3) 발행인의 선택

어떠한 증권에 대하여 전자등록제도를 적용할 것인지 여부는 발행인의 선택

---

25) 고동원, 상게논문, 37면.
26) 전자등록된 주식에 대하여 주권과 동일하게 소유권을 갖도록 함이 타당한지에 대하여는 논란이 있을 수 있다(노혁준, 전게논문, 1651면).

사항이다. 증권 발행·유통의 효율성만을 생각하면 모든 증권에 대하여 전자등록을 강제할 수 있지만, 이는 유가증권의 필요를 전면 부정하는 것이므로 불합리하다. 상법은 회사가 정관에 의하여 주식·사채 등에 전자등록제도를 선택적으로 적용할 수 있게 하였다(제356조의2, 제420조의4, 제478조 제3항, 제516조의7). 있다. 상법상 주권·사채권 발행이 원칙이므로 회사는 주권·사채권을 발행할 수도 있고(주권의 경우 예탁결제제도를 이용한 주권불소지제도를 통하여 불발행할 수도 있다), 정관을 변경하여 주식·사채를 전자등록할 수도 있다. 정관에 규정이 없는 상태에서의 전자등록은 효력이 없다.

전자등록제도의 실효성을 높이기 위해서는 일정한 증권에 대하여 전자등록을 의무화할 필요가 있다. 전자증권법은 유통성이 높아 건전한 거래질서와 투자자 보호 등이 필요한 증권으로서 이미 예탁결제기관에의 예탁이 의무화되어 있거나 실물증권이 발행되지 않는 상장증권, 투자신탁 수익권, 투자회사 주식, 파생결합 증권, 증권예탁증권(KDR), 주택저당증권, 학자금대출증권, 조건부자본증권 등에 대해서는 전자등록을 의무화하였다(제25조 제1항 단서, 시행령 제18조).

비상장증권은 거래규모, 투자자보호 등의 측면에서 상대적으로 전자등록 필요성이 크지 않으므로 원칙적으로는 발행인이 자율적으로 증권의 발행방법을 선택할 수 있다. 그러나 전자등록주식과 직접 관련되는 증권에 대해서는 관리상 효율성과 투자자 보호 등을 위하여 전자등록을 의무화하였다. 전자등록주식과 내용이 다른 종류주식 및 그에 대한 신주인수권(신주인수증서 또는 신주인수권증권에 표시되어야 할 권리)이 그것이다(전자등록업규정 제3-1조). 같은 취지에서 전자등록주식에 대한 전환권, 교환권, 신주인수권 등이 부여된 사채도 포함시킬 필요가 있다.

4) 전자등록의 요건

어떠한 증권에 전자등록제도를 적용하기 위해서는 그 발행인이 먼저 정관, 약관, 계약 등 증권의 발행근거가 되는 것에 그 뜻을 정하고, 실제 증권을 발행하는 때에 전자등록기관에 전자등록을 신청하여야 한다.[27]

전자등록을 할 수 있는 증권은 "그 권리의 발생·변경·소멸을 전자등록하는

---

27) 전자등록의 신청은 발행인 외에 권리자도 신청할 수 있고, 이러한 신청행위 없이 전자등록기관·계좌관리기관의 직권 또는 관공서 촉탁으로도 할 수 있다(제24조).

데에 적합한 것"이어야 한다(제65조 제2항, 법 제2조 제1호 거목). 이에 전자증권법은 전자등록에 일정한 요건을 부과하고 있다. ① 증권의 성질이나 법령 또는 정관·약관·계약 등 발행근거상 양도될 수 없거나 양도가 제한되지 않아야 하고, ② 같은 종류의 증권이 권리내용이 다르거나 대체 가능성이 없어서는 안되며, ③ 증권의 발행 및 취득·보유가 법령에 위반되지 않아야 하며, ④ 전자등록기관을 통한 권리행사가 가능해야 하고, ⑤ 주식의 경우에는 명의개서대행회사를 선임해야 한다(제25조 제6항, 시행령 제21조). 증권을 전자등록하고자 하는 발행인은 전자등록기관에 전자등록을 신청하기 전에 위 요건에 대한 사전심사를 신청하여야 하고(제25조 제2항), 전자등록기관은 위 요건을 충족하지 못하는 경우에는 전자등록을 거부할 수 있다(제25조 제6항).

위의 요건 중 '전자등록기관을 통한 권리행사'는 전자등록제도 성질상 절대적인 것은 아니다. 전자등록증권은 전자등록기관이 아니라 권리자 본인 명의로 주주명부 등 소유자명부에 기재되기 때문에 권리자가 직접 권리를 행사하는 것이 원칙이다. 전자증권법은 발행인 및 권리자의 편의와 사무효율을 고려하여 전자등록기관을 통해서도 권리를 행사할 수 있도록 한 것이다(제38조). 전자등록기관이 권리행사를 할 수 없는 증권도 권리자의 직접 행사가 가능하다면 전자등록제도를 이용할 수 있어야 한다. 전자등록기관의 심사에 있어 이 요건의 적용은 최대한 자제될 필요가 있다. 권리의 양도성 역시 마찬가지다. 전자등록제도가 권리의 유통 원활화를 목적으로 하지만 이것이 유일한 목적은 아니다. 비록 양도성에 제한이 있더라도 전자등록에 의한 발행비용과 위험의 절감, 거래의 투명성 확보 등의 필요를 배척할 것은 아니다. 전자등록 실무상 양도제한이 있는 증권에 대해서는 필요한 동의·승인절차를 거쳐 계좌대체의 전자등록을 하는 방법을 강구해 볼 수 있다.[28] 장기적으로 전자등록 배제사유를 축소해 나가야 한다.[29]

---

28) 예탁제도에서는 양도가 제한되는 증권이라도 양도제한에 기한이 있는 등 해당 증권의 예탁 및 계좌대체등의 업무를 수행에 지장이 없다고 인정하는 경우에는 예탁대상증권으로 지정하고 있다(증권예탁업무규정 제7조 제1항 제1호 단서).

29) 노혁준, 전게논문, 1654면.

라. 전자등록의 구조

1) 계좌구조

가) 기본구조

전자등록의 계좌구조는 예탁결제제도와 거의 같아서 '투자자-계좌관리기관-전자등록기관'의 계층구조(2-tier)를 취한다. 개인, 법인 등의 투자자가 직접 전자등록기관에 전자등록계좌를 개설하지 않고 증권회사 등의 계좌관리기관에 전자등록계좌(고객계좌)를 개설하여 증권을 등록하며, 계좌관리기관은 고객계좌에 등록된 증권의 총량을 관리하기 위하여 전자등록기관에 고객관리계좌를 개설한다. 다만, 계좌관리기관 및 일정한 요건을 갖춘 법인 등은30) 직접 전자등록기관에 등록계좌(계좌관리기관등 자기계좌)를 개설하여 자기재산인 증권을 등록할 수 있다.

나) 전자등록계좌부(전자등록부)

전자등록계좌부는 그 기재에 전자등록의 법적 효력이 부여되는 장부이다. 전자등록계좌를 운영하는 자가 작성하고, 전자등록계좌를 개설한 자의 명의로 작성한다. 전자증권법은 전자등록계좌부를 "주식 등에 관한 권리의 발생·변경·소멸에 관한 정보를 전자적 방식으로 편성한 장부"로 규정하고 있는데(제2조 제3호 본문), 상법은 이를 '전자등록부'라 한다(제356조의2 제1항). 전자등록계좌부는 전자등록기관이 작성하는 '계좌관리기관 등 자기계좌부'와 계좌관리기관이 작성하는 '고객계좌부'로 구분된다(제2조 제3호 각목). 그리고 이미 발행된 주권을 전자등록하는 경우 그 전환요건31)을 갖추지 못한 권리자를 위하여 명의개서대행회사 또는 전자등록기관이 주주명부 등에 기재된 자의 명의로 작성하는 임시 전자등록계좌부로서 '특별계좌부'가 있다(제29조 제1항).

상법은 전자등록부를 "전자등록기관(유가증권 등의 전자등록업무를 취급하는 기

---

30) 계좌관리기관 외에 법률에 따라 설립된 기금과 이를 운용·관리하는 법인, 국가, 지방자치단체, 공공기관, 거래소, 법률에 따라 공제사업을 영위하는 법인, 외국법인 등도 증권의 보유규모·목적 등에 따라 전자등록기관에 직접 전자등록계좌를 개설할 수 있다(제23조 제1항, 시행령 제16조).

31) 주권 등의 권리자는 전자등록으로의 전환 기준일 직전 영업일까지 계좌관리기관에 전자등록계좌를 개설하여 발행인에게 그 계좌를 통지하고 주권을 제출하여야 한다(제27조 제1항 제2호).

관을 말한다)의 전자등록부"로 규정하고 있다(제356조의2 제1항). 이를 문언대로만 해석하면 계좌관리기관의 고객계좌부는 전자등록부가 아니게 되는 문제가 있다. 상법과 전자증권법의 용어와 그 정의가 다르기 때문인데, '전자등록업무를 취급하는 기관'에 계좌관리기관을 포함하는 것으로 해석하여야 한다.

다) 관리계좌부: 고객관리계좌부 및 발행인관리계좌부

고객계좌를 운영하는 계좌관리기관은 전자등록기관에 고객관리계좌를 개설하여 자신의 고객계좌부에 등록된 증권의 총수량을 다시 등록한다. 이를 위해 전자등록기관은 계좌관리기관별로 '고객관리계좌부'를 작성해야 한다(제22조 제3항·제4항). 이 고객관리계좌부는 전자등록의 법적 효력 부여가 아니라 단지 전자등록증권의 총수량을 효과적으로 파악·관리하기 위한 계좌부이다.

증권의 발행인도 전자등록기관에 발행인관리계좌를 개설하여 발행인에 관한 정보와 전자등록하는 증권에 관한 정보를 등록한다. 이를 위해 전자등록기관은 발행인별로 '발행인관리계좌부'를 작성해야 한다(제21조 제1항·제2항). 전자등록의 방법으로 발행하는 증권은 이 발행인관리계좌부에 등록됨과 동시에 그 소유자의 전자등록계좌부(고객계좌부 또는 계좌관리기관 등 자기계좌부)에 등록된다. 신규발행, 소각 등으로 발행인관리계좌부에 등록된 내용이 변경되는 경우 발행인은 그 내용을 전자등록기관에 통지하여 발행인관리계좌부의 기록을 변경하여야 한다(제21조 제3항). 발행인관리계좌부 역시 전자등록의 법적 효력 부여가 아니라 발행하는 증권의 총수량의 효과적으로 관리하기 위한 계좌부이다. 발행인관리계좌부는 전자등록의 정확성을 판단하는 기준이 된다.[32]

2) 운영기관

가) 전자등록기관

전자등록제도는 정부(금융위원회 및 법무부)로부터 전자등록업을 허가[33]받은 전자등록기관(제2조 제6호)을 중심으로 운영된다. 현재는 자본시장법에 의해 증

---

32) 전자등록기관은 발행인관리계좌부 등록수량을 기준으로 초과분 발생여부(계좌관리기관 등 자기계좌부 총수량 + 고객관리계좌부 총수량 > 발행인관리계좌부 총수량)를 판단한다(제42조 제2항).

33) 전자등록업의 허가는 업무단위별로 이루어져 업무단위 일부 또는 전부를 허가할 수 있다. 업무단위는 증권의 종류에 따라 6개 단위로 구분되고, 최저자본금요건이 최저 200억원에서 최고 2,000억원까지 차등 적용된다(시행령 별표1).

권의 예탁결제기관으로 설립된 한국예탁결제원(이하 '예탁결제원'이라 한다)이 유일하다.[34] 전자등록기관은 전자등록계좌부와 고객관리계좌부·발행인관리계좌부에 의하여 전자등록업무를 수행하는데, 전자등록증권에 대한 소유자명세 작성 및 권리행사 대행 등의 업무도 포함한다(제14조). 이러한 업무를 수행함에 있어 금융위원회 승인을 받아(법무부장관과 미리 협의해야 한다)[35] 전자등록업무규정을 정한다(제15조).

나) 계좌관리기관

계좌관리기관은 전자등록계좌 중 고객계좌를 관리하는 자이다(제2조 제7호). 고객계좌는 전자등록증권의 권리자(소유자 또는 질권자)[36]가 되려는 자가 계좌관리기관에 개설하는 계좌이다(제22조 제1항).[37] 계좌관리기관이 되는 자는 1차적으로 금융투자업자(투자매매업자 또는 투자중개업자), 은행, 보험회사, 외국전자등록기관, 명의개서대행회사[38] 등이다. 이에 더하여 증권금융회사, 종합금융회사, 여신전문금융회사, 수출입은행, 상호저축은행, 농·수협중앙회, 신협중앙회, 새마을금고중앙회, 체신관서, 전문사모집합투자업자 등 증권 관련업무를 수행함에 있어 고객계좌를 관리할 필요가 있는 자도 계좌관리기관이 될 수 있다.

계좌관리기관은 고객계좌부에 의하여 고객을 대상으로 전자등록업무를 수행하며, 고객계좌부에 등록된 총수량을 관리하기 위하여 전자등록기관에 고객관리계좌를 개설한다(제22조 제3항). 스스로 전자등록증권의 권리자가 되는 경우에는 전자등록기관에 전자등록계좌(계좌관리기관 등 자기계좌)를 개설하여야 한다(제23조 제1항).

---

34) 전자증권법은 전자등록제도의 원활한 시행을 위하여 동 법 공포일로부터 6개월이 경과한 때에 예탁결제원이 전자등록업(전자등록 대상인 모든 증권을 업무단위로 한다)을 허가받은 것으로 간주하였다(부칙 제8조).

35) 전자등록업무규정의 제정과 개정·폐지 외에 정관의 변경, 전자등록기관의 영업양도·합병·분할 등의 경우에도 같다(제11조·제12조·제16조).

36) 권리자란 "전자등록 주식 등의 소유자 또는 질권자, 그 밖에 전자등록 주식 등에 이해관계가 있는 자로서 대통령령으로 정하는 자"를 말하는데(제2조 제5호), 소유자와 질권자 외에 현재 따로 정한 권리자는 없다.

37) 전자등록증권에 대한 질권은 질권설정자계좌에서 질권자계좌로 계좌대체하는 방식으로 설정하지 않고 질권설정자의 고객계좌부에 질물이라는 뜻과 질권자를 기재하는 방식으로 설정하기 때문에 질권자가 질권을 목적으로 하는 고객계좌를 개설하지는 않는다. 모든 고객계좌는 소유자가 개설한 계좌다. 계좌좌관리기관 등 자기계좌도 마찬가지다.

38) 명의개서대행회사는 전자등록계좌부의 일종인 특별계좌부를 관리하는 경우에만 계좌관리기관이 된다(제19조 제6호).

계좌관리기관이 작성하는 고객계좌부는 전자증권법상 전자등록계좌부이자 상법상 전자등록부로서 계좌관리기관은 이에 의해 각종 전자등록업무를 처리한다(제20조 제1항). 상법상 전자등록기관은 "전자등록업무를 취급하는 자"이다(제356조의2 제1항). 그럼에도 불구하고 전자증권법은 계좌관리기관을 전자등록기관으로 보지 않는다. 증권회사 등의 고객계좌 관리는 전자등록업이 아니라 투자중개업 등 다른 업무를 위한 것으로 보기 때문이다. 그러나 계좌관리기관도 실질적으로는 전자등록업무를 처리하는 자이다. 고객계좌부가 상법상 전자등록부인 이상 계좌관리기관은 '전자등록기관(유가증권 등의 전자등록업무를 취급하는 기관)'일 수밖에 없다(제356조의2 제1항).[39]

마. 전자등록의 법률관계

1) 등록 명의자

전자등록의 계층구조 하에서 주식·사채 등의 권리를 전자등록함에 있어 전자등록계좌부와 주주명부·사채원부 등 발행인이 작성하는 소유자명부에 누구를 소유자로 등록할 것인지는 전자등록의 법률관계에 있어 가장 중요하다. 이는 중개기관을 통한 증권 보유방식의 문제로서 그 기초가 되는 법환경에 따라 다르다.

영국과 같이 신탁관계에 기초하는 경우에는 증권회사 등 중개기관이 신탁의 수탁자 지위에서 전자등록기관의 계좌부 및 발행인의 소유자명부에 자신의 명의(nominee)로 등록된다. 투자자는 중개기관의 명의로 증권을 간접보유한다. 종래 예탁결제제도에서의 증권 보유방식과 같다. 반면, 프랑스·일본 등과 같이 신탁관계에 기초하지 않는 경우에는 전자등록기관의 계좌부 및 발행인의 소유자명부에 투자자가 자신의 명의로 등록된다. 중개기관은 전자등록계좌를 관리할 뿐이고 투자자가 증권을 직접보유한다. 전자의 경우 투자자는 증권 또는 그 발행인에 대하여 직접적인 권리를 갖지 못하고 신탁의 수익자와 같은 지위에서 간접적

---

39) 본래 계좌관리기관(account administrator)은 스스로 전자등록계좌를 운영하여 고객을 대상으로 전자등록에 관한 업무를 수행하는 자가 아니라, 고객의 계좌관리 대리인의 지위에서 전자등록기관에 고객의 전자등록계좌를 개설하고 이를 통하여 전자등록에 관한 업무를 처리해 주는 자를 말한다. 우리나라와 달리 전자등록기관만이 전자등록계좌부를 운영하는 구조(1-tier)에서 비롯된 용어다. 우리나라의 전자등록구조에서 계좌관리기관은 중앙의 전자등록기관에 계좌를 보유하는 하위 전자등록기관의 성격을 갖는다.

권리를 갖게 된다. 신탁에 의한 재산관리가 일반화되어 있지 않은 현실에서는 이를 적용하기가 어렵다(미국의 '증권권리'(securities entitlement)와 같은 새로운 권리를 창설하기도 어렵다). 후자의 경우에는 투자자와 증권 또는 그 발행인과의 직접적인 관계가 형성되어 투자자의 권리 보호에 유리하고 거래의 투명성도 확보할 수 있는 장점이 있다. 전자증권법은 이러한 점을 고려하여 후자의 방식을 택하였다.[40)]

전자증권법상 투자자는 전자등록기관 및 계좌관리기관에 자신 명의의 계좌를 개설하고, 주식·사채 등의 권리를 전자등록함에 있어 스스로 권리자(소유자 또는 질권자)가 된다. 그리고 전자등록계좌부의 권리추정력에 의해 주주명부 등 소유자명부에 동일하게 기재된다. 예탁결제제도에서와 같은 공유관계가 발생할 여지가 없고, 전자등록기관이 전자등록증권의 권리행사를 위해 자신 명의로 주주명부상 명의개서를 하여 직접 권리자가 될 여지도 없다.

2) 전자등록의 효력

전자등록증권은 종래의 유가증권 기능을 대신하는 새로운 권리공시수단, 즉 전자등록계좌부 기록에 의하여 권리관계가 결정된다. 이를 위해 전자등록, 즉 전자등록계좌부 기재에는 일정한 법적 효력이 부여된다. 우선, 전자등록계좌부 기재와 실체적 권리의 귀속이 일치된다는 것을 전제로 권리추정력이 부여된다. 전자등록계좌부에 등록된 자는 그 전자등록된 주식 등의 권리를 적법하게 가지는 것으로 추정된다(제35조 제1항). 전자등록계좌부 기재에 권리를 창설하는 효력은 인정되지 않는다. 따라서 실제 주식 등이 발행되지 않은 상태에서 전자등록이 이루어졌거나 권리자가 아님이 입증된다면 그러한 추정은 깨지고 전자등록의 효력이 부정된다.

또한 전자등록계좌부 기재는 전자등록증권의 양도 및 질권설정의 효력발생요건이 된다. 즉, 전자등록된 주식 등을 양도하는 경우에는 계좌대체의 전자등록을 하여야 효력이 발생하고, 이에 질권설정을 하는 경우에는 질권설정의 전자등록을 하여야 효력이 발생한다(제35조 제2항·제3항). 계좌대체 또는 질권설정의 전자등록의 방법으로 전자등록증권에 대한 권리를 취득하는 경우에는 선의취득

---

40) 김병연, "주식·사채 등의 전자등록제도에 관하여," 「증권법연구」 제19권 제3호(한국증권법학회, 2018), 53면.

이 인정된다. 선의로 중대한 과실 없이 전자등록계좌부의 권리내용을 신뢰하여 소유자 또는 질권자로 등록된 자는 전자등록증권에 대한 권리를 적법하게 취득한다(제35조 제5항).[41] 그리고 전자등록증권에 대하여 신탁을 설정한 경우 전자등록계좌부상 신탁의 기재는 신탁 설정의 대항요건이 된다. 즉, 수탁자의 전자등록계좌부에 신탁재산이라는 사실을 표시하는 전자등록을 하면 제3자에게 대항할 수 있다(제35조 제4항).[42]

　이와 같은 전자등록의 효력은 신탁의 제3자 대항력을 제외하고는 상법에도 동일한 내용이 규정되어 있다(제356조의2 제2항·제3항). 규정의 내용이 중복적이면서 선의취득에 관해서는 문언이 달라서[43] 통일된 해석이 어렵다. 상법은 주식 등의 전자등록에 관한 근거를 규정하는 데에 의의가 있고 전자등록의 절차·방법 및 효과는 특별별(전자증권법)에 위임되어 있기 때문에 상법상 전자등록의 효력에 관한 규정은 필요하지 않다.[44]

4. 주식의 전자등록

가. 신규 전자등록

1) 신규 전자등록의 신청

　주식의 전자등록 여부는 기본적으로 회사의 선택사항이다. 회사는 주권을 발행하는 대신 주식을 전자등록할 것인지 여부를 정관으로 정할 수 있다(제356조의2 제1항). 정관에 따라 주식을 전자등록한 회사가 새로 주식을 발행하고자 하는 경우 또는 주권을 발행한 회사가 정관을 변경하여 이미 발행된 주식을 전자등록하고자 하는 경우 우선적으로 전자등록기관에 신규 전자등록을 신청하여야 한다(제25조 제1항 본문). 상장주식 및 투자회사 주식의 경우에는 신규 전자등록 신청이 의무적이다(제25조 제1항 단서).

　전자등록의 신청은 '종목별'로 하여야 한다(제25조 제3항). 주식의 종목별로

---

41) 선의취득에 관하여 자세한 내용은 아래 4. 다. 4) 참조.
42) 신탁재산의 공시에 관하여 자세한 내용은 아래 4. 다. 5) 참조.
43) 선의취득에 있어 신뢰의 대상을 상법은 '전자등록부'로 규정하고 있고(제356조의2 제3항), 전자증권법은 '전자등록계좌부의 권리내용'으로 규정하고 있다(제35조 제5항).
44) 고동원, 전게논문, 37면.

발행인의 명칭, 주식의 종류·종목 및 수량, 발행일, 납입금액, 전자등록일 등을 기재한 전자등록신청서를 작성하고 여기에 주식의 발행 및 전자등록의 근거가 되는 정관을 첨부하여 제출하여야 한다(시행령 제19조).

주식의 종목별로 최초 전자등록을 신청하는 경우에는 신규 전자등록 신청 전에 전자등록기관에 전자등록 적합성에 관한 사전심사를 신청하여야 한다(제25조 제2항). 신규 전자등록 신청 또는 전자등록 사전심사 신청을 받은 전자등록기관은 1개월 이내에 신규 전자등록 여부 또는 사전심사 내용을 결정하고 그 결과와 이유를 지체없이 발행인에 통지하여야 한다(제25조 제4항). 주식의 양도 가능성, 대체 가능성, 전자등록기관의 권리행사 가능성 등 전자등록의 적합성 요건(제25조 제6항)에 부합하지 않는 경우 전자등록기관은 전자등록을 거부할 수 있다(제25조 제6항).

2) 일부 종류주식의 전자등록

회사가 여러 종류의 주식을 발행하는 경우 원칙적으로 정관으로 정하는 바에 따라 종류·종목별로 전자등록 대상을 정할 수 있다. 주식은 종류·종목별로 권리내용이 다르다. 이에 따라 전자등록기관은 전자등록의 적합성도 '종목별'로 심사하므로 주식의 종류·종목별로 전자등록 여부가 결정된다.

회사가 종류주식을 발행한 경우 전자등록주식(전자등록되었거나 전자등록하려는 주식을 말한다. 이하 같다)과 관련된 주식으로서 권리내용이 다른 종류주식은 전자등록이 의무적이다(전자등록업규정 제3-1조 제1호). 이와 관련하여 회사가 어느 한 종류의 주식을 전자등록하면 다른 모든 종류의 주식을 전자등록해야 하는 것인지 의문이 생긴다.[45] 회사가 주권의 발행과 주식의 전자등록을 병행하게 되면 각종 주식사무가 복잡해져 전자등록의 효용이 사라지기 때문에 일부 종류의 주식에 대해서만 전자등록을 하는 것은 바람직하지 않다. 그러나 전자등록이 의무화되는 종류주식의 범위는 이익배당, 잔여재산 분배, 의결권 행사, 상환 및 전환 등에 관하여 내용이 다른 모든 종류주식이 아니고 전자등록주식에 직접 '관련된 권리'를 갖는 종류주식으로 해석해야 한다. 예를 들면, 보통주를 전자등록한 경우 이를 우선주로 전환할 수 있는 권리가 부여된 전환주식 또는 이를 상

---

45) 박임출·김춘, 「전자등록제도 시행과 상장회사 주식법제 개선방안」(한국상장회사협의회, 2020), 29면.

환할 수 있는 권리가 부여된 상환주식은 전자등록이 의무적이지만, 이익배당에 관한 우선주나 의결권이 없는 의결권제한주식까지 전자등록이 의무화되는 것은 아니다.

그러나 실제에 있어서는 전자등록 의무화 여부에 관계없이 회사가 일부 종류·종목에 대해서만 전자등록을 신청하는 예는 거의 없다. 정관으로 주식의 전자등록을 채택하는 회사는 회사와 주주의 편익을 위하여 모든 종류주식을 전자등록하고 있다. 상장회사표준정관은 "회사는 주권 및 신주인수권증서를 발행하는 대신 전자등록기관의 전자등록계좌부에 주식 및 신주인수권증서에 표시되어야 할 권리를 전자등록한다"고 규정하고 있는데(제9조), 이는 모든 종류의 주식을 전자등록한다는 뜻을 표현한 것이다.

3) 이미 발행한 주권에 관한 조치

주권을 발행하고 있는 회사가 전자등록의 방법으로 주식을 발행하고자 하는 경우에는 이미 발행한 주권의 효력 상실과 주식에 관한 법률관계의 변경이 발생하기 때문에 일정한 준비절차가 필요하다. 회사는 주식을 전자등록하려는 날(이하 '전자등록기준일'이라 한다)의 직전 영업일을 말일로 1개월 이상의 기간을 정하여 ① 전자등록기준일부터 주권이 효력을 상실한다는 뜻, ② 주식의 권리자는 그 기준일의 직전 영업일까지 회사에 주식이 전자등록되는 전자등록계좌를 통지하고 주권을 제출하여야 한다는 뜻, ② 회사는 전자등록기준일의 직전 영업일에 주주명부에 기재된 자를 기준으로 전자등록기관에 전자등록을 신청한다는 뜻을 공고하여야 한다. 주주명부에 주주, 질권자 등 권리자로 기재된 자에게는 그 사항을 통지하여야 한다(제27조 제1항).

이러한 공고·통시는 그 주요내용이 주권에 관한 사항이고 예탁주식은 전자등록기준일에 전자등록으로 일괄 전환되기 때문에 주권을 직접 보유하고 있는 주주명부상 주주만을 대상으로 해야 한다는 견해가 있다.[46] 그러나 회사가 주식을 전자등록하려는 경우 주주는 주권의 보유 또는 주식의 예탁 여부와 관계없이 주권의 효력상실, 전자등록계좌, 전자등록기준일 등 전자등록으로의 전환방법과 절차에 대하여 충분한 정보를 제공받거나 이를 충분히 이해하고 있는 상태가 아

---

46) 박임출·김춘, 전게서, 30면(나아가 주주명부상 주주도 실제 주주일 가능성이 적기 때문에 일본의 예와 같이 실효성이 낮은 개별 통지 대신 공고만으로 할 필요가 있다고 한다).

니므로 이러한 공고·통지는 모든 주주를 대상으로 하는 것이 바람직하다. 전자
등록 실무에서도 회사는 주권을 보유하고 있는 주주명부상 주주뿐만 아니라 예
탁주식의 소유자인 실질주주에 대해서도 통지하고 있다.[47]

나. 주식의 발행

1) 회사의 전자등록의무

회사는 성립 후 또는 신주 납입기일 후 지체없이 주권을 발행하여야 한다(제
355조 제1항). 회사가 주식을 전자등록하는 경우 이러한 주권발행의무에 갈음하
여 주식의 신규 전자등록의무를 부담하는 것으로 해석된다.[48] 그러나 전자증권
법은 이러한 의무 및 그 이행수단에 관한 규정을 두지 않고 있다.[49] 발행인의
신규 전자등록에 관한 규정(제25조)은 전자등록의 신청 및 사전심사를 위한 규
정으로 주식 발행 후 지체없이 전자등록기관에게 주식 발행내역(주주별 주식의
종류·종목과 수량 등)을 통지해야 한다는 내용은 포함되어 있지 않다.[50] 주식의
발행시점과 전자등록시점의 간격을 최소화하고 전자등록계좌부 및 발행인관리계
좌부 기재의 정확성을 확보하기 위한 제도적 보완이 필요하다.[51]

주식을 새로 발행하는 경우 전자등록의 신청은 발행인이 하여야 한다(제25조
제1항). 주주는 회사에 대하여 전자등록의무 이행을 청구할 수 있을 뿐이다. 회
사가 전자등록의무를 이행하지 않더라도 주주가 직접 또는 회사를 대위하여 주
식의 전자등록을 신청할 수는 없다. 회사가 전자등록의무를 이행하지 않을 경우
손해배상책임과 과태료를 부과한다면 의무 이행을 간접적으로 강제하는 효과가
있다. 전자증권법상 주주의 전자등록 이행청구권과 함께 이러한 내용을 명시적

---

47) 다만, 자본시장법상 실질주주명부 작성사유는 매우 제한적이어서 전자등록으로의 전환은
   포함되지 않는다. 이에 따라 회사는 통지일 직전의 실질주주명부상 주주를 대상으로 통지하
   고 있는데, 그 날 현재의 주주가 아닐 수 있는 문제가 있다.
48) 정찬형, 전게논문(2017), 44면; 노혁준, 전게논문, 1663면; 박임출·김춘, 전게서, 34면; 정
   순섭, 전게논문(2021), 18면.
49) 발행인관리계좌부 변경사항 통지의무 위반 및 거짓 통지에 대해서는 과태료(1천만원)가 부
   과되나(제75조 제2항), 신규 전자등록을 위한 통지의무 및 그 위반에 따른 제재규정은 없
   다.
50) 일본의 경우 발행인은 대체주식을 발행한 날 이후 지체없이 대체기관에게 발행내역을 통지
   할 의무를 부담한다(대체법 제130조 제1항).
51) 심인숙, "주식에 관한 전자등록제도 시행에 즈음한 법적 문제점 검토,"「중앙법학」제19집
   제4호(중앙법학회, 2017), 310면.

으로 규정할 필요가 있다.[52]

2) 전자등록의 효력 발생

주식은 상법의 규정에 따라 그 효력이 발생한 후 주권 발행에 갈음하여 전자 등록계좌부에 기재된다. 전자등록이 주식의 효력발생요건이 되는 것은 아니다. 주식이 효력이 발생하지 않은 상태에서 전자등록이 이루어진 경우 그 전자등록 은 무효이다. 전자등록은 권리창설적 효력을 가지지 않고, 주식이 발행된 것으 로 의제되지도 않는다.[53]

주권의 효력은 회사가 이를 작성하여 회사의 의사에 의해 주주에게 교부한 때에 발생한다고 보는 것(교부시설)이 다수 학설과 판례의 일관된 입장[54]이다. 전자증권법은 주식 신규 전자등록의 효력 발생시기에 관하여 따로 규정하지는 않았으나, 전자등록계좌부에 주식의 권리내용을 기재한 때 그 효력이 발생한다 고 해석된다. 전자등록업무규정은 이를 확인적으로 규정하고 있다(제23조 제1항).

전자등록계좌부상 주식의 신규 전자등록, 즉 주식의 권리내용 기재는 원칙적 으로 주식의 발행일(효력발생일)에 이루어진다. 주주의 신주인수권 행사에 의한 신주 발행인 경우에는 납입일 익일, 준비금의 자본전입에 의한 신주 발행인 경 우에는 그 기준일, 주식배당에 의한 신주 발행인 경우에는 주주총회 종결일이다. 전자등록 실무상으로는 회사가 전자등록기관에 제출하는 '전자등록신청서'에 기 재한 전자등록일에 전자등록계좌부에 기재되는데, 일반적으로 주식의 발행일(효 력발생일)을 전자등록일로 한다. 그러나 회사의 사정에 따라 다른 날을 전자등록 일로 정하는 경우도 있다. 이 경우에는 전자등록이 지체되어 주주권 행사가 제 한되는 문제가 발생하기 때문에 주식의 발행일과 전자등록일을 가능한 한 일지 시킬 필요가 있다.

3) 주권 불발행

가) 주권의 폐지

전자등록제도는 자본시장에서 법률적으로나 기능적으로나 더 이상 필요없게

---

52) 박임출·김춘, 전게서, 34면.
53) 심인숙, "주식 및 사채의 전자등록제 도입에 관한 상법 개정안 고찰," 「상사법연구」 제28권 제3호(한국상사법학회, 2009), 225면; 노혁준, 전게논문, 1661면.
54) 대법원 1987.5.26. 86다카982, 983 등.

된 실물증권을 폐지하는 것을 목적으로 한다. 주식을 전자등록한 회사가 해당 주식에 대하여 부분적으로 주권을 발행하면 회사와 투자자의 혼란 및 주식실무상 커다란 비효율이 발생한다. 따라서 전자증권법은 주식을 전자등록한 경우 주권을 완전히 폐지하는 것으로 하였다. 법령상 의무에 의해서든 회사의 선택에 의해서든 주식을 전자등록하면 주권 발행이 금지되고, 이에 위반하여 발행된 주권은 그 효력이 없으며, 이미 주권이 발행된 주식을 전자등록하는 경우 그 주권은 전자등록기준일부터 효력을 상실한다(제36조 제1항~제3항).[55] 상법상 주주에게 부여되는 주권 발행·교부청구권[56]이 배제된다.

나) 상법상 주권 관련규정의 적용배제

전자등록제도 하에서는 주권이 존재하지 않기 때문에 회사가 주식을 전자등록한 경우 상법상 주권에 관한 제도는 모두 적용되지 않는다. 전자증권법은 개별적으로 상법의 적용을 배제하는 규정을 두고 있지는 않지만 주식의 전자등록 및 주권의 성질상 당연히 배제된다.

주권이 분실·도난 또는 멸실되었을 경우 그 증권을 무효화하는 방법으로 민사소송법상 공시최고절차가 이용되는데(제360조), 전자등록주식은 주권이 존재하지 않기 때문에 공시최고절차를 적용할 여지가 없다. 주권 상실의 위험을 방지하기 위한 주권불소지제도(제358조의2) 역시 적용할 여지가 없다. 주권불소지제도는 특히 예탁결제제도에서 주권 발행 전 불소지신고의 방법으로 주권의 불발행 기능을 수행해 왔으나, 주식의 전자등록에 의하여 그 필요가 사라졌다. 이 밖에 상법상 종류주식의 전환(제346조 제3항)와 주식의 병합(제440조), 회사의 합병·분할·분할합병(제530조 제3항, 제530조의11 제1항), 주식의 분할(제329조의2 제3항), 주식의 소각(제343조 제2항), 액면주식과 무액면주식의 전환(제329조 제5항) 등에 있어 2주 또는 1개월 이상의 주권제출절차가 적용되지 않는다(제64조 제1항·제3항). 전자증권법상 명문의 규정은 없으나 주식의 포괄적 교환·이전 (제360조의8, 제360조의19)의 경우에도 같다.

---

55) 전자등록일 당시 공시최고절차가 계속 중인 주권은 이에 대한 제권판결이 확정된 날에 효력을 상실한다(제36조 제3항 단서).

56) 주주의 주권 발행·교부청구권은 회사의 주권발행의무(제355조 제1항)로부터 발생한다(최준선, 「회사법」(삼영사, 2021), 256면).

다. 주식의 양도

1) 계좌간 대체의 전자등록

전자등록제도에서는 전자등록계좌부상 대체의 기재가 유가증권의 교부와 같은 기능을 수행한다. 주식을 전자등록한 경우 계좌대체의 전자등록이 주식 양도의 효력발생요건이 된다(제35조 제2항). 계좌대체의 전자등록은 양도인의 신청에 따라[57] 양도인 전자등록계좌부상 감소의 기재와 양수인 전자등록계좌부상 증가의 기재를 하는 방법으로 이루어진다(제30조 제1항, 시행령 제25조 제4항). 법원의 판결·결정·명령에 따라 권리를 취득하는 자 또는 상속·합병 등을 원인으로 한 포괄승계에 따라 권리를 취득하는 자는 그 권리 취득을 증명하여 계좌대체의 전자등록을 신청하여야 한다(시행령 제25조 제3항).

전자증권법은 전자등록주식 양도의 회사에 대한 대항요건에 대하여 따로 규정하지 않았다. 따라서 주주명부상 명의개서(제337조 제1항)는 전자등록주식의 양도에 있어서도 회사에 대한 대항요건이 된다. 그러나 전자등록제도 하에서의 주주명부는 소유자명세 통지에 따라 특정일에 일괄적으로 작성되고 주주의 개별적 청구에 의해서는 명의개서를 할 수 없기 때문에 언제 어떠한 방법으로 대항요건을 갖추게 되는지가 문제된다.[58][59]

2) 전자등록 전 주식의 양도

가) 주식의 효력 발생 전

주식의 효력이 발생하기 전 주식의 인수로 인한 권리(권리주)의 양도는 회사에 대하여 효력이 없다(제319조). 낭사자 간에서의 채권적 효력이 있을 뿐이다. 이 권리주를 전자등록하고 제3자에게 이전한 경우에도 상법 제319조가 적용된다고 보는 견해가 있다.[60] 그러나 권리주는 주식이 아니어서 전자증권법상 전

---

57) 계좌대체의 전자등록은 양도인이 신청하는 것이 원칙이지만, 양도인이 동의하는 경우에는 그 동의서를 첨부하여 양수인도 신청할 수 있다(시행령 제25조 제2항).

58) 이에 관한 자세한 내용은 아래 마. 4) 참조.

59) 계좌대체의 전자등록을 전자등록주식 양도의 효력발생요건이자 실질적인 회사에 대한 대항요건으로 볼 수 있다는 견해가 있다(박임출·김춘, 전게서, 36면). 그러나 회사는 전자등록계좌부상 대체의 기재내용을 알 수 없기 때문에 회사에 대한 대항력을 갖추기 위해서는 통지 등 추가적인 요건이 필요하다. 상법상 주주명부와 명의개서제도가 유지되는 한 주주명부상 명의개서를 대항요건으로 할 수밖에 없다.

자등록 대상이 아니다. 전자등록 실무상 권리주가 전자등록되는 경우는 예상할 수 없으나, 설사 착오에 의하여 전자등록이 된다고 하더라도 그 효력은 발생하지 않는다고 본다. 계좌대체의 전자등록은 전자등록주식의 양도방법일 뿐 권리주의 양도방법이 될 수는 없다.

나) 주식의 효력 발생 후

회사는 주권을 발행하는 경우와 마찬가지로 주식의 효력이 발생하는 즉시, 즉 회사 성립 후 또는 신주의 납입기일 후 지체없이 주식을 전자등록하여야 한다. 그러나 회사가 어떠한 이유로 주식을 전자등록하지 않은 경우 그 주식의 양도방법이 문제된다.

주권 발행 전 주식의 양도는 비록 회사에 대하여 효력이 없으나, 주식의 효력이 발생한 이후 6개월이 경과한 때에는 그러하지 아니하다(제335조 제3항). 지명채권 양도방법에 의한 주식의 양도는 유효하여 당사자 간에서 채권적 효력이 인정된다. 전자등록제도가 적용되는 경우에도 주식의 효력 발생에 불구하고 아직 전자등록이 이루어지지 않았다면 주주는 지명채권 양도방법으로 주식을 양도할 수 있고, 6개월이 경과하면 회사에 대하여 효력을 주장할 수 있다고 보는 것이 합리적이다. 상법 제335조 제3항을 유추적용하여야 한다고 본다.[61]

이에 대하여 전자등록제도의 취지 및 그 통일적 운용을 저해할 수 있다는 이유로 전자등록 전에는 주식의 양도를 인정하지 않는 것이 바람직하다는 견해가 있다.[62] 전자등록으로 발행된 주식이 있는 상태에서 신주 발행에 따른 전자등록이 지연되는 경우 한 회사의 주식에 2가지 양도방식이 공존하게 된다는 점을 이유로 한다. 그러나 회사가 정당한 이유 없이 주식의 전자등록의무를 이행하지 않는 경우 전자등록을 강제하거나 그 이행을 확보할 수 있는 장치가 없는 상태에서 주주의 주주권 행사를 제한하는 것은 부당하다. 이미 전자등록된 주식과 아직 전자등록이 되지 않은 주식에 서로 다른 양도방법이 적용된다고 해서 특별히 불합리한 문제가 발생하지는 않는다. 상법 제335조 제3항은 주식의 양도수단이 마련되기 전까지는 지명채권 양도방법에 의하여 양도할 수 있다는 것을 전제

---

60) 노혁준, 전게논문, 1663면; 박임출·김춘, 전게서, 38면.
61) 정찬형, 전게논문(2017), 44면; 박임출·김춘, 전게서, 40면.
62) 김홍기, "전자증권법의 시행에 따른 법적 쟁점과 과제," 「연세법학」 제34호(연세법학회, 2019), 14면; 노혁준, 전게논문, 1664면; 정순섭, 전게논문(2021), 18면; 송옥렬, 「상법 강의」(홍문사, 2020), 829면.

로 한 규정인데, 그 양도수단이 주권이 아니라 전자등록이라고 해서 이를 부인할 이유는 없다.[63)]

3) 전자등록 후 상장 전 주식의 양도제한

회사가 새로 주식을 발행하는 경우 주식이 신규 전자등록되면 해당 주식은 그 때부터 계좌대체의 방법으로 양도할 수 있다. 그런데 상장주식인 경우 주식의 상장절차에 일정한 시간[64)] 걸리기 때문에 실무적으로 상장일까지 주식의 양도를 제한한다. 전자등록기관은 주식의 신규 전자등록일부터 상장일까지 해당 전자등록주식의 처분을 제한하고 있다(전자등록업무규정 제23조 제3항). 증권시장 밖에서는 주식을 양도할 수 있지만, 상장 전 장외거래가 이루어지는 것은 유통 질서에 혼란을 초래하기 때문에 이를 허용하지 않는 것이 오래된 시장관행이다.

전자등록제도 도입 전에는 주권의 발행일을 상장일로 함으로써 주권 발행 전 주식 양도를 제한하는 상법의 규정(제335조 제3항)에 기초하여 상장일 전 예탁주식의 양도(계좌대체)를 제한하였다. 주식을 양도하더라도 회사에 대해서는 효력이 없기 때문에 예탁실무상 주식 양도를 허용하지 않았던 것이다. 자본시장법상 예탁의 법리상 계좌대체는 주권이 발행·예탁된 상태에서의 주권의 교부에 갈음하는 예탁주식(공유지분) 양도방법이기 때문에 주권 발행 전에는 계좌대체의 방법으로 주식을 양도할 수도 없다. 주식거래 실무상 필요에 따라 주주의 권리를 제한하였지만, 이는 분명한 법률적 근거를 가지는 것이었다.

이와 달리 전자등록제도 하에서 주식이 효력발생일에 전자등록되었음에도 불구하고 상장일까지 양도하지 못하게 하는 것은 문제다. 주권을 발행하지 않음에도 불구하고 전자등록 이후 상장까지는 여전히 일정한 시간이 소요되므로 증선

---

63) 박임출·김춘, 전게서, 39면. 이와 관련하여 주권 발행 이전에 증권시장에서의 매매거래를 계좌대체의 방법으로 결제하는 경우에는 상법 제355조 제3항에 불구하고 회사에 대하여 효력이 있다는 자본시장법의 규정(제311조 제4항)을 부활시킬 필요가 있다고 한다. 그러나 자본시장법 제311조 제4항의 규정은 예탁제도 하에서 주권 발행 전에 주식을 예탁자계좌부와 투자자계좌부 기재 상태로 상장한 후 거래하는 현실을 반영한 것인데, 전자등록제도에서는 주식을 전자등록하기 전에 상장·거래하는 일은 발생하지 않기 때문에 동 규정을 부활시킬 필요는 없다.

64) 회사는 주금 납입 후 한국거래소에 주식의 신규상장을 신청하는 경우 상장신청서에 전자등록기관으로부터 발급받은 주식의 신규발행에 따른 전자등록 확인서(발행등록사실확인서)를 첨부하여 제출하여야 하고(상장업무규정 제28조, 시행세칙 제22조), 한국거래소는 주식분산도, 자기자본, 경영의 투명성·안정성 등 형식적·질적 상장요건을 심사한다(상장업무규정 제29조·제30조). 이러한 절차에는 약 7일 이상의 시간이 소요되고 있다.

의 시장관행을 유지하는 것인데, 아직 상장되지 않았다는 이유로 전자등록된 주식의 양도를 전면 제한하는 것은 주주의 권리를 지나치게 침해하는 일이다.[65] 주권을 발행하는 경우와 달리 주식 양도를 제한할 법적 근거가 없다. 전자등록기관의 업무규정만으로 주주의 권리를 제한할 수도 없다. 이에 관한 법적 승인이 있거나, 아니면 그간의 시장관행을 개선해야 한다.

4) 선의취득

가) 인정근거

예탁결제제도에서는 거래대상이 예탁유가증권 공유지분이지만 계좌부 기재에 개별 유가증권 점유의 효력을 부여함으로써 민·상법상 유가증권 선의취득 관련 규정에 근거하여 예탁유가증권의 선의취득을 인정하고 있다.[66] 무권리자의 유가증권 예탁·처분에 따라 계좌부상 공유지분을 취득한 자에 대하여 실제로 유가증권을 취득한 것과 동일한 보호를 하지 않으면 예탁결제제도에 의한 실물 없는 증권거래는 기대할 수 없기 때문이다. 유가증권의 기능을 대신하는 계좌부 기록에 유가증권 점유와 동일한 권리외관을 인정한 것이다.

전자등록제도에서도 유가증권의 기능을 계좌부 기록이 대신하는데 예탁결제제도에 비하여 거래안전이 미흡하면 안된다. 전자등록증권에 대해서도 선의취득을 인정할 필요가 있다. 그러나 전자등록제도에서는 주권 등 유가증권이 존재하지 않기 때문에 종래와 같은 법리로 민·상법의 규정에 따라 선의취득을 인정할 수가 없다. 전자등록증권의 선의취득에 관한 특별한 규정이 필요하다. 유가증권에 대하여 선의취득을 인정하는 근거는 점유라는 권리외관에 대한 제3자의 신뢰인데, 전자등록증권에 대해서도 이와 같은 권리외관이 필요하다. 전자등록제도에서는 권리 귀속이 전자등록계좌부 기재에 의하여 정해지기 때문에 여기에

---

65) 박임출·김춘, 전게서, 41면.

66) 예탁결제제도 도입 초기에는 선의취득 대상을 예탁유가증권 공유지분으로 보아 동산 선의취득에 관한 민법 제249조의 규정을 근거로 하였다. 그러나 1987년 개정 증권거래법이 계좌부 기재와 계좌대체에 각각 유가증권 점유와 교부의 효력을 인정함으로써(舊증권거래법 제174조의3, 자본시장법 제311조 제1항·제2항), 즉 지분적 점유를 인정하여 공유지분을 개별화함으로써 개별 유가증권 교부에 의한 선의취득을 인정할 수 있게 되었다. 이에 따라 유가증권 선의취득에 관한 민법 제514조·제524조 및 수표법 제21조(제65조 제1항 및 제359조에 의하여 준용된다)의 규정을 근거로 삼게 되었다. 장재옥, "예탁유가증권 혼장공유지분의 양도와 선의취득," 「비교사법」 제5권 제2호(한국비교사법학회, 1996), 145면; 김순석, 전게논문(2003), 284면.

유가증권 점유와 같은 권리외관을 인정할 수가 있다.[67] 이에 전자증권법은 전자등록부계좌부 기재에 권리추정력을 부여하고(제35조 제1항), 이를 기초로 선의취득을 규정함으로써(제35조 제5항) 동산·유가증권 선의취득법리를 적용할 수 없는 문제를 입법적으로 해결하였다.[68][69]

나) 인정범위

선의취득은 전자등록계좌부에 기재된 내용을 신뢰하고 권리를 취득한 자를 보호하는 것이다. 따라서 이미 전자등록된 주식에 대해서만 인정되고, 신규발행에 따른 최초 전자등록에서는 인정되지 않는다.[70] 또한 선의취득은 전자등록된 권리가 유효할 것을 전제로 한다. 주식의 효력이 발생하지 아니하거나 무효인 경우에는 인정되지 않는다. 그리고 전자등록된 주식이 그 고유의 유통방법, 즉 계좌대체의 전자등록에 의하여 취득하는 경우에만 선의취득이 인정된다. 상법은 '제2항의 등록'(전자등록부에의 양도나 입질의 전자등록)에 따라 권리를 취득할 것을 요건으로 하고 있고(제356조의2 제3항), 전자증권법은 전자등록계좌부의 권리 내용을 신뢰하여 '소유자 또는 질권자로 전자등록'될 것을 요건으로 하고 있다(제35조 제4항).

전자등록제도에서 선의취득이 발생하는 유형은 세 가지이다. 첫째는, 무권리자의 계좌에 등록된 전자등록주식이 계좌대체를 통하여 제3자에게 이전되는 경우이다. 신규 발행시 발행인의 착오로 무권리자 계좌부에 기재되거나 이미 전자등록된 주식이 전자등록기관 또는 계좌관리기관의 착오나 전산시스템 오류로 무권리자의 계좌부에 기재된 상태에서 제3자에게 양도되는 경우 제3자는 해당 주

---

67) 일본의 대체법이 대체주식 등에 대하여 선의취득을 인정한 근거도 이와 같다(高橋康文(編著), 「逐條解說 短期社債等振替法」(金融財政事情研究會, 2002), 175面; 小池信行, "第151回 國會民事關係主要立法について," 「民事法情報」 第180號(2001), 17面)).

68) 전자등록된 주식 등을 전자적 권리표창수단에 의하여 표창되는 권리로 보아 이에 직접 유가증권성을 부여할 수 있다고 보는 견해에서는 선의취득에 대해서도 유가증권 선의취득에 관한 규정(민법 제514조·제524조 등)을 그대로 적용할 수 있다고 본다(정찬형, 전게논문(2017), 42면). 그러나 이러한 해석은 전자등록된 권리는 유가증권이 아니라는 성질과 선의취득에 관하여 특별한 입법을 한 전자증권법의 입장과 다르다.

69) 전자등록증권은 유가증권이 아니므로 민·상법의 규정에 의한 선의취득제도를 적용하기보다는 전자등록계좌부에 공신력을 인정함으로써 선의취득자를 보호하는 것이 훨씬 간명하다는 견해가 있었다(정경영, 전게논문, 160면). 그러나 이를 위해서는 전자등록계좌부의 신뢰성을 확보하기 위해 전자등록기관이 전자등록되는 권리관계의 진실성을 실질적으로 조사해야만 하기 때문에 채택되지 못했다.

70) 고동원, 전게논문, 22면.

식을 선의취득한다. 둘째는, 전자등록주식이 권한 없는 자에 의하여 처분되는 경우이다. 예를 들면, 계좌대체의 전자등록을 신청받은 계좌관리기관이 양도인 계좌를 잘못 지정하여 제3자의 주식을 양수인에게 계좌대체한 경우 양수인은 해당 주식을 선의취득한다. 이와 같은 경우에는 선의취득이 특별히 문제되지 않는다.

문제는, 전자등록계좌부상 초과기재가 발생한 경우이다. 전자등록기관 또는 계좌관리기관의 착오 또는 전산시스템의 오류 등에 의해 전자등록계좌부 기재수량이 실제 전자등록되어야 할 수량 또는 실제 발행된 수량을 초과하는 경우가 있을 수 있는데,[71] 그 전자등록 초과분이 해소되지 않은 상태에서[72] 제3자에게 계좌대체될 수 있다. 이 경우 그 초과분은 실제 존재하지 않는 권리로서 무효이고, 최초 취득자에 대해서는 선의취득이 인정되지 않는다(계좌대체의 전자등록으로 취득하는 것도 아니다). 그러나 제3자가 그 초과분을 선의로 중대한 과실 없이 신뢰하여 취득한 때에는 전자등록제도의 신뢰성과 거래 안전을 위하여 선의취득을 인정할 필요가 있다.[73] 거래대상으로 초과분이 특정되지 않고 증권시장에서 거래되는 경우 거래상대방도 알 수 없는 현실에서는 선의취득을 인정하지 않을 수 없다. 거래 안전 및 선의자 보호라는 관점에서 볼 때 무권리자로부터의 취득과 초과분 취득은 다르지 않다. 전자증권법은 이러한 점을 감안하여 초과분에 대한 선의취득을 명시적으로 규정하였다(시행령 제35조 제3항). 그렇지만 전자등록이 권리를 창설하는 효력은 없기 때문에 이 경우 선의취득자가 무효인 권리를 온전히 유효하게 취득하는 것은 아니다. 법률적으로 무효인 권리를 일시적으로 유효한 것으로 인정한 다음(그 때까지 발행인은 그 권리의 효력을 부정할 수 있다)[74] 초과기재에 책임이 있는 전자등록기관 또는 계좌관리기관이 그 초과분을

---

71) 전자등록 초과분은 계좌관리기관에서는 고객계좌부의 종목별 총수량이 고객관리계좌부의 종목별 총수량을 초과하는 경우, 전자등록기관에서는 계좌관리기관등 자기계좌부의 종목별 총수량과 고객관리계좌부의 종목별 총수량의 합이 발행인관리계좌부의 종목별 총수량을 초과하는 경우 발생한다(제42조 제1항·제2항).

72) 전자등록 초과분이 발생하면 해당 전자등록기관 또는 계좌관리기관은 지체없이 초과분을 해소, 즉 말소의 전자등록을 하여야 한다(제42조 제3항).

73) 김순석, "주식 등의 전자등록제도 도입에 따른 주주 보호방안," 「상사법연구」 제22권 제3호 (한국상사법학회, 2003), 299면; 심인숙, 전게논문(2009), 231면.

74) 전자등록 초과분에 대하여 권리자로 전자등록된 자는 발행인에 대하여 해당 증권에 대한 권리를 주장할 수 없다(제43조 제1항·제2항). 만약 초과분이 해소되지 않은 상태에서 그에 대하여 배당 등이 이루어지면 초과분 해소의무자인 전자등록기관 또는 계좌관리기관이 그 배당금 등의 지급의무를 부담한다(제42조 제4항).

취득하여 말소하게 된다.

이러한 전자등록 초과분의 선의취득은 발행단계에서 무효인 주식에 대해서도 동일하게 발생할 수 있다. 예를 들면, 신주발행을 위한 이사회 결의가 없거나 주금이 납입되지 않은 상태에서 주식이 전자등록된 경우 또는 주식의 효력발생하기 전에 주식이 전자등록된 경우 최초 취득자에 대해서는 선의취득이 인정되지 않으나, 이 주식이 계좌대체에 의하여 제3자에게 양도된 경우에는 선의취득이 인정될 수 있다. 새로운 종목의 주식이라면 전부를 무효로 처리하는데 문제가 없으나,[75] 동일한 종목이 이미 전자등록된 경우에는 결과적으로 전자등록 초과분이 발생한다. 무효인 주식을 특정할 수가 없고 증권시장에서 거래된 경우에는 상대방을 알 수도 없기 때문에 선의취득을 인정할 수밖에 없다. 전자등록 초과분에 관한 규정(제42조 제2 및 시행령 제35조)을 준용하여 해소해야 할 것이다.[76]

5) 신탁의 공시

신탁재산의 공시방법은 신탁재산이 등기·등록할 수 있는 재산권인지 여부에 따라서 정해진다. 신탁재산 중 등기·등록할 수 있는 재산권은 신탁의 등기·등록을 함으로써, 등기·등록할 수 없는 재산권은 다른 재산과 분별 관리하는 등의 방법으로 신탁재산임을 표시함으로써 그 재산이 신탁재산에 속하고 수탁자의 고유재산이 아님을 제3자에게 대항할 수 있다(신탁법 제4조 제1항·제2항). 주식은 등기·등록할 수 없는 재산권으로서 그 공시방법은 분별 관리인데, 주주명부 또는 전자주주명부라는 법적 장부가 있으므로 이에 신탁재산임을 표시하면 된다(신탁법 제4조 제4항, 동법 시행령 제2조 제3호).

신탁재산이 전자등록주식인 경우 그 공시방법을 정하기 위해서는 먼저 그 주식이 등기·등록할 수 있는 재산권인지 여부를 판단하여야 한다. 주권이 발행된 주식과 달리 전자등록된 주식의 양도는 전자등록계좌부에 전자등록해야 효력이 발생한다(제356조의2 제2항). 즉, 전자등록이 신탁재산 이전의 성립요건이다. 따라서 전자등록주식은 신탁법상 등기·등록할 수 있는 재산권에 해당하고, 신탁재산의 공시는 '신탁의 등록'에 의하게 된다.[77] 이에 전자증권법은 신탁의 제3자

---

75) 전자등록기관 직권으로 전자등록을 말소할 수 있다(제33조 제3항 제3호).

76) 이 경우 전자등록 무효분 해소의무자는 그 무효에 책임이 있는 발행인으로 보아야 한다.

대항요건으로 신탁의 전자등록, 즉 '전자등록계좌부에 신탁재산이라는 사실의 표시'하는 전자등록을 규정하였다(제35조 제4항). 신탁법 제4조 제1항의 공시방법을 규정한 것이므로 예탁주식의 경우[78] 와 달리 신탁법을 배제하는 규정은 필요하지 않다.

이에 대하여 신탁법의 규정을 배제하지 않은 전자증권법의 규정은 해석상 문제가 발생하므로(전자등록계좌부상 신탁재산이라는 사실 표시의 전자등록 외에 주주명부상 신탁재산이라는 사실의 표시도 필요하다고 해석될 수 있다) 신탁법의 규정을 배제하는 입법이 필요하다는 견해가 있다.[79] 전자등록된 주식 등을 여전히 신탁법상 '등기 또는 등록할 수 없는 재산권'으로 본 것이다. 신탁법상 '등록'의 개념과 요건의 문제인데, 일본과 같이 반드시 관공서의 공부상 기록을 요건으로 할 것은 아니고 권리관계 변동의 효력이 발생하는 법적 장부의 기록이면 충분하다고 본다.

라. 주식의 담보

1) 질 권

가) 질권의 설정

상법상 주식에 대한 질권은 질권설정의 합의의 주권의 교부로 성립한다(제338조 제1항). 예탁주식에 있어서는 질권의 성립요건인 주권의 교부는 계좌대체, 즉 질권설정자 계좌에서 질권자 계좌로 대체하는 것이 원칙이지만, 계좌대체 없이 질권설정자 계좌부에 예탁주식이 질물이라는 뜻과 질권자를 기재하는 방법[80]으로도 설정할 수 있다. 계좌부 기재가 증권의 '점유'로 간주되고(자본시장

---

77) 최수정, 「신탁법」(박영사, 2019), 253면; 서울대금융법센터, 「전자증권법 시행에 따른 상법 정비방안」(2018), 57면.

78) 예탁유가증권의 신탁은 신탁법 제3조 제2항(개정 신탁법 제4조 제4항 및 동법 시행령 제2조)에도 불구하고 예탁자계좌부 또는 투자자계좌부에 신탁재산인 뜻을 기재하면 제3자에 대항할 수 있다(자본시장법 제311조 제4항).

79) 박임출·김춘, 전게서, 61면. 일본이 대체주식 등 신탁의 제3자 대항요건(대체계좌부상 신탁재산인 뜻의 기록)을 규정하면서 신탁법(제3조)을 배제한 것(대체법 제75조)과 같은 입장이다. 일본의 경우 신탁의 '등록'을 일정한 법률사실 또는 법률관계를 관공서가 비치하는 공부에 기록하는 것으로 보아 대체주식 등을 신탁법상 등기 또는 등록할 수 없는 재산권으로 본다(高橋康文(編著), 「逐條解說 新社債株式等振替法」(金融財政事情研究會, 2006), 176面).

80) 이러한 질권설정방식을 실무적으로 부기(附記)방식 또는 지정기재(designating entry)방식이라 한다.

법 제311조 제1항) 질권설정자 계좌부상 질권의 기재도 계좌대체와 마찬가지로 증권의 '교부'로 간주되기 때문이다(동조 제2항). 질물에 대한 점유(사실상의 지배)가 이전된다고 보는 것이다.[81)

전자등록제도에서도 전자등록된 주식 등에 대한 질권은 질권설정자 전자등록계좌부상 질권의 기재를 하는 방법으로 설정하도록 하였다(제35조 제2항). 즉, 예탁주식과 마찬가지로 질권설정의 전자등록은 질권설정자의 신청에 의하여[82) 질권설정자 전자등록계좌부에 해당 주식이 질물이라는 사실과 질권자(자신 명의의 전자등록계좌를 보유해야 한다)를 기재하는 방법으로 한다(제31조 제2항). 주권이 존재하지 않고 권리의 귀속이 전자등록계좌부 기재내용에 따라 정해지므로 전자등록계좌부상 질권의 기재를 효력발생요건으로 한 것이다.

전자증권법이 질권설정에 있어 일본의 대체법과 같이 계좌대체방식[83)을 택하지 않고 예탁결제제도상 질권설정방식을 수용한 것에 대해서는 과거 자본시장법이 예탁실무에서의 잘못된 관행을 입법으로 수용한 것을 그대로 따랐다는 비판이 있다.[84) 그러나 질권설정자 계좌부상 질권설정은 질권에 관한 단순한 기재가 아니라 질물에 대한 질권자의 '사실상의 지배'에 근거한 것이다. 전자등록제도에서는 질물이 유가증권이 아니라 '권리'이다. 권리질권의 설정은 법률에 다른 규정이 없으면 권리양도의 방법에 의한다(민법 제346조). '권리'라는 성질에 따라 질권자가 이를 사실상 지배할 수 있는 방법이면 질권설정방법으로 문제가 없다. 전자등록증권의 양도방법인 계좌대체방식이 질권설정의 원칙적 형태이긴

---

81) 질물이 여전히 질권설정자 계좌에 보유되지만 질권설정자의 반환과 처분이 제한되고 질권자가 언제든지 자신의 계좌로 계좌대체할 수 있기 때문에 질권자가 해당 증권을 '사실상 지배'하는 것으로 볼 수 있다. 2007년 제정된 자본시장법은 이러한 점을 반영하여 질권설정자 계좌부상 질권의 기재를 질물인 증권의 교부로 간주함으로써 그동안 관행적으로 행해졌던 질권설정방식을 법적으로 승인하였다(한국증권법학회, 「자본시장법 주석서(Ⅱ)」(박영사, 2009), 621면).

82) 질권설정의 전자등록은 질권설정자의 전자등록계좌부에 하기 때문에 질권설정자가 신청하는 것이 원칙이다. 그러나 질권설정자가 동의하는 경우에는 그 동의서를 첨부하여 질권자도 신청할 수 있다(시행령 제26조 제1항).

83) 일본의 경우 주권 전자화 이전 질권설정방식은 우리나라와 같았다. 보관대체기구(예탁결제기관)은 질권설정자 계좌 내에 '질권계좌'를 두고, 그 곳에 질권내용을 기재하였다. 그러나 대체제도를 도입하여 주권을 전자화함에 있어서는 질권설정방식을 질물을 질권설정자의 계좌(보유란)에서 질권자의 계좌(질권란)로 대체하는 방식으로 변경하였다(대체법 제141조). 질권자가 질물을 점유하는 질권의 원칙적 형태를 따른 것이다(高橋康文, 前揭書(2002), 169面).

84) 정성구, "전자증권과 담보," 「BFL」 제96호(서울대학교금융법센터, 2019), 62면.

하지만 절대적인 것은 아니다. 현행 방식도 실무 운영상 큰 문제가 없고 국제적으로 인정된 방식이다.[85] 지난 수십 년간 적법하게 사용되어 온 질권설정방식을 바꾸는 데에는 많은 전환비용이 든다. 더구나, 우리나라는 전자등록제도와 예탁결제제도를 병행하고 있기 때문에 같은 종류의 증권에 대해 서로 다른 질권설정방식을 적용하는 것은 현실적이지 못하다. 전자증권법 제35조 제2항은 이러한 점을 종합적으로 고려한 것이다.

나) 등록질

(1) 설정방법

상법상 주식에 대한 질권은 주권의 교부로 성립하는 약식질(제338조)과 질권자의 성명과 주소를 주주명부에 부기하고 그 성명을 주권에 기재함으로써 성립하는 등록질(제340조) 두 가지가 있다. 그러나 그동안 예탁제도에서의 질권은 약식질일 수밖에 없었다. 예탁주권은 주주명부에 예탁결제원 명의로 명의개서되므로 등록질을 설정하기 위해서는 질권설정자가 예탁주권을 반환받아 자신의 명의로 명의개서를 한 후 질권의 등록을 청구해야 하기 때문이다.

전자등록주식에 대해서는 상법상 등록질을 설정할 수 있다. 등록질의 첫 번째 요건인 주권상 질권자 성명 기재는 전자등록계좌부 기재로 갈음한다(제35조 제3항). 질권설정자의 신청에 따라 질권(등록질) 설정의 전자등록을 함으로써 충족된다. 두 번째 요건인 주주명부상 질권자의 주소와 성명 기재는 회사가 기준일을 정하여 주주명부를 작성하는 경우 소유자명세 통지에 질권내용을 함께 통지함으로써 충족된다. 전자등록기관은 질권자의 신청에 의하여 소유자명세에 질권내용을 포함하여 통지하고(질권설정자는 당연히 당해 주식의 주주로 통지된다) 회사는 이에 따라 주주명부에 질권자의 성명과 주소를 기재한다(제37조 제5항·제6항).

전자증권법의 규정상 등록질 설정방법은 먼저 질권설정자의 신청에 따라 질권설정의 전자등록을 하고, 이후 질권자의 신청에 따라 소유자명세 통지시 질권

---

85) 예탁유가증권의 질권설정을 질권설정자 계좌부상 질권의 기재(designating entry)를 하는 방법은 증권의 간접보유에 관한 각국 법제의 조화와 통일을 위한 '간접보유증권협약'(Convention on Substantive Rules Regarding Intermediated Securities, 2009)에서도 계좌대체와 동등한 방법으로 채택되었다. 이에 관한 자세한 내용은 박철영, "제네바증권협약의 제정과 국내 증권법의 과제," 「증권법연구」 제11권 제1호(한국증권법학회, 2010), 328~329면.

내용을 포함하여 주주명부상 질권을 등록하는 것으로 이해된다. 그러나 전자등록 실무에서는 질권 설정의 전자등록을 할 때 약식질과 등록질을 구분하고, 등록질인 경우 질권자가 소유자명세에 질권내용을 포함하여 통지할 것을 미리 신청한다. 따라서 약식질 설정 후 질권자가 단독으로 등록질을 설정하는 문제는 발생하지 않는다.[86]

(2) 성립시기

전자등록주식의 등록질은 위와 같은 방법으로 회사가 주주명부를 작성하는 때에 성립된다. 질권 설정 즉시 등록질이 성립되지 않는 문제가 있다. 전자등록계좌부상 질권설정의 전자등록을 한 후 기준일 설정까지는 상당한 시일이 걸리는데, 이 기간 동안에는 당사자 간 등록질에 관한 합의가 있었음에도 불구하고 이를 주주명부에 등록하지 못해 약식질 상태가 된다.

이러한 문제를 해결하기 위해 전자등록계좌부상 질권설정의 전자등록을 하는 즉시 회사에 당해 질권내용을 통지하여 주주명부에 질권을 등록하게 하는 방안을 생각해 볼 수 있다.[87] 그러나 주주명부는 주주가 변경될 때마다 작성되지 않고 기준일 설정 등 일정한 사유가 발생한 경우에 한하여 소유자명세 통지에 따라 일괄적으로 작성된다. 질권설정시 질권설정자가 주주명부상 주주가 아닌 경우가 대부분이기 때문에 주주명부상 질권을 등록할 수 없다. 질권내용 통지시 질권설정자를 주주로 하는 명의개서까지 함께 청구하는 것도 생각해 볼 수는 있으나, 주식 양수인의 개별적 명의개서 청구가 허용되지 않는 상황에서 등록질권자에게만 이를 허용하기가 어렵다.

전자등록주식의 등록질 설정방법은 결국 주주명부 작성 및 명의개서의 문제로서 전자등록제도에 특수한 한계가 있다. 등록질 효과는 배당금 등 과실이 발생되는 때에 실현된다고 보면, 기준일 설정에 따라 주주명부를 작성하는 때에

---

86) 질권자 단독으로 주주명부에 질권을 등록하는 것은 부당하므로 질권설정자의 승낙을 요건으로 하든지 질권설정자와 공동으로 하든지 입법적으로 해결할 필요가 있다는 견해가 있다(노혁준, 전게논문, 1701면; 심인숙, 전게논문(2017), 332면; 박임출·김춘, 전게서, 48면). 또한 전자등록제도에서는 약식질과 등록질의 구별이 없어지고 등록질로 일원화되었다는 견해도 있다(정찬형, 전게논문(2017), 54면). 이러한 견해는 모두 등록질 설정방법에 대한 오해에서 비롯된 것이다.

87) 박임출·김춘, 전게서, 49면. 이 밖에 개별적 권리행사와 마찬가지로 질권자임을 증명하는 권리자증명서(제39조에 의한 소유자증명서를 확대한 것이다)를 발행하고 질권자가 이를 회사에 제출하여 주주명부에 질권을 등록하도록 하는 방안도 생각해 볼 수 있으나(서울대금융법센터, 「전자증권제도의 법제화 방안 연구」(2014), 137면), 같은 문제가 있다.

등록질이 성립된다고 해서 질권자 이익이 침해되는 것은 아니라고 할 수 있다.[88] 질권 설정 후 주주명부상 등록할 때까지의 기간을 최대한 단축할 필요는 있는데, 이는 소유자명세 통지와 주주명부 작성의 사유를 확대하고 그 주기를 단축하는 방법으로 해결할 문제이다.

다) 이미 주권이 발행된 주식 입질의 특례

이미 주권을 발행한 회사가 전자등록제도를 채택하여 그 주식을 전자등록하는 경우 약식질권자가 점유하고 있던 주권은 무효가 된다. 따라서 약식질권자의 주권 점유를 전자등록계좌부상 전자등록으로 전환할 필요가 있다. 질권자가 질권설정자에게 주권을 반환하여 질권설정자로 하여금 전자등록계좌를 개설하고 그 위에 질권설정의 전자등록을 하도록 하는 방법이 원칙이겠으나, 질권설정자가 이에 협조하지 않거나 질권설정의 전자등록이 완료되기 전에 질권설정자가 파산하게 되면 질권을 상실할 수도 있는 문제가 있다. 약식질권자의 질권에 대한 보호조치가 필요하다.

이에 전자증권법은 질권자가 전자등록계좌부 대신 주주명부에 질권내용을 기재하여 질권을 유지할 수 있게 하는 특례를 마련하였다. 질권자는 단독으로 전자등록기준일 직전 영업일까지 주주명부에 질권내용의 기재를 요청할 수 있고(제28조 제1항), 질권설정자가 주주명부상 명의개서를 하지 않은 경우에는 질권자가 회사에 대하여 질권설정자 명의로 명의개서해 줄 것을 요청할 수 있다(동조 제3항). 이 경우 질권자는 지체없이 질권설정자에게 그 요청사실을 통보하여야 한다(동조 제5항).

이렇게 설정된 질권은 상법상 등록질인지 약식질인지가 불분명하다. 주주명부상 질권내용의 기재로 질권설정의 효력요건(제35조 제3항 전단)을 대체하였으나, 등록질의 요건, 즉 질권자의 성명을 주권의 기재하는 것에 갈음하는 전자등록계좌부 기재라는 요건(제35조 제3항 후단)은 갖추지 못하였다. 전자증권법상 이에 관한 아무런 규정이 없다. 전자증권법 제28조의 규정은 약식질권자를 보호하기 위한 질권설정 방법의 특례일 뿐 질권의 효력에 관한 특례는 아니다. 주권의 폐지에 따라 약식질권자의 권리를 주주명부에 기재하는 것이다. 따라서 이 때의 질권은 상법상 등록질이 아니라 약식질이다.[89]

---

88) 일본의 대체주식에 대한 등록질 설정방법도 같다(대체법 제159조).

그럼에도 불구하고 이 때의 질권을 등록질로 오해하는 경우가 있다. 하지만, 질권은 질권설정자와 질권자의 합의를 요하는 것이므로 질권자 일방의 의사로 약식질을 등록질로 전환하는 것은 부당하다.[90] 전자등록으로 인하여 기존의 실체법적 법률관계가 변경되는 것은 바람직하지 못하고, 그 근거도 없다. 등록질로 취급할 경우 질권자는 보호되는 반면 질권설정자는 불측의 피해를 입는다. 질권설정자는 주권이 없기 때문에 전자등록계좌를 개설하여 입질된 주식을 전자등록할 수도 없다.[91] 이 문제는 주주명부상 질권내용 기재의 효과가 불분명하고 '특례 등록질'이란 잘못된 표현에서 비롯된 것이다. 주주명부상 질권내용 기재의 효과 및 질권의 성질을 약식질로 명확히 규정할 필요가 있다.

2) 양도담보

가) 양도담보 허용 여부

증권의 양도담보는 그 양도방법에 의해 설정되므로 전자등록증권의 양도담보 역시 계좌대체의 전자등록에 의한다. 그러나 전자증권법은 자본시장법과 마찬가지로 양도담보에 관하여 아무런 규정을 두고 있지 않기 때문에 전자등록증권에 대하여 양도담보를 설정할 수 있는지에 관하여 논란이 있다.

이를 긍정하는 견해는, 양도담보는 담보물의 처분·환가에 있어 질권에 비해 유리하고 대내적으로 담보증권의 소유권이 담보설설정자에 유보됨으로써 주식대량보유 변동 공시, 감사 또는 감사위원 선임 등에 따른 의결권 제한시 의결권 행사가 가능한 주식수 산정, 정관상 주식양도 제한 등에 있어 담보물인 주식이 담보설정자 소유로 인정되는 효과가 있으므로 이를 부정할 것은 아니라고 본다.[92] 반면, 이를 부정하는 견해는, 양도담보의 장점은 소비대차, 소비임치 또는

---

89) 이렇게 주주명부에 등록된 질권을 일본의 예에 따라 '특례등록질'이라 부르는 경우가 있다 (정성구, 전게논문, 68면). 일본은 회사법상 정관 변경에 의해 주권 발행회사가 주권을 폐지하는 경우 약식질권자가 그 질권을 주주명부에 기재할 수 있도록 하는 '특례등록질'제도를 두고 있었고(회사법*제218조 제5항), 이를 대체제도에 그대로 도입하였다(대체법 부칙 제6조 제6항). 이러한 특례등록질은 본래의 등록질과는 달리 그 권리관계는 약식질과 같다 (橫山 淳, 「株券電子化の構造と對應策」(大和總研, 2006), 197面).

90) 정성구, 전게논문, 68면; 박임출·김춘, 전게서, 52면.

91) 해당 주식은 일단 전자등록기관에 개설된 명의개서대행회사의 '특별계좌'에 전자등록된 후, 질권설정가 자신이 소유자임을 증명하여 계좌관리기관 내 자신의 전자등록계좌로 계좌대체를 청구하여야 한다.

92) 박임출·김춘, 전게서, 55~56면(전자등록제도는 약식양도담보를 설정할 수 없기 때문에 이러한 이익이 그대로 실현되지 않는 한계도 있다고 한다).

환매조건부매매를 통하여 달성할 수 있기 때문에 따로 양도담보를 인정할 실익이 없다고 보고, 전자증권법이 양도담보에 관하여 아무런 규정을 두지 않은 것을 양도담보를 인정하지 않으려는 의도로 해석한다.93)

이러한 논란에 관계없이 실제 거래에서는 여전히 질권과 함께 양도담보가 많이 이용되고 있다. 금융기관들은 증권담보대출에 있어 질권보다 양도담보를 선호한다. 채권자 입장에서 담보권 설정, 채권 확보 및 실행 면에서 유리하기 때문이다.94) 또한 자본시장에서의 담보거래에서는 증권의 유동성을 증대시키고 자금조달비용을 줄이기 위하여 담보물을 재사용하는 것이 일반화되고 있는데, 양도담보는 이러한 담보의 재사용이 용이하다. 즉, 다수의 판례95)가 확인한 바와 같이 양도담보는 동산이나 증권의 전통적인 담보수단인 질권과 달리 담보물의 소유권이 대외적으로는 담보권자에게 이전되기 때문에 당사자간 정산절차를 마치기 전이라도 담보권자가 담보물을 제3자에게 처분·이전하는데 법률적인 장애가 없다. 판례를 통해 인정되어 온 담보제도가 특별한 설정방법을 요하는 것도 아닌데 전자증권법상 명시적인 규정이 없다고 해서 허용되지 않는다고는 할 수는 없다. 전자증권법 입법시 이를 허용하지 않으려는 의도가 따로 있었던 것도 아니다.

나) 양도담보 설정방법

자본시장법과 예탁실무에서는 양도담보를 따로 규정하거나 관리하지 않는다. 예탁계좌가 일반계좌와 양도담보계좌로 구분되지 않고, 이를 구분할 수 있는 다른 기재도 없다. 따라서 양도담보권자의 고유재산인 주식과 양도담보로 보유하는 주식은 전혀 구분되지 않는다. 일반 양도와 같이 담보권자 예탁계좌로 계좌대체하는 방법으로 설정된 양도담보는 성질상 등록양도담보에 해당한다. 양도담

---

93) 노혁준, 전게논문, 1702~1703면; 정성구, 전게논문, 59~61면(전자등록제도에서는 질권을 유일한 담보권으로 인정해도 특별한 불편이 없을 것이라 한다).

94) 질권은 상행위로 생긴 채권에 대해서만 유질이 허용되지만, 양도담보는 그러한 제한이 없다. 양도담보에서는 질권과 달리 점유개정방식이 가능하여 담보설정자가 질물을 점유하여 계속 사용할 수 있다. 담보권의 실행에 있어서도 질권은 경매(실제로는 특약에 의한 임의처분이 대부분이다)가 원칙이지만, 양도담보는 임의처분이 원칙이다.

95) 대법원 2008.11.27. 2006도4263; 1999.9.7. 98다47283; 1986.8.19. 86다카315 등(양도담보의 성질을 신탁적 소유권 이전으로 보아 동산에 대하여 양도담보설정계약이 이루어진 경우 양도담보권자는 양도담보권설정자를 제외한 제3자에 대한 관계에 있어서는 자신이 그 동산의 소유자임을 주장하여 권리를 행사할 수 있다고 한다).

보권자가 직접 주주명부상 명의개서를 하지는 못하지만, 주주명부와 동일한 효력이 있는 실질주주명부에는 양도담보권자가 실질주주로 기재되기 때문이다. 담보설정자는 의결권 등 주주로서의 권리를 행사할 수 없다. 담보설정자가 주주의 지위를 유지하는 '약식양도담보'는 설정할 수가 없다.

전자등록제도에서도 다르지 않다. 전자증권법은 양도담보에 관하여 따로 규정하지 않고 있기 때문에 일반 양도와 같이 담보권자 전자등록계좌로 계좌대체하는 방법으로 설정된다. 전자등록계좌부 관리상 일반 양도와 양도담보는 구분되지 않는다. 양도담보권자는 주주명부 작성시 전자등록기관의 소유자명세 통보에 의해 주주명부상 주주로 기재된다. 예탁제도에서와 같이 전자등록제도에서의 양도담보도 등록양도담보일 수밖에 없다.

다) 약식양도담보의 관리

양도담보계약에 따라 주식의 소유권이 담보권자에게 이전되더라도 이는 어디까지나 담보로 제공하는 것이기 때문에 담보물에 대한 사용·수익권은 담보설정자가 보유하는 경우가 있다.[96] 이 경우의 양도담보는 약식양도담보이어야 하는데, 전자등록제도에서 이를 어떻게 관리할 것인지가 문제다. 회사가 전자등록제도를 채택하는 경우 이미 설정된 약식양도담보가 당사자의 의사에 관계없이 등록양도담보로 전환되어서는 안 된다. 양도담보가 대외적으로는 소유권의 이전이지만 당사자 사이에서는 어디까지나 담보 설정이라는 실질을 관리하여 양도담보설정자의 권리를 보호할 필요가 있다. 전자등록제도는 기존의 다양한 증권거래방식을 제한하기보다는 이를 합리적으로 수용하는 것이어야 한다.

일본의 경우에는 약식양도담보의 관리를 위해 '특별주주'라는 새로운 제도를 마련하였다. 양도담보설정자의 신청이 있으면 양도담보권자는 자기 대신 양도담보설정자를 주주(이를 '특별주주'라 한다)로 관리해 달라고 대체기관(전자등록기관) 및 계좌관리기관에 청구할 수 있다. 이들 기관은 특별주주에 대해서 '특별주주관리부'를 작성하고, 총주주 통지시 양도담보권자 대신 특별주주인 양도담보설정자를 주주로 통지한다(대체법 제151조 제2항, 대체업무규정 제145조 제2호).[97] 이에

---

96) 동산 양도담보에서는 담보설정자가 담보권자를 위하여 담보물을 점유한다는 의사표시를 함으로써 인도의 효력이 발생하는 '점유개정'이 인정되기 때문에 질권과 달리 담보설정자가 담보물을 계속 점유·사용할 수 있는 이점이 있다.

97) 특별주주관리부에는 특별주주 기록을 신청한 계좌보유자의 성명과 주소, 대체주식이 기재된 계좌 및 기재일, 대체주식의 종목 및 종목별 수, 특별주주의 성명과 주소, 특별주주 기

따라 양도담보설정자가 회사에 대하여 주주의 지위에서 담보주식에 대하여 이익배당, 의결권 등의 권리를 행사한다. 전자증권법도 양도담보설정자를 주주로 관리할 수 있는 특례를 마련할 필요가 있다. 양도담보를 법률로 금지할 것이 아닌 이상 금융소비자의 권리 보호 차원에서도 양도담보설정자에게 주주권 행사의 기회를 부여하는 것이 바람직하다.

3) 유치권

가) 유치권 인정여부

유치권은 타인의 물건이나 유가증권을 점유함으로써 성립한다(민법 제320조 제1항). 상인간 상거래로 인한 상사채권에 대해서는 기업활동에 있어서의 신용보호라는 요청에 따라 물적담보를 강화하기 위하여 민사유치권보다 그 성립요건이 완화된 상사유치권을 인정한다(제58조). 민사유치권의 피담보채권은 목적물에 관하여 생길 것을 요구하나, 상사유치권은 이러한 견련관계를 요구하지 아니한다. 그러나 전자증권법은 유치권에 관하여 아무런 규정을 두고 있지 않아서 전자등록증권의 유치권 인정 여부가 문제된다.

민사유치권이든 상사유치권이든 현행법상 유치권의 대상은 물건이나 유가증권이어야 한다. 전자등록된 주식 등의 권리가 민·상법이 요구하는 '유가증권'에 해당하는지, 이에 대해서도 유가증권과 같은 '점유'의 요건이 성립되는지가 문제다. 그러나 기술한 바와 같이 전자등록된 주식 등의 권리는 유가증권으로 볼 수 없다.[98] 점유의 요건은 차치하고 유가증권성이 인정되지 않는 이상 현행법상 유치권의 성립을 인정하기가 어렵다.

나) 유치권 인정을 위한 입법론

(1) 인정근거

예탁제도에서는 예탁증권이 계좌부 기재 형태로 존재하는 공유지분임에도 불

록의 신청일 등을 기재한다(대체업무규정 제108조~제122조).
98) 상법 제65조 제2항의 규정(제1항의 유가증권으로서 그 권리의 발생·변경·소멸을 전자등록하는데 적합한 유가증권은 제356조의2 제1항의 전자등록기관에 전자등록부에 등록하여 발행할 수 있다)을 근거로 전자등록 주식 등이 상법상 유가증권에 포섭되는 것으로 보는 견해가 있다(정성구, 전게논문, 57면). 이 규정은 주식, 사채 및 신주인수권 이외의 유가증권에 대하여 전자등록의 근거를 규정한 것인데, 기술한 바와 같이 그 표현은 전자등록의 성질에 맞지 않는다(3. 다. 2) 참조). 이를 근거로 전자등록된 권리를 유가증권으로 볼 수는 없다.

구하고 그 계좌부 기재를 개별 유가증권의 점유로 간주하기 때문에(자본시장법 제311조 제1항) 이에 대해 유치권이 성립된다. 전자등록제도는 유가증권이 발휘하였던 경제적 기능들을 향상시키는 것이어야 하지 이를 제약하는 것이어서는 안 된다. 유가증권의 전자화 전후 거래상 실체가 동일함에도 불구하고 전자등록증권에 대하여 유치권을 배제하는 것은 전자등록제도의 이념에 맞지 않는다. 전자등록증권에 대해서도 유치권을 인정할 필요가 있다. 전자등록증권의 경우에는 점유를 인정할 수 없고 이에 대한 채권의 보호책은 유치권 외의 다른 방법으로 강구할 수 있다는 이유로 이를 부정하는 견해가 있으나,[99] 이는 현행 법률 하에서의 해석론이다. 입법적 해결이 필요하다.[100]

유치권의 핵심은 점유에 의한 유치 가능성 및 권리의 공시이다. 전자증권법은 전자등록계좌부 기재에 점유와 같은 공시기능을 인정하였다. 즉, 점유와 같은 권리추정력을 인정하고(제35조 제1항), 이에 의해 점유와 같은 권리외관을 부여함으로써 선의취득도 인정하였다(동조 제5항). 전자등록되는 주식 등의 권리는 비록 유가증권은 아니지만 질권 설정에서 인정되듯이 '사실상 지배'가 가능한 재산이다. 민법상 (준)점유에 의하여 유치할 수 있는 재산인 것이다. 유가증권의 전자화를 고려하면 유치물을 물건이나 유가증권에 한정할 것이 아니라 성질상 점유, 즉 사실상 지배할 수 있는 재산으로 확대해야 한다. 전자증권법상 전자등록증권에 대하여 유치권을 인정하는 특례규정이 필요하다.

최근 물건의 범위를 유체물에서 '데이터 등 관리할 수 있는 무체물'로 확대하는 민법 개정법률(안)이 발의된 바가 있다.[101] 4차 산업혁명시대의 핵심자원인 데이터의 개방·유통을 확대하기 위한 것으로 소유권의 성질에 부합하는 데이터에 대해서는 소유권을 인정하자는 것이다. 2021년 9월 데이터기본법(데이터 산업 진흥 및 이용촉진에 관한 기본법) 제정에 따라 그 필요성이 높아지고 있다.[102] 이에 의하면 전자등록증권도 물건으로서 유치권의 대상이 될 수 있다.

---

99) 정성구, 전게논문, 58면.
100) 노혁준, 전게논문, 1702면.
101) 앞의 주 18) 참조.
102) 디지털 형태의 데이터에 대하여 물성을 인정하는 견해로는 백대열, "데이터 물권법 시론,"「민사법학」제90호(한국민사법학회, 2020), 136면; 최경진, "데이터의 사법상의 권리, 그리고 데이터 소유권(data ownership)," 「정보법학」제23권 제1호(한국정보법학회, 2020), 233면; 정차호·이승현, "우리 민법상 전자파일(electronic file)의 물건성 인정 여부에 관한 연구," 「성균관법학」제30권 제1호(성균관대법학연구원, 2018), 160면.

(2) 인정범위

전자등록증권에 대하여 유치권을 행사할 수 있는 자의 범위는 계좌보유자로 제한된다. 예탁제도에서는 주권 등을 예탁받아 보관·관리하는 예탁결제원 또는 증권회사 등의 예탁자가 예탁증권을 점유함으로써 그에 관한 채권에 관하여 유치권을 행사할 수 있다.

그러나 전자등록제도에서의 전자등록기관 또는 증권회사 등 계좌관리기관은 예탁제도에서와 달리 주식 등의 권리를 (준)점유하는 관계에 있지 않다. 전자등록계좌의 보유자가 그에 전자등록된 주식 등을 권리자로서 (준)점유하는 것으로 인정할 수 있을 뿐이다. 유치권 행사자는 전자등록기관 또는 계좌관리기관이 아니고 전자등록계좌부를 통하여 타인의 주식 등을 보유하는 자(예를 들면, 신탁업자, 보관기관 등)로 한정될 것이다.[103]

마. 주주명부 작성과 명의개서

1) 주주명부의 일원화

주식을 전자등록하는 경우 전자등록계좌부에 등록된 자가 곧 주주명부상 주주로 기재되므로 전자등록기관 또는 계좌관리기관이 이에 개입할 여지가 없다. 전자등록기관 또는 계좌관리기관의 전자등록계좌를 통하여 주식을 보유하는 주주가 회사에 대하여 직접 주주의 지위를 갖는다. 전자등록기관 또는 계좌관리기관은 단지 전자등록업무 처리를 위하여 전자등록계좌부를 작성할 뿐 주식에 대해서는 아무런 권리를 갖지 않기 때문에 예탁제도에서처럼 주주가 명의상 주주와 실질주주로 나누어지는 일은 없다. 따라서 전자등록제도에서는 예탁제도에 있는 실질주주라는 개념 및 실질주주제도라는 특수한 권리행사제도가 존재하지 않는다. 지금까지 자본시장법상 실질주주명부와 상법상 주주명부로 이원화되었던 주주명부가 상법상 주주명부로 일원화된다.

2) 전자등록계좌부와 주주명부의 구분

전자등록제도를 구성함에 있어 전자등록계좌부(상법상 전자등록부)와 주주명부의 관계를 어떻게 설정할 것인가는 가장 큰 쟁점의 하나였다.[104] 전자등록제도

---

103) 유치권 인정에 반대하는 견해(주 99)는 전자등록기관과 계좌관리기관 만을 유치권 행사자로 보았다.

는 전자등록계좌부의 기재에 의하여 권리관계가 결정된다. 주권은 발행되지 아니하고, 모든 주식이 전자등록계좌부에 전자등록되며, 주주명부 기재사항이 모두 전자등록계좌부에 기재된다. 따라서 전자등록계좌부가 주주명부 기능을 수행한다고도 볼 수 있다. 실질적으로 전자등록계좌부가 곧 주주명부이고, 회사는 단지 주주명부 작성의무자로서 전자등록기관으로부터 전자등록계좌부 기재내역[105]을 소유자명세 형식으로 통보받아 이를 주주명부로 전환할 뿐이라고 할 수 있다. 이러한 관점에서 보면 전자등록기관이 회사에게 소유자명세를 통보하여 주주명부를 작성하게 하는 것보다는 전자등록계좌부 또는 소유자명세를 주주명부로 간주하거나[106] 전자등록기관이 소유자명세가 아니라 직접 주주명부를 작성하도록 하는 것[107]이 더 효율적이라고 할 수 있다.

그러나 주주명부는 주주 현황을 파악하기 위하여 회사가 작성·비치하는 장부다. 주주 구성이 계속 변화하는 가운데 회사와 다수 주주의 법률관계를 외부적으로 용이하게 식별할 수 있는 형식적이고 획일적인 기준에 따라 처리하여 사무처리의 효율성과 법적 안성성을 도모하는 제도이다.[108] 전자등록계좌부의 구성, 작성방법 등은 이러한 주주명부의 성질에 부합하지 않는다. 전자등록계좌부는 회사별로 작성되는 것이 아니고, 전자등록기관에 의해 일체적으로 작성되는 것도 아니다. 계층적 전자등록구조에 따라 전자등록기관과 다수 계좌관리기관으로 분산된다. 한 명의 주주가 복수의 계좌관리기관에 계좌를 개설한 경우 주주명부상 그 주식은 합산되어야 하나 전자등록계좌부상으로는 이를 알 수가 없다. 회사는 언제든지 주주명부의 기재내용을 확인할 수 있어야 하는데(자기장부), 전자등록계좌부의 경우 법률상 근거 없이는 그 기재내용을 파악할 수가 없다(타인장부).[109] 이견과 달리 전자등록계좌부는 실질적으로 주주명부 기능을 수행하지

---

104) 2008년 상법 개정시안은 전자등록부(전자등록계좌부)를 주주명부로 본다는 조항을 두고 있었다(제356조의2 제1항 제2문).
105) 주식의 소유자의 성명, 주소, 소유자가 가진 주식의 종류·종목·수량 등을 말한다(제37조 제1항).
106) 노혁준, 전게논문, 1670면. 주주명부제도 및 대항력 법리를 폐지하거나 전자등록계좌부 또는 소유자명세를 주주명부로 간주하는 것이 바람직하다고 한다.
107) 고동원, 전게논문, 15면. 전자등록기관이 명의개서대행회사 역할을 수행하여 발행인관리계좌부에 주주에 관한 사항을 기재하여 주주명부를 대신하게 하거나 별도로 주주명부를 작성하게 하는 방안을 제시한다. 그러나 이는 현재의 등록제 형태의 명의개서대행회사제도를 폐지해야 하는 것이므로 현실적이지 못하다.
108) 대법원 2017.3.23. 2015다248342.
109) 김지환, "주식의 전자등록에 있어서 주주보호 방안," 「상사법연구」 제34권 제1호(한국상사

못한다. 주주명부로 간주할 수가 없다.

그렇다면 다수 전자등록계좌에 기재된 주주내역을 종합한 소유자명세를 주주명부로 간주하는 것은 가능한가? 소유자명세는 회사별로 작성되고 동일인 주주가 복수 계좌를 보유한 경우 각각의 주식보유 수량을 합산하여 작성한다.[110] 주주명부 기재사항인 전환주식의 내용, 주주의 전자우편주소 등을 제외하고는 그 기재내용이 거의 같다. 그러나 바로 주주명부로 전환될 소유자명세를 굳이 주주명부로 간주할 실익이 없다. 이는 어차피 회사(또는 명의개서대행회사)에 통지되어야 하고, 회사는 이를 수령하는 즉시 내용과 형식의 변경 없이 단지 통지년월일을 추가하여 주주명부로 확정한다. 주주명부 작성에 별도의 절차와 시간이 소요되지 않는다.[111]

상법은 전자등록제도를 도입함에 있어 전자등록부(전자등록계좌부)와 주주명부는 그 목적 및 작성주체가 서로 다르기 때문에 별개의 법적 장부로 보고 주주명부와 명의개서제도를 그대로 유지하였다. 이러한 상법 하에서 전자증권법상 전자등록계좌부 또는 소유자명세를 주주명부로 간주할 수는 없다. 외국의 예에서도 주주명부와 전자등록계좌부는 따로 운영되는 것이 일반적이다. 전자등록제도 구성방식에 따라 전자등록계좌부의 기록에 기초하여 주주명부를 작성하는 방식이 다를 뿐이다.[112]

3) 주주명부 작성

가) 작성방법: 소유자명세 통지

주식을 전자등록한 경우 회사가 주식의 권리행사나 그 밖의 사유로 주주를 확정하려면 일정한 날(기준일)을 정하여 그 날의 주주명부상 주주를 파악하여야

법학회, 2015), 85면.

110) 주주의 동일인 여부는 주민등록번호(개인), 사업자번호 또는 납세번호(법인), 투자등록번호 또는 실지명의번호(외국인)를 기준으로 판단한다(전자등록업무규정시행세칙 제46조 제4항).

111) 전자등록계좌부와 주주명부의 내용이 서로 다를 경우 누구에게 주주권을 인정할 것인가 하는 의문이 제기되지만(최승재, 「주주명부제도 개선방안」(한국상장회사협의회, 2018), 38~40면), 현실적으로 그러한 문제는 발생할 수 없다.

112) 일본 등과 같이 주주가 직접 자신의 명의로 주주명부에 기재되는 경우(자기명의등록)에는 전자등록기관이 권리행사 기준일이나 그 밖에 회사가 요청하는 날에 전자등록계좌부에 기재된 자를 주주로 하는 주주명세를 회사에 통지하여 주주명부를 작성하게 한다. 반면, 영국 등과 같이 주주명부에 주주 대신 계좌관리기관이 기재되는 경우(nominee등록)에는 전자등록계좌부상 주식 이전이 발생한 때에 전자등록기관이 바로 그 이전내역을 회사에 통지하여 주주명부를 작성하게 한다.

한다. 그런데 전자등록제도에서는 주주가 개별적으로 주식의 명의개서를 청구할 수 없기 때문에 주주명부를 작성하는 특별한 방법이 필요하다. 전자등록증권의 소유자명세가 그것이다.[113]

소유자명세는 그 작성 기준일에 주식 등을 소유하는 자의 성명·주소, 소유하는 주식 등의 종류·종목·수량 등을 기록한 명세로서 발행인의 요청에 의해 전자등록기관이 작성한다. 소유자는 그 기준일에 전자등록계좌부에 권리자(소유자)로 기재된 자로서 각 계좌관리기관별 소유자내역을 취합하여 작성한다(제37조 제1항·제4항). 전자등록기관은 소유자명세를 작성한 후 지체없이 발행인에 통지하여야 하고, 발행인은 통지받은 사항에 통지연월일을 더하여 주주명부를 작성하여야 한다(동조 제6항). 전자등록에 초과분이 발생한 경우에는 발행인이 그 초과분의 소유내역을 알 수 있도록[114] 소유자명세 작성·통보시 이를 포함시켜야 한다.[115]

전자증권법상 소유자명세 통지 요청권자는 발행인이다. 회사만 주주정보를 파악하는 것은 불합리하므로 주주에게도 소유자명세 통지 요청권을 부여할 필요가 있다는 의견이 있을 수 있다. 그러나 소유자명세는 주주파악제도가 아니라 회사가 주주명부 작성의무를 이행하는 수단이다. 주주가 소수주주권을 행사하고자 하는 경우에는 소유자증명서 또는 소유내용 통지를 이용하면 되고, 전체 주주현황을 파악하고자 하는 경우에는 소유자명세에 의해 작성된 주주명부를 열람·등사하면 된다.[116] 주주명부 작성에 시간적 간격이 발생하는 것이 문제인데, 소유자명세를 통지하는 사유와 시기를 확대해 나감으로써 해결할 수 있다.

---

113) 소유자명세를 전자등록증권이 소유자 파악세노 또는 회사의 주식 유통정보 취합수단으로 이해하는 경우가 있다. 그러나 소유자명세는 법이 정한 사유에 한하여 발행인이 주주명부 등 소유자명부를 작성할 수 있도록 전자등록계좌부에 기재된 소유자내역을 통지하는 수단일 뿐이다. 소유자 파악 또는 주식 유통정보 취합은 주주명부 등 소유자명부를 통해서 한다. 소유자명세는 소유자증명서(제39조) 또는 소유내용 통지(제40조)와 같은 독자적인 목적을 갖지 않고, 이에 어떠한 법적 효력도 부여되지 않는다.

114) 소유자는 전자등록기관 또는 계좌관리기관에 의해 초과분이 해소되기 전까지는 발행인에게 그에 대한 권리를 행사할 수 없다(제43조 제1항·제2항).

115) 심인숙, 전게논문(2017), 326면. 일본의 경우 이를 대체법에 명시하고 있다(제151조 제5항).

116) 주주 등에게 소유자명세에 대한 열람청구권을 부여하자는 견해가 있다(노혁준, 전게논문, 1679면). 그러나 소유자명세가 주주명부에 반영되는데 시간이 걸리는 것이 아니기 때문에 이를 인정할 실익이 없다. 법적 장부가 아니라 주주명부 작성자료에 불과한 소유자명세에 대해 장부열람청구권을 인정할 수 있는 것인지도 의문이다.

나) 작성시기: 소유자명세 통지사유

(1) 통지사유

예탁제도에서 예탁주식의 권리행사 등을 위하여 예탁결제원이 실질주주명세를 작성·통지하는 사유는 매우 제한적이다. ① 상법상 주식의 권리행사 기준일이 설정된 경우 외에 ② 공개매수가 개시되어 회사가 주식의 소유상황을 파악하는 경우, ③ 회사의 도산에 따라 관리인이 주주목록을 작성하는 경우, ④ 회사가 거래소에 상장심사를 신청하여 주식의 소유상황을 파악하는 경우 등이다(자본시장법 제315조 제3항, 동법 시행령 제318조 제2항). 실질주주주명세 작성·통지를 위해서는 예탁결제원과 다수의 예탁자가 실질주주의 주식보유내역을 파악해야 하기 때문에 상당한 시간과 비용이 소요된다. 회사의 입장에서는 주주를 파악할 필요가 있는 경우 언제든지 실질주주명세를 요청할 수 있어야 하겠지만 그에 따른 비용과 사무부담으로 인한 제약이 있을 수밖에 없다.

전자등록제도에서는 주주명부가 그 기능을 다할 수 있도록 하기 위해 회사가 전자등록증권의 소유자명세 통지를 요청할 수 있는 사유를 넓게 인정하였다. 소유자명세는 발행인의 요청에 따라 작성·통지하는 것이 원칙이지만 전자등록제도의 운영상 필요한 경우 전자등록기관이 직권으로도 작성·통지할 수 있게 하였다.

발행인의 요청은 상법상 주식의 권리행사 기준일 설정과 같이 당연이 요청해야 하는 경우도 있고, 회사의 개별적 사정에 따라 주주 파악이 필요하여 요청하는 경우도 있다. 즉, 회사는 공개매수,[117] 도산 및 상장심사와 관련하여 주주를 파악하여야 하는 경우(제37조 제2항 제3호·제4호) 외에 법령 및 법원 결정에 따라 주주를 파악하여야 하는 경우 소유자명세 통지를 요청할 수 있고(동조 제2항 제1호), 정관에 주주 파악이 필요한 사유를 정한 경우에는 그에 따라 요청할 수도 있다(동조 제2항 제4호). 또한 이러한 구체적 사유에 관계없이 회사가 필요한 경우에는 주기적으로 소유자명세 통지를 요청할 수 있다(동조 제2항 제2

---

117) 공개매수가 적용되는 증권에는 주식상장법인이 발행한 주식 외에 신주인수권증서, 전환사채, 신주인수권부사채, 교환사채 및 이들 증권을 기초자산으로 하는 파생결합증권(권리의 행사로 이들 기초자산을 취득할 수 있는 것만 해당한다)이 포함되고(자본시장법 제133조 제1항, 동법 시행령 제139조), 발행인에는 이들 증권을 발행한 자가 포함된다(자본시장법 제134조 제1항, 동법 시행령 제145조 제3항). 따라서 공개매수가 발생한 경우 소유자명세 통지를 요청할 수 있는 증권 및 발행인에 이들 증권 및 그 발행인도 포함된다(제37조 제1항 제3호, 시행령 제31조 제2항·제3항).

호). 주주명부의 현재화를 위해서는 주·월 등 가능한 한 짧은 주기가 바람직하겠지만, 전자증권법은 회사의 실질적 필요와 전자등록기관과 계좌관리기관의 비용 및 사무부담을 함께 고려하여 그 주기를 '분기'로 하였다.[118)119)] 상장법인의 분기보고서 작성, 분기배당 등의 필요를 반영하였고, 회사는 정관에 그 사유를 정하면 추가적으로 소유자명세 통지를 요청할 수 있다는 점도 감안하였다.

전자등록기관이 직권으로 소유자명세를 작성·통지할 수 있는 경우는 회사가 해산·청산되거나 정관을 변경하여 전자등록제도를 이용하지 않기로 한 경우, 법원의 판결·결정·명령에 의하여 주식의 전자등록을 변경·말소하여야 하는 경우, 전자등록기관 또는 계좌관리기관이 전자등록초과분을 해소하기 위해 전자등록을 말소하는 경우, 전자등록증권에 관한 권리를 관리하기가 곤란한 경우[120)] 등이다(제37조 제7항, 시행령 제31조 제6항). 발행인이 요청할 수 없거나 이해관계자의 이익 보호를 위하여 필요하기 때문이다.[121)]

(2) 정관에 의한 통지사유 인정범위

회사가 주주명부를 통해 주주를 파악할 필요가 있는 경우는 매우 다양하지만 전자등록제도의 운영구조상 소유자명세는 일정한 사유가 있는 경우에만 작성·통지하는 한계가 있다. 이에 전자증권법은 그 사유를 법정하면서도 회사로 하여금 그 밖에 실질적으로 주주 파악이 필요한 경우에는 그 사유를 정관에 정하여 소유자명세 통지를 요청할 수 있도록 하였다(제37조 제2항 제4호, 시행령 제31조 제4항).

회사가 정관으로 정할 수 있는 소유자명세 통지사유에는 특별한 제한이 없기 때문에 그 범위가 문제된다. 전자등록기관과 계좌관리기관의 비용 및 사무부담과 전체 주주의 이익 침해 가능성 등에 비추어 회사의 권리남용에 해당하지 않

---

118) 분기별 소유자명세는 분기의 말일을 기준으로 작성한다(전자등록업무규정시행세칙 제43조 제3항).

119) 소유자명세 작성·통지의 비용은 발행인이 부담한다. 전자등록기관은 분기별 통지와 정관의 규정에 의한 통지에 한하여 발행인으로부터 일정한 수수료를 징수한다(전자등록업무규정 제81조 별표2).

120) 전자등록기관이 전자등록증권의 권리를 행사할 수 없는 경우 그 권리자가 발행인에 대하여 직접 권리를 행사할 수 있도록 하기 위해 전자등록기관이 직권으로 소유자명세를 작성하여 통지하도록 한 것이다.

121) 소유자명세 작성에는 비용부담이 수반되므로 전자등록기관 직권에 의한 작성은 전자등록제도를 이용하기 어려운 경우에 한하여 최소화해야 한다는 의견이 있다(노혁준, 전게논문, 1680면). 그러나 이 경우에는 발행인이 비용을 부담하지 않는다.

을 것이 요구되지만, 그 구체적인 기준을 정하기가 어렵다. 일본의 경우 회사의 권리남용을 방지하기 위하여 총주주통지(우리나라의 소유자명세 통지에 해당한다) 요청에 '정당한 이유'가 있을 것을 요구한다(대체법 제151조 제8항). 상장회사 표준정관 등을 통하여 합리적 기준을 마련할 필요가 있다.

현재의 상장회사 표준정관은 "5% 이상 지분을 보유한 주주(특수관계인 등을 포함한다)의 현황에 변경이 있는 등 필요한 경우"라고 하여 소유자명세 통지를 요청할 수 있는 주주 파악사유를 포괄적으로 규정하고 있다(제12조 제2항). 회사의 권리남용이 되지 않도록 정관으로 주주 파악이 필요한 경우를 정관에 구체적으로 정하라는 전자증권법의 취지와 달리 어떠한 경우든지 회사가 주주 파악이 필요하면 소유자명세 통지를 요청할 수 있는 것으로 하였다. 그 사유가 구체적이지 않을 경우 전자등록기관과 계좌관리기관은 전자증권법의 취지에 반한다는 이유로 소유자명세 작성·통지를 거부할 가능성이 있다. 그러므로 전자증권법의 취지에 따라 주주 파악이 필요한 경우를 구체적으로 열거할 필요가 있다. 상법의 규정에 의해 또는 주주의 이익 보호를 위해 주주에게 통지할 사항이 있는 경우 그 사유를 정관에 정할 수 있을 것이다. 예를 들면, 전환주식의 전환, 주식의 병합 등에 따른 전환·병합기준일 등의 통지(제64조 제1항, 제65조 제1항·제3항) 등이다. 이러한 통지의 대상자를 확정하는 기준일은 상법 제354조 제1항의 기준일이 아니라서 전자증권법상 소유자명세 작성·통지사유(제37조)가 아니기 때문이다.

다) 주주명부폐쇄의 적용 배제

회사가 주권을 발행한 경우 주식의 권리자(주주 또는 질권자)를 확정하기 위해서는 일정한 기간을 정하여 주주명부를 폐쇄하게 된다(제354조). 주식의 권리자가 변경되지 않도록 하기 위하여 그 사유에 따라 짧게는 2~3일부터 길게는 3개월까지 주주명부 기재의 변경을 정지한다. 주주의 명의개서청구권을 제한하는 것이다.

그러나 주식을 전자등록하는 경우에는 전자등록기관의 주주명세 통지에 의해 일괄적으로 주주명부가 작성된다. 주주의 개별적 청구에 의한 명의개서는 발생하지 않기 때문에 회사는 주주명부를 폐쇄할 필요가 없게 된다. 권리행사 기준일을 설정하는 것으로 충분하다.

4) 명의개서

가) 명의개서 방법

전자등록제도에서도 주주명부의 효력에는 변함이 없다. 따라서 주식 이전을 회사에 대항하기 위해서는 주주명부에 명의개서를 하여야 한다(제337조 제1항). 주식의 명의개서는 주주명부상 특정 주식의 주주를 양도인에서 양수인으로 변경하는 것으로서 주권의 권리추정력에 의하여 양수인이 단독으로 청구한다.

그런데 주식을 전자등록하는 경우에는 주주(양수인)가 개별적으로 명의개서를 청구할 수가 없다. 이론적으로는, 주권 대신 전자등록계좌부의 권리추정력에 의해 전자등록기관이 회사에 주식이전내역을 통지함으로써 명의개서하는 것이 가능하다.[122] 그러나 증권시장에서 매매되는 주식에 대해서는 양도인과 양수인을 특정할 수 없다. 주권에 의한 명의개서의 경우에는 주주명부상 주권번호로 양도인을 특정할 수 있으나, 전자등록주식은 전자등록계좌부에 수량만으로 기재되기 때문에 그렇게 할 수가 없다. 증권시장 밖에서 매매되는 경우에도 주식이 전전 유통되면 주주명부상 주주로부터 직접 취득하지 않는 이상 주주명부상 양도인이 누구인지를 특정할 수가 없다.[123] 그러므로 주식을 전자등록하는 경우 주주명부는 회사가 주주를 파악·확정할 필요가 있을 때 전자등록기관의 소유자명세 통지에 의하여 작성하고, 이 때 일괄적으로 명의개서가 이루어지는 것으로 볼 수밖에 없다. 주주의 개별적 명의개서 청구는 허용되지 않는다. 전자증권법은 명의개서에 관하여 아무런 규정을 두고 있지 않은데, 이러한 뜻을 명확히 규정할 필요가 있다.[124]

주주명부상 명의개서가 권리행사 기준일 등 일정한 날에 집난적으로 이루어지기 때문에 주주명부가 작성되기 전에 아직 주주명부에 기재되지 않는 주주가

---

[122] 전자증권법은 소유자증명서를 제출하거나 소유내용이 통지된 자는 회사에 대하여 '소유자로서의 권리'를 행사할 수 있다고 규정할 뿐(제39조 제5항, 제40조 제4항) 그 행사범위나 목적을 제한하고 있지 않으므로 소유자의 권리로서 명의개서청구도 할 수 있다고 보는 견해가 있다(안수현, "전자증권제도 도입이 회사법에 미치는 영향, 「전자화 등 기업환경 변화에 따른 회사법 발전방향」(법무부 선진법제포험, 2016), 22면) 그러나 명의개서청구권은 주권 소지자의 권리일 뿐 주주권의 내용은 아니기 때문에 무리가 있다.

[123] 주식 양수인이 거래 상대방(양도인)을 입증하는 경우에는 개별적 명의개서를 허용하자는 견해가 있었다(서울대금융법센터, 앞의 보고서(2014), 142면). 그러나 위와 같은 이유로 그 입증이 어렵고 주주간 형평도 문제되기 때문에 전자증권법은 이를 고려하지 않았다.

[124] 심인숙, 전게논문(2017), 336면.

개별적으로 주주권을 행사해야 하는 경우가 문제다. 이를 위해 전자증권법은 '소유내용 통지' 및 '소유자증명서'를 마련하였다. 주주가 개별적으로 명의개서를 청구할 수 없어 주주권을 행사하지 못하게 되는 문제는 발생하지 않는다.

이와 같이 전자등록제도에서의 명의개서는 주주의 개별적 청구가 아니라 회사의 요청에 의한 소유자명세 통지에 따라 일괄적으로 이루어지기 때문에 명의개서 미필의 문제가 발생하지 않는다. 회사로부터 부당하게 명의개서를 거절당한 명의개서 미필주주, 주주의 권리가 발생하는 일정한 기일까지 명의개서를 하지 않은 명의개서 미필주식(실기주) 등이 존재하지 않는다.

나) 명의개서 시점

전자등록주식의 주주명부 작성은 오직 소유자명세 통지에 의해서만 이루어진다. ① 회사가 권리행사 기준일 등 소유자명세를 작성하는 일정한 날(이하 '소유자명세기준일'이라 한다)을 정하여 전자등록기관에게 소유자명세 통지를 요청하면, ② 전자등록기관은 각 계좌관리기관에게 소유자명세 작성에 필요한 사항의 통지를 요청하고, ③ 이에 따라 계좌관리기관으로부터 통지된 내역을 취합하여(동일인 주주에 대해 그 주식수를 합산한다) 소유자명세를 작성한 후 이를 회사에 통지하며, ④ 소유자명세를 통지받은 회사는 이에 통지연월일을 기재하여 주주명부를 작성한다.

이러한 주주명부 작성절차에는 소유자명세기준일로부터 최소 3일 이상의 시간이 걸린다.[125] 주주명부상 명의개서는 실제로 명의개서를 한 때에 그 효력이 발생하기 때문에 주주는 그만큼 늦게 회사에 대한 대항력을 확보하게 된다. 이러한 문제를 해결하기 위해서는 소유자명세 통지에 의한 명의개서는 실제로 주주명부가 작성되는 시점이 소유자명세기준일 이후라 해도 그 기준일에 명의개서가 된 것으로 보아야 한다. 전자증권법상 이에 관한 규정이 없는데, 입법의 미비이다. 해석론으로는 무리가 있으므로 상법상 명의개서에 대한 특례규정을 두어야 한다.[126]

---

125) 전자등록기관은 회사에 대하여 통지기준일로부터 3영업일에서 7영업일 이내에 소유자명세를 통지하고 있다(전자등록업무규정시행세칙 제46조).
126) 박철영, "전자증권제도에 의한 주식제도의 변화와 주주명부의 기능 강화," 「기업법연구」 제33권 제2호(한국기업법학회, 2019), 129면; 심인숙, 전게논문(2017), 330면. 일본의 대체법도 명의개서 시점을 통지기준일로 소급하는 특례규정을 두고 있다(제152조 제1항).

바. 주주권의 행사

1) 주주의 지위

예탁결제제도에서 주식의 소유자는 상법상 주주가 아니라 자본시장법상 실질주주의 지위에 선다. 실질주주제도는 예탁계좌를 통하여 주식을 간접보유하는 자, 즉 예탁주식의 실질소유자가 회사에 대하여 주주로서의 권리를 직접 행사할 수 있도록 하기 위한 우리나라 특유의 법기술이다.[127] 그런데 전자등록제도에서는 주식이 주주 명의로 전자등록되고 주주명부에 기재되기 때문에 실질주주라는 개념 및 실질주주제도가 존재하지 않는다. 주식을 전자등록한 자가 곧 상법상 주주가 된다.

2) 주주권 행사방법

가) 집단적 권리행사

예탁증권은 예탁결제원이 법적 소유자이고 증권을 점유하고 있기 때문에 이에 관한 권리행사는 예탁결제원을 통한 간접행사가 원칙이다. 다만, 주식의 경우에는 회사와 주주 간 직접적 관계를 형성하는 실질주주제도에 의하여 실질주주, 즉 예탁주식의 실질소유자가 주식의 권리를 직접 행사할 수 있게 하였다.[128] 그러나 전자등록제도에서는 주주가 회사에 대하여 직접 주주의 지위를 보유하기 때문에 주식의 권리는 주주가 직접 행사하는 것이 원칙이다.

그러나 모든 주주가 회사에 대하여 주주권을 직접 행사할 경우 회사의 사무 부담 및 비용이 크게 증가하고 주주가 겪는 불편도 크다. 이에 전자증권법은 집단적 권리행사이 편의와 효율을 위하여 예탁제도에서의 권리행사방식인 전자등록기관을 통한 간접행사를 허용하였다(제38조 제1항). 주주가 전자등록기관에 주

---

127) 자본시장법상 실질주주제도(제315조·제316조)는 일본의 보관대체법(株券等の保管及び振替に關する法律)상 실질주주제도를 본받아 1987년 개정 증권거래법에 의해 도입되었다. 그러나 일본이 2009년 주권을 전자화하는 대체제도를 시행하여 실질주주제도를 폐지함으로써 현재는 우리나라만의 독특한 제도로 운영되고 있다. 실질주주제도 도입에 관한 자세한 내용은 박철영, "의결권행사의 전자화와 Shadow Voting,"「상사법연구」제29권 제4호(한국상사법학회, 2011), 94면 이하 참조.

128) 그러나 실질주주들은 극히 일부의 의결권 행사를 제외하고는 대부분의 주주권을 예탁결제원을 통해 간접행사하고 있고, 명의개서와 주권불소지신고 기타 주권에 관한 권리는 주주명부상 주주인 예탁결제원이 행사해야 한다(자본시장법 제314조 제2항·제3항). 실질주주의 주주권 직접행사는 명목적인 것에 불과하다.

식의 권리행사를 신청해야 하는데, 계좌관리기관의 전자등록계좌에 등록한 주주
는 계좌관리기관을 통하여 신청하여야 한다(제38조 제2항). 주주는 계좌관리기관
또는 전자등록기관에 전자등록계좌를 개설할 때 포괄적으로 권리행사를 위임하
고 신수인수권, 주식매수청구권 등 주주의 개별적 의사가 필요한 권리의 행사는
그 때마다 구체적 내용을 표시하여 신청하여야 한다.[129] 이러한 주주의 위임에
따라 전자등록기관은 각종 주주권 행사를 대행한다.[130] 의결권의 경우에는 주주
총회 의안별 찬·반의사를 표시한 위임장에 따라 대리행사한다(전자등록업무규정
제56조).[131] 회사는 전자등록기관의 권리행사에 필요한 사항, 즉 주식의 종류와
발행회차, 권리의 종류·발생사유·내용, 권리행사 일정, 발행조건이 변경된 경
우 그 변경내역 등을 전자등록기관에 지체없이 통지하여야 한다(제38조 제3
항).[132]

나) 개별적 권리행사: 소유자증명서 및 소유내용 통지

(1) 취 지

주식을 전자등록한 회사의 주주명부는 전자증권법이 정한 소유자명세 통지사
유가 발생한 경우에만 작성되고 주주는 개별적으로 명의개서를 청구할 수 없다.
따라서 주주명부에 기재되지 못한 주주가 회사에 대하여 개별적으로 소수주주권
등의 권리를 직접 행사할 수 있도록 하는 방법이 필요하다.[133] 예탁결제제도에

---

129) 전자등록기관과 계좌관리기관에 전자등록계좌를 개설할 때 사용하는 약관에 이러한 내용이
   포함되어야 하나, 실제로는 그러하지 못하다. 전자등록기관이 주주의 권리를 행사할 권원이
   문제된다.
130) 전자등록기관의 고유업무에 전자등록 주식 등에 대한 권리행사의 대행에 관한 업무가 포함
   되어 있다(제14조 제1항 제6호).
131) 전자등록기관에 의결권 대리행사를 신청할 수 있는 주주의 범위에 제한은 없으나, 실제로
   는 외국인 주주를 대상으로 행해지고 있다. 외국인 주주의 상임대리인이 전자등록기관에
   의결권 행사를 재위임한다.
132) 전자증권법 제38조 제1항이 명시한 배당금·원리금·상환금 등의 수령 외에는 전자등록기
   관이 전자등록주식의 권리를 행사할 법적 근거가 미약하다는 견해가 있다(박임출·김춘,
   전게서, 92면). 그러나 전자증권법은 전자등록기관이 권리를 행사할 수 있는 범위를 제한
   하지 않고 '그 밖에 주식등에 관한 권리'를 포괄적으로 규정하고 있다. 전자등록업무규정에
   서 구체적인 방법을 규정하고 있다(제51조 이하).
133) 주주의 개별적 주주권 행사도 전자등록기관을 통하여 할 수는 있다. 주주의 신청에 의한
   전자등록기관의 권리행사는 권리의 종류·내용을 제한하지 않는다(제38조). 그러나 이는
   회사와 다수의 주주 간 주식사무를 집단적·효율적으로 처리하기 위한 것으로 회사와 주주
   간 또는 주주 상호 간 이해충돌의 문제가 없는 권리를 대상으로 한다. 개별적 주주권 행사
   에는 적합하지 않다.

서는 실질주주증명서로써 실질주주가 주주명부상 명의개서 없이도 회사에 대하여 직접 개별적 권리행사를 할 수 있게 하였다(자본시장법 제318조 제3항). 전자등록제도에서도 이와 유사한 장치가 필요하여 전자증권법은 소유자증명서와 소유내용 통지라는 두 가지 방법을 마련하였다. 양자는 주주임을 증명하는 방법에 차이가 있을 뿐 그 기능과 효과는 동일하다. 어느 방법을 이용할지는 주주의 선택사항인데, 실제로는 소유자증명서가 주로 이용되고 있다.[134]

(2) 소유자증명서

소유자증명서는 전자등록된 주식 등의 소유자가 자신의 권리를 행사하기 위하여 주식 등의 전자등록을 증명하는 문서를 말한다(제39조 제1항 전단). 주식 등의 소유자의 신청에 의하여(계좌관리기관에 전자등록된 자는 해당 계좌관리기관을 통하여 신청하여야 한다) 전자등록기관이 해당 전자등록계좌부의 기재내용에 따라 작성한다(제39조 제1항 후단).

주주는 소유자증명서를 회사뿐만 아니라 해당 주식의 권리행사에 관계되는 법원에 제출하여 주주로서의 권리를 행사할 수 있다(제39조 제5항, 시행령 제33조 제6항 제1호).[135] 주식의 소유자증명서에는 주주의 성명·주소, 주식의 종류·종목·수량, 행사하려는 권리내용, 제출처 등을 기재하는데(시행령 제33조 제2항), 상장회사의 경우 소수주주권 행사요건으로 주식 계속보유기간이 요구되기 때문에[136] 그 충족여부도 기재한다(전자등록업무규정 제68조 제3항 제3호).[137]

전자등록기관은 소유자증명서를 발행한 경우 회사에게 그 사실을 통지하는 한편, 주주가 그 증명서를 반환할 때까지 전자등록계좌부상 '소유자증명서 발행의 기초가 된 주식'의 처분을 제한한다(제39조 제3항·제4항). 소유자증명서에 의

---

134) 2019년 9월 16일 전자증권법 시행 후 2021년 8월말까지 소유자증명서는 129개사 837건 발행된 반면, 소유내용 통지는 1개사 2건에 불과했다(자료: 한국예탁결제원).

135) 사채의 경우에는 사채 발행회사 외에 사채관리회사에 대해서도 소유자증명서에 의해 사채권자로서의 권리를 행사할 수 있다(시행령 제33조 제6항 제2호).

136) 상법상 주주총회소집청구권(제366조), 업무·재산상태검사청구권(제467조), 이사·감사해임청구권(제385조), 청산인해임청구권(제539조), 회계장부열람청구권(제466조), 위법행위유지청구권(제402조), 대표소송제기권(제403조) 등을 행사하고자 하는 경우 6개월 전부터 해당 주식을 계속 보유하고 있어야 한다.

137) 소수주주권 행사요건인 주식보유기간은 전자등록계좌부에 전자등록된 날로부터 기산한다. 회사 또는 법원 등이 주식보유기간을 정확히 파악할 수 있도록 일본의 예(대체법 제129조 제3항)와 같이 주식의 취득일과 증감과정을 구체적으로 기재할 필요가 있다(김태진, 전게 논문, 51면).

해 주식의 권리를 행사할 때까지 그 행사요건(주식보유요건)을 유지하도록 하기 위함이다. 질권은 그 설정만으로는 주식의 권리행사에 영향을 미치지 않지만 언제든지 질권이 실행되어 질권자 전자등록계좌로 계좌대체될 수 있기 때문에 질권설정도 주식의 처분에 해당하는 것으로 본다.[138] 소유자증명서를 발급받는 주주가 권리행사에 필요한 주식은 보유주식의 일부인데 그 전부에 대하여 처분을 제한하게 되면 과도한 재산권 제한일 수 있다. 주주권 행사요건을 충족시키는 범위 내에서 운영할 필요가 있다.[139] 소유자증명서 발행 신청시 행사하고자 하는 권리내용과 함께 그 권리행사에 필요한 주식수를 함께 기재하도록 하고, 그 부분 만큼만 처분을 제한해야 한다.[140]

(3) 소유내용 통지

주주의 개별적 권리행사방법으로 전자등록기관이 회사 또는 법원에 대하여 주식의 '소유내용의 통지'를 하는 방법도 있다(제40조). 전자등록기관이 주주에게 증명서를 발행하는 대신 회사에게 같은 내용을 서면, 팩스, 전자우편 및 기타 전자통신수단에 의하여 직접 통지하는 것이다(시행령 제34조 제2항).

소유내용의 통지사항은 기본적으로 소유자증명서 기재사항과 같다. 다만, 소유자증명서에서는 기재하야 할 '제출처'가 필요 없고, 소유자증명서와 달리 '통지내용의 유효기간'이 추가된다(시행령 제34조 제2항). 소유자증명서의 경우 그 발급일부터 반환일까지 해당 주식의 처분을 제한하는 방법에 의하여 증명서의 유효기간을 관리하나, 소유내용 통지의 경우에는 이러한 방법을 적용할 수 없기 때문에 유효기간을 따로 설정·통지하도록 한 것이다. 그 유효기간 동안 소유자증명서의 경우와 같이 주식의 처분이 제한되고, 유효기간 만료시 처분제한이 해제된다(제40조 제3항).[141]

---

138) 주주의 권리를 과도하게 제한하지 않도록 질권설정은 허용하되 질권실행에 의해 소유자증명서를 발급받은 주주가 주식보유요건을 충족하지 못한 경우 그에 대비하는 규정을 두자는 견해가 있다(박임출·김춘, 전게서, 91면; 심인숙, 전게논문(2017), 340면). 그러나 현실적으로 그 대응책이 마땅하지 않기 때문에 전자등록 실무상 질권설정도 제한하고 있다.

139) 노혁준, 전게논문, 1685면; 심인숙, 전게논문(2017), 340면. 일본의 경우 개별주주통지에 있어 해당 주식의 처분을 제한하지 않고 주주권 행사기간(4주)을 제한한다(대체법 제154조 제2항).

140) 현재와 같은 처분제한을 폐지하고, 그 대안으로 일본의 대체법(제277조)과 같이 전자등록계좌부 기재내용 열람·확인권(제41조)을 발행인에게도 인정하여 주주권 행사요건 충족여부를 확인하게 하는 방안도 제시되고 있다(심인숙, 전게논문(2017), 339면).

141) 전자등록 실무상 유효기간 만료 전이라도 주주는 권리행사가 종료되면 처분제한 전자등록

(4) 증명서 및 통지의 효력

소유자증명서 제출과 소유내용 통지의 효력은 같다. 주주명부에 기재되지 않은 주주라도 회사 또는 법원에 소유자증명서를 제출하거나 전자등록기관이 주식의 소유내용을 통지하면 이에 의해 주주로서의 권리를 행사할 수 있다(제39조 제5항, 제40조 제4항). 소수주주권 행사에 있어 소유자증명서 제출 또는 소유내용 통지는 그 권리를 행사한 후에 하여도 된다.[142] 이와 관련하여 회사에 대해서는 대항력의 근거가, 법원에 대해서는 권리행사의 성격이 문제된다.

이 두 가지 수단이 회사에 통지・증명하는 것은 해당 주식의 주주변동내역이 아니라 현재 주주의 주식보유내역이다. 이에 의해 주주명부상 명의개서는 할 수 없다. 그럼에도 불구하고 회사에 대하여 '주주로서의 권리를 행사'할 수 있다는 것(제39조 제5항, 제40조 제4항)은 회사에 대한 대항력을 인정한다는 뜻이다. 주주명부가 주주의 개별적 명의개서 없이 소유자명세 통지에 의해 일괄적으로 작성되므로 소유자증명서 및 소유내용 통지가 주주명부 기재에 우선한다고 보는 것이다.[143] 그러나 소유자증명서 또는 소유내용 통지에는 주주명부와 같은 면책력이 인정되지 않는다. 회사는 주주로 기재・표시된 자가 실제로는 주주가 아님을 알고 있는 경우 그 자의 권리행사를 허용해서는 안 된다.

예탁제도에서는 실질주주증명서로써 '상법 제337조 제1항의 규정에 불구하고' 회사에 대항할 수 있게 하였다(자본시장법 제318조 제3항). 이와 달리 전자증권법은 소유자증명서 및 소유내용의 통지에 있어 명의개서의 대항력을 규정하는 상법 제337조 제1항을 배제하지 않았다. 상법 제337조 제1항이 당연히 배제된다

의 말소를 요청할 수 있고, 전자등록기관은 그 내용을 회사에 통지한 후 말소한다(선사등록업무규정시행세칙 제77조). 주주권 행사요건에 필요한 범위 내에서 주식의 처분을 제한해야 하는 점은 소유자증명서의 경우와 같다.

[142] 신주발행무효의 소, 이사해임의 소 등 재판상 행사하는 권리는 사실심 변론 종결시까지, 주주제안권이나 집중투표청구권 등 재판외 행사하는 권리는 상법상 행사기간 내에 하면 된다. 그 이론적 근거에 관하여 일본에서는, 개별주주통지를 정지조건으로 그 시점에서 적법한 권리행사로 보거나(中川雅博, "振替制度における 個別株主通知の實務," 「阪法」 第62卷 第3・4号(大阪大學, 2012), 593面), 개별주주통지에 의하여 소수주주권 행사의 하자가 추인 내지 보정되고 그 권리행사 시점에 소급하여 효력이 생긴다고 본다(西村欣也, "少數株主權等の行使と個別株主通知の實施時期," 「判例タイムズ」 第1387号(2013), 38面). 김지환, 전게 논문, 104면에서 재인용.

[143] 회사에 대한 관계에서 명의개서를 한 자만이 주주권을 행사할 수 있다는 최근의 대법원 판례(대법원 2017.3.23. 2015다248342)는 전자증권법 시행 전의 것으로서 전자등록주식에 대해서는 적용되지 않는다. 전자등록주식에 대해서는 양수인의 개별적 명의개서가 허용되지 않기 때문에 명의개서 미필주주가 있을 수 없다.

고 보기는 어렵기 때문에 회사에 대한 대항력이 부인될 수 있다.[144] 주주명부상
주주가 동시에 주주권을 주장하는 경우가 있을 수 있다. 전자등록제도에서는 주
주명부상 주주라도 개별적 주주권은 소유자증명서 또는 소유내용 통지에 의해
행사할 수 있게 하는 것이 합리적이다. 소유자증명서 및 소유내용 통지라는 특
별한 권리행사제도의 취지에 맞게 상법 제337조 제1항을 배제하는 입법적 보완
이 필요하다.[145]

전자증권법이 자본시장법상 실질주주증명서와 같이 회사에 대한 대항력을 규
정하지 않은 것은 권리행사 상대방에 회사 외에 사채관리회사, 법원 등을 포함
하였기 때문이다. 그러나 법원은 주주의 권리행사 상대방이 아니다. 주주가 법
원에 대하여 주주로서의 권리를 행사하는 일은 없다. 소유자증명서 또는 소유내
용 통지는 대표소송 등 각종 소송에 있어 단지 주주임을 증명하는 증거자료에
불과하다. 입법상 회사에 대한 대항력과 법원 등 제3자에 대한 소유자 증명은
구분해야 한다. 소유자증명서 또는 소유내용 통지의 상대방은 발행인(사채의 경
우 사채관리회사를 포함한다)에 한정해야 한다.[146] 법원 등 제3자에 대한 소유자
증명은 전자등록계좌부 기재내용의 열람·출력·복사(제41조)로도 할 수 있고,
공탁금·보증금 등의 납부에 갈음하는 전자등록증명서(제63조)의 용도를 확대하
여 할 수도 있다.

3) 전자등록계좌부 기재내용의 열람·확인

전자등록주식의 권리자, 즉 주주 또는 질권자는 회사에 대한 주주권 행사와
별도로 자신의 지위 및 그 권리내용을 스스로 확인하거나 법원 등 제3자에게
증명할 필요가 있다. 주권이 존재하지 않으므로 주식의 권리내용은 오직 전자등
록계좌부를 통해서만 확인·증명할 수 있다. 이에 전자증권법은 전자등록주식의
권리자가 전자등록계좌를 개설한 전자등록기관 또는 계좌관리기관으로부터 자신

---

144) 소유자증명서 및 소유내용 통지에 대해 주주명부에 우선하는 효력은 인정되지만 명의개서
    대항력을 배제하는 효력은 인정되지 않는다는 견해가 있다. 노혁준, 전게논문, 1682면; 임
    재연, 전게서, 960면.
145) 심인숙, 전게논문(2017), 337~338면. 일본의 경우 대체주식의 소수주주권 행사에 있어 회
    사법상 명의개서의 대항력(제130조 제1항)의 적용을 명시적으로 배제하였다(대체법 제162
    조 제1항).
146) 노혁준, 전게논문, 1684면. 일본의 개별주주통지제도는 발행인만을 대상으로 한다(대체법
    제154조 제3항).

의 권리내용, 즉 전자등록계좌부 기재내용을 열람 또는 출력·복사할 수 있도록 하였다(제41조 제1항). 전자등록 및 관리를 위한 정보통신망 등을 통하여 열람 또는 출력·복사할 수 있게 하였는데, 사실상 그 방법에는 제한이 없다. 전자등록기관 또는 계좌관리기관은 권리자가 열람·확인하고자 하는 전자등록계좌부 기재내용을 권리자가 요청하는 방식으로 제공한다.

여기서 질권자의 자격 여부가 문제된다. 전자증권법상 전자등록계좌부 기재내용의 열람 또는 출력·복사할 수 있는 자는 "해당 기관(전자등록기관 또는 계좌관리기관)에 전자등록계좌를 개설한 전자등록 주식등의 권리자"이기 때문이다. 질권자도 해당 기관에 전자등록계좌를 개설한 자이지만, 질권은 질권설정자의 전자등록계좌부에 전자등록되기 때문에 타인 계좌부를 열람 또는 출력·복사할 수 없는 문제가 있다.[147] 그러나 이렇게 하면 질권자는 전자등록제도 하에서는 자신의 권리내용을 확인·증명할 방법이 없다. 종래 주권 등 유가증권이 수행하였던 권리증명기능을 수행할 다른 수단을 마련해야 한다. 전자증권법의 의도는 주권을 점유하는 것과 같이 전자등록 주식 등을 사실상 지배하고 있는 질권자도 그 권리내용을 확인할 수 있게 한다는 것이었다. 질권자의 경우 질권이 등록된 전자등록계좌부 기재내용의 열람 또는 출력·복사는 허용되지 않고, 이에 갈음하여 해당 전자등록기관 또는 계좌관리기관이 그 전자등록계좌부 기재내용을 전자등록확인서 형태로 발급하는 방법 밖에 없어 보인다. 입법적 보완이 필요하다.

사. 상법의 특례

1) 종류주식의 전환

회사가 전환주식을 발행하여 다른 종류주식으로 전환하는 경우 그 전환의 효력은 주주가 전환을 청구한 때에는 그 청구시에, 회사가 전환하는 때에는 주권제출기간 종료시에 각각 발생한다(제350조 제1항). 그러나 전환주식이 전자등록된 경우에는 주권제출절차가 있을 수 없으므로 전환의 효력은 회사가 정한 일정한 날(전환기준일)에 발생한다(제64조 제2항).[148] 회사는 주주명부상 주주, 질권자

---

147) 전자등록기관 또는 계좌관리기관의 전자등록업무에 대해서는 금융실명법 제4조(금융거래의 비밀보장)가 준용된다(제50조).

148) 주식의 상장여부에 관계없이 전환주식이 전자등록된 경우 전환으로 발행되는 종류주식은 반드시 전자등록하여야 한다(금융투자업규정 제3-1조 제2호).

등 권리자에게 주권 제출 및 그 무효처리에 관한 내용(제346조 제3항) 대신 전환
기준일에 전환의 효력이 발행한다는 뜻을 통지 또는 공고하여야 한다(제64조 제1
항).

회사가 이를 통지하고자 하는 경우[149] 현재의 권리자를 정확히 알 수 없는
문제가 있다. 주주명부가 권리행사 기준일이나 전자증권법이 정한 일정한 사유
가 발생한 때에만 소유자명세 통지절차를 통하여 작성되기 때문이다. 전자등록
실무에서는 통지시점의 주주명부에 기재된 자를 권리자로 보고 통지하는데, 현재
의 권리자가 아닐 수 있는 점이 문제다. 회사는 정관에 주주 파악을 위하여 소유
자명세를 요청할 수 있는 사유를 정할 수 있으므로(시행령 제31조 제4항 제3호) 전
환주식 발행에 관한 사항을 정관에 정할 때 소유자명세 요청에 관한 사항도 함께
정할 필요가 있다.

2) 주식의 병합 등

주식을 전자등록한 경우 전환주식의 전환과 마찬가지로 주식의 병합(제441
조), 회사의 합병·분할·분할합병(제530조 제3항, 제530조의11 제1항), 주식의 분
할(제329조의2 제3항), 주식의 소각(제343조 제2항), 액면주식과 무액면주식의 전
환(제329조 제5항) 등의 경우에도 주권제출절차가 없기 때문에 각각의 효력은 상
법의 규정에 불구하고 회사가 정한 일정한 날에 발생한다(제65조 제2항(본문)·제
3항). 다만, 채권자보호절차(제232조)가 있는 경우에는 그 절차가 종료된 때에
발생한다(제65조 제2항 단서). 주주명부상 주주와 질권자에 대한 병합기준일 등의
통지 및 이를 위한 소유자명세 통지와 주주명부 작성의 필요성도 전환주식의 경
우와 같다.

---

149) 전자등록된 전환주식의 전환은 주권 제출을 요하지 않기 때문에 굳이 전환기준일을 통지할
필요는 없고 공고로써 충분하다고 보는 견해가 있다(박임출·김춘, 전게서, 42면). 그러나
공고는 그 방법(전자공고 또는 신문공고)에 관계없이 주주가 공고내용을 인식할 가능성이
매우 낮기 때문에 실질적 효과가 없다. 단지 전환기준일을 통지할 것이 아니라 (이미 전환
주식 발행시 정관에 정한 사항이지만) 전환조건, 전환으로 인하여 발행할 주식의 수와 내
용, 그 밖에 주주의 전환청구권 행사에 필요한 사항을 안내할 필요가 있으므로 개별 통지
하는 것이 바람직하다.

5. 사채의 전자등록

가. 적용방식

1) 정관의 규정

사채의 전자등록제도 적용방식은 주식의 경우와 같다. 회사는 사채에 대하여 社債券을 발행할 것인지 그 대신 전자등록을 할 것인지를 정관으로 정할 수 있다(제478조 제3항). 회사가 정관에 의하여 전자등록을 선택하는 경우 사채의 종류별 또는 회차(回次)별로 전자등록 여부를 달리 정할 수 있다. 전자증권법은 증권의 종목별로 전자등록을 신청하도록 하였기 때문에(제25조 제3항) 모든 종류의 사채를 전자등록을 해야 하는 것은 아니다.

물론, 회사가 모든 종류의 사채를 전자등록하면 사채 발행·관리사무가 효율적일 수 있다. 그러나 일률적인 전자등록은 사채의 성질이나 발행실무에 부합하지 않는다. 사모로 발행되고 유통을 예정하지 않은 사채는 전자등록의 실익이 없는 반면,150) 공모로 발행되고 계좌대체의 방법으로 유통되는 사채는 전자등록이 필수적이다. 전자증권법은 조건부자본증권 및 파생결합사채(발행인이 투자매매업자인 경우에 한한다)에 대해서는 전자등록을 의무화하였다(시행령 제18조 제1항).

2) 사채권의 불발행

사채의 전자등록은 社債券의 발행을 대신하는 것이므로 회사가 전자등록을 채택한 경우에는 社債券을 발행할 수 없고, 이에 위반하여 발행된 社債券은 효력이 없다(제36조 제1항·제2항). 상법상 채권발행주의 하에서 사채권자의 당연한 권리인 채권발행청구권을 정관에 의하여, 이해관계가 없는 주주의 의사만으로 원천적으로 배제할 수 있는 것인지는 의문이다.

社債券의 발행방법은 발행인과 채권자가 자율적으로 결정할 사항이라고 보면 종래 채권등록제도에서와 같이 이사회의 사채발행결의시 그 발행방법을 정하는 것이 합리적이다. 일본의 회사법은 구상법상 채권발행주의를 포기하여 채권의 불발행을 원칙으로 하면서 社債券 발행여부가 모든 사채에 동일할 필요는

---

150) 종래에도 이러한 사채는 社債券은 발행하되 등록(공사채등록법에 의한 등록을 말한다)과 예탁을 하지 않거나, 아예 社債券을 발행하지 않는 경우가 많았다.

없다고 보았다.[151] 이에 따라 대체사채에 대해서는 '특정 사채발행결의에 의하여 발행하는 사채의 전부'를 대체사채로 할 것을 요구하고 있다(대체법 제66조 제2호).

3) 사채등록제도의 폐지

종래 대부분의 사채는 공사채등록법상 채권등록제도[152]에 따라 등록의 방법으로 발행되었는데, 사채의 '전자등록'은 채권등록제도의 '등록'과 유사하다. 양자 모두 社債券을 발행하는 대신 그에 표시될 권리(社債權)를 등록부에 기재한다. 사채권자의 권리가 그 등록을 기준으로 정해지고, 등록에 의하여 이전되며, 질권설정의 효력과 신탁의 대항력도 등록에 의하여 발생한다. 사채의 전자등록제도는 효과 면에서 채권등록제도에 의한 발행기능과 예탁결제제도에 의한 유통·결제기능을 통합한 것과 같다.[153]

이에 따라 전자증권법 시행과 함께 공사채등록법에 의한 채권등록제도는 폐지되었다(부칙 제2조). 그러나 전자등록제도 시행 전에 공사채등록법에 따라 발행된 사채 중 전자등록으로 전환되지 않은 사채(비상장사채)는 계속 채권등록제도에 의하여 유통될 수밖에 없다. 이에 대해서는 여전히 공사채등록법이 적용된다(부칙 제6조).

나. 전자등록 사채의 특수성

상법상 사채는 사채권자를 지정하는 방식, 즉 社債券 및 사채원부에 사채권자의 성명이 기재되는지 여부에 따라 기명사채와 무기명사채로 구분되고, 이에

---

151) 江頭憲治郎·門口正人(編), 「會社法大系(2)」(靑林書院, 2008), 380面.
152) 공사채등록법상 채권등록제도는 각종 사채에 대하여 그 권리자의 청구에 의하여 社債券을 발행하는 대신 법정 등록기관이 비치하는 채권등록부에 債權의 내용을 등록하는 제도를 말한다. 債權을 표창하는 債券이 발행되지 않은 등록 공사채도 그 債券과 동일한 것으로 인정하고 그 이전도 債券의 교부 없이 등록부상 등록에 의하여 처리하는 것이다. 상법상 채권발행주의의 특례를 인정한 것이다. 채권등록제도의 문제점과 한계에 관해서는 박철영, "전자등록제도 하에서의 사채관리에 관한 검토,"「상사법연구」제30권 제2호(한국상사법학회, 2011), 221~224면 참조.
153) 그러나 제도의 내용 면에서 전자등록제도는 채권등록제도와 근본적으로 다르다. ① 전자등록된 사채에 대해서는 사채권을 발행할 수가 없고, ② 전자등록부가 하나의 기관이 아니라 전자등록기관 및 다수 계좌관리기관에 의하여 계층적으로 작성되며, ③ 사채의 양도에 따른 권리이전이 양 당사자의 공동청구가 아니라 양도인 일방의 청구에 의하여 이루어진다. 이에 관한 자세한 내용은 박철영, 상게논문, 226~229면 참조.

따라 사채의 권리이전방법, 사채권자의 권리행사방법 및 회사의 사채관리방식 등이 달라진다. 기명사채와 무기명사채의 구분은 社債券의 발행을 전제로 하는 것인데, 상법은 사채권을 폐지하는 전자등록제도를 도입하면서 이에 관해서는 아무런 규정을 두지 않았다. 따라서 전자등록사채도 이사회의 사채 발행결의에서 정한 바에 따라 기명사채와 무기명사채로 구분된다. 현재 발행되고 있는 사채의 대부분은 무기명식이지만, 기명사채와 무기명사채를 구분하여 발행·관리하는데 특별한 문제는 없다. 그러나 다음과 같이 사실상 양자의 차이가 없는 것이 문제다.

첫째, 동일한 방식으로 사채권자가 지정된다. 社債券의 기능을 대신하는 전자등록계좌부는 사채권자별로 개설되는 계좌부로서 기명식·무기명식에 관계없이 모든 사채에 대하여 사채권자의 성명이 기재된다. 계좌부 기재 형식상 양자는 구별되지 않는다. 기명식인 경우 사채원부에 사채권자의 성명을 기재해야 하지만 이는 회사에 대한 대항요건일 뿐이다. 둘째, 사채의 권리이전방법 및 유통성 면에서도 차이가 없다. 기명사채와 무기명사채의 유통성 면에서의 차이는 사채권이 발행되는 경우에만 존재한다. 전자등록사채인 경우에는 양자 모두 계좌대체의 전자등록으로써 권리이전효력이 발생한다. 기명식인 경우 회사에 대한 대항요건(사채원부의 기재)을 추가로 갖추어야 하는 차이가 있으나, 이는 당사자의 청구가 아니라 전자등록기관의 통지에 의하여 전자등록의 결과를 그대로 기재하는 것이므로 유통성 면에서는 의미가 없다. 셋째, 무기명사채도 사채권자 본인 명의의 전자등록에 의해 사실상 기명사채화 되어 사채권자의 익명성이 보장되지 않는다. 무기명사채도 전자등록계좌부에 사채의 보유·거래내역이 모두 기록·관리되어 사채권자 파악이 필요한 경우에는 기명주식과 같이 소유자명세가 작성된다.[154]

이와 같이 전자등록사채는 기명식과 무기명식의 구분 속성을 가지지 않는다. 채권자의 성명이 표시되는 유가증권(社債券)이 존재하지 않고 그 권리이전도 유가증권법리를 따르지 않는다는 점에서 기명식·무기명식의 구분이 존재할 수가 없다.[155] 사채의 발행·유통상 차이가 없는 것을 오직 사채원부 기재라는 형식

---

154) 전자증권법은 무기명사채 중 조건부자본증권과 상환사채에 한하여 소유자명세를 작성할 수 있도록 규정하고 있으나, 그 밖의 사채도 금융위원회가 정하면 얼마든지 가능하다(제37조 제3항, 시행령 제31조 제5항).

155) 박철영, 전게논문(2011), 234면; 정순섭, "전자증권법의 기본원칙 - 쟁점과 과제," 「전자증권

적 요건을 기준으로 구분하는 것은 무의미한 일이다. 유가증권이 아닌 전자등록 사채를 굳이 유가증권의 권리지정방식에 따라 기명식·무기명식으로 구분할 것은 아니라고 본다.

외국의 경우에도 전자등록증권에 대해서는 기명식과 무기명식을 구분하지 않는다. 미국의 통일상법전(UCC)는 증권을 실물증서의 발행여부에 따라 증서증권(certificated security)과 무증서증권(uncertificated security)으로 구분하고, 전자에 대해서만 기명식과 무기명식을 구별한다.[156] 영국의 경우에는 전자등록형태로 존재하는 모든 무증서증권(uncertifictaed security)에 대하여 등록기관이 소유자명부(register)를 작성함으로써 사실상 기명식으로 관리한다.[157] 일본의 경우 대체사채에 대하여는 社債券 및 사채원부에 관한 회사법 규정을 적용하지 않는다(대체법 제86조의3).[158] 대체사채는 회사법상 기명사채도 아니고 무기명사채도 아닌 새로운 종류의 사채이다.[159]

다. 사채원부의 작성

1) 소유자명세의 작성·통지

회사가 사채를 발행한 경우 기명식이든 무기명식이든 사채원부를 작성하여야 한다(제488조). 사채를 전자등록한 경우에는 주식의 경우와 같이 전자등록기관의 소유자명세 통지에 의해 사채원부를 작성하게 된다. 그러나 전자증권법은 원칙적으로 기명식증권에 대하여 소유자명세를 작성·통지하는 것으로 하고(제37조 제1항), 무기명식증권의 경우에는 예외적으로 소유자 파악이 필요한 경우에 한하여 소유자명세를 작성·통지하도록 하였다. 조건부자본증권과 상환사채가 주식으로 전환 또는 상환되는 경우가 그것이다(제37조 제3항, 시행령 제31조 제5항).

그 결과 다른 무기명사채에 대해서는 소유자명세를 작성할 수 없다. 그러나 무기명사채에 있어 회사가 사채권자 파악할 필요는 조건부자본증권 및 상환사채

법 관련 최근 동향과 발전방향」(한국금융법학회 춘계학술대회, 2021), 16면.
156) UCC §8-102(a).
157) The Uncertificated Securities Regulation 1995, §19(2)(3).
158) 대체사채에 대해서는 본래 社債券에 관한 규정을 제외하고는 회사법상 사채에 관한 제 규정을 적용하였으나, 2005년의 개정에서 사채원부 기재는 대체사채의 성질에 반한다는 이유로 그에 관한 규정의 적용을 배제하였다(神田秀樹, 「會社法」(弘文堂, 2009), 295面).
159) 高橋康文, 前揭書(2006), 219面.

에 한정되지 않는다. 사채관리회사의 사채관리사무상 사채권자에 대한 통지 등이 필요한 경우가 있다.160) 무기명사채에 대한 소유자명세 통지사유는 실제 필요에 따라 확대될 수밖에 없다.

회사는 무기명사채에 대해서는 소유자명세를 통지받은 경우에도 사채원부를 작성하지 않아도 된다(제37조 제6항 단서). 전자등록에 의하여 사채권이 발행되지 않는 이상 사채원부는 의미가 없다. 전자증권법이 무기명식증권에 대한 일반규정을 두었는데, 결과적으로 무기명사채에 관한 상법 제488조의 규정이 배제된다.

2) 기명사채 이전의 대항요건

기명사채의 이전은 그 취득자의 성명과 주소를 사채원부 및 社債券에 기재하여야 회사 및 제3자에게 대항할 수 있다(제479조 제1항). 이는 社債券의 발행을 전제로 한 것이고, 전자등록사채는 사채를 양도한 즉시 사채원부에 명의개시를 할 수 없기 때문에161) 대항요건의 수정이 필요하다. 전자등록부계좌부에는 권리추정력이 인정되므로(제356조의2 제3항, 법 제35조 제1항) 이를 사채 권리이전의 제3자 대항요건으로 볼 수 있다.162)163) 전자증권법상 상법 제479조 제1항에 관한 특례규정을 두어야 한다.164)

사채원부의 명의개서에 대해서는 상법상 구체적인 규정이 없다. 社債券에 권리추정력이 인정되지 않기 때문에 주식의 경우와 달리 양수인과 양도인이 공동

---

160) 사채관리회사가 채권의 변제를 수령하거나 사채권자의 결의에 의하지 않고 그 권한을 행사한 때에는 그 뜻을 '알고 있는 채권자'에게 통지하거나 공고하여야 한다(제484조 제2항·제5항). 전자등록사채가 무기명사채인 경우 그 사채권자를 '알고 있는 채권자'로 볼 수 있는지가 문제된다. 여기서 '알고 있는 채권자'는 일차적으로 사채원부에 기재된 사채권자인데, 전자등록사채에 대해서는 사채원부가 작성되지 않는다. 단지 사채원부만을 기준으로 이들을 알지 못하는 채권자로 보아 도산절차 등에 있어 통지 대신 공고만 하게 하는 것은 지나치게 형식적이고 사채권자 보호라는 취지에 맞지 않는다. 사채권자의 권리 보호를 위하여 전자등록계좌부로부터 '알 수 있는 채권자'를 소유자명세를 통해 '알고 있는 채권자'로 전환할 필요가 있다(박철영, 전게논문(2011), 240면).

161) 이러한 문제로 인하여 현재 기명사채에 대해서는 전자등록제도를 적용하지 못하고 있다.

162) 공시채등록법상 사채등록제도에서는 채권등록부에 권리추정력이 인정되지 않기 때문에 사채원부 기재를 제3자 대항요건으로 하였다(공사채등록법 제6조 제2항).

163) 일본의 경우 대체법이 제3자 대항요건에 관하여 별도의 규정을 두지 않은 것은 이와 같은 뜻이다(黒沼悦郎, "社債等の振替に關する法律について,"「證券のペーパーレス化の理論と實務」(別册商事法務 第272號, 2003), 6面).

164) 일본 회사법도 기명사채 권리이전에 관하여 우리나라 상법과 동일하였던 대항요건(구상법 제307조)를 이와 같이 변경하였다(제688조 제2항, 제689조 제1항).

으로 청구할 수밖에 없다고 해석된다. 그러나 전자등록사채에 대해서는 주주명부의 경우와 같이 사채권자 파악을 위하여 사채원부를 작성한 때에 일괄적으로 명의개서된 것으로 볼 수밖에 없다.

라. 사채권자집회 운영

1) 사채권자집회 소집

가) 사채의 공탁방법

사채총액의 10분의 1이상에 해당하는 소수사채권자는 사채권자집회를 소집할 수 있는데,[165] 무기명사채인 경우 사채권자는 社債券을 공탁해야만 이러한 권리를 행사할 수 있다(제491조 제4항). 무기명사채를 전자등록한 경우 이때의 공탁을 어떻게 해야 하는지가 문제다. 유가증권의 공탁은 실물증권의 공탁이 원칙이나,[166] 실물증권이 없는 경우에는 예외적으로 대체증서를 공탁할 수 있다.

이에 종래 공사채등록법에서는 일종의 대체증서인 등록필증의 공탁을 채권의 공탁으로 간주하였다(동법 시행령 제46조).[167] 사채등록제도는 社債券의 발행을 전제로 하기 때문에 공탁에 있어 등록필증을 社債券으로 의제하더라도 크게 무리가 없다. 그러나 전자등록제도에서는 社債券이 존재하지 않기 때문에 이러한 의제방식을 적용하기는 어렵고, 전자등록사채를 공탁하는 새로운 방법이 필요하다.[168] 공탁법상 공탁의 목적물은 금전, 유가증권과 그 밖의 물품이기 때문에(제3조 제1항) 전자등록된 사채 등의 권리도 공탁의 대상이 되는지, 공탁의 대상이 된다면 무엇을 공탁하는 것인지가 문제된다.

사채권 등의 유가증권과 전자등록된 사채 등의 권리는 유체성에 차이가 있을 뿐 법률적·경제적으로 그 실질이 동일할 뿐만 아니라 이들 권리는 관념적·추상적인 것이 아니라 계좌부 기록이라는 구체적 존재형식을 가지는 것이다. 그러므로 공탁의 방법이 문제일 뿐 당연히 공탁의 대상이 되어야 한다. 이에 전자증

---

165) 사채권자들이 회사 또는 사채관리회사에 사채권자집회 소집을 청구하였으나 이들 회사가 지체없이 소집을 하지 않는 경우에는 법원의 허가를 얻어 소집할 수 있다(제491조 제2항).
166) 공탁법 및 공탁규칙(대법원규칙)은 실물증권의 공탁만을 예정하고 있다.
167) 공탁법은 유가증권 공탁에 대하여 실물증권의 공탁을 원칙으로 하는데, 법률이 아닌 공사채등록법시행령에 의하여 채권 대신 등록필증을 공탁할 수 있도록 하고 이를 채권의 공탁으로 간주하는 것은 법체계에 맞지 않는다.
168) 박철영, 전게논문(2011), 244면.

권법은 전자등록된 사채 등을 공탁하여야 하는 경우 전자등록기관이 발행하는 '전자등록증명서'를 공탁하도록 하였다(제63조 제1항). 전자등록증명서는 전자등록기관이 사채 등의 권리가 전자등록되었음을 증명하는 문서로서 소유자의 성명·명칭과 주소, 권리의 종류와 수량 또는 금액, 증명서의 사용목적 등이 기재되고(시행령 제44조), 전자등록기관이 동 증명서를 발행하는 때에는 해당 권리의 처분을 제한하는 등록을 한다(제63조 제2항). 이러한 공탁방법에 앞서 전자등록된 사채 등의 권리도 공탁법의 규정에 불구하고 공탁의 대상이 된다는 뜻을 명시적으로 규정할 필요가 있다.

나) 공탁방법의 개선

전자등록증명서에 의한 공탁은 종래 유가증권의 기능을 전자등록계좌부가 대신하므로 그 기재내용을 증명하는 서면을 공탁하면 된다는 생각을 반영한 것이다.[169] 그러나 공탁법상 공탁은 목적물을 채무의 변제, 손해의 담보, 민사집행 등의 목적에 따라 공탁소에 임치하는 것으로서 유가증권이 아닌 단순한 증명서는 공탁물로 적합하지 않다. 전자등록증명서는 단순한 증거증권이기 때문에 이를 공탁한다고 해서 전자등록증권에 대하여 어떠한 권한도 부여되지 않는다.[170][171] 따라서 전자등록제도에서는 전자등록증명서가 아닌 새로운 공탁수단이 필요하다.

전자등록된 권리는 유가증권과 같은 특정물이 아니라 대체성 있는 종류물이다. 그 공탁의 법적 성질은 유가증권(유체물)의 공탁과 같은 임치일 수 없고 금전의 공탁과 같은 소비임치에 준하는 것으로 보인다.[172] 그렇다면 그 공탁은 전자증권법상 양도방법, 즉 계좌대체의 전자등록으로 하여야 한다. 공탁목적의 전자등록계좌를 통한 새로운 공탁제도를 노입하여야 한다.[173]

---

169) 일본의 2005년 개정 전 대체법이 대체사채에 대하여 적용하였던 방식이다(대체법 제86조).
170) 전자증권법시행령은 공탁된 전자등록증명서의 수령권리자가 전자등록증권에 대하여 자기의 전자등록계좌로의 계좌대체를 신청할 수 있다는 뜻을 전자등록증명서에 기재하도록 하였는데(제44조 제5호), 법률의 규정이 없는 상태에서 단지 전자등록증명서에 그 뜻을 기재하는 것만으로 권리가 이전될 수는 없다.
171) 공탁 실무적으로도 종래의 채권 등록필증의 공탁과 같은 불편이 있다. 즉, 공탁자는 계좌관리기관을 통하여 증명서 발급을 신청한 후 공탁물보관자에게 이를 인도하여야 하고, 공탁물 수령권자는 동 증명서를 출급한 후 이를 계좌관리기관에 제출하여 해당 증권의 계좌대체를 청구하여야 한다.
172) 高橋康文, 前揭書(2006), 450面.
173) 일본의 경우 이러한 방법으로 대체사채 등의 공탁제도를 운영하고 있다(대체법 제278조).

그런데 상법상 社債券의 공탁은 법원에 하여야 한다(제491조 제4항, 부칙 제7조). 전자증권법에 따라 전자등록증명서를 공탁하는 경우에도 같다. 그러나 일반적인 공탁과 다른 사채권 공탁의 목적을 감안하면 이를 반드시 법원에 할 이유는 없다. 2014년 개정 전 상법은 무기명주식의 권리를 행사하고자 하는 경우 주권을 '회사'에 공탁하도록 하였었다(제358조의2). 사채의 경우에도 사채권자집회 소집자, 즉 회사 또는 사채관리회사에 공탁하도록 하면 충분하다고 본다.[174] 사채와 주식을 달리 볼 이유가 없다.

나아가, 이 경우 반드시 공탁이 필요한지도 의문이다. 여기서의 공탁의 목적은 공탁법상의 공탁과 달리 단지 공탁자가 사채권자임을 확인하는 것이다. 일본의 예와 같이 상법을 개정하여 공탁 대신 회사 또는 사채관리회사에 대하여 社債券을 '제시'하는 것으로 전환할 필요가 있다.[175][176] 전자등록사채의 경우에는 社債券의 제시 대신 전자등록증명서나 소유자증명서(제39조) 또는 소유내용 통지(제40조)를 활용할 수 있을 것이다.

2) 의결권의 행사

무기명사채의 사채권자는 사채권자집회에서 의결권을 행사하고자 하는 경우 社債券을 공탁하여야 한다(제491조 4항). 전자등록사채에 대해서는 사채권자집회 소집의 경우와 마찬가지로 전자등록증명서를 공탁하여야 한다. 공탁방법이 개선되어야 하는 점도 같다.

마. 단기사채에 관한 상법의 특례

전자증권법은 종래 전자단기사채법상 전자단기사채의 명칭을 '단기사채'로 변경하였지만 그 요건(제2조)은 그대로 유지하였다. 기업어음과 같은 상품성을 유지하기 위해서는 1년 이내의 만기 외에 ① 각 사채의 금액은 1억원 이상이어야

---

174) 박철영, 전게논문(2011), 245면.
175) 일본은 구상법상 社債券의 공탁제도가 번잡하고 비용이 소요되기 때문에 이를 회사 또는 사채관리회사에 대하여 社債券을 '제시'하는 것으로 변경하였다(회사법 제718조 제4항). 대체사채의 경우 대체계좌부 기재에 관한 증명서를 회사 또는 사채관리회사에 제시하면 된다(대체법 제86조).
176) 2014년 개정 전 상법상 무기명주식의 공탁에 관하여 그 목적상 회사에 관리를 맡기는 방법(임치) 외에 단지 이를 제시하는 방법도 가능하다는 견해도 있었다. 손주찬·정동윤(편), 「주석상법(회사Ⅲ)」(한국사법행정학회, 2003), 465면.

하고, ② 사채금액을 한꺼번에 납입하여야 하며, ③ 원리금은 만기에 전액을 한 번에 지급하여야 하고, ④ 전환권, 신주인수권 등 다른 증권으로 전환하거나 다른 증권을 취득할 수 있는 권리를 붙이지 않아야 한다. ⑤ 또한 담보부사채신탁법에 따른 물상담보를 붙이지 않아야 한다(제59조).[177]

이러한 단기사채가 기업어음과 동일한 상품성을 갖기 위해서는 만기 외에도 발행의 신속·편의성을 확보하고 권리의무관계를 단순화하는 것이 필요하다. 이를 위해 종래의 전자단기사채법은 상법상 사채에 대한 여러 가지 특례를 인정하였는데, 그 특례 역시 전자증권법에 그대로 이관되었다. 단기사채 발행의 신속·편의를 위하여 이사회가 발행한도를 정하고, 그 범위 내에서는 발행권한을 대표이사에게 위임할 수 있게 하였으며(제59조), 단기간 수시로 반복되는 단기사채 발행의 사무부담 완화를 위하여 사채원부의 작성을 면제하였다(제60조). 또한 만기가 단기이고 전문투자자 중심의 시장이라는 특성을 감안하여 자본감소, 합병 등에 요구되는 사채권자집회의 결의를 생략할 수 있게 하였다(제61조).

Ⅳ. 주식매수선택권   안 수 현*

1. 의   의

상법상 주식매수선택권이란 "회사의 설립·경영 및 기술혁신 등에 기여하거나 기여할 수 있는 회사의 이사·집행임원, 감사 또는 피용자에게 미리 약정된 가액으로 신주를 인수하거나 자기의 주식을 매수할 수 있는 권리를 부여하는 것"을 말한다(제340조의2 제1항).

이러한 제도는 미국의 스톡옵션(stock option)제도를 수용한 것으로, 이러한 권리는 선택권(옵션)의 부여자와 취득자가 누구인가에 따라, 그리고 이용목적에 따라 다양하게[1][2] 이용될 수 있다. 그러나 기본적으로 주식매수선택권(이하 우리

---

177) 사채에 담보부사채신탁법상 물상담보를 붙일 경우 신탁업자에 의한 관리·감독을 받게 되어 신탁업자가 언제든지 사채권자집회를 소집할 수 있기 때문이다(담보부사채신탁법 제41조).

  * 한국외국어대학교 법학전문대학원 교수
  1) 임·직원보수제도, 근로자재산형성제도, 근로자회사참여제도, 자본조달 확충방안, 그리고 헷

법에 따라 스톡옵션은 '주식매수선택권'으로 칭한다)제도가 이론적으로 근거하는 대리인이론에 의하면 이 제도는 주식회사에서 주주와 경영자를 위한 제도적 장치가 된다. 주식회사가 대량 자본과 전문적인 경영기구를 효율적으로 동원하고 배분할 수 있었던 것은 소유와 경영의 분리라는 주식회사 특유의 제도적 요소 때문이다. 그러나 주주와 경영자간에는 근본적으로 이해의 상충이 존재하기 때문에 회사의 경영상 결정과 관련하여 경영자가 자신의 이익을 위한 결정을 내려도 주주가 이를 적절히 감시할 수 없는 상황하에서는 이에 대한 주주의 감독이 쉽지 않다. 이 경우 주주의 이익을 극대화하는 의사결정을 경영자로 하여금 하게 하기 위하여 그 의사결정과 경영자의 보상을 일치시키는 방법을 고려하게 되었고, 이 중 주가를 성과지표로 하는 주식매수선택권이 가장 효과적인 보상수단으로 기대되었다.

이러한 이론적 근거와는 달리 국내외에서 주식매수선택권제도가 도입된 이후 회사들의 동기와 운영 그리고 시행효과 등 여러 면에서 문제점3)이 빈번히 지적된 바 있다. 다만 이에 대해서는 주식매수선택권제도 본래의 문제라기보다는 그 설계와 운영이 미숙하기 때문에 발생한 것으로 보는 시각이 일반적이다.4) 이를 고려하여 현행 상법 회사편에서도 제도를 설계함에 있어 본래의 취지대로 이용되도록 몇 가지 규제를 하고 있다. 그러나 여전히 이 제도를 채택한 회사의 설

지(hedge)목적 등으로 이용할 수 있다. 스톡옵션제도를 채택한 국가의 경우 대체로 임원의 보수유형으로 설명하는 경향이 있지만 미국에서 최초로 이용된 1920년대에는 금융기관을 통한 자본조달수단으로 인식한 경우가 많았으며 투자신탁(investment trusts)과 은행의 자본구조 개편에 주로 이용되었다. 이에 관한 논의로는 John Calhoun Baker, *Stock Options for Executives*, 19 Harv. Bus. Rev. 106 (1940) 참조. 규모가 큰 회사의 경우에는 자본조달수단으로 이용하는 경우가 그다지 많지 않은 반면, 소규모 회사인 경우 기발행주식수에 비하여 옵션을 활용해 발행하는 주식수의 비중이 상대적으로 클 수 있어 자본조달수단으로 이용될 가능성이 크다. 또한 투자자에게 배당 대신에 지급하는 것도 가능하다. 그러나 실무에서는 대체로 자본조달수단보다는 동기유인의 수단으로 이용하는 것이 보다 효과적이라고 보고 있다. 5 RIA Corporate Capital Transactions Coordinator ¶ 11, 172, 18B Am. Jur. 2d, Corporation, §1957, n. 77. 참조

2) 적대적 M&A에 대한 효과적 방어수단이 될 수 있다는 견해로는 임재연, 「회사법 I」(박영사, 2012), 511면.

3) 즉 ① 다양한 옵션설계모델의 부재, ② 객관적이고 공정한 설계기관의 부재, ③ 회사성과와의 상관관계 미약, ④ 임원능력평가제도의 부재, ⑤ 뚜렷한 목적의식 없이 유행적인 도입, ⑥ 기타 보수수준에 따른 기업조직 내 위화감 발생, ⑦ 금융위기 후 적자기업임에도 불구하고 스톡옵션을 대량 부여하는 경우 등이 문제로 제기된 바 있다.

4) 스톡옵션표준모델제정위원회, "스톡옵션표준모델" 참조; 이기수·최병규, 「증권거래법」(세창출판사, 2000), 447면 참조.

계와 운영에 따라 본래의 취지가 반감되는 경우가 있어 제도의 이점을 살리는 운영이 요구된다.[5)]

주식매수선택권의 부여로 기대되는 인센티브 효과가 담보되기 위해서는 사전에 주식매수선택권이 효과적으로 설계되어야 한다. 구체적인 내용은 주식매수선택권 부여계약에서 정하도록 맡길 수도 있지만, 주식매수선택권의 행사는 기존 주주가 보유한 주식가치의 희석화를 가져오기 때문에 제한 없이 계약에서 자유롭게 정하도록 하는 것은 허용되기 어렵다. 따라서 적어도 주주의 보호를 위한 법적 장치가 필요하다. 이러한 점을 고려하여 상법 회사편에서는 주주보호를 위하여 주식매수선택권의 인센티브 효과를 기대하도록 하는 몇 가지 장치를 두고 있다.

2. 도입과 경과

가. 1997년 증권거래법상의 주식매입선택권

1997년 도입 초기 상장법인에 대한 특례의 일환으로 상장법인과 협회등록법인에 한하여 이용할 수 있도록 증권거래법에서 "주식매입선택권"이라는 제도로 명문화되었다(동법 제189조의4 제1항). 이후 2001년 개정시 용어 통일을 위해 주식매수선택권으로 변경되었다. 동법에서는 주식매입선택권을 "법인의 설립과 경영·기술혁신 등에 기여하였거나, 기여할 능력을 갖춘 당해 법인의 주식을 매입할 수 있는 권리를 부여하는 권리"라고 정의하였고, 그 부여량을 20%까지 확대하였다. 다만, 부여량이 10% 이상 20% 이내인 경우는 주주총회의 승인을 요하는 것으로 하였고(동법 시행령 제84조의6 제6항), 부여량이 10% 이내인 경우는 이사회의 결의사항으로 하였다. 2001년 증권거래법 개정시 부여량이 10% 미만인 경우에는 회사규모별로 정해진 수량 이내에서 이사회의 결의로 상세내용을 정할 수 있게 해 부여요건을 대폭 완화시켰으며(동법 제189조의4 제3항), 이외 행사가격(동법 시행규칙 제36조의8)과 부여방법(동법 시행령 제84조의6)에 관해서도

---

5) 특히 2007년에도 금융회사의 행장에게 부여된 스톡옵션이 성과와 연동되지 않은 경우가 많아 사회적 비판을 받았으며, 이러한 비판 후 대부분의 은행에서는 경영자보상으로 스톡옵션보다는 주식그랜트제도를 이용하는 경향이 있다. 금융감독당국도 금융회사의 스톡옵션제도 이용과 관련하여 개선책을 강구, 추진해 왔다. 자세한 것은 금융위원회·금융감독원, "금융회사 스톡옵션관련 개선 추진," 2007. 8. 23. 보도자료 참조.

별도의 규정을 두었다. 한편, 부여대상자의 범위는 현재의 임·직원을 대상으로 하되 일정한 자는 제외시켰다.[6] 이처럼 도입 초기에는 상장법인에 대한 특례차원에서 도입되었다. 다만, 벤처기업의 경우에도 도입이 허용되었으며 벤처기업육성법에 의하여 부여가 가능하였다.

나. 1999년 상법에의 도입으로 비상장회사로 이용 확대

1999년 상법 개정시 당시 증권거래법상의 제도를 상당부분 수용하여 "주식매수선택권"이라는 이름으로 수용하였다. 이후 2000년부터 각 기업들은 본격적으로 주식매수선택권을 부여하기 시작하였으며, 2003년부터 그 행사가 이루어지기 시작하였다. 그러나 상법에서는 부여절차와 조건에 대해서만 집중해서 규정을 하는데 그쳐, 취소나 기타 필요한 사항들에 대해서는 규정이 정비되지 못한 상태였다. 때문에 실무에서는 스톡옵션표준모델이 마련되어 주식매수선택권의 설계와 운영에 있어 일응의 가이드라인 역할을 담당하였다.

다. 2009년 상법 개정으로 상장회사특례규정의 마련

2009년 증권거래법이 「자본시장과 금융투자업에 관한 법률」(이하 '자본시장법'으로 약칭)로 개편되면서 상장회사의 지배구조에 관한 특례규정들이 상법으로 이관되었고, 이에 따라 상장회사의 주식매수선택권에 관해서는 상법에 근거규정을 두게 되었다. 이와 함께 자본시장법에서는 주식매수선택권의 부여사실에 대한 신고와 공시에 관해 규정을 둠으로써 이의 준수가 요구되고 있다(자본시장법 제165조의17).

다만, 구 증권거래법상의 규정이 그대로 이관된 것은 아닌데, 대표적으로 구 증권거래법에는 상장회사의 주식매수선택권의 행사가액을 제한하는 규정이 마련되어 있었는데(동법 제189조의4 제1항, 동법 시행령 제84조의6 제4항, 제84조의9 제2항), 이에 의하면 시가와 액면가 중 높은 금액 이상으로 하도록 제한하고 있었다. 이 규정은 상법에 2009년 상장회사특례규정이 마련되면서 삭제되었다. 이는 구 증권거래법상의 행사가액을 제한하는 규정이 빈번히 발생하는 행사가액의 조정에 있어 장애로 작용한다는 실무에서 제기한 비판을 수용한 것으로 분석된다.

---

6) 지배주주 및 특수관계인은 제외하였다. 증권거래법 제189조의4 제1항; 동법 시행령 제84조의6 제1항 참조.

라. 2011년 상법 개정

2011년 상법 개정시 회사의 지배구조 개선의 일환으로 회사의 선택에 따라 대표이사에 갈음하는 기구로서 집행임원제도(제408조의2 제1항, 제408조의4)가 마련되었다. 이에 따라 주식매수선택권의 부여대상자의 범위에 집행임원이 추가되었다(제340조의2, 제542조의3). 아울러 무액면주식의 도입으로 주식매수선택권의 행사시 발행되는 주식이 무액면주식인 경우 준수해야 할 주식매수선택권의 행사가액의 기준에 대해서도 별도 규정이 마련되었다(제340조의2 제4항 제1호 단서).

3. 상법 회사편의 주식매수선택권제도

가. 부여주식의 종류와 수량

1) 종 류

주식매수선택권의 행사로 인도되는 주식의 종류가 어떠한 종류인가에 따라 부여대상자의 이익과 주주의 권리에 미치는 영향은 달라진다. 이에 대하여 법적으로 어떤 제한도 가하고 있지 않다. 때문에 보통주 외에 다른 종류[7]의 주식을 이용하는 것도 가능하다.

이와 관련하여 우리나라에서 종류주식의 확대를 표명한 회사법 개정 이후 도입된 종류주식에 tracking stock이 포함되는지[8]는 논란이 있다. "tracking stock"이란 특정 사업부문 내지 자회사의 사업성과에만 연계하는 주식이라 할 수 있다. 이러한 유형의 주식을 이용하는 경우 굳이 기업은 분사 등 조직형태를 변화시키지 않고도 당해 사업부분의 지배권을 유지하면서 자금조달이 가능하다

---

7) 상법상 종류주식에 해당한다. 과거 미국에서는 tracking stock을 성과연계형 보수로 이용하는 것이 유행하였는데 이러한 주식도 종류주식에 해당하는 것으로 볼 수 있다.
8) 상법은 주주권의 재산적 내용에 있어 서로 다른 취급을 받는 종류주식의 발행을 인정하고 있는데(제344조 제1항), 회사가 이익의 배당, 잔여재산의 분배에 관하여 내용이 다른 종류의 주식을 발행하려면 정관에 종류주식의 내용과 수를 정하여야 한다(제344조 제2항). 또한 이러한 주식을 발행하는 경우에는 정관으로 당해 종류의 주주에게 교부하는 배당재산의 종류, 배당재산의 가액의 결정방법, 이익을 배당하는 조건 등 이익배당에 관한 내용을 정하여야 한다(제344조의2 제1항). 배당재산의 가액의 결정방법에 특정 사업부문의 수익을 기준으로 하는 것, 즉 tracking stock도 포함된다는 견해로는 최기원, 「신회사법론」 제14대정판(개정상법)(박영사, 2012), 238면; 정연덕, 「부문연동주(Tracking Stock)에 관한 법적 연구」(서울대학교 석사학위논문, 2002) 참조.

는 이점이 있다. 보통주와의 차이를 들면, 예를 들어 한 회사가 A사업과 B사업 2개 부문을 영위한다고 할 때 보통주식의 가격은 A, B 양쪽 사업의 성과에 기초하여 결정되지만 tracking stock을 발행하는 경우에는 한쪽 사업의 성과에 기초하여 주식가치가 결정될 수 있으며 이익배당, 의결권, 잔여재산분배청구권 등 다양한 조건을 혼합하여 권리관계를 설정할 수 있다. 특히, 임직원보수로서 tracking stock을 이용하는 경우 특정의 성과에 기초함으로써 일반적인 주가의 변동에만 좌우시키게 되는 단점을 극복할 수 있다. 다만, 이 경우 매우 복잡할 수 있다는 실무상의 어려움이 예상된다. 또한, 이러한 종류의 주식이 발행된 경우 그 처분을 위한 시장이 없다면 이용효과는 크지 않다. 반면에 해당 종류의 주식을 회사에 사전에 정한 가격으로 매각할 권리를 부여한 경우라면 그러한 종류의 주식을 발행 내지 인도하기로 하는 경우도 불가능하지는 않다. 현재는 보통주식을 인도하는 경우가 일반적이다.

한편, 2011년 상법 회사편 개정으로 무액면주식이 도입되어 액면주식 이외에 무액면주식을 채택한 회사의 경우 부여주식은 무액면주식이 된다.

2) 수 량

지급이 예정된 수량은 부여 당시 확정할 수도 있지만 법에 별도의 제한이 없어 특정 시점의 발행주식총수의 일정 비율로 하는 것도 가능하다. 다만, 후자의 경우에는 발행주식총수의 산입시 미행사옵션수와 전환증권의 포함 여부를 명확히 할 필요가 있다.[9] 다만, 주식매수선택권은 이론적으로 경영자 등의 인센티브를 주주의 이익과 일치시키기 위한 제도적 장치이나 주식매수선택권의 행사 결과 신주의 발행이 이루어지므로 주주의 지배권이 희석되는 문제가 있다. 이처럼 기존 주주의 불이익이 내재되어 있어 그 부여에 제한을 가할 필요가 있다. 상법은 이러한 점을 고려하여 총발행주식의 일정 비율 이내로 부여하도록 발행주식의 일정비율 이내로 총량을 제한하고 있다(제340조의2 제3항, 제542조의3 제2항; 동법 시행령 제30조 제3항).

나. 부여방법

상법은 주식매수선택권의 부여방법으로 세 가지 방법을 규정하고 있다. 이에

---

9) 구 증권거래법에서는 이에 대한 명확한 산술방법에 대하여 언급이 없었다.

는 (i) 주식매수선택권의 행사가액 납입시 새로 주식을 발행하여 교부하는 방법
(신주인수권형)(제340조의2 제1항 본문), (ii) 자기주식을 교부하는 방법(자기주식교
부형)(제340조의2 제1항 본문), (iii) 행사가액과 시가와의 차액을 현금 또는 주식
내지 현금과 주식의 혼합분으로 교부하는 방법(주가차익청구형)(제340조의2 제1항
단서) 등이 있다.

　실무에서는 위 방법중 하나만 선택하는 방식을 이용하는 것이 선호되나 동시
에 행사하는 경우도 적지 않다. 그러나 이들 혼합방식이 가능한지에 관해서는
학설은 나뉘고 있다. 우선, 상법에서 정한 방식 이외의 방식을 창안하는 것과
혼합은 전혀 가능하지 않다는 견해가 있다.[10] 이외에 신주인수권형과 자기주식
교부형의 병용에 한해 상법상 명문의 제한은 없으나 병용 방식에 따라서는 불가
능하다는 견해가 있다. 이러한 두 가지 방식을 결합한 형태의 주식매수선택권은
허용되지 않는다는 견해는 그 논거로 행사가액 산정기준을 상법에 달리 규정하
고 있음을 든다(제340조의2 제4항).[11] 이러한 견해에 의하면 현금을 지급하는 차
익청구권(Stock Appreciation Rights; SARs로 약칭)을 단독으로 이용하거나 동일한
주식수와 행사기간, 행사가액을 가진 주식매수선택권과 병행하여 사용하는 것이
가능하다(Tandem SARs). 두 가지 방법 모두 매수선택권자가 행사자금을 조달하
는데 유리하지만 특히 병행하여 이용하는 후자의 경우에는 차익청구권 대신 주
식매수선택권을 행사하여 주가차익을 실현할 기회도 있어 보다 유리하다.[12]

　반면, 부여방법으로 자기주식을 이용하는 경우에는 회사에 투자손실 내지 매
매손실이 발생할 수도 있지만 신주발행방식을 취하는 경우에는 그러한 부담이
없으며, 전자의 경우에는 매매비용과 수수료가 드는 반면 후자의 경우에는 그렇
지 않다는 점에서 차이가 있다. 2011년 상법개정으로 상장회사에 내해서만 인정
되는 배당가능이익범위하에서의 사기주식 취득이 비상장회사에서도 전면 허용됨
으로써 배당가능이익과 상관없이 특별한 목적에 의한 자기주식 취득사유의 하나
인 주식매수선택권 부여를 위한 취득(구 상법 제341조의2) 규정은 폐지되었다.[13]

---

10) 최준선, 「회사법」 제16판(삼영사, 2021), 339면.
11) 임재연, 전게서, 513면.
12) 신주 또는 자기주식을 교부하는 경우 전체 주식수가 늘어나 기존 주주의 지배권이 희석되
　　는 문제가 있어 차익청구권방식보다 더 해롭다고 한다. 송옥렬, 「상법강의」 제4판(홍문사,
　　2014), 966면.
13) 2011년 회사편 개정으로 자기주식 취득이 비상장회사에도 원칙적으로 허용되어 종래와 같
　　이 주식매수선택권의 부여방법인 자기주식 교부를 위한 자기주식 취득의 예외적 허용요건

다. 부여한도

주식매수선택권을 부여할 수 있는 한도는 비상장법인의 경우, 발행주식총수의 100분의 10을 초과할 수 없지만(제340조의2 제3항), 상장법인의 경우에는 주주총회결의를 거친 경우에는 발행주식총수의 100분의 20의 범위에서 발행주식총수의 100분의 15에 해당하는 주식수까지 부여할 수 있다(제542조의3 제2항; 시행령 제30조 제3항). 이 경우 발행할 신주 또는 양도할 자기주식의 총량을 제한하는 기준은 '정관에 규정한 당시의 시점' 및 '부여시점'의 발행주식총수를 기준으로 한다.[14] 또한, 정관으로 정한 주식매수선택권의 한도는 1회적으로 수권된 것으로 재차 동 규정을 근거로 부여할 수 없다. 따라서 정관으로 정한 한도까지 주식매수선택권을 부여한 경우에는 정관변경을 요하며, 정관변경 후 근거규정에 기하여 다시 부여할 수 있다. 다만, 주식매수선택권이 행사되지 않은 채 종료한 경우에는 다시 주식매수선택권을 부여할 수 있다.[15]

라. 부여대상

1) 부여대상자의 자격

가) 비상장회사

비상장회사의 경우 주식매수선택권의 대상자가 될 수 있는 자는 원칙적으로 회사의 설립·경영과 기술혁신 등에 기여하거나 기여할 수 있는 회사의 이사·집행임원·감사·피용자이고(제340조의2 제1항), 회사의 주요 주주와 회사의 주요 경영사항에 대하여 영향력 있는 자 및 그 특수관계인은 부여대상자에서 제외된다(제340조의2 제2항 각호). 즉 (i) 의결권 없는 주식을 제외한 발행주식총수의

들이 폐지되었다. 상법개정 전에는 자기주식교부형으로 주식매수선택권을 부여한 경우 회사가 발행주식총수의 100분의 10 이상의 주주로부터 유상으로 취득하는 것이 전제되며 이 경우 i) 주식을 양도하고자 하는 주주의 성명, ii) 취득할 주식의 종류와 수, iii) 취득할 주식의 가액 등에 관하여 제434조의 규정에 의한 주주총회의 특별결의를 요한다. 이 경우 회사는 주주총회결의 후 6월 이내에 주식을 취득하여야 하고(동조 제2항), 주주총회의 소집통지와 공고에는 의안의 요령을 기재하여야 하며(동조 제3항, 제433조 제2항), 주식매수선택권 행사를 위한 자기주식은 권리행사기간 중 보유하여야 하고, 권리행사가 없었던 자기주식은 권리행사기간 경과 후의 상당한 시기에 처분하도록 제한하여야 한다(구 상법 제341조의2 제3항).

14) 이철송, 「회사법강의」 제29판(박영사, 2021), 690면.
15) 이철송, 전게서, 690면.

100분의 10 이상의 주식을 가진 주주, (ii) 이사·집행임원·감사의 선임과 해임 등 회사의 주요경영사항에 대하여 사실상 영향력을 행사하는 자, (iii) 위의 자의 배우자와 직계존·비속에 대하여는 주식매수선택권을 부여할 수 없다.

나) 상장회사

(1) 관계회사 이사·집행임원·감사·피용자

반면, 상장회사의 경우에는 관계회사의 이사·집행임원·감사 또는 피용자도 부여대상자가 된다(제542조의3 제1항). 다만, "관계회사"는 대통령령에서 정하는 요건을 충족한 다음 법인을 말한다(동법 시행령 제30조 제1항).

(i) 해당 회사가 총출자액의 100분의 30 이상을 출자하고 최대출자자로 있는 외국법인

(ii) 위 외국법인이 총출자액의 100분의 30 이상을 출자하고 최대출자자로 있는 외국법인과 그 법인이 총출자액의 100분의 30 이상을 출자하고 최대출자 자로 있는 외국법인

(iii) 해당 회사가 금융지주회사법에서 정하는 금융지주회사인 경우 그 자회사 또는 손자회사 가운데 상장회사가 아닌 법인

위 (i), (ii)의 법인은 주식매수선택권을 부여하는 회사의 수출실적에 영향을 미치는 생산 또는 판매업무를 영위하거나 그 회사의 기술혁신을 위한 연구개발 활동을 수행하는 경우로 한정된다(동법 시행령 제30조 제1항).

이처럼 관계회사를 외국법인 내지 일부 법인으로 제한적으로 규정한 이유는 우선, 외국법인의 경우 국내 기업이 대주주인 해외 현지법인의 임직원에 대해 인센티브를 제공할 수 있도록 한데 따른 것이다. 그러나 이에 대하여 입법론상 "회사의 수출실적에 영향을 미치는 생산 또는 판매업무를 영위하거나 그 회사의 기술혁신을 위한 연구개발활동을 수행하는" 내국법인을 제외할 필요가 있는지에 대해 의문이 있다.[16)]

한편, 금융지주회사의 경우 금융지주회사법에서 정하는 금융지주회사의 자회 사·손자회사 중 상장회사가 아닌 법인이라고 규정하고 있어 독점규제 및 공정 거래에 관한 법률에서 정하는 지주회사의 자회사·손자회사는 부여대상에서 제 외된다.

---

16) 임재연, 전게서, 522면.

(2) 제외대상

상장회사의 경우 대상자의 결격요건으로 비상장회사의 경우 적용되는 자 외에 추가적으로 다음과 같은 제한이 있다(제542조의3 제1항 단서, 제542조의8 제2항 제5호, 동법 시행령 제30조 제2항).

(i) 최대주주(의결권없는 주식을 제외한 발행주식총수를 기준으로 본인 및 그와 대통령령으로 정하는 특수관계자(특수관계인)가 소유하는 주식의 수가 가장 많은 경우 그 본인) 및 그의 특수관계인(제542조의8 제2항 제5호)

(ii) 주요주주(누구의 명의로 하든지 자기의 계산으로 의결권 없는 주식을 제외한 발행주식총수의 100분의 10 이상의 주식을 소유하거나 이사·집행임원·감사의 선임과 해임 등 상장회사의 주요 경영사항에 대하여 사실상의 영향력을 행사하는 주주) 및 그의 배우자와 직계존·비속(제542조의8 제2항 제6호)

다만, 해당회사 또는 위 관계회사의 임원이 됨으로써 특수관계인에 해당하게 된 자(그 임원이 독점규제 및 공정거래에 관한 법률에 따른 계열회사의 상무에 종사하지 아니하는 이사·감사인 경우를 포함)를 제외한다(제542조의3 제1항, 동법 시행령 제30조 제2항 단서).

한편, 설립 등에 "기여하거나 기여할 수 있는 요건"은 정관으로 정할 주식매수선택권자의 자격요건과 이에 의해 주주총회에서 선택권자를 선정함에 있어 일응의 지침을 제공하는 의의가 있다. 이에 대해서는 현실적으로 법적 구속력을 인정하기 어렵다는 해석[17]도 있으나 과거에 기여한 자에 대해 그 성과로서 부여할 수 없음을 명백히 규정하고 있는 점에서 의미가 있다. 과거에 기여를 한 임직원에게도 주식매수선택권을 부여할 수 있는지 여부에 대해 조문의 해석상 명확하지 않다는 지적이 있지만[18] 조문은 과거에 기여한 자는 부여대상에서 제외됨을 밝힌 것으로 해석해야 할 것이다.

(3) 기타 이슈: 특정인에 대한 부여한도

경우에 따라서는 특정인 또는 1인에 대한 부여한도를 정하는 것이 보통이며, 이러한 경우는 과세상 우대요건을 갖추기 위하여(조세특례제한법 제15조 제2항)

---

17) 이철송, 전게서, 689면.
18) 임재연, 전게서, 514면. 다만, 회사가 유능한 인력을 일정 기간 확보하기 위한 주식매수선택권제도의 취지상 "기여하거나"라는 용어에 과거의 기여는 포함되지 않는다고 보아야 한다고 해석하고 있다; 같은 취지로 최승재, "주식매수선택권제도의 운용실제와 문제점," 「법조」(법조협회, 2002. 9.), 147면.

또는 지배주주가 이를 요구하는 경우가 대표적이다.

마. 부여절차

주식매수선택권을 부여하기 위해서는 사전에 정관 규정과 주주총회의 특별결의 그리고 부여계약의 체결(제340조의3 제1항) 등의 절차를 거쳐야 한다. 상장회사의 경우에는 부여수량이 10% 이내에서 시행령이 정하는 한도까지 이사회결의로 부여하고, 이후 최초로 소집되는 주주총회에서 승인을 받는 방법이 허용된다(제542조의3 제2항, 제3항; 동법 시행령 제30조 제4항).

1) 정관의 규정

주식매수선택권을 부여하기 위하여서는 우선 정관에 근거규정을 마련해 두어야 한다(제340조의2 제1항). 이 경우 정관에 (i) 일정한 경우 주식매수선택권을 부여할 수 있다는 뜻, (ii) 주식매수선택권의 행사로 발행하거나 양도할 주식의 종류와 총수, (iii) 주식매수선택권을 부여받을 자의 자격요건, (iv) 주식매수선택권의 행사기간, (v) 일정한 경우 이사회의 결의로 주식매수선택권의 부여를 취소할 수 있다는 뜻을 기재하여야 한다(제340조의3 제1항).

2) 주주총회 특별결의

한편, 주주총회의 특별결의에서는 (i) 주식매수선택권을 부여받을 자의 성명, (ii) 부여방법, (iii) 행사가액과 그 조정에 관한 사항, (iv) 행사기간, (v) 부여받을 자 각각에 대하여 행사로 발행하거나 양도할 주식의 종류와 수 등을 결정하도록 하고 있다(제340조의3 제2항). 부여방법에는 신주를 발행할지 자기주식을 양도할지, 현금차액을 지급할지 등의 결정이 해당된다.

3) 이사회결의

상장회사의 경우 부여수량이 10% 이내에서 시행령이 정하는 한도까지 이사회결의로 부여하고, 이후 최초로 소집되는 주주총회에서 승인을 받는 방법이 허용된다(제542조의3 제2항, 제3항; 동법 시행령 제30조 제4항). 다만, 상장회사의 경우 이사회결의에 의한 주식매수선택권의 부여대상은 "해당 회사의 집행임원·감사 또는 피용자 및 제1항에 따른 관계회사의 이사·집행임원·감사 또는 피용자"에 한하고 "해당 회사의 이사"는 제외된다.

부여수량은 (i) 최근 사업년도 말 현재의 자본금이 3천억원 이상인 법인의 경우 발행주식총수의 100분의 1에 해당하는 주식수를 (ii) 최근 사업년도 말 현재의 자본금이 3천억원 미만인 법인은 발행주식총수의 100분의 3에 해당하는 주식수를 부여할 수 있다(동법 시행령 제30조 제4항 제1호, 제2호).

4) 주주총회의 승인

상장회사의 경우 이사회결의로 주식매수선택권을 부여한 경우 처음으로 소집되는 주주총회의 승인을 받아야 한다(제542조의3 제3항). 이는 이사회결의에 의한 주식매수선택권 부여의 남용을 규제하기 위한 것이다. 이 때의 주주총회결의는 보통결의에 의한다. 이러한 주주총회의 승인에 대하여는 비판이 없지 않다. 즉 이사회결의에 의한 주식매수선택권 부여대상에서 해당 회사의 이사는 제외되어 있어 남용으로 인한 폐해가 그리 크지는 않을 것이므로 주주총회에 보고하는 것으로 변경하는 것이 타당하다는 견해가 그것이다.[19]

5) 주식매수선택권부여계약의 체결 등

회사는 주주총회의 결의에 의하여 주식매수선택권을 부여받은 자와 계약을 체결하고 상당한 기간 내에 계약서를 작성하여야 한다(제340조의3 제3항). 주주총회의 결의는 단순히 회사의 의사결정절차에 불과하므로 부여계약이 없으면 주식매수선택권의 부여가 인정되지 않는다.[20] 아울러 계약서를 주식매수선택권의 행사기간이 종료할 때까지 본점에 비치하고 주주로 하여금 영업시간 내에 이를 열람할 수 있도록 하여야 한다(제340조의3 제4항).

바. 주식매수선택권 행사

1) 행사가액

주식매수선택권의 행사가액은 대상자에게는 그가 부담하는 금액이 되며, 당해 주식을 발행하는 회사의 주주에게는 주식매수선택권의 행사로 발행되는 주식이 공정한 발행에 해당되는가 여부를 판단하는 기준이 된다. 이러한 점 때문에

---

19) 최준선, "상장회사법규의 개선방향,"「성균관법학」제23권 제2호(성균관대학교 법학연구소, 2011), 311면; 임재연, 전게서, 523면.
20) 송옥렬, 전게서, 966면.

사전에 주주총회의 결의사항으로 하고 있으며 아울러 행사가액과 관련하여 저가 발행을 막기 위하여 별도의 규정을 두고 있다. 즉 행사가액의 경우 행사가액을 부당하게 낮추어 자본충실을 해치고, 제도의 취지와 부합하지 않은 이익을 임직원에 부여할 가능성을 고려하여 상법에서는 행사가액에 관하여 주식이 액면주식인지 무액면주식인지에 따라 제한을 두고 있다.

가) 액면주식의 경우

우선, 액면주식의 경우 (i) 신주인수권형으로 주식매수선택을 부여하는 경우 그 행사가액은 부여일을 기준으로 한 주식의 실질가액과 주식의 액면가중 높은 금액 이상이어야 하고, (ii) 자기주식교부형으로 부여하는 경우 행사가액은 부여일을 기준으로 한 주식의 실질가액이상일 것을 요하고 있다(제340조의2 제4항). 반면 (iii) 주가차익청구권의 경우 주식의 실질가액은 주식매수선택권의 행사일을 기준으로 평가하여야 한다(제340조의2 제1항 단서).

그런데 행사가액의 기준이 되는 실질가액에 대해 상법에 명문의 정의규정을 두고 있지 않다. 다만, 상법에 대부분 수용된 구 증권거래법상의 주식매수선택권 관련규정에 의하면 상장회사의 주식매수선택권의 행사가액을 제한하는 규정이 마련되어 있었는데(구 증권거래법 제189조의4 제1항, 구 증권거래법시행령 제84조의6 제4항, 제84조의9 제2항), 이에 의하면 시가와 액면가 중 높은 금액 이상으로 하도록 제한하고 있었다. 그러나 이 규정은 2009년 상법에 상장회사특례규정이 마련되면서 삭제되었다. 때문에 행사가액의 기준이 되는 "실질가액"에 관해 다양하게 해석되고 있다. 우선, (i) 상장회사의 경우 주식의 시가(時價)를 말하며, 비상장주식의 경우에는 주식의 순자산가치와 수익력을 반영한 평가액을 뜻하는 것이라는 해석[21]과 (ii) 구 증권거래법에서 상장주식의 행사가액 하한을 정함에 있어 주식매수청구권에서 매수가액을 산정하는 방식을 준용하고 있으므로 자본시장법상의 주식매수청구권의 매수가액산정에 관한 내용(자본시장법 제165조의5 제3항 단서; 동법 시행령 제176조의7 제2항[22])을 해석상 유추적용하면 된다는

---

21) 이철송, 전게서, 691면.
22) 다음의 가격기준을 두고 있다.
 1. 증권시장에서 거래가 형성된 주식은 다음 각 목의 방법에 따라 산정된 가격의 산술평균가격
  가. 이사회 결의일 전일부터 과거 2개월(같은 기간 중 배당락 또는 권리락으로 인하여 매매기준가격의 조정이 있는 경우로서 배당락 또는 권리락이 있는 날부터 이사회 결

견해[23] 등이 그것이다.

행사가액의 기준을 마련한 취지는 지나친 저가발행을 통한 성과에 부합하지 않는 과다보수를 제약하는 것이 목적이라는 점을 고려할 때 특정일을 기준으로 할 경우 시기상 인위적으로 유리한 일자를 기준으로 정하는 것이 가능하다는 우려가 없지 않다. 그러나 우리법상 행사조건은 적어도 2년 이상 재임 또는 재직을 요구하는 점에서 시가를 엄격하게 정의하기보다는 회사에 행사가액의 기준을 단순하게 이용하게 하되 행사조건을 탄력적으로 설계할 수 있게 하도록 함으로써 회사의 주식매수선택권 부여취지에 부합하도록 하는 것이 바람직할 것으로 보인다.

한편, 이상의 행사가액의 기준을 충족하는 한 특정된 행사가격 대신 일정한 공식을 이용하는 경우에 대하여 명문의 제한이 없기 때문에 이러한 공식을 이용하는 것은 허용된다고 해석된다.

나) 무액면주식의 경우

무액면주식을 발행한 경우 액면주식과 같은 제한이 있지만 무액면주식의 발행가액중 자본으로 계상되는 금액 중 1주에 해당하는 금액을 권면액으로 본다(제340조의2 제4항 제1호 단서). 즉 무액면주식의 경우 실질가액과 발행가액에서 자본으로 계상된 금액 중 1주에 해당하는 금액을 비교하여 높은 금액을 행사가액으로 정하여야 한다.

2) 행사기간

주식매수선택권의 행사를 미확정의 상태로 장기간 두는 것은 회사로 하여금 그에 대비하지 못하게 할 수 있으며 회사성과와 직접적인 관련성을 상실하게 할

의일 전일까지의 기간이 7일 이상인 경우에는 그 기간)간 공표된 매일의 증권시장에서 거래된 최종시세가격을 실물거래에 의한 거래량을 가중치로 하여 가중산술평균한 가격

　　나. 이사회 결의일 전일부터 과거 1개월(같은 기간 중 배당락 또는 권리락으로 인하여 매매기준가격의 조정이 있는 경우로서 배당락 또는 권리락이 있은 날부터 이사회 결의일 전일까지의 기간이 7일 이상인 경우에는 그 기간)간 공표된 매일의 증권시장에서 거래된 최종시세가격을 실물거래에 의한 거래량을 가중치로 하여 가중산술평균한 가격

　　다. 이사회 결의일 전일부터 과거 1주일간 공표된 매일의 증권시장에서 거래된 최종시세가격을 실물거래에 의한 거래량을 가중치로 하여 가중산술평균한 가격

23) 송옥렬, 전게서, 965면.

우려가 있다. 때문에 이러한 권리를 무제한적으로 행사하도록 허용하는 것은 타당하지 않다. 따라서 부여된 권리의 존속기간을 사전에 정하여 두는 것이 필요하며, 일반적으로 법률에서 규정하는 경향이 있으며 부여일 이후 5년에서 10년으로 정하는 경우가 많다.[24)]

3) 행사절차

주식매수선택권을 행사하려는 자는 청구서 2통을 회사에 제출하여야 한다(제340조의5; 제516조의8). 주식매수선택권의 법적 성격이 형성권으로 회사의 승낙을 요하지 않고 효력이 발생하지만 선택권의 행사로 바로 주주가 되는 것은 아니고 주식의 이전이 필요하다.

그 절차는 주식매수선택권의 부여유형에 따라 차이가 있다. (i) 신주인수권형의 경우 신주발행에 관한 규정이 준용되므로(제340조의5) 매수선택권자는 납입금보관은행에 행사가액을 전액 납입하여야 한다(제516조의8 제1항·제3항). 주식매수선택권자는 이러한 납입으로 주주가 된다(제516조의9). 반면, (ii) 자기주식을 교부하는 방식은 이러한 규정이 준용되지 않으므로 행사가액을 회사에 납입하고, 주식양도의 법리에 따라 원칙적으로 주권의 교부가 있어야 주주가 된다. (iii) 행사가액과 실질가액의 차액을 청사하는 차익청구권방식에서는 회사의 차익 지급으로 종결된다.

4) 행사제한

주식매수선택권의 행사는 주주총회 결의일로부터 2년 이상 재임 또는 재직하여야 행사할 수 있다(제340조의4 제1항, 제542조의3 제4항). 이 기간은 단축할 수 없다. 즉 강행규정으로 정관의 규정이나 주주총회의 특별결의에 의하더라도 2년보다 단기로 정할 수 없다.

이와 관련하여 2년을 근속할 것을 요하는 것인지에 대해서는 명확하지 않은데, 이에 대해 2년간 근속할 것이 요구되지는 않고 있기 때문에 중간에 재임이 중단되는 기간이 있다 하더라도 통산 2년 이상 재임 또는 재직하면 행사요건이 구비된다고 해석하는 견해[25)]가 있다. 그런데 주식매수선택권은 이러한 권리가

---

24) 법에서 명문으로 10년으로 정한 경우로는 日本 舊商法 제210조의2 제4항 참조. 5년으로 정한 경우로는 프랑스 회사법 제208조의7 제1항 참조.

25) 임재연, 전게서, 517면.

대상자의 인센티브가 되어 장차 성과로 이어지도록 하는 점에서 통상 2년 이상
이면 된다는 해석이 이에 부합하는지는 의문이다.

한편, 상장회사의 경우 주식매수선택권을 부여받은 자가 사망, 정년 퇴임·
퇴직 등을 포함한 본인의 책임이 아닌 사유로 퇴직·퇴임한 경우 비록 주식매
수선택권을 부여하기로 한 주주총회 또는 이사회결의일로부터 2년 이상 재임 또
는 재직하지 않은 경우에도 주식매수선택권을 행사할 수 있다(제542조의3 제4항;
동법 시행령 제30조 제5항).[26]

반면, 비상장회사의 경우에는 그러한 규정이 없는데, 이와 관련하여 상장회
사와 같이 명시적인 규정이 없음을 들어 비자발적 퇴임의 경우 2년의 재임기간
을 채우지 못하면 주식매수선택권을 행사할 수 없다는 견해[27]와 상법 제340조
의4 제1항에서 명문으로 정하고 있지는 않지만 행사할 수 있다고 보는 견해[28]
로 나뉘고 있다.

판례는 강행규정으로 보아 정관이나 주주총회결의를 통해서도 변경할 수 없
다고 보고 있다.[29] 그 이유에 대해서는 다음과 같이 판시하고 있는데, 즉 "상법
제340조의4 제1항과 구 증권거래법(2007. 8. 3. 법률 제8635호 자본시장과 금융투
자업에 관한 법률 부칙 제2조로 폐지, 이하 '구 증권거래법'이라 한다) 및 그 내용을
이어받은 상법 제542조의3 제4항이 주식매수선택권 행사요건에서 차별성을 유
지하고 있는 점, 위 각 법령에서 '2년 이상 재임 또는 재직' 요건의 문언적인 차
이가 뚜렷한 점, 비상장법인, 상장법인, 벤처기업은 주식매수선택권 부여 법인과

---

26) 이러한 규정은 2000년 구증권거래법이 개정되면서 제189조의4 제4항, 동시행규칙 제36조
   의9 제2항에서 임직원의 사망, 정년으로 인한 퇴임 또는 퇴직 기타 본인의 귀책사유가 아
   닌 사유로 인한 퇴임 또는 퇴직의 경우에는 의무재직기간을 채우지 못하였다 하더라도 주
   식매수선택권을 행사할 수 있다는 내용을 신설하였다. 동조항은 이처럼 구증권거래법에만
   신설되었을 뿐 비상장회사의 주식매수선택권에 관한 규정을 마련한 상법 제340조의4에는
   반영되지 않았다. 이러한 연혁에 대해 의무재직기간에 대한 예외규정이 상장회사의 특례규
   정에 따라 상법의 일반규정이 만들어진 다음 구증권거래법이 개정되면서 추가된 것임을 지
   적하면서 상법의 일반규정이 2000년 이후에 제정되었다면 아마도 의무재직기간의 예외규정
   까지 포함되었을 가능성이 높다는 견해가 있다. 이에는 송옥렬, "회사법의 강행법규성에 대
   한 소고," 「상사판례연구」 제24집 제3권(상사판례학회, 2011. 9. 30.), 10면 참조.
27) 임재연, 전게서, 516면; 권기범, 「현대회사법론」 제3판(삼영사, 2010), 708면; 조용현, "상
   법 제340조의4 제1항에서 주식매수선택권 행사요건으로 2년 이상 재임 또는 재직요건을 규
   정한 취지," 「BFL」 제47호(서울대학교 금융법센터, 2011), 84면.
28) 최준선, 전게서, 344면; 이태종, "주식매수선택권에 관한 고찰," 「증권거래에 관한 제문제
   (하)」 재판자료 제91집(법원도서관, 2011), 100면.
29) 대법원 2011.3.24. 2010다85027.

부여 대상, 부여 한도 등에서 차이가 있는 점, 주식매수선택권제도는 임직원의 직무 충실로 야기된 기업가치 상승을 유인동기로 하여 직무에 충실하게 하고자 하는 제도인 점, 상법의 규정은 주주, 회사의 채권자 등 다수의 이해관계인에게 영향을 미치는 단체법적 특성을 가지는 점 등을 고려하면, 상법 제340조의4 제1항에서 정하는 주식매수선택권 행사요건을 판단할 때에는 구 증권거래법 및 그 내용을 이어받은 상법 제542조의3 제4항을 적용할 수 없고, 정관이나 주주총회의 특별결의를 통해서도 상법 제340조의4 제1항의 요건을 완화하는 것은 허용되지 않는다고 해석하여야 한다. 따라서 본인의 귀책사유가 아닌 사유로 퇴임 또는 퇴직하게 되더라도 퇴임 또는 퇴직일까지 상법 제340조의4 제1항의 '2년 이상 재임 또는 재직' 요건을 충족하지 못한다면 위 조항에 따른 주식매수선택권을 행사할 수 없다."고 판시하였다.[30]

또한, "주식매수선택권을 부여받은 자가 사망하거나"라고 규정한 상장회사의 경우와 달리 비상장회사에 관해서는 "주식매수선택권을 행사할 수 있는 자가 사망한 경우"라고 하여(제340조의3 제2항) 임직원이 근무기간요건을 충족하지 못하여 주식매수선택권을 행사할 수 있는 시기가 도래하기 전에 사망한 경우에는 상속인도 이를 행사할 수 없다고 해석된다.[31]

아울러 상장회사의 경우 주식매수선택권의 행사기한을 해당 이사·감사 또는 피용자의 퇴임 또는 퇴직일로 정하는 경우 이들이 본인의 책임이 아닌 사유로 퇴임 또는 퇴직한 때에는 그 날부터 3개월 이상의 행사기간을 추가로 부여하도록 하고 있다(동법 시행령 제30조 제7항).

5) 행사가액의 조정

가) 필요성

회사가 신주발행을 유·무상으로 하거나 자본감소를 하는 등의 자본거래를 하는 경우 주식의 실질가치에 변화가 있고, 이로 인해 주식매수선택권의 가치가 변동되므로 주식매수선택권의 가치를 유지하기 위하여 조정이 행해질 필요가 있다.

---

30) 이와 관련하여 상장법인은 시장의 감시가 작동한다는 점에서 재임요건에 있어서도 상법이 보다 제한적으로 규정하고 있다고 해석할 여지가 있다는 해석으로는 조용현, 전게논문, 86면.

31) 임재연, 전게서, 525면 각주 435.

나) 주주총회의 결의로 조정을 정하는 이유

다만, 주식매수선택권의 조정은 주식매수선택권자의 인센티브를 유지하고, 그의 이익을 보호하기 위한 것으로 아무런 제한없이 조정이 가능하다면 과다조정이 이루어질 수 있다. 그러나 이러한 과다조정의 경우 주주의 이익을 해칠 수 있어 사전에 주주총회결의(상장회사의 경우 10%의 범위 내에서는 이사회결의)로 주식매수선택권의 행사가액과 그 조정에 관한 사항을 정하도록 하고 있다(제340조의3 제2항 제3호).

종래 구 증권거래법에서 주식매수선택권의 부여 이후 일정한 사유의 발생으로 인하여 조정의 필요성이 있는 경우 이를 어떻게 처리하여야 하는지 아무런 규정이 없어 반드시 주주총회에서만 주식매수선택권의 행사가액을 조정하여야 하는지가 문제되었다. 그러다 이러한 문제가 2001년 3월 28일 구 증권거래법이 개정되면서 주주총회[32] 또는 이사회에서 주식매수선택권을 부여하면서 결의해야 할 사항의 하나로 행사가격과 그 조정에 관한 사항을 규정함으로써 주식매수선택권의 행사가액의 조정기관이 주주총회 또는 이사회로 명백해졌다.

기본적으로 주주총회결의에서 정하도록 하는 이유는 주식매수선택권 부여량이 상당한 수준인, 즉 발행주식총수의 10%를 넘는 경우 이는 기존주주의 주식가치희석화문제가 심각하게 우려되기 때문에 이를 정당화하기 위한 필수의 장치로 마련된 것이다. 이러한 조치의 필요성은 부여시는 물론이고 조정의 경우에도 중요한 의미가 있다. 적어도 주주총회를 거쳤다면 일응 주주가 지분희석효과에

---

32) 주주총회에서 조정에 관해 결정하도록 한 것에 대해서는 다음과 같은 비판이 있다. 즉 "특히 주총에서 스톡옵션을 부여하였다고 하여 부여 이후 이를 조정하는 경우까지 주총의 결의대상으로 한 부분은 실무상 복잡한 문제를 야기할 가능성이 있다"는 것이다. 그 이유로 다음과 같이 들고 있다. 즉 "스톡옵션 조정사유가 발생하여 현실적으로 행사가격을 상향하거나 하향해야 하는 경우, 이를 결정하기 위한 주총을 소집해야 하는데 주총개최에 따른 절차적 요건 등으로 인하여 상당한 기간이 소요될 수 있어 결국 스톡옵션권리자에게 그 기간사이의 주가변동으로 인한 불측의 손해를 줄 수도 있기 때문이다. 그리하여 대부분의 기업에서는 사전에 미리 스톡옵션의 조정사유 및 조정산식 등을 상세하게 규정한 안건을 주주총회에 미리 상정하여 결의를 받아두었다가 현실적으로 조정사유가 발생하면 주주총회에서 미리 승인받은 조정방식에 따라 자동적으로 조정되도록 하고 있다. 그러나 이러한 방식도 완전한 것은 아니다. 왜냐하면 스톡옵션의 조정산식 등은 매우 기술적이며 표준적인 모델이 확립된 것도 아니어서 향후 변경될 가능성도 배제할 수 없고, 각종 조정사유에 따라 조정된 행사가격등이 현실적으로 적용되는 시점이나 스톡옵션권리자에 대한 통지의 필요여부 등 조정과 관련된 각종 실무적이고 절차적인 사항을 모두 포괄하여 주주총회에서 정하는 것이 어렵거나 바람직하지 않기 때문이다"고 한다. 이에 관해서는 이경훈, "스톡옵션의 조정과 관련된 제 문제점," 「BFL」 제5호(서울대학교 금융법센터, 2004. 5.), 132면.

대하여 사전에 합의한 것으로 해석될 수 있기 때문이다. 한편, 발행주식총수의 10% 이내인 경우에는 이사회 결의로 조정하도록 하고 있는데, 이러한 태도도 문제가 없지 않다. 이는 조정에 한하는 것만이 아니라 부여 자체도 가능하도록 한 점에서 근본적인 문제가 있다. 무엇보다 이사회결의로 행사가격을 부여 및 조정할 수 있다면 임원들은 이사회에 보다 유리한 쪽으로 결정되도록 영향력을 미칠 수 있기 때문이다. 다만, 부여시에는 부여 후 최초로 소집하는 주주총회에서 승인을 받아야 하기 때문에 그러한 남용가능성이 해소될 수 있으나 조정에 대해서도 주주총회 승인을 요하는지는 명확하지 않다.

다) 조정방식

조정을 하는 경우 매수가격의 조정 내지 매수수량의 조정 등이 이용될 수 있는데, 이 경우 매수가격의 조정만 가능하고, 매수수량의 조정이 가능한지에 대해서는 학설과 판례의 입장이 갈리고 있다. 이에 대해 상법은 매수가격의 조정방식만 허용하고 있어 매수수량을 조정(즉 증가)하는 결정은 할 수 없다는 해석[33]이 있다. 이는 주식매수선택권의 부여절차로 주주총회결의를 요하고 있어 주주총회결의사항에는 주식매수선택권의 수, 주식종류, 행사기간 등의 결정 및 주식매수선택권의 행사가액과 그 조정에 관한 사항(제340조의3 제2항 제3호)이라고 규정하고 있어 가액의 조정에 한해서만 허용하고 있는 것으로 해석하고 있다.[34] 이와 달리 법령의 규정에도 불구하고 부여수량도 구체적인 사정 등을 고려하여 신축적으로 조정할 수 있다고 봄이 타당하다는 견해[35]가 있다.

반면, 하급심이기는 하지만 판례는 상법[36] 제340조의3 제2항의 주주총회결의를 요하는 규정상의 취지를 "주식매수선택권에 있어서 중요한 사항을 주주총회에서 반드시 결정하도록 강제하기 위함이지, 열거되지 아니한 사항은 주주총회의 결의에서 정할 수 없다는 취지로 볼 수 없다"라고 하여 매수수량의 조정도 적법한 것으로 판시하고 있다. 그러나 이사회의 결의에 의한 경우에도 마찬가지로 조정대상에 부여수량이 포함되는지는 명확하지 않다. 다만, 주주총회의 결의의 경우 행사가액 외에 수량도 조정이 가능하다고 보는 것이 타당할 것으로 보

---

33) 이철송, 전게서, 692면.
34) 재경부 2002. 4. 17. (증권 41298-124) 해석.
35) 이경훈, 전게논문, 133면 참조.
36) 서울지방법원 2003.2.28. 2002가합68916.

인다. 그 이유는 우선, 기존의 재경부 유권해석에서도 주식분할 및 주식병합의 경우 부여수량의 조정이 가능하다고 해석한 점, 둘째 하급심판결이지만 서울지방법원 제22민사부 2003.2.28. 2002가합68916에서 부여주식 수량의 조정을 인정한 적이 있기 때문이다. 이 사안은 신주발행무효사건으로 동 판결은 주총에서 무상증자를 주식매수선택권 행사에 따른 부여주식수량의 조정사유로 미리 결의한 사안이다.37)

라) 희석방지조항(Anti-Dilution Provisions)

(1) 의 의

통상 실무에서 주식매수선택권부여계약서에서 신주발행, 준비금의 자본전입, 주식배당, 주식의 병합이나 소각 등의 경우에 행사가액을 조정한다는 규정을 마련하여 이용되는 경향이 있다. 전환사채·신주인수권부사채의 경우에도 동일한 조항이 마련되어 이용되는데, 이러한 조항을 실무에서는 이른바 "희석방지조항 (Anti-Dilution Provisions)"이라고 한다.

이러한 희석방지조항은 통상 주식매수선택권자가 매수선택권의 행사시 지급받기로 한 대상주식의 가치가 하락하는 경우 그 가치하락에 따라 하락된 주식매수선택권의 가치를 보전받을 것을 내용으로 하는 특약이 된다. 종래에는 이러한 특약을 주식매수선택권부여계약서에 반드시 포함하도록 하고 있었으나38) 현재는 이 같은 규정을 두고 있지 않다.

(2) 조정사유와 문제점

현행 상법은 주식매수선택권의 조정에 관한 사항을 주주총회 내지 이사회에서 결의하도록 할 뿐 구체적인 내용이나 조정사유와 산식 등에 관해 규정을 두고 있지 않다. 때문에 실무에서 스톡옵션표준모델이 만들어져 있기는 하나39) 기

---

37) 이 판결에 대하여 "… 스톡옵션권리자의 권리를 현저히 해하거나 다른 나머지 주주들의 권리를 현저히 해하지 아니하는 범위 내에서 부여수량의 조정이 가능하며, 구체적으로 무상증자에 따른 부여수량의 증가가 위법하지 않다고 판시한 바 있는데, 즉 스톡옵션을 조정함에 있어 그 행사가격의 조정만으로 스톡옵션권리자와 주주들의 이해관계가 조정사유 이전과 동일하게 유지될 수 있다면 그로써 충분하다고 하겠으나, 부여수량의 조정이 없게 됨으로써 주주들의 지분적 이해관계가 변동된다면 마땅히 부여수량도 함께 조정되어야 할 것이다"는 주장이 있다. 이경훈, 전게논문, 133면 참조.

38) 구증권거래법 시행규칙 제36조의9 제2호.

39) 상장회사협의회의 후원으로 스톡옵션준모델제정위원회가 구성되어 "스톡옵션표준부여계약서(안)"을 제시하고 있다.

본적으로 회사마다 사정에 맞게 자유롭게 정할 수 있다.

이 경우 회사정책에 따라 내용이 상이할 것이지만 실무에서는 대체로 전환사
채권자나 신주인수권부사채권자의 희석방지조항과 동일한 내용으로 구성되는 경
향을 보이고 있다. 그런데 이러한 실무태도는 기본적으로 타당하지 않다. 적어도
계약에서 주주와 주식매수선택권자가 모두 손해를 보는 경우에는 조정사유에서
제외하기로 한다거나 주주에 비해 주식매수선택권자에게 불리한 회사조치가 이루
어지는 경우 조정사유로 한다고 하는 등의 원칙을 정하는 것이 바람직하다.[40]

(가) 조정사유

주식매수선택권의 경우 어떠한 경우에 조정대상이 되는가에 대해 의견이 갈
리고 있다. 실무에서는 통상 신주발행, 준비금의 자본 전입, 주식배당, 주식의
병합, 소각 등의 경우를 모두 포함하는 경향이 있다.[41]

그러나 다음의 경우 조정대상이 되는지는 견해가 갈리고 있다.

① 배당 선언시

특히 배당의 경우가 가장 혼란을 보이고 있는 사항이다. 기존 주주에게 주식
배당을 하는 경우 주식수가 증가함으로써 이러한 참여가 배제되는 주식매수선택
권자에게는 주주가 되어 받을 지분상의 여러 가지 이익이 감소된다. 반면, 스톡
옵션표준모델제정위원회가 제시하고 있는 표준계약서(안)에서는 주식배당은 조
정사유에 포함하고 있지는 않다.[42] 그러나 실무에서 기업 상당수는 조정을 요하
는 사유에 포함시키는 경향이 있다.[43] 후자의 입장이 더 타당한 것으로 보인

---

40) 동지: 이경훈, 전게논문, 134면. 이러한 경우도 조정사유로 하는데 대한 비판에 대해서는
  이경훈, 전게논문, 134~135면 참조. 예를 들어 유상증자, 전환사채의 발행, 신주인수권부사
  채의 발행 등 회사가 시가보다 낮은 가격으로 신주를 발행하거나 시가보다 낮은 가격을 전
  환가격 또는 신주인주인수권행사가격으로 하여 전환사채나 신주인수권부사채를 발행하는
  경우는 스톡옵션의 조정사유로 보는 것은 마땅하지 않다. 이 경우는 주주나 주식매수선택권
  자 모두가 손해를 보기 때문이다.
41) 일반적으로 주식매수선택권 부여계약서에 "선택권의 부여일 이후 선택권의 행사 전에 갑이
  유·무상증자, 주식배당, 전환사채 또는 신주인수권부사채의 발행, 회사합병, 회사분할, 액
  면분할, 주식병합, 자본금감소, 이익소각 등으로 주식발행사항에 변동이 있거나 주식가치가
  중대하게 변동하는 경우에는 관련 법규와 갑의 정관규정에 따라 교부할 주식의 수 또는 행
  사가액을 조정한다. 이 경우에도 행사가액은 주식시가(이사회결의일 전 2개월간, 1개월간
  및 1주일간의 거래량 평균종가를 산술평균한 가격)와 액면금액 중 높은 금액 이상으로 하
  여야 한다."고 규정하고 있다. 임재연, 전게서, 518면.
42) 그 이유는 통상적인 경영활동의 일환으로 조정사유가 아니라고 본다.
43) 일반적으로 배당의 증가는 시장에서는 긍정적인 정보로 전달된다. 따라서 회사가 배당을
  발표하는 경우 회사의 주가는 상승할 수 있다. 사실 이러한 긍정적인 정보는 주식매수선택

다.[44] 이 경우 발행주식수에 비례하여 조정하는 주식분할의 경우와는 다른 유형의 산식을 제공하여 해결하려고 하고 있다.[45] 즉 이 경우를 액면가액에 의한 유상증자로 이해하는 것이다. 이와 관련하여 실무상 주식배당으로 지급되는 부분이 지극히 소량인데도 불구하고 항상 비율적으로 조정을 요하는 사유로 하는 것은 주식매수선택권제도를 이용하는데 있어 오히려 번거로움을 줄 수 있다는 우려가 제기될 수 있다. 따라서 이러한 번거로운 문제를 해결하기 위하여 배당의 선언시마다 조정하기보다는 연간 배당총액이 주식가치의 일정 비율을 초과하는 경우에 한하여 조정하는 것을 고려할 필요가 있다.[46]

한편, 현금배당의 경우에도 표준부여계약서와 기업 실무상 처리에 차이가 있는 것으로 보인다. 전자의 경우 조정의 사유로 보지 않는 반면 후자의 경우에는 희석방지조항에서 취급하는 경향을 나타내고 있다. 다만, 주식배당과 달리[47] 일정한 수준의 배당성향과 배당률을 기준으로 하여 그 이상 지급되는 때에 한하여 조정을 하는 것으로 정하고 있는 점에서 차이가 있다. 그러나 조정의 기준이 되는 배당성향과 배당률은 실제 우리나라에서는 상당한 고배당에 속하는 것으로

권자에게는 유리한 것이라고 할 수 있다. 왜냐하면 실제 주가는 상승하는데 조정사유가 되어 행사가격이 낮춰지거나 발행주식수의 증가를 가져오기 때문이다. 그러나 배당의 지급은 사실 지급분에 상응하여 궁극적으로 주가의 하락을 가져온다.

44) 동지: 이경훈, 전게논문, 136면. 스톡옵션표준모델제정위원회가 제시하고 있는 표준계약서 안에서 주식배당의 경우를 조정사유에 포함하지 않고 있는 이유에 대하여 이를 주식배당의 법적 성격을 이익배당으로 파악하면서 이러한 이익배당은 통상적인 경영활동의 일환으로 현금배당의 경우와 마찬가지로 조정이 불필요하다고 보았다고 해석하고 있다. 그러나 주식 배당의 경우 여전히 그 법적 성격을 주식분할로 이해하는 견해가 있으며, 주식배당으로 주 식가치가 희석화되어 주식의 실질가치를 변경시킬 수도 있으므로 조정사유에 포함하여 행 사가격을 조정하는 것이 타당하다.

45) 계약서를 보면 대체로 주식배당의 경우 주식배당을 액면가격에 의한 유상증자로 보고 유상 증자의 경우에 이용하는 산식을 적용하고 있으며, 주식배당액을 포함하여 회사의 배당성향 이 50%를 초과하는 경우로서 배당률이 20%를 초과하는 경우에는 아래의 산식을 이용한다. 즉 '조정후 행사가격=조정전 행사가격×(배당전 회사 자기자본총액－배당성향 50%초과금 액)÷배당전 회사 자기자본 총액'이 된다. 반면에 전환사채권자를 위한 희석방지조항에서는 소량의 경우는 제외하거나 일정한 정도의 비율에 달하는 경우(예컨대 발행주식총수의 10%) 를 기준으로 하여 조정하고 있다.

46) 예컨대 총발행주식의 10%를 초과하는 경우 내지 장기적으로 일정 기간 합산하여 총부여정 도가 일정기준을 초과한 경우 조정해 주는 것이다. 이러한 주장은 Marcel Kahan, Anti-Dilution Provision in Convertible Securities, 2 Stan. J. L. Bus & Fin. 147, 150 (1995) 참조.

47) 거의 공통적으로 다음의 식을 이용하고 있다. 즉 회사의 주식배당액을 포함하여 배당성향 이 50%를 초과한 경우로서 배당률이 20%를 초과하는 때에는 '조정후 행사가격 ＝ 조정전 행사가격×(배당전의 회사 자기자본총액－배당성향 50% 초과금)÷배당전 회사 자기자본 총액'이 된다.

일반적으로 10%의 비율을 초과하여 배당하는 경우는 매우 드물다. 이러한 회사의 배당사정을 이해한다면 실제 현금배당으로 지급하는 경우에는 대부분 조정의 대상에서 제외되는 결과를 가져온다.[48]

② 신주 발행시

회사들은 대체로 신주를 유·무상으로 주주에게 발행하는 경우와 제3자에 대한 유상증자의 경우 조정사유에 포함시키고 있다. 신주를 시가 이하로 제3자에게 발행하는 경우 일반적으로 전환사채권부여계약에서는 조정사유에 두어 조정사항으로 처리된다. 그런데 이와 동일하게 취급할 경우 주식매수선택권자는 조정차원을 떠나 횡재(windfall)의 소지가 있다.[49] 장래 주가가 올라갈 가능성이 높다고 보고 행사가격을 높이 잡았다면 이후 신주의 발행은 행사가격 이하이기만 하면 시가 이상이라 하더라도 조정은 불가피해지기 때문에 횡재가 된다.

한편, 시가를 기준으로 한다면 기존 주주에게만 시가 내지 공정한 가격으로 주식을 발행한 경우, 주주와 비교하여 주식매수선택권자의 잠재적 의결력은 감소되지만 경제적 이익은 시가 이상으로 발행만 되면 불리한 것이 없다. 다만, 이에 대하여 잠재적 의결력의 감소에 대한 손해를 보전받아야 한다는 반대주장도 가능하다. 이처럼 유상증자라는 사유만 보더라도 어느 정도 일정한 기준을 마련해 두는 것이 필수적이다. 현재 이용되고 있는 계약서 문언에서는 대부분 유상신주의 발행시 조정대상으로 하고 있지만 그 범위가 명확하지 않다는 점에서 문제가 있다. 또한 기존 주주에 대한 신주발행이든 현물출자, 사모의 경우 모두 조정대상이 되는 것인지도 명백하지 않다.

③ 잠재적인 주식의 증가가 예상되는 경우

주식발행이 아닌 전환사채, 신주인수권부사채 등을 발행하여 잠재적인 주식수가 증가하는 경우는 조정에 있어 주식발행의 경우보다 복잡하다. 왜냐하면 잠재적인 주식의 경우 통상의 주식과 달리 주식으로 전환할 수 있는 전환권과 만기까지 전환하지 않을 권리 양자를 갖고 있기 때문에 고려요소 또한 증자의 경

---

48) 고액의 배당 발표는 주가에 일단 긍정적인 정보로 비추어진다. 이 경우 주가의 동반상승이 예상된다. 때문에 주가에 긍정적이므로 조정이 요하지 않는 것으로 볼 수 있다. 그러나 결국은 회사가 보유한 자산가치의 감소를 가져오는 경우 주가의 하락을 야기할 것인바 조정을 요하는 것으로 보아야 할 것이다.

49) 예컨대 시가가 10,000원인데 행사가격이 15,000원인 경우 행사가격 이하로 신주가 발행되는 경우 정당한 가치로 발행되는 것임에도 불구하고 조정의 대상이 되기 때문이다.

우보다 배가 되기 때문이다. 따라서 전환권을 추후 수년 동안 행사하지 않는다면 전환권의 행사가 없기 때문에 주식발행도 없고 그 때문에 주식매수선택권자의 이익에 미치는 영향도 그리 크지 않을 수 있다. 사실상 할인의 정도와 조정에 미치는 효과는 실제 전환권을 행사하였는가와 관련되기 때문이다.

반면, 실무에서는 전환가격이 주식매수선택권의 행사가격보다 낮은 경우에는 이들 사채에 의한 전환 또는 신주인수권의 행사가 가능한 부분이 모두 전환 또는 행사되었다고 가정하고 조정하는 것이 일반적인 경향이다. 이러한 조정방식은 주식매수선택권자에게 매우 유리하다. 왜냐하면 비교적 낮은 가격으로 장차 주식이 발행될 예정이라는 사실의 존재 자체만으로 현재 주식의 시장가격에 불리한 영향을 미침을 고려하는 것이라고 볼 수 있기 때문이다. 그러나 이러한 조정방식은 두 가지 상반된 효과를 낳는다. 우선 실무상 행사가격 이하의 전환사채 및 신주인수권부사채의 발행은 주식매수선택권자에게는 항상 조정의 사유가 되기 때문에 회사로 하여금 이러한 행사가격 이하로 특수사채를 발행하는 것을 억제하는 효과를 낳는다. 한편으로 실제 장래에 전환권이 행사되지 않았음이 밝혀졌음에도 조정된 것에 대한 재조정이 없다면 이러한 조정은 과대조정이 되어 주식매수선택권자에게는 유리한 것이 되나 주주에게 불리한 것이기 때문에 조정에 관한 분쟁을 낳을 수도 있다. 결국 일정한 기간 안에 행사되지 않았으면 사전에 미리 가정하여 행한 조정은 무효로 한다는 조항을 두어 명확히 하는 것이 바람직하다 할 것이다.

④ 준비금의 자본전입(무상증자) 등

준비금의 자본전입 등의 경우에도 조정이 필요한 것인지에 관해서는 (ⅰ) 무상증자는 주식수가 증가하고 주가가 하락함에 따라 주식매수선택권의 행사가능성이 낮아지는바 이를 합리적으로 보전하기 위하여 행사가격을 하향조정하여야 하고, 부여주식수도 상향조정하여야 한다는 견해50)와 (ⅱ) 통상 조정조항이 마련된 전환사채나 신주인수권부사채의 사채권자들은 회사의 경영에 참여하는 주체가 아니므로 회사의 결정에 수동적으로 따를 수밖에 없는 입장이므로 주식가치가 희석되는 경우 이들의 전환가액이나 신주인수권행사가액을 그에 맞추어 하향

---

50) 상장회사협의회, 「주식실무가이드라인, 주식매수선택권 부분」, 2010, 6면; 무상증자시 증자비율을 감안하여 부여 당시 시가 이하로도 행사가격이 조정될 수 있다는 견해로는 홍영만, 「자본시장법 유권해석」(세경사, 2009), 331면.

조정 할 필요가 있으나, 주식매수선택권자들은 대부분 회사의 경영에 직접 참여하고 영향을 가진 자들이므로 위와 같은 사유 발생시 행사가액을 하향조정하면 기존 주주들의 주식가치 희석문제가 발생한다는 점에서 부정하는 견해[51]로 갈리고 있다.

⑤ 주식병합·액면분할

주식병합과 액면분할의 경우 행사가액을 조정하여야 하며, 이 경우에는 부여수량의 조정도 가능하다고 보는 견해가 일반적이다.[52] 또한, 종래 재경부 2002. 4. 17. (증권 41298-124) 해석에서도 주식병합·액면분할의 경우 조정대상이 된다고 해석한 바 있다. 그러한 이유는 주식병합의 경우 기존주주의 보유주 가치는 변동이 없으나 주식매수선택권 보유자의 보유가치가 하락하는 경우 조정이 필요하다고 보기 때문이다.

⑥ 합 병

통상 합병계약을 체결하는 경우 소위 lockup option계약을 수반하여 체결하는데, 이 때 옵션의 희석화방지규정을 마련해 두는 것이 보통이다. 이 경우 간단하게 일정한 사항을 열거하고 회사가 적절히 조정한다고만 정하는 것이 일반적인데 이처럼 최소한의 보호만 고려하는 이유는 통상 옵션의 존속기간이 상대적으로 단기이기 때문이다.

마찬가지로 합병·회사분할의 경우 주식매수선택권자에 대해 옵션가치의 변동 이후에도 등가의 가치를 유지시킬 필요가 있다. 그런데 합병의 경우에는 전술한 자본거래와 비교하여 부여회사가 인수회사인지 아니면 인수대상회사인지에 따라 주식매수선택권자에게 미치는 영향에는 차이가 있다. 특히 인수대상회시일 경우 합병계약 상대회사의 수주에게만 유리한 조건으로 계약이 체결되는 경우 얼마든지 대상회사의 주식매수선택권자의 이익보전을 위한 조치는 무시될 수 있다. 합병시 부여회사로 하여금 주식매수선택권자의 이익을 보호하도록 고려한 규정이 법에 마련되어 있지 않을 뿐더러[53] 합병당사자간에 합병계약에서 마땅히 고려해야 할 사항으로 보고 있지 않기 때문이다. 적어도 부여회사의 주주와

---

51) 임재연, 전게서, 519면; 이경훈, 전게논문, 135면.
52) 임재연, 전게서, 519면.
53) 다만 행사기간 동안 행사할 수 있도록 하여야 한다는 규정에 의하여 적어도 행사는 보장되는 것으로 해석할 수 있다.

동일한 입장에서 이들을 고려하도록 하는 방안이 강구되어야 할 것이다.

　　반면에 주식매수선택권 부여회사가 인수회사라서 존속되는 경우에는 주식매수선택권자의 지위는 유지되는 점에서 덜 불리하다고 할 수 있다. 그러나 이 경우에도 행사로 취득하는 주식의 가치가 종전의 가치와 동일하다고 할 수 없다. 피합병회사의 실제 자산의 가치는 추후에 밝혀지기 때문이다. 게다가 복잡한 조직변경을 여러 단계 거친 경우일수록 주식매수선택권자의 지위에 미치는 영향을 분명하게 측정하기란 쉽지 않다. 또한, 행사가격을 합병 전과 동일하게 한다 해도 합병비율이 반영되는 이상 행사가격의 변화는 필수적으로 따르게 되며 이러한 변화는 주식매수선택권자에게 불리할 수 있다.[54]

　　본질적으로 조정은 주식매수선택권자가 입은 경제적 손실을 평가하여 실질적으로 회사조치가 있기 전과 동일한 지위로 보전시키는데 1차적인 목적이 있다. 그런데 합병의 경우 문제는 이를 현실적으로 이행하는데서 나타난다. 합병에 관한 결정을 내리기 이전과 동일한 상태로 경제적 지위를 보전하는 취지로 희석방지조항을 계약에 두었다 해도 주식매수선택권 부여회사가 존속회사가 아닌 한 실효성을 기대할 수 없기 때문이다. 이 경우 주식매수선택권이 양수회사에게 승계되는 것으로 하면 주식매수선택권자의 보호가 충분하다고 볼 수도 있다. 그러나 이 경우에도 승계되는 것으로 볼 수 있는 법적 근거와 관련해서 다음과 같은 문제가 제기될 수 있다. 즉 합병시 존속회사 또는 신설회사가 소멸회사의 모든 권리·의무를 포괄적으로 승계한다는 상법상의 규정을 들어 주식매수선택권의 행사에 응할 의무도 양수회사에 승계되는 것인지 하는 것이 그것이다.

　　합병시 존속회사 또는 신설회사가 소멸회사의 모든 권리·의무를 포괄적으로 승계한다라고 되어 있지만 이러한 의무에 주식매수선택권 행사시 주식을 교부하여야 할 의무도 승계되는지는 분명하지 않다. 이에 대해서는 두 가지 입장이 다투어질 수 있다. 즉 합병의 본질에서 접근하는 입장으로 합병의 본질을 인격합일설(人格合一說)로 이해할 경우 주식매수선택권의 행사에 응할 의무가 양수회사에 승계된다고 할 수 있다. 합병으로 인해 소멸회사가 그대로 존속회사 또는 신설회사에 포섭된다고 하는 인격합일화 내지 인격합병을 전제한다면 논리적으로

---

54) 예를 들어 A회사의 주식이 B회사의 주식 0.5로 산정된 경우, A회사의 주식에 대한 행사가격이 5,000원이라면 합병후 주식 0.5에 행사가액이 5,000원이 되는 것이다. 그렇다면 실제 행사가액은 10,000원이 됨으로써 퇴사시 지급되는 총액은 증가하기 때문에 주식매수선택권자에게는 불리할 수 있다.

그러한 결과를 추론할 수 있다. 이와 달리 주식매수선택권은 일신전속적인 성격이 강하고, 회사조직의 문화, 가치, 목표 등에 부합되는 사람에게 한하여 부여된 것이기 때문에 양수회사에게 승계된다고 보기에는 적합하지 않다고 볼 수 있다. 이처럼 법상 당연히 양수회사에게 승계된다고 보기에는 견해차이가 있을 수 있다. 따라서 부여 후 회사의 조직개편이 예상되는 경우 그에 따른 불이익으로부터 주식매수선택권자를 보호하기 위해 적어도 부여회사로 하여금 이들의 이익을 고려하게 하는 근거가 요구된다.

　　이러한 점에서 실무에서 이용이 권장되고 있는 스톡옵션표준부여계약서에서 합병, 분할의 경우 주식교부의무가 승계된다는 내용의 규정[55]을 마련하고 있는 것은 일응 의미가 있다. 그러나 이러한 조항을 둔 경우에도 문제는 여전히 남아 있는데, 마땅히 승계되는 것으로 보는 것이 소멸회사의 주식매수선택권자에게 항상 유리한 것은 아니기 때문이다. 주식매수선택권 행사시 주식을 교부할 의무를 승계하기로 양사간에 합병계약에서 정한 경우라 하더라도 후에 양수회사가 해산한 후에는 당초 주식매수선택권자가 기대되는 이익 전부를 현실화하도록 보장하지는 못한다. 이처럼 승계 후 주식매수선택권의 가치 희석에 대한 조정조항이 없다면 승계회사의 다양한 행위로 인하여 보호받지 못할 소지가 크다.

　　⑦ 합병과 유사한 효과를 내는 구조조정의 경우

　　한편, 합병과 유사한 효과를 낳을 수 있는 영업의 중요재산의 양도, 프리미엄지급형의 공개매수 및 부채의 상당한 증가 등에 대해 대부분 계약에서 별도의 조치를 하지 않고 있다. 그러나 프리미엄을 지급하는 공개매수의 방법으로 회사를 인수하는 경우 회사의 자산가치에 불리한 영향을 주는 것이므로 조정의 사유에 포함되어야 할 것이다. 영업의 중요재산의 양도로 받은 대가를 주주에게 지급하는 경우에도 마찬가지로 조정의 사유로 보아야 할 것이다.

---

55) 스톡옵션표준부여계약서안에서는 다음과 같이 정하고 있다. ① "갑"이 다른 회사에 흡수합병되는 경우에는 합병계약에 의해 다른 회사가 "을"에 대한 주식교부의무를 승계하지 않는 경우에는 "을"은 합병결의 후 2주간 내에 선택권을 행사하여야 한다. 단, 합병이 "을"에 대한 선택권부여일 이후 3년 내에 이루어지는 경우에는 "갑"은 다른 회사가 "을"에 대한 의무를 승계할 것을 합병계약의 내용으로 하여야 한다. ② "갑"이 분할(물적 분할을 제외한다)로 인하여 회사를 신설하거나 "갑"의 일부가 다른 회사와 합병하는 경우에는 분할계획 또는 분할합병계약에 의해 다른 회사가 선택권자에 대한 의무를 승계하지 않는 경우에는 "을"은 분할계획서 또는 분할합병계약서를 승인하는 주주총회의 결의일로부터 2주간 내에 선택권을 행사하여야 한다. 단, 분할이 "을"에 대한 의무를 승계할 것을 분할계획 또는 분할합병계약의 내용으로 하여야 한다.

⑧ 대상자에게 우선주를 취득하는 주식매수선택권을 부여한 경우

한편, 대상자에게 보통주 아닌 우선주를 취득하는 권리를 부여한 경우에는 앞서 검토한 것과 다른 문제가 발생한다. 즉 회사가 보통주만을 대상으로 자기주식을 시장에서 취득한 경우 이를 조정의 사유로 볼 수 있는 것인가 하는 문제가 발생한다. 왜냐하면 이러한 거래를 기화로 회사가 주식매수선택권자에게는 고의적으로 불리하게 하면서 오로지 주주의 이익에 유리한 편파적인 수단으로 이용할 가능성이 없지 않기 때문이다. 게다가 자기주식의 취득은 회사재산이 주주에게 유출되는 것으로 볼 수도 있다. 그러나 이러한 자기주식의 취득은 조정의 대상에서 배제하는 것이 타당하다. 물론 다양한 거래를 포괄하여 조정대상에 포함시키는 것은 주식매수선택권자의 보호장치로서 이상적이지만 자기주식의 취득은 남용의 경우만 있는 것이 아니며, 한편으로 주식매수선택권자의 행사에 대비한 회사의 조치일 수 있기 때문에 이러한 조치에 대해서까지 조정대상으로 하는 것은 바람직하지 않은 결과를 가져올 수 있기 때문이다.

(나) 그 밖의 문제

① 조정의 원리를 둘러싼 문제

조정의 원칙이 무엇인가에 대하여 종전에도 그러하였지만 여전히 현행법에서도 어떠한 지침을 마련하고 있지 않다. 때문에 조정의 원칙이 무엇인지에 대해서는 (i) 주식매수선택권자이 이익을 기존 주주의 이익과 동등한 정도로 보호하는 것이라고 보거나 (ii) 주주와 주식매수선택권자 모두에게 불리하게 영향을 미치는 사유가 발생하는 경우에만 후자를 보호하는 것이라고 보거나 (iii) 주주와 주식매수선택권자의 이해가 충돌한 경우 주주를 우선 보호해야 하는 것으로 보거나 (iv) 주주와 주식매수선택권자의 이해가 충돌된 경우 후자를 보호해야 하는 것으로 보는 등 다양하게 접근할 수 있다. 이 중 (iii)의 입장을 주식매수선택권의 조정원칙으로 제시하는 견해가 있다.[56] 그런데 주주이익과의 상충 및 균형도 중요하지만 현행법상 마련된 조정은 주식매수선택권자의 이익 보호에 초점

---

56) 이경훈, 전게논문, 133면 참조. 이 같은 입장은 조정의 원리를 주식매수선택권자의 보호의 관점에서 파악하여 주로 전환사채나 신주인수권부사채를 발행함에 있어 사채권자 보호를 위하여 적용되던 희석방지조항을 원용하는 곤란하다고 지적하고 있다. 특히 "… 스톡옵션을 조정하는 경우 옵션가치의 동일성을 그대로 유지하는 것이 주된 목적이긴 하지만, 등가성의 유지가 불가능한 경우라면 부득이 스톡옵션권리자의 권리는 희생되고 주주의 이익이 우선되어 고려되어야 할 것이다."라고 하고 있다.

을 둔 것으로 볼 수 있다.[57] 그 이유는 우려되는 주주의 이익 보호는 주주총회에서 조정에 관한 사항은 물론 부여자, 부여방법, 행사가격, 행사기간 등을 정할수 있으므로 이미 사전에 강구가 가능하기 때문이다.

② 상향조정의 가능성

이러한 조정은 회사의 행위에 의해 주식매수선택권의 가치가 변동한다는 점에서 가치를 행위 이전의 가치와 동일하게 유지하기 위한 목적에서 행해지는 것이지만 이 때의 가치변동은 실무상 실제 하향 내지 상향되었는지에 상관없이 일정한 기준 내지 산식에 의해 조정이 이루어지는 경향이 있다. 그러나 '조정'이라고만 표현하고 있을 뿐이라서 가치 하락의 방지조항을 의미하는 것인지 아니면임·직원의 노력과 상관없이 주식가치가 증대한 경우 반대로 주식매수선택권의행사가격을 상향조정[58]도 할 수 있도록 하는 것인지 다의적으로 해석할 여지가

---

57) 사실 주주와 비교하여 회사의 여러 가지 행위로 불리한 취급을 받는 경우가 발생하게 된다. 우선 회사의 재무정책으로 인한 영향만 보아도 주주와 비교해보면 다음과 같은 차이가난다. i) 우선 주식매수선택권은 회사의 일상적인 자본거래, 예컨대 주식배당, 신주발행, 주식분할, 전환사채·신주인수권부사채의 발행 내지 주식매수선택권의 추가 발행 등 회사정책에 따라 그 경제적 가치가 희석될 수 있다. 이러한 거래들은 주주들에 비하여 주식을 취득할 수 있는 주식매수선택권자의 경제적 지위를 희석시킨다. ii) 두 번째로 주식을 취득할수 있는 권리가 기초하고 있는 것은 자익권에 한하지 않는다. 이에는 주식을 취득할 수 있는 권리의 대상이 보통주식인 경우, 이러한 주식에 따른 의결권이라는 다른 가치도 반영하고 있다. 예를 들어 상당히 많은 주식을 취득할 수 있는 권리자는 이러한 권리를 행사하여의결권에 따른 상당한 지배력을 얻을 수 있다. 설사 이러한 지배력을 직접 행사하지 않는다고 하더라도 이 자는 회사경영진에게 그의 잠재적인 의결력에 의하여 영향을 미칠 수 있다. 그런데 회사의 각종 자본거래들은 주식매수선택권자가 가진 잠재적인 의결권에 기초한지배력을 감소시키는 효과를 낳는다. 또한, 회사내부자의 위법행위가 있는 경우는 기존 주주에게도 불리하지만 특히 주식매수선택권자에게 불리하다. 즉, 회사 또는 회사내부자의 위법한 행위로 주가에 불리한 영향을 미침으로써 주가가 행사가격보다 낮아 주식매수선택권의 행사를 불가능하게 하기 때문이다. 이 경우 적어도 주주는 이사의 위법행위에 대해서회사가 손해배상청구를 하여 손해를 전보받는 것으로 보호받을 수 있다(제403조). 특히 가장 부당한 경우는 주주가 자신들의 지위를 남용한 경우이다. 회사에 상당한 지분을 갖고있는 주주가 그에 기초한 지배력을 이용하여 경영권에 영향력을 행사하는 경우가 발생할수 있다. 즉 주식매수선택권의 행사 직전에 상당히 고액의 현금배당을 결정하거나 행사가격이하로의 신주발행을 결정하도록 영향력을 행사함으로써 주식매수선택권자가 보유한 주식매수선택권의 가치를 하락시키는 것이다. 극단적으로 주주는 전자산을 매각하는 결정도 할수 있다. 주식매수선택권을 행사하기 위하여서는 법상 최소한 2년의 대기기간을 두고 있어이 기간동안 다양한 방법으로 주식매수선택권자가 보유한 매수선택권의 가치를 무가치하게할 가능성이 있다. 이 경우처럼 주주만이 회사의 의사결정에 참여할 권리가 인정된다는 점에서 주식매수선택권자에게는 특히 불리한 경우가 발생할 수 있다.

58) 전환권의 행사가격을 상향조정할 것을 주장하는 것으로는 Stanly A. Kaplan, Piercing the Corporate Boilerplate: Anti-Dilution Clauses in Convertible Securities, 33 U. Chi. L. Rev. 1, 5 (1965).

있다.59)

회사의 행위로 실제 주식매수선택권의 가치가 상향조정된 경우도 있을 수 있음에도 조정조항에 의해 기계적으로 행사가액을 하향조정함으로써 실제 과대보상이 되는 경우도 적지 않게 나타나고 있다. 그러나 일반적으로 실무에서는 조정이 당초에 부여한 주식매수선택권의 가치를 유지시켜주는 것으로 통상 인식하여 이용하지만 실제 상향조정은 이루어지지 않고 있다. 반면, 한편에서 법원60)은— 비록 신주인수권부사채의 신주인수권을 보유한 사채권자에 관한 사안이긴

---

59) 예컨대 옵션의 행사 직전에 자본감소의 발표로 주가가 상승한다고 할 때 상향조정을 하는 경우가 발생할 수 있다.

60) 대상판결은 원심이 광주지방법원 제6민사부 판결 2002가합8119이고 2심은 광주고등법원 제1민사부 판결 2004나598이다. 이 사안은 IMF체제라는 비상관리체제하에서 피고기관이 부실금융기관으로 결정되어 공적 자금이 투입되었고, 이에 대한 조치의 결과로 전 주식을 무상소각하라는 금융감독기관의 명령과 함께, 감자에 의한 자본감소에 따라 신주인수권부사채, 스톡옵션 등 주식관련 모든 권리의 행사가격을 인상하는(즉 5,000원→125,000원으로 인상) 이사회결의와 동시에 예금보험공사가 출자하여 피고의 최대주주가 되는 것으로 하고 1주당 액면금이 5,000원인 보통주로 발행하여 자본금을 조달하였던 사안이었다. 이 사안에서 원고인 주주(이면서 동시에 신주인수권부사채권자)들은 피고금융기관의 신주인수권부사채의 신주인수권 행사가액을 신주인수권부 사채의 청약당시의 5,000원에서 125,000원으로 조정하기로 한 결의가 무효라고 주장하였다. 이러한 주장에 대하여 원심법원은 "…기존주주들은 100% 자본감소명령으로 강제적으로 기존주식전부가 소각되어버려 기득권을 잃게 되는 상황이었고, 이러한 상황에서 피고의 이사회는 기존주주의 주식매수청구가격이 액면가의 1/25(200/5000)이었던 점등을 감안하여 당시 위 기존주주와 같이 피고의 관계자의 지위에 있었던 신주인수권부사채권자의 신주인수권 행사가액을 액면가의 25배로 조정하였던 사실이 인정되며 이에 의하면 이사건 이사회결의는 IMF 관리하에 놓인 특수한 상황에서 피고의 당시 관계자들의 공평분담의 원칙하에 이루어진 것으로 비례성의 원칙에 반한다고 할 수 없고, 또한 IMF체제의 심화와 함께 BIS비율에 미달되어 피고와 같은 처지에 있었던 경기은행, 충청은행 등이 다른 은행에 흡수·합병되었듯이, 기존주식의 완전감자와 함께 이루어지는 100% 공적 자금이 출자되는 경우는 실질적으로 기존회사의 주주나 채권자들 입장에서는 회사의 합병에서 해산회사의 주주나 채권자들과 유사한 입장과 같다고 할 것인바, 회사가 합병되는 경우 해산회사의 전환사채권자나 신주인수권부사채권자들은 주주로서의 권리나 지위는 거의 보호받을 수 없고, 다만 채권자로서의 권리 및 지위를 행사할 수 있을 뿐(제527조의5 제3항, 제232조 제3항, 제528조 제2항)이라 할 것인데, 이사건 이사회결의는 신주인수권부사채의 수량, 액면가, 이자율, 만기상환액 등 채권과 관련된 부분의 권리, 즉 채권자로서의 권리는 그대로 인정하였고 다만 자본관련 권리인 신주인수권의 행사가액만을 조정한 것으로서 이는 최소제한의 원칙에도 반하지 아니한다 할 것이다."이라고 판시하였고 2심도 같은 견해를 취하였다. 이들 내용에 비추어보면 법원은 이사회결의 및 공시만으로 조정이 가능하며 이에는 상향조정이 포함된다고 이해하고 있는 것으로 해석할 수 있다. 그런데 주식매수선택권에 관한 사안일 경우에는 주주총회결의 내지 이사회결의 외에 구증권거래법에서 스톡옵션부여계약서에 반드시 조정에 관한 사항을 포함하도록 되어 있어 근본적으로 위 판결과 같은 결론을 취하기는 어려울 것으로 보인다. 반면, 현행 상법에서는 주식매수선택권부여계약서에 반드시 조정에 관해 포함하도록 하고 있지 않아 달리 해석할 여지도 있다.

하나 — 조정에 상향조정을 포함하는 태도를 취하는 경향이 있다. 기본적으로 신주인수권부채의 신주인수권이나 전환사채의 전환권 그리고 주식매수선택권이 경제적인 측면에서 보면 선택권(option)이라는 공통점을 갖고 있다는 점에서 이러한 법원의 태도는 주목할 점이 있다.

그런데 주식매수선택권의 경우 이용되는 조정의 개념에 상향조정도 포함되는 것으로 이해하는 것은 다음의 이유에서 타당하지 않다. 즉 (i) 기업실무에서는 이제까지 조정에 있어 가치희석화방지조항을 이용해 오면서 하향조정으로 이해하여 대부분 이용해 왔고, (ii) 외국의 경우 조정 내지 희석화방지조항을 마련하여 이용해 온 것은 대체로 주주에 비하여 주식매수선택자에게 불리한 회사행위에 대한 보호장치가 된다는 고려하에서 이용되는 점을 감안한다면[61] 상향조정까지 포함하는 것으로 확대 해석하기는 어려울 것으로 보인다. (iii) 게다가 비록 법적 취급은 다르나 경제적 성질이 option으로 동일한 전환사채의 전환권, 신주인수권부사채권자의 신주인수권의 조정처리와 달리 해석할 필요는 없다고 보여진다. 더욱이 전환사채권자와 신주인수권부사채권자는 사채권자의 지위와 전환권 내지 신주인수권의 행사로 인한 권리 두 개를 다 갖고 있는데도 불구하고 실무에서 희석방지조항을 마련해둔 것을 고려해 본다면 그렇지 않은 순수한 주식매수선택권자의 경우 더 불리하게 취급하기는 어려울 것으로 보인다.

③ 계약에서 정하지 않은 희석사유의 발생

희석방지조항에서 옵션의 가치를 희석시키는 사유를 특정한 경우 종종 이에 포함되지 않은 희석사유가 발생하는 경우도 있다. 이 경우 계약 규정을 엄격하게 문리해석할 경우 주식매수선택권자의 보호가능성은 일체 없다고 할 수 있다. 이와 같이 희석방지조항에 정해 두지 않은 사유의 발생시 주식매수선택권자가 보호받을 수 있는 것인지에 관련하여 미국에서는 스톡옵션제도의 시행 초기 희석방지조항에 대하여 엄격하게 문리해석하지는 않는 경향을 보였으며, 비록 계약에서 정한 조정사유가 아님에도 불구하고 상당히 넓게 조정을 인정하는 것이 미국판례법상의 원칙으로 확립된 바 있다. 이와 관련하여 선구적인 것으로 두 개의 판결이 있는데 그 내용을 정리하면 다음과 같다.

---

61) Stephen I. Glover, Solving Dilution Problems, Business Lawyer (August 1996), at 1257.

㉮ Carey v. Rathman판결[62]

Carey v. Rathman판결은 전직 재무담당자였던 원고인 주식매수선택권자가 회사의 지배주주이면서 최고경영자에 지위에 있는 자를 피고로 하여 소송을 제기한 사안이다. 이 사건에서 원고인 주식매수선택권자는 계약상의 희석방지조항에 기초하여 조정에 응할 것을 청구하는 이행소송을 제기하였는데, 원고는 그가 주식매수선택권을 행사기간 중 아직 행사하지 않고 있는 동안 대부분의 회사주식이 지주회사의 주식과 교환되었고 이러한 주식교환이 발생했음을 이유로 조정의 이행을 청구하였다. 문제된 희석방지조항에서는 주식배당, 자본구조 변경(recapitalization), 주식교환(exchange of shares), 조직변경(reorganization) 등의 사유가 발생한 경우에 조정한다는 내용을 담고 있었다.

조정을 구하는 원고의 청구에 대하여 피고는 이러한 사유는 희석방지조항에 포함되어 있지 않은 사유이며 희석방지조항에서의 주식교환은 조직변경(reorganization)과 관련하여 행해진 것만을 의미한다고 주장하였다. 이에 대하여 법원은 피고의 주장을 받아들이지 않으면서 다음과 같이 판시하였다. 즉 "...희석방지조항에서 언급한 주식교환은 조직변경(reorganization)을 특정하여 이와 관련한 주식교환을 의미하는 것으로 제한되지는 않는다. 따라서 원고에게는 그가 주식매수선택권의 실효 전에 행사하였더라면 가졌을 지위를 유지할 자격이 인정된다"고 판시하였다.

㉯ Amdur v. Meyer판결[63]

Amdur v. Meyer사건은 주식배당의 경우 주식매수선택권의 희석사유로 보고 조정을 이행한 이사의 행위에 대하여 주주가 대표소송을 제기한 것으로 법원은 이러한 주주의 청구를 받아들이지 않은 사건이다. 희석방지조항에서는 주식분할로 인한 자본구조 변경의 경우에 한하여 조정하는 것으로 정하고 있었다.

이러한 희석방지조항에 대해 법원은 그러한 경우에도 "이에 제한되지 않고 이러한 조항에는 주식배당의 경우에도 조정하기로 하는 것이 포함되어 있다."라고 판시하였다. 이러한 이유를 들어 주식배당의 경우 주식매수선택권의 희석사유로 보고 조정을 이행한 이사의 행위에 대하여 주주가 제기한 대표소송을 법원

---

62) (1972) 55 Wis 2d 732, 200 NW 2d 591, 59 ALR 3d 1022.
63) (1962), 15 App. Div. 2d 425, 224 NYS2d 440, 11 NY2d 1051, 230 NYS2d 206, 184 NE2d 179, 12 NYS2d 710, 233 NYS2d 763, 186 NE2d 121.

은 받아들이지 않은 것이다. 법원은 " ... 조정을 한 이사의 행위는 주식배당이라는 사정의 변경으로 인한 것이므로 ... 통상의 경영에 관한 결정 및 집행권에 속하는 이러한 행위를 할 수 있는 권한이 있는 이사회는 결의로서 당초의 계약으로는 그 후의 사정이 발생하는 경우 본래 의도하기로 한 이익을 줄 수 없음을 나타낸 것이다"고 판시하였다.

(다) 판결의 시사점

Carey v. Rathman판결에서 주식매수선택권 부여회사가 조정의 범위를 좁게 해석하려는 것에 비해 주식매수선택권자는 넓게 해석한 것에 대하여 법원은 계약작성자에게 불이익하게 해석하여야 한다는 것을 선택의 기준으로 삼은 것으로 보인다. 계약의 해석상 둘 이상의 서로 상충되는 의미로 해석될 수 있는 경우 이러한 해석이 각각 합리적인 근거를 갖고 있는 경우에는 계약작성자에게 불이익하게 해석되어야 한다는 원칙이 적용되기 때문이다.[64]

반면, Amdur v. Meyer판결에서 법원은 비록 조정사유가 특정된 경우에도 주식분할의 경우를 희석사유로 정한 경우에는 주식배당을 포함하는 것으로 넓게 인정할 수 있다는 점과 함께 구체적인 사정을 고려하여 조정 여하를 판단할 수 있는 가능성을 기대할 수 있다는 점을 보여주고 있다.

그러나 우리나라에서 회사가 하는 각종의 자본거래와 관련하여 계약에 희석사유를 특정하지 않은 경우 법원이 조정을 인정할지는 분명하지 않다. 이러한 불확실성을 고려한다면 희석방지조항에 가급적 광범하게 조정사유를 포함하는 것이 주식매수선택권자에게는 유리할 것이다. 그러나 다른 한편으로 이러한 처리는 주주의 불만을 야기할 수 있다.[65] 때문에 과다조정의 가능성을 우려하여 주주의 이익보호를 위해 상법은 사전에 주주총회결의(상장회사의 경우 10%의 범위 내에서는 이사회결의)로 주식매수선택권의 행사가액과 그 조정에 관한 사항을 정하도록 하고 있는 것(제340조의3 제2항 제3호)은 일응 조정사유를 제한하는 점에서 의미가 있다.

---

64) Restatement (Second) of Contracts §206 (1981).
65) 이를 감안하여 조정을 요하는 모든 사항들을 사전에 주주총회에서 정하도록 하는 방안을 고려할 수 있다. 그러나 이 경우에도 사전적으로 어떠한 범위를 희석사유를 정할 것인가는 하는 문제는 여전히 남아 있다.

사. 양도 제한

주식매수선택권의 양도는 원칙적으로 금지되지만(제340조의4 제2항 본문), 상속의 경우에는 예외이다(제340조의4 제2항 단서). 즉 주식매수선택권을 행사할 수 있는 자가 사망한 경우 그 상속인이 이를 행사할 수 있다.

아. 취   소

상법상 부여된 주식매수선택권은 정관의 규정에 의해 일정한 경우 이사회결의에 의해 그 부여를 취소할 수 있다(제340조의3 제1항 제5호). 상장회사의 경우 다음의 경우 정관에서 정하는 바에 따라 이사회결의로 취소할 수 있다(동법 시행령 제30조 제6항). 이에는 (i) 주식매수선택권을 부여받은 자가 본인의 의사에 따라 사임하거나 사직한 경우, (ii) 주식매수선택권을 부여받은 자가 고의 또는 과실로 회사에 중대한 손해를 입힌 경우, (iii) 해당 회사의 파산 등으로 주식매수선택권의 행사에 응할 수 없는 경우, (iv) 그 밖에 주식매수선택권을 부여받은 자와 체결한 주식매수선택권 부여계약에서 정한 취소사유가 발생한 경우가 해당된다.

주식매수선택권을 부여한 회사의 임직원이 그 회사를 퇴사하고 자회사로 옮긴 경우와 직원이 임원으로 취임하면서 퇴직절차를 밟는 경우는 취소사유로 볼 수 없다.[66] 이사나 감사가 정당한 이유없이 임기만료 전에 주주총회 결의에 의하여 해임당하여 주식매수선택권을 행사하지 못하게 되는 경우 당해 이사나 감사는 주식매수선택권 상실로 인한 손해배상을 청구할 수 있다(제385조 제1항).

자. 공   시

주식매수선택권부여계약서의 경우 비상장법인으로 하여금 본점에서 주주로 하여금 영업시간 내에 열람할 수 있도록 비치하게 하고 있는데 반해(제340조의3 제4항), 상장법인의 경우에는 주주총회특별결의 내지 이사회결의를 한 경우 금융위원회와 거래소 등에 지체없이 신고하고, 신고서에 주주총회 의사록 또는 이사회 의사록을 첨부하도록 하고 있다(자본시장법 제165조의17 제1항; 동법 시행령 제

---

66) 임재연, 전게서, 525면; 최승재, 전게논문, 174면.

176조의18). 이들 서류는 각각 당해 특별결의일 또는 계약체결일 다음 날부터 당해 주식매수선택권의 행사기한까지 비치하여야 한다(제340조의3 제4항). 상장회사의 경우 금융위원회와 거래소는 신고일로부터 주식매수선택권의 존속기한까지 그 사실에 대한 기록을 갖추고 인터넷홈페이지 등을 이용하여 공시하여야 한다(자본시장법 제165조의17 제1항). 한편, 주식매수선택권의 행사에 의한 신주 발행시 증권신고서의 제출은 필요하지 않다. 모집에 해당한다고 보기 어렵고, 투자자보호에 문제가 없다고 보기 때문이다.[67]

차. 등   기

주식매수선택권을 부여하도록 정관에 정한 때에는 설립등기에 그에 관한 규정을 등기하여야 한다(제317조 제2항 제3의3호). 등기내용에는 (i) 일정한 경우 주식매수선택권을 부여할 수 있다는 뜻, (ii) 주식매수선택권의 행사로 발행하거나 양도할 주식의 종류와 수, (iii) 주식매수선택권을 부여받을 자의 자격요건, (iv) 주식매수선택권의 행사기간, (v) 일정한 경우 이사회결의로 주식매수선택권의 부여를 취소할 수 있다는 뜻이 포함된다(대법원 등기예규 제991호). 아울러 주식매수선택권에 관한 규정을 신설·변경한 때와 주식매수선택권의 행사로 회사가 신주를 발행하는 경우에는 자본금이 증가하므로 회사는 행사일이 속하는 달의 말일부터 2주 내에 본점소재지 관할등기소에 신설·변경 및 신주발행에 따른 변경등기를 하여야 한다(제317조, 제340조의5, 제351조). 등기를 해태하는 경우에는 500만원 이하의 과태료에 처한다(제635조 제1항 제1호).

주식매수선택권의 행사로 신주를 발행하는 경우 신주인수권증권 및 주금 납입을 맡은 은행, 기타 금융기관의 납입금보관에 관한 증명서를 첨부하여야 한다(제340조의5, 제516조의8 제1항, 제3항, 제4항).

카. 그 밖의 주식매수선택권부여계약서상의 조항

이 외 효력발생조건에 관한 사항, 지배권 변경과 같은 회사정책의 변화시 미행사된 주식매수선택권의 취급, 주식매수선택권 행사대금의 지급방법, 과세부담의 귀속, 주식매수선택권의 행사로 취득한 주식의 양도 여부 등에 관한 합의 등

---

67) 임재연, 전게서, 524면.

에 대해 통상 주식매수선택권부여계약서에 포함하는 경우가 많다. 그러나 이에 대해서는 상법 회사편에 별도 규정을 두고 있지는 않다.

1) 효력발생조건

주식매수선택권을 언제 어떠한 조건을 충족하여야 행사할 수 있는가 하는 효력발생조건은 다양하게 정할 수 있다. 회사들은 대체로 주식매수선택권의 행사 전 일정 기간을 경과하여야만 행사할 수 있는 것으로 정하고 있는데 이러한 경과기간은 부여일로부터 3년으로 정한 것이 대부분이다. 이는 구증권거래법에서 이에 대하여 3년으로 규정한 것(구 증권거래법 제189조의4 제4항)에서 영향을 받았다고 할 수 있다. 이러한 정함이 있는 경우 일정 기간을 경과한 주식매수선택권에 대하여서는 회사가 일방적으로 취소할 수는 없다. 반면, 주식매수선택권자는 대기기간이 경과한 이상 언제든지 주식매수선택권을 행사할 수 있다.

2) 주식매수선택권을 일시에 행사하도록 한 경우

부여일로부터 3년 후 행사할 수 있는 경우 일시에 전부 행사하도록 정하는 것은 주식매수선택권자로서는 사전에 정한 기간을 경과하기 전에 퇴직하거나 전직하는 경우에 매우 불리해진다. 그러한 기간 경과 전에 퇴직하는 경우 종전에 부여된 주식매수선택권 전부에 대하여 회사가 취소할 수 있기 때문이다.[68]

3) 주식매수선택권의 할증 행사

회사로서는 기업의 구조조정 등에서 주식매수선택권이 의사결정에 방해되지 않도록 일정한 기간이 경과함에 따라 주식매수선택권의 행사비율을 높여가는 방식으로 부여계약을 체결하고자 시도할 수도 있다. 예컨대, 부여일로부터 행사기간을 5년으로 약정하고, 매 1년이 경과할수록 20%씩 행사할 수 있게 하거나, 1년차에는 10%, 2년차에는 15%, 3년차에는 20%, 4년차에는 25%, 5년차에는 나머지 30%의 주식매수선택권을 행사할 수 있게 하고자 생각할 수 있다.[69] 그러나 이러한 할증행사를 정하는 방식은 가능하지 않은데, 왜냐하면 상법 제340조의4 제1항에서 2년간의 의무재직기간을 정하고 있고, 이러한 기간을 경과한 자

---

68) 구 증권거래법 시행령 제84조의6.
69) 외국에서 다양하게 이용되는 행사조건에 관해서는 안수현, 「스톡옵션제도에 관한 법적 연구」(서울대학교 법학박사학위논문, 2001), 24면 이하 참조.

만 주식매수선택권을 행사할 수 있다고 법원이 보고 있기 때문이다.

4) 주식매수선택권의 행사대금의 지급방법

주식매수선택권의 행사시 행사대금을 일시에 지급하도록 할 경우 주식매수선택권자에게는 상당한 부담이 된다. 때문에 이러한 부담을 감소시킬 목적에서 회사와 부여대상자는 사전에 자금조달의 부담을 줄이는 방법을 이용하게 된다. 이중 대표적으로 이용되는 방법이 분할납입방법이다. 분할납입시 주식매수선택권자의 자금조달부담은 상당히 감소된다. 또한 현금에 의한 지급에 한정하지 않고 어음 또는 주식 등의 유가증권에 의한 지급 나아가 가상주식제도와 연계하여 주식매수선택권제도를 이용하는 것[70]도 고려될 수 있다.

상장회사의 경우 발행주식총수의 100분의 15까지 주식매수선택권을 부여할 수 있도록 하고 있어(제542조의3 제2항; 동법 시행령 제30조 제3항) 탄력적으로 주식매수선택권을 부여할 수 있게 하고 있으나 효율적인 설계와 지속적인 검토 및 사후관리면에서 세심한 고려가 필요하다. 왜냐하면 이 규정으로 말미암아 이사회가 부여 외에 변경, 취소 후 새로 주식매수선택권을 부여하는 것, 조정에 대한 결정까지 할 수 있다고 볼 여지를 주고 있기 때문이다. 법문상 특히 부여할 수 있다고 규정하고 있고, 변경, 취소 후 새로운 주식매수선택권의 부여, 조정도 자유로이 할 수 있는 것으로 해석할 경우 이사회와 밀접한 관계에 있는 자, 특히 경영자와 같이 임원에게만 유리하게 취급한다거나 아니면 반대로 이사회와 관계가 원만하지 못한 자에게는 불리하게 취급할 소지가 있어 오히려 비효율적인 이용 및 과다보수문제를 심화시킬 가능성이 없지 않기 때문이다.

---

70) 예컨대, 주식매수선택권의 행사시점을 가상주식의 지급시점으로 일치시켜 놓는 것이다.

V. 종업원지주제도[*]   김 효 신[**]

1. 서   설

종업원지주제도란 종업원에게 자사의 주식을 취득하게 하여 주주로서 기업경
영 및 이익에의 참여를 유도하는 목적으로 근로자로 하여금 자기회사의 주식 또
는 지배회사의 주식을 보유하게 하는 제도이다. 종업원지주제도는 회사에 적대
적 M&A가 시도되는 경우에 회사가 자사주를 보유하고 있는 우리사주조합측과
협력하여 경영권을 방어하는데 도움을 주기도 하는 부수적 역할도 하고 있다.

'자본시장육성에 관한 법률'(1968.1.22.~1997.1.13. 증권거래법에 의하여 폐지)
제정으로 시작된 종업원지주제도는 투자계층의 다양화와 기업공개를 촉진하고
그와 더불어 근로자 재산형성 지원을 목적으로 하는 정부 정책의 일환으로 국내
에 도입되었다. 2001년에는 근로자복지기본법(현행 근로복지기본법)이 제정되기에
이르렀으며, 근로자의 복리 후생을 위한 제도로 우리사주제도를 실시함으로써
종업원지주제도의 목적상 무게중심이 이동하였다. 상법에는 직접적으로 종업원
지주제도를 규정하는 조문은 없으며, 현재 상장회사에는 자본시장과 금융투자업
에 관한 법률(이하 '자본시장법') 제165조의7이 적용되고, 비상장회사의 경우 근
로복지기본법 제38조 제2항에 의하여 우리사주제도의 근거를 두고 있다. 본 규
정이 적용되는 범위에서 상법 제418조의 신주인수권은 그 적용이 제한된다.

가. 종업원지주제도의 의의

광의의 종업원지주제도라 함은 종업원에게 어떤 혜택을 주어 주식(특히 종업
원이 근무하는 회사의 주식)을 보다 유리한 조건으로 취득하게 하는 제도를 말한
다. 외국의 입법례를 살펴보면 미국과 영국 등 구미의 제도가 이러한 유형에 속
하는데, 주식취득 방법 또는 주식내용에 관하여 특별히 우대함으로써 주식취득
과 보유를 장려·조장하여 종업원으로 하여금 주식을 구입케 하는 제도로, 미국

---

[*] 본 글은 주식회사법대계 초판 권영애 교수 작성부분에 개정법령을 반영하여 수정 및 보완
한 것이다.
[**] 경북대학교 법학전문대학원 교수

의 Employee Stock Owner Plan(ESOP)[1]와 노동자·종업원을 먼저 기업이윤의 분배에 참가시키고 그 이익에 의하여 주식을 취득시키는 영국의 Co-partnership 제도가 대표적이다. 독일의 종업원 주식(Belegschaftsaktien)은 양자를 겸하여 활용되고 있다.

협의의 종업원지주제도라 함은 회사의 경영방침으로 자기회사의 종업원에게 세제 및 금융지원 등 여러 가지 편의를 제공하면서 자기회사의 주식을 취득하고 오랜 기간 보유하게 하여 회사경영과 이윤분배에 참여하게 함으로써 종업원의 재산형성을 촉진하는 제도를 의미하며 우리나라와 일본의 경우가 이에 해당한다. 한편 스톡옵션제도는 자사주를 통해 성과를 보상한다는 점에서 우리사주제도와 유사하나, 특정 임직원을 대상으로 자사주를 취득할 수 있는 권리만을 부여하는 제도라는 점에서 전체 근로자들이 자사주를 취득·보유하는 우리사주제도와 차이가 있다.

나. 연 혁

1) 일반적 연혁

주식회사제도는 자본주의 경제발전과 더불어 성장하였고, 19세기부터 20세기에 이르는 경이적인 산업의 발전과정과 함께 본격화되었다. 주식회사는 자본조달과 노력보충의 면에서 종래의 개인기업이 엄두도 내지 못할 정도의 규모로 발전하였는데, 그것은 다수의 자본과 노력을 결합하는 동시에 위험분산이라는 경제적 욕구를 만족시키는 이익추구단체로서 막대한 이익을 얻기에 가장 적합한 공동기업형태이기 때문이다. 이러한 주식회사제도는 자본주의 경제발전의 원동력이 되어온 것이라 할 수 있다.

그러나 한편 주식회사제도의 비대와 더불어 발전한 자본주의 경제는 탐욕적인 기업 간 약육강식적 논리의 격화에 따라 국민경제를 위협하는 과도한 기업집중 현상, 회사의 남설, 주식투기 조장과 공황의 주기적 발생이라는 중대한 국면에 처하게 되었고, 주식회사의 규모 확장에 따른 고용확대는 기업의 소유자로서의 자본가와 그들이 제공한 직장에서 호구지책을 얻고 있는 노동자간의 이해대립에 따른 항쟁이 커다란 사회문제로 발전하였다. 이러한 노사문제의 해결방안

---

1) 미국의 ESOP에 대한 문헌은, 김순석, "종업원 지주(ESOP)신탁제도의 도입방안에 관한 연구," 「법학연구」 제21권 제4호(전남대학교 법학연구소, 2013. 10.), 201∼235면 참조.

으로서 투자자의 수중에 있는 기업을 노동자에게까지 문화를 개방하고자 하는 시대적 요청이 강해지자 노동자의 자본참가와 경영참가라는 두 형태로 실현되게 되었던 것이다. 이러한 기업참가는 19세기 중엽 영국에서 이익참가제도(profit sharing schemes)로 나타나게 되었다.

그 후 20세기 초기, 프랑스에서는 사회주의적 사조의 발흥에 따라 사회정책적 동기차원으로 논의되었으며, 특히 1917년에는 진보적인 노동주식론을 기초로 하는 노동자 참가주식회사에 관한 논의가 있었으나 경제적 혼란으로 실현되지 못하였다. 이에 반해 미국에서는 주로 경영정책적 견지와 경제적으로 여유 있는 노동자의 투자정책적 견지에서 종업원 지주제도가 행하여졌으며, 영국에서는 경영정책적 견지뿐만 아니라 사회정책적·사회개량적 견지에서 Co-Partnership 제도가 실시되기에 이르렀다.

2) 우리나라에서의 연혁

우리나라에 종업원지주제도가 소개된 것은 상당히 오래 전의 일이었으나, 실제 기업경영에 도입하여 본격적으로 이용하게 된 것은 1970년대 중반에 들어서면서이다. 일부 회사에서 자발적으로 실시한 경우를 제외하고 종업원지주제도는 1968년 자본시장육성에 관한 법률에 의하여 정책적으로 도입되었고, 우리사주조합을 결성하도록 규정한 1974년 종업원지주제도 확대실시방안에 의하여 본격적으로 시행할 수 있게 되었다.

1958년 10월 주식회사 유한양행의 고(故) 유일한 회장이 종업원의 복지향상과 노사협조를 목적으로 회사간부들에게 공로주 형태로 배분하였으며, 사원들에게는 각자의 희망에 따라서 자사주를 구입하도록 하되 그 대금을 상여금에서 공제하도록 하였는데 이것이 우리나라 종업원지주제도의 효시라고 할 수 있다. 그 이후 1960년대 후반에 들어 몇몇 회사들이 단편적이나마 이와 유사한 제도를 실시한 바 있다. 그러나 이 당시까지만 하여도 기업들은 일반적으로 가족주의적이며 폐쇄적이어서 기업공개가 일반적이지는 않았다. 따라서 종업원지주제도도 계획된 방침이 아니라 그때그때의 회사사정에 따라서 종업원에게 공로주를 제공하거나 신주발행 시 인수권을 부여하여 자사주를 취득케 한 데 불과하였다.

1968년 11월 22일 '자본시장육성에 관한 법률'이 제정되어 상장법인의 종업원에 대한 신주의 우선배정에 관한 조항이 설치됨에 따라 종업원지주제도는 처음으로 법률상 근거를 마련하게 되었다. 그 후 1972년 12월 동법이 개정되어 종업원에 대한 우선배정의 범위가 구법에서는 신규발행주식의 10%로 되어 있던 것이 당해 기업의 기발행 주식과 신규발행 주식 총액의 10%로 확대되었고, 또 함께 제정된 '기업공개촉진법'에서도 기업을 공개할 경우 공개하는 주식의 10% 까지를 종업원에게 우선 배정하도록 규정하였다. 그러나 이와 같은 법률의 규정 외에는 구체적인 실시방법이라든가 기업의 자발적인 도입·실시를 유도할 수 있는 여건이 충분히 조성되지 못하였기 때문에 제도의 보급은 부진하였다. 종업원 지주제도가 본격적으로 실시하게 된 계기는 1974년 5월 29일 기업공개와 관련된 건전한 기업풍토조성을 위한 대통령의 특별지시로부터이다. 이른바 5.29조치와 같은 해 7월 13일 이의 보완 시책인 종업원지주제도 확대실시방안에 의하여 종래 공개법인을 중심으로 일부 기업에만 실시되었던 종업원지주제도를 비공개 법인에까지 확대되었다. 이때 비로소 종업원이 취득한 주식의 관리를 위하여 우리사주조합에 관한 규정을 제정하였다.

종업원지주제도가 실질적인 정책을 추진할 수 있는 계기가 된 것은 1987년 9월 1일 정부가 마련한 종업원지주제도의 확충방안이라고 할 수 있다. 당시 우리나라 경제는 물가의 안정을 바탕으로 한 지속적인 성장으로 국제수지가 1986년 이후 흑자로 전환되고, 1인당 국민소득도 2,000달러를 상회하게 되는 등 구조적 전환기에 처해 있었다. 이러한 경제적인 여건의 변화와 더불어 교육·문화 수준의 향상으로 근로자의 욕구도 재산형성·성장과실의 분배참여 등 질적 변화 및 다양화되어 새로운 노사관계의 정립이 요구되었다. 그러나 종업원 보유주식의 대외유출 등 종업원지주제도가 본래 의도한 효과를 달성할 수 없게 됨에 따라 1988년 6월 22일에는 주식의 장기보유 유도, 우리사주조합의 건전한 운영 등을 내용으로 하는 종업원지주제도의 개선방안이 마련되기에 이르렀다.

그 이후 우리 경제는 크게 발전하였으나, 1997년 IMF로 인한 경제 격변기를 맞이하여 조합원이 우리사주조합을 통하여 보유하고 있던 우리사주는 거의 휴지 조각이 되기도 하였다. 2007년부터는 미국발 경제위기가 세계적 불황을 몰고 왔고, 그에 따라 우리도 경제적으로 힘든 시기를 겪은 바 있다. 급변하는 경제상황에 맞추기 위하여 상법 및 증권거래법도 수차례 개정되었고, 그에 발맞추어 종업원 지주제도와 관련된 법률은 자본시장육성에 관한 법률의 폐지에 따라 증권거래법으로, 증권거래법의 폐지에 따라 자본시장과 금융투자업에 관한 법률로 옮겨와 규정되고 있다.

　2001년 근로자복지기본법이 제정됨에 따라 종업원지주제도가 처음 출발했을 때와 달리 회사법적 시각이 아닌 노동복지 정책적 시각에서 바라보게 되었으며, 그 후 근로와 관련된 복지 전반을 포괄하고 근로 복지에 관한 기본법으로서의 성격을 명확히 하기 위하여 종전 개별법으로 있던 사내근로복지기금법과 합하여 2010. 6. 8. '근로복지기본법'2)으로 개정하였다. 또한 2016년 근로복지기본법시행령 개정3)에 따라 우리사주조합 및 조합원은 한국증권금융에 예탁한 우리사주를 중개기관을 통하여 타인에게 대여가 가능하게 되었으며 대여자는 대여를 통해 수익을 얻을 수 있고 대여 실행 중에도 우리사주에서 발생하는 의결권, 신주인수권, 무상증자 주식, 배당금 등의 권리는 대여자에게 귀속되고, 예탁된 우리사주의 주가하락 방지를 위해 조합은 파생결합증권의 취득이 가능하게 되었다.

2. 우리사주조합

가. 의   의

　근로복지기본법 제32조에 의하면 "우리사주제도는 근로자로 하여금 우리사주조합을 통하여 해당 우리사주조합이 설립된 주식회사의 주식을 취득·보유하게 함으로써 근로자의 경제·사회적 지위향상과 노사협력 증진을 도모함"을 목적으로 하고 있다. 우리사주제도 실시회사는 배정한도 100분의 20을 넘지 아니한 범위에서 우선배정하거나 우리사주매수선택권을 부여할 수 있다(근로복지기본법 제38조, 제39조). 우리사주조합은 조합원의 우리사주 취득 및 보유 지원, 조합 규약안 작성 변경, 조합 해산 결정 등 조합운영에 관한 사항을 법령의 범위안에서 조합원의 의사를 반영하여 결정한다. 2021년 8월 기준 우리사주조합의 결성 현황은 다음 도표와 같다.

---

2) 본 글은 2020. 12. 29. 개정된 근로복지기본법을 반영하여 작성하였다.
3) 개정 근로복지기본법시행령 2016. 1. 21. 시행.

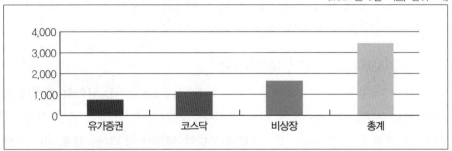

[우리사주조합 결성 현황]

(2021년 8월 기준, 단위: 개)

(단위: 조합)

구분	유가증권	코스닥	비상장	총계
결성 조합수	700	1,077	1,696	3,473

나. 우리사주조합의 설립요건과 법적 성격

우리사주조합을 설립하려는 주식회사의 소속 근로자는 우리사주조합원의 자격을 가진 근로자 2명 이상의 동의를 받아 우리사주조합설립준비위원회를 구성하여 대통령령으로 정하는 바에 따라 우리사주조합을 설립할 수 있다. 이 경우 우리사주조합설립준비위원회는 우리사주조합의 설립에 대한 회사의 지원에 관한 사항 등 고용노동부령으로 정하는 사항을 미리 해당 회사와 협의하여야 한다(근로복지기본법 제33조 제1항).4) 한편 우리사주조합의 설립 및 운영에 관하여 이 법에서 규정한 사항을 제외하고는 민법의 사단법인에 관한 규정을 준용하고 있으며(근로복지기본법 제33조 제2항), 우리사주조합의 법적 성격에 대하여 민법상 권리능력 없는 사단이라 본 하급심판결5)이 있다. 우리사주조합의 법적 성질에 관하여 민법상 조합으로 보는 견해가 있으나 비법인 사단으로 보는 것이 타당할 것이다.

다. 우리사주조합의 기관

우리사주조합은 전체 우리사주조합원의 의사를 반영하여 민주적으로 운영되

---

4) 근로복지기본법은 종전에 근로자 5분의 1 이상의 동의를 요하였으나 2015년 개정된 근로복지기본법은 2인 이상으로 요건을 완화하였다.

5) 청주지방법원 2004.4.28. 99가합1830.

어야 한다. 우리사주조합의 기관으로는 조합원총회를 두어야 하며 조합원총회에 갈음하여 규약으로 대의원회를 둘 수 있다. 우리사주조합의 최고의사결정기관은 조합원총회이다(근로복지기본법 제35조 제1항).

1) 우리사주조합원총회와 대의원총회

우리사주조합원총회의 의결을 거쳐야 하는 사항으로는 ① 규약의 제정과 변경에 관한 사항, ② 제36조에 따른 우리사주조합기금의 조성에 관한 사항, ③ 예산 및 결산에 관한 사항, ④ 우리사주조합의 대표자 등 임원 선출, ⑤ 그 밖에 우리사주조합의 운영에 관하여 중요한 사항 등이다(근로복지기본법 제35조 제2항). 한편 우리사주조합은 규약으로 우리사주조합원총회를 갈음할 대의원회를 둘 수 있는데, 다만 규약의 제정과 변경에 관한 사항은 반드시 우리사주조합원총회의 의결을 거쳐야 한다(근로복지기본법 제35조 제3항).

2) 우리사주조합의 대표자와 운영위원회

우리사주조합의 대표자는 대통령령으로 정하는 바에 따라 우리사주조합원총회 또는 대의원회를 개최하여야 하며, 우리사주조합의 대표자 등 임원과 대의원은 우리사주조합원의 직접·비밀·무기명 투표로 선출한다(근로복지기본법 제35조 제4항, 제5항). 우리사주조합의 대표자는 우리사주조합원이 열람할 수 있도록 우리사주조합원 명부, 규약, 우리사주조합의 임원 및 대의원의 성명과 주소록, 회계에 관한 장부 및 서류, 우리사주조합 및 우리사주조합원의 우리사주 취득·관리에 관한 장부 및 서류를 작성하여 그 주된 사무소에 갖추어 두고, 이를 10년간 보존하여야 하며 이 경우 그 장부와 서류를 전자문서로 작성·보관할 수 있다(근로복지기본법 제35조 제7항).

우리사주제도 실시회사와 우리사주조합은 우리사주조합에 대한 지원내용, 지원조건 등을 협의하기 위하여 대통령령으로 정하는 바에 따라 우리사주제도 실시회사와 우리사주조합을 각각 대표하는 같은 수의 위원으로 우리사주운영위원회를 둘 수 있다(근로복지기본법 제35조 제6항).

라. 조합원의 자격

1) 조합원자격의 취득

우리사주제도 실시회사의 우리사주조합에 조합원으로 가입할 수 있는 근로자는 우리사주제도 실시회사의 소속 근로자뿐만 아니라, 우리사주제도 실시회사가 대통령령으로 정하는 바에 따라 해당 발행주식총수의 100분의 50 이상의 소유를 통하여 지배하고 있는 주식회사(이하 '지배관계회사'라 함)의 소속 근로자 또는 우리사주제도 실시회사로부터 도급받아 직전 연도 연간 총매출액의 100분의 50 이상을 거래하는 주식회사(이하 '수급관계회사'라 함)의 소속 근로자로서 ① 지배관계회사 또는 수급관계회사의 경우에는 각각 소속 근로자 전원의 과반수로부터 동의를 받을 것, ② 해당 우리사주제도 실시회사의 우리사주조합으로부터 동의를 받을 것, ③ 해당 지배관계회사 또는 해당 수급관계회사 자체에 우리사주조합이 설립되어 있는 경우 자체 우리사주조합이 해산될 것 등을 모두 갖출 것을 요건으로 한다(근로복지기본법 제34조 제1항).

근로자가 다음의 경우에 해당하는 경우에는 우리사주제도 실시회사의 우리사주조합원이 될 수 없다. ① 해당 우리사주제도 실시회사, 지배관계회사 및 수급관계회사의 주주총회에서 임원으로 선임된 사람, ② 해당 우리사주제도 실시회사, 지배관계회사, 수급관계회사의 소속 근로자로서 주주. 다만, 대통령령으로 정하는 소액주주인 경우는 제외한다. ③ 지배관계회사 또는 수급관계회사의 근로자가 해당 우리사주제도 실시회사의 우리사주조합에 가입한 후 소속 회사에 우리사주조합을 설립하게 되는 경우의 그 지배관계회사 또는 수급관계회사의 근로자, ④ 그 밖에 근로기간 및 근로관계의 특수성 등에 비추어 우리사주조합원의 자격을 인정하기 곤란한 근로자로서 대통령령으로 정하는 사람 등이다. 다만 ①의 경우에 해당하는 근로자는 이미 배정받은 해당 우리사주제도 실시회사의 주식과 부여된 우리사주매수선택권에 한정하여 우리사주조합원의 자격을 유지할 수 있다(근로복지기본법 제34조 제2항).

우리사주조합에 가입할 수 있는 수급관계회사와 근로자와 관련하여 주식회사로 제한하는 것은 문제가 있다고 보는 견해[6]가 있다. 이 견해에 의하면 우리사

---

6) 김상규, "우리사주조합 조합원의 법적 지위에 관한 소고," 「경제법연구」 제12권 제1호(경제법학회, 2013), 161면.

주제도 실시회사를 주식회사로 제한하는 것은 지분을 증권화하고 양도할 수 있다는 점에서 이해되지만, 이 제도를 이용하려는 근로자도 역시 주식회사의 근로자로 제한하는 것은 옳지 않다고 한다. 우리사주제도 실시회사의 자회사는 제외하더라도, 위 회사와 거래하는 이른바 수급관계회사를 주식회사로 제한하는 규정은 회사의 종류를 묻지 않고 모든 회사가 포함되도록 개정되어야 한다고 주장한다.

2) 조합원자격의 상실

우리사주조합원은 자유로이 우리사주조합에서 탈퇴할 수 있는데 다만, 우리사주조합은 탈퇴한 우리사주조합원에 대하여 2년을 초과하지 아니하는 범위에서 규약상 정하는 기간 동안 재가입을 제한할 수 있다(근로복지기본법 제34조 제3항). 근로자의 소속 회사가 지배관계회사로의 편입 또는 지배관계회사에서 제외되는 경우와 수급관계회사로의 편입 또는 수급관계회사에서 제외되는 경우에 우리사주제도 실시회사의 우리사주조합원의 자격에 변동이 생기면 배정받은 우리사주제도 실시회사의 주식과 부여된 우리사주매수선택권에 한정하여 변경 전 우리사주제도 실시회사의 우리사주조합의 우리사주조합원 자격을 유지한다(근로복지기본법 제34조 제4항).

3. 우리사주취득과 양도제한

가. 우리사주취득

1) 주식취득재원

우리사주조합은 우리사주 취득 등을 위하여 ① 우리사주제도 실시회사 또는 그 주주 등이 출연한 금전과 물품, ② 우리사주조합원이 출연한 금전, ③ 제42조제1항에 따른 차입금, ④ 제37조에 따른 조합계정의 우리사주에서 발생한 배당금, ⑤ 그 밖에 우리사주조합기금에서 발생하는 이자 등 수입금 등을 재원으로 우리사주조합기금을 조성할 수 있다(근로복지기본법 제36조 제1항).

근로복지기본법은 자사주 취득 지원자를 우리사주제도를 실시하는 '회사와 그 주주 등'이라고 하여 회사와 주주 이외에 회사의 임직원은 물론 제3자의 자금 지원도 가능하도록 하였다. 그러므로 우리사주제도 실시회사의 경영자가 우리사주조합 조합원이 자사주를 매입하는데 개인 자금으로 지원하는 것은 물론 회사 자금으로 지원하는 것도 가능하다. 그러나 회사의 자금으로 지원하는 것이 오로지 경영권을 유지하기 위한 경우는 임무를 위배한 것이 된다.[7]

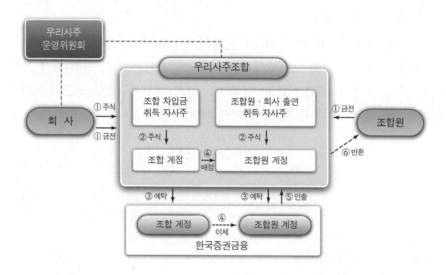

2) 기금예치

우리사주조합이 조성한 우리사주조합기금을 대통령령으로 정하는 금융회사 등에 보관 또는 예치하는 방법으로 관리하여야 한다(근로복지기본법 제36조 제2항). 또한 조성된 우리사주조합기금은 ① 우리사주의 취득, ② 제42조 제1항에 따른 차입금 상환 및 그 이자의 지급, ③ 제43조의2에 따른 손실보전거래 등으로 그 사용에 제한을 두고 있다.

3) 기금사용한도

우리사주제도 실시회사는 우리사주를 우선배정하거나 우리사주매수선택권을 부여할 때, 우리사주조합이 관리하고 있는 우리사주제도 실시회사의 주식, 신규로 발행하는 우선배정 주식 및 우리사주매수선택권을 행사할 때에 취득할 우리사주제도 실시회사의 주식을 합산한 주식 수가, 우리사주제도 실시회사가 신규로 발행하는 주식 및 우리사주 매수선택권을 행사할 때에 취득할 우리사주제도

---

7) 대법원 1999.6.27. 99도1141.

실시회사의 주식과 이미 발행한 주식을 합산한 주식 총수의 100분의 20을 넘지 아니하도록 하여야 한다(근로복지기본법 제41조).

나. 우리사주의 양도제한

1) 우리사주의 예탁

우리사주조합은 취득한 우리사주를 수탁기간에 예탁하여야 하며, 예탁한 우리사주를 일정한 기간의 범위에서 대통령령으로 정하는 기간 동안 계속 예탁하여야 한다(근로복지기본법 제43조 제1항, 제2항).[8] 우리사주조합 또는 우리사주조합원은 예탁된 우리사주를 제3자에 대한 대여의 경우나 대통령령으로 정한 우리

[우리사주 예탁 현황]

(2021년 8월 기준)

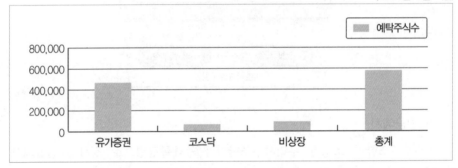

(단위: 조합, 천주, 천만원)

구분	유가증권	코스닥	비상장	총계
예탁 조합수	305	424	590	1,319
예탁 주식수	447,555	59,329	83,601	590,486
시가	897,149	56,981	66,360	1,020,491

---

8) 기간의 범위는 다음과 같다.
　　1. 우리사주제도 실시회사 또는 그 주주 등이 출연한 금전과 물품 등으로 취득한 우리사주: 8년
　　2. 우리사주조합원이 출연한 금전으로 취득한 우리사주: 1년. 다만, 우리사주조합원의 출연에 협력하여 우리사주제도 실시회사가 대통령령으로 정하는 금액 이상으로 출연하는 경우 우리사주조합원이 출연한 금전으로 취득한 우리사주에 대하여는 5년으로 한다.
　　3. 제36조 제1항 제3호부터 제5호까지의 금전으로 취득한 우리사주: 금전의 출연주체 및 차입대상자를 기준으로 우리사주를 나누어 제1호 및 제2호의 구분에 준하는 기간으로 한다.

사주조합원의 금융·경제생활에 필요한 경우 이외에는 양도하거나 담보로 제공할 수 없다(근로복지기본법 제43조 제3항). 우리사주조합원의 금융·경제생활에 필요에 의해 우리사주를 담보로 제공받은 권리자는 예탁기간 중에는 권리를 행사할 수 없다(근로복지기본법 제43조 제4항). 한편 2015년 개정근로복지기본법에서는 우리사주의 대여를 허용하고 대여된 우리사주는 그 대여기간 동안 예탁된 것으로 본다(근로복지기본법 제43조 제5항). 이 경우 조합원 계정에 배정된 주식에 대한 대여이익은 해당 계정의 조합원에게 지급되어야 하며, 조합 계정에 배정된 주식에 대한 대여이익은 조합에 귀속한다(근로복지기본법 제43조 제6항). 2021년 8월말 기준 우리사주의 예탁현황은 앞의 도표와 같다.

2) 우리사주의 처분

우리사주조합원은 우리사주조합이 해산하거나 우리사주조합원이 사망한 경우 등 대통령령으로 정하는 사유가 발생한 경우에는 같은 항의 예탁기간 중임에도 불구하고 우리사주조합을 통하여 우리사주를 인출할 수 있다(근로복지기본법 제44조 제1항). 우리사주조합원이 우리사주를 인출하는 경우 우리사주조합은 규약에 따라 우리사주조합, 우리사주조합원 순서로 우선하여 매입하도록 할 수 있다(근로복지기본법 제44조 제2항). 비상장법인인 우리사주제도 실시회사의 우리사주조합원이 우리사주를 불가피하게 처분하려는 경우 환금(換金)을 보장하기 위하여 주식의 거래 등에 관하여 필요한 조치를 하도록 노력하여야 한다(근로복지기본법 제45조 제1항). 또한 비상장법인인 우리사주제도 실시회사는 우리사주의 환금을 보장하기 위하여 필요한 경우 상법 제341조에도 불구하고 우리사주조합원 또는 퇴직하는 우리사주조합원의 우리사주를 자기의 계산으로 취득할 수 있다. 이 경우 취득한 주식은 ① 우리사주조합에의 출연, ② 상법 제342조에 따른 처분, ③ 상법 제343조에 따른 소각(消却)의 방법으로 처분하여야 한다고 규정하고 있다(근로복지기본법 제45조 제2항). 비상장법인인 우리사주제도 실시회사는 제2항에 따른 우리사주의 취득에 필요한 자금을 마련하기 위하여 매년 준비금을 적립할 수 있으며(근로복지기본법 제45조 제3항), 우리사주조합이 해당 우리사주제도 실시회사를 대신하여 조합원계정의 우리사주를 매입할 수 있도록 우리사주조합기금에 출연할 수 있는데 이 경우 해당 우리사주제도 실시회사는 매입 대상이 되는 조합원계정의 우리사주의 범위 및 매입 가격의 결정 방법사항이 포함된

약정을 우리사주조합과 체결할 수 있다(근로복지기본법 제45조 제4항).

3) 우리사주의 환매수

비상장법인으로서 대통령령으로 정하는 규모 이상의 우리사주제도 실시회사 (이하 '의무적 환매수 대상 회사'라 함)의 우리사주조합원은 우리사주가 ① 우리사주조합이 우리사주조합원의 출연금으로 대통령령으로 정하는 방법에 따라 취득한 우리사주일 것, ② 제43조 제2항 제2호에 따른 예탁기간 외에 추가로 7년의 범위에서 대통령령으로 정하는 기간 동안 예탁되었을 것 등의 요건을 모두 갖춘 경우에는 의무적 환매수 대상 회사에 해당 우리사주의 환매수를 요청할 수 있다 (근로복지기본법 제45조의2 제1항). 의무적 환매수 대상 회사는 환매수 요청을 받은 날부터 30일 이내에 상법 제341조에도 불구하고 해당 우리사주를 자기의 계산으로 취득하여야 한다. 다만, 의무적 환매수 대상 회사의 경영악화 등으로 환매수를 하기 곤란한 사정이 있거나 우리사주에 대한 환금성이 확보되는 등 대통령령으로 정하는 사유가 있는 경우에는 대통령령으로 정하는 바에 따라 환매수 요청에 응하지 아니하거나 환매수 요청을 받은 날부터 3년의 범위에서 분할하여 환매수할 수 있다(근로복지기본법 제45조의2 제4항). 한편 의무적 환매수 대상 회사는 제4항에 따라 취득한 우리사주를 제45조 제2항 각 호의 어느 하나의 방법으로 처분하여야 하는데(근로복지기본법 제45조의2 제5항), 이에 불구하고 우리사주조합은 의무적 환매수 대상 회사를 대신하여 제45조 제4항 각 호 외의 부분 전단에 따른 우리사주조합기금에의 출연금으로 해당 우리사주를 매입할 수 있으며(근로복지기본법 제45조의2 제6항), 이렇게 기금을 출연한 경우에는 해당 출연금의 한도에서 제4항에 따른 해당 우리사주의 취득의무를 이행한 것으로 본다 (근로복지기본법 제45조의2 제7항).

4. 우리사주조합원의 권리

가. 우선적 신주인수권

증권시장에 상장하려는 법인이 주식을 모집하거나 매출하는 경우 상법 제418조 규정에도 불구하고 해당 법인의 우리사주조합원에 대하여 모집하거나 매출하는 주식총수의 100분의 20을 배정하여야 한다(자본시장법 제165조의7 제1항). 그러나 우리사주조합원이 소유하는 주식수가 신규로 발행되는 주식과 이미 발행된 주식의 총수의 100분의 20을 초과하는 경우에는 그러하지 아니하다(자본시장법 제165조의7 제2항). 또한 상장법인이 주주방식으로 신주를 발행하는 경우 우리사주조합원에 대한 배정분에 대하여는 상법의 신주인수권자에 대한 최고에 관한 규정은 적용되지 않는다(자본시장법 제165조의7 제3항).

근로복지기본법에서는 주권상장법인으로서 대통령령으로 정하는 주권상장법인 또는 주권을 대통령령으로 정하는 증권시장에 상장하려는 법인이 자본시장법에 따라 주권을 모집 또는 매출하는 경우에 우리사주조합원은 자본시장법 제165조의7 제1항에 따라 모집 또는 매출하는 주식 총수의 100분의 20의 범위에서 우선적으로 배정받을 권리가 있다(근로복지기본법 제38조 제1항). 이처럼 현행 근로복지기본법에서 유가증권시장에 상장하려는 법인(장래 주권상장법인)의 경우에는 모집 또는 매출하는 주식 총수의 20%를 의무적으로 배정하여야 하여야 하는 반면에 코스닥시장에 상장하려는 법인(장래 코스닥상장법인)과 비상장법인의 경우에는 우선배정이 당해 법인의 선택사항이다.

그 밖의 법인이 자본시장법에 따라 모집 또는 매출하거나 유상증자를 하는 경우 그 모집 등을 하는 주식 총수의 100분의 20의 범위에서 상법 제418조에도 불구하고 우리사주조합원에게 해당 주식을 우선적으로 배정할 수 있다(근로복지기본법 제38조 제2항).

나. 우리사주매수선택권

우리사주제도 실시회사는 발행주식총수의 100분의 20의 범위에서 정관으로 정하는 바에 따라 주주총회의 결의로 우리사주조합원에게 그 결의된 기간 이내에 미리 정한 가격으로 신주를 인수하거나 해당 우리사주제도 실시회사가 보유하고 있는 자기주식을 매수할 수 있는 권리를 부여할 수 있으며, 다만 발행주식총수의 100분의 10의 범위에서 우리사주매수선택권을 부여하는 경우에는 정관으로 정하는 바에 따라 이사회 결의로 우리사주매수선택권을 부여할 수 있다(근로복지기본법 제39조 제1항).

우리사주매수선택권을 부여하려는 우리사주제도 실시회사는 정관에 ① 우리사주조합원에게 우리사주매수선택권을 부여할 수 있다는 내용, ② 우리사주매수선택권의 행사에 따라 발행하거나 양도할 주식의 종류와 수, ③ 이미 부여한 우리사주매수선택권을 이사회의 결의를 통하여 취소할 수 있다는 내용 및 취소 사유, ④ 우리사주매수선택권 부여를 위한 이사회 및 주주총회의 결의 요건을 정하여야 한다(근로복지기본법 제39조 제2항).

한편 제공기간은 주주총회 또는 이사회가 정하는 우리사주매수선택권 부여일로부터 6개월 이상 2년 이하의 기간으로 하며(근로복지기본법 제39조 제4항), 우리사주매수선택권을 부여한 우리사주제도 실시회사는 제공기간 중 또는 제공기간 종료 후 별도로 행사기간을 정하여 우리사주매수선택권을 행사하게 할 수 있으며 이 경우 행사기간을 제공기간 종료 후로 정한 경우에는 제공기간을 연장한 것으로 본다(근로복지기본법 제39조 제5항). 우리사주매수선택권을 부여하려는 우리사주제도 실시회사는 3년의 범위에서 대통령령으로 정하는 근속기간 미만인 우리사주조합원에게는 우리사주매수선택권을 부여하지 아니할 수 있으며(근로복지기본법 제39조 제6항), 우리사주매수선택권은 타인에게 양도할 수 없지만 우리사주매수선택권을 부여받은 사람이 사망한 경우에는 상속인이 이를 부여받은 것으로 본다(근로복지기본법 제39조 제7항).

우리사주매수선택권을 부여한 우리사주제도 실시회사는 상법 제341조에도 불구하고 우리사주조합원이 우리사주매수선택권을 행사하는 경우 그에 따라 교부할 목적으로 자기의 주식을 취득할 수 있다. 다만, 그 취득금액은 상법 제462조제1항에 규정된 이익배당이 가능한 한도 이내여야 하며, 이를 초과하여 자기의 주식을 취득하는 경우에는 대통령령으로 정하는 기간 내에 자기의 주식을 처분하여야 한다(근로복지기본법 제39조 제8항).[9]

다. 보유주식의 의결권 행사

우리사주조합의 대표자는 우리사주조합원의 의사표시에 대하여 주주총회 의안에 대한 의결권을 행사하여야 하며 의결권 행사의 구체적인 방법은 대통령령으로 정한다(근로복지기본법 제46조 제1항). 그러나 우리사주조합원이 의결권 행사의 위임을 요청한 경우에는 우리사주조합의 대표자는 해당 우리사주조합원의 주식보유분에 대한 의결권의 행사를 그 우리사주조합원에게 위임하여야 한다(근

---

9) 2011년 상법개정으로 '상법 제341조에도 불구하고'의 문구는 우리사주매수선택권을 부여한 우리사주제도 실시회사에서 우리사주조합원이 우리사주매수선택권을 행사하는 경우 '상법 제341조를 준용'하도록 개정하여야 한다는 의견이 있다. 김상규, 전게논문, 180면.

로복지기본법 제46조 제2항).[10)]

라. 신주인수권부사채의 대상여부

우리사주조합원이 우선적으로 배정받을 권리가 있는 '당해 주식'에 사채의 일종인 신주인수권부사채가 포함되는지에 대하여 판례는 포함되지 않는다고 보았다. 그리하여 "신주인수권부사채는 미리 확정된 가액으로 일정한 수의 신주 인수를 청구할 수 있는 신주인수권이 부여된 점을 제외하면 보통사채와 법률적 성격에서 차이가 없고, 신주인수권부사채에 부여된 신주인수권은 장래 신주의 발행을 청구할지 여부를 선택할 수 있는 권리로서 주식의 양도차익에 따라 신주인수권 행사 여부가 달라질 수 있는 것이므로 우리사주조합원의 주식우선배정권과는 법률적 성격이나 경제적 기능에서 차이가 있는 점, 우리사주제도는 근로자로 하여금 우리사주조합을 통하여 소속 회사의 주식을 취득·보유하게 함으로써 근로자의 경제적·사회적 지위 향상과 함께 근로자의 생산성 향상과 노사협력 증진을 통하여 국민경제에 기여하는 사회정책적 효과를 도모하기 위하여 채택된 제도이고, 이러한 제도의 취지에 따라 우리사주조합원에게 부여된 주식우선배정권은 주주의 신주인수권을 법률상 제한하는 것인 점 등을 고려하면, 우리사주조합원에게 주식 외에 신주인수권부사채까지 우선적으로 배정받을 권리가 있다고 유추해석하기도 어렵다"고 판시하였다.[11)] 다만, 실무에서는 이미 전환조건을 충족한 까닭에 즉시 주식으로 전환할 수 있는 사채에 대해서는 우리사주조합이 취득할 수 있는 것으로 인식되고 있다.

---

10) 조합의 대표자가 근로복지기본법 제46조 제1항에 따리 의결권을 행사할 때 조합원의 계정에 배정된 주식의 의결권은 ① 7일 이상의 기간을 정하여 조합원으로부터 주주총회 의안에 대한 의사표시를 받거나 의결권 행사의 위임 요청 여부를 확인하여 해당 의결권을 행사하거나 조합원에게 해당 의결권을 위임할 것, ② 위 기간 동안 의사표시 또는 위임 요청이 없는 주식의 의결권은 해당 주주총회의 참석 주식 수에서 의사표시가 없거나 위임 요청이 없는 주식 수를 뺀 주식 수의 의결 내용에 영향을 미치지 아니하도록 행사할 것의 방식에 따라 행사한다(근로복지기본법 시행령 제28조 제1항). 조합계정으로 보유되는 주식의 의결권 행사는 아래의 세 가지 방법 중 조합과 회사가 협의하여 규약으로 정하는 방법에 따라 조합의 대표자가 행사한다. 세 가지 방법은 ① 조합원계정의 의결권 행사방법상의 주총의안에 대한 조합원의 의사표시비율과 동일한 비율대로 행사할 것, ② 해당주주총회의 참석 주식 수에서 조합의 계정에 보유하는 주식수를 뺀 주식수의 의결 내용에 영양을 미치지 아니하도록 행사할 것, ③ 조합원총회에서 정한 의사표시 내용에 따라 행사할 것이다(근로복지기본법 시행령 제28조 제2항).

11) 대법원 2014.8.28. 2013다18684.

제 3 절 주주권의 변동

Ⅰ. 주식양도의 제한

1. 주식양도 자유의 원칙 장 경 찬*

가. 서 설

　주식의 양도(transfer of shares)는 매매·증여·교환 등의 법률행위에 의하여 주식을 이전하는 것을 말한다. 주식회사는 인적회사에서의 사원의 퇴사제도와 같은 것이 없으므로 주식의 양도는 투자자인 주주에게 투하자본의 회수의 길을 열어주는 것으로서, 투자자보호와 자본집중의 원활을 위하여 주식양도 자유는 주식회사제도에서 필수적인 요소이다.[1] 주식은 주주가 회사에 대하여 가지는 법률상의 지위이므로, 주식이 양도되면 주주가 주주의 지위에 근거해서 회사에 대하여 가지는 모든 법률관계, 즉 자익권과 공익권이 일괄해서 양수인에게 이전된다. 그렇지만 주주의 지위에 기인하는 권리라도 주주총회의 결의에 의하여 구체화된 이익배당청구권은 주식에 포함되어 있지 아니하므로 주식이 양도되더라도 이것은 당연히는 양수인에게 이전되지 아니한다.

　주식의 양도는 주주의 법률상 지위의 포괄승계가 생기는데, 주주의 지위는 주식불가분의 원칙에 따라 자익권과 공익권을 분리하여 양도할 수 없다. 주주권 중 주주 개인의 경제적 이익확보를 목적으로 하는 자익권과 회사 또는 주주 공동의 이익확보를 위하여 회사의 운영에 참가하는 것을 목적으로 하는 공익권도 자유양도의 대상인지에 대하여 이견이 있을 수 있지만, 판례는 공익권이라 하여

---

　* 변호사(변호사 장경찬 법률사무소)
　1) 정찬형, 「상법강의(상)」 제21판(박영사, 2018), 763면; 송옥렬, 「상법강의」(홍문사, 2016), 809면; 최준선, 「회사법」 제13판(삼영사, 2018), 289~290면; 최기원, 「상법학신론」(박영사, 2011), 668면; 임재연, 「회사법Ⅰ」(박영사, 2018), 443면; 이철송, 「회사법강의」 제26판(박영사, 2018), 351면; 류시창, 「주식회사법」(법문사, 2013), 167면; 권기범, 「현대회사법론」(삼영사, 2017), 569면.

그 처분이 제한되는 것은 아니라고 한다.[2]

나. 상법규정

제335조 제1항 본문은 "주식은 타인에게 이를 양도할 수 있다."라고 규정하고 있다. 이것을 주식양도 자유의 원칙이라고 한다. 이것은 자본주의 시장경제에서 투자자가 투자한 것을 회수할 수 있는 제도의 하나로서 헌법이 명시하고 있는 재산권보장이므로 주식의 양도의 무조건 제한은 헌법 질서 위반이므로 강행법규적 성격을 갖는 것이다. 그런데 제336조 제1항은 주식양도의 방법에 있어서는 주권발행과 관련하여 "주식의 양도에 있어서는 주권을 교부하여야 한다."고 규정하면서 제355조 제1항에서 "회사는 성립 후 또는 신주의 납입기일 후 지체 없이 주권을 발행하여야 한다."고 하여 회사가 그 주권 발행의무를 게을리 한 때에 대표이사에게 과태료의 제재(제635조 제1항 제19호)를 가하여 사실상 주권발행을 강제하고 있다. 그와 아울러 주식양도와 주권발행에 관하여 "주권발행 전에 한 주식의 양도는 회사에 대하여 효력이 없다. 그러나 회사성립 후 또는 신주의 납입기일 후 6월이 경과한 때에는 그러하지 아니하다."(제335조 제3항)고 하여 주식양도와 주권발행 사이의 시간적 공백을 조화시키고 있다. 주권발행 전의 주식이란 회사설립시 설립등기를 한 때부터, 또는 신주발행시에 신주의 납입기일 다음 날(제423조 제1항)부터 주권을 각 발행할 때까지의 주식을 의미한다.

제335조 제3항은 본문에서 "주권발행 전에 한 주식의 양도는 회사에 대하여 효력이 없다."고 규정하여 이를 원칙적으로 금지하면서도 "회사성립 후 또는 신주의 납입기일 후 6월이 경과한 때에는 그러하지 아니하다."라는 단서를 두어 예외적으로 그 양도를 허용하고 있다. 상법이 주권발행 전의 주식양도를 원칙적으로 금지하는 이유는, 주권이 발행된 후에는 '주권의 교부' 및 '주권의 점유'라는 공시방법을 통하여 주식거래의 안전을 어느 정도 확보할 수 있지만, 주권발행 전에는 적절한 공시방법이 없어 주식거래의 안전을 도모할 수 없기 때문이다.

다. 주식양도의 현황

주권발행이 주식양도의 전제가 되고 있어 주권발행과 주식양도는 동일시되어

---

2) 대법원 1985.12.10. 84다카319.

야 할 정도로 밀접한 관계가 있으나 실무에서 주권이 발행되는 경우, 일괄예탁 및 주권불소지제도에 의해 주권이 발행되지 않는 경우를 제외하면 상장회사는 당연히 주권이 발행되나, 비상장회사는 전혀 사정이 다르다. 특히 현재 우리나라에 주식회사로 등록된 회사 중 90% 이상이 소규모의 주식회사로 설립되어 있다. 소규모의 회사는 대개가 주권을 발행하려는 의사도 없고 사실상 그 필요도 거의 없는 것이 대부분이다.[3] 그런데 주식회사는 본래 다수의 출자자를 모집하는 대규모의 기업에 적합한 형태로 고안된 것인데, 실제로는 그렇지 아니한 소규모의 기업이 이용하는 경우가 압도적으로 많아 여기서부터 여러 가지 왜곡된 현상이 생겨나고 있다. 모든 주식회사는 주권을 발행한다고 하는 전제 아래에서 주식을 둘러싼 여러 제도가 작동할 수 있음에도 불구하고, 주권을 발행하지 아니하는 회사가 대단히 많고, 법이 예상하지 않는 장기간에 걸쳐 주권발행전의 상태가 지속되는 경우도 허다하다.[4]

우리 상법은 제335조 제3항 단서의 규정을 두어 일응 위와 같은 상황에서 규정을 두지 아니할 때보다는 진일보한 것이나 이 규정으로 다 해결되는 것은 아니고 여전히 문제는 남아 있다.

따라서 그와 같은 회사의 주주들은 주권발행청구의 곤란과 더불어 주권발행도 없이 주식을 양도하는 것을 상례로 하고 있는 것이고, 또 양도당사자도 대개의 경우 주권 또는 그 발행에 대한 의식이 없어 법률상으로는 주권발행 전의 양도임에도 사실상 아무런 법의식 없이 각자의 의도한 바의 경제적 목적을 달성하고 있는 실정이다. 이런 상황에서 주권발행 전의 양도가 회사에 대하여 무효라고 한다면 오히려 그로 인해서 회사와 양도당사자는 물론이거니와 제3자에 대한 관계에 있어서까지도 그 양도를 둘러싼 법률관계에 혼란을 초래하여 법률상 또는 사실상 불합리한 결과가 초래된다.

미국에서는 주주가 주식을 양도하는데 거의 절대적 권리를 갖고 있어 한국, 일본에서와 같은 주권발행전 주식양도의 제한에 대한 언급이 없다. 다만, 소규모회사는 소수의 주주들로 구성되어 주주들이 경영하는 경우가 많아 양도를 제

---

3) 개정상법은 2009. 1. 30. 주식회사편 제13절에서 상장회사에 대하여 제542조의2부터 13까지 조문을 신설하여 특례를 두었다. 이것은 "자본시장과 금융투자업에 관한 법률"이 2009. 2. 4.부터 시행되고 있는것과 궤를 같이 하려는 것으로 보여 진다.

4) 龍田節, "株券が發行されない株式の讓渡,"「法學論叢」126卷 4,5,6號(京都大學校法學會, 1990), 99面.

한하는 주된 이유가 이질적인 주주가 경영에 참여하는 것을 막기 위한 것이다.[5] 주로 정관에 제한을 가하여 구속력을 인정하면 주주가 이러한 정관의 양도제한에 따라 주식을 취득하는 데 동의하는 것으로 볼 수 있기 때문에 굳이, 우리와 같이 주권발행전과 관련된 규정을 두지 않아도 소규모회사의 경영실정에 맞게 운영될 수 있다고 생각하기 때문이다.[6][7]

실제로 이 규정이 입법화되기 전의 과정을 살펴보면 1984년 상법이 개정되기 전 대법원은 주권발행 전의 주식의 양도는 회사에 대한 관계에 있어서 효력이 없고, 주권발행교부 청구권은 주식과 일체로 되어 있어 이와 분리하여 양도할 수 없는 성질의 권리이므로 주권발행 전에 한 주식의 양도가 주권발행교부 청구권 이전의 효과를 생기게 하지 않는다. 따라서 주권발행 전의 주식양수인은 직접 회사에 대하여 주권발행교부 청구를 할 수 없고, 양도인을 대위하여 청구하는 경우에도 주식의 귀속주체가 아닌 양수인 자신에게 그 주식을 표창하는 주권을 발행 교부해 달라는 청구를 할 수는 없다고 판시했다.[8]

따라서 위의 판례취지와 일치하여 1984. 4. 10. 법률 제3724호로 개정되기 전의 구 상법 제335조 제2항에 의하여 주권발행전에 한 주식의 양도는 회사가 이를 승인하여 주주명부에 그 변경을 기재하거나 후일 회사에 의하여 주권이 발행되었다 할지라도 회사에 대한 관계에 있어서는 그 효력이 없다고 판시하였다.[9]

주권발행전의 주식의 양도를 회사에 대하여 무효라는 종래의 대법원 판례[10]와 앞서의 현실상황을 고려 1984년 상법개정시에 상법 제335조 제3항 단서 "그러나 회사성립 후 또는 신주의 납입기일 후 6월이 경과한 때에는 그러지 아니하다."는 규정이 제정된 것이다.[11] 그 후 대법원은 주권발행 전의 주식의 양도는 지명채권의 양도에 관한 일반원칙에 따라 당사자의 의사표시만으로 효력이

---

5) Arthur R. Pinto & Douglas M. Branson, Understanding Corporate Law, 2th ed., LexisNexis, 2004, p. 306
6) 서정갑, "미국에 있어서의 주식양도의 제한," 「법조」 제28권 제3호(법조협회, 1973), 14~15면.
7) UCC §8-204
   A restriction on transfer of a security imposed by the issuer, even if otherwise lawful, is ineffective against any person without actual knowledge of it unless:
   (a) the security is certificated and the restriction is noted conspicuously thereon; or
8) 대법원 1981.9.8. 81다141.
9) 대법원 1987.5.26. 86다카982, 983; 1982.9.28. 82다카21.
10) 대법원 1981.9.8. 81다141.
11) 대법원 1980.3.11. 78다1793 전원합의체. 손주찬 외, 「개정상법해설」(삼영사, 1984), 48면.

발생하는 것이고, 한편 주권발행 전에 한 주식의 양도가 회사성립 후 또는 신주의 납입기일 후 6월이 경과하기 전에 이루어졌다고 하더라도 그 이후 6월이 경과하고 그때까지 회사가 주권을 발행하지 않았다면, 그 하자는 치유되어 회사에 대하여도 유효한 주식양도가 된다고 봄이 상당하다고 판시하기에 이르렀다.[12]

2. 권리주 양도의 제한   윤 영 신*

가. 권리주 양도제한의 취지

권리주란 주식의 인수로 인한 권리로서, 주식을 인수하고 아직 회사의 성립 전 또는 신주의 효력 발생 전이라서 주주가 되기 전에 주식인수인의 지위를 의미한다. 권리주는 주식이 아니라서 주권이 존재하지 않으므로 이를 양도하고자 할 때에는 관행적으로 주금납입영수증이나 청약증거금영수증에 백지위임장을 첨부하여 양도하고, 회사의 성립이나 신주발행의 효력이 생긴 다음에 회사가 주권을 교부할 때 납입금영수증과 상환으로 주권을 교부받고 이후 명의개서를 청구한다.[1]

회사성립 전의 주식의 인수로 인한 권리의 양도는 회사에 대하여 효력이 없고(제319조), 신주발행의 경우에도 제319조를 준용하여 마찬가지로 효력이 없다(제425조 제1항). 권리주를 압류·환가하는 금전집행도 인정되지 않는다.[2] 권리주의 양도를 제한하는 이유는 i) 주주가 되기 전에 주식인수인의 지위를 자유롭게 양도할 수 있도록 하면 단기차익을 노리는 투기적 행위가 발생할 뿐만 아니라, ii) 양도방법이나 공시방법이 없어서 회사설립절차나 신주발행절차에 관한 법률관계를 복잡하게 할 우려가 있으며, iii) 회사설립시의 권리주 유통은 회사 불성립으로 인한 피해를 확산시킬 우려가 있다는 것이다.[3]

---

12) 대법원 2002.3.15. 2000두1850.

  * 중앙대학교 법학전문대학원 교수
 1) 최기원, 「신회사법론」 제14대정판(박영사, 2012), 343면.
 2) 최기원, 상게서, 343면(일본에는 주금납입증명서를 유체동산으로 보아 이를 대상으로 하는 집행방법을 취할 수 있다는 설도 있으나, 주금납입영수증은 단순한 증거증권에 불과하므로 이 견해는 타당하지 않다고 한다.).
 3) 송옥렬, 「상법강의」 제5판(홍문사, 2015), 831면; 이철송, 「회사법강의」 제29판(박영사, 2021), 399면; 정동윤, 「상법(상)」 제6판(법문사, 2012), 488면; 정찬형, 「상법강의(상)」 제24판(박영사, 2021), 769~770면; 최준선, 「회사법」 제16판(삼영사, 2021), 293면.

나. 권리주 양도의 효과

1) 권리주 양도의 효력

권리주 양도가 회사에 대하여는 무효라는 점에 대해서는 이론이 없다. 제319조는 주식의 인수로 인한 권리의 양도를 회사에 대하여 '대항할 수 없다'로 규정한 것이 아니라 '효력이 없다'고 하고 있음에 비추어 위와 같이 해석된다. 제319조는 회사에 대한 효력만을 규정하고 있으므로 양도당사자 간에는 채권적 효력이 인정된다.[4]

2) 회사가 주주로 인정하는 것의 허용여부

회사가 권리주를 양수한 자를 주주로 인정하는 것은 허용되는가에 대해서는 견해가 대립된다. ① 권리주의 양도를 제한하는 주된 이유가 설립절차 또는 신주발행절차의 번잡성을 방지하고자 하는 것이므로, 회사가 권리주 양도를 인정하는 것을 금지할 이유가 없다고 하는 견해도 있으나[5] ② 판례[6] 및 통설은[7] 회사도 권리주 양도의 효력을 인정할 수 없다고 한다. 그 근거로는 i) 주식발행절차는 오래 걸리지 않기 때문에 굳이 권리주의 양도를 인정해야 할 필요성이 적고, ii) 회사의 선택으로 권리주의 양도를 승인하는 것은 법률관계의 획일성 및 주주평등원칙에도 반하며, iii) 권리주 양도를 금하는 데에는 투기와 회사불성립으로 인한 피해가 일반 공중에게 확산되는 것을 막으려는 공익적 이유가 보다 강하고, iv) 공시방법이 불완전한 채로 양도됨으로 인해 생기는 거래상의 혼란을 방지할 필요가 있다는 점 등이 제시되고 있다.

3) 위반 시 제재

발기인 또는 이사, 집행임원이 권리주를 양도한 때에는 과태료의 제재를 받는다(제635조 제2항). 발기인이나 이사가 허위의 선전으로 권리주를 고가로 매도하고 회사관계에서 손을 떼는 경우에는 회사의 성립을 위태롭게 할 수도 있기

---

4) 이철송, 전게서, 400면; 임재연, 「회사법 I」 개정2판(박영사, 2014), 404면; 최기원, 전게서, 342면.
5) 권기범, 「현대회사법론」 제5판(삼영사, 2014), 560면.
6) 대법원 1965.12.7. 65다2069.
7) 송옥렬, 전게서, 831~832면; 이철송, 전게서, 400면; 임재연, 전게서, 404면; 정찬형, 전게서, 770면; 최기원, 전게서, 342면; 최준선, 전게서, 294면.

때문이다. 이는 발기인이나 이사가 권리주의 양도에 의하여 투기행위를 할 수
있는 유리한 지위에 있음을 고려한 제재이다.[8]

3. 주권발행전 주식양도의 제한 　　　　　　　　　장 경 찬*

가. 주식양도 제한의 일반

주식의 양도는 주주의 주식매수청구권이 인정되는 합병·영업양도 등의 특별
한 경우를 제외하고는 주주가 투하자본을 회수할 수 있는 유일한 방법이므로 원
칙적으로 그 자유가 보장되어야 한다. 주식양도의 제한은 결국 헌법이 보장한
재산권을 제한하는 것이 되므로 헌법 제23조에 따라 그 한계로서 법률에 의하
여 제한되어야 한다. 통상 강학상 주식양도의 제한을 상법에 의한 제한과 특별
법에 의한 제한으로 나누어 설명하게 되며 정관에 의한 제한 역시 상법규정에
의한 것이므로 이 역시 입법체제에서 볼 때 헌법이 규정한 한계를 벗어나는 것
은 아니다.[1]

나. 주권발행전 주식양도

1) 서

상법 제355조 제1항은 "회사는 성립 후 또는 신주 납입기일 후 지체 없이
주권을 발행하여야 한다."라고만 규정하고 있을 뿐 구체적인 주권발행의 기간을

---

8) 최기원, 전게서, 343면.

*　변호사(변호사 장경찬 법률사무소)

1) 1. 상법에 의한 양도제한: 가. 정관에 의한 양도제한(제335조 제1항), (제317조 제2항 3의2,
　제317조 제3항, 제183조), 대법원 1992.12.27. 92다16386; 1995.3.24. 94다47728; 1995.5.
　23. 94다36421; 2000.9.26. 99다48429; 2008.7.10. 2007다14193; 1991.8.13. 91다14093;
　1992.10.27. 92다16386; 1995.3.24. 94다47728; 2000.9.26. 99다48429; 2008.7.10. 2007다
　14193. 나. 권리주 양도의 제한(제319조, 제425조) 대법원 2002.3.15. 2000두1850. 다. 주
　권발행 전 주식양도의 제한(제335조 제3항) 라. 자기주식의 취득금지(제341조, 제341조의
　3). 대법원 1996.6.29. 2005가합8262; 2006.10.12. 2005다75729; 2007.7.26. 2006다33609.
　마. 상호주취득의 제한(제342조의2)
　2. 특별법상의 주식양도제한: 가. 자본시장과 금융투자업에 관한 법률에 의한 제한(제133조,
　제134조, 165조의3, 제167조, 제168조). 나. 은행법에 의한 제한(제15조, 제37조). 다. 독점
　규제 및 공정거래에 관한 법률에 의한 제한(제7조, 제7조의2). 라. 금융지주회사법에 의한
　제한(제8조1항, 제8조의2, 제13조, 제48조 제1항)

명시하지 않고 있고, 주권발행 전 주식양도의 방법에 관하여 아무런 규정을 두지 않고 있다. 또한 그 효력에 관하여도 제335조 제3항 단서로서 그러나 회사성립 후 신주의 납기일 후 6월이 경과한 때에는 그러하지 아니하다고 규정할 뿐이어서 회사성립 후 또는 신주 납입기일 후 6월이 경과한 때에는 양도의 제한이 해제되는 것으로 해석된다.

주권발행 전의 주식은 회사성립 후 혹은 주금납입일 후부터 주권을 발행할 때까지의 주식을 의미하는데 반하여 권리주는 회사성립전 혹은 주금납입일 전까지의 주식인수인의 지위를 의미한다.

주권발행 전의 주식양도라 하더라도 회사성립 후 6월이 경과한 후에 이루어진 때에는 회사에 대하여 효력이 있으므로 그 주식양수인은 주주명부상의 명의개서 여부와 관계없이 회사의 주주가 된다.[2] 주권이 발행되지 않은 경우라도 주식을 양도할 수 있음을 예외적으로 인정하고 있는 이유는 회사가 주권발행 전에는 주권의 교부를 할 수 없어 주식의 양도방법이 없고 공시방법도 없으므로 거래안전을 위협하게 되고 회사의 업무처리를 복잡하게 할 우려가 있기 때문에 원칙적으로 주식의 양도를 제한하고 있지만, 예외적으로 회사가 장기간 주권을 발행하지 않을 경우에는 주식의 양도가 크게 제한받을 수 있음을 고려한 것이고,[3] 뿐만 아니라 주식양도라는 재산권 행사를 제한하는 것이어서 재산권 보장이라는 헌법정신에도 어긋나므로 그에 대한 대책이 필요하였던 것이다.

주권발행전 주식의 양도가 문제가 되는 것은 우리나라 주식회사의 제도 실제가 형식적인 것이 많고 사실상 1인회사 내지 폐쇄적 형태 중소기업이어서 상법이 요구하는 거액의 자본을 끌어모을 필요가 없으므로, 자연히 본래의 조직 형태와는 달리 운영되어 대부분 주권을 발행하는 일이 없이, 대표이사와 실질 사주의 메모 등에 주주의 성명과 주소 및 보유주식수를 기재하는 것이 보통이고, 따라서 주주명부의 비치나 명의개서 등의 사무가 있을 수 없어 실제에서 주식발행전의 주식양도는 주권이 발행되지 않은 주식의 양도라는 측면에서 문제를 다룰 필요성은 여전히 있다.

이와 같은 회사들이 장기간 주식을 발행하지 않는 이유는, 첫째 비용의 절약이며, 둘째 주권발행의 필요성이 없다는 것이고, 또 다른 원인은 회사성립 후

---

2) 대법원 2000.3.23. 99다67529.
3) 유시창, 「주식회사법」(법문사, 2011), 163면.

주권이 발행되기까지의 기간이 너무 길다는 점들이다.[4]

2) 시간적 요소

회사가 성립된 후 또는 신주의 납입기일 후 6월[5]이 경과하기 전에 주식을 양도한 경우에는 그 양도는 당사자사이에서는 채권적으로 유효하지만 회사에 대하여 무효임은 명백하다(제335조 제1항). 이 경우에는 회사가 양도의 효력을 인정할 수 있는지가 문제되지만, 권리주의 경우와 같이 해석하여야 할 것이므로 결국 양수인은 회사에 대하여 주권의 발행교부를 청구할 수 없고 회사가 양수인에게 주권을 발행하더라도 그 주권은 무효이다.

만약 주권을 발행하기 전에 주식을 양도하였으나 그 후 비로소 회사가 주권을 발행하여 양도인에게 교부하였다면 양수인으로서는 양도인에게 주식양도의 채권적 효력에 기하여 양도인에게 주식의 인도를 구할 수 있고, 만약 회사가 주권발행을 신청하는 주주에게만 주권을 발행하여 주기로 하였다면 양수인으로서는 양도인의 채권자로서 양도인을 대위하여 회사에 대하여 주권의 발행 및 교부를 청구할 수 있다.

주권발행 전에 주식을 양도하여 무효라고 하더라도 만약 주권이 발행되지 않은 채 6월이 경과된 경우에 ① 주식양도는 주권발행 전의 양도로서 무효라고 할 것이지만 주권이 발행되지 않은 채 6월이 경과됨으로서 주권발행 전의 하자가 치유되어 회사에 대하여도 유효하다는 견해(유효설)[6]와 ② 6월의 경과로서 하자의 치유를 인정한다면 회사가 주권을 발행하는 시기에 따라 주식양도의 효력이 좌우되어 법률관계의 불안정을 가져올 우려가 있으므로 설령 주권을 발행하지 않은 채 6월이 경과하더라도 회사에 대하여 무효라는 견해(무효설)가 대립하고 있다.[7]

---

4) 河本一郎, 「現代會社法」新訂9版(商事法務, 2004), 150面; 北澤正啓, 「會社法」6版(靑林書院 2001), 213面; 日最高裁昭和33年10.24(日民集12卷14號, 3194面).

5) 6월의 개념은 입법 기술적으로 일응 회사가 주권을 발행 교부하는 데 필요한 합리적 기간이라고 판단한 것이다.

6) 이철송, 「회사법강의」제29판(박영사, 2021), 400~401면; 정찬형, 「상법강의(상)」제24판(박영사, 2021), 771면; 유시창, 전게서, 170면; 최준선, 「회사법」제16판(삼영사, 2021), 296면.

7) 최기선, 「신회사법론」(박영사, 2009), 347면. 이 주장의 요지는 회사가 주권발행시기에 따라 주식양도효력이 좌우되어 법률관계의 불안정을 초래하고 주권 없는 주식의 양도가 조장된다는 것이다.

대법원은 1984. 4. 10. 법률 제3724호로 개정되기 전 구 상법 적용시에 제335조 제2항에 대하여 "주권발행 전의 주식의 양도는 회사에 대한 관계에 있어서는 효력이 없고, 주권발행교부청구권은 주식과 일체로 되어 있어 이와 분리하여 양도할 수 없는 성질의 권리이므로 주권발행 전에 한 주식의 양도가 주권발행교부 청구권 이전의 효과를 생기게 하지 않는다. 따라서 주권발행 전의 주식양수인은 직접 회사에 대하여 주권발행교부 청구를 할 수 없고, 양도인을 대위하여 청구하는 경우에도 주식의 귀속주체가 아닌 양수인 자신에게 그 주식을 표창하는 주권을 발행 교부해 달라는 청구를 할 수 없다."8)라고 하였다. 그러나 1984년 상법 개정 이후에는 제335조 제3항은 "주권발행 전에 한 주식의 양도는 회사에 대하여 효력이 없다. 그러나 회사성립 후 또는 신주의 납입기일 후 6월이 경과한 때에는 그러하지 아니하다."라고 규정하고 있는바, 주권발행 전의 주식의 양도는 지명채권의 양도에 관한 일반원칙에 따라 당사자의 의사표시만으로 효력이 발생하는 것이고, 한편 주권발행 전에 한 주식의 양도가 회사성립 후 또는 신주의 납입기일 후 6월이 경과하기 전에 이루어졌다고 하더라도 그 이후 6월이 경과하고 그 때까지 회사가 주권을 발행하지 않았다면, 그 하자는 치유되어 회사에 대하여도 유효한 주식양도가 된다고 봄이 상당하다9)고 하여 유효설을 취하고 있다.

따라서 양도인이 6월 경과 전에 주권 없이 주식을 양도하였지만, 회사가 6월이 경과하도록 주권을 발행하지 않았다면 회사에 귀책사유가 있고, 6월이 경과하면 주권 없이도 회사에 대하여 유효한 주식양도가 가능하기 때문에(제335조 제3항) 양도의 하자가 치유된다고 본다.

다. 주권발행전의 주식양도의 방법

1) 서

제336조는 주식의 양도방법에 관하여 주권을 교부하여서 하도록 규정되어있다. 그러나 주권은 설권증권이 아니며, 주식은 주권의 발행전에 이미 존재하고 있고, 법률행위자유의 원칙은 법률행위방식상의 자유도 인정하여 하는 것이므로 논리상 주권발행이 안된 주식도 이를 양도할 수 있다고 하는 것이 당연한 것이

---

8) 대법원 1981.9.8. 81다141.
9) 대법원 2002.3.15. 2000두1850.

다. 이 점은 판례, 학설상 이론의 여지가 없다. 무효설이 주장하는 주권 없는 주
식의 양도라는 현실적인 문제를 해결하기 위한 것이어서 무효설이 주권 없는 주
식의 양도 조장이라고 할 수 없다. 그 또한 제335조 제3항 단서도 주권발행전
의 주식양도가 가능함을 뒷받침해 주고 있다고 할 것이다. 그런데 주권발행 전
주식 양도의 방법에 관하여는 상법에 특별한 규정이 없다.

2) 주권발행 전의 주식양도의 방법

상법은 주권발행 전의 주식의 양도를 인정하면서도 그 방법에 대하여는 아무
런 규정을 두고 있지 않다. 대법원은 "상법 제335조 제3항 소정의 주권발행 전
에 한 주식의 양도는 회사성립 후 6월이 경과한 때에는 회사에 대하여 효력이
있는 것으로서, 이 경우 주식의 양도는 지명채권의 양도에 관한 일반원칙에 따
라 당사자의 의사표시만으로 효력이 발생한다고 한다."[10]고 판시하고 있고 "주
권발행전의 주식의 양도는 주권이 아직 발행되지 않았으므로 민법상 지명채권양
도의 일반원칙에 따라 당사자 사이의 의사표시의 합치로 양도의 효력이 발생하
며 민법 제450조의 대항요건을 갖추어야 한다."고 판시하였다.[11]

주권발행 전 주식의 양도는 당사자의 의사표시만으로 효력이 발생하고, 주권
발행 전 주식을 양수한 사람은 특별한 사정이 없는 한 양도인의 협력을 받을
필요 없이 단독으로 자신이 주식을 양수한 사실을 증명함으로써 회사에 대하여
그 명의개서를 청구할 수 있지만,[12] 회사 이외의 제3자에 대한 양도 사실 대항
문제는 별개의 것이다.

또한 주권이 발행된 경우라도 기명주식 양도의 절차를 밟지 아니하였다고 하
여 주식양도의 효력이 없다고 할 수 없다.[13] 주식을 양수한 사람은 단독으로 자
신이 주식을 양수한 사실을 증명함으로써 회사에 대하여 직접 명의개서를 청구
할 수 있으며,[14] 제337조 제1항에 규정된 주주명부상의 명의개서는 주식의 양
수인이 회사에 대한 관계에서 주주의 권리를 행사하기 위한 대항요건에 지나지
아니한다.[15]

---

10) 대법원 2003.10.24. 2003다29661.
11) 대법원 1993.12.28. 93다8719; 2002.9.10. 2002다29411; 2007.2.22. 2006두6604.
12) 대법원 2009.9.24. 2005다45537.
13) 대법원 1992.10.27. 92다16386; 1995.3.24. 94다47728; 1995.5.23. 94다36421; 1996.6.25.
    96다12726.
14) 대법원 1995.5.23. 94다36421; 2003.10.24. 2003다29661; 2006.9.14. 2005다45537.

명의개서청구권은 기명주식을 취득한 자가 회사에 대하여 주주권에 기하여 그 기명주식에 관한 자신의 성명, 주소 등을 주주명부에 기재하여 줄 것을 청구하는 권리로서 기명주식을 취득한 자만이 그 기명주식에 관한 명의개서청구권을 행사할 수 있다. 또한 기명주식의 취득자는 원칙적으로 취득한 기명주식에 관하여 명의개서를 할 것인지 아니면 명의개서 없이 이를 타인에게 처분할 것인지 등에 관하여 자유로이 결정할 권리가 있으므로, 주식 양도인은 다른 특별한 사정이 없는 한 회사에 대하여 주식 양수인 명의로 명의개서를 하여 달라고 청구할 권리가 없다. 이러한 법리는 주권이 발행되어 주권의 인도에 의하여 기명주식이 양도되는 경우뿐만 아니라, 회사성립 후 6월이 경과하도록 주권이 발행되지 아니하여 양도인과 양수인 사이의 의사표시에 의하여 기명주식이 양도되는 경우에도 동일하게 적용된다.[16]

위와 같이 당사자 간의 의사표시에 의하여 주권발행 전의 주식양도를 인정한다면 양도시기가 불분명해 이중양도의 문제가 생기므로 이럴 경우 회사, 제3자에 대항하기 위한 대항요건을 갖출 필요가 있다.

가) 회사에 대한 대항요건

회사에 대한 대항요건은 민법 제450조의 지명채권 양도의 대항 요건에 준하여 회사에 통지 승낙을 요한다고 보는 것이 다수설 판례이다.[17]

나) 제3자에 대한 대항요건

제3자에 대하여 주식양도를 대항하려면 지명채권의 양도와 마찬가지로 확정일자 있는 증서에 의한 양도통지 또는 회사의 승낙이 필요하다.[18] 즉, 주권발행 전의 주식의 양도에 관하여 지명채권 양도의 일반원칙이 적용되는 결과, 주식양수인이 제3자에 대항하기 위하여는, 지명채권 양도의 경우와 마찬가지로 확정일자 있는 증서에 의하여 회사에게 주식양도 사실을 통지하고 회사로부터 확정일자 있는 증서에 의한 승낙을 얻어야 한다.[19]

대법원은 주권발행 전 주식의 제3자에 대한 대항요건에 관련하여 "민법 제

---

15) 대법원 1995.5.23. 94다36421; 2002.3.15. 2000두1850; 2003.10.24. 2003다29661.
16) 대법원 2010.10.14. 2009다89665.
17) 이철송, 전게서, 403면. 최준선, 전게서, 299면; 대법원 1995.5.23. 94다36421.
18) 대법원 1995.5.23. 94다36421.
19) 대법원 2006.6.2. 2004도7112.

450조의 지명채권양도의 대항요건에 의하여, 이중양수인 상호간의 우열은 확정일자 있는 양도통지가 회사에 도달한 일시 또는 확정일자 있는 승낙의 일시의 선후에 의하여 결정되며 이중양수인 중 일부에 대하여 이미 주주명부상 명의개서가 경료되어 있더라도 마찬가지라고 일관되게 판시하고 있으며,20) 주식의 양도통지가 확정일자 없는 증서에 의하여 이루어짐으로써 제3자에 대한 대항력을 갖추지 못하였더라도 확정일자 없는 증서에 의한 양도통지나 승낙 후에 그 증서에 확정일자를 얻은 경우에는 그 일자 이후에는 제3자에 대한 대항력을 취득하는 것이지만,21) 그 대항력 취득의 효력이 당초 주식양도통지일로 소급하여 발생하는 것은 아니다.22)

또한 주식양도 사실을 통지받은 바 있는 회사가 그 주식에 관하여 양수인이 아닌 제3자에게 주주명부상의 명의개서절차를 마치고, 나아가 그에게 기명식 주권을 발행하였다 하더라도, 그로써 그 제3자가 주주가 되고 주식양수인이 주주권을 상실한다고 볼 수 없다.23)

3) 주금납입영수증에 의한 방법

주금납입영수증은 주식을 인수한 자가 주금을 납입하고 회사로 부터 받은 영수증을 말하는데, 주권발행 전에 이 주금납입영수증에 명의개서를 위한 백지위임장 또는 백지양도증서를 첨부하여 주식을 양도하는 것이 관행으로 되어 있다.24) 일본에서도 오래전부터 이와 같은 주금납입영수증(주식납입영수증, 주식청약증거금영수증)에 의한 주식양도의 관행이 행하여졌다.25) 그런데, 주금납입영수증의 법률적 성질에 대하여는 유가증권설, 증거증권설 및 면책증권설 등으로 학설이 대립되어 있다.

---

20) 대법원 2006.9.14. 2005다45537.
21) 대법원 2010.4.29. 2009다88631; 2006.9.14. 2005다45537.
22) 대법원 2010.4.29. 2009다88631.
23) 대법원 2000.3.23. 99다67529.
24) 서돈각, 「상법강의」(박영사, 1998), 345면; 손주찬, 「개정상법(상)」(박영사, 2000), 526면. 다만, 상관습성의 인정문제는 아직도 확정적이지 못하다.
25) 上柳克郞・鴻常夫新・竹內昭夫編版, 「註釋會社法(3)」(有斐閣, 1985), 81面. 한편, 靑木英夫, "株券發 行前の株式讓渡の效力,"「法學セミナル」213號, 1985, 122面에 의하면, 日本의 경우 과거에는 株式請約證據金領收證에 白地式讓渡證據書를 첨부하여 株式을 讓渡하는 것이 舊慣習이었고, 또한 株式請約證據金領收證이 商慣習法上의 有價證券으로 취급되어 왔으나, 현재는 領收證은 그 모습을 감추고, 株式請約接受票만이 利用된다고 한다.

먼저 유가증권설은 주금납입영수증이란 주식인수인 또는 주주의 지위를 표창하는 상관습상의 유가증권이라고 한다. 이 설에 의하면 영수증이 발행된 경우에 회사는 영수증과 상환으로만 주권을 교부하여야 하며, 회사가 영수증을 소지하지 아니한 자에게 주권을 교부한 경우에는 회사는 영수증소지인에 대하여 손해배상책임을 진다고 한다. 또한 영수증의 선의취득도 가능하다든가, 영수증이 제권판결의 대상이 될 수 있다고 하는 견해도 유가증권설의 입장에서 있다. 일본의 하급심판결 중에는 영수증과 백지위임장이 결합된 경우에는 백지위임장부 기명주식과 동일한 효력이 있다고 하여 영수증의 유가증권설을 인정한 것이 있는가 하면, 상법은 유가증권인수권에 대하여 엄격한 규제를 하고 있고, 또한 이는 강행규정이므로, 상법상의 요건을 갖추지 못한 영수증을 유가증권이라고 할 수 없다고 한 것도 있다.[26]

다음 증거증권이라고 보는 견해에 의하면, 주금납입영수증은 주금납입의 증거에 불과하다고 하며, 면책증권설에 의하면 주금납입영수증은 이와 상환으로 주권을 교부하면 면책되는 성질을 갖는 것이고, 영수증의 소지인이 정당한 권리자가 아닌 경우에도 주권교부자가 악의 또는 중대한 과실이 없는 한, 책임을 면하게 된다고 한다.[27]

그 밖에 처음에는 증거증권, 또는 면책증권이지만, 주식성립 후 지체 없이 주권을 발행하지 않는 때에는 주권의 일반적 발행까지의 기간에 한하여 처음부터 유가증권을 주권으로 대신한다고 예상하는 설이 있고, 또한 주주로서 주권의 교부를 청구할 수 있고, 대외관계에서는 주권교부청구권행사의 대리권수여의 효과만 발생하고, 양도당사자간에서는 주식양도의 효과를 발생시키는 특수한 유가증권이라는 설도 있다.

한편, 주금납입영수증이 교부되는 이유와 실질을 거래측면에서 볼 때 주권을 교부하기 전에 주금을 납입한 자의 지위를 증명하고 주권을 교부함에 있어서 소지인의 자격을 증명할 수 있게 하기 위하여 발행하는 것이므로, 회사가 주권을 발행하지 않는다면 주주는 주금납입영수증에 의하여 주식을 적법하게 양도할 수 있도록 하여야만 주권제도와 주식양도의 원칙이 관철된다고 할 수 있고, 영수증

---

26) 日最高裁昭和 50年 11. 14 判決은 株式請約接受票에 의한 株券發行前株式에 대한 權利의 善意取得을 認定하지 않고 있다(判例體系商法(2), 第一法規社, 1976, 2117面). 日東京高版 昭和32. 11. 21(高裁民集 10卷 10號 550面).

27) 上柳克郎·鴻常夫新·竹內昭夫編版, 前揭書, 81~82面.

의 소지인은 회사 또는 양도인인 실질상의 전 주주에 대하여 주권이 교부된 경우, 이의 양도를 청구할 수 있다고 하여야 할 것이다. 따라서 주식인수인이 갖고 있는 주금 납입영수증은 단순한 증거증권이나 면책증권이 아니라, 회사설립 이전에는 주식인수인의 지위를, 회사설립 이후에는 주권발행전의 주식을 표창하는 의미에서 유가증권이라 보아야 할 것이다.[28]

4) 주권보관증에 의한 방법

주권보관증은 회사가 주주의 주권을 보관하고 그 증거로서 주주에게 교부하는 증서이다. 원래 보관증이라는 용어 자체로 본다면, 이는 주권의 현실적인 발행을 한 후에 회사가 주주로부터 다시 주권을 교부받아 보관하면서 그 증거로 발행하는 것이 원칙이겠으나, 실제로는 회사가 주금납입영수증에 갈음하여 주권보관증을 발급하는 경우가 종종 있고, 이 보관증에 배서하여 교부하거나 양도증서 또는 명의개서를 위한 백지위임장을 보관증에 첨부하여 교부함으로써 타인에게 양도하는 것이 거래계의 실정이다. 따라서 이는 주금납입영수증과 함께 인정된 주권발행전 주식의 양도방법이다.[29]

주권보관증의 법률적 성질에 대하여도 학설이 대립되어 있는데, 처음부터 유가증권이라는 설, 일반적 주권발행의 기간까지는 단순한 면책증권이지만 그 이후에는 유가증권이라는 설, 단순한 증거증권 또는 면책증권에 불과하다는 설 등이 있다. 대법원은 주식발행전의 주식의 양도가 회사에 대하여 효력이 없는 것이라 하여, 회사와 주주 또는 신주인수인과의 사이에서 회사가 장차 발행할 주권의 교부에 관하여 미리 발행하는 주권보관증과 같은 특정의 증서(그 성질이 면책증권인가 자격증권인가를 따질 필요 없다)를 소지하는 사람의 청구에 따라 그 증서와 상환으로서만 이를 교부하기로 하는 특약의 효력까지 부정할 수는 없을 것이며, 만일 그러한 특약이 있는 경우에는 그 주권의 교부청구권자인 주주 또는 신주인수인이나 그들의 청구권을 압류한 채권자라 할지라도 그 증서와의 상환 없이는 회사에 대하여 주권의 교부를 청구할 수 없을 것이다. 회사로서는 이러한 청구인들에 대하여 주권의 교부를 청구할 수 없을 것이고, 회사로서는 이러한 청구인들에 대한 주권의 교부를 그 증서의 적법한 소지인에게 대항할 수 없

---

28) 변동걸, "회사법상의 제문제," 「재판자료」 제37집(법원행정처, 1997), 117면.
29) 대법원 1965.12.7. 65다2069. 주권보관증의 성질에 대해서 판시하고 있다.

을 것이다. 위 주식보관증을 상법상의 유가증권으로서의 요건을 갖춘 증서라고
할 수 없으나 증권거래법에서 이르는 유가증권에 해당되는 것이라고 않을 수 없
다고 판시하였다.[30]

라. 주권발행전 주식양도의 효력

1) 서

앞서 본 바와 같이 제335조 제3항 본문이 주권발행전에 한 주식의 양도는
회사에 대하여 효력이 없다고 규정하고 있음에도 불구하고 실제 거래계에서는
주금납입영수증의 교부 등의 방법으로 그 양도가 빈번하게 이루어지고 있으나
그 효력에 관하여 법문상으로 제335조는 제3항 단서에 그러하지 아니하다고 규
정할 뿐이어서 회사성립 후 또는 신주납입기일 후 6개월 이후의 것은 일응 해
결되었다고 할 수 있으나 6개월 이전에 이루어진 주식양도의 경우 이것이 현재
한국의 많은 소규모 폐쇄적인 주식회사의 존재와 맞물려 여전히 해결할 문제로
남아 있다.[31]

2) 절대적 무효설

가) 효력에 대한 이론과 판례

이 설은 제335조 제3항 본문의 입증취지가 법적안정성 추구에 있다고 하면
서, 그 문언 그대로 엄격히 해석하여 주권발행전의 주식양도는 회사에 대하여 절
대적으로 무효이고, 회사가 이를 승인하여도 아무런 효력이 생기지 않는다고 한
다. 주권을 발행하지 않은 것이 회사의 과실인지의 여부 및 그 기간의 장단(이
부분은 제335조 제3항의 단서가 세성되어 의미가 없다)은 전혀 문제로 삼지 않는다.

이 설의 근거로는, 첫째 주권발행전의 주식양도방법의 불통일로 인한 법률관
계의 불안정을 제거하기 위하여 회사와 주주 사이의 발권전의 양도의 효력은 회

---

30) 대법원 1965.12.7. 65다2069. 위 판시에서의 증권거래법상의 유가증권이라는 것은 그 당시
   시행되던 동법 제2조 제1항 제6호의 주권 또는 신주인수권을 표시하는 증서를 가리키는 것
   이라고 판단된다.
31) 주권발행전 주식양도에 관하여 규정을 두고 있는 나라는 한국과 일본뿐인데, 일본은 상법
   전에 있었던 회사부분을 平成17년 7.26.(2005. 7. 26) 독립된 회사법으로 제정하였고 그에
   따라 새로이 제정된 회사법 제128조 2항에 과거 상법상의 제204조 제2항을 존치시켰으며
   우리나라와 같이 단서 조항, 즉 그러나 회사성립 후 또는 신주의 납입기일 후 6월이 경과
   한 때에는 그러지 아니하다라는 규정을 두지 아니하였고, 아래서 보는 바와 같이 판례는
   역시 무효설의 입장이다.

사에 대한 관계에서 부인되어어야 하며, 둘째 합리적 기간이 경과되었는가의 여부에 따라 달리 취급하는 것은 합리적 기간산정의 기준이 회사의 규모, 기타의 사정에 의하여 달라지므로 법률관계의 혼란을 가져오게 되어 부당하며, 셋째 구체적으로 양도가 제한됨으로써 받는 주주의 불이익은 주권교부청구권을 행사하거나 회사에 대하여 주권발행 지연을 이유로 손해배상청구를 함으로써 보상받을 수 있고, 발권전이라도 당사자간에서는 의사표시에 의한 주식의 양도는 가능하므로 반드시 투하자본의 회수가 제약을 받는다고 볼 수 없으며, 넷째 특히 판례에서 문제로 되어 있는 것은 회사의 경영권 내지 지배권을 둘러싼 분쟁이고 투하자본의 회수가 아니며, 이들 사건은 폐쇄적인 소규모회사에 국한되는 것으로서 법규정의 해석론에 의할 것이 아니라, 개별적 구체적 타당성을 고려하면 족하다고 주장한다.32)33)

그러나 이 설에 대한 비판 중 가장 중요한 점은 주권미발행 또는 지연에 대하여 현실적인 강제조치가 불가능하며 손해배상액의 산정이 곤란하므로 실효성이 없고, 이 설을 고수하는 경우 주식의 자유양도성이 사실상 무시되는 점이 있게 되고, 그 대안으로 손해배상제도를 이용하자는 견해도 손해금액의 산정, 시기, 방법이 곤란하고, 또 계약 자유에 의하여 주식자체의 양도가 가능한데 이것은 손해배상 제도상의 위법 행위에 대한 평가와는 다르기 때문에 손해배상을 명하기 어렵다는 것이다.

(1) 구 상법(의용상법)시행 당시의 판례

대법원은 주권발행전의 주식양도는 당사자간에만 유효하고 회사에 대하여는 전면 무효로, 민법 제450조에 의한 방식을 구비하여 회사에 대항할 수 없게 한 법임이 명백하다고 판시하였고,34) 그 후에는 주권발행 이전에 있어서의 주식의 양도는 회사의 승인무효를 막론하고 회사에 대하여 효력이 발생하지 않는다고 하였으며,35) 또한 주권발행전에 한 주식의 양도는 절대적으로 무효인 것이 아니

---

32) 田中耕太郎, 「改訂會社法槪論(下)」(勁草書房, 1994), 326面; 西本寬一, "株券發行前の株式の讓渡," 「法學論集」(有斐閣, 1993), 248面; 高鳥正夫, "株券發行が遲滯された場合の株式讓渡の效力," 「民商法雜誌」 58卷 5號(有斐閣, 1968), 770面.
33) 우리나라 상법이 시행된 1963. 1. 1.부터 오늘에 이르기까지 주권발행전의 주식양도에 관한 판례는 상당히 많다. 그 주류는 1984년의 상법개정에 의하여 상법 제335조 제3항 단서가 새로이 규정된 것을 기점으로 절대무효설의 입장에서 위의 단서조항에 따라 6개월이 경과한 부분에 대한 규정에 따라 유효로 바뀌면서 변천해 오고 있다.
34) 대법원 1957.4.6. 4290민상10.

고, 다만 회사에 대하여 그 효력이 없을 뿐이며 회사에서는 이를 유효로 인정할 수 있다고 판시하였다.[36]

(2) 상법전 시행 이후

(가) 대법원은 상법전 시행 후에 사건에서 당해회사가 1949. 12. 12. 설립되어 그 후 주권발행전에 280주를 소외 A, B, C 등에게 양도하였고, 회사는 그 양도에 의하여 1949년 12월 23일 직접 위 양수인들에게 주권을 발행한 사안[37]에서 주권발행전에 한 주식의 양도는 회사에 대한 관계에 있어서 아무런 효력이 생기지 아니하며, 나중에 주권의 발행이 있었다 하더라도 주식양도의 효력이 생기는 것이 아니라고 판시하여 상법이 1962. 1. 20. 제정된 후에도 앞서의 판례를 유지하였다.

(나) 대법원은 구 상법 제204조 제2항(현재 법 제335조 제2항)의 입법취지는 주권발행전의 주식양도를 인정함으로 인하여 법률관계가 복잡혼란에 빠지는 것을 피하기 위한 것이라고 해석되므로 그 양도가 주권을 발행할 수 있는 합리적인 기간이 경과한 후에 한 것이고, 이것을 회사가 승인하여 주주명부에 그 변경을 기재하였다 하여도 그 주식의 양도가 회사에 대한 관계에 있어서도 유효하다고 볼 수 없다[38]고 하였으나, 상속의 경우 주주명부에 상속인으로서 등재되어 있지 아니하더라도 피고회사에 대하여 주권의 발행을 청구할 수 있다고 판단하고 있고,[39] 양도 담보의 경우 주식을 양도한 것이 양도담보의 취지로 한 것이라 할지라도 이 양도 당시에는 주권이 발행되기 이전이었으므로 이와 같은 주권발행전에 있어서의 주식의 양도는 효력이 없는 것이고, 더 나아가 "주권발행전"이라는 말을 회사가 보통주권을 발행할 수 있는 합리적 시기 이전을 의미한다고도 볼 수 없고, 그리고 주권발행전의 주식의 양도를 회사가 승인하여 주주의 명의까지 개서한 경우라 할지라도 역시 그 주식의 양도가 무효된다고 하여 하자치유를 논할 여지가 없었다.[40]

---

35) 대법원 1959.11.12. 4292민상527.
36) 대법원 1960.11.24. 4292민상874, 875.
37) 대법원 1963.11.7. 62다117.
38) 대법원 1965.4.6. 64다205.
39) 대법원 1966.9.6. 66다798.
40) 대법원 1967.1.31. 66다2221. 대법원은 이 사건에서 합리적 기대설을 부정하였다. 대법원 1995. 7.28. 93다61338.

(다) 대법원은 주권발행전 주식에 관한 권리에 대한 강제집행사안에서 민사소송법 제584조 제1항(민사집행법으로 세분되기 전의 것임)의 규정에 의하여 채무자인 주주가 회사에 대하여 가지는 주권교부청구권을 압류한 후 회사가 주권을 발행하면 채무자인 주주의 주권을 채권자의 위임을 받은 집달리에게 인도할 것을 명하여 이를 환가하는 방법에 의하여야 할 것이고, 회사에 대하여 미발행 주식의 발행을 명하거나 위와 같은 주권의 양도를 구함은 허용할 수 없다고 하여 민사집행에서도 위 원칙을 유지하고 있다.[41]

대법원은 학설상 제기되었던 합리적 기간 경과와 관련하여 회사설립 후 주권발행에 필요한 충분하고도 합리적인 기간이 경과 되도록 그 의무를 해태하였던 것이라고 해도 그러한 이유로써 주식의 양도가 회사에 대한 관계에 있어서 유효하게 되는 것이라고 볼 수는 없고, 원고들이 위 상법 조문에 근거하여 피고 회사에 대하여 위 주식양도가 회사에 대한 관계에서 그 효력이 없음을 주장한다고 해서 이것이 신의성실의 원칙에 어긋나는 것이라고 단정될 수는 없다고 하여 절대적 엄격설을 여전히 유지하였다.[42]

한편, 대법원은 이 문제와 관련 절대무효설의 입장에서 주권발행전의 주식의 양도는 그것이 회사가 주식을 발행할 충분하고도 합리적인 시기를 도과한 후에 이루어졌다고 하더라도 회사에 대하여 무효라고 하여 기존의 판례를 답습하였으나, 위 전원합의체 판결[43]에서 비록 소수의견이지만 그간 제기되었던 합리적 기대설의 입장이 정면으로 등장되었고 그것은 이후의 대법원 판결 및 상법개정 과정에도 직간접적으로 영향을 미친 것으로 생각된다.

위 판결 소수의견의 주된 요지는 제335조 제2항은 회사가 제355조 제1항의 규정에 쫓아 지체 없이 주권을 발행할 것을 기대하고, 그것을 전제로 하여 그 발행사무에 대한 혼란과 번잡을 피하고, 그의 신속하고 원활한 처리를 위하여 주권발행전의 주식의 양도의 효력을 제한하고 회사에 대한 관계에서 무효로 하고 있는 것이라 함이 상당하다 할 것이어서, 결국 법은 회사의 주권발행 사무의 편익을 위하여 그 한도에서 주권양도의 자유를 일시 후퇴시키고 그것을 부분적으로(대회사관계에서) 제한하고 있는 것이라고 할 수 있는데, 과연 그렇다면 회사

---

41) 대법원 1974.12.28. 자 73마332.
42) 대법원 1977.10.11. 77다1244; 1981.9.8. 81다141.
43) 대법원 1980.3.11. 78다1793 전원합의체.

가 주권발행을 지체함으로써 주식양도의 자유가 사실상 무시당하게 될 수 있는
사태의 발생은 제335조 제2항의 예상외의 일로서, 그와 같은 경우는 위 법조항
의 타당범위를 벗어난 것이라고 아니할 수 없으니, 회사의 주권 발행이 지체되
고 그로 인해서 결과하게 되었다고 하여야 할 주권발행전의 양도에 대하여, 그
것이 주권발행전의 양도라는 그 이유로서 위 법조항을 근거로 그 효력이 부정될
수 없다고 한 것이다.

이 판결을 두고, 이것이 신의칙설에 따라 실질적으로 종래의 판결을 변경하
고 주권발행전의 주식양도의 효력을 인정한 것이라고 논할 수 있으나, 신의성실
의 원칙은 사법의 일반원칙으로서 주식양도에 관한 문제에도 당연히 적용되는
것이어서 그 자체가 완화설의 일종이라고 할 수 없는 것이고 일반적 의미에서의
신의칙의 요건을 충족하는 것을 언급한 것으로 보는 것이 타당하다 할 것이다.

그 후 대법원은 주권발행전의 주식을 양수한 자로부터 이를 다시 양수한 사
건에서 주식양도계약 해제 전에 주식에 대하여 발행된 주권을 적법하게 취득하
지 못한 이상 제3자에게 포함되지 아니하는 것이고, 주권발행전에 한 주식의 양
도는 회사가 이를 승인하여 주주명부에 그 변경을 기재하거나 후일 회사에 의하
여 주권이 발행되었다 할지라도 회사에 대한 관계에 있어서는 그 효력이 없는
것이라고 하였다.[44]

대법원은 상법 시행전후를 막론하고 일관하여 절대적 무효설을 취하고 있었
기 때문에 주권발행전에 한 주식양도는 회사에 대하여 효력이 없다는 것은 본조
제2항이 명백히 규정하고 있는 바이므로, 회사가 이를 승인하더라도 그 주식의
양도가 회사에 대한 관계에 있어서 유효라고 볼 수 없다고 하였고, 주권발행전
의 주식의 양도는 회사에 대하여 아무런 효력이 없고, 후일 주권이 발행되었다
하더라도 주권양도의 효력이 발생되지 않는다고 한 판시를 그대로 유지하고 있
다. 이와 같이 절대적 무효설을 유지함에 있어 발생하는 부당성을 시정하기 위
하여 민사법의 대원칙인 신의칙의 원칙을 적용하면서 구체적 타당성을 꾀한 것
이다.

대법원은 주권발행 전 주식의 양도인이 회사에 대한 양도통지 전에 제3자에
게 주식을 이중으로 양도한 후 확정일자 있는 양도통지를 하는 등 대항요건을

---

44) 대법원 1987.5.26. 86다카982, 983.

갖추어 주어 양수인이 그 제3자에게 대항할 수 없게 되었고, 이러한 배임행위에 제3자가 적극 가담한 경우, 제3자에 대한 양도행위의 효력을 무효로 판단하였다.[45] 대법원은 주식이 이중으로 양도되었으나 제1양수인은 명의개서하지 않고 제2양수인은 확정일자 등의 방법에 의한 대항요건을 갖추지 않은 사건에서 주권을 발행하지 않은 회사의 주식을 지명채권 양도방법에 의하여 양수받은 자가 명의개서를 하지 않았다면 양도의 통지 내지는 회사의 승낙이 있었다 하더라도 회사에 대하여 주주권을 행사할 수 없음을 명백히 하고 있다.[46]

이 사건에서 주식회사의 주권발행전 주식을 양수한자(제1양수인)가 회사에 대하여 확정일자 있는 문서에 의하지 않는 양도 통지나 승낙의 요건을 갖추었으나 명의개서가 없었고 주식 중 일부를 이중으로 양수한 제2양수인은 명의개서를 마쳤으나 확정일자 있는 문서에 의한 양도 통지나 승낙의 요건을 갖추지 아니한 경우 우선 제1양수인은 회사에 대하여 명의개서를 하지 아니한 주주권을 행사할 수 없고 제1양수인이 먼저 양도통지 또는 승낙의 요건을 갖춘 이상 확정일자 있는 문서에 의한 양도 통지나 승낙의 요건을 갖추지 아니한 제2양수인이 원고 또는 피고 회사에 대한 관계에서 주주로서의 우선적 지위에 있음을 주장할 수 없다고 판시하였으며 그에 따라 의결권을 주장할 수 있기 위하여는 주주명부에 주주로서 명의개서를 하여야 하므로, 명의개서를 하지 아니한 주식양수인에 대하여 주주총회소집통지를 하지 않았다고 하여 주주총회결의에 절차상의 하자가 없다고 하여 기존의 판례를 확인하고 있다.

한편 제1양수인과 제2양수인 사이에서 만일 제2양수인이 주주명부 등에 명의개서 등을 하여 유효 적법하게 되는 경우 제1양수인이 양도인에 대하여 손해배상책임을 물을 수 있는지에 대하여는 양도인이 제1양수인에 대하여 원인계약상의 의무를 위반하여 이미 자신에 속하지 아니하게 된 주식을 다시 제3자에게 양도하고 제2양수인이 주주명부상 명의개서를 받는 등으로 제1양수인이 회사에 대한 관계에서 주주로서의 권리를 제대로 행사할 수 없게 되었다면, 이는 그 한도에서 이미 제1양수인이 적법하게 취득한 주식에 관한 권리를 위법하게 침해하

---

45) 대법원 2006.9.14. 2005다45537.
46) 대법원 2014.4.30. 2013다99942; 이에 대한 해설 및 평석은 신현탁, "주권의 발행회사인 명의개서에 관한 연구,"「고려법학」제77호(고려대학교 법학연구원, 2015. 6.), 29면 이하 참조; 김홍기, "주식의 이중양도와 명의개서의 효력,"「상사법연구」제34권 제1호(한국상사법학회, 2015. 5.), 43면 이하.

는 행위로서 양도인이 제1양수인에 대하여 그로 인한 불법행위책임을 진다. 주권발행전 주식양도인이 주식을 이중으로 양도하여 주식의 귀속 등에 관하여 각 양수인이 서로 양립할 수 없는 이해관계를 가지게 됨으로써 이들 양수인이 이른바 대항관계에 있게 된 경우에 그들 사이의 우열이 이 중 누가 제3자 대항요건을 시간적으로 우선하여 구비하였는가에 달려 있어서 그 여하에 따라 제1양수인이 제2양수인에 대하여 그 주식의 취득을 대항할 수 없게 될 수 있다는 것에 의하여 영향을 받지 아니한다고 하였다.[47]

주권발행전 주식의 양도인은 양수도 계약에 기하여 양수인이 목적물인 주식에 관하여 완전한 권리 내지 이익을 누릴 수 있도록 할 계약상 의무를 부담하므로, 양도인은 이미 양도한 주식을 제3자에게 다시 양도 기타 처분함으로써 양수인의 주주로서의 권리가 침해되도록 하여서는 아니 되며 이에 위반한 경우 그 자체로 불법행위책임을 진다. 또한 책임의 인정에 있어서 이중으로 주식을 양수한 자가 제3자 대항요건을 득하였는지 여부는 묻지 않는다.[48]

(라) 다만, 대법원은 주식양도가 비록 주권발행전에 이루어진 것이라고 하더라도 원고가 여러 해 동안 실질상의 1인회사의 대표이사직에 있으면서 주권을 발행하지 아니하고 있다가 원고가 자금난으로 회사를 경영할 수 없어 그 주식을 모두 양도하고, 그 양수인들이 피고회사의 부채를 정리하고 경영한 지 무려 7, 8년이 지난 지금에 와서 주권이 발행되지 아니하였음을 이유로 그 주식양도의 효력을 다투고 양도 후의 이 사건 주주총회결의 부존재 또는 무효확인과 원고가 주주임을 구하는 소는 신의성실의 원칙에 위배되는 소권의 행사이어서 허용되지 아니한다고 판시하였고,[49] 이와 유사한 사례로 주식양도는 아직 주권이 발행되지 않고 있는 상태에서 원고가 그 소유의 주식 전부를 피고에게 양도하고 경영권까지 넘겨 주었는데 나중에 한 주식양도의 효력을 다투는 사안에서, 대법원은 주식회사의 사실상 1인 주주로서 주식 전부를 소유하면서 대표이사로 있던 자가 주권을 발행하지 아니하고 있던 중 거래선에 대한 채무를 변제할 능력이 없어서 그 해결방법으로 위 주식 전부를 양도하고 있는 지금에 와서 그 주권이 발행되지 아니하였다거나 상법 소정의 주식양도 방법에 따르지 아니한 양도였음을 구

---

47) 대법원 2012.11.29. 2012다38780.
48) 이미현·김택주, "주권발행 전 주식의 이중양도 - 대법원 2014.4.30. 선고 2013다99942 판결," 「가천법학」 제8권 제2호(가천대학교 법학연구소, 2015. 6.), 48면.
49) 대법원 1983.4.26. 80다580.

실로 내세워 그 주식양도의 효력을 다투는 것은 신의성실의 원칙에 위배되는 소권의 행사로서 허용될 수 없다고 하였다.50)

(3) 일 본

일본 판례 역시 과거에는 우리 대법원과 같이 엄격설(절대적 무효설)을 취하고 있었다. 즉 동경고등재판소는 주권발행전의 주식의 양도는 회사에 대한 관계에서 아무런 효과도 발생하지 않으므로 회사측에서 이를 승인하더라도 아무런 효과도 발생하지 않고, 후일에 주권의 발행이 있다고 해서 양도의 효력이 생기는 것은 아니라고 판시하였으며, 같은 취지의 판례가 많이 있었다. 그러나 최고재판소는 합리적 시기설 또는 신의칙설과 관련 회사성립 후 3년이 경과한 사건에서 주식양도의 제한이 법률관계의 불안정을 제거하는 것인 이상 합리적 기간 경과전후의 구별없이 적용되어야 한다는 판시와 함께 절대적 무효설 선언하였다.51)

그러나 최고재판소는 그 후 기존의 절대적 무효설을 버리고 완화설로 판례를 변경하였다. 즉 회사가 주권의 발행을 부당히 지체하고 신의칙에 비추어 보더라도 주식양도의 효력을 부정함이 타당치 못한 상황에 이른 경우에는, 회사는 이에 주식발행전임을 이유로 그 효력을 부정할 수 없고 양수인을 주주로서 대우하지 않으면 안되고 이러한 경우 신의칙상으로 주식의 양도는 회사에 대하여 효력이 생기고 양수인은 주주로서의 권리를 행사할 자격을 갖게 된다고 판시하여 그 후 동일한 취지의 판례가 많이 나오게 되었으나, 합리적시기설에 입각한 것으로 보이는 판례도 많이 있어서, 일본의 판례가 완화설을 취하고 있음은 뚜렷하나 그것이 신의칙설인지 합리적시기설인지는 명백하지 않는다.52)

나) 완화설

완화설은 절대적 무효설의 문제점과 주권발행전의 주식양도가 많이 행하여지는 현실적 설정을 감안하여, 일정한 사정 하에 그 효력을 인정하고자 하는 것이 완화설이다. 우리나라 개정상법 제335조 제3항에 단서가 신설된 것은 완화설의 입장을 받아들인 결과로 생각된다.

이 설은 입법취지를 기술적 이유에서 찾고 있으며, 엄격설로부터 법적불안정

---

50) 대법원 1987.7.7. 86다카2675.
51) 日最高裁 昭和33年 10.24.
52) 日最高裁 昭和47年 11.8.

성을 이유로 비판받는데, 그러한 위험은 대 회사관계에서보다는 오히려 양도당
사자에 있어서 더 크게 문제되고 있으므로, 그와 같은 판례는 부당하다는 입장
에서 논의되고 있고 완화설은 다음과 같이 나누어진다.

(1) 조건설

이 학설은 주권발행전의 주식양도는 그 뜻이 명시되어 있든 않든, 주권의 발
행을 조건으로 하여 주식을 양도한 것이므로, 후에 주권이 발행되면 주식양도는
그 효력이 발생되는 것이며, 다시 상법 제336조 제1항의 양도절차를 밟을 필요
가 없다고 한다.[53] 즉, 상법 제335조 제3항에 의하여 양도의 효력이 주권의 발
행시까지 정지되어 있는데 지나지 않으므로, 뒤에 주권이 발행되면 그때 회사에
대한 관계에서 잠재하여 있던 양도의 효력이 현재화되어 완전한 것으로 된다고
한다. 이러한 의미에서 이 설을 양도효력정지설 또는 잠재적효력설이라고도 한다.

그러나 이 학설에 따르면 정지되었던 또는 잠재적으로 효력이 있던 것이어
서 회사에 대하여 양수인이 최초의 주식인수인의 권리를 대위행사한다는 구성
을 취하기 때문에 먼저 인수인 명의의 주권교부를 청구하고 그 후에 양수인 명
의로 명의개서를 하여야 하며, 주권의 발행이 있은 후에야 양도의 효력이 현재
화한다고 하므로 주권의 발행이 없는 동안은 그 구제가 어렵다는 비판을 면할
수 없다.[54]

(2) 합리적 시기설

이 학설은 상법 제335조 제3항은 회사성립 후 또는 신주 납입기일 후 지체
없이 주권을 그대로 발행하도록 한 제355조 제1항을 그 전제로 하는 것이며,
이어서 주권발행전에 한 주식의 양도는 회사가 주식을 발행하는 데 통상 필요한
합리적 기간내, 또는 주권을 발행하는데 보통 필요하다고 생각되는 상당한 시기
이전의 양도라고 이해하고, 이 기간이 경과하여도 회사가 주권을 발행하지 아니
하는 경우에는 동조는 적용되지 않고, 이 경우의 주식양도는 주권에 의하지 아
니하여도 회사에 대한 관계에서 유효하다고 하는 견해이다.[55]

---

53) 大隅建一郎, "株式の讓渡,"「株式會社法講座Ⅱ」(有斐閣, 1968), 649面; 西原寬一,「會社法」
　　(岩波書店, 1978), 138面.
54) 정동윤, "주권발행전의 주식양도의 효력,"「법조」제29권 제7호(법조협회, 1980), 13면.
55) 정희철,「상법학원론(상)」(법문사, 1985), 390면; 손주찬 외, 전게서, 529면; 北澤正啓,「會
　　社法」第四版(靑林書院, 1994), 214面; 河本一郎,「現代會社法」第七版(商事法務硏究會,
　　1995), 158面.

이 설에 대한 비판은 다음과 같다. 즉, 첫째로 합리적 시기의 산정이 회사의 규모, 담당직원의 다소, 인쇄사정 등에 좌우되어 회사마다 달라질 수 있으므로, 이러한 불확실한 기준에 의하여 주식양도의 효력을 규정한다는 것은 타당하지 않다는 것이고, 둘째로 합리적 기간56) 경과후에 있어서도 회사가 주주에게 주권 교부의 통지를 한 경우에는 의사표시만에 의한 주식의 양도를 회사에 대하여 대항할 수 있다고 하는 것은 타당하지 않고 따라서 합리적 기간의 경과만에 의하여 구별하는 것은 부당하다는 것이다.

그러나 이 비판에 대하여 제355조 제1항이 지체 없이 주권을 발행하라고 하고 있으므로 합리적 기간의 산정이 회사의 사정에 따라 달라지게 되는 것은 당연하며, 오히려 그와 같은 탄력성을 갖게 하는 것이 옳다든가,57) 합리적 시기의 산정이 반드시 곤란한 것은 아니라는 반론58)이 있기도 하고, 혹은 주주명부의 폐쇄기간을 3개월로 한정한 상법 제354조 제2항의 정신을 원용하여, 이 기간을 주권발행의 합리적 기간으로 볼 것이라는 견해를 표명하기도 하며, 또는 이 경우에는 이행지체로 인한 해제의 민법규정을 유추적용하여 회사에 대하여 유효한 양도를 할 수 있다는 견해가 주장되기도 한다.59)

이것에 의하면 주권발행을 장기간 해태하는 경우에 생기는 주식양도관계의 여러 곤란을 거의 일소할 수 있고, 주식의 자유양도성도 살리며 주주의 투하자본 회수책 보호에도 효과적이라고 할 수 있다.

제335조 제3항 단서의 규정은 이 학설에 입각하면, 그 합리적 기간을 6개월로 입법으로 보인다. 그러나 위에서 본 바와 같이 합리적 기간이라는 것은 일률적으로 정할 수 있는 성질의 것일 뿐만 아니라, 그 기간이 6개월 이내로 판단되는 경우에 여전히 이 설을 적용하여 그 양도의 효력의 문제가 제기될 여지가 남는다고 생각된다.

---

56) 北澤正啓, 上揭書, 215面, 주권발행에 통상적으로 필요한 합리적 시기 적어도 2~3개월을 제시하기도 한다.

57) 龍田節, "株券發行前の株式讓渡,"「民商法雜誌」 24卷 2號(有斐閣, 1990), 12面.

58) 大隅建一郎, 前揭論文, 95面.

59) 기타 여러 학설은 변동걸, 전게논문, 126면 이하 참조. 이런 논의의 본질과 관련하여 보면 주식양도가 결국 헌법에서 명시하고 있는 재산권 보장의 한 모습 이어서 그 기간의 장단은 재산권 보장의 상당성, 합리성과 연결될 것이다. 현재와 같이 전자거래의 혁신적 발전이 이루어지고 있는 상황에서 그 기간은 물론이거니와 방법에 대하여도 재검토되어야 할 것이다.

(3) 신의칙설

이 학설에 의하면, 주권이 발행되지 않는 한 회사에 대하여 주식양도의 효력이 발생하지 않으나, 지체 없이 주권을 발행할 의무를 지고 있는 회사가 그 의무를 해태하여 주권발행을 지연시키고 회사 자신이 주권의 발행이 없는 것을 이유로 주식양도의 효력을 부인하는 것은 민법 제2조의 신의성실의 원칙에 위반되어서 허용되지 않으므로, 이 경우에는 주식의 양수인은 주취득의 사실을 입증하여 회사에 대해 주주임을 주장할 수 있는 것이다.60)61)

다만, 이 신의칙 위반은 회사 이외의 제3자에 대하여는 이를 주장할 수 없다고 해석하는 것이 보통이다. 그러나 신의칙이라는 것은 사법의 일반원칙으로서 모든 법률행위에 적용되어야 하는 것이어서 주권발행전의 주식양도에도 당연히 적용되는 것이므로 이것 자체가 독립적인 논거가 된다고 보기는 어렵다.

(4) 주권발행불요설

이 학설은 주권발행전의 의미를 주주명부정비 전이라고 하는 입장에서 출발한다. 즉 상법 제335조 제2항에서 말하는 주식양도의 회사에 대한 효력이란, 회사에 대한 관계에서 주주자격을 주장할 수 있는가의 문제이므로, 주권발행의 필요성을 느끼지 않는 소규모의 폐쇄회사에 있어서는 주권을 발행할 필요가 없고, 다만 주주명부가 정비되어 있으면 주권발행전에도 주식을 양도할 수 있으며 양수인은 취득사실을 입증하여 명의개서를 청구할 수 있다고는 것이다.62)

이 학설은 특히 폐쇄회사의 실제를 중시하여 타당성이 있어 보이나 상법 제355조 제1항의 규정에 비추어 볼 때 주권의 발행을 요하지 아니한다는 전제는 무리라고 생각된다. 또한 어떠한 내용의 것을 주주명부라고 할 것인지도 문제이고, 회사가 수주명부의 작성 자체를 지연하고 있는 경우에는 또 다시 동일한 문제가 발생된다.

다) 상법 개정(1984. 4. 10.) 이후 판례동향

대법원은 주권이 발행되지 않았다고 하여도 회사성립 후 6월이 경과한 경우에는 회사에 대하여 주식양도의 효력을 주장할 수 있고 주권발행전의 주식의 양

---

60) 北澤正啓, 前揭書, 215面; 河本一郎, 前揭書, 158面.
61) 대법원 1983.4.26. 80다580.
62) 阪埜光男, "株券發行前の株式讓渡,"「手形研究」189號(経済法令研究會, 1973), 11面.

도는 지명채권양도의 일반원칙에 따라 당사자 사이의 의사표시만으로 성립하는 것이므로, 주권이 발행된 경우의 기명주식양도의 절차를 밟지 않았다고 하여 주식양도의 효력이 없다고는 할 수 없다고 한 판시를 비롯하여[63] 부칙 제6조는 주권발행전의 주식양도에 관한 경과조치로서 "제335조 제2항 단서의 개정규정은 이 법 시행전에 주권의 발행 없이 이루어진 주식의 양도에 관하여도 이를 적용한다."라고 규정하고 있으나, 위 개정규정이 시행되기 전에 이미 주권이 발행되어 주권발행전의 주식양수인 이외의 자들에게 주권이 교부된 경우에는 위 법 부칙 제6조의 규정을 적용하여 주권발행전의 주식양도를 유효하다고 볼 여지가 없고,[64] 대법원은 이 경우 주식의 양도는 지명채권의 양도에 관한 일반원칙에 따라 당사자의 의사표시만으로 효력이 발행하는 것이고, 상법 제337조 제1항에 규정된 주주명부상의 명의개서는 주식의 양수인이 회사에 대한 관계에서 주주의 권리를 행사하기 위한 대항요건에 지나지 않는 것이므로 회사성립 후 또는 신주의 납입기일 후 6월이 경과하도록 회사가 주권을 발행하지 아니한 경우에 당사자간의 의사표시만으로 주식을 양수한 사람은 특별한 사정이 없는 한 양도인의 협력을 받을 필요 없이 단독으로 자신이 주식을 양수한 사실을 증명함으로써 회사에 대하여 그 명의개서를 청구할 수 있다 하고, 명의개서 없이 주식의 양도 가능성을 인정하였다.[65]

더 나아가 명의개서의 청구에 소정서류의 제출을 요한다고 하는 정관의 규정이 있다 하더라도, 이는 주식의 취득이 적법하게 이루어진 것임을 회사로 하여금 간이 명료하게 알 수 있게 하는 방법을 정한 것에 불과하여 주식을 취득한 자가 그 취득사실을 증명한 이상 회사는 위와 같은 서류가 갖추어지지 아니하였다는 이유로 명의개서를 거부할 수는 없다 하였다.[66]

대법원은 최근에 주권발행 전 주식양도에 있어서의 이중양수인 상호간의 우열관계와 관련하여 주권발행 전이지만 회사성립 후 6월이 경과하여 상법 제355조 제3항에 따라 주식양도를 할 수 있는 경우에, 당사자의 의사표시만으로 회사에 대하여 주식양도의 효력이 있고 특별한 사정이 없는 한 주식양수인 단독으로 주식을 양수한 사실을 증명하여 회사에 명의개서를 청구할 수 있다고 판단[67]

63) 대법원 1988.10.11. 87누481.
64) 대법원 1989.7.25. 87다카2316.
65) 대법원 1992.10.27. 92다16386.
66) 대법원 1995.3.24. 94다47728.

하여 기존의 판례입장을 다시 확인하였다.

대법원은 신주인수권증서가 발행되지 아니한 신주인수권의 양도의 경우에도 주권발행전의 주식양도에 준하여 지명채권양도의 일반원칙에 따른다고 보아야 하므로, 주권발행전의 주식양도나 신주인수권증서가 발행되지 아니한 신주인수권양도의 제3자에 대한 대항요건으로는 지명채권의 양도와 마찬가지로 확정일자 있는 증서에 의한 양도통지 또는 회사의 승낙이라고 보는 것이 상당하고 주주명부상의 명의개서는 주식 또는 신주인수권의 양수인들 상호간의 대항요건이 아니라 적법한 양수인이 회사에 대한 관계에서 주주의 권리를 행사하기 위한 대항요건에 지나지 아니하고 대법원은 주권발행 전 주식양도의 사실을 통지 받은 회사가 그 주식에 관하여 임의로 제3자 명의로 명의개서를 마치고 주권을 발행하여, 주주권의 귀속관계가 문제가 된 사안에서 주권발행전의 주식양도라 하더라도 회사성립 후 6월이 경과한 후에 이루어진 때에는 회사에 대하여 효력이 있으므로 그 주식양수인은 주주명부상의 명의개서 여부와 관계없이 회사의 주주가 된다.68)69)

대법원은 주권발행 전의 주식에 대하여 질권 설정이 가능한지 여부가 문제가 된 사안에서 주권발행 전의 주식에 대한 양도도 인정되고, 주권발행 전 주식의 담보제공을 금하는 법률규정도 없으므로 주권발행 전 주식에 대한 질권 설정도 가능하다고 하고, 주권발행 전의 주식입질에 관하여는 상법 제338조 제1항의 규정이 아니라 권리질권설정의 일반원칙인 민법 제345조로 돌아가 그 권리의 양도방법에 의하여 질권을 설정할 수 있다고 하였다.70)

3) 주권발행전 주식양도의 효력 내용

가) 서

상법 제335조 제3항은 원칙적으로 주권발행전의 주식양도는 무효이나 단서조항에 6월이 경과한때에는 그러하지 아니하다하여 주권발행전 주식양도의 효력에 관하여 일응 정리된 것으로 보이지만, 여전히 문제는 있다.

---

67) 대법원 2016.3.24. 2015다71795. 이에 대한 평석으로 박세화, "주권발행 전 주식양도에 있어서의 주주권 확정과 이중양수인 상호간의 우열관계," 「법조 최신판례분석」(2017. 8.), 818면 이하.

68) 대법원 1995.5.23. 94다36421.

69) 대법원 1996.8.20. 94다39598.

70) 대법원 2000.8.16. 자 99그1.

나) 효력의 범위

(1) 당사자 간의 효력

주권발행전 이전이라도 당사자간 주식의 양도는 채권계약이며 양도인의 재산권으로서 양도금지대상이 아닌 계약 자유의 원칙에 의하여 당연히 효력이 있는 것은 이설이 없다. 대법원은 일찍부터 "주권발행전 주식양도는 당사자간에만 유효하고 …"라고 판시한 이후 동일한 취지의 판례가 다수 있었고,[71] 일본의 판례 역시 주권발행전 주식의 양도는 당사자간에 효력이 인정되며 공서양속에 반하지 않는다고 하였다. 또한 주식양수가 회사에 대하여 효력을 갖게 되는 한 제3자에 대하여 당연히 효력을 갖는다.

주식의 양도뿐만 아니라 주권발행 전의 주식에 대한 양도담보 판례 역시 위와 같은 효력을 갖는다. 주식 양도담보의 경우 양도담보권자가 대외적으로 주식의 소유권자라 할 것이므로, 양도담보 설정자로서는 그 후 양도담보권자로부터 담보 주식을 매수한 자에 대하여는 특별한 사정이 없는 한 그 소유권을 주장할 수 없는 법리라 할 것이고, 설사 그 양도담보가 정산형으로서 정산 문제가 남아 있다 하더라도 이는 담보 주식을 매수한 자에게 대항할 수 있는 성질의 것이 아니다. 또한 채권담보의 목적으로 이루어진 주식양도 약정 당시에 회사의 성립 후 이미 6개월이 경과하였음에도 불구하고 주권이 발행되지 않은 상태에 있었다면, 그 약정은 바로 주식의 양도담보로서의 효력을 갖는다.[72]

따라서 채권담보의 목적으로 주식이 양도되어 양수인이 양도담보권자에 불과하다고 하더라도 회사에 대한 관계에는 양도담보권자가 주주의 자격을 갖는다.[73]

(2) 회사에 대한 효력

주권발행전의 주식양도는 원칙적으로 회사에 대하여 효력이 없다 주권발행전의 주식의 양도는 회사에 대한 관계에서는 효력이 없고, 주권발행교부청구권은 주식과 일체로 되어 있어 이와 분리하여 양도할 수 없는 성질의 권리이므로 주권발행전에 한 주식의 양도가 주권발행교부청구권 이전의 효과를 생기게 하지 않는다. 1984. 상법개정 이전에 판례는 일관하여 주권발행전의 주식양도는 회사에 대하여는 절대적으로 무효임을 밝히고 있다. 따라서 주권발행전의 주식양수

---

71) 대법원 2012.2.9. 2011다62076, 62083 등.
72) 대법원 1995.7.28. 93다61338.
73) 대법원 1993.12.28. 93다8719; 1992.5.26. 92다84.

인은 직접 회사에 대하여 주권발행교부 청구를 할 수 없고, 양도인을 대위하여 청구하는 경우에도 주식의 귀속주체가 아닌 양수인 자신에게 그 주식을 표창하는 주권을 발행·교부해 달라는 청구를 할 수는 없다.[74]

즉, 회사에 대하여 효력이 없다라는 법규정은 대항할 수 없다는 것과 달라서 주권발행전의 주식양도는 당사자 사이에서는 유효하나, 회사에 대한 관계에서는 절대적 무효로서 그 양도를 가지고 회사에 대항할 수 없는 것은 물론이고, 회사도 이를 승인할 수 없다라는 입장을 취하고 있다. 뿐만 아니라 회사가 양수인에게 주권을 발행하더라도 이는 주권으로서의 효력이 없다는 의미이다.[75]

주권이 발행되지 아니하였다 하더라도 회사성립 후 6개월이 경과한 경우에는 회사에 대하여 주식양도의 효력을 주장할 수 있고 주권발행 전의 주식의 양도는 지명채권양도의 일반원칙에 따라 당사자 사이의 의사표시만으로 성립하므로 주권이 발행된 경우의 기명주식양도의 절차를 밟지 않았다고 하여 주식양도의 효력이 없다고 할 수 없다.[76]

(3) 하자치유

그런데, 주식의 양도는 6월이 경과 전에 이루어졌으나, 6월이 경과하도록 회사가 주권을 발행하지 않은 경우 6월 하자가 치유되는가에 관하여는 견해가 대립되고 있었다. 다수의 학설과 판례는 6월이 경과하도록 회사가 주권을 발행하지 않는다면 양도의 하자는 치유된다고 한다.[77] 이에 따르면 6월이 경과된 후에도 하자가 치유되지 않고 여전히 무효라고 해석하더라도 6월 경과 후 양도인과 양수인이 다시 양도의 표시를 한다면 제335조 제3항 단서의 규정에 의하여 유효하게 할 수 있는데, 이렇게 되면 공연히 절차만 번거롭게 되고, 또한 여전히 무효라고 할 경우 양수인의 보호에도 문제가 있다.

다른 하나는 6월이 경과하여도 하자는 치유되지 않는다고 하는 견해로서, 6월이 경과되기 전에 주식의 양도가 6월이 경과되기를 기다려 그때에도 회사가

---

74) 대법원 1981.9.8. 81다141.
75) 대법원 1987.5.26. 86다카982, 983.
76) 대법원 1988.10.11. 87누481; 1991.8.13. 91다14093.
77) 이철송, 전게서, 402면; 정희철, 전게서, 425면; 정동윤, 전게서, 243면; 정찬형, 「상법강의(상)」 제21판(박영사, 2018), 772면; 최준선, 전게서, 297면. 이 견해에 의하여도 1984년 개정상법 이전에 나중에 주권발행이 있는 경우에 주권발행전 주식양도의 효력은 발생하지 않는다.

주권을 발행하지 않은 때에는 하자가 치유되어 회사에 대하여 유효하게 되고, 6
월의 경과와 동시에 주권을 발행한 때에는 무효가 된다고 하면, 회사가 언제 주
권을 발행하느냐에 따라 주식양도의 효력이 좌우됨으로써 법률관계의 불안정을
초래하게 될 것이고, 주권 없는 주식의 양도가 조장될 우려가 있으며, 입법취지
가 6월이 경과한 후의 주식취득한 자를 보호하기 위한 것이라는 것을[78] 이유로
삼고 있다.

대법원은 회사성립 후 또는 신주의 납입기일 후 6월 전에 이루어진 주권발
행전의 주식양도가 그 6월 이후에도 회사에 대하여 유효한가에 대하여, 주권발
행 전에 한 주식의 양도가 회사성립 후 또는 신주의 납입기일 후 6월이 경과하
기 전에 이루어졌다고 하더라도 그 이후 6월이 경과하고 그 때까지 회사가 주
권을 발행하지 않았다면, 그 하자는 치유되어 회사에 대하여도 유효한 주식양도
가 된다고 봄이 상당하다[79]라고 하고 있다.

생각건대 회사성립 후 6월 경과 전에 회사가 주권을 발행하지 않는 경우 하
자치유의 시점이 주식양도시점으로 소급한다는 견해도 있을 수 있지만, 제335조
제3항 단서의 문언상 회사성립 후 6월 경과시점부터 하자가 치유된다고 해석하
는 것이 타당하다.

하자치유의 시점은 회사성립 후 6월 경과시점 이전에 회사가 유상증자를 하
는 경우 주권발행 전 주식을 양수도한 양도인과 양수인 중 누구에게 신주를 배
정하여야 하는지의 문제와 관련하여 중요하다. 이러한 경우 하자치유의 시점이
주식양수도시점으로 소급한다는 견해에 의하면 회사는 양수인에게 신주를 배정
하여야 하고, 소급하지 않는다는 견해에 의하면 회사는 양도인에게 신주를 배정
하여야 하기 때문이다.

하자치유의 시점이 소급하지 않는다는 견해에 의하면, 회사가 양수인에게 신
주를 배정한 것은 양도인의 신주인수권을 침해한 것이므로 신주발행무효사유에
해당한다는 견해와, 주권발행 전 주식양도는 당사자 간에 유효하므로 양도인의
실주인수권을 침해한 것이 아니라는 견해가 있을 수 있다. 이에 관하여 판례는
없지만, '당사자 간에 유효하다는 것은 어느 일방 당사자가 주식양도의 효력을
상대방에 대하여 부인할 수 없다는 것이고, 신주발행에 관한 법령에 위반하는

---

78) 최기원, 「신회사법론」(박영사, 2009), 347면; 최기원, 「상법학신론」(박영사, 2011), 672면.
79) 대법원 2002.3.15. 2000두1850.

경우도 허용한다는 의미로까지 해석할 수 없다. 따라서 이러한 경우에는 신주발행무효사유가 되는데, 무효의 범위에 대하여 위 양수인에 대하여 배정된 신주발행만 무효로 보는 것이 타당하다.[80]

한편, 1984. 4. 10. 상법개정으로 제335조 제3항 단서가 추가되어 회사성립후 또는 신주의 납입기일 후 6월이 경과한 때에는 그러하지 아니하다고 규정하고 있으나, 단서에 의하여 인정한 주권발행전 주식양도의 방법에 관하여 아무런규정도 두지 않았을 뿐 아니라 그 효력에 관해서도 법 문언상으로 제335조는제3항 단서에 그러하지 아니하다라고 규정할 뿐이어서 구체적인 경우, 즉 첫째주식양수인은 주주명부에 명의개서 없이도 회사에 대하여 주주권을 행사할 수있는지, 둘째 주권을 교부하지 않아도 가능한지에 대한 것이 민법상의 일반채권양도와 관련하여 문제가 제기된다.

법문상 회사에 대하여 효력이 있다고 함은 주권발행전의 주식을 양수한 자도, 일반주식의 양수인과 같이 주주권 즉 주주의 법률상의 지위에 따른 회사에대한 모든 법률관계, 다시 말해 자익권·공익원을 모두 향유한다는 뜻으로 해석되고, 따라서 양수인은 주권발행교부청구권 및 명의개서청구권을 포함하여 이익배당청구, 잔여재산분배청구, 의결권 행사 총회결의무효·취소·부존재의 소제기 기타 주주로서 가지는 모든 권한 및 권리·의무의 주체가 될 수 있다.

주권발행 후의 주식양도는 제335조 제3항에 의하여 유효하다고 할 수 있는데, 그렇다고 주주명부에 명의개서를 하지 않아도 회사에 대항할 수 있다는 뜻이 아니고, 주주명부에 명의개서를 하지 아니하면 회사에 대항하지 못하므로 양수인은 주주권행사를 할 수 없다는 제한은 제335조 제3항 단서에 의하여 영향을 받지 않으므로 제3자에 대한 대항요건으로 제3사에 대한 배타적인 대항요건으로 확정일자 있는 증서에 의한 양도 통지 또는 회사의 승낙이 필요하다.[81]

또한, 양수인은 회사에 대하여 주권교부청구권 및 명의개서청구권이 있다고보아야 할 것인데, 명의개서를 함에 있어 보통의 명의개서의 경우와 마찬가지로해석하여야 한다. 다만, 명의개서를 함에는 보통의 경우는 주권의 번호, 주식의종류 및 수 등에 의하여 특정함을 요하나, 주권의 발행이 없는 경우는 주권의

 80) 임재연, 「회사법」(박영사, 2012), 412면.
 81) 대법원 2003.10.24. 2003다29661. 정진세, "주식발행전 주식양도의 대항요건," 「증권법연구」 제9권 제1호(한국증권법학회, 2008), 180~181면; 이철송, 전게서, 403~404면; 최기원, "주식발행전 주식양도의 효력 및 대항요건," 「상사판례연구」 I권(박영사, 2006), 412면.

번호는 불가하고, 다른 사유에 의하여 당해 주주만 주식의 특정만 되면 족하다
고 본다.

(4) 주권교부불필요설

다만, 이와 관련하여 이 경우에는 주권의 교부가 필요 없다는 주장이 있
다.[82] 주식의 양도는 주권의 교부에 의하여야 한다는 법제 아래에서는(제336조
제1항), 주식을 양도하는 데에 주권이 필요하고 하여 주권을 발행하지 않는 것
은 주식양도의 부당한 제한이 된다.

주식의 양도는 주주가 투하자본을 회수하는 것은 주주의 기본적인 권리 수단
이어서 이것을 박탈하는 결과가 되지 않도록 회사는 주권의 발행을 강제 받고
있다. 일단 주권의 불소지를 신고한 주주라도 청구가 있으면 주권을 교부하여야
한다(제358조의2 제4항). 따라서 "주권은 회사의 성립 후 또는 신주의 납입기일
후가 아니면 발행하지 못한다"(제355조 제3항). "회사는 성립 후 또는 신주의 납
입기일 후 지체 없이 주권을 발행하여야 한다." 이에 맞추어서 주권발행 전에
한 주식의 양도는 회사에 대하여 효력이 없다(제335조 제3항). 주식양도의 회사
에 대한 효력에 관한 제337조 제1항의 제한은 양수인이 양수사실을 회사에 증
명하여 주주명부 명의개서를 신청하여 제거할 수 있는데, 주권의 점유자는 이를
적법한 소지인으로 추정(제336조 제2항)할 뿐 주권이 주식 귀속의 유일한 증명방
법은 아니기 때문이다. 이에 대하여 제336조의 요식성은 주권이 발행되는 않는
한 충족될 수 없으므로 주권이 발행되는 않은 경우 제336조 제1항의 요식성을
관철한다면 회사에 대하여도 제335조 제3항 단서의 그러하지 아니다는 규정
은 무의미해지므로 주권발행 전의 주식양도 합의는 채권적 효력이 있을 뿐이라
는 견해는 부당하다는 것이 그 요지이다.

그러나 주권발행전 주식양도의 효력과 주권의 교부는 그 기능과 목적이 다른
것이어서 주권이 발행되었으면 상법의 규정에 의하여 주권이 교부되어야 하고,
만일 주권이 교부되지 아니하면 선의취득 등의 또 다른 문제가 발생할 염려가
있다.

다만 제338조 제1항은 기명주식을 질권의 목적으로 하는 때에는 주권을 교
부하여야 한다고 규정하고 있으나, 이는 주권이 발행된 기명주식의 경우에 해당

---

82) 정진세, 전게논문, 182~183면.

하는 규정이라고 해석함이 상당하다 대법원은 주권발행전의 주식입질에 관하여는 제338조 제1항의 규정이 아니라 권리질권설정의 일반원칙인 민법 제345조로 돌아가 그 권리의 양도방법에 의하여 질권을 설정할 수 있다고 보아야 한다[83] 라고 판시하였다.

마. 입법론적 고찰

최근 주식의 양도와 관련 상법의 규정이 필요 이상으로 규제를 하기 때문에 오히려 문제를 어렵고 복잡하게 하므로 주권발행제도 자체를 폐지하고 권리주양도제한과 주권발행전 주식양도제한 규정을 폐지하자는 취지의 논의가 제기되고 있다.[84]

논의의 주요요지는 주식양도는 유가증권이 부존재한다면 지명채권양도의 방법, 유가증권이 존재한다면 그 유가증권을 교부함으로써 하도록 되어 있고 이는 기존의 계약법과 유가증권법리에 적합한 해석으로서 아무런 문제가 없는데, 주권발행전의 주식의 양도를 제한할 절대적으로 타당한 이유는 찾기 어렵고, 주식양도부분 중 주권발행 전 주식양도제한 부분은 불필요한 규제로 많은 판례를 양산하는 원인이 된다. 현재 소규모 비상장 회사는 거의 주권을 발행하지 않으며, 발행 후 6개월 전에도 주식양도증서에 의하여 널리 양도되고 있는 실정이다. 주권발행을 회사의 임의에 맡기는 것이 세계적인 추세이며 주주명부에 기재된 명의상의 주주는 회사에 대한 관계에 자신의 실질적 권리를 증명하지 않아도 주주의 권리를 행사할 수 있는 자격수여적 효력을 인정받을 뿐이지 주주명부의 기재에 의하여 창설적 효력을 인정받는 것은 아니므로, 실질상 주식을 취득하지 못한 사람이 명의개서를 받았다고 하여 주주의 권리를 행사할 수 있는 것이 아니고 주권발행 전 주식의 이중양도가 문제되는 경우, 그 이중양수인 중 일부에 대하여 이미 명의개서가 경료되었는지 여부를 불문하고 누가 우선 순위자로서 권리취득자인지를 가려야 하고, 이때 이중양수인 상호간의 우열은 지명채권 이중양도의 경우에 준하여 확정일자 있는 양도통지가 회사에 도달한 일시 또는 확정일자 있는 승낙의 일시의 선후에 의하여 결정하는 것이 원칙이라는 것이 그것이다.

---

83) 대법원 2000.8.16. 자 99그1.
84) 최준선, "상법상 주식양도제한 규정에 대한 재검토,"「기업법연구」제29권 제3호(한국기업법학회, 2015), 10면 이하, 특히 33, 34면 참조; 최준선, 전게서, 295면.

따라서, 이 견해에 따르면 권리주 양도의 제한에 관한 상법 제319조와 제425조 제1항에서의 제319조 준용규정 및 주권발행 전의 주식양도제한에 관한 규정인 상법 제335조 제3항은 삭제되어야 한다.

이 점은 상장회사의 주식양도 등에 관하여 자본시장과 금융투자업에 관한 법률이 적용되므로 현재의 상법규정은 중소규모 비상장회사에 의미가 있고 비상장회사에서 주식은 근본적으로 유가증권의 성격보다 채권적 성격이 강한 것으로 인식되고 있는 점을 고려하면 재산권 이전에 관한 일반법인 민법의 채권편에 따라 충분히 해결될 수 있는 점을 중시한 것으로서 논의 가치가 충분하다고 생각된다.

4. 정관 및 약정에 의한 양도의 제한   윤 영 신*

가. 서   설

상법은 주식양도자유를 원칙으로 하면서, 예외적으로 정관에 의한 주식의 양도제한을 인정하고 있다. 1995년 개정전 상법은 "주식의 양도는 정관에 의하여서도 이를 금지하거나 제한하지 못한다"고 규정하여 주식양도의 자유를 절대적으로 보장하였으나, 1995년 상법 개정으로 "주식은 타인에게 이를 양도할 수 있다. 다만 주식의 양도는 정관이 정하는 바에 따라 이사회의 승인을 얻도록 할 수 있다"(제335조 제1항)고 규정함으로써 주식양도를 제한할 수 있도록 하였다. 한편 이러한 정관에 의한 주식양도제한을 이용하지 않고 또는 이와 병행하여 주식의 양도를 제한하는 내용의 계약을 체결하는 경우도 많다.

원래 주식양도의 자유는 주주의 유한책임 및 법인격제도와 결합하여 대규모의 자본조달이 가능하도록 하는 전제조건이므로 주식회사제도의 기본 속성 중의 하나이다. 그런데 현실적으로는 주식회사에서도 주식의 양도를 제한할 필요성이 존재한다. 1995년도 상법개정의 취지는 소규모의 폐쇄적인 주식회사의 경우에는 주주상호간의 신뢰보호 및 경영안정을 도모하기 위하여 다른 주주의 유입이나 인적 관계가 없는 자의 경영참가를 방지할 필요가 있다는 것이었는데,[1] 주식양

---

* 중앙대학교 법학전문대학원 교수
1) 이태종, "주주 간의 주식양도제한약정의 효력," 「인권과 정의」 제312호(대한변호사협회, 2002. 8.), 97면; 정찬형, 「상법강의(상)」 제24판(박영사, 2021), 795면; 최준선, 「회사법」

도제한의 필요성은 소규모·폐쇄회사의 경우뿐 아니라 대규모 공개회사에서도 존재한다. 주식양도는 회사지배구조에 변동을 초래할 수 있기 때문이다. 특히 경쟁업체나 다른 기업의 M&A 시도에서 경영권방어를 위한다든가, 국내기업이 외국기업과 합작회사를 설립하는 경우 합작파트너의 변동방지, 정부로부터 인허가를 받아 신규사업을 함에 있어서 일정 주식분포비율이 인허가의 조건으로 된 경우 그 지분비율의 확보 등을 위하여도 주식양도제한이 필요하게 된다. 또한 종업원지주제도의 효율적 운영을 위해서 주식양도를 제한할 필요성도 있다.

정관에 의한 주식양도제한과 계약에 의한 주식양도제한은 그 내용과 효과가 차이가 있으므로, 이하에서는 두 가지 경우를 나누어 살펴본다.

나. 정관에 의한 양도의 제한

1) 정관의 규정

가) 제한의 규정

상법은 정관에 발행주식의 양도에 대하여 이사회의 승인을 얻도록 하는 규정을 둠으로써 주식의 양도를 제한할 수 있도록 하고 있다. 주식의 양도를 제한하는 정관규정은 원시정관은 물론이고 정관변경에 의해서도 가능하다는 것에 이견이 없는 것으로 보인다.[2)]

정관변경에 의해 주식양도제한규정을 신설하는 경우에는 정관변경에 반대한 기존 주주들에게 예상치 못한 권리제한을 하게 되는 측면이 있다. 미국 모범회사법은 주주가 양도제한계약의 당사자이거나 정관변경결의에서 찬성을 한 경우에만 적용되는 것으로 하고(RMBCA §6.27(a)) 독일주식법의 경우에도 모든 관련 주주들의 동의가 필요하다고 보고 있다(독일주식법 제180조 제2항). 일본회사법은 전주주의 동의를 요구하는 것은 아니나 통상의 정관변경시보다 결의요건을 가중하면서(일본회사법 제309조 제3항) 반대주주 및 신주예약권자에게 주식매수청구권을 부여하고 있다(일본회사법 제116조 제1항 제1호·제2호).

그러나 명문규정이 없는 우리 상법상으로는 통상의 정관변경에 의한다고 해

제16판(삼영사, 2021), 317면; 정동윤, 「상법(상)」 제6판(법문사, 2012), 480면.
2) 권기범, 「현대회사법론」 제5판(삼영사, 2014), 551면; 송옥렬, 「상법강의」 제5판(홍문사, 2015), 825면; 이철송, 「회사법강의」 제29판(박영사, 2021), 387면; 임재연, 「회사법Ⅰ」 개정2판(박영사, 2014), 433면; 정동윤, 전게서, 481면; 정찬형, 전게서, 796면; 최기원, 「신회사법론」 제14대정판(박영사, 2012), 328면; 최준선, 전게서, 317면.

석하고 정관변경에 반대한 주주에게 주식매수청구권도 인정되지 않는다. 입법론
으로 일본처럼 정관변경 시 기발행된 주식의 주주들에게 주식매수청구권을 부여
하는 것이 바람직하다고 보는 입장도 있다.3) 그러나 일본회사법에서는 양도승인
이 거부된 경우의 구제방법으로 주식매수청구권은 인정되지 않는데 반하여 우리
상법에서는 양도상대방의 지정청구(제335조의3)뿐 아니라 주식매수청구(제335조
의6)까지 인정하고 있음에 비추어, 구제방법으로 주식매수청구권이 인정되는 한
정관변경시 반대주주의 주식매수청구권을 인정할 필요는 없을 것으로 보인다.
다만 양도승인거부시 주식매수청구권을 인정하지 않는 경우라면 검토할 여지가
있을 것이다.

나) 양도제한의 형태: 이사회 승인

상법은 주식의 양도에 '이사회 승인'을 얻도록 정관에 규정할 수 있도록 하고
있다(제335조 제1항). 자본금총액 10억원 미만의 소규모주식회사에서 이사회가
없는 경우에는 정관으로 정하는 바에 따라 주주총회의 승인을 얻도록 할 수 있
다(제383조 제4항). 상법이 정하고 있는 주식양도의 제한 방법, 즉 정관에 이사
회승인을 얻도록 규정하는 것 외에 다른 방식의 양도제한을 정관에 규정한 경우
에 효력이 인정될 수 있을지가 문제된다. 상법 제335조 제1항 단서의 규정은
주식의 양도를 전제로 하고 다만 이를 제한하는 방법으로서 이사회의 승인을 요
하도록 정관에 정할 수 있다는 취지이지, 주식 양도 그 자체를 금지할 수 있음
을 정할 수 있다는 뜻은 아니기 때문에 상법이 정한 방법 이외의 양도제한방법
을 정하는 정관규정은 무효라고 본다는데 의견이 일치하고 있다.4) 주주의 투하
자본회수의 편의를 강조하여 다소 엄격하게 해석을 하는 것으로 보인다.

구체적으로 검토해 보자면, 정관에 주식양도를 금지하는 규정을 두는 경우에
는 그 효력이 없다. 대법원 2000.9.26. 99다48429에서도 "상법 제335조 제1항
의 단서는 주식의 양도를 전제로 하고, 다만 이를 제한하는 방법으로서 이사회
의 승인을 요하도록 정관에 정할 수 있다는 취지이지 주식의 양도 그 자체를
금지할 수 있음을 정할 수 있다는 뜻은 아니기 때문에, 정관의 규정으로 주식의

---

3) 권기범, 전게서, 551~552면.
4) 권기범, 전게서, 553면; 송옥렬, 전게서, 825면; 이철송, 전게서, 388면; 임재연, 전게서,
   433면; 정동윤, 전게서, 481면; 정찬형, 전게서, 797면; 최기원, 전게서, 328면; 최준선, 전
   게서, 318면; 손주찬·김교창·정동윤, 「주석상법-회사법(2)」(사법행정학회, 2003), 297면.

양도를 제한하는 경우에도 주식양도를 전면적으로 금지하는 규정을 둘 수는 없다"고 판시하고 있다. 일정기간 주식의 양도를 금지하는 것도 무효라고 보고 있다.[5] 정관에서 주주전원의 동의가 있는 경우에만 양도할 수 있다는 정함은 사실상 양도금지에 해당하므로 무효라고 할 것이다.

주주총회승인이나 특정주주의 승인을 요하도록 한 규정도 주식양도제한의 요건을 가중하는 것이므로 무효이고, 정관으로 대표이사의 승인을 요하는 것으로 정한 경우에도, 이사회의 승인을 얻도록 할 수 있게 한 취지에 반하므로 무효로 보아야 한다는 것이 통설이다.[6] 일본에서는 정관에 의한 주식양도 제한은 양도인 이외의 주주의 이익을 보호하기 위한 규정이고, 1인회사에서 1인주주가 주식을 양도할 때에는 이사회의 승인을 얻지 않아도 효력이 있다고 본 판례의[7] 법리를 근거로 승인기관을 주주총회로 변경하는 것을 금지할 실질적 이유는 없다고 하는 견해도 있다.[8]

이사회가 일정한 기준을 정하고 그 기준에 따르는 승인을 대표이사에게 위임하는 것이 가능한지에 대해서는 ① 이를 인정하는 견해도 있으나[9] ② 다수설은 대표이사에게 위임할 수 없다고 한다.[10]

경쟁회사나 외국인은 자기 회사의 주식을 절대 취득하지 못한다는 정관규정은 효력이 없다고 한다.[11]

다) 이사회승인에 의한 제한의 내용

주식양도제한 방법으로는 이사회승인을 얻도록 하고 있지만, 승인받아야 하

---

5) 이철송, 전게서, 397면; 정동윤, 481면.
6) 권기범, 전게서, 552면; 송옥렬, 전게서, 825~826면; 이철송, 전게서, 388면; 임재연, 전게서, 433면; 정동윤, 전게서, 481면; 정찬형, 전게서, 796면; 최기원, 전게서, 328면; 최준선, 전게서, 318면; 이태종, "주주 간의 주식양도제한약정의 효력," 「인권과 정의」 제312호(대한변호사협회, 2002. 8.), 102면; 손주찬 외, 전게서, 297면; 森本 滋, "株式の讓渡制限," 「法學論叢」 第146卷 3・4號(京都大學法學會, 2000. 1.), 89面(일본에서는 주식양도 승인 여부를 승인청구를 받은 날부터 2주간 내에 통지하여야 하는데, 주주총회의 소집통지는 주주총회일 2주간 전까지 주주에게 발송되어야 하고 이는 강행법규이므로 승인기관을 주주총회로 정하는 것은 허용되지 않는다고 한다. 다만 입법론으로서는 검토가 필요하다고 본다).
7) 日最判 1993.3.30. 民集 47卷 4號, 3439面(후술).
8) 鈴木竹雄・石井照久, 「改正會社法解說」 (1950), 31面; 前田 庸, 「會社法入門」 第6版(有斐閣, 1999), 215面.
9) 최기원, 전게서, 328면.
10) 송옥렬, 전게서, 826면; 임재연, 전게서, 433면.
11) 권기범, 전게서, 553면.

는 사항들을 제한하는 경우에 그 효력이 어떠한지 문제가 된다.

(1) 양수인의 속성에 따른 제한

기존의 주주 또는 회사 아닌 제3자에게 양도하는 경우에 한하여 이사회의 승인을 받도록 하거나, 외국인에게 주식을 양도하는 경우에 이사회승인을 얻도록 하는 것은 가능하다고 해석된다.[12) 주식양도를 제한할 수 있게 한 취지는 원래 회사가 원하지 않는 자에게 주식이 양도되는 것을 방지하기 위한 것이며, 이 취지는 회사가 양도승인을 거부할 수 있고 양도상대방을 지정할 수 있다는 점 등에 나타나 있는 점에 비추어 볼 때 이와 같은 양수인의 제한은 허용된다는 것이다.[13) 이러한 제한은 이사회의 승인을 요하는 경우를 한정하는 것이므로 타당한 해석이다. 같은 이유로 예컨대 기존주주 내지 특정 부류의 주주에게 양도하는 때에는 이사회의 승인을 면제하는 것과 같은 제한형태도 무방하다.[14)

다만, 양수인을 제한하는 경우에도 그 내용은 합리성이 인정되어야 한다면서, 예컨대 특정 대주주 이외의 자에게 양도할 경우에는 이사회의 승인을 얻어야 한다든지, 특정인(예: 경쟁회사)에게 양도할 경우에는 이사회의 승인을 얻어야 한다고 정하는 것은 무효라는 견해도 있다.[15)

(2) 양도인의 속성에 따른 제한

종업원 주주의 주식양도 또는 외국합작투자자가 인수한 주식양도의 경우에만 이사회의 승인을 요한다는 등 특정주주의 주식에 국한해서 이사회승인을 요하게 하는 것은 주주평등원칙에 반하므로 효력이 없다는 것이 일반적 해석이다.[16)

(3) 주식 수에 의한 제한

예컨대 1% 이상의 주식을 양도하는 경우에 이사회의 승인을 받도록 하는 것과 같이 수량적인 제한이 허용되는가에 대해서는 견해가 나뉜다. ① 긍정설[17)도 있으나 ② 통설은 주주평등의 원칙에 비추어 효력이 없다고 본다.[18) 양도제한은

---

12) 권기범, 전게서, 553면; 이철송, 전게서, 388~389면; 임재연, 전게서, 434면; 정동윤, 전게서, 482면; 정찬형, 전게서, 796면; 최기원, 전게서, 331면; 최준선, 전게서, 319면; 손주찬 외, 전게서, 298면.
13) 이태종, 전게논문, 102면.
14) 권기범, 전게서, 553면; 임재연, 전게서, 434면.
15) 이철송, 전게서, 389면.
16) 권기범, 전게서, 553면; 이철송, 전게서, 389면; 정동윤, 전게서, 482면; 최기원, 전게서, 331면; 최준선, 전게서, 319면; 손주찬 외, 전게서, 298면.
17) 임재연, 전게서, 434~435면.

모든 주식에 대해 보편적으로 적용되어야 한다. 1만주 이상의 주식을 가진 주주에게 양도하는 경우에는 이사회의 승인을 요한다는 제한은 보유주식수의 조사에 관하여 주주에게 무용의 부담을 지우게 되므로 허용되지 않는다는 견해도 있다.19)

라) 공   시

(1) 공시의무

정관에 의한 주식의 양도제한은 등기해야 하고(제317조 제2항 제3의2호), 주식청약서(제302조 제2항 제5의2호) 및 주권(제356조 제6의2호)에 기재하여야 한다. 주식의 양도제한 여부는 주식의 가치판단에서 중요한 요소이므로 공시하도록 한 것이다. 마찬가지로 전환사채와 신주인수권부사채의 청약서, 채권, 사채원부(제514조 제1항 제5호, 제516조의4 제4호), 신주인수권부사채에 관해 발행하는 신주인수권증권(제516조의5 제2항 제5호)에도 기재하여야 한다. 원시정관에는 주식양도를 제한하지 않던 회사가 정관을 변경하여 이를 제한하는 경우에는 주권을 제출하게 하여 이를 기재하여야 할 것이다.20)

회사설립시 주식청약서에 기재할 것은 명문의 규정을 두고 있으나, 신주발행시 주식청약서에 관해서는 명문의 규정을 두고 있지 않는데, 이에 대해서는 입법의 불비로서 신주발행시 주식청약서에도 기재되어야 한다고 해석한다.21) 신주발행시에 신주인수권을 표창하는 신주인수권증서에 관해서도 명문의 규정이 없지만 마찬가지로 해석해야 한다.22) 신주발행시 총회에서 이에 관한 정관변경을 한 때에는 이미 발행된 주권을 회수하여 소정사항의 기재를 위한 절차를 밟아야 한다.23)

(2) 공시하지 않은 경우 효과

주식양도제한사항에 대한 공시가 이루어지지 않은 경우 양도제한의 효력이

---

18) 권기범, 전게서, 553면; 이철송, 전게서, 389면; 정동윤, 전게서, 482면; 최기원, 전게서, 331면; 최준선, 전게서, 319면; 손주찬 외, 전게서, 298면.
19) 森本 滋, 前揭論文, 85面.
20) 최기원, 전게서, 330면; 손주찬 외, 전게서, 300면.
21) 권기범, 전게서, 552면; 송옥렬, 전게서, 826면; 이철송, 전게서, 387면; 임재연, 전게서, 435면.
22) 이철송, 전게서, 387면.
23) 손주찬 외, 전게서, 300면.

인정될 수 있을지가 문제된다. 등기를 하지 아니한 경우에는 상업등기의 소극적 공시원칙에 따라 선의의 양수인에게 주식양도가 제한된다는 사실을 주장하지 못한다(제37조 제1항). 주식청약서에 기재하지 않은 경우에는 주식청약서의 요건을 흠결한 것이 되므로 주식인수의 무효사유가 된다(제320조, 제427조).[24)]

   문제는 등기하였으나 주권에 기재하지 않은 경우 이사회의 승인 없이 한 주식의 양도가 대항력이 있는지 여부이다. 주권기재 유무를 기준으로 대항력의 유무를 결정하여 한다는 견해는 i) 등기한 후라도 제3자가 정당한 사유로 인하여 이를 알지 못한 때에는 선의의 제3자에게 대항할 수 없는데, 위 경우에는 제37조 제2항의 정당한 사유가 있다고 보아 양수인에게 등기의 효력을 대항할 수 없다고 보거나,[25)] ii) 주식의 양도는 주권의 교부로써 하게 되므로 주권의 기재 유무를 기준으로 하여야 한다고[26)] 본다.

   그러나 i) 제37조 제2항의 정당한 사유란 등기소에 화재가 났다거나 하여 등기부를 열람할 수 없었던 경우 등으로 국한되는 것이므로 주권에 양도제한이 기재되지 않아 사실상 그 등기사항을 알 수 없었던 것만으로는 정당한 사유가 있다고 할 수 없고,[27)] ii) 유가증권의 취득에 있어서는 증권에 기재되지 않은 사항으로 대항을 받지 않는 것이 원칙이지만, 고도의 유통성이 보장되는 어음이나 수표와 달리 불완전유가증권이고 실질권적 유가증권이라고 할 수 있는 주권의 경우에는 어음·수표와 동일시하는 것은 곤란하고 그 증권에 기재되지 않은 사항에 의하여도 대항을 받게 되는 것은 불가피하다고 해석해야 할 것이다.[28)] 주권에 기재가 되지 않은 경우에도 양도제한의 내용이 정관 및 등기에 의하여 공시되고, 제한이 있음을 알지 못한 선의의 양수인에게도 양도승인을 청구할 수 있도록 함으로써(제335조의7) 어느 정도 구제될 수 있기 때문이다.[29)]

---

24) 송옥렬, 전게서, 826면; 정동윤, 전게서, 481면. 다만 제320조, 제427조는 무효사유를 주장할 수 있는 시기를 제한하고 있다.
25) 이철송, 전게서, 388면.
26) 이성웅, "양도제한주식의 유통법리: 일본 주식양도법제의 변천과 이론을 중심으로," 「법조」 통권 제663호(법조협회, 2011. 12.), 197면.
27) 송옥렬, 전게서, 826면; 임재연, 전게서, 435면; 최기원, 전게서, 331면.
28) 권기범, 전게서, 552면; 최기원, 전게서, 331면.
29) 권기범, 전게서, 552면.

마) 양도제한규정의 적용범위

(1) 대상주식

(가) 특정한 종류주식에 대한 양도제한

상법은 종류주식에 관해 규정하고 있는바(제344조), 회사가 발행한 주식 전체가 아니라 특정 종류의 주식의 양도에 대해서만 정관규정으로 이사회의 승인을 얻도록 하는 것이 가능한가? 예컨대 회사가 보통주와 의결권 없는 주식을 발행한 경우에 보통주식을 양도하는 때에만 양도제한을 할 수 있는가의 문제이다. 주식의 종류에 따라 서로 다른 취급을 하는 것이므로 주주평등원칙에 반하는 문제는 없으나, 상법 제344조 제3항은 회사가 종류주식을 발행하는 때에는 정관에 다른 정함이 없는 경우에도 주식의 종류에 따라 일정 사항에 대해 특수하게 정할 수 있는데 양도제한은 여기에 명시적으로 열거되어 있지 않기 때문에 논란이 된다.

① 긍정설은 상법 제335조 제1항에서 양도제한을 인정한 입법취지가 회사의 안정적 경영을 도모하기 위한 것이고, 상법 제344조 제3항을 예시적인 것으로 보아 이러한 제한이 가능하다고 보지만,[30] ② 부정설은 명문의 규정 없는 이상 어렵다고 본다.[31] 이 문제는 제344조 제3항의 '특수한 정함'을 할 수 있는 경우를 예시적으로 보느냐(긍정설) 또는 한정적으로 보느냐(부정설)의 문제인데, 2011년 개정상법의 종류주식에 관한 규정이 종류주식에 대한 구체적 조문을 열거하고 있는 체제임을 감안한다면 부정설이 타당할 것으로 생각된다. 2011년 개정상법의 논의과정중 2008. 10. 21. 제출된 정부안에서는 양도제한 종류주식에 관한 규정을 신설하고 있었으나, 국회 검토과정에서 경영권방어수단으로 악용될 가능성을 우려하여 폐기되었다.[32]

(나) 무기명주식에 대한 양도제한

기명주식에 대하여만 정관에 의한 양도제한을 인정하고 있는 입법례도 있으

---

30) 이철송, 전게서, 389면; 정동윤, 전게서, 482면; 최기원, 전게서, 331면; 최준선, 전게서, 319면; 손주찬 외, 전게서, 298면.
31) 송옥렬, 전게서, 827면; 임재연, 전게서, 434면; 정찬형, 전게서, 796면.
32) 주식 자체에 양도제한성을 특별히 부여할 경우 오히려 주식의 환금성이 현저히 떨어져 발행가격이 저렴할 수밖에 없고 그 결과 지배주주가 이러한 주식을 염가로 다량 인수함으로써 경영권방어에 악용할 수 있다는 것이다.

나(독일 주식법 제68조 제2항), 2014년 개정전 우리 상법상은 특별한 제한을 두고 있지 않는바, 무기명주식에 대하여도 정관에 의한 양도제한을 할 수 있는가에 대해서 논란이 있었다. ① 무기명 주주는 주주명부상 특정되어 있지 않고 권리를 행사할 때에만 회사에 공탁하게 되어 있어 누가 주주인지를 알 수 없으므로 양도를 기술적으로 제한할 수 없고, 무기명주식의 양도제한은 사실상 기명주식화 하는 것이므로 불가하다는 입장도 있었고, ② 법문이 기명주식으로 한정하고 있지 않으므로 무기명주식의 양도제한도 가능하다는 견해도 있었다.

무기명주식에 대한 양도제한이 가능하다고 보는 경우에도 무기명주식의 주주는 그가 가진 주권을 회사에 공탁하고 언제든지 그의 권리를 행사할 수 있으므로 실제로는 이에 대하여 양도제한을 인정하는 실효를 거두기 어렵고, 현실적으로 우리나라에서 무기명주식이 발행된 바가 없어서 그다지 실효성 있는 논란도 아니었다. 2014년 개정 상법은 제357조와 제348조를 삭제하고 관련 조항을 정비하여 무기명주식을 폐지하고, 기명주식만을 인정하고 있으므로 더 이상 이에 대한 논의의 실익은 전혀 없다.

(다) 상장회사 주식

상장회사인지 또는 비상장회사인지에 따라 회사법 이론상 양도제한의 가부가 달라지는 것은 아니지만, 거래소 상장규정에 의하여 주권상장법인에서는 주식의 양도제한이 허용되지 아니한다. 상장회사가 주식의 양도제한을 하는 경우에는 상장폐지사유에 해당하고(한국거래소 유가증권시장 상장규정 제48조 제1항 제13호), 주권의 신규상장심사요건으로 주식양도의 제한이 없을 것을 요구하고 있기 때문이다(동 규정 제29조 제1항 제7호).

(2) 대상행위

상법 제335조 제1항은 주식의 '양도'에 관하여 이사회의 승인을 얻도록 할 수 있다. 여기서 양도 이외의 어떠한 경우에 대해서까지 승인을 받아야 할 것인가가 문제된다. 통상의 매매 또는 증여에 의한 양도가 그 대상이 되나, 이 밖에 교환·대물변제·신탁양도에 의한 주식양도도 이에 포함된다.[33] 법률행위에 의한 양도에만 적용되고 합병, 상속 등 포괄승계의 경우는 당사자의 합의에 의한 것이 아니므로 승인대상이 아니다.[34]

---

33) 손주찬 외, 전게서, 311면.

질권의 설정, 주주의 채권자에 의한 주식의 압류에는 이사회승인을 요하지 않는다.[35] 주식에 질권을 설정한 것만으로는 질권자가 주주권을 행사하는 것이 아니어서 폐쇄적 주주구성 유지에 반하지 않기 때문이다.[36] 다만 담보권실행이나 경매 등의 경우에는 주주가 변경되므로 취득한 자가 이사회에 대하여 양도의 승인을 청구하여야 한다.[37] 양도담보에 관해서는 적어도 형식적으로는 주식이 담보권자에게 이전되므로 이사회의 승인을 얻어야 하는 것이 아닌가가 문제된다. ① 등록양도담보의 경우에는 양도담보 성립 시 승인을 얻어야 된다고 보는 견해도 있으나,[38] ② 양도담보는 담보권이며 주식의 양도라고 할 수 없으므로 상법 제335조 제1항의 문리상 지나친 확대적용이라고 생각된다.[39] 주권의 선의취득 시에도 양도제한규정이 적용되어 선의취득자가 회사에 대하여 승인을 청구하여야 한다.[40]

2) 양도승인 절차

양도승인의 청구에 대하여 이사회가 승인을 거부하거나 해태하는 경우에는 주식양도에 의한 투하자본회수가 곤란하게 된다. 상법은 이러한 경우에 주주를 보호하기 위한 후속절차를 규정하고 있다.

가) 양도승인 청구

(1) 승인청구의 당사자

주식을 양도하고자 하는 주주는 회사에 대하여 양도승인청구를 할 수 있고, (제335조의2 제1항) 이를 주식의 양수인의 경우에도 준용한다(제335조의7). 양도인은 양도 전에 사전승인을 청구하는 것이고, 양수인의 청구는 이사회의 승인

---

34) 권기범, 진세서, 553면; 송옥렬, 전게서, 827면; 이철송, 전게서, 389면; 정동윤, 전게서, 482면; 최기원, 전게서, 331면; 최준선, 전게서, 319면.

35) 임재연, 전게서, 434면; 송옥렬, 전게서, 827면; 이철송, 전게서, 389면; 정동윤, 전게서, 482면; 정찬형, 전게서, 796면; 최기원, 전게서, 336면; 최준선, 전게서, 319면; 손주찬 외, 전게서, 298면.

36) 이철송, 전게서, 389면.

37) 송옥렬, 전게서, 827면; 임재연, 전게서, 434면; 정동윤, 전게서, 482면; 정찬형, 전게서, 796~797면; 최기원, 전게서, 335면.

38) 권기범, 전게서, 554면; 최준선, 전게서, 319면.

39) 송옥렬, 전게서, 827면; 임재연, 전게서, 434면; 정동윤, 전게서, 482면; 최기원, 전게서, 335~336면; 권기훈, "양도제한주식의 양도담보," 「법학연구」 제8집(경상대학교 법학연구소, 1999. 2.), 62면.

40) 권기범, 전게서, 554면; 이철송, 전게서, 389면.

없이 주식을 취득한 후 사후승인을 청구하는 것인데, 특히 주식을 경매 등의 방법에 의하여 취득하는 경우에는 사전승인이 불가능하거나 부적당하므로 양수인에 의한 사후승인이 큰 의미를 갖는다. 주식의 양도를 승인하는 기관은 이사회지만 그 결정의 주체는 회사이므로, 청구의 상대방은 회사이며, 대표이사 앞으로 청구하면 된다.

양도인의 승인청구이건 양수인의 승인청구이건 그 절차와 효력은 아무런 차이가 없으므로, 이하에서는 주주가 양도승인청구를 하는 경우를 전제로 절차를 살펴본다. 취득자의 승인청구에 대해서는 주주라고 기술한 것을 취득자로 바꾸어 읽으면 될 것이다.

(2) 승인청구의 방식

주식을 양도하고자 하는 주주는 회사에 대하여 양도의 상대방 및 양도하고자 하는 주식의 종류와 수를 기재한 서면으로 양도의 승인을 청구할 수 있다(제335조의2 제1항, 제355조). 청구는 서면으로 해야 하므로(제335조의2 제1항, 제335조의7 제1항), 구두로 한 승인청구는 효력이 없다는데 이견이 없다. 양도승인을 청구하는 서면에는 양도의 상대방을 기재하여야 하고, 양도의 상대방은 다수라도 관계가 없으나 반드시 특정하여야 한다. 상대방이 수명인 경우에 이들이 주식을 공동으로 양수하는 경우가 아니라면 각 상대방의 성명과 양도하려는 주식의 종류와 수를 기재하여야 한다.[41]

승인을 얻고자하는 주식은 주주가 가지는 주식의 일부라도 무방하며, 반드시 전부의 주식의 양도승인을 청구하여야 하는 것은 아니다. 즉 자본회수를 하고자 하는 수량의 주식만의 양도승인을 받으면 되는 것이다.

(3) 승인청구기간

승인청구를 할 수 있는 시기에는 제한이 없다. 정관으로 그 시기를 제한한 경우에는 그 효력이 없다.[42] 주주명부폐쇄기간 중에도 승인청구를 할 수 있으나, 명의개서는 폐쇄기간이 경과한 후에 할 수 있다.[43]

---

41) 최기원, 전게서, 333~334면; 최준선, 전게서, 320면.
42) 최기원, 전게서, 334면; 손주찬 외, 전게서, 313면.
43) 손주찬 외, 전게서, 313면.

나) 회사의 승인여부 결정

(1) 승인여부의 통지 및 통지해태의 효과

회사는 주식양도 승인청구로부터 1월 이내에 이사회의 결의를 거쳐 승인여부를 통지해야 하고(제335조의2 제2항, 제335조의7 제2항), 이를 게을리한 경우에는 주식의 양도를 승인한 것으로 본다(제335조의2 제3항, 제335조의7 제2항). 제355조의2 제3항이 "통지하지 아니한 때"라고 규정하고 있으므로 발신주의로 오해할 소지가 있으나, 이 경우만 예외를 인정할 수 없으므로 도달주의로 이해하여 1월 내에 통지가 주주에게 도달하지 않은 경우에는 승인의제가 적용된다.[44]

승인청구한 주식의 일부에 한하여 또는 조건부로 회사가 승인을 한 경우에는 전체에 관하여 승인이 거부된 것으로 본다고 한다.[45] 예를 들어 500주의 양도를 승인청구하였는데 300주의 양도는 승인하고 200주는 승인을 거부한 경우를 생각해 보면, 200주에 대해서는 승인거부에 따른 구제를 하면 되므로 주주에게 특별히 불이익이 없다고 볼 수도 있다. 그러나 당초의 양수인이 300주 만의 양수는 거부를 하는 경우가 있을 수 있고, 이때에는 주주가 300주의 양도에 대하여 다시 양수인을 찾아야 하는 불이익을 입게 되므로 500주 전체에 관하여 승인이 거부된 것으로 해석함이 타당하다.[46]

양도를 승인하는 이사회결의가 없었거나 하자가 있음에도 불구하고 대표이사가 양도를 승인한다고 통지한 경우에는 선의자 보호의 취지상 효력을 인정할 필요가 있다. 양도인과 양수인 모두 선의라면 유효한 승인이 있다고 보지만, 양수인 또는 양도인 중 하나만 선의인 경우에는 어떻게 해석할 것인가가 문제된다. ① 양도인인 주주에게 악의 또는 중과실이 없는 한 이를 유효로 보아야 한다는 견해도 있으나,[47] ② 양수인의 신뢰를 보호할 필요가 있으므로 양도인은 악의이나 양수인에게 악의 또는 중대한 과실이 없을 때에는 회사가 양수인에 대하여 승인이 무효임을 주장할 수 없고, 그 반대의 경우에는 회사가 악의의 양수인에 대하여 이사회승인이 없음을 대항할 수 있다고 본다.[48] 이렇게 해석하여도 이

---

44) 이철송, 전게서, 391면; 임재연, 전게서, 436면; 정동윤, 전게서, 483면.
45) 정동윤, 전게서, 483면; 최준선, 전게서, 320면.
46) 上柳克郎・鴻常 夫・竹内昭夫(編輯代表), 「新版注釋會社法 (3)」 (有斐閣, 1986), 96面.
47) 최준선, 전게서, 321면.
48) 송옥렬, 전게서, 827면; 이철송, 전게서, 392면; 임재연, 전게서, 439면; 정동윤, 전게서, 483면.

사회의 승인이 없다는 것을 알면서 주식을 양수한 양수인이 승인이 없음을 이유로 매매를 해제하거나 양도의 무효를 주장할 수 없으므로 이사회의 승인이 있었다고 신뢰하여 양도한 주주의 보호가 문제되지는 않는다.[49)

이사회의 결의 없이 또는 하자 있는 결의에 의해 대표이사가 승인거부의 통지를 한 경우에는 통지의 효력은 발생하지 않으므로, 기술한 통지기간 내에 다시 적법한 거부의 통지가 없는 한 양도를 승인한 것으로 간주해야 한다.[50)

(2) 승인여부의 결정과 이사의 의무

승인 여부는 이사회 결의로 정한다. 명문의 규정은 없으나 정관으로 승인거절의 사유를 규정할 수 있다고 본다.[51) 승인 또는 승인거절에 관해 이사는 주의의무를 부담한다.[52) 예컨대 회사의 이익을 해칠 자에 대한 양도를 승인한 경우에는 이사의 의무위반이 될 것이고, 특히 승인을 거절할 이유가 없는데 승인을 거절하여 주식매수청구를 받게 된 경우도 마찬가지로 회사에 대한 관계에서 책임 문제가 발생할 수 있다.[53)

다) 승인거절시 구제방법

이사회가 승인을 거절한 경우에는 투하자본의 회수 수단을 제공해 줄 필요가 있다. 이에 상법은 양도승인 거부의 통지를 받은 주주에 대하여 양도상대방의 지정 또는 주식의 매수를 청구할 수 있도록 하고(제335조의2 제4항), 이를 취득승인을 청구한 양수인에게 준용하고 있다(제335조의7 제2항). 양도상대방의 지정청구와 주식매수청구를 선택적으로 할 수 있는가에 대해서는 논란이 있는데 이에 대해서는 뒤의 주식매수청구권에 관한 설명에서 후술한다.[54)

(1) 양도상대방 지정청구

양도승인 거절의 통지를 받은 주주는 통지를 받은 날부터 20일 내에 회사에 대하여 양도상대방의 지정을 청구할 수 있다(제335조의2 제4항). 주주가 양도상

---

49) 上柳克郎·鴻常 夫·竹內昭夫(編輯代表), 前揭書, 92面.
50) 이철송, 전게서, 392면.
51) 이철송, 전게서, 391면; 권기범, 전게서, 555면(특정사유 시에는 반드시 승인을 거절하여야 한다는 것과 같은 정관규정은 허용되지 않지만 합리적인 범위 내에서 이사회의 승인 또는 거절기준을 미리 정관으로 정해두는 것은 무방하다고 한다).
52) 권기범, 전게서, 556면; 이철송, 전게서, 391면; 정동윤, 전게서, 483면.
53) 이철송, 전게서, 391면.
54) 후술 제3장 제3절 4. 다. (2) 참조.

대방을 지정하여 줄 것을 청구한 경우에는 이사회는 이를 지정하고, 그 청구가 있은 날부터 2주간 내에 주주 및 지정된 상대방에게 서면으로 이를 통지하여야 한다(제335조의3 제1항). 이사회가 이를 게을리하면 승인한 것으로 의제된다(제335조의3 제2항).

(가) 양도상대방 지정청구 기간 및 방법

양도상대방 지정청구를 할 수 있는 기간은 승인거부통지를 받은 날로부터 20일이다(제335조의2 제4항). 이 기간 역시 도달주의로 이해해야 한다. 이 청구는 양도승인의 청구(제335조의2 제1항)와 달리 서면으로 할 것을 요하지 않으므로 구두로도 할 수 있다.[55]

회사에 대한 청구를 할 수 있는 시기가 제한되어 있으므로 이 시기를 도과한 때에는 회사는 이 청구에 응할 의무가 없다. 그러나 이 20일의 청구기간을 도과한 후의 청구에 대하여도 회사로서는 양도상대방 지정결정을 할 수 있는 것으로 본다. 주주의 투자회수에 협조하는 것이 회사로서도 불이익이 없기 때문이다.[56] 이 기간을 도과한 경우에 재차 양도승인청구를 할 수 있는가에 대해서는 의문이 있을 수도 있으나, 이를 허용하지 않으면 양도 불가능한 주식의 항구적 보유를 강제하는 결과가 되어 책임과 위험의 합리적 비례에 어긋나므로 허용된다고 해석해야 할 것이다.[57]

제335조의2 제4항의 규정상으로는 회사의 승인거절의 통지를 받은 경우에 비로소 양도상대방 지정을 청구할 수 있는 것으로 되어 있으나, 양도승인의 청구를 하면서 그것이 거절되는 경우에 대비하여 동시에 상대방지정청구를 할 수 있다고 본다.[58]

(나) 회사의 양도상대방 지정

① 양도상대방 지정 및 통지

회사는 양도상대방의 지정을 청구받은 경우에 이사회 결의로 이를 지정하고,

---

55) 최준선, 전게서, 321면에서는 양도승인청구를 서면으로 하도록 한 것과 균형이 맞지 않는다고 비판한다.
56) 손주찬 외, 전게서, 314면.
57) 임재연, 전게서, 437면; 손주찬 외, 전게서, 314면. 일본 회사법은 회사가 양도승인을 거절할 경우 당해 양도승인 청구에 관한 대상주식을 회사가 매입하거나 지정매수인을 지정하도록 하여(일본회사법 제140조 제1항 및 제4항) 이러한 문제가 발생하지 않는다.
58) 정동윤, 전게서, 484면; 정찬형, 전게서, 799면; 최준선, 전게서, 321면.

청구를 받은 날로부터 2주간 내에 청구인 및 양도상대방으로 지정된 자에게 서면으로 통지하여야 한다(제335조의3 제1항). 이 기간 내에 회사가 주주에게 상대방지정의 통지를 하지 않은 때에는 주식의 양도에 관하여 이사회의 승인이 있는 것으로 본다(제335조의3 제2항). 그 결과 주주는 회사에 대하여 주식양도의 승인을 청구하였던 당초의 상대방에 대하여 주식을 양도할 수 있게 된다. 이 때 당초의 상대방이 양도승인이 거부되자 그 양수자금으로 다른 주식을 취득하여 양수를 거부할 수도 있다. 이 경우에는 양도승인 거부의 통지를 받은 날부터 20일이 경과하지 않았으면 주식매수청구권을 행사할 수 있을 것이다.59)

제335조의3 제1항에 의하면 이사회가 양도의 상대방을 지정하도록 되어 있으므로, 대표이사가 임의로 매수인을 지정하는 것은 효력이 없다.60) 정관에서 미리 지정매수인을 정하여 둘 수도 있다고 볼 것이다. 이러한 경우에는 양도상대방을 지정하기 위한 노력을 줄일 수 있을 것이다.

② 양도의 상대방

양도의 상대방은 양도승인을 청구한 주식 전부에 대하여 지정되어야 한다.61) 회사가 지정하는 양도의 상대방은 특정되어 있어야 하나, 반드시 1인이어야 하는 것은 아니며, 수인인 경우에는 각 양수인에게 양도할 주식의 종류와 수를 특정할 수 있다.62) 회사가 수인의 상대방을 지정하여 주주로 하여금 선택하도록 하는 것도 무방하다.63) 주주에게 불이익이 없기 때문이다.

양도의 상대방으로서 회사 자신을 지정할 수 있을 것인가? 이 경우에는 회사가 자기주식을 취득하는 결과가 되므로 문제가 된다. ① 이것은 법률이 인정하지 않은 자기주식의 취득이 되므로 허용되지 않는다고 하거나,64) ② 자기주식 취득금지의 문제를 별론으로 한다면 이론상 회사 자신이 양도상대방이 되는 것도 무방하다는 주장이 있고,65) ③ 자기주식의 취득이 허용되는 범위 내에서 가능하다고 설명하기도 한다.66) 이 문제는 후술하는67) 양도상대방 지정과 주식매

---

59) 최기원, 전게서, 338면; 정찬형, 전게서, 799면 및 최준선, 전게서, 321면에서도 주식매수청구권을 인정하고 있으나, 행사기간에 대해서는 언급하고 있지 않다.

60) 손주찬 외, 전게서, 317면.

61) 정찬형, 전게서, 800면; 최준선, 전게서, 321면.

62) 최기원, 전게서, 335면; 최준선, 전게서, 321면; 손주찬 외, 전게서, 315면.

63) 최기원, 전게서, 335면; 손주찬 외, 전게서, 316면.

64) 최기원, 전게서, 335면; 손주찬 외, 전게서, 316면.

65) 권기범, 전게서, 557면.

수청구권의 관계에 대한 논의와 연관하여 검토할 필요가 있다. 2011년 개정상법에서 회사가 자기주식을 취득할 수 있는 것은 제341조의2에서 규정하는 특정목적에 의한 자기주식취득과 제341조에 의한 취득, 즉 배당가능이익을 재원으로 주주평등을 유지할 수 있는 방법으로 취득하는 경우뿐이다. 양도의 상대방으로서 회사 자신을 지정하여 특정한 주주의 주식을 취득하는 것은 제341조의 요건을 충족시키지 못하므로, 제341조의2 제4호에서 규정한 주식매수청구권 행사에 따라 주식을 취득한 것에 해당되어야만 한다. 그런데 회사가 자신을 양도상대방으로 지정한다는 것은 회사가 양도상대방지정과 주식매수청구에 관해 선택권을 가진다는 것과 동일하다. 양도상대방 지정과 주식매수청구의 관계에 관하여 회사에 선택권이 있다고 보는 입장에 의하면 양도상대방으로 회사가 자신을 지정한다는 것이 가능할 것이나, 통설과 같이 주주가 선택권을 가지는 것이라고 보면 허용될 수 없다고 해석해야 할 것이다.

③ 양도상대방 지정과 이사의 의무

양도상대방의 지정은 이사회결의로 한다(제335조의3 제1항). 그런데 이사회가 주식양도의 상대방으로 누구를 지정하는지에 따라 회사의 지배권에 변동을 초래할 수 있어 기존 주주의 이해관계에 중대한 영향을 미칠 수도 있다. 여기서 ① 신주발행 시에 주주가 보유하는 주식 수에 비례하여 신주인수권을 가지는 것은 주주가 회사에 대해 갖는 비례적 지분을 유지할 일반적 권리가 있음을 선언한 규정으로 이해할 수 있으므로, 정관에 양도상대방 지정의 방법에 관한 규정이 없는 한 이사회는 현재의 주주들을 각자의 주식 수에 비례하여 양수할 주식을 안분한 채 양도상대방으로 지정해야 할 것이라는 견해가 주장된다.[68] 그러나 ② 위의 견해는 해석의 한계를 넘은 것이고, 양도상대방 지정도 이사의 충실의무에 의해 규율되면 충분하다는 것이 통설이다.[69] 특정주주의 회사에 대한 영향력을 강화하기 위하여 양도상대방으로 지정하는 것은 이사회의 승인권 남용이 될 여지가 있다.[70] 현실적으로는 ①의 견해를 택하는 경우에도, 양도상대방으로

---

66) 정동윤, 전게서, 484면.
67) 후술 제3장 제3절 4. 다. 4) 다) (2) (가) 참조.
68) 이철송, 전게서, 392면.
69) 권기범, 전게서, 557면; 송옥렬, 전게서, 828면; 임재연, 전게서, 437~438면; 정동윤, 전게서, 484면; 최기원, 전게서, 331면.
70) 최기원, 전게서, 336면.

지정된 기존주주들이 매도청구를 하지 않는 경우에는 승인이 의제되므로(제335조의4 제2항) 오히려 이사회가 양도승인을 거절한 취지가 몰각될 수도 있다.

(다) 지정매수인의 매도청구권

① 매도청구권

양도상대방으로 지정된 자(지정매수인)는 지정통지를 받은 날부터 10일 이내에 지정청구를 한 주주에 대하여 서면으로 그 주식을 자신에게 매도할 것을 청구할 수 있다(제335조의4 제1항). 이 기간 내에 주주에게 매도청구를 하지 아니한 때에는 주식의 양도에 대하여 이사회승인이 의제된다(제335조의4 제2항).

지정매수인의 매도청구권의 법적 성질은 형성권이라는 데 이견이 없다. 주주는 회사에 대해서 상대방을 정해주면 주식을 매도하겠다고 청약을 하였고 이에 대해서 지정매수인이 주주에 대한 매수청구를 통해 승낙한 것이므로, 지정매수인의 매수청구로 매매계약이 성립한다. 지정매수인의 매도청구 후에 주주가 양도상대방 지정청구를[71] 철회하는 것이 가능한가? 지정매수인의 매도청구를 형성권으로 해석하는 이상 매도청구시 계약이 성립하므로 부정한다.[72]

② 매도청구의 포기·해태

회사가 양도상대방을 지정한 것만으로 바로 지정매수인이 주식매수의 의무를 부담하는 것은 아니다. 지정매수인은 매도청구권을 포기할 수 있다. 지정매수인이 지정통지를 받은 날부터 10일 내에 매도청구를 하지 않는 경우에는 이사회승인이 의제된다(제335조의4 제2항→제335조의3 제2항). 실제로는 지정매수인이 매도청구를 하지 않는 경우에는 회사가 주식양도의 승인을 거부한 취지를 달성할 수 없으므로 회사가 지정매수인과 미리 매도청구권의 행사에 관한 합의를 하여 두는 것이 보통이다. 이 경우에는 지정매수인의 매도청구권불행사로 양도승인이 의제될 경우 회사에 대해 지정매수인의 책임문제가 발생할 수 있다.

주주가 회사에 대하여 양도상대방 지정청구를 한 주식의 일부에 대한 매도청구는 그 효력이 없다. 이 경우에는 매도청구권의 행사가 없는 것으로 보고 원래의 주식양도의 승인청구에 대하여 이사회의 승인이 있는 것으로 의제할 수 있다.[73]

---

71) 주주가 주식매수를 청구하는 경우에 이를 철회할 수 있는가도 동일한 문제이다.
72) 최기원, 전게서, 337면.
73) 손주찬 외, 전게서, 320면.

(라) 매도가액 결정

매도가액의 결정은 주주와 매도청구인간의 협의로 결정되고(제335조의5 제1항), 지정매수인으로부터 매도청구의 통지를 받은 날로부터 30일 이내에 협의가 이루어지지 아니한 경우에는 회사 또는 주주는 법원에 대하여 매수가액의 결정을 청구할 수 있고(제335조의5 제2항, 제335조의7 제2항→제374조의2 제4항, 제5항), 법원은 회사의 재산상태 그 밖의 사정을 참작하여 공정한 가액으로 이를 산정하여야 한다. 매도가액의 결정은 주주의 이익보호에서 현실적으로 매우 중요한 문제이다.[74]

(2) 회사에 대한 주식매수청구권

(가) 양도상대방의 지정청구와 회사에 대한 주식매수청구의 관계

상법은 양도승인이 거부된 경우에 주주는 양도상대방의 지정 또는 그 주식의 매수를 청구할 수 있다고 규정하고 있다(제335조의2 제4항, 제335조의7). 그런데 회사의 주식매수는 출자환급의 효과가 있어 채권자의 이익을 침해할 수도 있어, 양 권리를 주주의 임의로 선택하여 행사할 수 있는 것으로 볼 것인가 및 권리행사의 선후에 제한을 할 필요는 없는지가 문제된다.

주식매수는 대주주가 출자회수의 수단으로 악용할 수 있다는 우려 때문에 회사가 선택권을 갖는다고 해석하는 입장(회사선택설)이 있다. 이 견해는 i) 양도인의 목적은 투하자금을 회수하는 것이어서 어떤 방법으로든 주식을 환가하기만 하면 목적은 달성되므로 주주에게 선택권을 줄 이유가 없고, ii) 주식매수는 실질적으로 자본의 환급이자 자본의 감소인데 채권자보호절차가 없음을 감안할 때 특히 채권자 보호가 절실하므로, 회사가 선택권을 갖는다고 하여 그 선택의 임의성을 허용할 것은 아니고 회사가 양도상대방을 지정할 수 있는 한 주식을 매수할 수 없다고 한다.[75] 또한 이 입장에서는 양도상대방을 지정할 것인가 또는 주식을 매수할 것인가의 결정은 사안의 중대성으로 보아 이사회결의를 요한다고

---

74) 매도가액 결정에 대한 자세한 내용은 주식매수청구권에 대한 설명(제3장 제3절 I. 5.) 참조.

75) 이철송, 전게서, 396면(예컨대 전망이 어두운 회사의 대주주 C가 주식의 양도승인을 청구하는 동시에 내면적으로는 승인을 거부하도록 지시하고, 거부당한 후 회사에 대해 매수청구를 한다면 이 대주주는 회사채권자들에 앞서 출자금을 환급받는 방법으로 주식매수청구권을 활용할 수 있고, 이 경우에는 주식의 평가도 임의로 과대하게 할 수 있어 다른 주주에게도 피해를 줄 수 있다고 한다).

본다. 또한 양도상대방을 지정하기 어려운 경우라도 주식매수의 결과 채무초과 상태가 된다면 주식을 매수할 수 없고, 이사회는 주식의 양도를 승인하여야 한다고 한다. iii) 그리고 주식매수를 회사의 선택으로 이해하는 경우에는 절차에 관해 약간의 보완적인 해석이 필요하다고 한다. 주주가 양도상대방의 지정을 청구하든 주식매수를 청구하든 회사는 항상 제335조의3 제1항의 규정에 의해 2주간 내에 양도상대방을 지정하여 통지해야 하고 동 기간 내에 통지를 하지 않은 경우에는 제2항에 의해 주식의 양도를 승인한 것으로 간주해야 하는 것이다.[76)]

반면 위와 같은 해석은 제335조의2 제4항의 명문의 규정에 반하여 해석의 한계를 넘는 것이고 주주가 양 권리를 선택적으로 행사할 수 있다는 견해(주주 선택권설)가 다수설이다.[77)] i) 실제로 폐쇄회사에서는 이미 회사와 합의가 되어 있을 것이기 때문에, 선택권을 회사에 부여한다고 하여 문제가 해결되는 것은 아니며, ii) 이 규정은 본래 주주의 이익을 더 고려한 것이라는 점, iii) 상법이 회사에 대한 주식매수청구라는 방법을 인정하고 있는 이상 선택권을 주주가 가지는 것이 일반적인 제도의 설계방식이라는 점 등도 근거로 주장되고 있다.[78)] 또한 iv) 상법 제341조의2는 특정목적에 의한 자기주식 취득으로서 그 4호에서 주주가 주식매수청구권을 행사한 때만을 규정하고 있어 회사가 주주의 양도승인 청구에 대하여 스스로의 선택으로 자기주식을 매수하는 것을 허용하는 규정을 두지 않았다는 점도 지적된다.[79)]

현행 상법의 규정체계상으로는 주주에게 선택권이 있는 것으로 볼 수밖에 없을 것이나, 자본충실의 관점에서 남용의 여지가 존재함은 사실이다. 그러나 그 이유가 회사선택설에서 우려하는 바와 완전히 동일한 것은 아니고, 오히려 어떠한 제한도 없이 주식을 매수할 수 있기 때문인 것으로 보인다. 대주주가 투자금 회수를 위하여 악용할 수 있다는 점은 회사가 선택권을 가지는 경우에도 현실적으로는 마찬가지이다. 회사 선택권설의 경우에도 양도상대방의 지정을 할 수 없으면 주식을 매수하여야 하는데, 대주주가 투자금회수를 위하여 회사로 하여금

---

76) 이철송, 전게논문, 54면.
77) 권기범, 전게서, 558면; 송옥렬, 전게서, 829면; 임재연, 전게서, 437면; 정찬형, 전게서, 802면; 최기원, 전게서, 340면; 최준선, 전게서, 323면.
78) 송옥렬, 전게서, 829면.
79) 정진세, "이사회승인 없는 양도제한주식 양도의 효력," 「상사법연구」 제16권 제2호(한국상사법학회, 1997), 330면.

양도승인을 거부하도록 하여 주식매수청구권을 행사하는 경우란, 현실적으로는 양도상대방을 지정할 수 없었을 경우에 해당될 것이다. 양도상대방을 찾을 수 있다면 아예 이사회승인을 얻어 양도를 하였을 것이고, 대주주가 찾지 못하는 양도상대방을 회사가 찾을 수 있다고 보는 것도 비현실적이다. 그렇다면 주주선택권설이건 회사선택권설이건 채권자보호 측면에서 실제적 차이는 없을 것으로 보인다.

그렇다면 이 문제는 입법론적으로 주식매수청구권을 인정할 것인가, 주식매수청구권을 인정하는 경우에도 배당이익가능범위 내에서 가능한 것으로 한정할 것인가에 대한 검토를 통하여 해결해야 할 문제로 생각된다.[80]

(나) 주식의 매수

양도승인을 거부당한 주주의 주식매수청구권에 대해서는 반대주주가 주식매수청구권을 행사한 것과 동일하다고 보아 제374조의2를 준용하고 있다. 따라서 회사는 주식매수의 청구를 받은 날로부터 2월 이내에 그 주식을 매수해야 하고, 그 매수가격은 당사자 사이에서 합의가 이루어지지 않으면 최종적으로 법원에서 결정한다. 주식매수를 청구한 경우에 단순히 매수가격협의무가 발생하는 것인지 또는 이를 형성권으로 보아 매수청구시점에 매매계약이 성립한다고 볼 것인지, 매수가액의 결정 등에 대해서는 반대주주의 주식매수청구권에서와 동일하게 해석할 수 있다.[81]

양도승인의 거부, 양수인의 지정 등은 명문으로 이사회 결의로 할 것을 요구하고 있지만, 매수가격의 결정에 대해서는 그러한 규정이 없다. 그러나 주식매수가 회사재산에 미치는 효과를 감안하면 매수가격의 협의는 이사회의 결의를 요한다고 해석해야 한다.[82] 매수기격의 결정에 관해 이사의 임무해태가 있을 경우 회사에 대해 손해배상책임을 지고(제399조), 혹 회사의 재산을 감소시켜 회사 채권자에게 손해를 가했다면 제3자에 대하여도 책임져야 한다(제401조).

---

80) 주식매수청권 인정에 대한 논의는 김병연, "정관에 의한 주식양도의 제한과 문제점,"「비교사법」제7권 제2호(비교사법학회, 2000. 12.), 659면.
81) 후술 제3장 제3절 Ⅴ. 참조.
82) 이철송, 전게서, 397면.

라) 이사회의 승인 없는 양도의 효력

(1) 회사에 대한 효력

제335조 제2항은 이사회의 승인을 얻지 아니한 주식의 양도는 회사에 대하여 '효력이 없다'고 규정하고 있다. 명의개서가 이루어지지 않은 경우 제337조 제1항이 '회사에 대항하지 못한다'라고 규정하는 것과 비교하면, 여기서 회사에 대하여 효력이 없다는 의미는 양수인이 회사에 대하여 주주임을 주장할 수 없을 뿐만 아니라, 회사도 양수인을 임의로 주주로 인정할 수 없다는 것이다.[83] 따라서 회사와의 관계에서는 언제나 양도인이 주주가 된다.

주식의 양도에 대해서 이사회승인을 얻지 않았으나 총주주의 동의가 있거나 1인 회사에서 1인 주주가 주식을 양도한 경우에도 무효라고 볼 것인가가 문제된다. ① 조문의 규정으로 보나 주주의 이익을 회사의 이익과 동일시할 수 없는 점에서 볼 때 효력을 인정함에 의문을 표하는 견해도 있으나,[84] ② 이 경우에는 이사회의 승인이 없더라도 유효라고 해석하는 것이 통설이다.[85] 정관에 의한 주식의 양도제한은 잔존주주의 이익을 보호하기 위한 것으로서, 주주의 의사에 반하는 다른 주주의 참여를 배제하는 것에 있음에 비추어 유효하다고 봄이 타당하다.

(2) 당사자 간 효력

정관규정에 반하여 이사회 승인을 받지 아니하고 주식을 양도한 경우에 양도당사자 간에는 명시적 규정은 없으나, 채권적 효력이 인정된다. 일본에서는 당사자 사이에서도 무효라는 견해도 있으나(절대설), 우리나라에서는 당사자 간에는 유효하다는 점에 대해(상대설) 이론이 없다.[86] 정관에 의한 주식양도 제한의 취지가 양도인 이외의 주주의 이익을 보호하기 위한 것이므로, 양수인이 회사에 대하여 주주로서의 권한을 행사할 수 없는 한 당사자 사이의 효력을 부정할 필

---

83) 송옥렬, 전게서, 829면; 정찬형, 전게서, 797면; 최기원, 전게서, 329면.

84) 권기범, 전게서, 554면; 정찬형, 전게서, 797면 각주 2).

85) 송옥렬, 전게서, 829면; 정동윤, 전게서, 481면; 최기원, 전게서, 328면; 최준선, 전게서, 318면; 이태종, 전게논문, 103면; 日最判 1993. 3. 30. 民集 47卷 4號, 3439面.

86) 권기범, 전게서, 559면; 임재연, 전게서, 439면; 송옥렬, 전게서, 830면; 이철송, 전게서, 390면; 정동윤, 전게서, 487면; 정찬형, 전게서, 797면; 최기원, 전게서, 329면; 최준선, 전게서, 318면; 박영길, "정관에 의한 주식의 양도제한에 관한 일고찰,"「상사법연구」제16권 제2호(한국상사법학회, 1997. 10.), 127면.

요는 없고, 상법 제335조의7에서는 양수인도 주식양도 승인청구를 할 수 있도록 하는데, 이는 당사자 간에는 양도가 유효함을 전제로 한 것이다. 대법원도 "주식의 양도는 이사회의 승인을 얻도록 규정되어 있는 회사의 정관에도 불구하고 이사회의 승인을 얻지 아니하고 주식을 양도한 경우에 그 주식의 양도는 회사에 대하여 효력이 없을 뿐, 주주 사이의 주식양도계약 자체가 무효라고 할 수 없다."고 설시하였다.[87]

다. 계약에 의한 주식의 양도제한

정관에 의한 주식양도제한을 하지 않고 또는 이와 병행하여 주식의 양도를 제한하는 내용의 계약을 체결하는 경우가 많다. 상법은 주식을 자유롭게 타인에게 양도할 수 있도록 하면서, 제335조 제1항 단서의 방식으로 주식의 양도를 제한할 수 있다고 규정하고 있는바, 이 조항과 관련하여 계약에 의한 주식양도 제한의 효력이 어떠한 경우에 인정될 수 있는가가 문제된다. 이하에서는 주식양도제한 계약의 유형과 취지를 살펴보고, 주식양도를 제한하는 내용의 계약의 효력에 대해 살펴본다.

1) 주식양도제한계약의 유형

주식양도 제한계약은 당자가가 누구인가에 따라 i) 회사와 주주간, ii) 주주간 또는 iii) 주주와 제3자 간에 체결되는 형태로 나눌 수 있다.

계약의 내용 측면에서는 다양한 유형이 존재한다. 일반적으로 많이 이용되는 대표적 유형은 다음과 같은데,[88] 실제로는 한 가지 유형만 규정하는 것이 아니고 몇 가지를 결합하여 이용하는 경우가 많다. 이리힌 다양한 내용의 주식양도 제한 약정이 모두 유효한 것은 아니고, 어떠한 내용의 약정이 효력이 인정될 수 있을 것인지는 별도의 고찰이 필요하다.[89]

첫째, 주식양도를 금지(flat prohibition)하는 유형이다. 기간의 제한 없이 또는 일정기간 동안 양도를 금지하거나, 일정 시기, 예컨대 불황인 때 또는 자본

---

87) 대법원 2008.7.10. 2007다14193.
88) Model Business Corporation Act §6.27 및 Palmiter, Corporations, 6th ed., 2009, p. 523. 임재연, 전게서, 421면; 조민제, "주식양도제한 계약의 법적 효력," 「저스티스」 제34권 제5호(한국법학원, 2001), 225~226면; 염미경, "계약에 의한 주식양도제한의 효력," 「경영법률」 제19집 제3호(한국경영법률학회, 2009), 36~37면 참조.
89) 후술 제3장 제3절 4. 다. 3) 나) 참조.

이 감손된 때 양도를 제한하는 것, 또는 특정인에 대한 양도를 금지하거나 일정 주주의 양도를 금지하는 등의 약정을 체결한다.

둘째, 주식양도에 대하여 특정인, 예를 들면 주주총회, 이사회 또는 다른 주주 등의 사전동의(prior approval)를 얻도록 하는 유형이다. 동의가 없으면 주식양도가 허용되지 않는다는 점에서 강력한 제한이다. 모든 양도에 대하여 사전동의를 얻도록 하기도 하고, 동의를 얻어야 하는 경우를 한정하여 주주나 회사 이외의 자에게 양도하는 경우 등에만 동의를 얻도록 하는 경우도 있다.

셋째, 일정사유, 예를 들어 주주의 사망, 종업원주주의 퇴직, 합작투자회사에서 일방당사자의 합작투자계약상의 채무불이행, 지배권의 이전, 경영의 교착상태 등 미리 정하여진 사유가 발생한 경우에는 회사 또는 다른 주주 등에 대하여 미리 약정한 가격으로 매매가 이루어진 것으로 보는 약정(mandatory buy-sell: 매도강제)이다. 당해 주주의 의사와 관계없이 매도가 강제되고, 회사 또는 다른 주주 등 지정된 자는 매수할 것인가를 선택할 수 있는 여지가 없고 의무적으로 매수를 해야 한다는 점이 특징이다. 일정사유발생시 매도가 강제되지만, 회사 등은 매수선택권만을 가지는 경우도 있다. 이 경우에는 뒤에서 설명할 지정가 선매권과 유사하지만, 주주의 양도의사를 불문하고 매도가 강제된다는 점에서 차이가 있다.

넷째, 회사나 임원 혹은 다른 주주에게 선매권을 부여하는 방식도 있다. 주식을 양도하고자 하는 주주는 선매권을 가진 자에게 매수할 것을 청약하여야 할 의무가 있고, 선매권자가 소정의 기간 내에 매수를 하지 아니하는 경우에만 제3자에게 자유롭게 양도할 수 있도록 하는 것이다. 매매가격 등 선매권행사의 조건을 어떻게 정하는가에 따라 두 가지 유형으로 나눌 수 있는데, 지정가 선매권(first option, pre-emptive right)약정과 일반선매권(right of first refusal) 약정이다.

지정가 선매권 약정은 미리 정하여진 일정 가격으로 매수선택권을 행사할 수 있도록 하는 것이다. 매매가격이 미리 결정되어 있다는 점에서는 매도강제조항과 공통점이 있으나, i) 지정가 선매권 조항은 주주가 양도의사를 가질 때 적용된다는 점, ii) 매도강제조항은 매도의 상대방으로 정하여진 자가 매수의무를 부담하는 것인데 반하여, 지정가 선매권 약정은 상대방이 옵션을 가지는 것이라는 점에서 차이가 난다. 일반선매권 조항은 선매권 행사조건을 외부의 양수인이 제시한 조건과 동일한 것으로 약정한다는 점에서 지정가선매권 조항과 차이

가 있다.[90)]

2) 계약에 의한 주식양도제한의 효용

상법에서 정관에 의한 주식양도제한을 허용하고 있는데도 불구하고, 이 제도를 이용하지 아니하고 혹은 이 제도와 병행하여 계약으로 주식양도를 제한하는 이유는 다양하다.[91)]

i) 정관에 의한 주식양도보다 계약에서는 회사의 구체적 사정에 따라 좀 더 유연한 제한을 할 수 있다. 위에서도 살펴본 것과 같이 정관에 의한 주식양도는 방식이나 내용이 상당히 엄격히 제한되어 있는데 반하여, 계약에 의한 주식양도 제한은 어떠한 내용의 주식양도제한약정이 유효하게 되는가는 차후의 문제이고, 우선은 정관의 규정에 의할 때보다 제한의 태양을 구체적 사정에 따라 자유롭게 정할 수 있다. 또한 이사회의 승인이라는 별도의 조치를 할 필요 없이 스스로 직접 다른 주주의 주식양도에 간섭할 수 있다. 또한 매도강제 약정의 경우에는 주주의 사망이나 퇴직 등 일정 사유가 발행한 때에 주주의 의사를 묻지 않고 주식의 양도를 강제하는 것이 가능하다.

ii) 상장회사에서는 정관규정에 의한 주식양도제한을 인정할 수 없기 때문에, 이들 회사에서 주식양도를 제한할 필요성이 있을 때에는 양도제한계약을 이용하게 된다.

iii) 정관에 의한 양도제한의 경우에는 원시정관에 규정하거나 정관변경절차를 거쳐야 하므로 번거로운데 반하여, 계약의 경우에는 양도제한을 설정하기가 용이하다.

iv) 소규모 폐쇄회사의 경우에는 주식이 시장성이 없기 때문에 주주가 수식을 양도하고자 하여도 매수인을 찾기가 어려운데, 매도강제 조항의 경우에는 일정한 사유가 발생한 주주에게 주식양도의 기회를 제공하여 주식의 양도를 제한

---

90) 그 외 당사자 중 일방(주식양도인)이 주식을 매도하고자 할 때 상대방은 자신의 주식의 전부 또는 일부를 일정한 조건하에 같이 매도하도록 주식양도인에게 요구할 수 있는 권리(tag-along right), 또는 당사자 중 일방(주식양도인)이 주식을 매도하고자 할 때 주식양도 인은 상대방에게 자신과 동시에 주식을 일정한 조건하에 매도하도록 요구할 수 있는 권리(drag-along right)를 약정하는 경우도 있다.

91) 김영균, "주주계약에 의한 주식양도의 제한,"「기업법연구」제11집(한국기업법학회, 2002), 408~409면; 이태종, 전게논문, 103면; 염미경, 전게논문, 33~35면; 조민제, 전게논문, 224면.

하는 동시에 투하자본을 회수할 기회를 확보시켜주기도 한다.[92]

v) 정관에 의한 주식양도 제한은 회사와 모든 주주 간의 관계에서 효력을 미치는 반면에, 계약에 의한 주식양도제한은 약정 당사자 간에만 효력을 미치게 할 수 있다. 예컨대 사업목적의 안정적인 추진을 위해 주요한 주주 간의 주식양도제한을 두는 경우, 지배적 주주 간에 경영권의 안정적인 방어를 위하여 일정 기간 연대할 필요성이 있는 경우, 기관투자가가 벤처기업에 투자를 하면서 경영권을 장악하고 있는 지배주주의 도덕적 해이를 방지할 필요성이 있는 경우 등 모든 주주에게 양도제한을 할 필요가 없을 때에는 계약에 의한 양도제한이 유용하다.[93]

3) 주식양도제한계약의 효력

가) 회사에 대한 효력

양도제한계약에 위반한 주식양도의 회사에 대한 효력에 대해 판단한 판례는 아직 존재하지 않는다. 대법원 2000.9.26. 99다48429(신세기통신 양도제한계약: 이하 〈판례 1〉로 약함)[94]에서 설립 후 5년간 일체 주식의 양도를 금지하는 내용의 계약을 위반하여 주식이 양도된 경우에, 양도제한 약정이 있음을 알고 취득한 양수인의 명의개서 청구에 대해서도 회사가 거부할 수 없다고 판단한 예가 있다. 그러나 이는 양도제한 약정이 무효라고 판단되었기 때문이었고, 양도제한계약이 효력이 있는데도 불구하고 계약에 위반하여 양도한 경우에 회사에 대하여 명의개서를 청구할 수 있는가에 대한 판단은 아니다.

양도제한계약의 효력은 회사에 대한 효력과 당사자 간의 효력으로 나누어 고

---

92) 이태종, 전게논문, 15면; 염미경, 전게논문, 35면.
93) 김영균, 전게논문, 408면; 조민제, 전게논문, 224면.
94) 〈판례 1〉은 포항제철과 코오롱 그룹 관련 5개 회사가 새로이 설립될 신세기통신(피고회사)의 지배주주로 선정되어 합작투자계약을 체결한 사안이다. 포항제철과 코오롱 등 최초의 기본주주가 되는 자들이 피고회사와 합작투자 시 주식양도제한 약정을 하였고(제1약정), 합작투자계약으로 확보된 금액을 제외하고 나머지 금액을 모집하면서 합작투자계약의 당사자들과 추가로 참여하는 경방 사이에서 양도제한 약정(제2약정)을 하였다. 양도제한계약의 주요 내용은 i) 피고회사가 사전에 공개되는 경우를 제외하고는 피고회사의 설립일로부터 5년간 주식의 양도를 금지하고 ii) 설립일로부터 5년이 경과한 후 피고회사의 공개 이전까지 주식을 양도하는 경우에는 포항제철과 코오롱이 각자의 주식보유비율에 따라 합의된 가격 또는 감정에 의한 공정가격으로 동 주식을 우선 매수할 권리가 있다는 것이었다. 이 사안에서는 경방이 제2약정에 위반하여 주식을 양도하였는데, 양수인은 주식양수 당시 이러한 약정이 체결되어 있었음을 알고 있었다. 원고가 피고회사에 대하여 명의개서의 이행을 청구한데 대하여, 대법원은 원고의 청구를 인용한 원심판결을 승인하였다.

찰할 필요가 있다. 회사에 대한 효력은 주주의 지위를 인정할 것인가라는 조직
법상의 문제이다. 상법 제335조 제1항에서 규정하고 있는 주식의 자유양도성은
주식회사제도의 기반으로서 인정되는 것이므로, 조직법상으로 이를 제한할 수
있는 방법은 상법 제335조 제1항 단서가 규정하는 것이 유일하고,[95] 주주 간의
양도제한약정을 가지고 회사에 대해 그 효력을 주장하거나 회사가 그 효력을 원
용할 수는 없다. 따라서 정관에 의한 주식양도제한에 위반하여 양도가 이루어진
경우에는 회사가 양수인의 명의개서청구를 거부할 수 있지만, 단순히 계약에 위
반하는 주식양도가 행하여진 경우에는 양수인의 선의·악의를 불문하고 주식양
도는 유효하고 회사는 그 주식을 양수한 제3자에 대해서 명의개서를 거부할 수
없다.[96] 다만, 계약을 위반한 상대방에 대하여 계약 위반에 대한 구제방법, 즉
손해배상이나 위약금의 지급 등을 청구할 수 있을 뿐이다. 회사가 그 약정의 당
사자 되었더라도 같다.[97]

나) 당사자 간의 채권적 효력

(1) 서 설

상법 제335조 제1항은 정관에 의한 양도제한에 대하여 규정하고 있을 뿐이
고, 계약에 의한 양도제한에 대하여 직접 규정하고 있는 것은 아니므로 주식양
도제한계약이 당사자 간에 유효한 것인가는 결국 해석의 문제이다. 일본에서는
우리나라 1995년 개정 이전의 상법과 같이 주식양도의 절대성을 보장하던 상법
하에서 주식양도의 자유는 주식회사의 본질에 기초한 요청이므로 주식양도의 자
유를 금지하거나 제한하는 계약은 회사와 주주 사이의 계약뿐만이 아니라 주주
상호간의 계약도 무효라고 하는 견해도 있었으나.[98] 현재는 이러한 견해를 취
하고 있는 경우는 없다. 우리나라에서는 주식양도 제한계약이 일정한 한도 내에
서 유효하다고 보는 것에는 일치하고 있다. 아래에서는 주식양도 제한계약의

---

95) 이철송, 전게서, 397면.
96) 권기범, 전게서, 549~550면; 송옥렬, 전게서, 830면; 최기원, 전게서, 341면; 최준선, 전게
    서, 325면; 이태종, 전게논문, 108면; 조민제, 전게논문, 226면.
97) 이철송, 전게서, 397~398면. 일본에서는 이에 반하여 모든 주주가 계약당사자인 경우에는
    회사까지도 구속할 수 있다고 보아야 하므로 달리 보아야 한다는 견해도 있으나, 계약의
    채권적 효력이 문제로 되는 것은 회사와 약정에 위배하여 주식을 취득한 제3자 사이에 문
    제가 되는 것이므로 위 반대설의 견해는 타당하지 않다고 할 것이다(이태종, 전게논문, 108
    면).
98) 松田二郎·鈴木忠一,「條解株式會社法(上)」(弘文堂, 1951), 116面.

유·무효의 판단기준에 대해서 살펴본다.

(2) 계약의 효력 유무 판단에 대한 기준

주식양도 제한계약의 효력 유무는 어느 한 가지 기준에 의해 판단될 수 있는 것이 아니라 여러 가지 기준, i) 계약의 주체, 즉 회사와 주주 간의 계약인가 아니면 주주 간 또는 주주와 제3자 간의 계약인가, ii) 개별적 합의에 의한 상대계약인가 다수인과의 부합계약적 요소가 있는가, iii) 계약의 내용이 어떠한 유형인가, iv) 양도를 제한할 합리적 이유가 있는가 등의 여러 가지 요소가 다차원의 매트릭스로 연결된 기준에 따라 판단되어야 하는 문제이다. 우리나라에서는 여기에 대해 깊이 있게 분석한 문헌이 많지 않아 정확히 어떠한 해석을 하고 있는 것인지 파악하기 어려운 경우도 많고, 매트릭스가 복잡하다 보니까 하나의 기준에 대한 찬·반 논의가 전개되는 것이 아니고 서로 다른 기준에 입각하여 논의를 하므로 학설을 평면적으로 비교하는 것이 매우 어렵다.

(가) 계약의 주체에 따른 효력 판단

학설은 회사가 양도제한 계약의 당사자인 경우에는 그 효력을 원칙적으로 무효로 볼 것인가에 따라 의견이 나뉜다.

① 회사와 주주간의 양도제한 약정은 원칙적으로 무효이고, 주주 간 또는 주주와 제3자 간의 양도제한계약은 원칙적으로 유효하다고 보는 견해와[99] ② 계약의 주체에 따라 일률적으로 효력 유무를 판단하는 것에 대해 반대하는 견해가 있다.[100]

① 견해는 (a) 회사와 주주 간의 계약은 상법 제335조 제1항의 탈법수단으로 이용되기 쉽기 때문에 원칙적으로 무효라고 본다.[101] 그러나 이 입장에서도

---

99) 정동윤, 전게서, 240면; 大隅健一郎·今井 宏, 「新版會社法論(上)」(1980) 354面; 前田雅弘, "契約による株式の讓渡," 「法學論叢」第121卷 第1號(京都大學法學會, 1987), 39면 이하; 上柳克郎·鴻常夫·竹內昭夫(編輯代表), 前揭書, 71面. 계약의 주체에 따라 효력을 달리 판단하는 것인지가 반드시 명확하지는 않지만, 문맥으로 판단건대 이 입장인 것으로 보이는 경우는 권기범, 전게서, 548면; 최기원, 전게서, 341면; 최준선, 전게서, 325면이다. 김명수, 전게논문, 236면도 이 입장인 것으로 보인다.
100) 上柳克郎, "株式の讓渡制限－定款による制限と契約による制限," 「商事法論集」(有斐閣, 1999), 90面 이하; 森本 滋, 前揭論文, 105面 이하; 이태종, 전게논문, 111면.
101) 예를 들어 회사가 주식신청서나 주권에 주식양도제한의 취지를 기재하여 주주로서의 지위를 취득함과 동시에 부합계약에 의하여 양도제한계약을 체결하도록 한 경우에는 회사가 상법 제335조 이하의 복잡한 절차를 거치지 않고도 간단하게 주식양도제한의 목적을 달성하는 반면, 주주로서는 주식양도의 자유를 간단하게 박탈당하는 결과로 되므로 상법이 주주

회사가 당사자인 경우에는 무조건 계약의 효력을 부인하는 것은 아니고, 계약의 내용을 고려하여 예외적으로 유효가 되는 경우를 인정하는데, ⅰ) 주주의 투하 자본회수를 부당하게 방해하지 않는 합리적인 것인 때라고 해석하는 입장도 있고,[102] ⅱ) 일본에서는 계약내용이 상법이 정관에 의하여 정할 것으로 하고 있는 것과 실질적으로 동일한 것인 경우에 한하여 유효라고 할 수 있다는 견해가 있다.[103] ⅰ)에 의하면 주식의 양도에 있어서 약정의 당사자인 주주나 기타 약정상의 지정권자가 지정하는 제3자에게 선매권을 인정하는 계약은 효력이 있다고 보지만 ⅱ)에 의하면 주식의 양도를 금지하는 계약은 물론, 이사회가 아닌 제3자, 예를 들면 약정의 당사자인 다른 주주 등이 지정하는 자에게 선매권을 인정하는 계약도 효력이 없다.

(b) 반면에 주주상호간 또는 주주와 제3자 간의 계약은 상법 제335조 제1항과 관계가 없는 채권계약이므로 원칙적으로 유효하고, 다만, 예외적으로 회사와 주주 간의 계약이 무효로 해석되는 경우의 탈법수단으로 이용되는 경우에는 무효가 된다고 본다.[104]

② 견해는 계약의 주체에 따라 일률적으로 효력 유무를 판단하는 것에 대해 반대하면서, 계약의 내용이나 다른 요소들을 고려하여 유·무효를 판단하는 견해이다. 그 기준으로는 ⅰ) 계약자유 원칙에 따라 강행법규나 공서양속에 위반하지 않는 한 유효하다거나,[105] 위의 ① 견해에서와 마찬가지로 ⅱ) 주주의 투

의 권리를 보호하기 위하여 규정한 상법 제335조 이하의 규정을 부당하게 회피할 수 있다는 것이다(이태종, 전게논문, 105면).

102) 권기범, 전게서, 549면; 정동윤, 전게서, 487~488면; 大隅健一郎·今井 宏, 前揭書, 354面; 前田雅弘, 前揭書, 39面 이하(상법에서는 주식양도제한에 대한 회사의 수요의 투하자본회수 확보 요청의 균형은 정관에 의한 주식양도제한 제도로 귀착되었으므로, 회사와 주주 간의 계약으로 주식양도를 제한하는 경우에도 이러한 균형을 무시해서는 안 된다는 것이다).

103) 上柳克郎·鴻常 夫·竹內昭夫(編輯代表), 前揭書, 71면(이 부분을 집필한 上柳克郎은 각주 112) 논문에서 견해를 변경하였다.

104) 정동윤, 전게서, 487~488면; 大隅健一郎·今井 宏, 前揭書, 354面; 前田雅弘, 前揭論文, 42~43面(예를 들어 회사가 당사자가 되지 않는 계약이라고 하더라도 다수의 주주를 상대방으로 동일한 내용의 계약이 대량으로 체결되는 경우(종업원지주제도 중에서 제한계약이 이용되는 경우가 그 전형이다), 계약 당사자가 되는 제3자가 종업원지주회와 같이 회사에 대하여 충분한 독립성을 가지지 못하는 경우라면 형식상 제3자와 주주 간 계약이라도 회사가 당사자인 계약의 탈법수단이 될 위험성이 높으므로 안이하게 유효성을 긍정할 수 없고 회사가 당사자인 경우에 계약의 유·무효를 판단하는 위의 a)의 기준에 따라 효력을 판단하여야 한다고 본다).

105) 상법 제335조는 회사의 모든 주식에 대해 부가적 속성으로 양도제한을 하는 경우에 관한 것이고 회사와 주주의 개별적 합의에 기하여 상대적 양도제한을 하는 것에 대해서는 규정

하자본회수를 부당하게 방해하는 경우에는 무효라고 보거나,[106] iii) 양도제한계약의 내용이 사실상 주식의 양도를 금지하거나 정관으로 주식의 양도를 제한하는 경우보다 현저하게 주식의 양도를 제한하는 것인 때에는 무효라고 보아야 한다는 견해도 있다.

생각건대 계약당사자에 따라 효력을 구분하는 ① 견해도 예외적으로 계약의 내용에 따라 회사와 주주 간의 계약의 효력을 인정하고 있는데 그 판단기준은 ①과 ② 입장이 차이가 없다. 그렇다면 결국 ①과 ②의 차이는 계약의 당사자가 누구인가라는 요소를 얼마나 중시할 것인가에 대한 시각차이로서, ①의 경우에는 회사가 당사자인 계약은 원칙 무효라고 보므로 효력을 주장하는 자가 주주의 투하자본 회수 기회를 침해하지 않거나 정관에 의한 양도제한과 실질적으로 동일하다는 점 등을 입증해야 하는데 반하여 ②의 견해는 무효를 주장하는 자가 입증책임을 지게 된다는 것이고, 유·무효가 인정되는 범위가 달라지는 것은 아니다.

그렇다면 첫째, 계약에 의한 양도제한은 당사자 간의 채권적 효력만 인정되고 양수인에게는 효력이 미치지 아니하므로 상법 제335조 제1항의 입법취지를 훼손하지 않는다는 점,[107] 둘째, 회사가 계약의 당사자가 되는 경우에는 획일적인 부합계약에 의하여 단체법적 효력을 도모하는 양도제한약정을 하는 경우가 많을 것이기는 하나 회사라 할지라도 모든 주주와 일괄하여 약정을 체결하는 것이 아니라 충분한 협상력을 가진 일부 주주와 사이에 특별한 목적을 가지고 개별적으로 양도제한약정을 체결하는 경우에는 주주들 사이의 개별약정과 그 유효성 판단을 달리할 근거가 없다는 점,[108] 셋째, 주주 간 또는 주주와 제3자 간의 계약의 경우에도 회사에 대하여 독립성이 없는 주주 또는 제3자(우리사주조합 같은 경우 등)가 다수의 주주와 계약을 체결한 경우는 회사가 계약을 체결한 경우와 실

하고 있지 않으므로, 계약에 의한 양도제한은 사법의 근본원칙인 계약자유원칙이 적용되고 다만 공서에 위반하는 경우에 무효가 된다는 것이다.

106) 이태종, 전게논문, 111면; 上柳克郎, 前揭論文, 90面(정관에 의한 양도제한은 제3자효를 가지므로 계약에 의한 양도제한과 다른 측면이 있음은 인정하지만, 질적으로 완전히 다른 것은 아니므로 정관에 의한 주식양도제한에 관한 상법규정상의 이념, 즉 투하자본회수의 기회를 부당하게 침해하지 않아야 한다는 상법의 강행법적 이념이 계약에 의한 양도제한의 효력 판단에서도 고려되어야 한다는 것이다).

107) 권기범, 전게서, 548면; 이태종, 전게논문, 111면; 염미경, 전게논문, 56면.

108) 이태종, 전게논문, 111면.

질적으로 동시할 수 있다는 점 등을 고려한다면 계약의 당사자가 누구인가에 따라 일률적으로 효력 유무를 판단하는 해석은 타당하지 않은 것으로 보인다.

회사가 당사자인가 여부는 투하자본회수기회를 부당히 침해하는가 여부를 판단함에 있어서 한 가지 요소로 고려되면 족하다고 한다.[109] 이 때 고려하여야할 점은 형식적으로 당사자가 누구인가가 중요한 것이 아니라 협상력을 가진 당사자가 계약내용을 충분히 알고 개별적으로 합의를 한 경우인가, 다수의 주주와 부합계약적인 방식으로 체결된 것인가이다. 전자의 경우에는 계약자유의 원칙을 최대한 배려하여야 할 것이므로 공서에 위반하지 않는 이상 효력을 제한해야할 이유가 없지만,[110] 후자의 경우에는 동일한 내용의 계약이라도 무효로 판단될 필요가 있을 것이다.

우리나라에서 판례가 어떠한 입장인지는 명확하지는 않지만, 일응 계약의 주체를 구분하지 않는 것으로 해석될 여지가 있는 설시를 하고 있다. 〈판례1〉은 설립 후 5년간 일체 주식의 양도를 금지하는 내용의 계약에 대해서 주주의 투하자본회수의 가능성을 전면적으로 부정하는 것으로서 무효라고 하면서, 이와 같이 정관으로 규정하여도 무효가 되는 내용을 나아가 "회사나 주주들 사이에서, 혹은 주주들 사이에서 약정하였다고 하더라도 이 또한 무효라고 할 것이다." 라고 판시하였다.[111]

일본의 판례도 종업원 지주제도에서 회사와 종업원 간에 종업원이 액면가액으로 주식을 취득하고 퇴직시 또는 주식을 제3자에게 양도하고자 하는 경우에 취득가액인 액면가로 회사가 지정하는 다른 종업원에게 양도한다는 뜻의 합의가 이루어진 경우에 우리나라 상법 제335조에 해당하는 조문은 회사와 주주 간에 개별적으로 체결된 채권계약이 효력에 관해 직접적으로 규정하는 것은 아니고, 공서양속에 반하는 것도 아니라고 하여 유효성을 인정하였다. 회사가 양도제한 계약의 당사자인지 여부를 구분하지 않고 있다.[112]

---

109) 이태종, 전게논문, 111면.
110) 森本滋, 前揭論文, 108~109面; 神田秀樹, "株式會社法の强行法規性,"「特別講義商法 Ⅰ」 (有斐閣, 1995), 8面.
111) 주주들 간의 계약은 유효인데, 동일한 내용을 회사가 당사자인 계약에서 규정하였다면 무효라고 하는 판시가 아니라서 판례가 구분설의 입장을 택하고 있는 것인지가 반드시 명확한 것은 아니다.
112) 日最判 1995.4.25. 民集事 175號, 91面.

(나) 계약의 내용이 정관에 의한 양도제한과 동일한가에 따른 효력 판단

위에서 살펴본 바와 같이 계약의 내용에 따라 양도제한계약의 효력 유무를 판단하는 기준으로는 ⅰ) 계약자유원칙에 따르므로 강행법규나 공서양속에 위반하지 않는 한 효력이 있다고 하거나, ⅱ) 투하자본회수 기회를 부당하게 침해하는 경우에는 무효라고 하거나, ⅲ) 양도제한 계약의 내용이 사실상 주식의 양도를 금지하거나 정관으로 주식의 양도를 제한하는 경우보다 현저하게 주식의 양도를 제한하는 것인 때에는 무효라고 하는 견해들이 제시되고 있다.

이 중 주식양도제한계약의 내용을 정관에 의한 양도제한과 관련시켜 그 유효성을 판단하는 ⅲ)은 타당하지 않은 것으로 생각된다.[113] 정관에 의한 양도제한의 경우 상법 규정과 다른 방식의 양도제한을 무효라고 엄격하게 해석하는 이유는 정관규정의 효력이 모든 주주에게 획일적으로 강요되고, 또 장래 주주가 될 자에게도 일률적으로 미친다는 정관규정의 제3자효에 있다. 그러나 계약에 의한 주식양도제한의 효력은 개인법적인 것으로 계약당사자만을 구속하고 위반 시에도 손해배상이나 위약금의 문제가 발생할 뿐이라는 점에서 근본적 차이가 있다. 계약이 유효로 될 수 있는 범위는 정관규정에 의한 경우보다 더 넓다고 할 것이다.[114] 계약에 의한 양도제한을 이용하는 이유 중의 하나는 회사의 구체적 상황에 따른 유연한 제한인데, 계약에 의한 양도제한의 효력을 정관에 의한 양도제한계약과 관련하여 판단하면 이러한 그 실익이 몰각된다는 점도 고려되어야 한다.[115]

〈판례1〉에서는 "그와 같이 정관으로 규정하여도 무효가 되는 내용을 나아가 회사나 주주들 사이에서, 혹은 주주들 사이에서 약정하였다고 하더라도 이 또는 무효라고 할 것이다"라고 판시하고 있다. 이는 정관에 의한 제한과 계약에 의한 제한의 차이를 고려하지 아니한 해석으로 수긍하기 어렵다.[116]

반면 대법원 2008.7.10. 2007다14193(이하 〈판례2〉로 약함)에서는 투하자본회수의 방해라는 기준에 입각하여 판단하고 있다.[117] 〈판례2〉는 케이블 티브이 회

---

113) 권기범, 전게서, 548면; 김영균, 전게논문, 420면; 염미경, 전게논문, 54면; 이태종, 전게논문, 113면; 조민제, 전게논문, 229면.
114) 이태종, 상게논문, 113면.
115) 前田雅弘, 前揭論文, 39面.
116) 이태종, 전게논문, 113면; 조민제, 전게논문, 229면.
117) 〈판례 2〉는 케이블티비 회사에서 제3자가 대주주로 등장하자 52%의 주식을 소유한 주주

사의 주주들이 적대적 M&A에 대한 방어를 목적으로 계약서에 서명한 주주 이외의 제3자에 대해 주식을 양도하는 것을 제한하는 약정한 사안으로서, 피고가 이러한 약정에 위반하여 주식을 제3자에게 양도하자 원고가 위약금의 청구를 한 사안이다. 대법원은 "주식의 양도를 제한하는 방법으로서 이사회의 승인을 요하도록 정관에 정할 수 있다는 상법 제335조 제1항 단서의 취지에 비추어 볼 때, 주주들 사이에서 주식의 양도를 일부 제한하는 내용의 약정을 한 경우, 그 약정은 주주의 투하자본회수의 가능성을 전면적으로 부정하는 것이 아니고, 공서양속에 반하지 않는다면 당사자 사이에서는 원칙적으로 유효하다고 할 것이다."고 하였다.

(다) 계약의 내용이 투하자본 회수 기회를 부당하게 침해 하는가 및 양도제한의 합리적 이유 유무에 따른 판단

그렇다면 구체적으로 어떠한 내용의 계약이 공서 위반 또는 주주의 투하자본 회수를 부당하게 방해하는 것인지를 살펴볼 필요가 있다. 여기서 주의할 점은 동일한 내용의 계약이라도 협상력이 대등한 당사자 간의 개별적 합의에 의해 양도제한계약이 체결된 경우와 다수의 주주와 부합계약적 방식으로 양도제한계약이 체결된 경우에 판단이 동일할 수 없다는 것이다. 전자의 경우에는 계약자유원칙을 최대한 배려함이 타당할 것이다. 주식을 소유하는 목적은 다양할 수 있는데, 예컨대 기업결합과 계속적 거래관계에 수반하여 주식을 보유하는 것처럼 당사자가 주식의 양도에 의한 투하자본회수를 중시하지 않는 합리적인 이유가 있는 경우에는 광범위하게 주식양도제한의 합의를 하는 것이 인정되어야 할 것이다.[118] 반면 후자의 경우에는 투하자본회수 기회를 침해하는 것인가가 중시될 것이다. 것이다.

이하에서는 양도제한 계약의 유형에 따라 효력 유무에 대해 검토한다.

들 간에 적대적 M&A를 막기 위해 주식의 양도를 제한하는 약정을 한 사안이다. 약정의 내용은 ⅰ) 계약서에 서명한 주주 이외의 제3자에 대하여 주식을 양도하고자 할 때에는 서명주주의 총회의 승인 여부를 만장일치로 결정하고, ⅱ) 주식매매를 희망할 경우 서명주주 중 매수의사가 있는 주주가 우선적으로 매수할 수 있는 권리를 가지며, ⅲ) 매도주식에 대한 인수의사를 가진 주주가 없고 제3자에게 양도할 때에는 가격결정 및 매수자 선정에 관한 모든 사항은 서명주주들의 만장일치로 의결한다는 내용이었다. 일부 주주가 약정에 위반하여 대주주로 등장한 제3자에게 주식을 양도하였다.

118) 森本滋, 前揭論文, 108~109面.

① 양도금지(flat prohibition) 약정

주식양도를 전면적으로 금지하는 계약은 무효라고 보는데 큰 이견은 없는 것으로 보인다. 일정기간을 정하여 양도를 금지하는 조항은 어떠할 것인가? 〈판례 1〉에서 대법원은 설립 후 5년간 주식의 전부 또는 일부를 양도할 수 없다는 취지의 주주 간 또는 주주와 회사 사이의 합의는 주주의 투하자본의 회수를 전면적으로 부정하는 것이기 때문에 정관에 기재되었다 하더라도 무효라고 판시하였다. 이에 대해서는 주주의 투하자본회수를 어느 정도 제약하기는 하지만 그 본질을 침해하고 있다고 말하기는 곤란하다고 하여 비판을 하고 있다.[119] 특히 이 판례는 막대한 자본이 소요되는 국가 기간산업이라는 사업의 성질상 특정인이 지배하지 못하도록 할 필요가 있었고 이러한 주식분배비율 유지가 인가조건이었다는 등 양도제한의 합리적 이유가 존재한다는 점,[120] 전체 주주가 양도제한계약의 당사자이지만 개별약정의 성격이 강하다는 점 등을 고려한다면 5년간의 양도금지약정을 무효라고 본 점에는 의문이 있다. 일정한 기간을 정하여 양도를 금지하는 것은 그 기간이 합리적인 범위 내의 것이고 또한 그러한 양도금지기간을 설정할 정당한 이유가 있는 경우에는 유효성을 인정할 수 있을 것이다.[121]

---

119) 이태종, 전게논문, 113면; 염미경, 전게논문, 59면; 조민제, 전게논문, 229면.

120) 이태종, 전게논문, 113면에서는 "ⅰ) 위 약정에서 주식양도를 영구히 금지하는 것이 아니라 5년간 한시적으로 제한하고 있는 점, ⅱ) 그러면서도 법률이나 정부의 조치에 의하여 주식의 양도가 강제되는 경우에는 주식이 양도될 수 있도록 허용하고 있는 점, ⅲ) 나아가 당사자(주주) 전원이 동의하는 경우에도 주식양도가 허용되고 있으므로 기간 내라고 하여 주식의 양도가 전면적으로 부정되는 것은 아닌 점, ⅳ) 또한 회사가 공개되는 경우에는 당연히 양도제한약정이 적용되지 않기로 하고 있는 점, ⅴ) 위와 같이 5년간 주식양도를 제한하는 약정을 체결하게 된 이유는 피고 회사의 사업이 정부로부터 인가를 받아야 하는 국가기간산업으로서 자본력이 풍부한 기존 어느 한 재벌그룹에 의하여 장악되지 않고 주식비율의 적정한 분포가 이루어지는 것이 바람직할 뿐만 아니라, 사업초기에 방향설정과 많은 투자를 주도적으로 진행하여야 할 최대주주의 지위는 보장할 필요성이 있어서, 그로 인하여 피고 회사가 정부로부터 이동전화 사업을 허가받으면서 피고 회사 주식분배비율을 유지할 것을 정부에 서약하게 되었는바, 만일 이를 지키지 못하게 되면 그 사업인가가 취소될 수도 있으므로 인가조건을 충족하기 위하여는 위와 같은 주식양도에 일정한 제한을 가할 필요성이 있었던 때문인 점, ⅵ) 피고회사의 사업은 초기에 많은 시설투자와 연구개발이 필요한 사업으로 정상적인 수익을 올리려면 상당한 기간이 필요하고, 이러한 사실은 이에 투자하는 주주들도 당연히 인식하고 있던 사항이므로, 그 기간 동안은 주주의 투하자본회수보다는 회사의 지분비율을 유지하여 회사경영의 안정을 도모하는 것이 더 의미가 있다는 점, ⅶ) 종국적으로 기업공개를 염두에 둔 피고회사로서는 정관의 규정에 의한 양도제한이 곤란하기 때문에 계약에 의한 양도제한방법을 취할 수밖에 없었던 점 등을 고려하면, 이 사건 양도제한 약정은 주주의 투하자본회수를 어느 정도 제약하기는 하지만 그 본질을 침해하고 있다고 말하기는 곤란하다"고 한다.

121) 이태종, 전게논문, 109면.

미국의 판례도 일정기간 주식양도를 금지하는 약정에 대하여 유효성을 인정하고 있다,[122] 특정한 자에 대한 양도를 금지하는 계약은 그러한 조항이 명백하게 불합리한 것이 아닌 한 허용된다고 해석할 수 있을 것이다.[123] 특히 협상력이 대등한 상황에서 개별적 합의에 기해 양도제한계약이 체결된 경우에는 계약자유의 원칙을 최대한 배려하여야 할 것이다.

② 사전 동의(prior approval)

위에서 살펴본 바에 따르면 정관에 의한 양도제한의 경우에 있어서는, 이사회의 승인이 아니라 주주총회의 승인을 얻도록 하는 것은 효력이 없다는 것이 통설이다. 당사자 사이의 계약에 의하여 이사회 이외의 자의 승인을 얻도록 약정한 경우의 효력은 어떠할 것인가?[124]

양도제한합의가 예컨대 다른 주주 전원의 동의를 얻도록 하는 형태인 경우에는 투하자본 회수를 부당하게 방해하는 불공정한 것으로 무효라고 보거나,[125] 동의를 얻는 것이 그다지 곤란한 것은 아니라는 특별한 사정이 없는 한 실질적으로 양도를 금지한 것과 같기 때문에 무효라고 본다.[126] 〈판례1〉은 "이 사건 약정 가운데 주주 전원의 동의가 있으면 양도할 수 있다는 내용이 있으나, 이 역시 상법 제335조 제1항 단서 소정의 양도제한 요건을 가중하는 것으로서 상법 규정의 취지에 반할 뿐 아니라, 사실상 양도를 불가능하게 하거나 현저하게 양도를 곤란하게 하는 것으로 실질적으로 양도를 금지한 것과 달리 볼 것은 아니다"고 판시하였는데, 이 부분 판결요지의 결론은 타당하다.

주주가 주식을 양도하고자 할 경우 주주총회나 다른 주주의 동의를 얻어야 하는 약정은 유효한가? 우리나라에서는 여기에 대해 논하고 있는 견해가 많지 않은데, 다른 주주나 회사의 동의를 얻어야 한다는 깃은 양도 자체를 통제하는 것이고 동의권이 자의적으로 행사되는 때에는 주식의 양도가 금지되는 결과를 가져오기 때문에 그 유효성을 인정하기는 어려울 것이라면서, 다만 동의조항이 일정한 기간 동안만 효력을 갖는 경우에는 그 유효성을 인정할 수 있을 것이라고 하는 견해가 있다.[127] 일본에서는 긍정하는 입장과[128] 부정하는 입장으로[129]

---

122) 염미경, 전게논문, 44면.
123) DGCL §202(c)(5), MBCA §6.27(d)(4). 염미경, 전게논문, 44면
124) 일본에서는 긍정하는 입장과 부정하는 입장으로 나뉘어 있다(이태종, 전게논문, 114면)
125) 권기범, 전게서, 549면.
126) 이태종, 전게논문, 114면.

나누어져 있다. 미국에서는 사전동의 약정은 거의 확실히 무효라고 보던 때도
있었으나, 델라웨어주를 비롯하여 주회사법에서 사전동의조항의 효력에 대해 규
정하면서(Del. §202, MBCA §6.27(d)3)) 점차로 완화하여 해석하고 있다.[130] 이러
한 추세임에도 사전동의약정은 성문법이나 권위있는 선례가 없는 이상 효력이
있는 것인지가 불확실하다. Rafe v. Hindin[131]에서는 주권에 다른 주주에게 양
도하는 경우를 제외하고는 양도가 금지되고, 주식의 양도에 대해 다른 주주들의
서면동의를 받아야 명의개서를 할 수 있다는 기재를 하였는데 그 효력이 문제되
었다. 법원은 비합리적인 동의거부가 금지된다는 기재가 없음을 지적하면서 주
식의 양도를 자의적으로 금지할 수 있는 것은 비합리적이고 공서에 반한다는 이
유로 무효임을 판시하였다.[132]

생각건대 동의약정의 효력은 일률적으로 판단할 수는 없고 사모의 요건을 충
족시키기 위하여, 또는 이사에게 주식을 보유시켜서 직무에 충실하도록 하기 위
하는 등의 적극적인 합리성이 인정되면 무효가 아니라고 볼 수도 있을 것이
고,[133] 개별약정에 기한 제한인가도 고려되어야 할 것이다.

③ 매도강제
㉮ 강제성

매도강제조항에서는 주주의 양도의사를 불문하고 일정 사유가 발행하면 주식
의 양도가 강제된다는 점에서 유효성에 의문이 있을 수도 있으나, 양도를 강제
한다는 것 자체는 통상 주식의 양도가 곤란한 폐쇄형의 회사의 주식의 투하자본
회수에 기여하는 면이 있으므로, 투하자본회수 기회를 부당하게 침해하였다고
보기 어렵다. 회사가 주주의 주식양도자유에 개입하는 점에서 문제는 있어도 원
칙적으로는 유효하다고 해석할 수 있다.[134]

---

127) 염미경, 전게논문, 60면.
128) 大隅健一郎・今井 宏, 「會社法論(上)」 第3版(有斐閣, 1991), 434면; 石井照久・鴻常 夫, 「會
    社法」 第1卷(勁草書房, 1977), 222면은 회사(이사, 이사회, 집행임원)가 동의권을 가지는
    형태는 회사가 주주의 투하자본회수의 기회를 제약하고, 동시에 이사가 주주를 선택하는
    점에서 계약자유의 범주에 속하기 어렵다는 입장이다.
129) 森本滋, 「會社法」 第2版(有信堂高文社, 1995), 162면 주 5.
130) Eisenberg/Cox, Corporations and Other Business Organizations-Cases and Materials,
    10th ed., Foundation Press, 2011, p. 541.
131) 29 A.D.2d 481, 288 N.Y.S.2d 662 (1968).
132) 미국 판례에 대한 논의로는 염미경, 전게논문, 60면 참조.
133) 前田雅弘, 前揭論文, 39面.

㈎ 매매가격

매도강제조항에서는 매매가격이 주식의 액면가, 취득가 기타 일정한 가액으로 미리 정하여져 있는데 이러한 약정 가격이 양도시의 주식의 진실한 가치와 합리적으로 연결되지 않을 때에는 실질적으로 투하자본의 회수를 부당하게 저해하는 것이 아닌가라는 의문이 있다. 학설 중에서도 이와 같은 경우에는 무효의 소지가 있다거나[135] 터무니없이 낮은 가격으로 회사에 환매권을 부여하는 것과 같이 투하자본의 회수를 부당하게 방해하는 불공정한 것인 때에는 법의 일반원칙상 무효라고 보는 견해가 있다.[136] 이러한 매매가격문제는 뒤에서 살펴볼 지정가 선택권 조항에서도 동일하게 발생한다.

그러나 일본 최고재판소 판례[137]는 종업원지주제도를 시행하고 있는 회사가 종업원들에게 주식을 액면금액으로 매도하면서 퇴직 시 다시 액면금액으로 이사회가 지정하는 자에게 매도하여야 하는 계약의 효력을 인정하였다. 취득가액과 동일한 가액으로 매도의무가 있었으나, 종업원이 주식을 보유하고 있는 동안 매년 8%내지 30%의 이익배당이 이루어졌다는 점을 감안하여 투하자본의 회수를 현저히 제한하는 것이 아니라고 판단하였다. 종업원지주제도의 합리적 운용에 배려할 필요성도 고려된 것이라 할 것이다.

미국의 판례는 약정된 양도가격과 주식의 공정가치의 차이가 사기나 착오에 해당하고 불공정하며 양심에 반하는 것이 아니면 양도제한 약정은 유효하다고 판단하고, 점차로 유효성 인정 범위를 넓게 인정하고 있다. 주식의 양도가격이 주식의 공정가치보다 현저히 낮은 때에도 일반적으로 그 유효성을 인정하고 있다.[138]

㈐ 자기주식 취득 문제

매도강제약정의 경우에 회사가 매수의무를 부담하는 것은 자기주식취득 규제 위반의 문제가 있다. 비상장법인에서는 우리사주의 환금성을 보장하기 위하여

---

134) 江頭憲治郎, 「株式會社法」第6版(有斐閣, 2015), 243面.
135) 이태종, 전게논문, 110면; 前田雅弘, 前揭論文, 41面.
136) 권기범, 전게서, 549면.
137) 日最判 1995.4.25. 民集 175號, 91面.
138) St. Louois Union Trust co. v. Merrill Lynch, Pierce, Fenner & Smith Inc., 562 F.2d 1040 (8th Cir. 1977), cert. denied, 435 U.S. 925, 98 S.Ct. 1490, 55 L.Ed.2e 519 (1978). In re Mather's Estate, 189 A.2d 586 (Pa. 1963)에서는 주식의 실제 가치가 1,060달러인데 선택권 행사가액은 1달러로 정한 선매권약정의 경우에도 효력을 인정하였다 (염미경, 전게논문, 58면).

필요한 경우 우리사주제도 실시회사가 우리사주조합원 또는 퇴직하는 우리사주조합원의 우리사주를 자기의 계산으로 취득할 수 있다(근로자복지기본법 제45조 제3항).[139)

상장법인에서는 매도강제약정에 따른 자기주식 취득은 상법이 규정한 특수목적에 의한 자기주식 취득에도 해당되지 않고, 배당가능이익에 의한 자기주식취득은 기본적으로 주주평등을 유지할 수 있는 방식에 의하여야 하고 특정주주로부터의 취득은 허용되지 않으므로(제341조 제1항), 위법한 자기주식이 된다. 위법한 자기주식취득의 효력에 대해서는 논란이 있으나 판례는 절대무효라는 입장이다.[140) 자기주식취득을 전제로 하여야만 이행이 가능한 계약도 강행법규 위반 또는 원시적 불능으로서 무효라고 본다.[141) 따라서 상장법인에서는 회사가 매수인이 되는 형태의 약정은 허용되지 않는다고 보아야 할 것이다.

④ 선매권 부여 약정

㉮ 선매권 부여

선매권부여 조항은 양도인의 양도상대방 선택의 자유를 제한한다. 그러나 주주는 주식을 양도하여 회사관계에서 이탈하는 것으로 충분하고 상대방선택의 자유는 그다지 중시할 필요가 없기 때문에 위 이유만으로 양도제한계약이 무효로 되지는 않는다고 본다.[142) 미국 판례도 일반적으로 선매권약정의 효력을 인정한다.[143) 다만 선매권자 지정권이나 선매권 행사기간이 부당하게 장기인 경우에는 사실상 일정 기간 양도금지에 해당하게 되어 앞서 본 바와 같이 무효로 될 소지가 있다.[144)

미국에서는 선매권을 부여하는 제한에 합리적인 목적이 있을 것이 필요하다고 해석되어 왔으나,[145) 이러한 방법을 제정법에서 인정하고 있는 경우에 합리적 목적의 유무를 불문하고 제한이 유효하다고 하는 판결도 나타나고 있다.[146)

---

139) 이 경우 취득한 주식은 우리사주조합에의 출연, 상법 제342조의 예에 따른 처분, 주주총회 결의에 의하여 주주에게 배당할 이익으로써 소각하는 방법으로 처분하여야 한다
140) 대법원 2003.5.16. 2001다44109.
141) 이철송, 전게서, 408면.
142) 이태종, 전게논문, 110면; 江頭憲治郎, 前揭書, 243面; 前田雅弘, 前揭論文, 40面.
143) 염미경, 전게논문, 43면.
144) 이태종, 전게논문, 110면; 前田雅弘, 前揭論文, 40面.
145) Lawson v. Household Finance Corp., 17 Del. Ch. 343, 152 A. 723, 727 (Sup. Ct. 1930).
146) St. Louise Union Trust Co. v. Merkll Lynch, Pierce, Fenner & Smith, Inc., 562 F.2d

〈판례2〉에서는 매도주식에 대한 인수의사를 가진 주주가 없고 제3자에게 양도할 때에는 가격결정 및 매수자 선정에 관한 모든 사항은 서명주주들의 만장일치로 의결한다는 내용이었는데, 법원은 이 사건 약정의 내용이 약정 주주들의 투하자본 회수가능성을 전면적으로 부정하여 강행법규에 위반되거나 공서양속에 반한다고 볼 수 없다고 판시하였다.

㉰ 매매가격

선매권 약정의 경우에는 위에서 설명한 매도강제조항의 경우와 마찬가지로 매매가격의 결정이 중요하다. 가격결정이 불공정한 경우에는 실질적으로 양도가 금지된다고 볼 여지가 있다. 반면 일반 선매권 약정은 대체로 효력이 인정될 수 있을 것이다.

4) 양도제한계약 위반의 효력

양도제한 계약은 당사자 사이의 채권적 효력을 발생시킬 뿐이므로 계약에 위반하여 주식이 양도되어도 양수인의 선의 · 악의와 무관하게 양도의 효력이 발생한다. 계약위반으로 인한 손해액을 입증하는 것이 곤란하기 때문에 손해배상의 예정이나 위약금을 약정하는 것이 가능할 것이나 이러한 위약금 또한 합리적인 범위에서 인정될 수 있을 것이다. 위약금이 지나치게 과다한 경우에는 그 자체가 투하자본의 회수를 부당히 침해하거나 공서양속에 반하는 것이 되어 계약 자체를 무효화시킬 수도 있을 것이다.

5. 주식매수청구권   이 형 근* · 구 대 훈**

가. 개   요[1]

반대주주의 주식매수청구권이란 주식회사가 합병, 분할합병, 영업양도 등과 같이 주주의 이해관계에 중대한 영향을 미치는 일정한 행위를 하려고 하는 경우

1040, 1045 (8th Cir. 1977).

  * 법무법인(유) 광장 변호사
 ** 법무법인(유) 광장 변호사
 1) 이 글의 내용 중 일부 논점은 이형근, "주식매수청구권 - 매수가액에 대한 법원 결정례 검토를 중심으로," 「BFL」 제38호(서울대학교 금융법센터, 2009. 11.)를 이 글의 성격에 맞게 정리한 것이다.

에 이에 반대하는 주주가 회사로 하여금 자신의 소유주식을 매수하게 할 수 있
는 권리이다.[2] 이는 다수결의 원리 또는 다수주주의 의사결정으로부터 소수주주
를 보호하는데 취지가 있는데(통설), 최근에는 그 존재 자체로 합병 등 절차의
공정을 보장하는 기능도 주목받고 있다.

주식매수청구권은 실무상 회사가 합병 등 주식매수청구권이 인정되는 행위를
하고자 할 경우 그 시기와 방법 등을 결정함에 있어서 매우 중요한 고려 요소
가 되고 있다. 주식매수청구권은 출자환급금지 원칙의 예외로서 회사의 현금유
출을 초래하므로 그 행사 규모에 따라서는 거래 자체를 포기해야 할 수도 있기
때문이다. 특히 상장회사의 경우에는 투자수익만을 추구하는 다수의 소수주주가
존재하고, 주가가 지속적으로 변동하는데, 주가의 향방에 따라서는 그 행사 규
모가 예상 외로 커질 수도 있다는 점에서 합병 등에 관한 의사결정에 있어 가
장 큰 고려사항들 중 하나라고 해도 과언이 아니다.[3]

나. 인정범위

1) 법률상 주식매수청구권이 발생하는 회사 행위

가) 상 법

상법상 주식매수청구권은 주식의 포괄적 교환(제360조의5), 주식의 포괄적 이
전(제360조의22), 영업양도 등(제374조의2), 합병(제522조의3), 분할합병(제530조의
11 제2항)의 경우에 인정된다.[4] 반면 소규모 주식교환(제360조의10 제7항), 소규
모합병(제527조의3 제5항)에 대해서는 명문 규정상 주식매수청구권이 인정되지
아니하고, 분할합병과 달리 단순분할에 대해서도 주식매수청구권이 부여되지 않
는다(제530조의11 제2항의 반대해석).

---

2) 권기범, 「현대회사법론」, 제8판(삼영사, 2021), 803~816면; 이철송, 「회사법강의」 제29판
   (박영사, 2021), 600면 등 참조.
3) 이와 관련하여 주식의 유통성이 보장된 상장회사에 대해서도 주식매수청구권을 인정하여야
   하는지에 대해 입법론적으로 문제가 제기되고 있다(권재열, "상장회사법 제정에 관한 구상,"
   「상사법연구」 제38권 제3호(한국상사법학회, 2019) 64면; 김순석, "주식매수청구권 제도의
   재검토," 「기업법연구」 제32권 제1호(한국기업법학회, 2018) 179~180면). 미국의 경우 상
   당수의 주 회사법이 상장주식에 대한 배제규정을 두고 있다고 한다(권재열, 전게논문, 64
   면; 권기범, 상게서, 804면).
4) 상법상 그 외의 주주총회 특별결의 사항인 정관변경(제434조), 자본감소(제438조 제1항)에
   대해서는 주식매수청구권이 인정되지 않는데, 후술하는 바와 같이 특별법상으로는 이러한
   경우에 주식매수청구권을 인정하는 경우가 있다.

간이주식교환(제360조의9), 간이영업양도(제374조의3)나 간이합병(제527조의2)에 대해서는 주식매수청구권을 배제하는 명문규정이 없으나, 총주주의 동의가 있거나 완전모회사가 되는 회사 또는 모회사의 완전자회사가 되는 회사 또는 자회사에 대한 지분율이 100%인 경우에는 인정될 여지가 없다고 본다. 참고로 상법은 영업양도 등에 관한 반대주주의 주식매수청구권에 관한 제374조의2 규정을 기본으로 하여 주식교환, 주식이전, 합병, 분할합병 등 규정에서 그 일부 규정을 준용하는 형태로 규정하고 있다.5)

나) 특별법

금융산업의 구조개선에 관한 법률(이하 '금산법'이라 함)은 금융위원회(이하 '금융위'라 함)의 요청에 따라 정부 등이 부실금융기관에 출자하는 경우 또는 금융위로부터 자본감소를 명령받은 부실금융기관이 자본감소를 위하여 주식을 소각 또는 병합하려는 경우 신주의 발행 또는 자본감소에 관하여 주주총회가 아닌 이사회가 이를 정할 수 있도록 하면서(금산법 제12조 제2항, 제3항, 제4항, 제13조의2 제1호), 이사회 결의에 반대하는 주주에게 주식매수청구권을 인정하고 있다(금산법 제12조 제7항 내지 제9항).6) 그리고 부동산투자회사법은 부동산투자회사가 주식의 매수를 제한하거나 회사의 존립기간을 연장하는 정관의 변경 또는 현물출

---

5) 그 외에도 정관으로 주식의 양도를 제한한 회사에서 이사회가 주식양도를 승인하지 않을 경우 주주에게 주식매수청구권(제335조의6)이 인정되고, 지배주주가 있는 회사의 소수주주에게는 '지배주주에 대한' 주식매수청구권이 인정되는데(제360조의25), 이들은 반대주주의 주식매수청구권과 제도의 취지를 달리하는 것으로서 상론하지 아니하나, 위 두 경우 모두 매수청구 이후의 절차에 관하여는 영업양도 등에 관한 반대주주의 주식매수청구권 규정(제374조의2 제2항 내지 제5항)을 준용하거나(제335조의6), 이와 거의 동일한 규정을 두고 있으므로(제360조의25 제2항 내지 제5항), 매수청구 이후 절차와 관련한 규정 해석에 있어서는 반대주주의 주식매수청구권에 관한 논의가 대체로 유사하게 적용될 수 있을 것이다.

6) 상법상 해산을 한 후 영업을 양도할 때에는 주식매수청구권을 부정하는 견해가 많다. 주주는 잔여재산을 분배받음으로써 투하자본을 회수할 수 있으므로 주식매수가 불필요하기도 하지만, 해산할 때에 주식매수청구를 허용한다면 주주가 회사채권자에 앞서 출자의 환급을 받는 결과가 됨을 이유로 한다(이철송, 전게서, 602~603면; 정동윤, 「회사법」 제7판(법문사, 2001), 359면 등). 부실금융기관의 자본감소 결의에 대하여 주식매수청구권을 인정하는 금산법의 태도는 주주가 회사채권자에 앞서 출자의 환급을 받는 측면이 있다는 점에서 그 타당성에 의문은 있으나(조정래·박진표, "금융산업의 구조개선에 관한 법률의 개선방안," 「BFL」 제7호(서울대학교 금융법센터, 2004. 9.), 48면 동지), 의사에 반한 주식 소각의 위헌성을 방지하기 위한 장치로 생각된다(참고로 대법원 2010.4.29. 2007다12012는 이사회 결의로 자본감소를 할 수 있도록 규정한 금산법 규정이 주주 재산권의 본질적 내용을 침해하는 것이라 할 수 없다고 하였는데, 반대주주에게 주식매수청구권이 인정되어 손실을 보전할 수 있는 점을 여러 이유 중 하나로 언급하고 있다).

자에 의한 신주의 발행을 결의하는 경우에 대해서도 반대주주의 주식매수청구권을 인정하고 있다(동법 제20조의2 참조).[7] 반면 채무자 회생 및 파산에 관한 법률에 의하면 회생계획에 따른 영업양도, 주식교환, 주식이전, 합병, 분할합병 등에 대해서는 주식매수청구권을 배제하도록 규정되어 있다(동법 제62조 제4항 제2문, 제261조 제2항, 제269조 제3항, 제270조 제3항, 제271조 제3항, 제5항, 제272조 제4항).

기타 자본시장과 금융투자업에 관한 법률(이하 '자본시장법'이라 함)은 주권상장법인의 주식매수청구권에 있어서(동법 제165조의5), 금산법은 금융기관의 합병, 영업전부의 양수도 등에 있어서(동법 제5조 제8항, 제12조 제7항 내지 제9항, 제14조 제9항, 제26조 등), 금융지주회사법은 금융지주회사의 설립 또는 기존 자회사·손자회사 주식 전부 소유를 위한 주식교환이나 주식이전에 있어서(동법 제62조의2), 중소기업 사업전환 촉진에 관한 특별법은 주식회사인 비상장 승인기업의 주식교환, 합병, 분할합병 등에 있어서(동법 제13조, 제15조, 제18조, 제19조 등), 기업 활력 제고를 위한 특별법(이하 '원샷법'이라 함)은 사업재편계획의 승인을 받은 기업이 그 사업재편계획에 따라 합병 등을 하는 경우에 있어서(동법 제20조), 벤처기업육성에 관한 특별조치법은 벤처기업의 주식교환, 신주발행에 의한 주식교환, 합병의 경우에 있어서(동법 제15조의2, 제15조의3 제4항 내지 제6항, 제15조의5) 각기 절차 또는 매수가격 결정과 관련한 특례를 두고 있다.[8]

2) 임의적 주식매수청구권 부여 가부

회사가 위와 같이 법률에 규정된 사유들 이외의 행위를 함에 있어서 반대주주에게 임의적으로 주식매수청구권을 부여할 수 있는지가 문제된다. 예를 들어 상장법인을 상장폐지 하는 경우 등 법률상 주식매수청구권이 인정되는 사유에는 해당하지 않으나 그에 못지않게 주주들의 이해관계에 중대한 영향을 미칠 수 있는 경우를 생각해 볼 수 있다. 이에 관한 논의는 많지 않으나 주식매수청구권은 자본충실, 출자환급금지 등 우리 회사법상의 기본원칙들에 대한 중대한 예외로

---

7) 단, 부동산투자회사는 매수자금이 부족하여 매수에 응할 수 없는 경우에는 국토교통부장관의 승인을 받아 주식의 매수를 연기할 수 있다(부동산투자회사법 제20조의2 제3항).
8) 참고로 주식매수청구권 행사는 국유재산인 증권의 처분방법으로 허용되고(국유재산법 제43조 제1항 단서, 시행령 제41조 제4호), 우리사주의 인출사유가 된다(근로복지기본법 제44조 제1항, 시행령 제25조 제1항 제4호, 시행규칙 제17조 제1항 제1호).

서 인정되는 특별한 절차인 점을 감안하면, 실정법상 명문의 규정 없이 회사가 임의로 이를 인정할 수는 없다고 보아야 할 것이다.[9] 실무상으로도, 앞서 본 법률상의 사유들이 없음에도 회사가 임의로 주식매수청구권을 부여하는 사례는 찾아보기 힘들다. 위와 같은 결론은 정관에 그에 대한 근거 규정이 있는 지의 여부에 따라 달라질 것이 아니므로, 회사가 정관에 (법률상 주식매수청구권이 발생하지 않는) 일정한 사유가 발생한 경우 주식매수청구권이 부여된다고 규정하는 경우 해당 정관 규정은 무효라고 보아야 할 것이다.[10]

다만 상법은 회사가 배당가능이익 범위 내에서 주주평등원칙에 따라 모든 주주에게 공평한 기회를 부여하는 방법으로 자기주식을 취득하는 것을 허용하고 있다(제341조 제1항, 시행령 제9조 제1항 제1호). 따라서 주주들간의 합의로 회사가 배당가능이익 범위 내에서 반대주주의 주식을 매수해주기로 하고, 회사가 모든 주주에게 기회를 주되 결의에 찬성하는 주주는 자기주식 취득에 응하지 않고, 결의에 반대하는 소수주주만이 자기주식 취득에 응하도록 함으로써 회사가 반대주주의 주식만을 배당가능이익으로 취득하는 방안을 생각해 볼 수 있다. 주주들의 협조 및 배당가능이익의 존재가 전제될 수 있다면 이 같은 방식으로 주식매수청구권이 부여된 것과 유사한 결과를 가져올 수 있을 것이지만, 이러한 경우 법률상 주식매수청구권과 관련한 절차나 효과는 적용되지 않음은 물론이다.

3) 주식매수청구권 인정 여부와 관련된 몇 가지 문제

가) 중요한 영업용 재산의 양도

상법에 따라 주주총회 특별결의와 주식매수청구권 부여가 요구되는 것은 '영업'의 전부 또는 중요한 일부 양도의 경우이다. 그러나, 영업 그 자체는 아니지만 중요한 영업용재산의 양도가 있을 경우에도 제374조 제1호가 유추적용되어 주주총회 특별결의가 요구된다는 점에 대하여는 특별한 이론이 없고, 판례도 일관되게 이러한 취지를 판시하고 있다.[11] 문제는, 위와 같이 주주총회 특별결의

---

9) 동지: 권기범, 「기업구조조정법」 제5판(삼영사, 2019), 271~272면.
10) 동지: 김창종, "주식매수청구권," 「재판자료: 증권거래에 관한 제문제(상)」 제90집(법원도서관, 2001. 6.), 609면.
11) "상법 제374조 제1호 소정의 영업의 양도란 동법 제1편 제7장의 영업양도를 가리키는 것이므로 영업용재산의 양도에 있어서는 그 재산이 주식회사의 유일한 재산이거나 중요한 재산이라 하여 그 재산의 양도를 곧 영업의 양도라 할 수는 없지만 주식회사 존속의 기초가 되는 중요한 재산의 양도는 영업의 폐지 또는 중단을 초래하는 행위로서 이는 영업의 전부

가 요구되는 중요한 영업용 재산 양도의 경우, 나아가 주식매수청구권도 부여해야 하는가이다.[12]

이에 대해 일설은 영업양도와 영업용 재산의 양도는 본래 엄밀히 구분되고, 제374조를 유추적용한다고 하여 제374조의2까지 유추적용하는 것은 아니며, 자본환급금지의 원칙에 대한 예외라고 할 수 있는 주식매수청구권의 발생요건에 관한 상법 규정들은 제한적 열거로 해석하여야 한다는 이유로 이를 부정하고 있다.[13] 그러나 중요한 영업용 재산의 양도에 대해 상법 제374조를 유추적용하도록 하는 취지는 해당 재산의 양도를 영업양도와 마찬가지로 취급하라는 것이므로 제374조의2도 유추적용하는 것이 논리 일관되는 것으로 생각된다.[14] 사례가 많은 분야는 아니나 실무도 주식매수청구권을 인정하는 것으로 보인다.[15]

나) 영업의 분할양도

위 가)의 논의와는 별도의 문제로 영업의 중요한 일부 양도 시 거쳐야 하는 주주총회 특별결의 및 주식매수청구권으로 인한 부담을 회피하기 위해, 양도대상 영업을 여러 개로 나누어 양도하거나, 양도대상 영업을 구성하는 자산 일부를 양도 전후에 별도로 양도하는 경우 등을 생각할 수 있다.[16] 이러한 경우 그

또는 일부 양도의 경우와 다를 바 없으므로 이러한 경우에는 상법 제374조 제1호의 규정을 유추적용하여 주주총회의 특별결의를 거쳐야 한다"(대법원 1988.4.12. 87다카1662).

12) 영업용 중요재산 양도에 관한 판례는 많으나, 이들 판례 중에 주식매수청구권 인정여부에 대해 언급한 것은 잘 발견되지 않는다. 아마도 이들 판례의 사안이 대부분 일단 주주총회 특별결의를 거치지 않고 재산을 처분한 사례로서, 주주총회 특별결의가 필요한지 여부만이 주로 다투어졌기 때문인 것으로 추측된다.

13) 권기범, 「기업구조조정법」, 582~583면; 김창종, 전게논문, 607면 역시 현행법의 해석으로는 이를 인정하기 어렵다고 하여 같은 입장으로 보인다.

14) 부정설을 취하는 권기범 교수 역시 위 책에서, 판례의 논지를 일관하면 상법 제374조의2를 유추적용할 가능성이 전혀 배제되는 것은 아니라고 한다(권기범, 전게서, 583면).

15) 금융감독원 역시 "자산양수도의 경우 원칙적으로 주식매수청구권이 인정되지 않으나, 영업의 폐지 또는 중단을 초래할 정도의 중요한 자산양수도 경우에는 주식매수청구권이 인정될 여지가 있음"이라고 하여 긍정하는 입장이다(「기업공시실무안내」(금융감독원, 2017. 12.), 54면 참조). "주주총회 특별결의를 요하는 영업용 재산 처분의 경우에 있어 그 특별결의를 반대한 주주에게도 상법 제374조의2의 규정에 따른 주식매수청구권이 인정된다고 봄이 타당하다"고 한 하급심(전주지방법원 정읍지원 2018.6.1. 2017비합100) 결정례도 있다.

16) 관련하여 자본시장법 제161조 제1항 제7호는 대통령령으로 정하는 중요한 영업양도에 관한 결의가 있으면 주요사항보고서를 제출하도록 규정하고 있고, 동법 시행령 제171조 제2항 제1호 및 제2호는 자산 또는 매출의 10% 이상을 차지하는 영업부문 양도를 중요한 영업양도로 규정하고 있다. 자본시장법상 주요사항보고서 제출 기준이 되는 중요한 영업양도와 상법상 주주총회 특별결의를 거쳐야 하는 영업의 중요한 일부 양도가 반드시 일치하는 것은 아니지만, 실무는 상법상 영업의 중요한 일부 양도 해당 여부를 판단함에 있어서 위

개별 거래들의 시기적·유기적 연관성 등을 고려하여 동일한 중요 영업의 양도인데 주주총회 특별결의를 잠탈하기 위하여 이를 분리한 것이라고 판단된다면, 그 일련의 거래들을 하나로 보아 영업의 중요한 일부 양도로 보아야 할 것이고,[17] 따라서 그러한 거래 전체에 대하여 주주총회 특별결의 및 주식매수청구권 부여가 필요할 것이다.

다) 주식양도

영업이 아닌 주식을 양도한 경우(특히, 대상회사의 주식 전부나 지배적 주식을 양도한 경우)에도 이를 영업양도와 같이 평가하여 주주총회 특별결의 및 주식매수청구권을 인정할 수 있지 않는가를 생각해 볼 수 있다. 이에 대하여 판례나 학설의 논의가 많지 않으나, 경제적 효과와 법 형식을 달리하는 주식양도의 경우를 영업양도와 같이 보기는 어려울 것이고, 적어도 통상적인 경우의 주식양도에 대하여 영업양도에 준하는 주주총회 특별결의 등을 요구하는 입장은 찾아보기 힘들다. 실무적으로도 통상적인 주식양도에 대하여 영업양도에 준하는 주주총회 특별결의 등의 절차를 취하고 있지는 않다. 다만, 물적분할 후 주식양도의 경우와 지주회사가 자회사 주식을 양도하는 경우는 특수한 경우로서 실무상 논란이 되고 있으므로 아래에서 간략히 살펴본다.

(1) 물적분할 후 주식양도

회사가 영업의 중요한 일부를 타에 매각하고자 하는 경우, 영업양도 방식을 취하게 되면 반대주주의 주식매수청구권이 인정된다. 이 같은 주식매수청구권 행사로 인한 부담을 회피하기 위하여 회사가 양도대상 영업을 물적분할하여 자회사를 설립한 다음, 자회사 주식을 타에 매각하는 방안을 대안으로 고려할 수 있을 것이다. 단순한 물적분할에 대해서는 법률상 주식매수청구권은 인정되지 않고,[18] 자회사 주식 양도 역시 자산양도에 불과하여 원칙적으로 주식매수청구

10% 기준을 중요하게 고려하고 있다. 자산 또는 매출의 10%를 상회하는 영업부문을 양도하면서, 영업을 쪼개어 양도하거나 일부 자산을 사전 또는 사후에 별도 양도하는 방법으로 양도대상 영업부문의 자산이나 매출 규모를 10% 미만으로 떨어뜨리려는 시도가 있을 수 있다. 그 처리에 대하여는 본문의 논의와 궤를 같이 하여 판단하여야 할 것이다.

17) 임대화, "영업양도와 주주총회의 특별결의," 「사법논집」 제18집(법원행정처, 1987), 245면 참조.

18) 참고로 단순분할과 분할합병을 차별하여 후자에만 주식매수청구권을 허용하는 것은 합리적인 이유를 찾아보기 어렵다는 비판적인 견해도 있다(권기범, 전게서, 478~479면).

권은 인정되지 않기 때문이다. 이와 같이 법률상 주식매수청구권이 인정되는 거래와 실질이 같으나 형식이 다른 거래에 대하여 주식매수청구권을 부여해야 하는지 여부가 문제된다. 이에 관한 명확한 판례나 학설상의 논의는 거의 찾기 어려우나, 이는 실무상 종종 논란이 되는 문제이다.

이에 대해서는 물적분할에 이은 자산양도 거래는 영업의 중요한 일부 양도라는 단일한 목적을 달성하기 위해 단기간에 이루어지는 일련의 거래로서, 회사 주주의 입장에서는 그 실질이 영업양도와 동일하다는 점에서 영업양도와 동일한 법적 효과를 인정함이 타당하다는 견해도 있을 수 있다. 그러나 법률상 엄연히 구별되는 개별 거래의 법 형식을 무시하고 단순히 결과적인 유사성만을 이유로 영업양도에 인정되는 주식매수청구권을 위와 같은 거래에도 그대로 인정해야 한다고 해석하기는 무리가 있어 보인다. 또한, 채무의 인수 등 관점에서 엄밀히 살펴보면, 영업을 양수도하는 당사자들의 법적·경제적 위험과 주식을 양수도하는 당사자들의 그것에도 차이가 있다. 결과적으로, 물적분할 후 자회사 주식을 양도하는 경우도 그 최종 거래 형식은 주식양도인 만큼 이를 영업양도와 동일시할 수는 없다고 본다. 또한, 앞서 본 바와 같이 상법의 기본원칙들에 대한 주식매수청구권의 예외적 성격을 고려하더라도 이러한 경우 주식매수청구권을 부정하는 것이 타당하다고 생각된다. 실무상으로도 물적분할 후 단기간 내에 주식양도를 하는 경우에도 주식매수청구권을 부여하는 사례는 찾기 힘들다.[19)]

(2) 지주회사의 자회사 주식양도

지주회사는 주식소유를 통하여 자회사들을 지배하는 것을 목적으로 하는 회사이므로, 지주회사가 보유하는 자회사 주식을 양도하는 것은 앞서 살펴 본 일반적인 경우의 주식양도와는 다른 측면이 있다. 이에 대한 법원의 판단이나 학설들의 논의가 많지는 않으나, 지주회사 주주의 이익 보호 내지 지주회사 주주의 자회사에 대한 경영참가권 보장이라는 관점에서 지주회사가 보유하고 있는

---

19) 본문에서 언급한 거래유형에 직접 관련된 것은 아니지만, K사가 S사를 흡수합병 하였는데, 당시 S사의 규모로는 소규모합병에 해당할 수 없었으나 K사측이 합병계약 이전에 유상증자를 통해 발행한 신주를 S사의 대주주에게 대가로 교부하며 S사의 주식을 상당수 취득함으로써 소규모합병의 요건을 충족시키고 同절차를 밟은 사안에서, 소액주주들은 사전에 S사 주식을 취득하기 위한 K사의 유상증자를 실질적으로는 합병시의 신주발행으로 보거나 그 발행금액을 실질적인 합병교부금으로 보아 통상적인 합병절차를 적용해야 한다고 주장하였으나, 법원은 이 주장을 배척한 바 있다(대법원 2004.12.9. 2003다69355).

자회사 주식 전부 또는 지배구조를 변경할 정도의 주식을 양도하는 경우, 이를 지주회사의 영업의 중요한 일부 양도로 보아 지주회사 주주의 관여(주주총회 결의 및 주식매수청구권)를 인정하여야 한다는 견해가 있고,[20) 같은 맥락에서 지주회사가 자회사 주식을 양도함으로써 지주회사 영업의 일부를 양도하거나 폐지하는 것과 같은 결과를 가져오는 경우 주주총회 특별결의를 요한다는 고등법원 판결이 있다.[21)

지주회사는 그 목적 자체가 자회사 주식 보유를 통하여 자회사를 관리, 지배하는 것을 고유한 영업으로 하는 회사이므로 지주회사가 보유하는 자회사 주식의 처분을 일반적인 주식 양도의 경우와 동일하게 평가할 수는 없다. 물론, 지주회사의 경우에도 보유하는 자회사 주식의 일부를 양도하는 경우를 언제나 영업양도에 준하여 주주총회 특별결의가 필요한 거래로 볼 수는 없겠지만, 적어도 영업의 전부 또는 중요한 일부의 중단 또는 폐지를 초래할 정도의 주식 처분(즉, 유일한 또는 중요한 자회사의 주식 전부 또는 지배적 주식의 처분)의 경우는, 앞서 본 판례들에서 의미하는 '영업의 폐지 또는 양도를 초래하는 회사 존속의 기초가 되는 중요한 재산의 양도'에 해당하는 자산의 양도라고 평가하여야 할 것이고 그에 따라 영업양도에 준하여 주주총회의 특별결의 및 주식매수청구권 부여가 필요할 것이다. 다만, 공시된 자료상으로는 지주회사가 자회사 주식을 양도하면서 영업양도에 준하는 절차를 이행한 경우를 발견하기는 어렵다.[22)

---

20) 이동원, 「지주회사」(세창미디어, 2001), 320면; 김대연, "지배회사 주주의 경영참가권,"「기업법연구」제16집(한국기업법학회, 2004. 3.), 252~253면.

21) 서울고등법원 2008.1.15. 2007나35437. 해당 사안에서 주식을 양도한 회사는 대상회사의 주식 보유를 위하여 설립된 회사인 바, 법원은 그 양도 회사가 보유하고 있는 대상회사 주식의 약 42.9%에 해당하는 주식을 타에 양도하는 것은 회사 영업의 일부를 양도하거나 폐지하는 것과 같은 결과를 가져온다고 봄이 상당하므로 그러한 주주총회 결의 없는 주식양도는 무효라고 판시하였다. 위 고등법원 판결은 상고되지 않고 그대로 확정되어 이에 대한 대법원의 판단은 없었다. 또한, 중요한 영업용 재산 양도에 대한 다른 판결들과 마찬가지로 주주총회 특별결의가 없었음을 이유로 해당 주식양도가 무효라는 결론만 있을 뿐, 주식매수청구권 부여 여부에 대하여는 설시된 바가 없다.

22) 주주총회 결의 등을 이행하지 않은 이유를 파악할 수는 없으나, 그 중요성의 관점에서 영업의 전부나 중요 부분을 폐지하는 것과 같은 결과로 볼 수 없는 정도의 주식 처분이라고 판단하였을 수도 있고, 주식양도라는 최종적인 결과에 중점을 두고 그것은 단순한 자산의 처분에 불과한 것이어서 영업양도와는 다른 것이라고 판단하였을 수도 있을 것이다.

라) 금융기관의 계약이전

(1) 개 요

금산법이나 보험업법에 따라 금융거래와 관련된 계약의 이전이 있을 경우에도 주식매수청구권의 인정 여부가 문제될 수 있다. 금융거래와 관련된 계약이 결국 금융기관 영업의 핵심 부분이므로 계약이전은 영업(또는 영업용재산)의 양도와 실질적으로 동일한 결과를 가져올 수 있기 때문이다. 이러한 점에서 일반적인 영업(또는 영업용재산)의 양도의 문제와 다를 바가 없기는 하나, 특별법상 인정되는 특수한 절차라는 점에서 실무상 다소 논의가 있다. 금산법에 따른 강제적 계약이전, 즉 금융위의 계약이전결정에 의한 계약이전절차(금산법 제10조 제1항 제8호, 제14조 제2항, 제14조의2 참조)와 보험업법에 따라 보험회사간 계약의 방법에 의한 임의적 계약이전절차(보험업법 제140조 제1항)를 나누어 살펴본다.

(2) 금산법에 의한 계약이전결정의 경우

금산법 제14조 제6항에 의하면 "제2항에 따른 계약이전은 관계 법률 및 정관의 규정에도 불구하고, 계약이전을 하는 부실금융기관의 이사회 및 주주총회의 결의를 요하지 아니한다"고 규정되어 있다. 이사회 및 주주총회 결의를 요하지 않는 이상 이를 전제로 하는 반대주주의 주식매수청구권 역시 인정될 여지가 없을 것이다. 대법원 역시 "계약이전과 상법상의 영업양도는 그 목적, 법적 성질, 효과를 달리하므로 금융감독위원회가 구 금융산업구조개선법 제14조 제2항에 따라 부실금융기관에 대하여 계약이전결정을 내림에 있어 당해 부실금융기관의 주주총회의 특별결의를 거쳐야 한다고 볼 수 없다"고 판시[23]하면서, 위 제14조 제6항의 규정은 "계약이전결정에는 상법 제374조 제1항 제1호가 적용되지 아니한다는 앞서 본 법리를 명확히 선언한 확인적 규정"이라고 하였다.

문제는 계약이전을 받는 금융기관 입장에서 주주총회 특별결의 및 주식매수청구권 부여가 필요한지 여부이다. 앞서 본 판례의 논리가 부실금융기관뿐 아니라 인수금융기관에도 동일하게 적용되어 이를 부정해야 하는 것이 아닌가 하는 의문이 있다.[24] 그러나 위 판결은 어디까지나 '부실'금융기관 입장에서 주주총회 특별결의가 필요하지 않다고 판시하고 있을 뿐이다. 또한 금산법은 앞서 본 제

---

23) 대법원 2002.4.12. 2001다38807.
24) 조정래·박진표, 전게논문, 49면 참조.

14조 제6항과 달리 계약이전결정을 하기 전에 인수금융기관 이사회 동의를 받도록 규정하고 있으므로(금산법 제14조 제5항 후문) 계약이전결정은 인수금융기관에 대하여는 강제적인 것이라 할 수 없다. 나아가, 금산법은 인수금융기관이 "계약이전과 관련하여 주주총회결의, 주식매수청구, 채권자이의제출 등의 절차를 이행하는 경우에는 제5조를 준용한다"고 규정하고 있는데, 이는 금융위의 계약이전결정에 따른 계약이전이 인수금융기관 입장에서는 (부실금융기관과는 달리) 주주총회 특별결의 등을 요하는 영업양수에 해당할 수도 있음을 전제로 한 규정으로 보인다. 이상의 점에 비추어 보면, 인수금융기관 주주에게 주식매수청구권이 발생하는지 여부는 앞서 본 상법의 일반 원칙으로 돌아가 당해 계약이전결정에 따른 계약이전이 인수금융기관의 입장에서 상법 제374조 제3호의 영업양수에 해당하는지 여부에 달려 있고, 따라서 그에 해당한다면 주주총회 특별결의와 반대주주의 주식매수청구절차가 필요할 것이다.

(3) 보험업법에 따른 임의적 계약이전의 경우

한편, 보험업법상 임의적 계약이전의 경우 법률상 주주총회 특별결의가 필요한데(보험업법 제138조), 더 나아가 주식매수청구권이 인정되는지 여부가 문제된다. 일설은 주식매수청구권은 주로 다수파 또는 경영진의 기회주의적 행동을 통제하고 소수주주의 지분가치를 보호해주는 기능을 하는 것인데, 보험사업의 경우 평소 금융위의 엄격한 감독을 받을 뿐 아니라 계약이전과정에도 금융위가 인가권을 가지고 있으므로(보험업법 제139조 참조), 다수파 또는 경영진의 기회주의적 행동이 문제될 가능성은 매우 낮고, 주식매수청구권이 행사되는 경우 이전 당사회사들의 재정적 부담이 가중되어 구조조정의 실효를 거두지 못할 가능성이 크다는 점에서 주주총회 특별결의 요건을 넘어 반대주주에게 매수청구권을 부여하는 것은 이전회사와 피이전회사의 주주를 과도하게 보호하는 것이라고 생각된다고 하면서 부정적으로 보고 있다.[25] 그러나, 영업양수도의 효과나 별도의 감독기관의 개입 유무 등 개별적인 영업양수도 거래들의 특성에 따라 주식매수청구권 부여 여부를 달리 판단할 수는 없는 것이므로 입법론적으로는 몰라도 현행법의 해석상 위와 같은 입장을 취하기는 어렵다. 따라서, 실제 보험계약 전부나

---

25) 노혁준, "보험업의 구조조정: 계약이전제도의 개선방안을 중심으로," 「BFL」 제29호(서울대학교 금융법센터, 2008. 5.), 37~38면. 이 견해는 이를 명확히 하는 입법을 고려할 필요가 있다고 한다.

대부분을 이전하는 등으로 해당 보험계약 이전이 보험회사 입장에서 영업전부나 중요한 일부의 양도에 해당할 수 있는 경우라면 상법에 따라 요구되는 주식매수청구권 부여를 부인하기는 어렵다. 이는 보험계약을 이전받는 보험회사의 경우에도 마찬가지다. 보험업법은 제138조에서 보험계약의 이전에 관한 결의를 상법 제434조에 따라 하도록 하면서도 주식매수청구권에 관한 규정을 따로 두거나 준용하지는 않고 있기는 하나, 이는 보험계약 이전이 보험회사에 미치는 중대성을 감안하여 보험계약 이전이 영업의 전부나 중요한 일부 양도에 해당하는지 여부에 관계없이 항상 주주총회 특별결의를 거치도록 한 취지일 뿐, 주식매수청구권에 관한 상법상의 규정을 배제하는 취지로 해석할 수는 없을 것이다.

다. 행사요건 및 절차

1) 개 요

위에서 본 바와 같이 법률상 주식매수청구권이 인정되는 경우는 다양한데, 상법과 자본시장법상 그 행사요건이나 절차는 거의 동일하다. 즉 주식매수청구권이 인정되는 합병 등의 일정한 주주총회 결의가 있는 경우 (i) 그 결의에 반대하는 주주는 (ii) 주주총회 전에 회사에 대하여 서면으로 그 결의에 반대하는 의사를 통지한 경우에는 (iii) 그 총회의 결의일부터 20일 이내에 주식의 종류와 수를 기재한 서면으로 회사에 대하여 자기가 소유하고 있는 주식의 매수를 청구할 수 있다(제360조의5, 제360조의22, 제374조의2, 제522조의3, 제530조의11 제2항, 자본시장법 제165조의5 제1항). 후술하는 바와 같이 회사로 하여금 반대주주의 현황을 파악하게 하고자 위 (ii)와 같은 사전반대의사 통지를 요건으로 규정하고 있는 것이다. 다만, 금산법에 따라 인정되는 주식매수청구권의 경우에는 자본감소 등의 이사회결의가 있은 후 그 결의사항에 반대하는 주주는 바로 서면으로 주식매수청구권을 행사할 수 있고, 상법이나 자본시장법에 따른 주식매수청구권 행사요건과는 달리 그 결의 전에 사전반대의사 통지를 할 필요는 없다(금산법 제12조 제7항). 이하에서는 주로 합병의 경우를 전제로 하여 주식매수청구권의 각 요건과 절차에서 제기될 수 있는 문제들을 차례로 살펴본다.

2) 반대주주의 범위

가) 주 주

여기서 주주란 기준일 또는 주주명부폐쇄기간 초일에 주주명부에 기재된 주주 및 그 포괄승계인을 말한다.[26] 기준일의 주주로부터 기준일 이후 주식을 양수한 자와 같은 특정승계인은 포함되지 않는다. 기준일의 주주로부터 기준일 이전에 양수했더라도 기준일까지 명의개서를 하지 않은 자도 포함되지 않는다. 주식거래가 활발하지 않고 주주의 수가 비교적 적은 비상장회사의 경우 기준일 지정이나 주주명부 폐쇄를 하지 않는 경우도 있을 수 있다. 이 경우 일단 반대의사 통지 시점에 주주일 것이 요구된다고 해석해야 할 것이다. 상장회사의 실질주주는 직접 회사에 대하여 반대의사 통지를 하거나, 예탁자를 경유하여 한국예탁결제원(이하 '예탁원'이라 함)으로 하여금 회사에 대하여 반대의사 통지를 하도록 할 수 있다(증권등예탁업무규정 제55조 제1항 내지 제3항).

나) 당사회사인 주주 등

자기주식이나 합병의 일방 당사회사가 가진 타방 당사회사 주식에 관하여도 의결권의 불통일 행사를 제한하는 상법 제368조의2의 취지 및 신의칙상 주식매수청구권을 행사할 수 없다는 견해가 유력하고,[27] 같은 취지로 간이합병 시 해산회사의 90% 이상 지분을 갖고 있는 모회사인 존속회사 역시 제외된다고 보는 학설이 있는데,[28] 주식매수청구권이 회사법의 기본원칙들에 대한 중대한 예외로 인정되는 특별한 권리라는 점을 감안하면 모두 타당한 해석으로 생각된다(특별한 학설을 발견할 수는 없지만, 영업양수인이 동시에 영업양도인의 주주인 경우와 같이 영업양도의 당사자인 주주가 주식매수청구권을 행사할 수 있는지도 문제될 수 있는데, 위 합병 시의 해석과 마찬가지로 보아야 할 것이다). 다만, 이들은 합병계약의 당사자로서 현금유출 규모를 우려하고, 또 실무상 대부분의 회사들이 합병 등 주식매수청구권이 인정되는 거래를 함에 있어서는 일정 규모 이상의 주식매수청구권이 행사되는 경우를 계약 실효 내지 해제사유로 규정하고 있는 점에 비추어 보면 위와 같은 것이 현실적으로 문제되는 경우는 극히 드물 것이다.

---

26) 권기범, 전게서, 806면.
27) 권기범, 전게서, 806면; 임재연, 「자본시장법」(박영사, 2021), 805면.
28) 권기범, 전게서, 806면.

다) 합병 등이 있음을 알고 주식을 취득한 주주

(1) 상장회사

상장회사의 경우 주식매수청구권이 인정되는 합병 등에 관한 이사회 결의가 있으면, 결의 당일 한국거래소(이하 '거래소'라 함)에 주요경영사항 신고를 해야 하고(유가증권시장 공시규정 제7조 제1항 제3호 가목 (4) 내지 (6), 코스닥시장 공시규정 제6조 제1항 제3호 가목 (7) 및 (8) 참조), 결의 익일까지 금융위에 주요사항 보고서를 제출해야 하므로(자본시장법 제161조 제1항 제6호 및 제7호), 결의 내용이 신속히 공시된다. 이러한 공시가 있은 후에 주식을 취득한 주주에게까지 주식매수청구권을 인정할 필요가 없고, 이런 취지에서 자본시장법은 반대의사를 통지한 주주가 (i) 이사회 결의 사실이 동법 제391조에 따라 공시(이는 익일 공시인 주요사항보고서 제출이 아닌, 당일 공시인 위 거래소 공시를 말함)되기 이전에 취득하였음을 증명한 주식 및 (ii) 이사회 결의 사실이 공시된 이후에 취득하였지만 "이사회 결의 사실이 공시된 날의 다음 영업일29)까지" 해당 주식에 관한 매매계약의 체결, 해당 주식의 소비대차계약의 해지, 그 밖에 해당 주식의 취득에 관한 법률행위가 있는 경우에 해당함을 증명한 주식만이 매수청구대상에 포함되도록 규정하고 있다(자본시장법 제165조의5 제1항, 시행령 제176조의7 제2항). 따라서 상장회사의 경우 합병 등이 있음을 알고 주식을 취득한 주주라 하더라도 위 (ii)에 해당하는 경우에는 주식매수청구권을 가진다고 할 것이다.

여기서 주의할 것은 상장회사가 정기총회에서 합병 등을 결의하는 경우의 반대주주의 범위이다. 정기총회에서도 합병, 분할, 영업양도 등의 결의를 할 수 있다는 점은 관련 법무부 유권해석과 축적된 실무사례로 인해 특별한 의문이 없다. 12월 결산기인 상장회사의 정기총회에서 의결권 행사가능 주주는 정관에 따라 12월 31일자 주주가 된다. 따라서 12월 31일자에 주주인 자만이 정기총회 전에 서면 반대의사 접수를 한 경우에 한하여 주식매수청구권을 행사할 수 있

---

29) 구 자본시장법 시행령(2012. 6. 29. 대통령령 제23924호로 개정되기 전의 것) 176조의7 제1항은 이사회 결의 사실이 공시된 날의 "다음 날까지"라고 규정하여, 이것이 영업일을 의미하는 것인지, 아니면 달력일을 의미하는 것인지에 대해 논란이 있었고, 필자는 이를 달력일로 보는 것이 타당하다는 해석론을 주장한 바 있고(자세한 내용은 이형근, 전게논문, 63~64면 참조), 금융감독원 실무도 역시 이와 같이 보고 있었다(금융감독원, 「기업공시실무안내」(2011. 7.), 298면 참조). 개정 자본시장법 시행령은 이 같은 논란을 감안하여 시행령을 개정하되, 주주들의 권리를 더 넓게 보장하는 방향으로 개정한 것으로 보인다.

다. 당연해 보이지만, 여기서 앞서 살핀 자본시장법 규정, 즉 상장회사 주주의 경우 합병공시 전 또는 합병공시 익 영업일까지 매매계약 체결 등을 한 주주가 주식매수청구권을 행사할 수 있다는 규정을 문언 그대로 해석하면, 12월 31일 당시 주주가 아니더라도, 그 후 합병공시가 있기 전까지 사이에 주식을 취득한 주주는 반대주주로서의 적격을 가지는 것 아닌가 하는 의문을 가질 수 있는데, 실무상 의외로 종종 제기되는 문제다. 이는 임시주주총회에서는 합병공시 ― 기준일 ― 임시주주총회의 순으로 일정이 진행되는 반면, 정기주주총회에서는 기준일(12월 31일) ― 합병공시 ― 정기주주총회(통상 3월 하순)의 순으로 일정이 진행되기 때문에 발생하는 해석상의 오해이다. 위 자본시장법 규정은 임시주주총회에서 합병 등이 승인되는 일반적인 경우를 고려한 규정으로서 본래 주식매수청구권은 기준일 주주가 기준일에 소유한 주식에 대해 부여되는 것이 원칙이지만, 상장회사의 경우 합병공시로 인해 합병사실이 알려지므로 이를 알고 취득한 주주나 주식에 대해서까지 주식매수청구권을 부여할 수는 없다는 정책적 고려에서 주식매수청구권 행사 가능 주주나 주식의 범위를 축소하기 위한 규정이다. 그럼에도 불구하고 반대로 기준일의 주주도 아닌 자로서 반대의사 접수나 주주총회에서의 의결권 행사 적격도 없는 자에게 단지 자본시장법 문언에서 밝힌 합병공시 등 기준시점 이전에 취득했다는 이유만으로 주식매수청구권을 부여하는 규정으로 해석하기는 어렵다고 생각된다.

(2) 비상장회사

자본시장법과 같은 명문 규정이 없는 비상장회사의 경우에는 어떠한가? 이에 대해서는 이사회에서 합병 등이 결의되고 그 계획이 공표된 후에 주식을 취득한 주주는 이러한 계획이 있음을 알고 주식을 취득한 바이므로 주식매수청구권을 부여해서는 안 된다는 견해도 있을 수 있으나, 다수 견해는 비상장회사의 경우 계획의 공표라는 것이 명문에 의해 정형화된 공시방법으로 인정되지 않는 한 그에 의해 모든 투자자가 안다고 의제할 수 없다거나, 주식매수청구권은 주식에 대하여 인정한 자익권이므로 명문의 제한규정이 없는 한 주식매수청구권이 있다고 보아야 한다는 이유로 긍정하고 있다.30) 합병 등 계획의 공표에서 더 나아가 실제 해당 주주가 합병 등이 있음을 알았다고 하더라도 법률상 명문의 근거

---

30) 이철송, 전게서, 603면; 최기원, 「신회사법론」 제14대정판(박영사, 2012), 437면; 권기범, 전게서, 806면; 송옥렬, 「상법강의」 제11판(홍문사, 2021), 958면; 정동윤, 전게서, 360면.

없이, 주주들의 주관적인 인식 여하에 따라 주식매수청구권 인정 여부를 판단하는 것은 현실적 가능성에도 의문이 있고, 법적 안정성을 해하는 것으로 보이므로 다수설이 타당해 보인다. 참고로 실제 실무에서도 위와 같은 사유로 주식매수청구권을 제한하는 예를 찾아보기 힘들다.

라) 무의결권 주주

과거 비상장회사의 경우 명문 규정이 없어 무의결권 주주에게 주식매수청구권이 인정되는지 여부에 다툼이 있어 왔으나, 현행법상 상장회사는 물론 비상장회사의 경우에도 의결권이 없거나 제한되는 주주에게 주식매수청구권이 인정됨이 문언상 명확하다(자본시장법 제165조의5 제1항, 제374조의2 제1항).

3) 서면 반대의사의 통지

가) 서면 통지

주식매수청구권을 행사하고자 하는 주주는 먼저 회사에 대하여 서면으로 그 결의에 반대하는 의사를 통지하여야 한다(제360조의5 제1항, 제2항, 제360조의22, 제374조의2 제1항, 제522조의3 제1항, 자본시장법 제165조의5 제1항 등).[31] 회사로 하여금 사전에 반대주주의 현황을 파악하여 총회결의 및 매수대금지급에 대비하는 등 준비를 갖출 수 있도록 하기 위한 절차이다.[32]

이를 위해 법률은 회사가 합병 등 승인을 위한 주주총회 소집통지 또는 공고를 하는 때에는 주식매수청구권의 내용 및 행사방법을 명시하도록 규정하고 있다(제360조의3 제4항 제2호, 제374조 제2항, 제530조 제2항, 자본시장법 제165조의5 제5항 등).[33] 앞서 본 바와 같이 의결권 없는 주주에게도 주식매수청구권이 인정되므로 그러한 주주에게도 주주총회 소집통지 또는 공고를 해야 할 것이다(제363조 제7항 단서, 자본시장법 제165조의5 제5항 단서).

---

31) 다만 금산법에 의하면 서면 반대의사 통지 없이 곧바로 서면 매수청구를 하도록 규정되어 있다(동법 제5조 제8항, 제12조 제7항).
32) 이철송, 전게서, 604면; 권기범, 전게서, 805면; 정찬형, 「상법강의(상)」 제24판(박영사, 2021), 930면; 서울고등법원 2011.12.9. 2011라1303("상법에서 반대주주로 하여금 주주총회 전에 회사에 대하여 서면으로 그 결의에 반대하는 의사를 통지하도록 하고 있는 취지는, 합병을 추진하는 회사로 하여금 반대주주의 현황을 미리 파악하여 총회결의에 대비할 수 있게 하기 위함이라고 봄이 상당하다").
33) 위반시 처벌 또는 제재규정이 있다(제635조 제1항 제23호, 자본시장법 제165조의18 제7호 등).

　위와 같은 명시의무를 위반한 경우의 효과가 문제될 수 있는데, 판례(위 2011라1303[34]))는 '회사가 주주총회의 소집통지를 하면서 상법 제374조 제2항에 따른 주식매수청구권의 내용과 행사방법에 관하여 명시하지 않은 경우 주주가 총회 전에 서면으로 합병결의에 반대하는 의사를 통지하지 않았고, 총회에서도 합병에 반대하는 의사를 명백히 표하지 않은 채 기권을 하였다 하더라도 주식매수청구권을 행사할 수 있다'고 판시하였다.[35] 즉 명시의무를 위반한 경우 서면 반대의사의 통지 없이도 주식매수청구권을 행사할 수 있다는 것이다. 타당한 해석으로 생각되고, 같은 취지에서 애초에 소수주주에 대한 소집통지 자체를 결한 경우[36)]에도 마찬가지로 (실제 주주총회에 출석하여 찬성한 주주가 아닌 한) 소수주주는 서면 반대의사 통지 없이 곧바로 주식매수청구권을 행사할 수 있다고 해야 할 것이다.

---

34) 위 결정은 대법원 2012.3.30. 2012마11 심리불속행 기각결정에 의해 그대로 확정되었다.

35) 위 판결은 주주총회 소집통지를 하면서 주식매수청구권의 내용 및 행사방법을 명시하도록 한 제374조 제2항은 소수주주를 보호하기 위한 규정으로서 일반 주주 입장에서는 회사가 위와 같이 사전에 고지하지 않을 경우 사실상 주식매수청구권을 행사하지 못하게 될 가능성이 크고, 회사가 위 규정을 미준수한 경우에도 반대주주는 반대의사 통지를 해야만 주식매수청구권을 행사할 수 있다고 해석하면 이는 소수주주의 주식매수청구권을 사실상 형해화하는 결과를 초래할 수 있다는 점을 이유로 들고 있다.

36) 판례는 주주총회 소집통지를 결한 하자가 있는 경우 일반적으로 전부, 대부분 또는 50% 이상 주주에 대한 소집통지를 결한 경우가 아닌 이상 이를 주주총회 취소사유로 보고 있다. 이와 관련하여 합병 등과 같이 주식매수청구권이 인정되는 주주총회에 있어서 소수주주에 대한 주주총회 소집통지를 결하는 경우 소수주주는 단지 주주로서 의결권 행사기회뿐만 아니라 나아가 주식매수청구권 행사기회 자체를 박탈당하게 되는 면이 있다는 점에서 위와 같은 일반론과 달리 해당 주주총회를 부존재 또는 무효로 볼 것인가 하는 문제가 있다(김성진, "소수주주의 주식매수청구권 박탈로 인한 주주총회결의의 무효 여부: 대법원 2010.7.22. 선고 2008다37193 판결(분할합병무효 등)을 중심으로," 「기업법연구」 제25권 제3호(한국기업법학회, 2011), 101～105면 참조). 그러나 대법원 2010.7.22. 2008다37193은 (i) 분할합병 계약을 승인하는 임시주주총회를 개최함에 있어서 9.22%를 보유한 소수주주들에게 소집통지를 하지 아니한 하자만으로는 주주총회 결의가 부존재한다고 할 수 없고, 취소사유에 불과한 것으로 보았고, (ii) 나아가 "분할합병계약의 승인을 위한 주주총회를 개최하면서 소수주주들에게 소집통지를 하지 않음으로 인하여 위 주주들이 주식매수청구권 행사기회를 갖지 못하였으나, 주식매수청구권은 분할합병에 반대하는 주주로 하여금 투하자본을 회수할 수 있도록 하기 위해 부여된 것인데 분할합병무효의 소를 제기한 소수주주가 자신이 보유하고 있던 주식을 제3자에게 매도함으로써 그 투하자본을 이미 회수하였다고 볼 수 있고, 위 분할합병의 목적이 독점규제 및 공정거래에 관한 법률상 상호출자관계를 해소하기 위한 것으로 위 분할합병을 무효로 함으로 인하여 당사자 회사와 그 주주들에게 이익이 된다는 사정이 엿보이지 아니하는 점" 등을 언급하면서 분할합병무효청구를 기각한 원심판결이 정당하다고 하였다.

나) 통지의 구체적 방법

법률은 "결의에 반대하는 의사를 통지"하도록 규정하고 있을 뿐, 반대의사 통지서면의 구체적 기재사항에 대해서는 특별히 규정하고 있지 않다. 법문 및 논리상 자신이 주주라는 점과 의안에 반대한다는 취지가 당연히 기재되어야 할 것인데, 자신이 주주임을 특정하기 위해 (그리고 뒤에서 볼 주식매수청구권 행사대상 주식의 수는 반대의사 통지 시점의 소유주식 수를 한도로 함이 타당하다는 점에서) 소유 주식의 종류와 수를 기재하는 것이 바람직하다. 실무상 주주총회 소집통지서에 주식매수청구권 행사안내서를 함께 동봉하여 주주들에게 송부하는데 여기에는 반대의사 통지 서식 및 주식매수청구권 행사 서식이 모두 첨부되고 있다. 주주들은 해당 양식을 이용하여 주주의 인적사항과, 소유주식의 종류와 수 등을 기재하여 기명날인 후 회사로 회송하면 된다.

다) 통지 기한

통지는 주주총회 전에 회사에 도달해야 한다. "주주총회 전"이면 되므로 주주총회 당일이라도 주주총회 개회 전에만 도달하면 유효한 통지로 보아야 한다.37) 통지사실은 주주가 입증해야 한다.38) 다만 간이주식교환, 간이영업양도 또는 간이합병의 경우 (주주총회가 개최되지 않으므로) 이사회 승인으로 주주총회 승인을 갈음하는 해당 회사의 주주는 간이주식교환, 간이영업양도 또는 간이합병에 관한 공고나 통지를 한 날로부터 2주 이내에 반대의사를 통지하도록 별도 규정을 두고 있다(제360조의5 제2항, 제374조의3 제3항, 제522조의3 제2항).

주주명부상의 주주는 회사로 통지해야 할 것인데, 실질주주는 예탁자인 거래 증권회사로 통지하면 증권회사가 예탁원에 전달하고, 예탁원이 이를 취합하여 회사에 통지하게 된다. 이와 관련하여 실무상 회사가 주주총회 소집시 안내하는 주식매수청구권 행사 절차를 보면 명부주주는 주주총회일 "전일까지", 실질주주

---

37) 임재연, 전게서, 811면; 이와 달리, 김건식·노혁준·천경훈, 「회사법」 제4판(박영사, 2020), 861면은 사전통지를 요하는 취지가 회사에게 그 거래에 대해 재고의 기회를 주는 것이라는 점을 고려하면 반대의 통지는 주주총회 전에 도달해야 하고, 주주총회 전이란 주주총회 전일로 해석되므로, 총회 당일 회의개최 전에 제출하는 것은 허용되지 않는다고 본다. 취지는 이해되나, 문언해석의 한계를 넘어서는 해석이 아닌가 생각된다(참고로 상법 제495조 제2항은 사채권자집회에서 서면에 의한 의결권 행사기한을 사채권자집회 "전일"까지로 규정하여, "전일"과 "전"을 구분해서 사용하고 있다).

38) 이철송, 전게서, 604면; 정찬형, 전게서, 930면.

는 "증권회사에 총회일 3일 전까지" 반대통지를 하도록 요구하는 경우가 많다.[39] 위와 같은 회사의 절차 안내는 "주주총회 전까지" 반대통지를 하도록 규정한 법률에 비추어 비록 단기간이기는 하지만 반대통지 기간을 단축하고 있는데, 법률상 부여된 반대의사 접수기간을 회사가 임의로 제한할 수는 없고, 합병 등 주주총회 결의를 위하여 기준일 또는 주주명부 폐쇄기간 초일의 실질주주명부가 작성되면 그 실질주주명부는 주주명부와 동일한 효력을 가지므로(자본시장법 제316조 제2항), 실질주주명부에 기재된 주주가 회사에 반대통지를 하는 경우 회사가 이를 적법한 통지가 아니라고 거부할 수는 없을 것으로 보인다. 따라서 명부주주든 실질주주든 주주총회 당일이라도 주주총회 전까지 회사에 반대의사를 통지하는 경우 이는 적법한 반대통지로 취급해야 할 것이다.

라) 출석반대의 요부

주식매수청구권의 입법연혁[40] 등을 고려할 때 주식매수청구권 행사를 위해서면 반대의사의 통지에 더하여 주주총회에 출석하여 반대해야 하는 것은 아니라는 데 이론이 없다. 반대의사를 통지하였다고 하여 출석이나 의결권 행사가 제한될 이유도 없으므로, 반대의사를 통지한 주주가 주주총회에 출석하여 의결권을 행사하는 것은 당연히 허용되며, 이 때 의안에 반대하는 것은 물론 종전 의사를 번복하여 찬성하는 것도 가능하다.

이와 같이 반대의사를 통지한 주주도 주주총회에 출석하여 당해 의안에 대하여 찬성의사를 표시할 수는 있으나, 그 경우는 반대 의사를 철회한 것으로 보아야 한다거나 주식매수청구권을 포기한 것으로 간주해야 한다는 이유로 그 주주에 대한 주식매수청구권 부여를 부정하는 견해가 대부분이다.[41] 주식매수청구권은 합병 등의 회사행위에 대하여 반대하는 소수파 주주들에게 퇴로를 열어주기

---

39) 이는 예탁주식에 대하여 주식매수청구권을 행사하고자 하는 예탁자는 관련 법령에서 정한 반대의사 통지 종료일의 2영업일 전까지 신청해야 한다는 증권등예탁업무규정 제55조 제1항에 근거한 것으로 보인다. 그러나 위 규정 자체에서도 실질주주가 발행인에게 직접 반대의사를 통지하는 것이 가능함을 전제로 이 경우 발행인이 그 내역을 예탁원에 통지, 예탁원이 이를 예탁자에게 통지하도록 규정하고 있다(동조 제3항).

40) 참고로 구 증권거래법(1991.12.31. 법률 제4469호로 개정되기 전의 것) 제191조 제1항은 반대주주는 서면 반대의사 통지 후 "총회에 참석하여 그 결의를 다시 반대하는 경우에 한하여" 주식매수청구권을 행사할 수 있다고 규정하고 있었다. 그러나 이 같은 출석 반대 요건이 1991.12.31. 개정 증권거래법에서 삭제되었고, 상법이 1995년 주식매수청구권을 도입할 때에는 개정 증권거래법에 따라 처음부터 출석 반대를 행사요건으로 규정하지 않았다.

41) 이철송, 전게서, 604면; 정동윤, 전게서, 359∼360면; 임재연, 전게서, 812면.

위하여 고안된 제도이므로, 당연히 이러한 주주들에 대하여는 주식매수청구권을 박탈하는 것이 타당하다.[42)43)] 이러한 주주가 실제로 서면 매수청구를 하더라도 이는 무효로 처리해야 할 것이고, 회사가 이를 간과하고 해당 주주로부터 주식을 매수하더라도 이는 위법한 자기주식 취득으로서 역시 무효로 보아야 할 것이다.

한편 반대의사 접수 후 주주총회에 출석하지 않은 주식의 의결권을 주주총회의 정족수 산정 시 산입해야 하는지 여부가 다투어진다. 일부 학설은 이를 산입하지 않으면 반대자가 더 많은데도 의안이 가결되는 모순이 생길 수 있다(예컨대 60% 주주가 사전반대만 하고 주주총회에 출석하지 않고, 40% 주주가 출석하여 찬성한 경우)는 이유로 반대주주가 출석하지 않더라도 의결권 있는 주주의 의결권은 반대표에 가산해야 한다고 한다.[44)] 그러나 이는 타당하지 않은 것으로 생각된다. 반대통지를 한 의결권 수를 총회에 참석한 그것에 합산하는 때에는 합병 등의 회사행위가 가결되기가 거의 불가능하게 될 것이라는 점을 이유로 드는 견해도 있으나,[45)] 그보다는 상법이 주주총회에서의 의결권 행사 방법을 법정하고 있는데(제368조 내지 제368조의4) 주식매수청구권 행사를 위한 반대의사 통지는 그 자체로는 여기에 해당하지 않는 점, 반대의사 접수 주주가 총회에 출석하여 반대뿐만 아니라 찬성도 할 수 있다고 해석되는 이상 불출석을 반대의사로 간주할 수는 없다는 점 등에 비추어 부정함이 타당하다고 생각된다. 실무도 반대의사 통지를 반대표에 가산하지 않는 형태로 운영되고 있다.

4) 서면 매수청구

가) 매수청구 기간

이상에서 살핀 요건을 갖추어 사전 서면 반대의사 통지를 적법하게 한 자는 "그 총회의 결의일부터 20일 이내에 주식의 종류와 수를 기재한 서면으로 회사에 대하여 자기가 소유하고 있는 주식의 매수를 청구할 수 있다." 간이주식교환, 간이영업양도나 간이합병의 경우에는 통지 또는 공고일로부터 2주의 기간이 경과한 날로부터 20일 이내에 해야 하고(제360조의5 제2항, 제374조의3 제3항, 제

---

42) 권기범, 전게서, 806~807면.
43) 출석하여 '기권'을 한 경우를 어떻게 처리할 것인지도 문제될 수 있는데, 출석반대가 요건이 아닌 이상 주식매수청구권 행사에 장애가 되지는 않는 것으로 생각된다.
44) 이철송, 전게서, 604면; 김병연, "주식매수청구권제도의 개선에 관한 연구,"「상장협연구」 제48호(한국상장회사협의회, 2003. 9.), 44면.
45) 권기범, 전게서, 807면.

522조의3 제2항, 자본시장법 제165조의5 제1항), 원샷법은 총회의 결의일로부터 10일(원샷법 제20조 제1항), 금산법은 이사회 결의사항의 신문공고일로부터 10일 이내에 하도록 하고 있다(금산법 제5조 제8항, 제12조 제7항).

나) 매수청구를 할 수 있는 자

기준일 또는 주주명부 폐쇄기간 초일로부터 반대의사 접수 시점 및 매수청구권 행사 시점까지 주식을 계속 보유한 주주여야 한다. 따라서 기준일 당시의 주주가 매수청구 전에 주식을 타에 양도한 경우에는 (설령 반대의사 통지 후에 양도했다 하더라도) 더 이상 주주가 아니어서 매수청구를 할 수 없고, 양수인 역시 기준일의 주주가 아니므로 마찬가지이다.[46] 그러나 만약 명의개서를 하지 않은 상태라면 양도인이 양수인을 위해 주식매수청구권을 행사하는 것을 회사가 알고 막을 방법은 생각하기 어렵다.[47] 기준일 또는 주주명부 폐쇄기간 초일의 주주라도 반대통지 후 주식을 매도하였다가 동일 수량을 다시 매입한 때에는 이러한 투기적 주주까지 보호할 필요가 없다는 점에서 매수청구를 할 수 없다고 보아야 한다.[48]

다) 매수청구 대상 주식

기준일 또는 주주명부 폐쇄기간 초일의 주주가 가진 주식이 (i) 반대의사 통지, (ii) 주주총회일, (iii) 주식매수청구권 행사일까지 사이에 변동된 경우 어느 시점의 소유주식을 한도로 매수청구권을 행사할 수 있는지 문제된다. 제도의 취지를 감안할 때 주주총회 이후에 주식을 취득한 것까지 보호할 필요가 없다는 점에는 특별한 의문이 없다. 그러나 반대의사 통지까지 한 주주라면 실제 합병 등의 의사결정이 있었음을 알았다고 볼 수밖에 없는데, 그럼에도 불구하고 그 후 추가로 매수한 주식까지 매수청구 대상으로 보호할 필요는 없을 것이다. 이런 관점에서 매수청구 대상 주식은 반대의사 통지를 한 시점에서 보유한 주식을 상한으로 보는 것이 타당하다고 생각한다.[49] 물론 기준일 이후 추가로 매수한 주식은 포함될 수 없을 것이다. 다만, 상장회사의 경우는 앞서 본 명문 규정에

---

46) 임재연, 전게서, 805~807면.
47) 권기범, 전게서, 808면은 양도인이 양수인의 부탁을 받아 행사하는 것은 무방하다고 한다.
48) 권기범, 전게서, 807~808면; 상장회사의 경우에는 앞서 본 바와 같이 이사회 결의 공시일로부터 일정기간 이내 취득한 주식임을 입증해야 하므로 행사할 수 없음이 법상 명확하다.
49) 이철송, 전게서, 605면 동지; 임재연, 전게서, 807면도 같은 취지로 보인다.

의해 이사회 결의 공시 다음 영업일까지 매매계약 체결 등이 이루어진 주식에
한정된다.

라) 일부청구 가부

주주가 주식매수청구 대상 주식의 일부에 대해서만 매수청구하는 것이나,
반대의사통지에 기재한 주식의 일부만의 매수청구를 하는 것도 허용된다고 본
다.50) 주식매수청구제도는 소수주주를 보호하기 위한 제도이고, 주식매수청구
권은 가분적인 권리이므로 주주 스스로 그 일부를 포기하는 것을 막을 이유가
없고, 이를 허용하더라도 회사 입장에서 특별한 불이익을 생각하기 어렵기 때
문이다.

마) 행사 후 철회 가부

반대주주가 주식매수청구권을 행사한 후에 이를 철회할 수 있는지에 대해 논
란이 있으나,51) 이는 주식매수청구권의 법적 성질에 따라 판단할 문제로 보인
다. 뒤에서 보듯 판례와 같이 이를 형성권으로 새기는 한 반대주주가 주식매수
청구권을 행사하는 즉시 매매계약 체결의 효력이 발생하므로, 체결된 계약의 전
부나 일부 해지에 해당하는 반대주주의 일방적인 철회는 허용되지 않는다고 보
는 것이 논리적이다. 이를 허용할 경우 주주가 일단 매수청구를 해 놓은 다음
추후 시세 상황을 보아 매수 혹은 철회를 선택하는 남용을 허용할 소지도 있다.
그러나 회사로서도 주식매수청구의 규모가 줄어드는 것이 출자의 환급으로 인한
자금유출을 방지하는 점에서 이익이 있고, 주식매수청구권을 형성권으로 보더라

---

50) 권기범, 전게서, 809면; 이철송, 전게서, 605면; 정동윤, 전게서, 360면; 정찬형, 전게서,
    930면.
51) 이철송, 전게서, 606면은 매수청구권은 주주의 이익을 보호하기 위한 제도이므로 매수청구
    권의 행사, 불행사에 관해 회사가 반대의 이해를 갖는다고 볼 수 없으므로 명문규정이 없
    는 이상 철회할 수 있는 것으로 해석할 수밖에 없다고 하는데 반해, 김화진, "주식매수청구
    권의 본질과 주식매수가액의 결정,"「인권과 정의」제393호(대한변호사협회, 2009. 5.), 36~
    37면; 강헌, "상법상 주식매수청구권제도의 문제점,"「상사법연구」제21권 제2호(한국상사
    법학회, 2002. 8.), 414~415면 등은 매수청구 규모에 따라 합병포기 또는 그 조건변경을
    하게 되고 합병승인 주총 후에라도 매수청구권 행사 여하에 따라 회사의 재무나 지배구조
    가 변동하므로 회사에 반대의 이해가 없다고 할 수 없다는 등의 이유로 철회가 불가한 것
    으로 본다. 한편, 권기범, 전게서, 809면은 실무에서 일단 매수청구권을 행사한 주식에 대
    하여 철회할 수 없도록 주주총회 소집통지 및 공고문에 명시하는 사례가 많음을 들면서 단
    체적 법률관계의 획일적 처리를 위하여 합리적인 범위 내에서는 유효하다고 한다. 임재연,
    전게서, 819면은 주식매수청구권 행사기간 내에는 회사에 대한 포기의 의사표시로써 철회
    할 수 있지만, 행사기간이 경과한 후에는 일방적인 철회는 불가능하다고 본다.

도 매매계약 체결 당사자가 합의로 계약을 해지하거나 변경하는 것이 금지된다고 하기는 어렵다. 따라서, 회사가 반대주주의 철회 의사를 수용하는 것은 가능하다.[52)]

바) 주권 첨부 요부

실무상 주주총회 소집통지서에 동봉하는 주식매수청구권 행사안내문에는 명부주주의 경우 주식매수청구서 제출 시 소유 주권을 첨부하여 제출하도록 기재하고 있다. 그러나, 법률상 주권의 교부가 주식매수청구권의 행사요건이라고 보기는 어렵고, 주권은 주식매수청구권 행사 이후에 주식매수대금 수령과의 상환으로 교부할 수 있는 것이므로 소유 주권을 첨부하지 않았다고 하여 기간 내에 행사된 주식매수청구를 무효로 취급할 수는 없다.

라. 효   과

1) 주식매매계약의 성립

가) 개   요

구 상법(2015. 12. 1. 법률 제13523호로 개정되기 전의 것)은 주식매수청구권 행사가 있으면 회사가 그 "청구를 받은 날부터 2월 이내에 그 주식을 매수하여야 한다."고 규정하고 있었으므로, 주주들의 청구 시점에 따라 회사의 이행기가 주주별로 달라질 수 있었다. 그러나, 현행 상법에서는 "매수청구기간......이 종료하는 날부터 2개월 이내에 그 주식을 매수하여야 한다"고 위 부분을 개정하여 주식매수 이행기와 관련된 회사와 주주들 사이의 관계가 통일적으로 처리될 수 있도록 하였다(제374조의2 제2항). 상장회사에 대하여는 이전부터도 자본시장법이 '매수청구기간 종료일'로부터 통일적으로 기산하여 회사의 주식매수의무를 규정하고 있었다. 이 점에서 상법이 자본시장법의 규정 형태를 따라간 것이다. 다만, 자본시장법에서는 회사의 매수의무 기간을 매수청구기간 종료일로부터 '1개월'[53)] 이내로 규정하여 상법보다는 단기간으로 규정하고 있다(자본시장법 제165

---

52) 다만, 상장회사들의 최근 실무는 관련 공시에 철회불가 취지를 명시하는 경우가 대부분인 것으로 보인다. 이는 철회불가 조항을 미리 명시하는 것이 신중한 주식매수청구권 행사를 유도하여 결과적으로 행사규모를 줄이는데 일조한다고 판단하기 때문으로 보인다.

53) 주권상장법인 등 예탁원에 주식이 예탁된 회사의 경우에는 주의가 필요하다. 이러한 회사는 주식매수청구권이 인정되는 합병 등 거래에 관한 이사회 결의 후 예탁원에 '매수대금 지급 예정일' 등을 명시한 '주식매수청구 방법 및 절차 통보'를 해야 하는데, 예탁원은 매수대

조의5 제2항). 참고로 원샷법은 승인기업의 사업재편 지원을 위해 주식매수대금 지급기한을 6개월(주권상장법인의 경우 3개월)로 연장하고 있다(원샷법 제20조 제2항).

나) 학설의 대립

상법에서 "2개월 이내에 그 주식을 매수하여야 한다"는 규정의 의미가 무엇인가에 관한 논의가 있다. 주식매수청구권의 본질에 대하여 형성권이라는 입장을 취하는 다수설의 입장은 주식매수청구권이 행사되면 회사와의 주식매매계약은 그 시점에서 바로 체결되고 위 시한은 회사가 주식매수대금을 지급하고 해당 주식을 매수하여야 하는 이행기의 의미로 해석하고, 비록 그 시점에서 매수가격이 확정되지 아니하였다고 하더라도 그 이후 확정된 매수가격을 지급할 때에 위 기한 경과 후의 기간에 대하여는 지연이자를 같이 지급하여야 한다는 입장을 취한다.[54]

이에 대하여는 주식매수청구권이 형성권이라고 하면서도 그 행사로 인해 매매계약이 성립하는 것이 아니라 회사에 매수가격에 대한 협의의무가 발생할 뿐으로, 위 2월의 시한은 그 시한 내에 매수가격을 지급하라는 것이 아니라 그 시한 내에 주식매매계약을 체결하여야 하는 시한이라고 하거나,[55] 주식매수청구권의 행사로 즉시 매매계약은 성립한다고 보면서도 주식매매계약의 효력은 그 즉시 발생하는 것이 아니라 매수가격이 결정되어야 발생한다는 견해도 있다.[56] 이러한 견해에 따르면 위 2월의 기한 경과 이후에도 당연히 지연이자가 발생하지는 않을 것이다.[57]

금 지급일을 "반드시 구주권제출 만료일 이전의 날로 선정하여야 한다"고 안내하고 있다. 이는 주주보호 및 상장회사의 주식매수청구 사무처리의 편의를 도모하기 위한 조치로 보이는데, 이로 인해 실제로는 매수대금 지급이 법률상 기한(매수청구기간 종료일로부터 1월 또는 2월)보다 상당히 짧은 기간(총회 직후 구주권 제출절차를 개시하는 실무를 고려하면, 매수청구기간 종료일로부터 10일) 내에 이루어져야 한다는 점을 유념해야 한다.

54) 권기범, 전게서, 814면; 이철송, 전게서, 609면; 최기원, 전게서, 438면; 정동윤, 전게서, 360면 등; 회사의 승낙을 요한다고 하면 회사가 승낙하지 않는 경우 승낙에 갈음할 이행판결을 얻어야 하는데 이로 인해 간편한 구제수단으로서의 주식매수청구권제도의 취지가 반감되고, 매수가격이 결정되지 않은 상태에서의 매매계약 성립도 얼마든지 가능하다는 점 등을 이유로 들고 있다.

55) 정찬형, 전게서, 931~932면; 김화진, 전게논문, 45면.

56) 최준선, "형성권으로서의 주식매수청구권과 백지보충권에 관한 고찰,"「기업법연구」제23권 제1호(한국기업법학회, 2009. 3. 1.), 19면; 최준선,「회사법」제21판(삼영사, 2021), 323면.

57) 소수설의 문제점에 관하여는 민정석, "합병 반대주주의 주식매수청구권의 법적 성격과 주식

다) 판 례

판례는 다수설과 같은 입장이다.[58] 즉 대법원은 "영업양도에 반대하는 주주 (이하 '반대주주'라 한다)의 주식매수청구권에 관하여 규율하고 있는 상법 제374 조의2 제1항 내지 제4항의 규정 취지에 비추어 보면, 반대주주의 주식매수청구 권은 이른바 형성권으로서 그 행사로 회사의 승낙 여부와 관계없이 주식에 관한 매매계약이 성립하고, 상법 제374조의2 제2항의 '회사가 주식매수청구를 받은 날로부터 2월'은 주식매매대금 지급의무의 이행기를 정한 것이라고 해석된다. 그리고 이러한 법리는 위 2월 이내에 주식의 매수가액이 확정되지 아니하였다고 하더라도 다르지 아니하다[59]."고 하여 주식매수청구권이 형성권이고, 2월은 대 금지급의무의 이행기이며, 2월 안에 매수가액이 확정되지 않더라도 2월 후부터 는 지체책임을 진다고 판시하였다.

위 2월 시한의 의미를 어떻게 해석할 것인가에 대하여 이론적으로는 상당한 논란이 있을 수 있지만 위와 같은 해석이 판례와 다수설의 입장인 이상 그 시 한 내에 회사가 주식매수대금을 지급하지 않는 경우 지체책임이 발생한다는 점 을 염두에 두어야 할 것이다. 지체책임에 대하여는 아래 라)항에서 별도로 살펴 본다.

라) 지체책임의 문제

위 판례와 다수설의 입장에 따를 때에, 2월 이내에 회사가 주식매수가액을 지급하지 못한 경우 회사는 지체책임을 지게 될 가능성이 크다. 위 다)항에서의 판결 사안에서는 주식매수청구권 행사 주주의 주권이 금융기관에 예탁되어 있는 경우 주식매수청구권 행사 시 그 이행제공의 방법도 다투어졌는데, '회사로부터 공정한 매매대금을 지급받음과 동시에 언제든지 자신들이 소지하고 있는 주권을 인도하겠다는 취지의 서면을 회사에 제출한 경우 주권 교부의무에 대한 이행제 공에 해당한다'고 보았고, '반대주주들이 권리를 남용하였다는 특별한 사정이 인 정되지 않는 한 법원의 주식매수가액 결정에 대해 항고, 재항고를 거치면서 상

매수대금에 대한 지연손해금의 기산점 – 대상판결: 대법원 2011.4.28. 선고 2009다72667 판결," 「BFL」 제48호(서울대학교 금융법센터, 2011. 7.), 77면 참조.

58) 대법원 2011.4.28. 2010다94953.

59) 이는 계약법상 매매대금 확정을 장래에 유보하고 계약을 체결할 수 있다(대법원 2020.4.9. 2017다20371)는 판례의 기본입장과도 궤를 같이 한다.

당한 기간이 소요되었다는 사정만으로 지연손해금에 관하여 감액이나 책임제한을 할 수는 없다'고 판단하였다.

이 지체책임 문제는 주식매수청구권 사안에서 실무적으로 상당한 이해관계가 걸린 이슈이다. 회사의 협의제시 가격을 거부하고 법원에 가액 결정을 청구하는 경우 법원이 온정주의적인 관점에서 회사측에서 제시한 가격보다는 얼마라도 높은 가격으로 주식매수가액을 인정하는 경우가 대단히 많다는 사정과, 시중 금리 수준에 따라 달라질 수는 있겠지만 현재 연 6%인 상사 지연이자는 반대 주주들의 입장에서는 주식매수가액을 장기간 다투어 볼 충분한 인센티브를 제공한다. 문제는, 회사의 입장에서는 반대주주가 가격 협의를 거부하고 비합리적인 가격을 요구함으로써 2월 이내에 지급을 할 수 없는 경우에도 지체책임을 면하지 못할 가능성이 상당하다는 점이다. 반대주주가 회사의 제시가격을 거부하고 법원에 주식매수가액 결정을 청구하는 경우, 회사로서는 법원이 결정할 가액을 알 수는 없는 것이므로 우선은 회사가 판단하는 가액이라도 지급하고 그 한도 내에서는 지체책임을 벗어나고자 할 것이다. 그러나, 회사가 이를 지급하고자 해도 주주가 이를 거부하는 경우 임의지급은 불가능하다. 회사가 주주의 계좌번호를 알고 있어 이를 임의로 송금한다든가 또는 공탁할 수는 있을 것인데, 그렇다고 하더라도 추후 법원이 결정하는 가액이 회사가 지급·공탁하는 가액보다 큰 경우 원칙적으로 일부 변제는 채무의 본지에 따른 변제가 아니므로 그러한 원칙만을 형식적으로 강조할 경우 회사는 추후 결정되는 가액 전체에 대하여 위 2월의 기간 도과 후 지체책임을 면하지 못한다. 결국, 회사로서는 가능한 한도 내에서 성실히 매수가액을 지급하고자 하여도 지체책임을 벗어날 방법이 없는 상황이 초래될 수 있는 것이다.

일본에서도 위와 같이 법정 이자를 목적으로 주식매수가액의 결정 제도를 남용하는 동일한 문제가 있었는데 최근 이에 대한 입법적인 해결을 한 바 있다. 이전의 일본 회사법상 주식매수청구권 행사시 매수가액 결정 제도는 우리 상법과 동일하여 합병 등 반대주주의 주식매수청구가 있는 경우 그 효력발생일로부터 60일 내에 회사가 지급을 하되 회사와 반대주주 사이에 협의가 이루어지지 않아 회사 또는 주주가 법원에 가액결정을 청구하는 경우 법원이 결정을 하면 위 60일 기간 후부터 연 6%의 법정이자를 지급하도록 되어 있었다. 그런데, 2015. 5.부터 시행된 개정 일본 회사법에서는 회사가 위 법원의 결정 전이라도 회사가 공정하다고 인정하는 가액을 우선 지급할 수 있게 하였고,[60] 그 지급된 부분에 대하여는 법정이자를 지급하지 않도록 개정한 것이다.

우리나라에서도 위 문제에 대하여 입법적인 해결을 하는 것이 가장 명확한 방법이겠으나, 그 전이라도 법원의 판단을 통하여 구체적인 타당성을 도모할 필요가 있다. 원론적으로 볼 때에는 주식매수청구권 행사로 인하여 주식매매계약이 체결되고 그 대금의 지급기한이 위 2월의 시한이라는 판례와 다수설의 입장을 취한다면 위 2월의 시한을 경과한 때로부터(추후 확정될 매수대금 전액에 대하여) 회사에 지체책임이 발생한다고 볼 수도 있다. 그러나, 그것은 회사에 가능하지 않은 이행을 요구하고 반대주주들에게 무조건 매수가액을 다투게 하는 잘못된 인센티브를 제공할 수 있다. 반대로 매수대금이 확정된 이후에만 지체책임이 발생한다고 할 경우는 채무자인 회사가 매수가액을 조기 협의할 인센티브가 없어질 수 있다. 따라서, 2월 이내에 당사자간 합의나 법원의 결정에 의하여 매수가액이 확정되지 못한다면 회사는 공정하다고 판단하는 가액이라도 반대주주에게 제공하거나 지급, 공탁하고, 그 경우에는 추후 법원이 결정한 가액이 위 금액보다 크다고 하더라도, 회사가 기 제공 · 변제한 금액에 대하여는 회사의 지체책임을 인정하지 않는 것이 타당할 것이다(한편, 추후 확정되는 매수가액이 회사가 기 제공 · 변제한 금액보다 높은 경우에는 비록 회사가 추후 확정될 매수가액을 알 수 없는 상황이었다고 하더라도 그 제공 · 변제하지 않은 부분에 대해서는 2월 경과 후의 지연이자를 인정하는 것이 변제의 일반 원리나 공평에 부합하는 것으로 생각된다).[61]

다만, 최근 하급심[62]은 "회사가 주식매수가액이 확정되기 이전에 지체책임을 면하기 위해 일부 금액을 공탁하였다고 하더라도 그러한 사정만으로 일부 공탁이 유효하다고 인정될 수 있는 특별한 사정[63]에 해당된다고 볼 수 없다"고 하

---

60) 일본 회사법 제117조 제5항, 제182조의5 제5항, 제470조 제5항, 제786조 제5항, 제798조 제5항, 제807조 제5항 등 참조.

61) 이승용, "주식매수청구권 행사에 따른 회사의 주식매매대금 지급의무," 「판례연구」 제25집(1)(서울지방변호사회, 2011. 9.), 279면; 황희동 · 안성용 · 홍정훈 · 박재연, "반대주주의 주식매수청구권의 법적 성격과 회사의 매수의무에 대한 소고," 「법학평론」 제2권(2011. 9.), 361면 등.

62) 서울고등법원 2017.7.13. 2017나2016042. 이 판결은 대법원에서 심리불속행기각(대법원 2017.11.9. 2017다250752)되어 그대로 확정되었음.

63) 위 판례는 "채무 전액이 아닌 일부에 대한 공탁은 그 부족액이 아주 근소하거나, 일부 제공이 유효한 제공이라고 시인될 수 있는 특별한 사정이 있는 경우를 제외하고는 채권자가 이를 수락하지 않는 한 그 공탁 부분에 관하여서도 채무소멸의 효과가 발생하지 않는다"는 취지의 기존 판례(대법원 2005.10.13. 2005다37208; 2011.12.13. 2011다11580 등)를 언급

여, 회사가 협의가격(및 공탁시점까지의 지연이자)를 공탁한 경우에도 추후 확정된 매수대금 전액에 대하여 2월의 기한을 경과한 때로부터 지체책임이 발생하는 것으로 보았다. 따라서, 회사가 공정하다고 생각하는 금액을 공탁 또는 이행제공하더라도 추후 법원이 결정한 금액이 그 금액보다 큰 경우에는 여전히 위 일부 제공한 부분에 대하여도 같이 지체책임이 발생할 리스크가 존재한다.

2) 자기주식의 취득 및 처분

가) 주주지위의 이전

(1) 주주지위의 이전 시점

주식매수청구권 행사는 매매계약 성립의 효력을 가져올 뿐이므로, 나아가 주주의 지위가 기존 주주에서 회사로 이전되는 시기가 언제인지가 문제될 수 있는데, 학설들은 대체로 대금을 지급받은 날로 보고 있다.[64] 대법원도 2018.2.28. 선고 2017다270916 판결에서 "주식매수청구권을 행사한 주주도 회사로부터 주식의 매매대금을 지급받지 아니하고 있는 동안에는 주주로서의 지위를 여전히 가지고 있으므로"라고 한 데 이어, 2019.7.10. 선고 2018다292975 판결에서는 보다 명확히 "주주의 지위는 주식매수청구권을 행사한 때가 아니라 회사로부터 그 주식의 매매대금을 지급받은 때에 이전된다"라고 하여 같은 입장이다. 학설 중에는, 지배주주가 소수주주의 주식을 매수하는 경우 매수대금을 지급한 때(매매가액을 지급할 소수주주를 알 수 없거나 소수주주가 수령을 거부할 경우에는 공탁한 날)에 주식이 이전되는 것으로 보는 명문규정(제360조의26 제1항)이 있음을 언급하면서, 반대주주의 주식매수청구권 역시 원리가 동일하므로 동 조항을 유추하여 회사가 반대주주에게 매수대금을 지급하는 때에 동시이행적으로 주식이 회사에 이전된다고 보아야 한다고 설명하는 견해도 있다.[65] 주식매수청구권을 형성권으로 보는 경우 주식매수청구권 행사가 있더라도 매매계약 체결의 효력이 있

하고 있다.

64) 권기범, 「기업구조조정법」, 290면; 이철송, 전게서, 609면; 임재연, 전게서, 818면; 다만 민정석, 전게논문, 79~80면은 대금지급 전이라도 주권 교부 시점에 주주 지위가 소멸된다고 하며, 주권 미발행의 경우 주권교부 대신 주식양도의 의사표시가 필요한데, 회사로부터 매매대금을 지급받는 경우 통상 그 시점에서 주식양도의 의사표시가 있었다고 보는 것이 일반적일 것이라 한다. 주식양도에 주권교부를 요하도록 한 제336조 제1항과의 관계상 이 같은 해석이 논리적이기는 하나, 소수주주 보호를 위한 제도의 취지에는 부합하지 않는 해석으로 보인다.

65) 이철송, 전게서, 609면.

을 뿐이고, 주주의 지위는 주권의 교부에 의해 이전되는 것인데(제336조 제1항), 실제 단체적 법률관계의 획일적 처리를 위해 회사가 주권제출을 먼저 하도록 하면서 그 후의 일정한 날을 매수대금지급일로 공고하여 일괄 처리하는 경우가 많다는 점, 주식매수청구제도가 소수주주의 보호를 위한 제도인 점 등을 감안하면 주권의 교부시점이 아닌 실제 대금지급일에 주주지위 이전(회사로서는 자기주식 취득)의 효력이 발생한다고 해석하는 것이 타당해 보인다.[66] 만약 주권이 발행된 주식의 주주가 주식매수청구권을 행사한 경우에 대금수령만 하고 주권 교부가 되지 않은 상황이라면 주주지위 이전시점은 어떠한가? 학설들이 주주보호를 위해 대금수령시를 주주지위 이전시점으로 해석하는 것은 주권교부가 대금수령 이전에 먼저 이루어지는 경우를 상정한 것으로 이해되고, 주권교부가 있기 전에 대금수령을 한 경우에도 주권교부와 무관하게 주주지위가 이미 이전된 것으로 보아야 하는 것은 아닐 것이다. 다만, 실무상 회사가 주권수령도 없이 대금만 먼저 지급하는 일은 거의 없을 것이다.

관련하여, 주식매수청구권을 행사한 주주가 발행된 주권을 분실 또는 도난당한 경우가 문제된다. 주권의 선의취득(제359조)이 인정되는 이상 회사로서는 제권판결(제360조)을 받거나 (주식병합을 위한 구주권 제출절차가 진행되는 경우라면) 이의제출 공고 절차(제442조)를 거치지 않는 한 이중지급 위험을 무릅쓰고 주권을 분실한 주주에게 주식매수대금을 지급하기 어려울 것이다. 제권판결이나 이의제출 공고 절차에 소요되는 최소 3개월 이상의 기간을 고려하면 그 기간 동안의 지연이자 지급의무 존부가 문제될 수 있다. 회사가 주식매수대금 지급준비를 마치고 변제제공을 했음에도 단지 주주의 주권 분실 등 사유로 인해 주권을 교부하지 못함에 따라 대금지급이 지연되는 경우에는 지연이자가 발생하지 않는다고 해석하는 것이 타당해 보인다.

(2) 대금지급 전 주주권의 행사가능 범위

매매대금에 대한 분쟁이 있어 2월이 지나도록 계속해서 매매대금을 확정할

---

66) 예탁원은 주식매수대금 지급 예정일을 구주권 제출 만료일 이전의 날로 정하도록 안내하고 있는데, 이 역시 주식매수대금 지급일에 주주지위가 이전됨을 전제로 한 실무정책으로 보인다. 예탁원은 증권회사로부터 주식매수청구권 행사주주가 회사 제시 가격에 대해 다투는지 여부가 표시된 행사현황을 통보받는데, 가격에 대해 다투는 주주의 주식에 대해 처분제한 조치를 해둠으로써 주식매수청구권 행사로 매매계약이 체결된 후 그 이행 전 상태에 있는 주식이 거래되는 것을 사실상 방지하고 있다.

수 없는 상황에서는 주주의 지위 이전 시점이 매매대금 관련 분쟁의 확정시까지 계속 연기되는 문제가 있다. 예를 들어 합병의 소멸회사 반대주주가 주식매수청구권을 행사하였으나, 회사가 제시한 협의가격에 불응하여 법원에 매수가액 결정청구를 하는 경우, 회사가 일응의 대금을 공탁한다 하더라도 주주의 지위는 이전되지 아니하는 것이 된다. 따라서 이론적으로 합병 후 존속법인의 주주로서 존재한다고 보아야 하는데, 이 경우 합병 후 존속법인의 주주총회 소집통지에서 해당 주주에게도 소집통지를 하고, 배당이 있는 경우 해당 주주에게 배당금을 지급하는 등 주주로서의 공익권 및 자익권을 모두 인정해주어야 하는가 하는 어려운 문제가 발생한다.

공익권에 대해서는 부정하는 견해는 찾기 어렵다. 앞서 언급한 판례(2017다270916)도 주식매수청구권을 행사한 주주가 회계장부열람등사권을 가지는 점을 명확히 하였다. 대체로 합병무효의 소 등 소권이 매수청구된 주식과 관련되는 수도 있고, 매수대금 지급시까지는 소권과 같이 의결권 등의 사원권적 권리를 자기의 매수청구권과 관련시켜 행사하는 경우도 있으며, 의결권은 회사의 이익을 위하여 행사되는 면도 있으므로 인정하여도 무방하다고 설명하고 있다.

반면 자익권(이익배당, 신주인수권 등)은 주식매수청구권을 행사한 주주는 이미 주주라기보다는 매수대금에 대한 채권자로서의 지위를 가진다고 할 것이며, 회사가 매수하는 매수가격 자체가 배당금이나 신주인수 등의 기대가치까지 포함된 가격이라 할 것이므로 인정되지 않는다는 견해[67]와 매매대금을 지급받기 전에는 여전히 주주의 지위에 있으므로 자익권도 행사할 수 있다는 견해[68]가 대립한다. 형식논리적으로만 볼 때에는, 주주라면 당연히 공익권과 자익권을 모두 보유하는 것이고 이를 구분하여 일부의 권리만을 인정할 법리적 근거가 없다는 후자의 견해가 더 깔끔해 보일 수는 있다. 그러나, 전자의 견해가 보다 현실적인 상황과 당사자들의 합리적인 의사를 반영하는 것으로 생각된다. 또한, 위와 같은 문제는 결국 주식매수청구권 행사 주주와 회사 사이에 매수가격이 협의되

---

67) 김창종, 전게논문, 633면; 임재연, 전게서, 818~819면.
68) 강헌, 전게논문, 411~412면; 이철송, "현행 주식매수청구권제도의 문제점," 「법학논총」 제4집(한양대학교 법학연구소, 1987), 181면은 매수청구의 원인인 결의사항이 실행되지 아니하여 매수청구권이 실효된 경우에는 그 사이에 주주가 상실한 이익배당청구권이나 신주인수권을 회복시켜 줄 길이 없으므로, 일단은 주주로서의 권리를 인정하고 매수대금이 지급될 때 소급적으로 정산하도록 함이 타당하다고 하여 자익권을 인정하면서도 매수대금과 자익권의 이중이득을 허용하지 않는 입장이다.

지 않는 경우에 발생하는데, 이 경우 앞서 본 바와 같이 원칙적으로 2월이 경과한 때로부터 회사의 지체책임이 발생하여 반대주주는 매수대금과 지연이자를 받을 수 있는 상태인데 더 나아가 배당금과 같은 자익권까지 인정하는 것은 형평에도 맞지 않는다는 점을 고려하면 소수주주에게 자익권까지 인정할 필요는 없다는 부정설이 타당해 보인다.

다만, 현재 이에 대한 법원의 명확한 판단이 없으므로, 실무에서의 처리도 어느 한 쪽으로 명확하게 정리되고 있지는 않은 것으로 보인다.[69] 매수가액이 확정되지 않고 있는 상황에서 예컨대 배당금 지급이 이루어지는 경우, 회사가 부정설의 입장이 타당하다고 판단하더라도 가액 결정을 다투고 있는 소수주주들에게 또 다른 이의제기의 소지를 제공하지 않기 위하여 일단 배당금을 지급하는 경우도 왕왕 있다(그 경우 회사로서는 추후 확정된 매수가액을 지급할 때에 이미 지급한 배당금을 공제할 것인지에 대하여 다시 의사결정을 해야 한다).

나) 자기주식의 처분 의무

(1) 비상장회사의 경우

주식매수청구권 행사에 의한 자기주식 취득은 특정목적에 의한 자기주식의 취득으로서 허용된다(제341조의2 제4호). 학설 중에는 (제341조에 따라 배당가능이익에 의해 취득한 자기주식이 아닌) 제341조의2에 따라 특정목적으로 취득한 자기주식에 대해서는 해석상 (구 상법 제342조에서 규정한 바와 같은) 상당기간 내 처분의무가 있다고 해석하는 견해가 있다. 그러나 구 상법(2011. 4. 14. 법률 제10600호로 개정되기 전의 것) 제342조에 규정되어 있던 상당기간 내 처분의무 규정을 삭제하고, 자기주식의 처분에 관한 사항을 (정관에 규정이 없는 한) 이사회가 정하도록 하고 있는 현행 상법 해석상으로는 상당기간 내 처분의무를 인정하기는 어려워 보이고, 설사 이를 인정한다 하더라도 처벌이나 제재규정이 없고, 상당기간이 얼마의 기간을 의미하는지 특정하기 어려운 이상 특별한 실익을 찾기 어렵다.

상법은 "주식은 자본금 감소에 관한 규정에 따라서만 소각할 수 있다"고 하면서(제343조 제1항 본문), "다만, 이사회의 결의에 의하여 회사가 보유하는 자기

---

69) 예탁원 실무는 주식매수대금의 가격을 다투는 주주의 주식에 대해서는 처분제한 조치를 해두었다가 향후 회사와 반대주주간 가격합의가 되어 대금이 수수되면 처분제한되어 있던 주식과 그 주식에 부여된 신주 등을 일괄적으로 회사로 이전처리하고 있다.

주식을 소각하는 경우에는 그러하지 아니하다"고 규정하고 있다(동항 단서). 위 규정의 해석과 관련하여 회사가 주식매수청구권 행사로 취득한 자기주식을 제343조 제1항 단서에 근거하여 이사회 결의로 소각할 수 있는지 문제된다. 문언상으로는 특별한 제한이 없지만, 다수의 학설은 자본충실 등을 이유로 위 규정은 제341조의 배당가능이익으로 취득한 자기주식에 한하여 적용된다는 입장이다.[70] 그러나, 상법의 문언 자체가 그러한 구별을 하고 있지 않다는 점, 특정목적에 의해 취득한 자기주식을 소각하는 모든 경우에 자본금 감소절차 잠탈이 있다고 보기 어렵고, 설령 자본충실 원칙에 다소 반하는 면이 있더라도 상법 제341조의2가 예외적 자기주식 취득을 허용한 단계에서 이미 치유되었다고 볼 수 있다는 점을 이유로 이를 인정하는 입장도 있다.[71] 아직 이에 대한 법원의 판단은 없으나 실무는 다수설과 법무부[72]의 입장을 고려하여 이사회 결의만으로 소각하는 것이 아니라 감자 절차를 거쳐 소각하고 있는 것으로 보인다.

(2) 상장회사의 경우

자본시장법에 의하면 상장회사는 주식매수청구권 행사로 취득한 자기주식을 매수한 날부터 5년 이내에 처분해야 한다(동법 제165조의5 제4항, 시행령 제176조의7 제4항).

한편 주식교환의 경우 완전자회사가 되는 회사의 주주가 주식매수청구권을 행사하게 되면 그 효과로 우선 완전자회사가 되는 회사가 자기주식을 취득한 다음 그 자기주식이 주식교환의 효력으로 완전모회사의 주식과 교환되어 자회사가 모회사 주식을 취득하게 되는데, 이 같은 주식취득은 예외적으로 인정되나, 완전자회사는 그 주식을 취득한 날로부터 6개월 이내에 처분하여야 한다(제342조의2 제1항 제1호, 제2항). 다만 금융지주회사법은 일정한 경우 위 처분기한을 3년

---

70) 안성포, "자기주식 취득의 허용에 따른 법적 쟁점," 「개정상법(회사편)의 주요내용과 과제」 (상사법학회 2011. 6.), 63면; 송옥렬, "개정상법상 자기주식취득과 주식소각," 「BFL」 제51호(서울대학교 금융법센터, 2012. 1.), 123면; 송종준, "개정상법상 기업구조의 변화요소와 활용방안," 「상장협연구」 제64호(한국상장회사협의회, 2011. 10.), 122~123면. 한편, 일설은 무액면주식에 한하여 적용되는 규정이라고 해석하는데 주식매수청구권 행사로 인해 취득한 (통상적인 액면) 자기주식을 위 규정에 의해 이사회 결의로만 소각할 수 없다는 결론에 있어서는 동일하다(이철송, 「2011 개정상법 축조해설」(박영사, 2011), 96면).

71) 권기범, 「현대회사법론」, 559~560면.

72) 법무부는 "개정 상법 제343조 제1항 단서의 입법취지는 당연히 배당가능이익으로 자기주식을 취득한 경우에만 해당하는 것이며, 특정 목적으로 자기주식을 취득하는 경우는 해당하지 않는다"는 입장을 명확히 한 바 있다(법무부, 「상법 회사편 해설」, 2012, 120면).

으로 연장하고 있다(동법 제62조의2 제1항). 이 같은 처분의무의 기산일 역시 대금지급 시점을 기준으로 해야 할 것이다.

3) 매수가격의 결정

가) 규 정

(1) 법률에 따른 매수가격 결정단계의 차이

상법은 매수가액은 (i) 주주와 회사간 협의 가격으로 정하되, (ii) 매수청구일로부터 30일 이내에 협의 불성립 시 회사 또는 주식매수청구 주주의 청구에 따라 법원이 회사의 재산상태 그 밖의 사정을 참작하여 공정한 가액으로 산정하도록 규정하고 있다(제374조의2 제3항 내지 제5항). 다만, 자본시장법은 상장법인에 대한 특칙을 두어 (i) 협의 가격에 의하되 (ii) 협의 불성립 시 매수가격은 이사회 결의일 전일을 기준으로 과거 2개월, 1개월, 1주일간의 거래소 최종시세가격을 실물거래에 의한 거래량을 가중치로 하여 각 가중산술평균한 가격을 다시 산술평균한 금액으로 하며, (iii) 이 금액에도 반대할 경우 비로소 법원에 매수가격 결정청구를 하도록 규정하고 있다(자본시장법 제165조의5 제3항, 시행령 제176조의7 제3항).

한편 금산법은 상장법인인 금융기관이 정부 등 지원 없이 합병하는 경우에는 위 자본시장법과 같이 하고, 그 밖의 경우(즉, 비상장법인이거나 정부 등 지원이 있는 경우)에는 (i) 협의 가격으로 하되, (ii) 협의 불성립 시 회계전문가가 정부등의 출자나 유가증권의 매입이 이루어지기 전의 부실금융기관의 재산가치 및 수익가치 등을 고려하여 산정한 가격으로 하며, (iii) 회사 또는 주식매수청구 주주가 보유한 주식의 30% 이상이 이와 같이 결정된 매수가액에 반대하는 경우에는 그 가액을 설정한 날부터 30일 이내에 법원에 매수가액 결정청구를 하도록 규정하고 있다(금산법 제5조 제8항, 제12조 제8항, 제9항). 또한 금융지주회사법은 (i) 협의 가격에 의하되, (ii) 협의 불성립 시 상장법인은 위 자본시장법에 따라, 그 외의 회사는 회계전문가에 의하여 산정된 금액으로 하도록 규정하며, (iii) 회사 또는 주식매수청구 주식수의 30% 이상 주주가 이에 반대하는 경우 매수기한(매수청구일로부터 2개월)의 10일 전까지 금융위에 매수가격의 조정을 신청할 수 있도록 규정하고 있다(동법 제62조의2 제3항, 제4항).[73]

---

73) 이는 구 증권거래법의 태도와 같은데, 대법원은 금감위(현 금융위)의 조정 절차를 거치지

이와 같이 각 근거 법률에 따라 각기 조금씩 상이한 절차를 규정하고 있는데, 상장회사의 보충적 매수가격이나 회계전문가의 산정가격은 보통 그 자체가 회사측의 협의가격이 되는 경우가 대부분이므로, 대체로 협의와 협의 불성립 시 최종적으로 법원에 결정을 청구하는 형태라고 할 수 있다.

(2) 공정한 가액의 의미

상법은 "공정한 가액"이라고 규정할 뿐 매수가격의 구체적 결정방식에 관하여는 규정하고 있지 않다. 여기서 말하는 공정한 가액이 주식의 처분 또는 취득에 있어서 이사의 선관주의의무 위반 관련 손해유무의 판단기준이 되는 주식가치, 독점규제 및 공정거래에 관한 법률상 부당지원 여부의 기준이 되는 정상가격, 법인세법상 부당행위계산부인의 기준이나 상속세 및 증여세법(이하 '상증법'이라 함)에 있어서의 주식의 시가 또는 정상가액과 동일한 것인지 여부에 대해서는 논의의 여지가 있다.

주식매수청구권에 있어서의 공정한 가액은 선관주의의무 판단이나 상증법상 주식의 시가와는 다른 개념으로 판단해야 한다는 입장도 있고,[74] 이사의 선관주의의무 판단을 포함하여 위 다른 법률들과 관련된 주식가치 평가에 대한 법원의 판단은 이미 실행된 거래에 대한 사후적·소극적 판단임에 비해, 주식매수청구권에서의 공정한 가액의 판단은 법원이 사전적·적극적으로 결정해야 하는 문제라는 점에서도 같은 주식에 대한 평가라 할지라도 현실적인 법원의 판단이 다소 달라질 수는 있다.

그러나 주식매수청구권 가액을 포함한 위 관련 문제들에 있어서의 핵심은, 해당 거래들에서의 제반 상황을 고려할 때에 합리적인 주식의 정당한 가치를 어떻게 평가하여야 할 것인가 하는 점이므로, 그 일반적인 원리가 달라질 이유는 없을 것이다. 판례 역시 비상장회사의 주식매수청구권에 관하여 (i) 형법상의 업무상 배임죄 성부,[75] (ii) 상법상 이사의 임무해태로 인한 손해배상책임 성부[76] 등에 있어서의 주식의 적정가치 판단과 유사한 취지의 설시를 하고 있다.[77]

않고 곧바로 법원에 결정 청구를 하는 것도 가능하다고 판시한 바 있다(대법원 2011.10. 13. 2008마264).

74) 노혁준, "합병으로 인한 주식매수청구시의 가격결정," 「민사판례연구」 제30집(박영사, 2008), 622~625면.

75) 대법원 2008.5.15. 2005도7911.

76) 대법원 2005.10.28. 2003다69638.

나) 협의가격

앞서 본 바와 같이 어느 법률이나 매수가격은 일차적으로 회사와 주주간 협의에 의해 결정하도록 하고 있다. 여기서 협의의 일방은 회사가 될 것인데, 타방인 주주는 반대주주 전체가 집단적으로 해야 할 필요는 없고, 회사가 개개 주주와 협의해야 하는 것이고 따라서 이론적으로는 개별 주주별로 협의 가격이 다를 수 있다.[78] 그러나 실제로는 회사가 가격을 제시하고, 이에 대해 주주들이 수락 여부를 결정하는 형태로 진행되고, 수락하지 않는 주주는 법원에 결정청구를 하게 되므로 (법원에 결정청구를 하는 주주 외에는) 개별 주주별로 협의 가격이 다르게 되기는 어렵다.[79] 상장회사의 경우 실무상 거의 예외 없이 자본시장법 시행령에 따른 가격을 협의가격으로 제시하고 있고, 비상장회사의 경우 회사가 일응의 방법으로 정한 가격을 협의가격으로 제시하고 있다.

다) 거래소 시가

전술한 바와 같이 상장회사의 경우 이사회 결의일 전일을 기준으로 일정기간의 거래소 최종시세가격을 거래량에 따라 가중산술평균한 가격으로 시가를 정하게 된다. 여기서 최종시세가격, 거래량과 관련하여 명시적 규정은 없으나 실무는 시간외 시장을 포함하지 않는 장중거래를 기준으로 하는 것으로 보인다. 실제 이와 같이 이사회 결의일 전 과거 일정기간의 시가에 따라 주식매수가격이 결정되므로 실제 합병 등의 거래를 준비하는 상장회사 입장에서는 이사회 결의 2월 전부터 주가관리를 하기 시작하여, 주가추이가 이사회 결의 이후 우상향 곡선을 그리도록 함으로써 주식매수청구권 행사 규모를 줄이고자 하는 유인이 발생하게 된다. 이와 같이 주식매수청구권 행사규모를 줄이기 위한 목적의 주가관리는 경우에 따라서는 시세조종에 해당할 수 있음을 유의해야 한다. 공시 실무상 이와 같이 산정된 주식매수청구가격을 주요경영사항 공시 및 주요사항보고서 등에 '기타 투자판단에 필요한 사항' 등으로 기재하도록 하고 있다.

---

77) 대법원 2006.11.24. 자 2004마1022 등.
78) 정찬형, 전게서, 924면 동지; 이와 달리 임재연, 전게서, 814~815면은 주주를 평등하게 대우하여야 한다는 점에서 회사가 응할 수 있는 협의가격은 주주간에 균일한 가격이 되어야 한다고 보고 있다.
79) 임재연, 전게서, 814~815면 동지.

라) 법원의 공정가액의 결정

(1) 개 요

주식매수가격은 그것이 상법에 의한 것이든 특별법에 의한 것이든 최종적으로는 법원의 매수가액 결정에 의하게 된다. 매수가액결정은 비송사건절차에 따라 이루어지며, 지방법원 합의부가 관할하는데(비송사건절차법 제72조 제1항), 실제로 그 절차는 법원이 스스로 독립적 자료와 평가를 거쳐 판단을 한다기보다는 회사의 협의가격 또는 이에 반대하는 주주들이 제시하는 협의가격 중 어느 쪽이보다 적정한가 하는 판단에 가까운 성격을 가지게 된다. 따라서 결국은 회사 또는 주주가 제시하는 자료와 주장 논리를 듣고 그에 터 잡아 일정한 판단을 하는 쟁송절차의 과정과 크게 다르지 않다. 아래에서는 법원의 실제 결정례에 기초하여 상장법인과 비상장법인에 대한 공정한 가액 결정 문제를 살펴본다.

(2) 상장회사의 경우

(가) 개 요

상장회사에 대한 법원의 결정례는 많이 발견되지 않는다. 상장회사의 경우는 협의가 되지 않을 경우 적용되어야 하는 보충적 가격(그 가격은 시장가격에 기초해 있다)이 법으로 규정되어 있고, 통상 회사는 그 보충적 가격을 회사의 협의가격으로 미리 제시하는 만큼 이에 대한 주주들의 이의가 그리 많지 않은 것이 그 이유로 생각된다. 그래서 상장회사에 대하여 법원에 주식매수가액의 결정이 청구된 사례들은 주주들이 시장가치를 그대로 매수가격으로 인정하기 어려운 다소 예외적인 정황들이 있었던 사안으로 보인다. 그러나, 그러한 사안들에 대한 실제 판결의 결과들을 보면 '상장회사의 경우에도 그 공정가액이 반드시 시장가격에 따라야만 하는 것은 아니고 기타 사정을 감안할 수도 있다는 것이 일반론으로서 확인은 되나, 구체적 사건에서 시가에 의하지 않아야 할 사유를 법원에서 인정받기는 상당히 어렵다'고 요약할 수 있겠다.

(나) 금산법에 따른 부실은행 정리 사례

1990년대 후반의 금융위기 시기에 금산법에 따른 주식의 무상소각이 이루어졌던 은행들에 대한 주식매수가격 결정 사건들에서 법원은 각 해당 은행들이 상장법인들임에도 불구하고 자산가치, 수익가치, 시장가치를 각 1:1:1로 하여 단순

산술평균한 가액을 주식매수가격으로 결정한 바 있다.[80] 금산법은 협의 불성립 시 회계전문가가 "당해 부실금융기관의 재산가치와 수익가치 등을 고려하여 산정한 가격"으로 매수가액을 결정하도록 하고 이에 대해 반대할 때 법원에 결정청구를 하도록 규정하고 있어 상법 등과 규정 내용이 다소 다르다. 이와 같이 법률이 명시적으로 재산가치와 수익가치를 고려하도록 규정하고 있으므로 단지 시장가치만을 고려할 수는 없었던 것으로 보인다.[81] 상장회사 사례이기는 하나 금산법에 따른 특별한 경우로서 일반화하기는 어렵다.

(다) 판례에 나타난 일반 원칙

이 문제에 관한 일반원칙을 자세히 설시하고 있는 대표적인 판례[82]의 내용을 요약해 보면 다음과 같다.

① 위 결정은 우선 "일반적으로 주권상장법인의 시장주가는 유가증권시장에 참여한 다수의 투자자가 법령에 근거하여 공시되는 당해 기업의 자산내용, 재무상황, 수익력, 장래의 사업전망 등 당해 법인에 관한 정보에 기초하여 내린 투자판단에 의하여 당해 기업의 객관적 가치가 반영되어 형성된 것으로 볼 수 있고, 주권상장법인의 주주는 통상 시장주가를 전제로 투자행동을 취한다는 점에

---

80) 제일은행, 서울은행, 제주은행, 경남은행에 대한 각 서울지방법원 1999.7.28. 99파204; 서울중앙지방법원 1999.10.25. 99파300; 제주지방법원 2001.3.16. 2001파1; 창원지방법원 2001.2.14. 2001파1 참조.

81) 실제 법원은 "법이 부실금융기관의 주식을 무상으로 소각할 수 있도록 하는 한편 이에 반대하는 주주들에게는 주식매수청구권을 부여함으로써 다소 상반되는 듯한 규정을 함께 둔 것은, 부실금융기관의 소유자인 주주들에게 회사가 채무초과의 파탄상태에 이른 데 대한 책임을 지우면서도 그로 인하여 주주권이 과도하게 침해되는 것을 방지하여 부실금융기관의 경영정상화를 위한 공익상의 필요와 일반 주주의 재산권 보호 사이에 균형을 도모하는 데 그 취지가 있다고 보이므로, 이 시긴 주식의 매수가액은 위와 같은 입법취지에 부합되도록 객관적이고 공정한 방법으로 산정되어야 할 것이다. 그런데 신청인 회사와 같이 주권이 증권시장에 상장되어 거래되고 있는 회사의 경우에는 통상적으로 그 시장가격이 주식의 객관적 가치를 일정하게 반영하여 형성되는 것으로 기대되고, 이에 따라 주주들도 주식의 가치를 시장가격으로 평가하여 보유하거나 그 매매 여부를 결정하게 되므로, 상장법인의 주식매수가액을 결정함에 있어서는 주주의 재산권 보호를 위하여 시장거래가격을 그 산정요소 중 하나로 삼아야 할 것이다. 한편 법 제12조 제8항에서는 주식의 재산가치와 수익가치를 매수가액 결정의 기준으로 제시하고 있는바, 1주당 순자산가치와 수익가치는 주식의 본질적 가치를 나타내는 가장 중요한 지표라 할 것인데도, 주식의 시장거래가격은 이와 같은 지표들을 충실히 반영하지 못하는 경우가 많을 뿐만 아니라 오히려 비경제적 요소들에 의하여 부당하게 고가로 평가되는 경우마저도 있으므로, 이와 같은 점들을 종합하면 이 사건 주식의 매수가액은 1주당 시장가치와 순자산가치 및 수익가치를 각각 균등한 비율로 산술평균하여 결정하는 것이 타당할 것으로 판단된다"고 하였다(위 각주의 제주지법 결정문 참조).

82) 대법원 2011.10.13. 2008마264.

서 시장주가를 기준으로 매수가격을 결정하는 것이 당해 주주의 합리적 기대에 합치하는 것이므로, 법원은 원칙적으로 시장주가를 참조하여 매수가격을 산정하여야 한다"는 원칙론을 제시하였다.

② 그러나, "다만 이처럼 시장주가에 기초하여 매수가격을 산정하는 경우라고 하여 법원이 반드시 구 증권거래법 시행령(2005.1.27. 대통령령 제18687호로 개정되기 전의 것, 이하 같다) 제84조의9 제2항 제1호에서 정한 산정 방법 중 어느 하나를 선택하여 그에 따라서만 매수가격을 산정하여야 하는 것은 아니고, 법원은 공정한 매수가격을 산정한다는 매수가격 결정신청사건의 제도적 취지와 개별 사안의 구체적 사정을 고려하여 이사회결의일 이전의 어느 특정일의 시장주가를 참조할 것인지, 또는 일정기간 동안의 시장주가의 평균치를 참조할 것인지, 그렇지 않으면 구 증권거래법 시행령 제84조의9 제2항 제1호에서 정한 산정 방법 중 어느 하나에 따라 산정된 가격을 그대로 인정할 것인지 등을 합리적으로 결정할 수 있다"고 하여 구 증권거래법 시행령(현 자본시장법 시행령)에 규정된 가격대로 결정해야만 하는 것은 아니라는 여지를 두었다.

③ 다만 "나아가 당해 상장주식이 유가증권시장에서 거래가 형성되지 아니한 주식이거나(구 증권거래법 시행령 제84조의9 제2항 제2호) 시장주가가 가격조작 등 시장의 기능을 방해하는 부정한 수단에 의하여 영향을 받는 등으로 당해 주권상장법인의 객관적 가치를 제대로 반영하지 못하고 있다고 판단되는 경우에는, 시장주가를 배제하거나 또는 시장주가와 함께 순자산가치나 수익가치 등 다른 평가요소를 반영하여 당해 법인의 상황이나 업종의 특성 등을 종합적으로 고려한 공정한 가액을 산정할 수도 있으나, 단순히 시장주가가 순자산가치나 수익가치에 기초하여 산정된 가격과 다소 차이가 난다는 사정만으로 위 시장주가가 주권상장법인의 객관적 가치를 반영하지 못한다고 쉽게 단정하여서는 아니 된다"고 하여 시가와 다른 가격을 인정하기 위해서는 신중해야 함을 설시하였다.

(라) 구체적 사례

① 위 대법원 결정의 하급심은 회사정리 절차가 진행 중이었고, 관리대상종목에 편입되어 거래에 제약이 있었다는 이유를 들어 시장가치만으로 주식가치를 파악하기 어렵다고 하면서 시장가치와 순자산가치를 산술평균한 가격으로 주식매수가액을 결정하였는데,[83] 대법원은 위와 같은 일반론을 설시한 후 회사정리

절차로 인한 저평가는 정상적인 주가반응이고, 정리기업은 정상기업보다 수익창
출력이 떨어지는 것이 보통이며, 시가가 정상기업에 비해 낮고, 순자산가치에
상당히 못 미친다는 사정만으로 거래 이외 부정한 요인으로 가격형성이 왜곡되
었다고 볼 수 없고, 관리종목지정도 신용거래 대상에서 제외될 뿐 시장주가가
객관적 가치를 반영하지 못할 정도의 거래 제약으로 볼 수 없다고 하면서 원심
결정을 파기 환송하였다.

② 위 결정과 같은 날 선고된 대법원 2011.10.13. 2009마989 사건에서 주주
측은 주식이 과점 상태에 있고, 장외에서 대주주로부터 더 높은 가격에 주식이
매매된 사례가 있으며, 주식 가격에 부정적인 영향을 미치는 자본감소 결정이
있었다는 사정 등을 주장하였으나, 하급심 및 대법원은 과점상태, 감자결의 등이
있었다고 하여 시가가 저평가된 것으로 보기 어렵고, 장외거래 사례는 경영권 프
리미엄이 더해진 금액이라는 이유 등을 들어 그 주장을 배척하였다.

③ 한편 서울고등법원 2012.5.8. 2012라208, 209(병합)은 위 대법원 판례들
의 구 증권거래법령에 대한 해석은 규정형식과 내용이 거의 유사한 현 자본시장
법령에도 그대로 유효하다고 판시하였다. 위 사건에서 신청인은 (i) 시가가 회사
의 자산총액과 피합병회사 자산가치에 미달하고, (ii) 매수가격 결정 시점 이전
에 수차 유상증자, 전환사채 발행으로 발행주식총수가 6.5배 증가하고, 주가가
980원에서 155원으로 하락하였으며, (iii) 합병 공시 당시 전 대표이사 횡령·배
임 주의 공시를 하여 주가하락을 유도한 점 등을 비롯한 다양한 사정을 들어
주가가 왜곡되어, 회사의 객관적 가치를 반영하지 못하고 있다고 주장하였으나,
법원은 이 같은 주장을 모두 배척하고 역시 시장가치에 기초한 주식매수가액을
공성한 가액으로 인정하였다.

(3) 비상장회사의 경우

(가) 개 요

상장회사의 경우 거래소 시가가 존재하고, 특히 주식매수청구권에 있어서는
일정기간의 평균시가를 보충적 가격으로 하는 규정이 있는 반면, 비상장회사의
경우 이 같은 규정이 없고, 달리 매수가격을 산정할 수 있는 기준과 방법이 확
립되어 있지 않아 비상장회사의 주식매수대금을 결정하는 것은 매우 어려운 문

---

83) 서울고등법원 2008.1.29. 2005라878.

제이다.[84] 이하에서는 주로 비상장회사의 주식매수가액 결정방법에 관한 법원의 결정례를 중심으로 이를 살펴보기로 한다.

(나) 일반론

① 우선 대법원은 비상장회사의 주식매수가액 결정에 관하여 다음과 같은 일반론을 설시한 바 있다. 즉 "회사의 합병 또는 영업양도 등에 반대하는 주주가 회사에 대하여 비상장 주식의 매수를 청구하는 경우, 그 주식에 관하여 객관적 교환가치가 적정하게 반영된 정상적인 거래의 실례가 있으면 그 거래가격을 시가로 보아 주식의 매수가액을 정하여야 하나, 그러한 거래사례가 없으면 비상장주식의 평가에 관하여 보편적으로 인정되는 시장가치방식, 순자산가치방식, 수익가치방식 등 여러 가지 평가방법을 활용하되, 비상장주식의 평가방법을 규정한 관련 법규들은 그 제정 목적에 따라 서로 상이한 기준을 적용하고 있으므로, 어느 한 가지 평가방법(예컨대, 증권거래법 시행령 제84조의7 제1항 제2호[85])의 평가방법이나 상속세 및 증여세법 시행령 제54조의 평가방법)이 항상 적용되어야 한다고 단정할 수 없고, 당해 회사의 상황이나 업종의 특성 등을 종합적으로 고려하여 공정한 가액을 산정하여야 한다."는 것이다.[86]

② 그러나, "한편, 비상장주식에 관하여 객관적 교환가치가 적정하게 반영된 정상적인 거래의 실례가 있더라도, 거래 시기, 거래 경위, 거래 후 회사의 내부 사정이나 경영상태의 변화, 다른 평가방법을 기초로 산정한 주식가액과의 근접성 등에 비추어 위와 같은 거래가격만에 의해 비상장주식의 매수가액으로 결정하기 어려운 경우에는 위와 같은 거래가액 또는 그 거래가액을 합리적인 기준에

---

84) 이에 대하여는 본서의 박영욱, "주식의 평가(상장, 비상장)"에서 자세히 논하므로 이를 참조.
85) 자본시장법 시행령(2021. 6. 18. 대통령령 제31784호로 개정된 것) 제176조의5 제1항 제2호에 해당하는 조항이다.
86) 대법원 2006.11.24. 자 2004마1022(동 사안에서 법원은 "회사의 발행주식을 회사의 경영권과 함께 양도하는 경우 그 거래가격은 주식만을 양도하는 경우의 객관적 교환가치를 반영하는 일반적인 시가로 볼 수 없다.", "비상장법인의 순자산가액에는 당해 법인이 가지는 영업권의 가액도 당연히 포함된다."고 판시하였다); 2006.11.23. 자 2005마958. 한편, 대법원 2018.12.17. 자 2016마272 결정은 "비상장주식의 평가기준일이 속하는 사업연도의 순손익액이 급격하게 변동한 경우", "그 원인이 일시적이거나 우발적인 사건이 아니라 사업의 물적 토대나 기업환경의 근본적 변화라면 평가기준일이 속하는 사업연도의 순손익액을 포함해서 순손익가치를 평가하는 것이 회사의 미래수익을 적절하게 반영한 것으로 볼 수 있다"고 하면서, "위와 같은 경우까지 상증세법 시행령 제56조 제1항에서 정한 산정방법을 그대로 적용하여 평가기준일이 속하는 사업연도의 순손익액을 산정기준에서 제외하는 것은 주식의 객관적 가치를 파악할 수 없어 위법하다"고 한 바 있다.

따라 조정한 가액을 주식의 공정한 가액을 산정하기 위한 요소로 고려할 수 있다"[87]고 하였다.

③ 또한 "시장가치, 순자산가치, 수익가치 등 여러 가지 평가요소를 종합적으로 고려하여 비상장주식의 매수가액을 산정하고자 할 경우, 당해 회사의 상황이나 업종의 특성, 위와 같은 평가요소가 주식의 객관적인 가치를 적절하게 반영할 수 있는 것인지, 그 방법에 의한 가치산정에 다른 잘못은 없는지 여부에 따라 평가요소를 반영하는 비율을 각각 다르게 하여야 한다."고 판시한 바 있다.[88]

(다) 구체적 사례에 기초한 판례의 경향

실제 대부분의 하급심 결정문들을 살펴보면 대개 위 대법원이 제시한 원칙 전부나 일부를 설시하고, 여러 평가요소들 중 포함할 것과 제외할 요소들 및 그 구체적 금액에 대한 판단을 한 다음, 각 평가요소들에 대한 적절한 반영비율을 정하는 단계로 결정을 하고 있다. 매수가액을 유사거래 실례를 기준으로 정할 것인지, 자산가치, 수익가치, 시장가치 등 평가방법을 종합하여 정할 것인지, 후자의 경우라면 그 중 어떤 평가방법을 포함 또는 제외할 것이며, 여러 평가방법을 종합할 경우 그 반영비율을 어떻게 정할 것인지는 모두 구체적 사건에서의 당해 회사의 상황, 업종의 특성, 기타 제반사정에 따라 달리 판단해야 할 문제이므로 법원의 결정례들로부터 어떠한 구체적인 지침을 파악하는 것은 쉽지 않다.

다만, 법원 결정례들에 기초하여 실제 매수가액 결정 사안에서 고려해야 할 몇 가지 시사점들을 살펴본다면, (i) 우선 수익가치가 되었든 시장가치가 되었든 신뢰할 만한 자료가 현출되지 않는다면 법원이 이를 고려할 수 없고, 나머지 요소만으로 판단을 할 수밖에 없다는 점(비상장회사의 경우 자산가치나 수익가치에 비하여 신뢰성 있는 시장가치를 인정하는 것에 조금 더 어려움이 있다), (ii) 자산가치의 경우, 단순한 장부가액만으로는 그 가치를 파악하기 어려운 영업권이나 특허권 등 무형의 자산들이 큰 비중을 차지하는 회사와 같이 고유한 특수성이 있는 경우를 제외한다면, 그 평가방식에 따라 큰 차이가 발생하지는 않는다는 점,

---

87) 대법원 2006.11.23. 자 2005마958.

88) 대법원 2006.11.24. 자 2004마1022 및 2006.11.23. 자 2005마958(동 사안에서 법원은 "당해 사건에서 미래의 수익가치를 산정할 객관적인 자료가 제출되어 있지 않거나, 수익가치가 다른 평가방식에 의한 요소와 밀접하게 연관되어 있어 별개의 독립적인 산정요소로서 반영할 필요가 없는 경우에는 주식매수가액 산정시 수익가치를 고려하지 않아도 된다"고 판시하였다).

(iii) 그러나, 수익가치의 경우 그 전제와 추정방식에 따라 현격한 차이가 날 수 있고, 종종 이 수익가치 산정 방식이나 그 가중치 비율에 따라 매수가액의 판단에 큰 차이를 발생시킬 수 있다는 점, (iv) 법원이 회사의 상황에 따라 상대적으로 자산가치나 수익가치 등의 평가요소가 더 중요시되어야 한다는 정도의 판단은 하지만, 구체적으로 그 중요성에 따라 어느 정도의 가중치를 두는 것이 적절한가에 대하여 논리적인 설명을 하는 경우는 없다는 점, (v) 따라서, 그 부분에 대하여 반영비율의 일반론을 구하기는 쉽지 않지만 어떤 이유에서인지 법원이 어느 한 평가요소에 대한 가중치를 다른 평가요소에 비하여 3배 이상으로 인정한 경우는 발견하기 어렵다는 점 등을 들 수 있다.[89]

(4) 기준시점

학설은 대체로 합병 등 결의사항의 예정에 영향 받기 전의 주식의 가치를 기준으로 산정한 가격을 말한다고 해석한다.[90] 판례도 특별한 사정이 없는 한 주식의 가치는 영업양도 등에 의하여 영향을 받기 전의 시점을 기준으로 수익가치를 판단하여야 하는데, 이 때 미래에 발생할 추정이익 등을 고려하여 수익가치를 산정하여야 한다고 하여 같은 입장이다.[91] 상장회사의 경우 이사회 결의 전일을 기준으로 일정기간의 시가를 평균하도록 하고 있는데 이는 이사회 결의일 이후의 주가는 합병 등의 계획이 반영된 가격이어서 이로부터 공정한 가치를 이끌어낼 수 없기 때문이다.[92]

(5) 결정청구 시한

법률상 청구기간에 대해 명문의 규정이 없는데, 이에 대해 입법의 불비라고 주장하면서 제374조의2 제2항이 정하는 회사의 매수기간(매수청구일로부터 2월)은 동시에 반대주주의 권리행사기간을 의미하는 것으로 보아 이 기간 내에 청구해야 한다고 해석하는 견해가 있다.[93] 입법론으로는 고려해 볼 수 있는 주장이지만, 법률상 특별한 제한 규정이 없는 이상 그와 같이 해석할 근거를 찾기는

---

89) 자세한 내용은 이형근, 전게논문, 70면 이하 참조.
90) 이철송, 전게서, 607면; 권기범, "주식매수청구권," 「상사법연구」 제31집(한국상사법학회, 1994), 101면은 총회 결의일을 기준으로 하되 당해 회사행위가 주식가격에 영향을 미친 부분은 제외시키는 것이 무난하다고 하는바, 적어도 해당 행위로 인한 영향을 배제한다는 측면에서는 유사한 견해로 보인다.
91) 대법원 2006.11.23. 자 2005마958.
92) 이철송, 전게서, 607~608면.
93) 이철송, 전게서, 607면.

어렵다. 현행법의 해석상으로는 매매대금 청구권이 존속하는 한은 결정청구가 가능하다고 하여야 할 것이다. 이러한 해석의 결과 본래 법률상 대세효가 인정되지 않는 법원의 매수가격 결정에 사실상 대세효가 인정되는 것과 마찬가지 결과가 초래될 수 있다는 점은 유념할 필요가 있다. 가령 주식매수청구권을 행사한 후 회사가 제시하는 가격에 대해 다투는 주주 10인이 있는데, 그 중 6인만이 법원에 매수가액 결정신청을 하여 증액의 확정 결정을 받았다고 가정해 보자. 이 경우 위 법원의 결정에는 법률상 대세적 효력이 없어서 회사가 남은 4인에 대해서 법원이 증액 결정한 금원을 지급할 의무는 없다. 그러나 위 4인의 주주가 매매대금 청구권이 존속하는 한 언제라도 법원에 결정신청을 할 수 있다고 해석되는 이상, 회사로서는 현실적으로 동일한 가격 혹은 그에 준하는 가격으로 매수할 수밖에 없을 것이다.

마) 교부금합병에서의 교부금과 주식매수청구권 가액

상법은 합병대가의 전부를 금전으로 제공하는 교부금합병도 허용하고 있다(제523조 제4호 참조). 이와 같이 교부금합병을 하는 경우 소멸회사 주주는 주식매수청구권을 행사하면 주식매수대금을 받게 되고, 이를 행사하지 아니하면 합병교부금을 받게 되어 어느 경우든 항상 현금을 교부받고 주주의 지위를 잃게 된다. 주식매수청구권의 기본적인 취지가 다수결 원리로부터 소수주주를 보호하기 위해 출자를 환급받을 수 있는 길을 열어주기 위한 데 있다는 점을 고려하면 어차피 현금을 교부받고 주주의 지위를 상실하게 될 교부금합병의 소멸회사 주주들에게 별도로 주식매수청구권을 인정할 필요가 있는가 하는 의문이 있다. 교부금합병에서 주식매수청구권을 행사하지 않은 주주는 합병대가인 교부금에 대한 지급청구권만 가지는 반면, 주식매수청구권을 행사한 주주는 주식매수가액에 관하여 회사와 협의가 이루어지지 않으면 법원에 대하여 매수가액 결정을 청구할 수 있다(제374조의2 제4항). 비상장회사의 경우 합병 당사회사들 입장에서는 사실상 합병 교부금과 주식매수가액을 동일한 금액으로 산정할 수밖에 없을 것인데, 합병비율의 불공정은 합병무효의 소에 의해서만 다툴 수 있고 그것이 현저히 불공정하지 않는 한 합병무효를 인정받기 어려운 반면, 주식매수가액이 낮다고 생각하는 주식매수청구권 행사 주주는 법원에 매수가액 결정신청을 할 수 있는데, 아무래도 신청주주에게만 영향을 미치는 매수가액 증액 결정을 받는 것이 다수 이해관계자들에게 영향을 미치는 합병무효 판결을 받는 것보다는 수월할 것이므로, 교부금합병이라 하더라도 주식매수청구권을 인정할 실익이 있고, 교부금합병에 관하여 이를 배제하는 명문 규정이 없는 이상 교부금합병에 있어서만 이 권리가 부정된다고 해석하기는 어려울 것이다.

위와 같이 볼 때에 교부금은 합병비율에 따라 산정되는 반면, 매수가격은 협의에 이은 법원의 결정으로 최종 확정되므로 양자의 금액이 달라질 소지가 충분히 있다는 문제가 있다. 소멸회사 주주 입장에서 주식매수청구권을 행사 하는지 여부와 관계없이 항상 현금을 받고 주주 지위를 상실하게 되는데, 주식매수청구권 행사 여하에 따라 받을 수 있는 금액이 달라질 수 있는 것이다. 주식 대 주식형 합병을 전제로 하였을 때에는, 해산회사 주주는 단주주가 아닌 한 존속회사에서도 주주지위를 유지하므로 합병비율은 그 재산적 가치의 면에서 '실질적으로 동등한 정도'면 되지만, 주식매수청구권을 행사한 주주가 받아야 할 금액으로서의 매수가격은 그가 회사 법률관계에서 영구히 탈퇴하는 점을 감안하여 항상 주식의 공정한 가치이어야 된다는 견해도 있으나, 어차피 주주의 지위를 상실하는 대가로 현금을 받는 교부금합병의 경우에 단순히 그 절차를 달리한다는 이유로 양자의 금액이 달라야 할 자연스러운 근거를 생각하기는 어렵다.

특히 소멸회사가 상장회사인 경우 (i) 주식매수청구 가격(보충적 가격)은 이사회 결의 전일 기준 '2개월, 1개월, 1주일'의 시가를 기준으로 가중산술평균하여 결정되는데 반해, (ii) 합병비율은 이사회 결의 또는 합병계약체결일 중 앞서는 날의 전일을 기준으로 하며 '1개월, 1주일, 최근일'의 시가를 기준으로 가중산술평균을 하는데다가 다시 그 가격과 최근일 종가 중 낮은 금액을 기준으로 한다. 따라서 양자의 금액은 거의 항상 다를 수밖에 없다. 이에 소멸회사 주주로서는 교부금이 주식매수청구가액보다 큰 경우에는 주식매수청구권을 행사할 실익이 없고, 반대로 주식매수청구가액이 교부금보다 큰 경우에는 일단 반대를 하고 보게 될 것이다. 위와 같은 상황은 동일한 주식의 소멸에 대한 대가가 단순히 절차적 선택에 따라 달라진다는 불합리 외에도 합병을 준비하는 회사 입장에서나 주주들의 입장에서 합병에 대한 의사결정을 왜곡할 상당한 유인이 될 수 있다는 우려를 낳게 한다. 적어도 교부금 합병의 경우에는 교부금과 주식매수청구가액에 차이가 발생하지 않도록 관련 규정의 개정을 고려할 필요가 있다.

4) 주식매수청구권 행사 후의 실효

가) 일정 규모 이상의 주식매수청구권 행사를 합병 등의 해제사유로 하는 경우

주식매수청구권 행사 규모가 클 경우 거래 당사자인 회사들에게 과도한 현금 부담이 발생하고, 이에 따라 당초 예정하였던 합병 등의 목적을 달성하기 힘들거나 경우에 따라서는 엄청난 현금부담으로 인해 회사의 재정상태가 예상치 못하게 악화되는 경우도 발생할 수 있다. 이에 실무상 주식매수청구의 규모가 일정 금액이나 비율 이상일 경우[94] 합병계약 등이 자동 실효, 해제되거나 이를 해제권 발생의 조건으로 규정하는 사례가 많다. 회사법상 또는 계약법상으로 볼 때에 주주총회 승인을 받은 후라 하더라도 승인된 합병계약 등 자체에서 이미 일정한 실효, 해제 사유를 규정해 두었다면, 그 계약상 정해진 사유의 발생으로 해당 합병계약 등이 사후적으로 실효되거나 해제될 수 있고, (적어도 합병 등 거래가 완료되기 전이라면) 주식매수청구권 행사의 효과도 당연히 실효한다는 점에 대하여는 큰 이견이 없다.[95] 실무에서도 이와 같이 처리하는데 있어 특별한 문제가 발생하지는 않는 것으로 보인다.

다만, 회사법적인 문제와는 별론으로 상장법인의 경우 합병계약이 해당 거래가 공시된 후 불확정한 사정(주식매수청구권 행사의 규모)에 따라 실효 또는 해제되는 경우 투자자의 혼란과 시장의 불확실성을 초래할 수 있다는 문제가 제기될 수 있다. 과거 이에 대한 실무적인 논의가 상당히 있었고 합병 등의 신고에 있어서도 다소 문제가 있었으나, 현재로서는 그와 같은 내용의 주요사항보고서나 (합병신주 등을 발행해야 하는 경우 필요한) 증권신고서 등의 제출에 금융감독 당국이 특별히 문제를 제기하지는 않고 있고, 계약상 규정된 일정 규모 이상의 주식매수청구권 행사를 이유로 합병계약 등이 실효 또는 일방에 의해 해제되는 경우에 대해서도 거래소는 특별한 사정이 없는 한 불성실공시(공시번복)의 제재를

---

94) 합병계약 자동실효 조건을 주식매수청구권 행사 주주의 발행주식총수 대비 지분율로 규정하는 경우에는 큰 문제가 없으나, 이를 반대매수청구권 행사 금액 합계로 기재하는 경우에는 회사가 제시하는 가격 기준으로는 기준미달이나, 향후 주주의 전부나 일부가 법원에 결정청구를 하여 최종 확정된 금액을 기준으로 하면 기준을 충족하는 경우 조건 충족여부에 관한 논란이 발생할 수 있다. 이 경우 합병계약체결 당사자의 의사는 회사 제시가격을 기준으로 한 금액이 일정규모 이상인 경우를 기준으로 한 것이라고 해석될 소지가 높겠으나, 이 같은 논란을 방지하기 위해 계약에 보다 명확히 규정하는 것이 바람직할 것이다.

95) 최기원, 전게서, 442면; 정찬형, 전게서, 935면.

하지는 않는 것으로 파악된다.[96] 공시번복은 기 공시한 내용의 전면취소, 부인 또는 이에 준하는 내용을 공시한 때(유가증권시장 공시규정 제30조 제1항 제1호)를 말하는데, 합병계약 등에 자동실효 또는 해제권 유보조항이 규정되어 있고, 이 것이 적절히 공시된 경우에는 그러한 계약조항에 기초한 실효나 해제는 기존의 공시내용에 따른 것으로 볼 수 있어 공시번복이라고 하기는 어려울 것이다.[97]

나) 합병 등의 거래가 사후적으로 무효화되는 경우

합병등기나 영업양수도 이행이 모두 완료된 후 해당 거래가 사후적으로 취소 또는 무효로 되는 경우 주식매수청구권의 행사 효과는 어떻게 될 것인가. 현실 적으로 합병이나 영업양수도가 사후적으로 무효로 되는 경우 자체가 드물어서인 지, 이와 관련한 판례나 학설들의 논의는 아직 활발하지 않다.[98]

그러나, 주식매수청구권을 인정하는 근본 취지가 합병 등 중대한 회사의 구 조적 변경 상황에서 반대파 소수주주들의 보호를 위한 것이라고 볼 때에, 원천 적으로 그 권리의 발생 근거가 되었던 거래가 무효로 확정된 상황에서는 주식매 수청구권 행사의 효과도 무효화하는 것이 논리적이라고 본다.

이와 관련하여, 영업양수도 결의의 취소, 무효와 같이 주식매수청구권을 발 생시킨 거래의 효과가 소급적으로 무효가 되는 경우에는 매수대금 지급 여부와 상관없이 주식매수청구도 소급하여 실효되지만, 합병의 경우나 주식의 포괄적 이전, 주식의 포괄적 교환, 분할합병 등의 경우는 모두 그 무효의 소가 확정되 더라도 소급효가 제한되므로(제530조 제2항, 제240조, 제190조, 제360조의14 제4항, 제360조의23 제4항, 제530조의11 제1항), 그와 같은 맥락에서 주식매수청구의 효 력도 장래에 한해서만 실효되고, 따라서 매수대금이 지급되지 않은 경우에는 주

---

96) 다만 일정 규모 이상의 주식매수청구권 행사를 해제조건으로 하거나 해제권 발생사유로 하 지 않고, 이를 합의해제 가능사유로 규정해두고 실제 이를 이유로 합의해제를 하는 경우에 대해서는 불성실공시법인으로 지정한 사례들이 있었던 것으로 파악된다.

97) 또한 유가증권시장 공시규정 제32조 제1항 제5호에 의하면 거래소는 해당 상장회사가 귀책 사유 없음을 입증하는 경우 불성실공시에 관한 규정을 적용하지 않을 수 있는데, 주식매수 청구권 행사 규모로 인한 합병계약 등의 해제는 귀책사유 없는 경우로 볼 수 있을 것이다.

98) 이와 관련하여, 주식매수청구권을 행사한 주주가 총회결의의 효력을 다투는 소를 제기할 수 있는지 여부에 대한 문제도 있는데, 국내에는 이를 긍정하면서, 매수대금의 지급 전에 결의의 효력을 다투는 판결이 승소 확정된 때에는 주식매수청구는 실효하고, 반대로 판결 확정 전에 주식대금이 지급된 때에는 원고가 주주의 지위를 상실하므로 위 소는 소의 이익 이 없어 부적법 각하하여야 한다는 견해(정동윤, 전게서, 361면; 최기원, 전게서, 442면)가 발견된다.

식매수청구가 실효되지만 매수대금이 기 지급되었다면 주식매수에 아무 영향이 없다고 해석하는 입장도 있을 수 있다.[99] 그러나 주식매수청구권의 행사로 발생한 법률관계는 법적 안정성이 우선시되어야 할 법률관계(즉, 합병 후의 신설·존속법인이 대외적인 재산취득이나 의무부담 행위를 하는 경우 등)라기보다는 합병무효에 따라 원상으로 회복시켜야 할 (합병 신주의 발행과 같은) 합병 그 자체의 회사법적 효과에 보다 가까워 보인다.

물론, 특히 주식매수청구권을 행사한 주주들이 많고 주식매수대금이 이미 지급된 경우 이를 원상회복하는 것이 실무적으로 매우 어렵다는 문제는 있다. 그러나, 당초 자신이 찬성하지 않는 합병 등이 실행됨을 전제로 하여 주식을 매도한 반대주주들이, 그러한 합병 등이 무효화된 상황에서도 주주의 지위를 회복할 수 없다는 결론은 합리적이지 않다. 회사 입장에서 보더라도, 합병 등에 반대한다는 이유로 예외적으로 자본을 환급해 주었던 주주들에 대하여 그러한 사유가 원천적으로 무효화되었음에도 회사가 이를 복구할 수 없다는 결론도 합리적이지 않다. 자본충실의 원칙을 해한다는 점에서도 마찬가지이다. 매수대금 지급 여부라는 우연한 사정에 따라서 동일한 절차에서 주식매수청구권을 행사한 주주들과의 법률관계를 달리 취급하는 해석을 해야 할 필연적인 이유도 없어 보인다.

결국, 상황에 따라 앞서 본 실무적인 난점이 있을 수는 있으나, 그러한 이유만으로 합병 등이 무효로 된 상황에서 주식매수청구권 행사의 효과를 그대로 유지시킬 수는 없다고 본다. 이 경우는 주식의 유상소각(자본감소) 절차가 추후 무효 확정된 경우에 준하여 처리되어야 할 것이다.

Ⅱ. 주식상호보유의 규제 이 영 철*

1. 머 리 말

주식은 원칙적으로 그 취득과 양도가 자유롭게 보장된다. 주식회사에서 주주의 지위는 자연인이든 법인이든 간에 그 소유주식 수에 따라 직접적으로 존재하

---

99) 송옥렬, 전게서, 963~964면이 그러한 입장에 서 있는 것으로 보인다.

* 전 한국열린사이버대학교 교수

고, 그 소유주식 수에 비례하여 회사에 대한 영향력을 행사하거나 지배권을 가지게 된다.[1] 오늘날 주식회사의 주주구성을 살펴보면, 법인주주의 비중이 개인주주의 비중보다 커지는 이른바 법인주주화 현상이 현저해지고 있다.[2] 특히 회사 상호 간에 일정 수 이상의 주식을 취득 및 보유함으로써 기업결합관계가 형성되는데, 이는 자본주의경제의 발전과정에서 나타나는 불가피한 현상이라 할 수 있다.

그런데 이러한 기업결합의 특수한 형태라 할 수 있는 주식의 상호보유는 실제 출자가 이루어지는 것이 아니므로 출자 없이 회사를 지배 내지 결합하는 수단이 되고, 주식상호보유 기업 간에는 횡적인 유대관계가 강하여 일방적인 출자에 의한 지배·종속회사보다 기업결합도가 훨씬 높으므로, 기업확장의 수단으로써 이용되고 있다. 이러한 의미에서 주식의 상호보유를 '기업결합의 예술적 극치(die Kunstvollste Blüte der Konzern-verflechtung)'라고도 한다.[3]

우리나라 경제의 가장 심각한 문제 중 하나로 대기업에 의한 경제력의 과도한 집중 현상이 거론되고 있다. 물론 경제력의 과도한 집중이 주식의 상호보유에 의하여만 기인한다는 의미는 아니지만, 상당 부분 영향을 미치고 있는 것도 사실이다. 주식의 상호보유는 기업 내부적으로는 주식의 시장가치 및 기업가치,[4] 기업의 재무정책,[5] 나아가 기업지배구조[6][7]에도 큰 영향을 미치고 있다.

1) 임중호, "기업의 주식거래에 관한 법적 규제,"「법학논문집」제12집(중앙대학교 법학연구소, 1987), 116면.

2) 이철송, 「상호주에 관한 연구」(서울대학교 박사학위논문, 1983), 1면(이하 이철송, 전게논문(박사학위논문)이라 한다).

3) Harold Rasch, Verhandlungen des 42, DJT, Band Ⅰ, 3. S. 7; Marei Kayser-Eichberg, "Die wechselseitige Beteiligung nach deutschem Aktienrecht als Leitlinie einer europäischen Harmonisierung" Inaugural-Diss, Köln, 1969, S. 1; 이철송, 전게논문(박사학위논문), 1면.

4) 여은정·이윤석, 「국내 기업의 상호주 및 자사주 보유가 기업가치에 미치는 효과(금융조사 보고서 2009-03)」(한국금융연구원, 2009. 3.), 1면 이하; 이재형, 「기업의 주식소유제도: 자사주·상호주·지주회사(연구보고서 99-11)」(한국개발연구원, 1998. 5.), 1면 이하.

5) 박송춘·정희석, "주식상호보유의 효과에 관한 실증분석-한·일간의 비교분석,"「국제상학」제12권 제1호(한국국제상학회, 1997), 383면 이하; 전성훈, 「우리나라 대기업의 소유 및 지배구조에 대한 연구-기업간 상호주식보유를 중심으로(연구보고서 95-08)」(한국개발연구원, 1995. 4.), 1면 이하; 진태홍, "일본기업집단의 상호주식보유와 경제적 의미,"「재무관리연구」제10권 제1호(한국재무관리학회, 1993. 6.), 161면 이하.

6) 장유철, "상호주가 기업지배구조에 미치는 영향,"「산업경영연구」제10호(가톨릭대학교 산업경영연구소, 2002), 41면 이하.

7) 일본의 주식상호보유가 기업지배구조에 미치는 영향에 관하여는 권우현, "버블붕괴 이후 일본 기업지배구조의 변화,"「동향과 전망」통권 제75호(한국사회과학연구소, 2009. 2.), 1면

즉, 주식의 상호보유는 단순한 주식거래 당사자 간의 개인법적 차원의 문제뿐만 아니라 회사, 회사채권자, 그리고 국가경제질서에도 많은 영향을 끼치고 있다. 한편, 법률적인 측면에서 본다면 주식을 상호보유하는 경우에 자기주식과 같이 출자의 일부가 환급되어 자본의 공동화가 발생하고, 이는 곧 자본충실의 원칙에 반하게 된다. 다른 한편으로는 회사지배의 왜곡 등의 폐해를 초래하므로 이를 제도적으로 규제할 필요가 있다.

현재 우리 상법은 주식상호보유와 관련하여 자회사에 의한 모회사주식의 취득금지(제342조의2), 비모자회사 간의 의결권 제한(제369조 제3항), 그리고 주식취득의 통지의무(제342조의3)에 관한 규정을 두고 있다.

그러나 그 규제의 내용은 주식상호보유 및 기업결합으로 인한 폐해가 심각함에도 이를 합리적이고 효율적으로 규제하기에는 여러 가지 측면에서 미흡하므로, 주식상호보유에 대한 실효성 있는 규제를 위하여 지금까지 논의되어 온 논점을 검토·정리하여 문제점을 도출하고, 그에 대한 개선방안을 제시하고자 한다.

2. 주식상호보유[8]의 의의 및 입법례

가. 의　의

주식상호보유(cross-ownership, wechselseitige Beteiligung)라 함은 좁은 의미로는 두 회사가 서로 상대방 회사의 주식을 보유하고 있는 것을 의미한다.[9] 이

이하; 양만식, "일본기업집단에 있어서의 주식상호보유의 해소와 코포레이트 거버넌스,"「기업법연구」제15집(한국기업법학회, 2003. 10.), 81면 이하; 이대희, "일본의 회사지배구조 분석,"「안암법학」제5호(고려대학교 법학연구소, 1997. 8.), 158면 이하; 차일근, "일본의 기업집단이 주식상호보유 형성과 변화에 관한 연구,"「한일경상논집」제39권(한일경상학회, 2008), 27면 이하.

한편, 차일근, "일본 기업의 주식상호보유구조와 계속적 거래관계의 변화,"「한일경상논집」제50권(한일경상학회, 2011), 61면 이하에서는 일본기업의 주식상호보유가 대폭적으로 감소한 이유는 시가회계제도의 도입, 은행 등 주식보유제한법의 도입과 은행 등 보유주식취득기구의 설립, 일본은행의 은행보유주식매수제도의 도입 등 주식상호보유의 문제점을 해결하기 위한 제도도입에 따른 요인과 주식폭락에 따른 주식보유의 리스크인식의 증대에 따른 요인 등이 직접적으로 작용하였으나, 그 근본적 배경에는 일본기업의 기업간 관계의 변화가 크게 작용하였다고 분석하고 있다.

8) 상호주라는 용어가 적합한지 여부에 대하여 논란의 여지가 있으므로 여기에서는 주식의 상호보유라는 용어를 사용한다. 자세한 내용은 정희철, "상호주라는 용어의 문제성: 개정상법상의 결합기업규제와 관련하여,"「법조」제33권 제6호(법조협회, 1984. 6.), 6~10면.

9) Note, "The voting of stock held in cross ownership," 76 Harvard Law Review 1642,

에는 A회사가 B회사의 주식을 소유하고, B회사는 A회사의 주식을 보유하고 있는 형태(직접상호보유, 단순상호보유)와 A, B, C, D 회사군 중 주력을 이루는 A회사를 중심으로 서로 주식을 보유하는 방사선과 같은 형태(예: A→B, A→C, A→D, 방사선형 상호보유)가 있다. 방사선형 상호보유는 직접상호보유 형태가 복수로 존재하는 유형으로 볼 수 있다.

넓은 의미에서의 주식상호보유라 함은 3개 이상의 회사 간에 제1의 회사는 제2의 회사의 주식을 보유하고, 제2의 회사는 제3의 회사의 주식을 보유하는 식으로 계속되어 최후로 주식을 보유당한 회사가 제1의 회사의 주식을 보유하는 관계의 간접보유형태(circular ownership)를 의미한다.[10] 이에는 고리형 상호보유의 형태와 행렬형 상호보유의 형태가 있다. 고리형 상호보유라 함은 A회사가 B회사 주식을 소유하고, B회사가 C회사의 주식을 보유하고, C회사는 A회사의 주식을 보유하는 형태를 의미한다(예: A→B→C→A, 환상형 상호보유).[11] 이 형태에서는 어느 두 회사 간에 주식을 직접 상호보유하는 경우는 없다. 그러나 A회사는 자신이 출자한 B회사에 대한 영향력을 통하여 C회사, D회사에 대하여도 영향력을 행사할 수 있으므로 직접상호보유와 같은 효과가 발생한다. 한편, 행렬형 상호보유는 방사선형 상호보유와 고리형 상호보유가 결합된 형태로서, A회사가 B, C, D 회사의 주식을 보유하고, B회사는 A, C, D회사의 주식을 보유하며, C회사가 A, B, D회사의 주식을 보유하고, D회사는 A, B, C회사의 주식을 각각 보유하는 등의 형태를 의미한다(예: A→BCD, B→ACD, C→ABD, D→ABC, 매트릭스형 상호보유).

현재 상법은 직접상호보유만을 규제할 뿐으로 간접상호보유는 규제하지 않고 있으며, 규제대상으로서 주식회사 상호 간의 주식상호보유만 규제하고 있고, 유한회사 상호 간 또는 주식회사와 유한회사 간의 상호보유는 규제하지 않고 있다.

---

p. 1643.

10) *Ibid.*

11) 순환출자라고도 한다. 이러한 순환출자의 규제 근거에 관하여는 본질적으로 회사간 주식의 상호보유형태의 하나이므로 상법의 규율대상이라는 견해(손창완, "환상형 순환출자에 관한 회사법적 검토 – 의결권 제한 가능성을 중심으로," 「상사판례연구」 제26집 제1권(한국상사판례학회, 2013. 3.), 10면; 최준선, "순환출자기업 간의 의결권 제한문제에 관한 고찰,"「국제거래법연구」 제21집 제2호(국제거래법학회, 2012. 12.), 221면)와 독점규제 및 공정거래에 관한 법률(이하 '공정거래법'이라 한다)을 통하여 규제하는 것이 타당하다는 견해(유주선, "주식회사 순환출자금지에 관한 최근 입법논의,"「경제법연구」 제13권 제1호(한국경제법학회, 2014), 191면)가 대립하고 있다.

나. 경제적 작용

1) 상호보유의 효용

주식상호보유의 이점으로서는 회사지배의 안정화를 통하여 생산재의 확보나 시장의 확대를 도모할 수 있고, 최소한의 자본으로 강력한 기업결합 효과를 가져오므로 계열기업의 확장을 쉽게 하며, 기업 간의 경영정보의 교환 및 기술제휴 등이 용이하게 된다는 점 등을 들 수 있다.[12] 그러나 실제로는 경영권쟁탈에 대한 자력방어책[13]으로서 안정주주를 확보하기 위하여 계열기업 또는 동맹적 관계의 기업 간에 주식을 상호보유하는 것이 가장 중요한 이유라 할 수 있다.[14]

경제적 측면에서의 긍정적 효과로서는 다음과 같은 점이 열거된다. 첫째, 경영자가 투자 및 의사결정에 있어서 장기적 안목이 아닌 주식시장의 단기적 압박에 따르는 경우(경영자의 근시성(managerial myopia)), 주식상호보유는 경영자가 장기적으로 효율적인 의사결정을 하도록 하고, 주주 및 투자자에게는 준지대(quasi-rents)를 착취하지 않겠다는 약정수단으로 작용함으로써 인적자본투자를 제고하여 장기고용체계가 원활하게 작동할 수 있도록 유도한다. 둘째, 주식상호보유를 통하여 기업 간 상호지배에 의한 기업집단을 형성할 수 있고, 이에 의하여 시너지효과를 제고할 수 있으며 기업 간 네트워크를 강화함으로써 국제화에 대응하여 탄력적으로 경영할 수 있고 국제경쟁력도 높일 수 있다. 셋째, 주식상호보유는 일반주주에 비하여 저배당을 할 수 있는 배당지급에 유연성이 있어 잉여자금을 기업 내에 축적함으로써 기업의 충실성을 향상시킬 수 있다.[15]

---

12) 김홍기, 「상법강의」 제3판(박영사, 2018), 453면 주 167); 최준선, 「회사법」 제16판(삼영사, 2021), 305면.

13) 제369조 제3항은 의결권 제한을 통한 경영권 방어수단으로서, 적대적 인수합병의 방어자는 공격자의 주식을 10% 이상 역취득함으로 인하여 공격자의 의결권행사를 차단할 수 있으며, 이러한 방어방법을 역공개매수(packman)라고 한다. 1997. 8. 주식회사 중원의 레이디가구에 대한 적대적 인수합병 시도와 관련하여 레이디가구가 위와 같은 방법을 사용하였다고 한다(김대규, "적대적 M&A에 대한 방어행위의 허용기준-자본시장과 금융투자업에 관한 법률에 대한 논의를 포함하여," 「법학연구」 제26집 제1호(원광대학교 법학연구소, 2010. 3.), 571~572면; 김택주, "2009 회사법 판례상의 주요쟁점," 「상사판례연구」 제23집 제2권(한국상사판례학회, 2010. 6.), 406면; 서정항, "M&A의 활성화를 위한 법규정비에 관한 소고-주식취득 및 의결권제한을 중심으로-," 「상사판례연구」 제20집 제3권(한국상사판례학회, 2007. 9.), 503면).

14) 최기원, 「신회사법론」 제14대정판(박영사, 2012), 363면; 이철송, 전게논문(박사학위논문), 43~48면.

15) 여은정·이윤석, 전게논문, 36면; 이재형, 전게 보고서, 24면. 특히 일본에서의 주식상호보

2) 상호보유의 폐해

주식상호보유의 이론적인 문제점으로는 자본충실의 저해, 회사지배의 왜곡, 사단성의 파괴,[16] 주식의 불공정한 거래의 위험 등이 있지만, 주요한 것으로는 다음 두 가지를 들 수 있다. 첫째, 주식의 상호보유는 자기주식의 취득과 마찬가지로 실질적으로는 출자의 환급과 같은 결과를 초래하여 자본의 공동화현상이 발생한다. 둘째, 주식의 상호보유는 회사지배나 주주총회 결의를 왜곡하는 폐해를 가져오게 된다.[17]

경제적 측면에서의 부정적 효과로서는 다음과 같은 점이 열거된다. 첫째, M&A 시장 메커니즘은 기업의 시장가치가 잠재적 가치보다 낮은 기업은 기업지배권시장에서 인수대상이 되고, 인수가 성사되면 기존의 경영진이 교체됨으로써 경영자로 하여금 기업의 시장가치 극대화를 추구하도록 하나, 주식상호보유는 기업 주식의 상당 비율을 사실상 지배하는 경영자가 그 표결능력을 이용하여 M&A를 저지하는 역할을 한다. 둘째, 주식상호보유에 의한 기업 간 협력 강화는 경제력 집중과 기업의 폐쇄성을 초래할 뿐만 아니라 건전한 경쟁적 시장의 형성을 저해한다. 셋째, 배당정책에 관하여 이윤을 도외시한 외형 확대 및 시장점유율을 중시한 경영의 직접적 원인이 되어 기업의 파행적 경영 및 외부로부터의 압력을 초래한다.[18]

다. 입 법 례

1) 미 국

미국에서 모자회사관계는 의결권 있는 주식의 과반수 소유 여부를 기준으로 판

유의 목적은 안정주주의 확보에 있기 때문에 배당은 부차적인 문제가 되어 일반주주에 비하여 저배당이 가능하고, 이를 통하여 조성된 잉여자금을 기업 내에 축적함으로써 기업의 충실성을 향상시킬 수 있다고 한다.
16) 사단성의 파괴는 주식상호보유의 폐해에 대한 본질적 근거가 아니라는 비판이 있다(김지평, "주권발행 전 주식양도와 상호주 보유 규제," 「인권과 정의」 제400호(대한변호사협회, 2009. 12.), 79면).
17) 권기범, 「현대회사법론」 제8판(삼영사, 2021), 643~644면; 김정호, 「회사법」 제4판(법문사, 2015), 234~235면; 김홍기, 전게서, 453면; 송옥렬, 「상법강의」 제11판(홍문사, 2021), 879면; 이철송, 「회사법강의」 제29판(박영사, 2021), 428면; 최기원, 전게서, 363~364면; 최준선, 전게서, 305면; 홍복기·박세화, 「회사법강의」 제6판(법문사, 2018), 272면.
18) 여은정·이윤석, 전게논문, 37면.

단하고, 자회사가 소유하는 모회사의 주식에 대하여는 의결권을 인정하지 않는다.

캘리포니아주 회사법에서는 의결권 있는 주식의 과반수를 소유하고 있는 회사를 모회사라 하고, 이에 의하여 지배되는 다른 회사를 자회사라 한다. 그 자회사가 소유하는 회사의 주식은 어떠한 사항에 관하여도 의결권이 없다고 규정하고 있다.[19]

뉴욕사업회사법에서는 자기주식(treasury shares) 및 다른 모든 형태나 종류의 주내 회사 또는 주외 회사가 보유하는 주식은, 어느 회사가 주내 회사 또는 주외 회사의 이사선임에 있어서 의결권 있는 주식의 과반수를 보유하고 있는 때에는 의결권이 없고, 사외주식 총수의 산정에 산입하지 않는다고 규정하고 있다.[20]

델라웨어주 회사법에서는 회사가 다른 회사의 이사선임에 있어 의결권 있는 주식의 과반수를 직접적으로 또는 간접적으로 보유하고 있는 때, 회사 또는 그 다른 회사에 속하는 자기주식(shares of capital stock)은 의결권도 없고, 정족수에도 산입하지 않는다고 규정하고 있다.[21]

모범사업회사법도 다른 회사의 이사를 선임할 수 있는 주식의 과반수를 직접 또는 간접적으로 소유하는 회사를 모회사라 하고, 특별한 사정이 없는 한 자회사가 소유하는 모회사의 주식에 대하여는 의결권이 인정되지 않는다.[22] 특별한 사정이라 함은 법원이 위 규정의 목적에 위배되지 않는다고 판단하여 의결권을 인정할 수 있는 경우를 말한다. 예컨대, 자회사가 수탁자로서 보관하는 주식에 대하여는 의결권을 인정하고 있다.[23]

이 밖에 플로리다주 회사법, 조지아주 회사법, 오하이오주 일반회사법, 메사추세츠주 회사법 등 거의 대부분의 주에서 주식상호보유를 금지한다.[24]

---

19) Califonia Corporations Code, Sections §§175, 189, 703(b).

20) New York Business Corporation Law §612(b).

21) Delaware General Corporation Law §160(c); 미국 델라웨어주 회사법 §160(c)에 기초한 델라웨어주 법원 판결 Marvin M. SPEISER v. Leon C. BAKER and Health Med Corporation, 525 A.2d 1001 (1987)이 있다(김정호, "순환출자의 회사법적 문제점," 「경영법률」 제23집 제2호(한국경영법률학회, 2013), 258~261면(이하 전게논문(주 21)이라 한다); 손창완, 전게논문, 31~32면; 천경훈, "순환출자의 법적 문제," 「상사법연구」 제32권 제1호(한국상사법학회, 2013. 2.), 139~141면; 최준선, 전게논문, 201면 이하).

22) Model Business Corporation Act §7.21(b).

23) Model Business Corporation Act §7.21(c); Commentary. 1 Model Bus. Corp. Act. Ann. §7.21(3d. ed. 2002); 최준선, 전게논문, 204면.

24) Florida Statutes – Title 36 Business Organization, Chapter 607 Corporations, §607.

2) 영 국

영국 회사법에 의하면 자회사가 모회사의 사원이 될 수 없고, 모회사의 주식을 자회사에 배정하거나 양도하는 것도 무효이다.[25] 이 규정은 회사가 간접적인 수단으로 자기주식을 부정하게 거래하는 것을 방지하기 위한 것이다.[26] 다만 예외적으로 자회사가 타인의 대리인 또는 수탁자로서 행위하는 경우 또는 자회사가 증권거래에 있어서 위탁매매인으로서 행위하는 경우에는 모회사의 주식을 취득할 수 있다. 수탁자로서 행위하는 경우에는 모회사 또는 자회사가 수익자가 되지 않는 경우에 한하여 모회사의 주식취득이 허용된다.[27]

그리고 모자관계 없이 다른 회사의 주식을 보유하고 있던 중 다른 회사의 자회사가 됨으로써 결과적으로 자회사가 모회사의 주식을 보유하게 된 경우에는 자회사가 모회사의 주식을 계속 보유하는 것 자체는 금지되지 않는다. 그러나 자회사는 모회사의 사원이 될 수 없으므로 모자관계 성립시부터 모회사의 주주명부에서 제외되어야 하고 의결권을 행사할 수 없을 뿐만 아니라 주식배당도 받을 수 없다.[28]

모회사와 자회사의 관계가 인정되는 경우로는 ① 어느 회사가 다른 회사의 의결권의 과반수를 보유하는 경우, ② 다른 회사의 사원이면서 이사회의 이사 과반수를 선임·해임할 권한이 있는 경우, ③ 다른 회사의 사원이면서 다른 회사의 의결권의 과반수를 다른 사원과의 계약에 의하여 단독으로 지배하는 경우 또는 자회사의 자회사인 경우 등이 열거된다.[29]

3) 독 일

독일 주식법에 있어서 상호참가기업(wechselseitig beteiligte Unternehmen)은

0721(2); Georgia Code − Corporations and Partnerships − Title 14, Section 14-2-721 Corporations and Partnerships − Title 14, Section 14-2-721; Ohio GENERAL CORPORATION LAW §1701.47(c); General Laws of Massachusetts − Chapter 156 Business Corporations(최준선, 전게논문, 204면).

25) Companies Act 2006, sec. 136(1)(a)(b).

26) Rebert R. Pennington, Company Law, 4th ed., Butterworths(London, 1979), p. 645; 강위두, "주식상호보유의 규제에 관한 비교법제," 「상법논총(인산 정희철선생 정년기념)」(박영사, 1985), 125면.

27) Companies Act 2006, sec. 136(2), sec. 138, sec. 141.

28) Rebert R. Pennington, op. cit., p. 645; 강위두, 전게논문, 125면.

29) Companies Act 2006, sec. 1159.

물적회사(Kapitalgesellschaft)의 법적 형태를 가지고 국내에 소재지를 둔 기업으로서 각 기업이 다른 기업의 지분을 4분의 1 이상 보유함으로써 결합되어 있는 기업을 말한다(주식법 제19조 제1항). 이에 대한 규제는 전체 지분의 4분의 1을 기준으로 하고 있다.[30)]

　종속회사가 지배회사의 주식을 취득하는 것은 자기주식의 취득과 같이 원칙적으로 금지되고, 예외적으로 자기주식의 취득이 허용되는 경우에만 지배회사의 주식을 취득할 수 있다(주식법 제71d조). 이 경우에도 자기주식의 취득과 같이 종속회사 자본의 10분의 1의 범위 내에서만 허용된다(주식법 제71조 제2항). 예외적으로 종속회사가 지배회사의 주식을 취득하더라도 그 주식에 대한 의결권은 제한되고(주식법 제136조 제2항), 일체의 권리행사가 금지된다(주식법 제71d조).

　어느 기업이 국내에 주소를 둔 주식회사의 주식을 4분의 1 이상 보유하게 된 경우에는 그 상대방 회사에 대하여 이를 지체 없이 서면으로 통지하여야 할 의무를 부과하고 있다(주식법 제20조 제1항, 제21조 제1항).

　상호참가한 사실을 모른 채 상대방 회사에 참가사실을 먼저 통지한 회사는 통지받은 회사에 대하여 제한 없이 권리를 행사할 수 있다(주식법 제328조 제1항). 그러나 통지받은 회사는 지분상의 권리를 행사할 수 없다(주식법 제20조 제1항, 제21조 제4항). 통지받은 회사가 후에 통지한 경우에는 자기가 소유한 상대방 회사의 지분 중 먼저 통지한 회사의 전체 지분의 4분의 1 범위 내에서 권리행사를 할 수 있다(주식법 제328조 제1항).

4) 프랑스

　프랑스 상법에서는 주식회사 또는 주식합자회사는 그 사본의 100분의 10을 초과하는 부분을 다른 회사가 보유하고 있는 경우에는 그 다른 회사의 주식을 보유하지 못한다고 규정하여 주식의 상호보유를 규제하고 있다(제L233-29조).

---

30) 이는 주식법상의 정관변경 및 기타 회사의 구조변경을 요하는 특별결의요건이 4분의 3 이상이므로(동법 제179조 제2항) 이를 저지할 수 있는 한계가 4분의 1 이상이라는 점을 고려한 것이고, 상인간의 관행에서도 전체 지분의 4분의 1 이상의 보유를 자본참가라고 보기 때문이다(Entwurf eines Aktiengesetzes und eines Einführungsgesetzes zum Aktiengesetz nebst Begründung, S. 104; 이철송, 전게서, 429면; 강위두, 전게논문, 120면; 김정호, 전게논문(주 21), 263~265면; 박명서, "주식상호보유의 법적 규제,"「법학의 현대적 제 문제(덕암 김병대교수 화갑기념논문집)」(기념논문집 간행위원회, 1998. 2.), 785면; 서정항, 전게논문, 497면; 천경훈, 전게논문, 141~147면).

따라서 일방적 자본참가나 100분의 10 미만의 상호보유는 허용된다. 그러나 양 회사가 모두 100분의 10을 초과하여 주식을 보유하는 경우에는 상대방 회사의 주식을 각각 그 자본의 100분의 10 이하로 감소시키거나 어느 일방 회사의 자 본참가를 감소시켜야 한다(제L233-29조). 다른 회사 자본의 100분의 10을 초과 하여 주식을 보유하는 회사는 다른 회사에 그 취지를 통지하여야 한다(제L233- 29조).

주식회사 및 주식합자회사 이외의 회사가 자본의 10분의 1을 초과하여 보유 하는 주식회사 또는 주식합자회사를 사원으로 가지고 있는 경우에는 그 다른 회 사는 주식회사 및 주식합자회사의 주식을 보유하지 못한다(제L233-30조). 이는 주식의 상호보유의 금지를 확대 적용하는 것이다. 이에 위반하여 다른 회사가 주식회사 및 주식합자회사의 주식을 보유하는 경우에는 그 주식을 취득한 날로 부터 1년 이내에 양도하여야 하고 당해 주식에 대해서는 의결권을 행사하지 못 한다(제L233-30조).

이와 같이 프랑스 상법은 주식의 상호보유를 금지하되, 상호적 자본참가만을 그 대상으로 하고 있다.[31]

5) 일 본

일본 회사법에서 자회사라 함은 회사가 그 총주주의 의결권의 과반수를 가지 는 주식회사, 기타 당해 회사가 그 경영을 지배하고 있는 법인으로 법무성령이 정한 것을 의미하고(일본 회사법 제2조 제3호), 모회사라 함은 주식회사를 자회사 로 하는 회사, 기타 당해 주식회사의 경영을 지배하고 있는 법인으로서 법무성 령으로 정한 것을 의미한다(일본 회사법 제2조 제4호). 회사의 경영지배에 관하여 법무성령은 재무 및 사업방침의 결정을 지배하는 경우라고 규정하고 있다(일본 회사법 시행규칙 제3조). 일본에서는 모자회사관계에 관하여 형식적 기준과 실질 적 기준을 동시에 규정하고 있다.[32]

자회사의 모회사 주식취득은 원칙적으로 금지되고 있다(일본 회사법 제135조 제1항). 다만 예외적으로 ① 다른 회사의 사업 전부를 양수하는 경우에 당해 다

---

31) 宮島司, "相互保有規制の基本的立場と問題點," 「法學研究」 第55卷 第7號(慶應義塾大學法學 研究會, 1982), 74面.

32) 임재연, 「회사법Ⅰ」 개정7판(박영사, 2020), 506면 주390); 김정호, 전게논문(주21), 262~ 263면.

른 회사가 소유하는 모회사주식을 양수하는 경우, ② 합병 후 소멸하는 회사로부터 모회사주식을 승계하는 경우, ③ 흡수분할에 의하여 다른 회사로부터 모회사주식을 승계하는 경우, ④ 신설분할에 의하여 다른 회사로부터 모회사주식을 승계하는 경우 ⑤ 위 각 호에서 열거된 사항 외에 법무성령이 정하는 경우에는 모회사주식의 취득이 허용되지만, 상당한 시기에 취득한 주식을 처분하여야 한다고 규정하고 있다(일본 회사법 제135조 제2항, 제3항).

주식상호보유의 의결권 제한에 관하여, ① 의결권 총수의 4분의 1을 보유하거나, ② 이에 상당하는 경우로서 상대방 회사의 경영을 실질적으로 지배할 수 있는 관계에 있는 것으로서 법무성령에서 정하는 기준을 충족하는 경우의 두 가지를 주식상호보유 규제의 기준으로 제시하고 있다(일본 회사법 제308조 제1항 괄호).33) 다만 총주주의 의결권의 4분의 1을 산정함에 있어서는 의결권이 제한되는 주식도 의결권이 있는 것으로 간주하고 있다(일본 회사법 시행규칙 제67조 제1항). 여기서 주식을 소유하는 회사는 자회사를 포함하므로 우리나라 상법 제342조의2에서 자회사에 의한 모회사 주식의 취득금지에 이어, 제369조 제3항에서 규정한 비모자회사 간의 의결권을 제한하고 있는 것과 흡사하다. 다만, 우리 상법은 10%를 기준으로 의결권행사를 제한함에 비하여 일본은 25%를 기준으로 하면서, 주식회사가 그 경영을 실질적으로 지배할 수 있는 관계에 있는 것으로 법무성령이 규정하고 있는 주주는 의결권이 없다는 부분이 추가되어 있다. 오히려 일본은 비모자회사 간의 의결권의 제한을 25% 소유를 기준으로 함으로써, 10%를 초과하는 경우 의결권을 제한하는 우리나라와 비교하여 상당히 완화되어 있다.34)

라. 우리나라의 규제

우리나라의 주식상호보유 규제는 종전에 구 증권거래법에 의하여 상장법인에 대해서만 적용되던 것을 모든 회사에 일반화하였다. 즉 상법은 독일, 일본의 예에 따라 모자회사 간에 있어서는 자회사가 모회사주식을 취득하는 것을 금지하

---

33) 주식상호보유에서 의결권을 제한하는 것은 경영의 왜곡, 자본의 공동화, 의결권행사의 불공정 등의 폐해를 방지하기 위한 것이라고 한다(前田 庸, 「會社法入門(第11版)」(有斐閣, 2006), 372面; 江頭憲治郎, 「株式會社法(第2版)」(有斐閣, 2007), 308面; 近藤光男, 「株式會社法(第4版)」(中央經濟社, 2007), 170面).
34) 천경훈, 전게논문, 147~149면; 최준선, 전게논문, 217면.

여(제342조의2) 주식양도형의 입법주의를 채택하고 있고, 비모자회사 간의 주식 상호보유는 의결권을 제한하는(제369조 제3항) 권리제한형의 입법주의를 택하고 있다. 또한 주식취득에 대한 통지의무(제342조의3)를 규정하고 있다. 자회사에 의한 모회사주식의 취득금지는 자기주식 취득의 연장선상에서, 비모자회사 간의 상호보유는 기업결합규제의 차원에서 파악하고 있다.[35]

상법이 주식회사 간의 단순상호보유만을 규제대상으로 한 것은, 간접상호보유를 규제하기 위해서는 어느 그룹에 속하는 기업 간의 주식보유분을 대상으로 할 수밖에 없는데, 이러한 기업그룹을 입법적으로 정립하기 어렵기 때문이라고 한다.[36]

3. 자회사에 의한 모회사주식 취득 금지

가. 의   의

상법은 자회사에 의한 모회사주식의 취득을 원칙적으로 금지하고 있다(제342 조의2). 이는 모자회사를 경제적으로 하나의 회사로 볼 수 있음에도 불구하고, 모회사가 자기주식의 취득[37]에 대한 규제를 회피하기 위한 수단으로서 자회사로 하여금 모회사의 주식을 취득하는 것을 막기 위한 것이다.[38]

---

35) 손주찬, "개정상법상의 주식상호보유에 대한 규제,"「월간고시」통권 제124호(1984. 5.), 35 면(이하 손주찬, 전게논문(주 35)이라 한다); 박찬우, "주식의 상호보유제한에 관한 상법의 규제,"「연세법학연구」제2집(연세대학교 법률문제연구소, 1992. 8.), 582면.

36) 김세신, "주식의 상호보유의 제한에 관한 소고,"「상사법논집」(무애 서돈각교수 정년기념) (법문사, 1986), 147면.

37) 2011년 개정상법에 의하여 자기주식 취득에 관한 제341조 제1항은 회사는 자기의 명의와 계산으로 자기의 주식을 취득할 수 있다고 규정하고 있다. 개정상법의 취지에 관하여 종래 의 자기주식 취득금지의 원칙은 더 이상 유지할 수 없다는 견해가 있으나(임재연, 전게서, 472~473면), 자기주식의 취득에 관한 규제를 대폭 완화하였지만 여전히 자기주식 취득금 지가 원칙이고, 배당범위 내에서의 취득과 특정목적에 의한 취득은 예외적으로 허용되는 경 우라고 할 수 있다(이철송, 전게서, 406면; 최준선, 전게서, 308면, 311면).

38) 김상규, "상호주 규제에 관한 연구,"「법학논총」제14집(한양대학교 법학연구소, 1997. 10.), 102면; 손주찬, "개정상법 제369조 제3항에 관한 해석론과 입법론,"「고시계」제29권 제5호(1984. 5.), 133면(이하 손주찬, 전게논문(주 38)라 한다); 유진희, "기업결합에 관한 회사법규정,"「서강법학연구」제1권(서강대학교 법학연구소, 1999), 202면.

나. 모자관계의 인정기준 및 범위

1) 모자관계의 인정기준

모자관계란 어떤 회사(모회사)가 다른 회사(자회사)를 직접 또는 간접으로 지배하는 관계를 말한다. 모자관계는 주식보유에 의한 방법 이외에도 계약이나 임원의 겸직, 그 밖의 사실상의 지배에 의하여도 성립할 수 있다. 따라서 모자관계를 규정하는 입법형식도 과반수 주식의 보유와 함께 실질적 지배관계까지 고려하는 실질주의와 일정 비율의 주식보유를 형식적 기준으로 삼는 형식주의가 있다.[39]

1984년 개정상법 이전에는 모자관계의 인정기준에 관하여 규정이 없어 자기주식에 관한 제341조를 유추적용하기 위한 전제로서 그 기준에 관하여 견해가 대립하였다.[40] 1984년 개정상법에서는 자회사에 의한 모회사주식의 취득을 원칙적으로 금지하였고, 모회사의 기준을 실질적인 지배·종속관계가 없는 경우에도 소유주식의 수만을 기준으로 하여 법정하였다.[41] 모자관계의 기준을 규정함으로써 법률관계의 객관적인 기준을 통해 법적 안정성을 기할 수 있고, 자본유지에 대한 요청도 달성할 수 있다.[42] 다만 발행주식총수의 100분의 40인 모자관계의 기준에 관하여는 개정 당시부터 많은 비판이 있었고,[43] 2001년 개정상

---

39) 박명서, 전게논문, 792면; 박찬우, 전게논문, 585~586면.

40) 완전자회사설, 재산적 일체관계설, 과반수 자본참가설, 지배종속관계설 등이 대립하였는데, 이에 관한 상세한 내용에 관하여는 박진태, "모자관계 있는 주식의 상호보유규제,"「법대논총」제23집(경북대학교 법정대학, 1985. 10.), 37~39면; 서정갑, "자회사에 의한 모회사주식의 취득,"「월간고시」통권 제125호(법지사, 1984. 6.), 126면.

41) 최기원, "주식의 상호소유금지와 제한,"「고시연구」제15권 제9호(고시연구사, 1988. 9.), 107면(이하 최기원, 전게논문(주 41)이라 한다).

42) 김정호, 전게서, 235면; 박명서, 전게논문, 792면; 박진태, 전게논문, 41~42면; 박찬우, 전게논문, 586면; 손주찬 "자회사에 의한 모회사주식취득의 규제,"「고시계」제29권 제6호(고시계사, 1984. 6.), 30면(이하 손주찬, 전게논문(주 42)이라 한다).

43) 이에 대한 비판에 관하여는 박상조, "현행법상 주식양도에 대한 문제점과 그 개정방향에 관한 연구 - 양도제한에 관한 개정시안을 중심으로,"「법학논집」제9집(청주대학교 법학연구소, 1994. 12.), 202면; 손주찬, 전게논문(주 42), 30면; 양석완, "개정상법에 따른 주식의 상호보유제한,"「고시연구」제11권 제5호(통권 제122호)(고시연구사, 1984. 5.), 170면; 이철송, "상호주의 법적규제,"「고시계」제29권 제6호(통권 제328호)(고시계사, 1984. 6.), 90면(이하 이철송, 전게논문(주 43)이라 한다); 이병태, "상호주에 관한 상법의 규제(상),"「고시연구」제12권 제2호(고시연구사, 1985. 2.), 84면(이하 이병태, 전게논문(주 43)이라 한다); 최기원, "개정상법의 해석과 문제점(Ⅱ),"「고시계」제29권 제9호(고시계사, 1984. 8.), 101면(이하 최기원, 전게논문(주 43)라 한다).

법에 의하여 100분의 50으로 변경되었다.

소유주식수가 적어질수록 그 영향력은 적어지므로 어느 정도 소유주식수 기타 밀접한 관계가 있을 때 모자회사관계를 인정하느냐 하는 것이 중요한 문제이다.44) 다만, 모자회사관계의 인정기준에 관하여 소유주식 수의 형식적인 단일기준만으로는 모자회사관계를 실효성 있게 규제할 수 없으므로, 규제의 실효성을 위하여 실질적인 지배관계 및 주주평등의 원칙, 지배의 공정성 및 주식거래의 공정성 등을 고려할 필요가 있다.

2) 모자회사관계의 범위

가) 상법의 규정

상법은 주식소유기준에 따라 모자회사관계를 세 가지로 분류하고 있다. 첫째, B(자회사)의 발행주식총수의 100분의 50을 초과하는 주식을 가진 A(모회사)의 주식을 B(자회사)는 취득할 수 없다(제342조의2 제1항 본문)(직접지배의 금지). 둘째, A(모회사)와 B(자회사)가 공동으로 C(손회사)의 발행주식총수의 100분의 50을 초과하는 주식을 가진 경우에도 C(손회사)는 A(모회사)의 주식을 취득할 수 없다(제342조의2 제3항)(간접지배의 금지).45) 셋째, B(자회사)가 C(손회사)의 발행주식총수의 100분의 50을 초과하는 주식을 가진 경우에도 C(손회사)는 A(모회사)의 주식을 취득할 수 없고, B(자회사)의 주식도 취득할 수 없다(제342조의2 제3항)(간접지배의 금지).

나) 증손회사의 포함 여부

C(손회사)의 자회사인 D(증손회사)를 A(모회사)의 자회사로 보아, D(증손회사)에 의한 A(모회사)주식의 취득이 금지되는지에 관해서는 견해가 나뉜다.

(1) 긍정설

손회사의 자회사(증손회사)도 모회사의 자회사로 보아야 한다는 견해이다.46)

---

44) 이철송, 전게논문(주 43), 90면.

45) 이 경우에 C회사의 B회사에 대한 주식취득이 금지된다고 해석하는 것은 주식상호보유의 금지범위가 너무 넓어지고 자금조달, 회사간의 업무나 기술제휴, 유연한 회사지배구조를 지나치게 억제한다는 점에서 C회사가 B회사의 주식을 취득하는 것은 금지대상이 아니라는 견해도 있다(김홍기, 전게서, 454면).

46) 김정호, 전게서, 236~237면; 박명서, 전게논문, 793면; 박상조, 전게논문, 202면; 박찬우, 전게논문, 586면; 이병태, 전게논문(주 43), 86면; 천경훈, 전게논문, 132~136면.

그 논거로서는 ① 모자회사 간의 주식상호보유를 금지하는 입법 취지인 자본공동화의 우려가 있는 한 손회사 이후의 계속되는 모자관계에도 적용되어야 하고, ② 증손회사는 고유한 의미에서 손회사의 자회사이고, 손회사는 명문상 모회사의 자회사로 의제되므로 손회사의 자회사인 증손회사도 모회사의 자회사로 인정할 수 있다는 점 등을 들고 있다. 다만 모회사의 범위에 관한 문제는 획일적으로 결정할 성질의 것은 아니라고 하는 견해[47]와 동조의 문리해석상 무한대의 확장해석은 허용되지 않지만, 손회사가 증손회사에 100% 또는 그에 가까운 비율로 투자하고 있는 경우에는 제342조의2가 적용되는 것으로 보아야 한다는 견해도 있다.[48]

이 견해에 의한 구체적 사례를 보면 다음과 같다. ① A(모회사), B(자회사), C(손회사)의 관계에 있어서 C(손회사)가 단독으로 D회사의 주식의 100분의 50을 초과하는 주식을 가지고 있는 경우, ② A(모회사), B(자회사), C(손회사)의 3회사가 공동으로 D회사의 발행주식총수의 100분의 50을 초과하는 주식을 가지고 있는 경우, ③ A(모회사)와 C(손회사)가 공동으로 D회사의 발행주식총수의 100분의 50을 초과하는 주식을 가지고 있는 경우, ④ B(자회사)와 C(손회사)가 공동으로 D회사의 발행주식총수의 100분의 50을 초과하는 주식을 가지고 있는 경우에 D회사는 A(모회사)의 자회사로 본다.[49] 더 나아가 ⑤ C(손회사), D(증손회사) 등 여러 자회사가 공동으로 E회사의 발행주식총수의 100분의 50을 초과하는 주식을 가지고 있는 경우에 E회사는 A(모회사)의 자회사로 본다.[50]

(2) 부정설

제342조의2 제3항을 엄격하게 해석하여, 손회사의 자회사(증손회사)는 모회사의 자회사로 볼 수 없다는 견해이다.[51] 그 논거로서는 ① 제342조의2 제3항을 확대해석하여 자회사에 의한 모회사의 주식취득을 금지하는 것은 거래실정에도

---

47) 최기원, 전게서, 368면.
48) 박진태, 전게논문, 40면; 손주찬, 전게논문(주 42), 27면.
49) 박명서, 전게논문, 793면; 박진태, 전게논문, 40면; 서정갑, 전게논문, 127면; 이병태, 전게논문(주 43), 86면.
50) 최기원, 전게서, 368면; 김정호, 전게논문(주 21), 266면; 박진태, 전게논문, 40면; 서정갑, 전게논문, 128면; 천경훈, 전게논문, 134면.
51) 권기범, 전게서, 645면; 이철송, 전게서, 431면 주 2); 정찬형, 「상법강의(상)」 제24판(박영사, 2021), 792~793면; 최준선, 전게서, 306면; 김상규, 전게논문, 103면; 유주선, 전게논문, 186면; 유진희, 전게논문, 202~203면.

맞지 않을 뿐만 아니라 실효성도 거의 없다는 점, ② 기업간 지배·종속관계의 판단기준으로 상법이 주식보유만으로 한정한 것은 제342조의2에 위반할 경우 벌칙이 적용되고 주식취득이 무효가 되는 등 규제 효과가 중대하므로 간명한 기준으로 법적 안정성을 도모하는데 있다는 점, ③ 제342조의2의 입법취지가 주식의 상호보유를 모두 금지하려는 것이 아니라, 폐해가 심각한 경우를 제한적으로 열거하여 금지하려는 것이므로, 적용범위를 규정 이상으로 확대해서는 안된다는 점 등을 들고 있다.

이 견해에 의하면 A(모회사), B(자회사), C(손회사), D(증손회사)인 경우에 D회사는 A회사의 주식을 취득할 수 있다.[52]

(3) 결   어

제342조의2의 입법 취지가 모든 주식상호보유를 금지하는 것이 아니라, 일정한 경우로 한정하여 규제하려는 취지이므로 부정설이 타당하다. 따라서 자회사에 의한 모회사주식 취득금지의 유형은 세 가지에 한한다. 다만, 자본공동화의 폐해가 큰 경우를 고려하여 명문으로 규정하는 것이 바람직하다.

3) 의결권 없는 주식의 포함 여부

모회사의 기준을 정함에 있어 모회사가 소유하는 자회사의 의결권 없는 주식도 발행주식총수에 포함되는지 여부에 관하여 다툼이 있다.

가) 의결권 없는 주식을 포함해야 한다는 견해

모회사가 소유하는 자회사의 의결권 없는 주식도 발행주식총수에 포함되어야 한다는 입장이다.[53] 그 논거로서는 ① 제342조의2의 입법 취지는 자본의 공동화로 인한 폐해를 막는데 중점이 있으므로, 의결권 없는 주식도 다른 주식과 마찬가지로 자본충실을 저해한다는 점, ② 제342조의2의 법문상 발행주식총수를 명시적으로 규정하면서 의결권 없는 주식을 배제하지 않은 점, ③ 실질적으로도

---

52) 이철송, 전게서, 431면; 정찬형, 상게서, 792～793면. 공정거래법 제8조의2 제5항 제2호는 증손회사의 국내계열회사 주식소유를 원칙적으로 금지하고 있다는 점에서, D(증손회사)는 A(모회사)의 주식을 취득할 수 없다는 견해도 있다(임재연, 전게서, 506～507면).

53) 권기범, 전게서, 644면; 송옥렬, 전게서, 880면(모자회사관계는 회사의 지배에 주목하는 법리이므로, 의결권 있는 주식을 기준으로 삼는 것이 이론적으로는 타당하다고 한다); 박명서, 전게논문, 793면; 박찬우, 전게논문, 586면; 손주찬, 전게논문(주 42), 27면; 유진희, 전게논문, 203면; 이병태, 전게논문(주 43), 85면.

50%의 주식을 보유하고 있는 회사는 그 중 일부가 의결권이 없는 주식이라고 하더라도 그 자회사에 사실상 지배력을 가지는 것으로 추정할 수 있다는 점 등을 들고 있다.

나) 의결권 없는 주식을 포함해서는 안된다는 견해

발행주식총수 100분의 50 산정에 있어서는 회사의 계산으로 보유하는 자기주식(제341조)과 의결권 없는 주식(제370조)은 자회사의 발행주식총수에 산입해서는 안된다는 견해이다.[54] 그 논거로서는 ① 의결권 없는 주식은 회사지배와 무관하므로 '의결권 있는 주식'의 100분의 50을 기준으로 하는 것이 옳고, ② 미국 등[55]에서도 모자회사관계는 의결권 있는 주식의 과반수 보유 여부를 기준으로 판단하고 있다는 점 등을 열거하고 있다.

다) 절충설

발행주식총수의 100분의 50을 보유하고 있는 회사 또는 의결권 있는 주식의 100분의 50 보유하고 있는 회사를 모두 모회사로 본다는 견해이다.[56] 이에 의하면 의결권 없는 주식은 원칙적으로 발행주식총수에 산입하지 않지만, 우선적 배당을 받지 못하여 의결권이 부활한 때에는 발행주식총수에 산입한다는 점을 근거로 하고 있다.

라) 결 어

의결권 없는 주식도 모회사의 자본충실을 저해한다는 점에서 다른 주식과 구별할 이유가 없고, 명시적으로 의결권 없는 주식을 배제하지 않은 점에서 의결권 없는 주식을 포함하여 모회사의 기준을 산정하는 것이 타당하다.

---

54) 박진태, 전게논문, 41면; 서정갑, 전게논문, 128면. 다만 자본충실을 위하여 자회사가 모회사의 주식취득을 금지하는 관점에서는 발행주식총수의 과반수 소유를 기준으로 하는 것이 입법목적에 부합한다는 견해도 있다(이철송, 전게서, 431면).

55) 일본 회사법 제2조 제3호, 독일 주식법 제17조 제2항, 미국 모범사업회사법 제7.21조 (b) 항, 델라웨어주 회사법 제160조 (c)항, 뉴욕사업회사법 제612조 (b)항, 캘리포니아주 회사법 제703조 (b)항 등(이철송, 전게서, 431면 주 3); 임재연, 전게서, 506면 주 390)).

56) 김태주·서돈각, 「주석 개정회사법(상)」(육법사, 1984), 527면; 손주찬, 「주석 상법(II-하)」(한국사법행정학회, 1991), 36면; 최기원, 전게서, 369면; 河本一郎, "子會社による親會社の株式取得の禁止," 「法學セミナ」 346號(日本評論社, 1983), 116面.

다. 주식취득금지의 원칙

자회사 또는 손회사는 모회사의 주식을 원칙적으로 취득하지 못한다(제342조의2 제2항). 여기에서의 취득에는 승계취득뿐만 아니라 원시취득도 포함한다. 또한 모회사의 의결권 없는 주식이나 상환주식도 취득하지 못한다.[57]

그리고 자기주식과 마찬가지로 자회사 또는 손회사는 자기의 계산인 한 자기 명의 또는 타인명의로 취득하는 것이 금지된다.[58] 따라서 명의개서 여부와 관계없이 취득 자체가 금지된다.[59] 이는 자본의 충실과 회사지배의 기초가 되는 실질적인 소유관계를 고려해야 하기 때문이다. 그러나 제3자의 계산으로 자회사의 명의로 취득하는 경우에는 본조가 적용되지 않는다.[60]

한편 자회사가 모회사의 계산으로 모회사의 주식을 취득하는 것은 모회사가 타인 명의로 자기주식을 취득하는 것으로서, 제342조의2가 적용되는 것이 아니라 모회사의 자기주식 취득에 관한 제341조가 적용된다.[61]

모자회사관계가 없는 B회사가 A회사의 주식을 보유하고 있는 중에 A회사가 B회사의 주식을 100분의 50을 초과하여 취득함으로써 사후적으로 자회사(B회사)가 모회사(A회사)의 주식을 소유하게 된 경우는 제342조의2가 적용되지 않는다. 그러나 제342조의2 제2항을 유추적용하여 자회사는 모회사의 주식을 처분하여야 한다.[62]

두 회사가 동시에 또는 모자관계의 성립을 알지 못한 채, 서로의 주식을 100분의 50을 초과하여 취득함으로써 쌍방이 모자회사가 된 경우, 서로 조정하지 않는 한 본조의 입법 취지에 따라 두 회사 모두 쌍방의 주식을 100분의 50 이하로 처분하여야 한다고 해석하는 것이 타당하다.[63]

---

57) 권기범, 전게서, 646면; 최기원, 전게서, 369면.
58) 독일 주식법상 회사의 계산으로 다른 회사 명의로 지분을 소유하고 있는 경우에 회사의 지분으로 보며(주식법 제19조 제1항, 제16조 제4항), 구 일본 상법 제241조 제3항(현 일본회사법 제308조)에 명문규정은 없으나 해석상 명의 여하를 불문하고 회사의 계산으로 취득한 것은 회사의 소유주식으로 보아 상호보유 여부를 결정하고 있다(元木 伸, 「改正商法逐條解說」(商事法務研究會, 1981), 99面).
59) 이철송, 전게서, 432면; 임재연, 전게서, 506면; 박찬우, 전게논문, 587면.
60) 박진태, 전게논문, 44면; 박찬우, 전게논문, 587면; 서정갑, 전게논문, 128면.
61) 최기원, 전게서, 369면.
62) 이철송, 전게서, 432면; 임재연, 전게서, 506면; 김세신, 전게논문, 152면; 박진태, 전게논문, 44면; 박찬우, 전게논문, 587면; 최기원, 전게논문(주 43), 100면.

국내회사의 외국 자회사가 모회사주식을 취득하는 것은 본조가 적용되지만, 국내의 자회사가 외국의 모회사주식을 취득하는 것은 본조가 적용되지 않는다. 이는 자회사의 모회사주식취득을 금지하는 이유가 모회사에 대해 자기주식 취득과 같은 효과가 있기 때문이다.[64]

라. 취득금지의 예외

1) 모회사주식의 취득이 인정되는 경우

가) 상법상의 예외

(1) 제342조의2

자회사가 모회사의 주식을 취득하는 것은 원칙적으로 금지된다. 그러나 ① 주식의 포괄적 교환, 주식의 포괄적 이전 또는 자회사가 모회사의 주식을 갖고 있는 다른 회사와 흡수합병하거나 영업 전부를 양수하는 경우와 ② 회사의 권리를 실행함에 있어 그 목적을 달성하기 위하여 필요한 경우에 자회사는 모회사의 주식을 예외적으로 취득할 수 있다(제342조의2 제1항 제1호, 제2호).[65][66]

제342조의2 제1항 제1호에서 규정한 경우에 해당되는 구체적 사례를 살펴보면, ㉮ 자회사가 다른 회사를 흡수합병하는 경우에 그 다른 회사가 소유하고 있던 모회사의 주식을 포괄승계에 의하여 취득하거나 자회사가 다른 회사의 영업 전부를 양수하는 경우에 양도회사가 소유하고 있던 모회사의 주식을 취득하는 경우, ㉯ 포괄적 교환에 의하여 모회사의 주식을 취득하는 경우로서는 완전자회사가 되는 회사(B)가 완전모회사가 되는 회사(A)의 주식을 가지고 있던 중 포괄적 교환에 의하여 B가 결과적으로 A의 자회사가 된 경우, ㉰ 포괄적 이전에 의한 경우로서는 B1의 자회시 C가 B2의 주식을 소유하는 중 B1과 B2가 주식이전에 의하여 모회사 A를 설립하는 경우에 C는 A의 자회사(손회사)가 되는데, 자신이 소유하던 B2 주식의 몫으로 A주식을 배정받으므로 결과적으로 모회사주식

---

63) 이철송, 전게서, 432면; 임재연, 전게서, 506면; 박진태, 전게논문, 44면; 박찬우, 전게논문, 587면; 최기원, 전게논문(주 43), 100면.

64) 이철송, 전게서, 433면.

65) 일본에서도 자회사에 의한 모회사주식의 취득은 원칙적으로 금지되고(일본 회사법 제135조 제1항), 다만 예외적으로 모회사주식의 취득이 허용되나, 상당한 시기에 취득한 주식을 처분하여야 한다(일본 회사법 제135조 제3항). 2. 다. 5)의 입법례 참조.

66) 주식의 포괄적 교환 및 이전제도가 2001년 개정상법에 의하여 추가됨으로써, 자회사가 모회사의 주식을 취득할 수 있는 예외적인 경우에 포함되었다.

을 취득하게 되는 경우 등이 열거된다.[67]

이와 같은 예외를 인정한 이유는 회사의 합병 또는 영업양수는 주주 및 채권자 보호절차를 거쳐야 하고, 모회사주식의 취득을 목적으로 하는 것이 아니며, 모회사의 주식만을 제외시킨다는 것도 무의미하므로 일시적인 취득을 인정한 것이다. 영업양도는 채권계약이므로 재산의 이전도 특정승계의 방법으로 하고 특약에 의하여 모회사주식의 이전을 제외시킬 수도 있으나, 영업양수도 사실상의 흡수합병과 같다는 점에서 자회사의 모회사주식의 취득을 인정한 것이다.[68]

한편, 제342조의2 제1항 제2호에서 규정한 경우에 해당하는 구체적 사례로서는 ㉮ 채무자에게 모회사의 주식 이외에 변제에 충당할 만한 자산이 없는 경우에 대물변제로서 수령하거나 강제집행에 의하여 경락하는 등 자회사가 자기의 권리를 실현하기 위하여 부득이하게 모회사의 주식을 취득하는 경우,[69] ㉯ 모회사와 자회사는 법률적으로 독립된 회사이므로, 자회사는 모회사의 주식을 담보로 할 수 있고, 자회사가 다른 방법으로는 이행을 기대할 수 없는 때에는 이행에 대신하여 모회사의 주식을 취득하는 경우[70] 등이 열거된다.

판례도 "주식회사가 자기주식을 취득할 수 있는 경우로서 상법 제341조 제3호(현행상법 제341조의2 제2호)가 규정한 회사의 권리를 실행함에 있어서 그 목적을 달성하기 위하여 필요한 때라 함은 회사가 그의 권리를 실행하기 위하여 강제집행, 담보권의 실행 등에 당하여 채무자에 회사의 주식 이외에 재산이 없는 때에 한하여 회사가 자기주식을 경락 또는 대물변제 등으로 취득할 수 있다고 해석되며, 따라서 채무자의 무자력은 회사의 자기주식 취득이 허용되기 위한 요건사실로서 자기주식 취득을 주장하는 회사에게 그 무자력의 입증책임이 있다"고 판시하고 있다.[71] 자기주식에 관한 사례이기는 하지만, 자회사에 의한 모회사의 주식취득의 경우에도 그대로 타당하다.

---

67) 이철송, 전게서, 432면 주 2); 최기원, 전게서, 369~370면; 서정갑, 전게논문, 128면.
68) 최기원, 전게서, 369면; 이병태, 전게논문(주 43), 89~90면.
69) 이것은 채무자에게 모회사주식 이외의 다른 재산이 없는 경우에만 인정되고, 자회사는 채무자에게 다른 재산이 없음을 입증하여야 한다(최기원, 전게서, 370면; 서정갑, 전게논문, 128~129면; 이병태, 전게논문(주 43), 90면).
70) 최기원, 전게서, 370면; 이병태, 전게논문(주 43), 90면; 大森忠夫・矢澤惇編, 「注釋會社法 (3)(株式)」(有斐閣, 1967), 211面.
71) 대법원 1977.3.8. 76다1292.

(2) 제523조의2 등

2011년 개정상법은 흡수합병시에 존속회사가 소멸회사의 주주에게 제공하는 합병의 대가에 존속회사의 모회사주식이 포함된 경우 존속회사가 그 지급을 위하여 모회사의 주식을 취득할 수 있도록 허용하였다(제523조의2 제4호). 즉 합병의 대가로 모회사주식을 활용하는 삼각합병(순삼각합병, 정삼각합병)이 가능하게 되었다.[72] 삼각합병은 모회사(P)가 자회사(S)를 통해 인수대상회사(T)를 M&A할 때 그 대가로 인수대상회사(T)의 주주에게 자회사(S)의 주식이 아니라 모회사(P) 주식을 지급하는 것이다.

한편, 2014년 개정상법[73]에서는 M&A를 활성화하기 위하여 조직재편에 있어 모회사주식을 이용할 수 있는 삼각조직재편으로서 삼각분할합병과 삼각주식교환제도를 도입하면서, 삼각주식교환을 통한 역삼각합병도 인정하고 있다.[74] 첫째, 삼각분할합병에 있어서 분할승계회사(S)가 그 대가로 분할승계회사의 모회사(P) 주식을 포함시키는 경우에는 해당 사항을 분할합병계약서에 기재하여야 한다(개정상법 제530조의6 제1항 제4호). 분할승계회사(S)는 그 지급을 위하여 모회사(P) 주식을 취득할 수 있다(개정상법 제530조의6 제4항). 즉, 삼각분할합병이라 함은 인수대상회사(T)의 일부 사업부문만 자회사(S)가 합병하고 그 대가로 모회사(P)의 주식을 인수대상회사(분할 후 합병대상이 되는 회사 T2)의 주주(t)에게 지급하는 형태를 말한다.

둘째, 삼각주식교환에 있어서 완전자회사가 되는 회사의 주주에게 그 대가의

---

72) 김지환, "삼각합병의 활용과 법적 과제," 「기업법연구」 제25권 제4호(한국기업법학회, 2011. 12.), 69면 이하; 노혁준, "기업재편제도의 재편: 합병, 주식교환, 삼각합병제도를 중심으로," 「경제법연구」 제13권 제2호(한국경제법학회, 2014), 40면 이하; 송종준, "삼각합병의 구조와 관련 법적 문제," 「기업법연구」 제27권 제3호(한국기업법학회, 2013), 141면 이하; 윤영신, "삼각합병제도의 도입과 활용상의 법률문제," 「상사법연구」 제32권 제2호(한국상사법학회, 2013), 9면 이하; 윤희웅·김가영, "삼각합병에 대한 법적 검토," 「증권법연구」 제14권 제2호(한국증권법학회, 2013), 277면 이하; 황현영, "상법상 교부금합병과 삼각합병의 개선방안 연구," 「상사판례연구」 제25집 제4권(한국상사판례학회, 2012. 12.), 241면 이하.

73) 2015.12.1. 법률 제13523호.

74) 김정호, "삼각조직재편," 「경영법률」 제25집 제1호(한국경영법률학회, 2014. 10.), 69면 이하; 송종준, "역삼각합병제도의 도입을 둘러싼 상법상의 쟁점," 「상사법연구」 제3권 제1호(한국상사법학회, 2014), 35면 이하; 정봉진, "역삼각합병이 계약상 권리 양도 금지 조항에 미치는 영향에 관한 미국법 연구," 「아주법학」 제8권 제1호(아주대학교 법학연구소, 2014), 281면 이하; 최준선, "2014년 상법개정안의 주요 내용," 「기업가포럼」(자유경제원, 2014. 8. 11.), 1면 이하; 홍복기, "M&A에 대한 상법상의 규제와 몇 가지 문제점 – 합병, 분할, 주식의 포괄적 교환을 중심으로," 「선진상사법률연구」 통권 제67호(법무부, 2014. 7.), 1면 이하.

전부 또는 일부로서 금전이나 그 밖의 재산을 제공하는 경우에는 그 내용 및 배정에 관한 사항을 기재하여야 한다(개정상법 제360조의3 제3항 제4호). 또한 완전자회사가 되는 회사의 주주에게 제공하는 재산이 완전모회사가 되는 회사의 모회사주식을 포함하는 경우에는 완전모회사가 되는 회사는 그 지급을 위하여 그 모회사주식을 취득할 수 있다(개정상법 제360조의3 제6항). 즉, 삼각주식교환은 완전자회사(S)와 인수대상회사(T)가 주식을 교환함에 있어 완전자회사(S)의 주식 대신에 완전모회사(P)의 주식을 인수대상회사(T)의 주식과 교환하여 완전자회사 (S)가 해당 인수대상회사(T)를 완전손자회사로 삼는 형태이다.

셋째, 위와 같이 삼각주식교환 후에 완전자회사(S)가 완전손자회사(T)와 주식의 포괄적 교환을 하는 경우에 완전손자회사(T)의 주주에게 모회사(P)의 주식을 교부하면서 완전손자회사(T)를 존속회사로 하는 합병이 역삼각합병이다.[75]

나) 해석상의 예외

자기주식 취득의 경우와 마찬가지로 해석상 위탁매매업을 하는 자회사가 위탁의 실행으로서 타인의 계산으로 모회사의 주식을 취득하는 경우와 신탁회사인 자회사가 모회사의 주식을 신탁으로 받는 경우에는 자회사에 의한 모회사주식의 취득이 인정된다. 이에 관하여 미국 모범사업회사법과 영국 회사법은 명문 규정을 두고 있다.[76]

다) 모회사주식의 무상 취득

모회사주식의 무상 취득에 관하여는 명문의 규정은 없다. 그러나 자본이 공동화될 위험이 없고 의결권이 정지되어(제369조 제2항) 모회사의 경영관리를 고정화하는 지배권 왜곡의 수단으로 남용될 위험도 없으므로, 자기주식의 무상 취득의 경우와 같이 자회사에 의한 모회사주식의 무상 취득이 인정된다.[77]

라) 모회사주식의 질권 취득의 문제

제342조의2는 자회사에 의한 모회사주식의 '취득'에 관하여서만 규정하고, 자회사에 의한 모회사주식의 '질권 취득'에 관하여는 규정이 없다. 그러므로 자회

---

75) 김홍기, 전게서, 494~495면.
76) Model Business Corporation Act §7.21(c); Companies Act 2006, sec. 136(2), sec. 138, sec. 141.
77) 권기범, 전게서, 647면; 최기원, 전게서, 370면; 박찬우, 전게논문, 588면; 손주찬, 전게논문 (주 38), 133면; 유진희, 전게논문, 204면; 이병태, 전게논문(주 43), 90면.

사가 모회사의 주식을 질권의 목적으로 취득하는 것이 허용되는지에 관하여 견해가 대립한다.

(1) 질권 취득이 허용된다는 견해

자회사에 의한 모회사주식의 질권 취득이 허용된다는 입장이다. 이 견해의 논거는 다음과 같다. ① 제342조의2는 자회사가 모회사의 주식을 취득하는 것을 금지하고 있는데 그치며, 모회사주식의 질권 취득을 금지하는 것은 아니다. 즉, 상법이 금지하는 대상은 주식의 소유권이지 질권이 아니다.[78] ② 모회사와 자회사는 별개의 법인이므로 자기주식의 질권 취득과 같은 재무상태의 악화에 따르는 이중의 위험성은 없다.[79] ③ 질권의 실행으로 모회사주식을 자회사가 취득하더라도 모회사주식 취득금지의 예외사유인 권리를 실행함에 있어 그 목적을 달성하기 위하여 필요한 때에 해당하므로 위법이 아니다.[80]

그러나 자회사에 의한 모회사주식의 질권 취득이 허용된다고 하더라도 제341조의3의 규정 취지에 따라 발행주식총수의 20분의 1을 초과하여 모회사주식을 질권의 목적으로 받지 못한다.[81]

한편, 100% 투자의 자회사가 모회사주식을 담보로 취득하는 것은 제341조의3에 의한 자기주식의 질권 취득의 문제로서 규제대상이 된다.[82]

(2) 질권 취득이 허용되지 않는다는 견해

자회사에 의한 모회사주식의 질권 취득이 금지된다는 입장이다. 그 논거는 다음과 같다. ① 모회사주식의 질권 취득을 인정하는 것은 자회사에 의한 모회사주식의 취득을 금지한 입법 취지에 반한다.[83] ② 모회사주식의 질권 취득에 관하여 명문 규정은 없으나, 자회사의 모회사주식취득에 대한 규제가 자기주식 취득의 규제와 동일한 취지이므로 제341조의3의 적용을 받는다고 보아야 한

---

78) 송옥렬, 전게서, 881면; 임재연, 전게서, 508면; 최준선, 전게서, 307면; 김세신, 전게논문, 152면; 박명서, 전게논문, 794면; 박상조, 전게논문, 203면; 손주찬, 전게논문(주 42), 32면.
79) 권기범, 전게서, 646면; 김세신, 전게논문, 152면; 박명서, 전게논문, 794면; 손주찬, 전게논문(주 42), 32면.
80) 김세신, 전게논문, 152면; 양석완, 전게논문, 172면; 宮島司, "株式の相互保有規制の解釋,"「改正會社法の基本問題(高鳥正夫編)」(慶應通信, 1982), 45面 이하; 元木 伸, 前揭書, 55面.
81) 임재연, 전게서, 508면.
82) 박찬우, 전게논문, 587면.
83) 김정호, 전게서, 237면; 최기원, 전게서, 370면; 元木 伸, 前揭書, 55面; 竹內昭夫編,「改正會社法解說」(有斐閣, 1983), 88面.

다.[84] ③ 모자회사는 경제적으로 일체관계에 있고 질권의 설정으로 주식취득과 같은 경제적 효과가 발생하므로 모회사주식의 질권 취득도 자기주식의 질권 취득과 동일하게 보아야 한다.[85]

한편, 입법론적으로는 자기주식의 담보 취득에 대하여는 제341조의3에서 명문 규정에 의하여 발행주식총수의 20분의 1 내에서 질권 취득을 허용하고 있지만, 자회사에 의한 모회사주식의 질권 취득에 대하여는 규정을 흠결하고 있어 입법의 보완이 필요하다는 견해도 있다.[86]

(3) 결　어

생각건대, 상법에서 자기주식의 질권 취득을 완화시켰다고 하여도 발행주식총수의 20분의 1로 제한하고 있고, 법률상 모자회사는 별개의 인격이지만 그 경제적 일체관계를 무시할 수 없으며, 모회사의 재산상태 악화는 질권을 취득한 자회사의 담보가치에도 영향을 미칠 수 있다. 따라서 자회사에 의한 모회사주식의 질권 취득은 금지된다고 봄이 타당하다. 다만 모회사주식의 질권 취득을 허용하는 입장에서도 제341조의3의 취지에 따라 일정한 제한을 받는 경우에는 금지하는 입장에 접근하게 된다.

마) 모회사의 전환사채 등의 취득에 관한 문제

자기주식과 마찬가지로 자회사는 모회사의 신주를 인수하는 것은 물론 전환사채, 신주인수권부사채 그리고 신주인수권증서나 신주인수권증권을 취득하는 것도 금지된다는 견해가 있다.[87] 그러나 자회사가 모회사의 기발행주식을 취득하는 것과 신주를 인수하는 것은 금지되지만, 모회사가 발행하는 전환사채(제513조 이하) 또는 신주인수권부사채(제516조의2 이하)는 자회사가 취득할 수 있다고 보아야 한다. 이는 자회사가 모회사에 대하여 채권을 취득하는 것에 불과하기 때문이다. 다만 자회사가 취득한 전환사채의 전환권을 행사하여 신주발행을 청구하거나 신주인수권부사채에 인정되는 신주인수권을 행사하는 것은 허용되지 않는다.[88] 이를 인정하게 되면 제342조의2의 금지규정에 대한 탈법을 허용하는

---

84) 이철송, 전게서, 432면; 김상규, 전게논문, 103면; 박진태, 전게논문, 48면; 유진희, 전게논문, 204면; 최기원, 전게논문(주 43), 102면.
85) 이병태, 전게논문(주 43), 87면.
86) 박진태, 전게논문, 48면.
87) 이철송, 전게서, 432면; 김상규, 전게논문, 103면; 박찬우, 전게논문, 587면.
88) 권기범, 전게서, 646면; 김정호, 전게서, 237면; 송옥렬, 전게서, 880면; 최기원, 전게서,

결과가 되고, 동조 제1항 제2호의 예외에도 해당되지 않기 때문이다.[89]

2) 자회사가 취득한 모회사주식의 지위

자회사가 적법하게 취득하여 보유하고 있는 모회사주식의 법률적 취급에 관하여는 명문 규정이 없다. 자회사가 모회사의 주식에 관하여 의결권을 행사할 수 없는 것은 명백하지만, 의결권행사 금지의 근거 등이 무엇인지 여부, 의결권 이외의 공익권과 자익권 등은 인정되는지 여부에 관하여는 다툼이 있다.

가) 의결권행사 금지의 근거 및 효과

의결권행사 금지의 근거에 관하여 자회사가 모회사의 주식을 예외적으로 취득한 경우에 제369조 제3항의 주식상호보유에 해당되어 자회사는 의결권을 행사할 수 없다는 견해가 있다.[90] 이에 대하여 자기주식의 경우와 같이 제369조 제2항에 의하여 자회사는 의결권을 행사할 수 없다고 해석해야 한다는 견해가 있다.[91] 생각건대, 자회사가 보유하는 모회사의 주식을 자기주식 취득의 일환으로 보는 한, 모자관계가 없는 회사 간의 의결권제한규정(제369조 제3항)을 적용할 것이 아니라 자기주식의 권리행사 제한에 관한 해석을 그대로 원용하는 것(제369조 제2항 적용)이 타당하다. 그렇게 함으로써 모자관계가 없는 회사 간의 권리행사와 구별하여 모자관계가 있는 회사 간의 권리행사 전체를 일관성 있게 해석할 수 있기 때문이다.[92] 판례도 제369조 제3항의 의결권행사 규제는 모자관계가 없는 회사 간의 주식상호보유를 규제하기 위한 것임을 인정하고 있다.[93]

한편, 의결권행사 금지를 위반하여 자회사가 모회사주식에 대하여 의결권을 행사한 때에는 모회사의 주주총회결의의 취소원인이 된다(제376조 제1항). 그리고 자회사가 취득한 모회사의 주식은 모회사 주주총회의 정족수 계산에 있어서 발행주식총수에 포함되지 아니한다(제371조 제1항).

369면; 최준선, 전게서, 307면; 강위두, 전게논문, 129면; 손주찬, 전게논문(주 42), 32면.

89) 박명서, 전게논문, 794면; 유진희, 전게논문, 204면; 최기원, 전게논문(주 41), 110면.

90) 권기범, 전게서, 647면; 이철송, 전게서, 433면; 임재연, 전게서, 508~509면; 정찬형, 전게서, 794면; 박상조, 전게논문, 203면; 박진태, 전게논문, 47면; 박찬우, 전게논문, 588면; 손주찬, 전게논문(주 42), 32면; 유진희, 전게논문, 204면.

91) 최기원, 전게논문(주 41), 112면 주 13)에서는 입법론적으로는 의결권이 없다고 규정하거나(일본 상법 제241조 제3항(일본 회사법 제308조)) 적어도 상법 제369조 제2항을 준용하는 규정을 두었어야 한다고 주장한다.

92) 이병태, 전게논문(주 43), 92면.

93) 대법원 2009.1.30. 2006다31269.

나) 의결권 이외의 권리 인정 여부

의결권 이외의 공익권과 자익권(이익배당청구권, 신주인수권, 잔여재산분배청구권 등)이 인정되는지에 관해서는 견해가 나뉜다.

첫째, 의결권뿐만 아니라 기타 모든 공익권과 자익권도 인정되지 않는다는 견해(전면적 휴지설)이다. 그 근거로는 자회사가 모회사의 주식을 취득하는 것은 실질적으로 자기주식의 취득에 해당한다는 점을 들고 있다.[94] 이러한 견해에 입각하면서도 준비금의 자본전입에 의한 무상주를 교부받는 것은 주식의 무상 취득과 같으므로 허용된다는 견해도 있다.[95]

둘째, 의결권을 제외한 기타 공익권과 자익권의 행사는 인정하는 견해이다.[96] 즉, 의결권을 제외한 공익권은 의결권행사와 같이 모회사의 경영관리를 고정화하는 수단으로 악용될 위험이 크지 않고, 모회사 운영의 공정을 해하는 것이 명백하고 구체적인 경우에는 권리남용으로 의제하면 되며, 신주인수권 등 자익권은 보유 중의 모회사주식에 대하여도 인정된다.

셋째, 자회사가 보유하는 모회사주식에 관하여 이익배당청구권 등 자익권의 행사만을 인정하는 견해이다.[97]

생각건대, 자회사가 보유하는 모회사주식을 자기주식과 구별할 만한 실질적인 이유가 없고, 독일 주식법도 명문으로 의결권을 포함한 일체의 권리행사를 금지하고 있다(제71d조, 제71b조). 따라서 의결권뿐만 아니라 모든 공익권과 자익권도 인정되지 않는다는 견해가 타당하다.

3) 자회사가 취득한 모회사주식의 처분

자회사가 모회사의 주식을 예외적으로 취득한 경우에는 그 주식을 취득한 날로부터 6월 이내에 모회사의 주식을 처분하여야 한다(제342조의2 제2항).

모회사주식에 관하여 일정 기간 내에 처분하도록 한 규정의 취지는 예외적으

---

94) 김정호, 전게서, 238면; 송옥렬, 전게서, 881면; 이철송, 전게서, 433면; 임재연, 전게서, 508~509면; 정찬형, 전게서, 794면; 홍복기·박세화, 전게서, 273면; 김세신, 전게논문, 153면; 박상조, 전게논문, 203면; 박진태, 전게논문, 47면; 유진희, 전게논문, 204면; 이병태, 전게논문(주 43), 92~93면.
95) 권기범, 전게서, 647면; 최기원, 전게서, 372면; 최준선, 전게서, 307~308면; 박찬우, 전게논문, 589면.
96) 서정갑, 전게논문, 130~131면.
97) 손주찬, 전게논문(주 42), 32면.

로 취득한 모회사주식의 장기보유로 인한 자본의 공동화와 지배권 왜곡 등의 폐해를 방지하기 위한 것이다.[98] 이러한 취지에서 법정예외사유 이외의 적법한 취득으로 볼 수 있는 무상 취득의 경우와, A회사가 B회사의 주식을 적법하게 취득하였으나 그 후에 B회사가 모회사가 된 경우에 자회사(A회사)가 된 것을 안 날로부터 6월 이내에 처분해야 한다는 견해가 있다.[99] 이에 의하면 자회사가 된 것을 안 시점은 회사의 이사로서 선량한 관리자의 주의의무를 다한 경우에 알 수 있었던 시점이라고 한다.

그러나 기준시점이 불명확할 뿐만 아니라 자회사 이사의 주관적 판단에 좌우될 우려가 있으므로, 모자관계 성립시라고 보아야 할 것이다. 영국에서도 위와 같은 경우에 자회사가 모회사의 주식을 보유하는 것 자체는 금지되지 않으나, 자회사는 모회사의 사원이 될 수 없으므로 모자관계 성립시부터 모회사의 주주명부에서 제외되어 의결권을 행사할 수 없을 뿐만 아니라 주식배당도 받을 수 없다고 한다.[100]

한편, 모회사주식의 주가가 급락하는 경우와 같이 명백한 손해가 있는 경우에도 6월 이내에 처분할 수밖에 없으므로 입법론적으로 문제가 있다는 견해가 있다.[101] 또한 예외적으로 취득한 모회사의 주식을 6월 내에 처분하도록 한 것은 자기주식을 적법하게 취득한 경우에 '상당한 시기'에 처분하도록 한 규정(2011년 상법개정 전 제342조 제1항)에 대응한 것이었으나, 2011년 개정상법에 의하여 자기주식의 처분에 관하여는 이사회가 임의로 결정할 수 있으므로 주식처분의 형평성에 문제가 있어 입법론적으로 시정이 필요하다는 견해도 있다.[102] 일본 회사법 제135조 제3항에 의하면 '상당한 시기'에 처분하도록 규정하고 있다는 점에서, 입법론적으로 고려할 필요가 있다고 생각한다.

4) 벌칙 및 경과조치

모회사의 주식을 6월 이내에 처분하지 않는 경우에 자회사의 이사 등은 벌금형의 제재를 받는다(제625조의2). 또한 자회사의 이사 등은 회사 및 제3자에

 98) 최기원, 전게서, 371면; 박진태, 전게논문, 49면; 박찬우, 전게논문, 589면; 서정갑, 전게논문, 131면; 이병태, 전게논문(주 43), 91면.
 99) 최기원, 전게서, 371면; 박찬우, 전게논문, 589면.
100) Rebert R. Pennington, *op. cit.*, p. 645; 강위두, 전게논문, 125면.
101) 손주찬, 전게논문(주 42), 33면.
102) 이철송, 전게서, 433면; 최준선, 전게서, 315~317면.

대하여 손해배상책임을 부담함은 물론이다.

한편, 부칙(1984. 4. 10. 법률 제3724호) 제9조에서는 경과규정을 두어, 개정법 시행 당시에 제342조의2의 규정에 의하여 자회사가 모회사의 주식을 가지고 있는 경우에는 3년 내에 모회사의 주식을 처분하도록 하고 있다(동조 제1항). 이를 처분하지 않는 경우 제342조의2의 규정에 위반하여 자회사가 모회사의 주식을 취득한 경우와 같이 2천만원 이하의 벌금이 부과된다(동조 제2항, 제625조의2).

마. 취득금지 위반의 효과

1) 사법상의 효과

자회사의 모회사주식 취득금지에 위반하여 모회사주식을 취득한 경우에 사법상의 효력에 관하여 명문 규정이 없고, 이에 관하여는 견해가 대립하고 있다.

가) 절대적 무효설(당연무효설)

자회사의 모회사주식 취득행위는 상대방의 선의·악의를 불문하고 절대적으로 무효라는 견해이다.[103] 판례의 입장이기도 하다.[104] 자기주식 취득금지 위반의 경우와 같이 주식상호보유 규제의 입법 취지와 모회사주식 취득에 대한 예방적 기능이 충분히 발휘되기 위해서는 절대적 무효로 보는 것이 타당하다는 점을 근거로 들고 있다.[105] 다만 입법론으로 자회사가 모회사의 주식을 취득하는 경우를 포함하여 자기주식 취득금지를 위반한 경우의 효력에 관하여 명문의 규정을 두는 것이 바람직하다는 견해도 있다.[106]

이에 대하여 절대적 무효설에 의하면 자회사에 의한 모회사주식 취득으로 인한 폐단과 그 예방적 기능을 충분히 기대할 수 있으나, 회사가 타인명의로 주식을 취득한 경우까지 거래가 무효가 되어 선의의 피해자가 발생하는 등 거래안전을 해하게 된다는 비판이 있다.[107]

---

103) 김정호, 전게서, 238면; 김홍기, 전게서,455면; 송옥렬, 전게서, 881면; 정찬형, 전게서, 793면; 최준선, 전게서, 307면; 박상조, 전게논문, 204면; 손주찬, 전게논문(주 42), 30~31면; 최기원, 전게논문(주 41), 23면.
104) 대법원 2006.10.12. 2005다75729; 2005.2.18. 2002도2822; 2003.5.16. 2001다44109; 1964.11.12. 64마719; 서울고등법원 1979.6.21. 78나3263.
105) 김세신, 전게논문, 152면; 박명서, 전게논문, 795면; 유진희, 전게논문, 203면.
106) 박명서, 전게논문, 795면; 박진태, 전게논문, 46면; 양석완, 전게논문, 174면.
107) 이철송, 전게서, 433~423면, 405면; 박찬우, 전게논문, 590~591면; 이병태, 전게논문(주 43), 89면.

나) 유효설

모회사주식의 취득금지에 관한 규정은 일종의 명령적 규정으로 보아 이를 위반한 때에는 이사의 책임이 발생할 뿐이고 주식취득 자체는 유효하다는 견해이다.[108]

이에 대하여는 모회사주식의 취득금지가 이사에 대한 책임추궁만으로 실효성이 있을지 의문이고, 상대방이 악의인 경우에도 모회사주식 취득이 유효하다고 보는 것은 부당하다는 비판이 있다.[109] 또한 양도인의 선의·악의는 현실적으로 그 입증이 어렵고, 선의의 양도인은 거래가 무효가 되더라도 원상회복과 회사에 대한 손해배상청구권으로 보호받을 수 있다는 비판도 있다.[110]

다) 상대적 무효설

자회사에 의한 모회사주식의 취득은 상대방의 선의·악의를 불문하고 무효이나, 선의의 제3자(전득자, 압류채권자 등)에게 대항하지 못한다.[111] 이 견해는 자기주식 취득과 같이 자회사에 의한 모회사주식의 취득금지의 입법 취지와 거래 안전의 보호를 동시에 고려하여야 한다는 점을 논거로 들고 있다.

한편, 기본적으로 상대적 무효설의 입장에서, 원칙적으로 무효이지만, 회사가 타인명의로 취득한 경우에는 상대방이 선의인 한 유효하다는 견해가 있다.[112] 이에 의하면 자회사가 타인명의로 취득한 경우와 선의의 상대방을 쉽사리 알 수 없는 경우에는 예외적으로 유효로 하는 것이 타당하다고 한다. 그러나 입증책임에 있어서 무효를 주장하는 측에서 상대방의 악의를 입증하지 못하는 한 취득의 효력을 부인할 수 없게 되어, 회사가 타인 명의로 취득한 경우에는 거의 유효한 것으로 된다는 비판이 있다.[113] 또 다른 견해로서 모회시의 주식취득은 무효이지만, 양도인은 선의·악의를 불문하고 무효를 주장하지 못하고, 제341조에 의하여 보호받아야 할 자인 회사, 회사채권자, 주주도 양도인이 악의인 경우에만

---

108) 서헌제, 「사례중심체계 회사법」(법문사, 2000), 238면; 채이식, 「상법강의(상)」 개정판(박영사, 1996), 639면.
109) 이철송, 전게서, 419면; 임재연, 전게서, 487면; 이병태, 전게논문(주 43), 89면; 최기원, 전게논문(주 41), 114면.
110) 박찬우, 전게논문, 591면.
111) 권기범, 전게서, 647~648면; 이철송, 전게서, 433~434면; 김상규, 전게논문, 105면; 박찬우, 전게논문, 591면.
112) 이병태, 전게논문(주 43), 89면.
113) 이철송, 전게서, 420면; 박명서, 전게논문, 795면.

무효를 주장할 수 있다는 견해도 있다.114) 이에 대하여는 결론적으로는 원칙적
으로 유효하고, 양도인은 무효를 주장하지 못하되 회사는 필요에 따라 유효 또
는 무효를 주장할 수도 있어 상대방의 지위는 매우 불안정하게 된다는 비판이
있다.115)

라) 결 어

자회사에 의한 모회사주식의 취득에 있어서는 거래의 안전보다 주식회사의
본질적 요청인 자본충실의 원칙을 보호하는 것이 더 중요하므로, 절대적 무효설
이 타당하다. 또한 절대적 무효설을 취하더라도 상대방은 이사 또는 회사에 대
하여 무효로 인한 손해배상을 청구할 수 있으므로 거래의 안전을 크게 해하지는
않을 것으로 판단된다.

2) 이사 등의 책임

자회사의 모회사주식 취득금지에 위반하여 모회사주식을 취득한 자회사의 이
사 등은 회사 또는 제3자에 대하여 손해배상책임을 진다(제399조, 제401조). 주
주 또는 감사는 그 위법행위에 대하여 사전에 유지청구권을 행사할 수도 있고,
사후적으로 대표소송도 인정된다(제402조). 자회사의 이사가 모회사의 지시에 따
라 그 회사의 주식을 위법하게 취득한 때에는 그 모회사 자신도 자회사의 이사
와 연대하여 책임을 진다(제399조, 제402조).

자회사의 이사 등이 제342조의2의 규정에 위반한 때에는 2천만원 이하의 벌
금형의 제재를 받는다(제625조의2). 이는 상법상의 벌금 중 최고의 금액이지만,
자기주식 취득금지 위반의 경우에 비하여 벌칙은 완화된 것으로 볼 수도 있
다.116)

---

114) 임홍근, 「회사법」(법문사, 2000), 259면.
115) 이철송, 전게서, 420면; 박명서, 전게논문, 795면; 박진태, 전게논문, 46면; 양석완, 전게논
　　문, 174면; 최기원, 전게논문(주 41), 113면.
116) 이사가 자기주식 취득금지에 위반한 경우에는 '5년 이하의 징역 또는 1천500만원 이하의
　　벌금'의 처벌을 받는데 대하여(제625조 제2호), 상호보유금지에 위반하여 모회사 주식을 취
　　득한 경우에는 '2천만원 이하의 벌금'의 처벌을 받는데 그치고 있다.

4. 비모자회사 간의 주식상호보유

가. 의의 및 취지

회사, 모회사 및 자회사 또는 자회사가 다른 회사의 발행주식총수의 10분의 1을 초과하는 주식을 가지고 있는 경우, 그 다른 회사가 가지고 있는 회사 또는 모회사의 주식은 의결권이 없다(제369조 제3항). 이는 모자관계가 없는 주식회사 상호 간의 주식보유를 규제하는 것이다. 다만 주식 보유 그 자체를 금지하는 것이 아니라 의결권을 제한하는데 특색이 있다.

모자관계가 없는 회사 간의 주식상호보유를 규제하는 주된 목적은 주식의 상호보유를 통해 출자 없는 자가 의결권을 행사함으로써 주주총회결의와 회사의 지배구조가 왜곡되는 것을 방지하기 위한 것이고,[117] 더 나아가 회사지배의 왜곡을 방지하기 위하여 의결권을 제한하게 되면 그 주식의 취득을 간접적으로 제한하는 것이 됨으로써 주식상호보유를 자연적으로 감소시키기 위한 것이라고 한다.[118] 그러나 자본의 공동화와 이사에 의한 회사지배권의 유지를 방지하기 위한 모자회사의 경우와 비교하여, 상호출자에 의한 실질적인 출자의 반환 및 자본의 공동화라는 점은 도외시한 것이다.[119]

나. 규제의 범위

1) 상호보유의 유형

가) 상법의 규정

첫째, 회사(A)가 다른 회사(B)의 발행주식총수의 10분의 1을 초과하는 주식을 가지고 있는 경우, B회사가 가지고 있는 A회사의 주식은 의결권이 없다. 그러나 A회사가 가지고 있는 B회사의 주식은 의결권이 있다. 그러나 A회사와 B회사가 서로 발행주식총수의 10분의 1을 초과하는 주식을 가지고 있는 경우, A회사와 B회사 두 회사가 가지는 상대방 회사의 주식은 모두 의결권이 없다.[120]

---

117) 대법원 2009.1.30. 2006다31269.
118) 이병태, "상호주에 관한 상법의 규제(하)," 「고시연구」 제12권 제3호(통권 제132호)(고시연구사, 1985. 3.), 96면(이하 이병태, 전게논문(주 118)이라 한다).
119) 손주찬, 전게논문(주 38), 133면.
120) 박찬우, 전게논문, 592면; 손주찬, 전게논문(주 35), 42면; 유진희, 전게논문, 205면; 최기

그 취득시기의 선후는 묻지 않는다.[121]

둘째, 모회사(A) 및 자회사(B)가 다른 회사(C)의 발행주식총수의 10분의 1을 초과하는 주식을 가지고 있는 경우, 다른 회사(C)가 가지는 모회사(A)의 주식은 의결권이 없다(규제의 일방성). 자회사의 수에는 제한이 없다. 따라서 모회사(A), 자회사(B), 자회사(B₁)가 합하여 다른 회사(C)의 발행주식총수의 10분의 1을 초과하는 주식을 가지는 경우에, 다른 회사(C)가 가지는 모회사(A)의 주식은 의결권이 없다.

셋째, 자회사(B)만이 다른 회사(C)의 발행주식총수의 10분의 1을 초과하는 주식을 가지고 있는 경우, 다른 회사(C)가 가지는 모회사(A)의 주식뿐만 아니라, 자회사(B)의 주식도 의결권이 없다. 이때 자회사는 2개 이상 있을 수 있다. 손회사(C)도 모회사(A)의 자회사로 본다.

나) 증손회사의 포함 여부

비모자회사 간의 주식상호보유에 있어서 자회사의 범위에 증손회사도 포함되는지 여부가 문제된다. 모자회사 관계에 있어서와 같이 증손회사는 포함되지 않는다고 보는 것이 타당하다.

증손회사가 포함된다는 견해에 의한 구체적인 사례를 살펴보면 다음과 같다. 첫째, 모회사(A), 자회사(B), 손회사(C)가 합하여 다른 회사(D)의 발행주식총수의 10분의 1을 초과하는 주식을 가지는 경우에, 다른 회사(D)가 가지는 모회사(A)의 주식은 의결권이 없다. 이 경우 손회사가 복수인 경우도 있다. 둘째, 모회사(A), 자회사(B), 손회사(C)의 관계에 있어서 자회사(B), 손회사(C)가 합하여 다른 회사(D)의 발행주식총수의 10분의 1을 초과하는 주식을 가지는 경우에, 다른 회사(D)가 가지는 자회사(B)의 주식은 의결권이 없고, 또한 모회사(A)의 주식도 의결권이 없다. 셋째, 모회사(A), 자회사(B), 손회사(C), 증손회사(D) 중에서 자회사(B), 손회사(C), 증손회사(D)의 3개사가 다른 회사(E)의 발행주식총수의 10분의 1을 초과하는 주식을 가지고 있는 경우에, 각 회사 간의 지배·종속관계가 분명한 경우에는 규제의 대상이 된다.[122] 즉 다른 회사(E)가 보유하는

원, 전게논문(주 41), 115면; 竹內昭夫編, 前揭書, 93面.

121) 임재연, 전게서, 511면; 이병태, 전게논문(주 118), 97면; 이철송, 전게논문(주 43), 92면.

122) 박찬우, 전게논문, 593면; 손주찬, 전게논문(주 35), 43면; 이병태, 전게논문(주 118), 97면; 이철송, 전게논문(주 43), 99면.

모회사(A)의 주식은 의결권이 없다.

다) 모자관계

모자관계가 없는 회사 간에 주식을 상호보유하고 있더라도 일방 회사가 상대방 회사의 발행주식총수의 50%를 초과하여 주식을 가지게 되면 모자관계가 성립하므로 그 상대방 회사(자회사)는 주식을 취득할 수 없고, 따라서 상대방 회사(자회사)가 보유하는 모회사의 주식은 모두 처분하여야 한다. 이때에는 제369조 제3항이 적용되는 것이 아니라 제342조의2 제2항의 규정이 적용되기 때문이다.[123]

이에 대하여 두 회사가 모자관계인 경우에는(예컨대 자회사가 모회사 주식의 15%를 소유한 경우) 제369조 제3항은 자회사가 소유한 모회사의 주식에 대하여만 적용되고, 모회사가 소유한 자회사 주식에 대하여는 적용되지 않는다는 견해가 있다.[124] 즉, 원래 자회사의 모회사 주식취득은 금지되는데, 제369조 제3항이 모회사가 소유한 자회사 주식에 대하여 적용된다면 모회사가 자회사를 지배할 수 없는 상황이 되기 때문이라고 한다. 한편, 자회사가 취득한 모회사의 주식은 제342조의2 제1항에 위반하여 의결권이 없으므로 회사지배의 왜곡과 같은 폐해가 없어 모회사가 보유하는 자회사의 주식은 의결권을 제한할 필요가 없기 때문이라는 견해도 있다.[125] 또한 자회사가 소유하는 모회사의 주식은 이미 제369조 제3항에 의하여 의결권이 제한되므로, 모회사의 주식을 10% 이상 '가지고 있는 경우'에 해당하지 않는다고 보아 모회사가 가지고 있는 자회사의 주식은 의결권이 제한되지 않는다고 해석하는 견해도 있다.[126]

생각건대, 모자관계가 없는 회사 간의 주식상호보유가 후에 모자관계가 성립되는 경우에는 간명한 법률적 처리를 위하여 제342조의2 제2항을 적용하는 것이 타당하고, 다만 입법에 의하여 제369조 제3항의 적용범위를 명확히 할 필요가 있다고 생각한다.

---

123) 김상규, 전게논문, 105면; 이철송, 전게논문(주 43), 92면.
124) 임재연, 전게서, 511면.
125) 송옥렬, 전게서, 883면.
126) 김지평, 전게논문, 95면.

2) 발행주식총수의 10분의 1

가) '10분의 1' 기준의 근거

제369조 제3항은 모자관계가 없는 회사 간의 주식상호보유에 대하여 발행주식총수 10분의 1이라는 형식적 기준으로 그 범위를 한정하여 일방적 의결권행사의 금지를 규정하고 있다. 그런데 10분의 1의 기준의 산정근거와 적정성에 대하여 논란이 있다.[127]

그 근거로서는 대주주에 의한 이사의 선임 또는 기타 의안 등의 가결에 있어 회사지배에 주변적으로 참가할 수 있다는 점,[128] 또는 구 증권거래법(1991. 12. 31 개정 전의 것) 제188조와 구 공정거래법(1990. 1. 13. 개정 전의 것) 제8조에서 경영권의 취득 내지 이사와의 밀접한 관계를 구성할 만한 지주비율을 발행주식총수의 10분의 1로 규정한 것과 균형을 맞추기 위한 것이라는 점,[129] 또는 발행주식총수 10분의 1 정도의 상호보유는 특별히 자본충실에 영향을 주지 않고 회사에 실질적으로 영향을 미칠 수 있음을 고려한 점[130] 등이 열거되고 있다.

한편, 발행주식총수의 10분의 1이라는 기준이 적정한지 여부에 관한 비판으로서는 첫째, 지배·종속관계가 없는 회사의 주식상호보유를 규제함에 있어서 일방적으로 권리행사를 제한함으로써 오히려 상대방 회사의 10% 초과출자를 촉진시키게 되어 규제의 입법 취지에 부합하지 않게 된다는 점,[131] 둘째, 10% 정도의 주식보유로 상대방 회사를 지배할 수 있는지는 의문이고, 주주총회결의의 왜곡을 방지한다는 본래 입법 취지와 달리 경영권방어의 목적이 되고 있다는 점,[132] 셋째, 일본(회사법 제308조)과 독일(주식법 제19조)의 25% 기준에 비추어[133] 근거 없이 엄격한 10%의 기준을 설정한 것은 과도한 의결권제한으로서,

---

127) 정찬형, 전게서, 898면 주 4).
128) 이철송, 전게서, 434~435면; 菱田政宏, "株式の相互保有と会社支配,"「現代商法学の課題(鈴木竹雄先生古稀記念)(中)」(有斐閣, 1984), 784面.
129) 박길준, "주식회사의 자금조달에 관한 개정의견,"「상법개정의 논점(한국상사법학회편)」(삼영사, 1981), 89면; 김교창, "주주의 의결권행사에 대한 제한,"「변호사」제19집(서울지방변호사회, 1989), 41면; 김세신, 전게논문, 154면; 정동윤, "개정상법의 주요내용과 문제점,"「대한변호사협회지」제100호(대한변호사협회, 1984), 113면.
130) 박찬우, 전게논문, 594면.
131) 손주찬, 전게논문(주 38), 140면.
132) 대법원 2009.1.30. 2006다31269.
133) 독일 및 일본과 비교하여 주식상호보유에 의하여 규제되는 폭이 확대되는 문제점이 있다(오영준, "2000년대 민사판례의 경향과 흐름: 상법,"「민사판례연구」제33집(하)(박영사,

기업의 자유로운 경제활동을 보장하고 있는 헌법의 이념에 비추어 피해최소성의 원칙 및 과잉금지의 원칙을 위반한 위헌적 요소를 포함하고 있다는 점 등이 있다.[134)]

생각건대, 비모자회사관계에서 어느 정도의 주식상호보유가 적정한 기준인지 여부는 논리적으로 설명하기 어렵지만, 제369조 제3항의 입법 취지에 비추어 10분의 1 초과 보유를 주주총회의 결의를 왜곡할 가능성이 있는 보유비율로 보아 정책적으로 규제의 대상으로 삼고 있다고 생각된다.[135)] 그러나 이러한 의결권 제한이 오히려 왜곡된 형태의 소유지분구조를 초래할 수도 있을 뿐만 아니라, 경영권의 방어에 있어서 외국기업과의 관계에서 국내기업을 역차별하는 문제도 발생할 수 있으므로,[136)] 실증적 연구조사를 통하여 합리적으로 규제할 수 있는 방안이 입법론적으로 검토되어야 할 것이다.

나) 발행주식총수의 산정

상법은 10분의 1 기준에 관하여 의결권의 유무에 관계없이 발행주식총수를 기준으로 규정하고 있다(제369조 제3항). 이에 대하여 상법은 의결권의 유무와 관계없이 발행주식총수를 기준으로 규정하고 있지만, 규제방식이 취득금지가 아니라 의결권 제한이므로 입법론상으로는 의결권 있는 주식만을 기준으로 하는 것이 타당하다는 견해가 있다.[137)] 그러나 제369조 제3항의 발행주식총수의 산정에 있어서는 의결권 없는 주식을 포함하는 의미로 해석하는 것이 타당하다. 그 근거로서는 법문상 의결권 없는 주식을 제외한다고 명시하고 있지 않고, 그 입법목적이 주주총회결의의 왜곡을 방지하는 데 있다고 보는 경우 회사의 지배방식은 의결권행사뿐만 아니라 기타 소수주주권의 행사에 의해서도 사실상 영향을 미칠 수도 있다는 점,[138)] 의결권 없는 주식도 예외적으로 의결권이 인정되는 경우가 있다는 것을 고려할 때 논리적으로 의결권 있는 주식을 기준으로 하는 것

2011. 2.), 741면).

134) 김상규, 전게논문, 112면 이하; 이병규·최준선, "주주의결권제한의 위헌성 연구," 「성균관법학」 제21권 제3호(성균관대학교 비교법연구소, 2009. 12.), 572~575면.
135) 손주찬, 전게논문(주 35), 45면.
136) 이병규·최준선, 전게논문, 592면.
137) 권기범, 전게서, 733면; 송옥렬, 전게서, 882면; 이철송, 전게서, 435면; 임재연, 전게서, 513면; 이철송, 전게논문(주 43), 92면.
138) 김영곤, "주식의 상호보유의 상법상의 규제," 「사회과학연구」 제15집(조선대학교 사회과학연구소, 1992), 31면; 박명서, 전게논문, 797면; 손주찬, 전게논문(주 38), 138면.

은 타당치 않다는 점,[139] 의결권 없는 주식은 모두 상호보유주식으로 보유함과 동시에 의결권 있는 주식에 대하여는 규제기준인 10분의 1까지만 보유한다고 하더라도 비공개·비상장회사는 최고 35%까지, 공개·상장회사는 최고 60%까지 아무런 규제를 받지 않고 보유할 수 있는 결과를 초래한다는 점[140] 등을 들수 있다.

다) 피참가회사의 자회사 포함 여부

어느 회사(A)가 다른 회사(B)의 발행주식총수의 10분의 1을 초과하는 주식을 가지고 있는 경우에 다른 회사(B)가 가진 회사(A), 모회사 및 자회사 또는 자회사의 주식은 의결권이 없다. 그런데 피참가회사(B)의 자회사가 가지고 있는 참가회사(A)의 주식의 의결권이 제한되는지 여부가 문제된다. 즉 피참가회사(B) 및 피참가회사(B)의 자회사가 가지고 있는 참가회사(A)의 주식이 참가회사(A)의 발행주식총수의 10분의 1을 초과하는 경우에 문제된다. 피참가회사(B)의 자회사도 피참가회사(B)와 일체로 보아 제369조 제3항을 유추적용하여 의결권이 제한된다는 견해와[141] 피참가회사(B)의 자회사는 참가회사(A) 주식에 대하여 의결권이 제한된다는 규정이 없으므로, 주주권의 본질인 의결권을 유추해석에 의하여 부인해서는 안된다는 견해[142]가 있다.

생각건대, 출자 없는 지배를 억제하기 위하여 주식상호보유의 의결권을 제한하고 있으므로 전자의 견해가 타당하다고 생각한다.

다. 의결권의 제한

1) 상호보유의 판단시점

제369조 제3항의 의결권 제한에 관한 발행주식총수 10분의 1 초과 보유 여부를 판단할 기준시점에 관하여는 명문의 규정이 없다. 기준일을 정한 회사에

---

139) 이병태, 전게논문(주 118), 97면; 최기원, 전게논문(주 41), 115~116면.
140) 양석완, 전게논문, 175면. 2011년 개정상법에 의하면 의결권배제·제한주식의 총수는 발행주식총수의 4분의1을 초과하지 못하고(제344조의3 제2항), 자본시장법에 의하면 주권상장법인은 의결권 없는 주식의 총수는 발행주식총수의 2분의 1을 초과해서는 안된다(제165조의15 제2항)고 규정하고 있다.
141) 이철송, 전게서, 435~436면; 손창완, 전게논문, 15면.
142) 권기범, 전게서, 732~733면; 송옥렬, 전게서, 882면; 임재연, 전게서, 510면 주 400)(다만 입법론상으로는 명문의 규정으로 피참가회사의 자회사의 의결권을 제한하는 것이 타당하다고 한다); 유주선, 전게논문, 190면.

있어서 기준일 이후 주주총회일 사이에 주식소유관계에 변동이 있는 경우에, 기준일을 기준으로 판단할 것인지, 주주총회일을 기준으로 판단할 것인지, 아니면 주식을 실질적으로 취득한 날을 기준으로 할 것인지 여부가 문제된다.[143]

가) 주주총회일설

주식의 상호보유에 해당하는지 여부를 판단하는 시점은 주주총회일이라는 견해이다.[144] 이 견해의 논거로서는 ① 주주총회를 개최하는 날까지 정확한 소유관계를 반영한다는 점,[145] ② 기준일 이후 참가회사의 보유주식수에 변동이 있는 경우에 주주총회일을 기준으로 하는 것이 간명하다는 점,[146] ③ 주식보유현황을 논하는 목적이 참가회사에 대한 피참가회사의 의결권행사를 차단하기 위한 것이므로 참가회사 및 피참가회사의 주식보유현황은 참가회사의 주주총회일을 기준으로 판단해야 한다는 점,[147] ④ 주주총회에서 주주로서의 권리를 행사하기 위해 요구되는 기준일 제도와 형식상 주주로서의 지위를 가지고 있음에도 불구하고 의결권을 배제하는 주식상호보유 제도는 그 목적과 요건이 다르다는 점,[148] ⑤ 제342조의3의 통지의무의 입법 취지는 주식취득사실을 상대방 회사에 알리도록 해서 경영권방어 등의 기회를 부여하기 위한 것인데, 기준일을 기준으로 하게 되면 상대방 회사는 기준일 당시의 주식보유현황을 확인하고 주식상호보유 여부를 판단하면 되므로 굳이 통지할 필요가 없다는 점,[149] ⑥ 모회사, 자회사, 다른 회사가 서로 기준일을 달리 하되 같은 날 주주총회를 개최하는 경우에 기준일을 기준시점으로 주식상호보유 여부를 판단하게 되면, 기준일에 따라 일부 회사에게는 의결권이 인정되거나 배제되는 불합리한 결과가 발생

---

143) 주식상호보유 판단의 기준시점은 그게 기준일설과 주식실질취득일설로 나눌 수 있고, 주식실실취득일설의 범주는 다양하지만 주주총회일설은 주식실질취득설의 범주에 속한다는 견해도 있다(김홍기, "상호주 판단의 기준시점 및 기준일 제도와의 상호연관성 – 대상판결: 대법원 2009.1.30. 선고 2006다31269 판결," 「동북아법연구」 제3권 제2호(전북대학교 동북아법연구소, 2009. 12.), 495면).

144) 송옥렬, 전게서, 883면; 정찬형, 전게서, 897면; 홍복기·박세화, 전게서, 274~275면.

145) 최준선, 전게서, 386면.

146) 임재연, 전게서, 511~512면; 유영일, "상호주(상법 제369조 제3항)의 판단시점과 판단기준 – 대법원 2009.1.30. 선고 2006다31269 판결을 중심으로," 「상사판례연구」 제24집 제1권(한국상사판례학회, 2011), 215면.

147) 서울고등법원 2006.4.12. 2005나74384(대법원 2009.1.30. 2006다31269의 원심판결); 이철송, 전게서, 437면; 김지평, 전게논문, 83~84면; 김택주, 전게논문, 406면.

148) 서울고등법원 2006.4.12. 2005나74384.

149) 서울고등법원 2006.4.12. 2005나74384; 유영일, 전게논문, 206면.

할 수 있다는 점,[150] ⑦ 기준일은 이사회가 자율적으로 정할 수 있으므로 기준일을 기준으로 하는 경우에 경영진이 기준일을 조정하여 주식상호보유의 규제를 회피할 수 있고, 기준일 제도는 임의적 제도로서 강행적 제도인 주식의 상호보유제도와 성질상 차이가 있으며, 기준일을 기준으로 의결권행사 여부를 판단한다면 회사의 의사에 따라 주식상호보유 규제의 적용결과가 달라지게 된다는 점[151] 등을 들고 있다.

나) 주식실질취득일설

발행주식총수의 10분의 1 초과 보유를 규제요건으로 법정한 이상, 그 보유율에 변동이 있으면 그에 따라 의결권의 유무가 좌우되므로 참가회사가 10분의 1을 초과하는 주식을 취득한 때를 기준으로 한다는 견해이다.[152] 그 논거로서는 ① 상법이 규제의 기준으로서 총회결의의 왜곡 가능성이 있는 보유율을 발행주식총수의 10분의 1로 삼고 있다는 점,[153] ② 의결권뿐만 아니라 이를 전제로 하는 공익권도 제한된다고 보면 발행주식총수의 10분의 1을 초과하여 주식을 취득한 때로 보는 것이 타당하다는 점,[154] ③ 실제로는 피참가회사의 의결권행사를 참가회사가 거절할 것으로 생각되는데, 이 경우에 10분의 1 초과보유 사실은 참가회사가 가장 정확하게 알고 있다는 점[155] 등을 들고 있다.

다) 기준일설

주식의 상호보유에 해당하는지 여부를 판단하는 시점은 의결권의 행사자로 확정되는 시기인 주주명부의 폐쇄 이후 또는 기준일이라는 견해이다.[156] 이 견해의 논거로서는 ① 제369조 제3항에서 의결권이 없다는 의미는 의결권행사가 정지된다는 의미로서, 주식의 보유비율의 변동에 따라 의결권의 유무가 좌우되고, 따라서 자회사가 모회사의 주식을 취득하는 경우와는 달리 의결권의 행사자로 확정되는 시기를 기준으로 함이 타당하다는 점,[157] ② 주식상호보유 제도와

---

150) 서울고등법원 2006.4.12. 2005나74384.
151) 김지평, 전게논문, 84면.
152) 김영곤, 전게논문, 316면.
153) 손주찬, 전게논문(주 35), 45면.
154) 박명서, 전게논문, 798면; 이병태, 전게논문(주 118), 99면.
155) 손주찬, 전게논문(주 35), 45면.
156) 권기범, 전게서, 733면; 김홍기, 전게서, 457면; 최기원, 전게서, 497면.
157) 박찬우, 전게논문, 595면.

기준일 제도는 목적과 요건이 다르지만 주주의 의결권행사에 관련되어 있으므로, 기준일 제도의 취지를 충분히 살리기 위하여는 그 기준시점을 기준일로 하는 것이 타당하다는 점,[158] ③ 주주총회결의의 왜곡과 경영진의 권한 남용을 방지하기 위한 주식상호보유의 취지를 고려할 때에는 주주총회일 기준보다는 당해 회사가 주식취득으로 '주식상호보유 해당 사실을 안 날'을 기준으로 하는 것이 타당하다는 점,[159] ④ 주주총회일설에 의하더라도 참가회사가 주주총회일에 아주 근접한 일자에 피참가회사의 주식을 10분의 1 이상 매수하는 경우에는 대응할 수 있는 기회를 박탈당하게 되어 주식상호보유 제도를 악용할 수 있다는 점,[160] ⑤ 제342조의3의 통지의무의 취지는 상대방 회사에게 그 경영권을 방어할 기회를 주기 위한 것이고, 주식상호보유의 기준시점으로서 상대방 회사의 의결권을 제한하는 것이 아니라는 점,[161] ⑥ 참가회사와 피참가회사가 주주총회일은 동일하지만 기준일이 다른 경우의 문제점을 제기하나, 그 반대인 기준일은 동일하나 주주총회일이 다른 경우에도 동일한 문제점이 나타날 수 있다는 점[162] 등을 들고 있다.

라) 판 례

기준일 제도를 채택하고 있는 X회사의 주주총회가 2005. 3. 18. 개최되었는데, 기준일인 2004. 12. 31.에는 X회사의 자회사인 A회사가 B회사의 발행주식 총수의 10분의 1을 초과하는 주식을 보유하지 않았으나, 2005. 1. 26. B회사의 주식 27%를 취득하여 X회사의 주주총회일까지 사이에 위 요건을 충족하였다. 이 경우에 B회사가 보유하고 있는 X회사 발행주식의 43.4%에 해당하는 주식이 제369조 제3항이 규정한 상호보유주식으로서 의결권이 제한되는지 여부가 문제된 사안에서,[163] 대법원은

"제369조 제3항은 … 모자회사 관계가 없는 회사 사이의 주식상호소유를 규제하는 주된 목적은 주식상호보유를 통해 출자 없는 자가 의결권을 행사함으로써 주주총회결의와 회사의 지배구조가 왜곡되는 것을 방지하기 위한 것이다. 한

---

158) 김홍기, 전게논문, 497면.
159) 김홍기, 전게논문, 497~498면.
160) 김홍기, 전게논문, 499면.
161) 김홍기, 전게논문, 499~500면.
162) 김홍기, 전게논문, 500면.
163) 대법원 2009.1.30. 2006다31269의 사실관계를 구성한 것이다.

편, 제354조가 규정하는 기준일 제도는 일정한 날을 정하여 그 날에 주주명부에 기재되어 있는 주주를 계쟁 회사의 주주로서의 권리를 행사할 자로 확정하기 위한 것일 뿐, 다른 회사의 주주를 확정하는 기준으로 삼을 수는 없으므로, 기준일에는 제369조 제3항이 정한 요건에 해당하지 않더라도, 실제로 의결권이 행사되는 주주총회일에 위 요건을 충족하는 경우에는 제369조 제3항이 정하는 상호소유 주식에 해당하여 의결권이 없다"고 판시하여 주주총회일설을 취하고 있다.

마) 결 어

기준일은 주주로서의 권리를 행사할 자를 확정하기 위한 것일 뿐, 다른 회사의 주주를 확정하는 기준으로 삼을 수 없고, 일 본회사법164)과 같이 기준일을 판단시점으로 하면 기준일 이후의 주식보유관계의 변동에 따른 조정수단이 있어야 하고, 이러한 명문의 규정이 없는 우리나라에서는 취할 수 없다고 생각한다. 따라서 주주총회일설이 타당하다.

2) 상호보유의 판단기준

주식상호보유를 판단할 때에 명의개서 여부에 관계없이 실제 소유주식수를 기준으로 할 것인지, 명의개서된 주식수를 기준으로 할 것인지 여부에 관하여 견해가 대립하고 있다.

가) 명의개서 불필요설

어느 회사의 의결권 제한의 요건이 되는 상대방 회사의 보유주식수는 실질적으로 소유하면 충분하고 명의개서는 불문한다는 입장이다.165)

그 논거는 다음과 같다. ① 제369조 제3항의 '주식을 가지고 있는 경우'의 의미는 명의개서와 관계없이 사실상 실제 소유하고 있는 상태를 의미한다.166)

---

164) 주식상호보유의 의결권의 판단시점에 관하여는, ① 기준일 제도를 채택한 주식회사의 경우에는 상호보유대상 의결권의 계산시 기준일 당시의 대상의결권수를 기준으로 한다(일본회사법 시행규칙 제67조 제3항). ② 다만 기준일 이후에 주식교환 등에 의하여 B가 A의 의결권 전부를 취득한 때 또는 기준일부터 일본 회사법 제298조 제1항 각 호의 사항(주주총회의 목적, 일시, 서면의결권 행사 여부, 전자투표권 행사 여부 등) 결정일까지 B의 의결권 보유비율의 증감에 의해 A의 의결권행사 가부에 변화가 생긴 것을 B가 안 경우에는 B가 변동사실을 안 날이 기준이 된다(일본회사법 시행규칙 제67조 제3항). ③ 위의 사항 결정일 이후 주주총회일까지 A의 의결권행사 가부에 변화가 생긴 것을 B가 안 경우에는 A의 의결권행사의 가부는 B의 재량에 의한다(일본 회사법 시행규칙 제67조 제4항).
165) 김홍기, 전게서, 457~458면; 송옥렬, 전게서, 883면; 최준선, 전게서, 386면; 홍복기·박세화, 전게서, 274면.

즉, 제369조 제3항에 명문의 규정은 없지만, 자기주식 취득제한에 관한 제341조를 유추적용하여 회사가 자기계산으로 취득하는 일체의 경우를 의미한다.[167] ② 주식상호보유 제도의 취지에 비추어 주식을 취득한 이상 명의개서가 없더라도 부당한 간섭, 의결권 왜곡 등이 초래될 수 있으며, 반대로 주식을 양도하여 주주명부상의 형식적 주주로 되어 있는 경우에는 다른 회사의 경영에 부당한 간섭을 할 수 없기 때문이다.[168] 주식의 상호보유와 그 의결권에 대한 제한은 주로 회사 간의 적대적 관계에서 경영권에 대한 분쟁이 있을 경우 그 의결권확보와 경영권을 장악하기 위한 수단으로써 중요한 공격과 방어의 방법이 될 수 있으므로, 주식의 명의개서 여부와 관계없이 실제 주식을 보유하고 있는지 여부에 의하여 의결권을 제한하는 것이 입법 취지이다.[169] ③ 제369조 제3항의 적용에서 중요한 것은 실제 주식을 소유한 자(주주)인지 여부이고, 특정한 주주총회에서 의결권을 행사할 수 있는 자인지 여부는 중요하지 않다.[170] 또한 명의개서는 회사에 대한 주주권 행사의 대항요건에 불과하므로 주식의 보유는 명의개서 여부와 상관이 없고,[171] 종래 판례도 회사는 명의개서를 하지 않은 실질상의 주주에 대하여 주주권 행사를 인정하고 있다.[172] ④ 명의개서를 기준으로 하는 경우에는 명의개서를 청구하는 것이 통지의무의 이행이 되므로 제342조의3에 의한 통지의무는 무의미하게 된다.[173] ⑤ 어느 일방의 회사가 명의개서를 부당하게 거절하는 경우에 발생할 수 있는 복잡한 법적 분쟁을 사전에 예방할 수 있다는 점에서 그 타당성을 찾을 수 있다.[174]

---

166) 정찬형, 전게서, 897~898면; 손주찬, 전게논문(주 35), 42면; 유영일, 전게논문, 218면.

167) Hans Würdinger, Aktienrecht und das Recht der verbundenen Unternehmen, 4. Aufl., C. F. Muller, 1981. S. 301; 박명서, 전게논문, 797면; 유영일, 전게논문, 221면; 이병태, 전게논문(주 118), 97면. 일본에서도 B가 A의 의결권총수의 4분의 1 이상에 해당하는 주식을 가지고 있으나 주주명부의 명의개서 하지 않은 경우에도 A가 가지는 B주식의 의결권행사는 금지된다(江頭憲治郎, 前揭書, 314面).

168) 김홍기, 전게논문, 502~503면; 유영일, 전게논문, 219면

169) 채동헌, "상호주 보유와 의결권 행사에 있어 명의개서의 필요여부,"「월간 상장」 2009. 4월호(한국상장회사협의회, 2009), 145면.

170) 유영일, 전게논문, 218면.

171) 김택주, 전게논문, 407면; 오영준, 전게논문, 743면.

172) 대법원 1989.10.24. 89다카14714; 1992.10.27. 92다16386; 2001.5.15. 2001다12973.

173) 임재연, 전게서, 512~513면; 유영일, 전게논문, 220면.

174) 임재연, "2009년 회사법 중요 판례,"「인권과 정의」제403호(대한변호사협회, 2010. 3.), 89면.

나) 명의개서 필요설

어느 회사의 의결권 제한의 요건이 되는 상대방 회사의 소유주식수는 명의개서가 된 주식이어야 한다는 입장이다.

그 논거는 다음과 같다. ① 제369조 제3항의 '주식을 가지고 있는 경우'의 의미는 명의개서까지 완료하여 의결권을 행사할 수 있는 상태를 의미한다.[175] ② 제369조 제3항의 입법 취지는 상호 의결권행사를 통한 회사지배의 왜곡을 방지하는데 있으므로, 일방 회사가 상대방 회사의 발행주식의 10%를 취득하였으나 명의개서를 하지 않은 경우에는 그 일방 회사가 의결권을 행사할 수 없음에도 제369조 제3항을 적용하여 상대방 회사의 의결권을 제한하는 것은 헌법 제23조 및 제37조 제1항에 위반하여 주주의 재산권을 침해하는 것이다.[176] ③ 주식상호보유 여부의 판단기준에 관하여 종래의 판례는 주주명부상의 명의개서 여부와 관계없이 실제로 소유하고 있는 소유주식수를 기준으로 판단하고 있었으나,[177] 최근의 전원합의체 판결에서 주주명부상의 주주만을 주주권 행사자로 인정할 수 있다는 형식설에 따르면 주주명부상의 기재를 기준으로 해야 한다.[178] ④ 제369조 제3항은 지배·종속관계가 없는 주식회사 상호 간의 주식보유를 규제하는 것으로, 주식 보유 그 자체를 금지하는 것이 아니고 의결권을 제한하는 데 있다. 따라서 의결권의 유무를 따짐에 있어 명의개서가 되지 않은 주식은 규제대상이 될 수 없다.[179] 여기서 문제되는 것은 주주로서의 권리행사이므로 명의개서 여부를 기준으로 의결권의 유무를 결정하는 것이 옳다.[180]

다) 판 례

X회사의 자회사인 A회사가 B회사의 발행주식의 27%를 주권 발행 전 주식

---

175) 김지평, 전게논문, 88면. 84면 이하에서는 '주식을 가지고 있는 경우'를 구체적으로 나누어 명의개서 미필주주의 경우, 주권발행 전 주식양도의 대항요건을 갖추지 못한 경우, 상법 제342조의3의 통지의무를 다하지 않은 경우, 자회사의 모회사에 대한 의결권제한의 경우 등이 각각 제369조 제3항의 주식을 가지고 있는 경우에 해당되는지 여부를 판단하고 있다.
176) 김지평, 전게논문, 87~88면.
177) 대법원 2009.1.30. 2006다31269. 이에 대하여 일방 회사에 대하여는 주주명부를 기준으로 판단하고, 상대방 회사에 대하여는 실질을 기준으로 판단하는 것은 동일한 문제에 이중의 기준을 적용한 것으로 타당하지 않으므로, 총회일 현재의 주주명부를 기준으로 삼는 것이 합리적이라는 비판이 있다(이철송, 전게서, 437면).
178) 대법원 2017.3.23. 2015다248342; 권기범, 전게서, 733면; 이철송, 전게서, 376~382면.
179) 김상규, 전게논문, 106면; 박찬우, 전게논문, 593면
180) 유진희, 전게논문, 205면.

양도의 방법으로 취득하였으나 X회사의 주주총회일까지 명의개서를 하지 않았고, B회사는 X회사의 발행주식의 43.4%를 취득하여 명의개서를 마친 상태에서, X회사의 주주총회가 개최된 경우 B회사가 의결권을 행사할 수 있는지 여부가 문제된 사안에서,

대법원은 "회사, 모회사 및 자회사 또는 자회사가 다른 회사 발행주식총수의 10분의 1을 초과하는 주식을 가지고 있는지 여부는 앞서 본 '주식상호소유 제한의 목적'을 고려할 때, 실제로 소유하고 있는 주식수를 기준으로 판단하여야 하며 그에 관하여 주주명부상의 명의개서를 하였는지 여부와는 관계가 없다"고 판시하여, 실제 주식의 소유 여부가 판단기준임을 명확히 하고 있다.[181] 이는 주주총회결의의 왜곡, 경영자에 의한 주주총회의 지배 등 상호보유주식의 의결권 제한의 취지에 비추어 명의개서 없이도 주식의 실질적 소유가 있으면 주식상호보유 제한의 목적을 잠탈할 수 있다는 취지이다.[182] 이에 대하여 원심판결은 "이 사건 주주총회일 당시 A회사가 B회사의 주주명부에 명의개서를 하지 아니하였으나, B회사가 이 사건 주주총회 개최 전에 A회사에게 주식양수를 승낙한다는 취지의 통지를 하였고, 명의개서가 아닌 주식소유 여부가 의결권이 제한되는 주식상호보유의 기준이며, 명의개서를 하지 아니한 실질상의 주주를 회사측에서 인정하는 것은 무방하므로, A회사는 B회사에 의해 인정된 실질상의 주주이다"라고 판단하고 있다. 원심판결은 대법원판결과 달리 주주로서 권리를 행사할 수 있는 요건을 충족하였는지 여부에 대하여 추가적으로 판단하고 있다. 그러나 A회사가 B회사의 주식을 소유하고 있는지 여부만이 문제될 뿐이므로, A회사가 B회사의 주주로서 권리를 행사할 수 있는 요건을 충족하였는지 여부에 대하여는 판단할 필요가 없다고 생각한다.[183]

한편, 원고 X는 타인으로부터 자금을 공급받아 상장회사인 피고 Y회사의 주식을 자신의 증권회사 계좌를 통하여 매수하였고, 자본시장과 금융투자업에 관한 법률(이하 '자본시장법'이라 한다) 제316조에 따라 작성된 실질주주명부에 등재되었다. 이후 원고 X가 피고 Y회사의 주주총회결의에 하자를 이유로 주주총회

---

181) 대법원 2009.1.30. 2006다31269.
182) 김홍기, 전게논문, 502면.
183) 전현정, "상호주의 의결권에 관한 판단기준," 「대법원판례해설」 제79호(법원도서관, 2009), 322면. 이와는 반대로 추가적으로 판단하지 않은 대법원의 태도는 적절하지 못하다는 견해가 있다(김지평, 전게논문, 88면).

결의취소의 소를 제기한바, 피고 Y는 원고 X가 실질주주가 아니라 명의주주에 불과하다고 다툰 사안에서, 대법원은 "특별한 사정이 없는 한, 주주명부에 적법하게 주주로 기재되어 있는 자는 회사에 대한 관계에서 주식에 관한 의결권 등 주주권을 행사할 수 있고, 회사 역시 주주명부상 주주 외에 실제 주식을 인수하거나 양수하고자 하였던 자가 따로 존재한다는 사실을 알았든 몰랐든 간에 주주명부상 주주의 주주권 행사를 부인할 수 없으며, 주주명부에 기재를 마치지 아니한 자의 주주권 행사를 인정할 수도 없다. 주주명부에 기재를 마치지 않고도 회사에 대한 관계에서 주주권을 행사할 수 있는 경우는 주주명부에의 기재 또는 명의개서 청구가 부당하게 지연되거나 거절되었다는 등의 극히 예외적인 사정이 인정되는 경우에 한한다"고 판시하여, 종래의 입장을 변경하여 명의개서 필요설을 취하고 있다.184)

라) 결   어

명의개서 필요설에 의하면 제369조 제3항의 '주식을 가지고 있는 경우'를 명의개서까지 완료하여 의결권을 행사할 수 있는 상태를 의미한다고 해석하나, 제342조의2와 관련하여 법 해석의 일관성을 위하여 '소유하고 있는 경우'로 해석하여야 한다. 또한 형식설을 취한 최근의 대법원 판결은 주주명부에의 기재에 대하여 주주권을 창설하는 것과 같은 효력을 인정한 것으로서 법률해석론의 한계를 넘어선 것으로 판단되고,185) 주주총회결의와 회사의 지배구조가 왜곡되는 것을 방지하고자 하는 주식상호보유의 제한 취지에 비추어 주식의 실질적 소유가 있으면 이러한 목적을 잠탈할 수 있다는 점에서 명의개서 불필요설이 타당하다.

라. 의결권 이외의 권리 제한

제369조 제3항의 규정은 의결권의 행사만을 제한하고 있는데, 의결권을 제외한 공익권 및 자익권이 인정되는지 여부가 문제된다. 의결권이 제한되는 주식에 대하여 자익권은 당연히 인정된다는 데 이론이 없다. 그러나 의결권을 제외한

---

184) 대법원 2017.3.23. 2015다248342.
185) 이영철, "실질주주와 형식주주의 관계 및 주주명부의 대항력 구속범위 – 대법원 2017.3.23. 선고 2015다248342 전원합의체 판결과 관련하여,"「선진상사법률연구」제81호(법무부, 2018), 153면 이하; 정경영, "주식회사와 형식주주, 실질주주의 관계 – 대법원 2017.3.23. 선고 2015다248342 판결에 대한 평석,"「비교사법」제24권 제2호(한국비교사법학회, 2017. 6.), 859면 이하 등

공익권에 대하여는 견해가 대립된다.

첫째, 의결권 이외의 기타 공익권은 행사할 수 있다는 견해이다.[186] 그 근거로서 권리의 제한은 법에 명문의 규정이 있는 경우에 한정해야 한다는 점을 들고 있다.[187] 즉, 제369조 제3항의 법조문상의 위치나 의결권이 없다는 법문의 문리해석만을 고려할 때에는 의결권을 제외한 모든 공익권 행사는 제한을 받지 않는다고 보는 것이 합리적인 해석이라는 입장이다.

둘째, 의결권을 포함한 모든 공익권을 행사할 수 없다는 견해이다.[188] 이는 제369조 제3항의 입법 취지가 총회결의의 왜곡화를 방지하기 위한 것이라는 점과 기준 이상의 주식을 상호보유하게 된 경우에 일체의 권리행사를 제한하는 독일 주식법 제328조 제1항의 입법례를 근거로 제시하고 있다. 또한 상대방 회사가 보유한 주식이 모두 의결권 없는 주식인 경우에 그 주식은 의결권이 없다는 것은 무의미하므로, 상대방 회사가 가지는 당해 회사의 주식은 의결권 없는 주식을 제외한 의결권 있는 주식에 대하여만 제369조 제3항이 적용되므로 타당치 않고, 따라서 의결권을 포함한 모든 공익권의 행사가 정지된다고 보는 경우에는 상대방회사가 가지는 당해 회사의 주식이 전부 의결권 없는 주식인 때에도 제369조 제3항이 적용된다는 점을 들고 있다.[189]

셋째, 의결권과 의결권을 전제로 한 공익권만 행사할 수 없다는 견해이다.[190] 의결권과 의결권을 전제로 한 공익권을 제외한 기타 공익권은 자기주식이나 자회사에 의한 모회사주식의 취득과 같이 폐해가 크지 않고, 제369조 제3항의 입법 취지가 지배·종속관계가 없는 회사 간의 총회결의의 왜곡 내지 회사지배의 방지에 있다는 점을 들고 있다.

생각건대, 의결권과 의결권을 전제로 하는 공익권만 행사할 수 없다는 견해가 타당하다고 본다. 왜냐하면 모든 공익권의 행사를 제한하는 것이 지배권행사의 왜곡을 철저히 저지한다는 점에서는 타당하지만, 비모자회사 간의 주식의 상호보유는 자기주식이나 자회사에 의한 모회사주식의 취득보다 폐해가 크지 않다

---

186) 임재연, 전게서, 511면; 최기원, 전게서, 496면; 김상규, 전게논문, 106면.
187) 김상규, 전게논문, 106면.
188) 손주찬, 전게논문(주 38), 134~135면; 양석완, 전게논문, 176~177면.
189) 손주찬, 전게논문(주 38), 138~139면.
190) 송옥렬, 전게서, 883면; 이철송, 전게서, 438면; 정찬형, 전게서, 899면; 최준선, 전게서, 387면; 박명서, 전게논문, 798면; 박상조, 전게논문, 205면; 박찬우, 전게논문, 596면; 유진희, 전게논문, 205면; 이병태, 전게논문(주 118), 100면.

고 볼 때 지나치게 권리행사를 제한하는 것이 되어 부당하기 때문이다.[191] 따라서 의결권행사를 전제로 하는 소수주주에 의한 주주총회소집청구권, 회계장부열람청구권, 회사의 업무재산상태의 검사권, 이사·감사의 해임청구권 등은 행사할 수 없으나, 이를 제외한 기타 공익권은 행사할 수 있다.

마. 효   과

어느 회사(A)가 보유한 다른 회사(B) 주식의 의결권이 박탈되므로 그 회사(A)는 다른 회사(B)에 대하여 주주총회의 소집통지를 할 필요가 없다.[192] 또한 다른 회사(B)는 의결권뿐만 아니라 의결권을 전제로 한 권리도 행사할 수 없다. 다만 그 밖의 주주권은 명문의 규정이 없는 한 자익권과 공익권은 제한되지 않는다. 또한 상호보유에 의하여 의결권이 제한되는 주식(B회사의 소유주식)은 주주총회의 결의에 있어 의결권이 없으므로 발행주식총수에 산입되지 않는다.[193] 다만 종류주주총회에서의 의결권은 있다고 본다.[194] 신탁회사가 신탁재산의 운용으로서 주식을 취득한 경우에는 의결권이 있다.[195]

상호보유주식은 그 주식 자체에는 의결권이 있으나 주식을 상호보유하고 있는 A회사와 B회사 간에서 의결권이 휴지되는 것이므로, A회사의 B회사에 대한 지주비율이 10% 이하로 낮아지거나 B회사가 소유주식을 양도한 때에는 의결권이 부활한다.[196]

한편, 다른 회사(B)가 제369조 제3항에 위반하여 의결권을 행사한 경우 주주총회결의취소의 사유가 된다(제376조 제1항).[197]

---

191) 박찬우, 전게논문, 596면; 이병태, 전게논문(주 118), 100면.
192) 이철송, 전게서, 438면; 김상규, 전게논문, 106면; 김세신, 전게논문, 155면.
193) 정찬형, 전게서, 898~899면; 김세신, 전게논문, 155면; 유진희, 전게논문, 205면; 최기원, 전게논문(주 41), 116면.
194) 이철송, 전게서, 438면.
195) 손주찬, 전게논문(주 35), 42면.
196) 정찬형, 전게서, 898면; 최준선, 전게서, 387면; 박명서, 전게논문, 797면; 손주찬, 전게논문(주 35), 45면; 이병태, 전게논문(주 118), 99면.
197) 이철송, 전게서, 438면; 김세신, 전게논문, 155면; 박명서, 전게논문, 798면; 박찬우, 전게논문, 596면; 손주찬, 전게논문(주 35), 45면; 유진희, 전게논문, 205면.

5. 주식취득의 통지의무

가. 의의 및 입법 취지

제342조의3의 규정은 "회사는 다른 회사의 발행주식총수의 10분의 1을 초과하여 취득한 때에는 그 다른 회사에 대하여 지체 없이 이를 통지하여야 한다"고 규정하고 있다.

1984년 상법개정 시에는 자회사에 의한 모회사주식의 취득금지와 비모자회사 간의 의결권 행사에 관한 규정을 도입하면서 통지의무는 도입하지 않았다. 이러한 법개정에 대하여 제도의 실효성에 의문이 제기되었고,[198] 1995년 개정 상법에 의하여 대량의 주식을 은밀하게 취득하여 상대방 회사를 지배하는 것을 막고 선의의 지배권경쟁을 보장해 주기 위하여 제342조의3 규정을 신설하게 된 것이다.[199] 자본시장법 제147조 제1항도 동일한 취지에서 동일인이 어느 주권상장법인의 주식을 100분의 5 이상 취득한 경우 통지의무를 부과하고 있다.

나. 적용범위

제342조의3 규정의 적용범위와 관련하여 다음과 같은 논의가 있다.

발행주식총수 10분의 1 산정시에 자회사의 소유주식수도 합산하여야 하는지 여부에 관하여, 통지의무 위반의 경우에 의결권은 제한되므로 명문의 규정이 없는 이상 모자회사의 소유주식을 합산하지 않아야 한다는 견해가 있다.[200] 그러나 주식상호보유에 대한 규제의 실효성을 확보하기 위하여는 모자회사의 주식을 합산하여야 한다.[201]

주식을 취득한 경우 외에 타인의 주식을 신탁받은 경우에도 의결권행사가 가능하므로 통지대상에 포함된다.[202] 다만 본조는 기습적인 의결권행사를 방지하기 위한 것이므로 주식을 담보로 취득한 경우에는 적용되지 않는다.[203]

---

198) 이병태, 전게논문(주 118), 96면.
199) 송옥렬, 전게서, 885면; 이철송, 전게서, 442면; 임재연, 전게서, 513면; 정찬형, 전게서, 791면; 최준선, 전게서, 325면.
200) 송옥렬, 전게서, 885면; 임재연, 전게서, 513면.
201) 권기범, 전게서, 648면; 이철송, 전게서, 443면; 최기원, 전게서, 366면; 최준선, 전게서, 326면; 홍복기·박세화, 전게서, 276면.
202) 이철송, 전게서, 443면; 최준선, 전게서, 326면.

한편, 의결권행사의 대리권을 취득한 경우에 관하여는 본조를 유추적용해야 한다는 견해가 있다.204) 그러나 특정 주주총회의 개별안건에 대하여 의결권을 대리행사하는 경우에는 회사에 대한 지배가능성이 크지 않고, 주주총회일에 임박한 시점에서 회사의 발행주식총수의 10분의 1 이상의 의결권 대리 행사를 위임할 경우 이를 저지하는 것은 사실상 불가능하여 규제의 실익이 없다는 점에서 통지를 요하지 않는다고 해석하는 것이 타당하다.205) 판례도 "회사가 다른 회사의 발행주식총수의 10분의 1 이상을 취득하여 의결권을 행사하는 경우 경영권의 안정을 위협받게 된 그 다른 회사는 역으로 상대방 회사의 발행주식의 10분의 1 이상을 취득함으로써 이른바 상호보유주식의 의결권 제한 규정(제369조 제3항)에 따라 서로 상대방 회사에 대하여 의결권을 행사할 수 없도록 방어조치를 취하여 다른 회사의 지배가능성을 배제하고 경영권의 안정을 도모하도록 하기 위한 것으로서, 특정 주주총회에 한정하여 각 주주들로부터 개별안건에 대한 의견을 표시하게 하여 의결권을 위임받아 의결권을 대리행사하는 경우에는 회사가 다른 회사의 발행주식총수의 10분의 1을 초과하여 의결권을 대리행사할 권한을 취득하였다고 하여도 위 규정이 유추적용되지 않는다"고 판시하였다.206)

또한 A회사 또는 A회사의 자회사의 계산으로 제3자가 B회사 주식을 취득하고 A회사가 제3자에 대하여 그 주식의 양도를 청구할 수 있는 때에도 A회사가 소유하는 것과 같으므로, A회사는 B회사에 통지하여야 한다.207)

그리고 A회사가 B회사의 주식 12%를 취득한 후 통지를 하였으나 명의개서와 관계없이 그 중 일부를 다시 처분하여 10% 이하가 된 때에도 통지를 하여야 하는지 여부에 문제가 있다. 이에 대하여 독일 주식법에서는 이 경우에도 지체없이 통지를 하도록 하고 있으나(제20조 제5항), 우리 상법에는 이에 관한 명문

---

203) 이철송, 전게서, 443면.
204) 이철송, 전게서, 443~444면. 그 근거로서 자본시장법상 상장법인의 발행주식총수의 5% 이상을 보유하게 된 대량보유자에 대하여 신고의무를 과하는데, 이 때 5% 여부의 산정시에는 공동보유자가 가진 주식도 합산하고, 공동보유자는 대리인과 본인의 관계도 포함한다는 점(동법 제147조, 동법시행령 제141조 제2항), 프랑스상법에서도 본인의 특별한 지시 없이 의결권을 행사할 수 있는 범위에는 대리인이 취득한 의결권행사의 대리권도 통지의무의 대상이 되는 주식취득으로 규정하고 있다는 점 등을 열거하고 있다.
205) 권기범, 전게서, 648면; 송옥렬, 전게서, 885~886면; 최준선, 전게서, 326면; 홍복기 · 박세화, 전게서, 276면.
206) 대법원 2001.5.15. 2001다12973. 이 판결을 근거로 의결권의 대리권의 취득도 본조의 적용대상임을 전제로 한 것이라는 견해가 있다(이철송, 전게서, 444면).
207) 최기원, 전게서, 366면; 최준선, 전게서, 326면.

의 규정은 없지만 제342조의3의 입법 취지에 비추어 일단 10% 이상을 소유하였던 이상 통지의무를 진다고 해석하여야 할 것이다.[208]

다. 통지 시기와 방법

1) 통지의 시기

통지는 회사가 다른 회사의 주식을 10분의 1을 취득한 때에 지체 없이 하여야 한다(제342조의3). 통지의무는 10분의 1을 초과하여 취득함과 동시에 명의개서와 관계없이 발생한다. 따라서 다른 회사의 주식 중 100분의 9에 대하여는 명의개서를 하였더라도 100분의 10을 초과하는 주식을 추가로 취득한 때에는 지체 없이 통지하여야 한다.[209] 통지사항은 취득한 주식의 종류와 수이다.

'지체 없이'의 의미에 관하여는 본조의 입법목적에 비추어 상대방 회사가 주식을 취득한 회사의 주식을 역취득하여 명의개서를 할 수 있는 시간을 주고 통지하라는 의미이므로, 주식을 취득한 회사의 주주명부폐쇄의 공고일 이전에는 통지해야 한다는 견해가 있다.[210] 이에 대하여 실제로 소유하고 있는 주식수를 기준으로 판단하여야 하며 그에 관하여 주주명부상의 명의개서 여부와는 관계없으므로 상대방 회사가 주식을 취득한 회사의 주식을 역취득할 수 있는 시간적 여유를 두고 통지하면 된다는 견해도 있다.[211]

생각건대, 상대방 회사가 방어대책을 취할 수 있도록 주주총회일 이전에 여유를 두고 통지하는 것이 타당하다.[212]

2) 통지의 방법

통지의 방법에 관하여는 별분의 규정이 없다. 따라서 어떠한 방법으로 통지하더라도 상관없다. 통지 여부에 관한 입증책임은 주식을 취득한 회사가 부담한다.[213] 한편, 독일 주식법 제20조 제1항에 의하면 서면으로 통지하여야 한다고 규정하고 있다.

---

208) 최기원, 전게서, 366면; 최준선, 전게서, 326면.
209) 최기원, 전게서, 366~367면.
210) 이철송, 전게서, 443면.
211) 임재연, 전게서, 513~514면.
212) 최준선, 전게서, 326면.
213) 송옥렬, 전게서, 886면; 이철송, 전게서, 443면; 최기원, 전게서, 367면; 홍복기·박세화, 전게서, 276면.

주식을 취득한 회사는 명의개서는 하지 않더라도 통지의무는 이행해야 하므로, 명의개서를 청구하는 것 자체가 통지의 한 방법이다.[214]

라. 통지의무 위반의 효과

통지의무를 위반한 경우의 효력에 대하여는 명문의 규정이 없다. 이에 대하여는 견해가 나뉜다.

첫째, 의결권 정지기간 및 의결권 정지비율 등에 대한 명문의 규정이 없는 상황에서 해석상으로 의결권이 정지된다고 하기에는 무리가 있으므로 관계 당사자의 민·형사책임 또는 주식을 취득한 회사의 충실의무 위반 등으로 이해를 조정해야 한다는 견해가 있다.[215] 그러나 의무위반의 효과에 관한 명문의 규정은 없지만, 통지의무 위반이라는 귀책사유에 비추어 의결권 정지가 과도한 제한이라고 보기 어렵고, 다른 수단을 통한 이해조정은 당해 회사를 실효성 있게 보호할 수 있는지 여부가 불명확하다는 비판이 있다.[216]

둘째, 입법 취지가 기습적인 의결권 행사의 방지에 있으므로 통지를 게을리한 경우에는 의결권을 행사할 수 없다는 견해가 있다.[217]

셋째, 통지를 하지 않더라도 주식취득의 사법상의 효력에는 영향이 없으나, 초과 부분의 의결권을 행사할 수 없다는 견해가 있다.[218] 그 논거로서 자본시장법 제150조도 주식대량보유 등의 보고를 하지 아니한 경우에는 의결권 있는 발행주식총수의 100분의 5를 초과하는 부분 중 위반 부분에 대하여 의결권을 행사할 수 없다고 규정하고 있다는 점과 10% 미만의 주식은 제342조의3의 통지의무의 적용대상이 아니라는 점을 근거로 들고 있다. 한편, 입법론적인 접근방법으로 통지의무 위반시 의결권이 제한되는 것으로 개정하는 것이 바람직하다는 의견도 있다.[219]

---

214) 권기범, 전게서, 648면; 이철송, 전게서, 443면; 임재연, 전게서, 514면; 최기원, 전게서, 367면.
215) 권기범, 전게서, 649면.
216) 김지평, 전게논문, 94면.
217) 송옥렬, 전게서, 886면; 이철송, 전게서, 443면; 최기원, 전게서, 367면; 유영일, "상법 제 342조의3 소정의 주식취득 통지의무의 적용범위,"「상사판례연구」제12권(한국상사판례학회, 2001), 39면에서는 그 논거로서 주식의 10% 초과취득시 상대방은 소유주식 전부에 대하여 의결권이 제한된다는 점과 10% 초과부분만 의결권이 제한되는 경우에는 불이익이 크지 않다는 점을 들고 있다.
218) 최준선, 전게서, 326면; 홍복기·박세화, 전게서, 276면; 김지평, 전게논문, 94면.

　판례는 개별안건에 대하여 찬·부의 의견을 명시하는 방식으로 주주로부터 10% 이상의 의결권 대리행사를 위임받은 자가 그 의사에 따라 이를 행사하는 경우에는 제342조의3의 통지의무가 유추적용되지 않는다는 태도를 취하는 바,[220] 이러한 판례의 입장은 제342조의3의 통지의무 위반의 경우에 의결권행사가 간접적으로 제한될 수 있는 것으로 해석할 수 있을 것이다.[221]

　생각건대, 통지의무를 위반하였다고 하더라도 주식취득의 사법상 효력에는 영향이 없고,[222] 다만 통지의무에 위반하여 의결권을 행사한 경우에는 주주총회 결의 취소사유가 된다고 풀이함이 상당하다고 본다. 그리고 이 의무에 위반하여 의결권을 행사하였더라도 그것이 결의의 결과에 영향을 미칠 수 없었을 때에는 예외적으로 주주총회의 결의를 취소할 수 없다고 보아야 할 것이다.[223]

6. 특별법에 의한 제한

가. 공정거래법에 의한 제한

　공정거래법은 상호출자제한 기업집단에 속하는 회사는 자기의 주식을 취득 또는 소유하고 있는 계열회사의 주식을 소유하여서는 아니된다고 규정하고 있다(동법 제9조). 다만 회사의 합병 또는 영업 전부의 양수, 담보권의 실행 또는 대물변제의 수령을 위하여는 자기의 주식을 취득 또는 소유하고 있는 계열회사의 주식을 취득 또는 소유할 수 있다(동법 제9조 제1항 제1호, 제2호). 이는 상호출자가 제한되는 기업집단의 계열회사 상호 간에 직접적 상호보유에만 한정된다.[224] 입법 취지가 대규모 기업집단의 경제력이 집중되는 것을 방지하기 위한 것이라고 하나, 합리성을 인정하기 어렵다. 그러나 동일기업집단에 속하지 않는 회사와 상호보유주식을 소유함은 무방하다.[225]

---

219) 임재연, 전게서, 514면.
220) 대법원 2001.5.15. 2001다12973.
221) 김지평, 전게논문, 93면.
222) 이철송, 전게서, 443면; 최준선, 전게서, 326면.
223) 최기원, 전게서, 367면; Baumbach-Hueck, §20 Rdn. 17.
224) 김정호, 전게논문(주 21), 265면. 이에 대하여 김지평, 전게논문, 78면은 직접적 상호보유 뿐만 아니라 다른 형태의 복합적 상호보유도 금지한 것으로서 최소한도의 상호소유도 인정하지 않는다고 한다.
225) 이철송, 전게서, 439면.

한편 2014년 개정 공정거래법은 순환출자를 통한 대규모기업집단의 지배력 확장 등 부작용을 방지하기 위하여, 상호출자제한기업집단에 속하는 회사는 순환출자를 형성하는 계열출자를 금지하는 규정을 신설하였다(동법 제9조의2). 이는 '신규'의 순환출자만을 규제하는 것으로서 기존의 순환출자는 그 대상에 포함되지 않았다.226) 227)

공정거래법을 위반한 주식의 취득에 대하여는 벌칙의 제재를 받지만(동법 제66조 이하), 사법적 효과는 거래의 안전을 위하여 양도인이 선의인 경우에는 유효한 것으로 보아야 할 것이다. 그리고 동법을 위반하여 취득한 주식에 대하여는 의결권을 행사할 수 없지만, 자익권의 행사와 주식의 유효한 양도는 가능한 것으로 본다.228)

나. 은행법에 의한 제한

은행법은 주주 1인과 그와 특수관계에 있는 자(동일인)는 원칙적으로 은행의 의결권 있는 발행주식총수의 100분의 10을 초과하는 주식을 보유하지 못하게 하고 있다(동법 제15조 제1항). 지방은행의 경우에는 취득한도가 100분의 15로 완화되어 있다(동법 제15조 제1항 제2호). 그러나 100분의 10 혹은 100분의 15를 초과하여 소유하더라도 그 취득행위 자체의 사법상 효력에는 영향이 없다.229)

은행은 다른 회사의 의결권 있는 지분증권의 100분의 15를 초과하는 지분증권을 소유할 수 없다(동법 제37조 제1항). 그러나 금융위원회가 정하는 업종에 속하는 회사 또는 기업구조조정의 촉진을 위해 필요한 것으로 금융위원회의 승인을 얻은 경우에는 의결권 있는 지분증권의 100분의 15를 초과하는 지분증권을 소유할 수 있다(동법 제37조 제2항).

이는 특정인에 의한 금융독점을 예방하려는 취지에서 은행 주식의 소유상한을 규정하는 한편, 은행이 다른 회사의 주식을 소유하는 것을 제한함으로써 금융자본의 산업지배를 예방하고, 아울러 은행의 자산운용의 안정성을 고려한 것

---

226) 2014년 개정 전 순환출자의 회사법상 논의로서 김정호, 전게논문(주 21), 253면 이하; 손창완, 전게논문, 3면 이하.
227) 2014년 개정 후 순환출자에 관한 논의로서 정완, "독점규제법상 대규모기업집단의 순환출자금지와 그 개선 필요성에 관한 고찰," 「경희법학」 제49권 제3호(경희대학교 법학연구소, 2014), 103면 이하; 유주선, 전게논문, 183면 이하.
228) 최기원, 전게서, 377면.
229) 이철송, 전게서, 441면.

이다.230) 동일한 취지에서 동일 금융지주회사에 속하는 자회사 간에는 주식을 취득하지 못하도록 하고 있다(금융지주회사법 제48조 제1항 제2호).231)

그리고 은행은 자기자본의 100분의 1의 범위 안에서 대통령령이 정하는 비율에 해당하는 금액을 초과하여 대주주가 발행한 지분증권을 취득하여서는 아니된다고 규정하고 있다(동법 제35조의3). 즉 일정한 필요에 따라 주식의 상호보유에 대하여 규제하여, 동법 제35조의2 규정과 함께 은행의 대주주에 대한 신용공여 제한을 강화하고, 은행이 일정 금액을 초과하여 당해 은행의 대주주가 발행한 주식을 취득할 수 없도록 하는 등 은행과 은행 대주주에 대한 감독을 강화함으로써 은행의 사금고화를 방지하고자 하는 취지이다.232)

다. 자본시장법에 의한 제한

자본시장법에 의하면 누구든지 공공적 법인이 발행한 주식은 일정한 기준은 초과하여 소유하지 못한다(동법 제167조 제1항). 또한 외국인 또는 외국법인 등에 의한 유가증권 취득에 관하여는 대통령령이 정하는 바에 의하여 제한할 수 있다(동법 제168조).

그리고 보험업법 및 자본시장법에서는 대규모 기업집단에 속하는 보험회사 및 종합금융회사가 상법 제341조 및 자본시장법 제165조의2의 규정에 의한 자기주식 취득의 제한을 회피하기 위하여 다른 대규모 기업집단에 속하는 금융기관 또는 회사와 서로 교차하여 주식을 취득하는 행위를 금지하고 있다(보험업법 제110조 제1항 제2호, 자본시장법 제345조 제1항 제2호).

---

230) 김정호, 전게서, 221면; 이철송, 전게서, 440면; 정찬형, 전게서, 794면.
231) 이철송, 전게서, 441면 주 1).
232) 김지평, 전게논문, 78면 주 6).

Ⅲ. 자기주식의 취득 및 처분   정 수 용*

1. 서   론

가. 자기주식에 대한 견해 차이

자기주식이란 회사가 자기의 계산으로 자신이 발행한 주식을 취득해 보유하고 있는 것을 의미한다. 전통적으로 자기주식의 취득은 회사가 그 설립의 목적이 되는 사업을 영위하기보다는 회사의 내부정보를 이용하여 투기적인 거래를 하도록 할 위험이 있고 (내부자 거래의 위험), 회사 밖으로 현금을 유출시켜 회사의 자본충실을 해칠 위험이 있으며 (자본충실의 원칙 저해 및 채권자의 이익 침해), 회사가 자기주식을 많이 취득하면 취득할수록 결국 출자 없는 회사지배가 가능해져서 회사의 소유 및 지배구조를 왜곡시킨다는 이유로, 금지되는 것이 원칙이고, 위와 같은 우려가 없는 경우에만 예외적으로 허용된다고 보는 것이 일반적인 견해였다. 이러한 논리에 따라 구(舊) 상법(2011. 4. 14. 법률 제10600호로 개정되기 이전의 것, 이하 같음)은 자기주식의 취득을 매우 예외적인 경우에만 허용하고 있었다.

위와 같은 자기주식취득 제한의 논리는 자본시장이 충분히 발달하지 못한 초기회사의 경우를 상정하면 타당하다고 할 수 있을 것이다. 그러나, 자본시장이 고도로 발달한 사회의 경우에도 위와 같은 자기주식 취득제한의 논리가 통용될 수 있을지는 의문이다. 예컨대, 자본시장에서의 공시규제가 이루어져 회사의 자기주식 취득이나 처분 및 회사의 사업관련 정보가 시장에 적절하게 공시되는 경우 내부자 거래의 위험을 이유로 자기주식의 취득이 금지되어야 한다고까지는 해석되기 어려울 것이다. 또한, 자기주식의 취득이 자본충실의 원칙 및 채권자의 이익을 저해한다는 주장에 대해서도 개정상법과 같이 배당가능이익을 재원(財源)으로 하여서만 자기주식을 취득하게 하는 경우 자기주식취득의 금지논리로 작용하기는 어려워진다. 마찬가지로 출자 없는 회사의 지배를 가능하게 하므로 자기주식 취득이 금지되어야 한다는 논리에 대해서도 취득한 자기주식에 대

---

* 법무법인(유) 세종 변호사

해 의결권 등의 주주권을 부정하는 경우 역시 자기주식의 취득을 전면적으로 금
지하여야 한다는 논리로 작용하기는 어려워진다. 이러한 의미에서 종래 자기주
식취득을 금지하는 논리는 금지의 논거라기보다는 자기주식의 취득 및 처분을
규제하는 논리로 보는 것이 타당하다고 할 수 있을 것이다.[1)

    또한 자기주식의 취득으로 인하여 발생하는 폐해를 굳이 자기주식 취득을 금
지하지 않더라도 해소할 수 있다면, 기업의 입장에서 자기주식은 매우 유용한
재무관리의 수단으로 쓰일 수 있게 된다. 예컨대 회사가 자기주식을 취득하게
되면 시장에서의 유통주식수가 줄어들게 되고, 그 결과 시장에서 유통되는 주식
1주당 발생하는 주당순이익[2)을 높일 수 있게 되어, 배당으로 현금을 주주들에
게 분배하는 것보다 (배당의 경우에는 유통주식수가 줄지 아니한다) 주당순이익을
높게 유지할 수 있다는 장점이 있다. 또한, 회사의 주식이 저평가 되어 있을 때
에는 주가관리를 위하여 회사가 자기주식을 취득할 수도 있는데, 이러한 경우
회사의 자기주식 취득은 회사의 중장기 성장에 대하여 회사의 경영진이 확신을
가지고 있다는 신호를 시장에 보내는 것으로 판단되어 시장에서의 수요를 진작
시켜 주가의 안정화에 기여할 수 있게 된다.[3) 또한, 자기주식의 취득을 통하여
회사는 그 시기가 정하여져 있는 배당과는 달리 자유롭게 회사의 부(富)를 주주
에게 환급하였다가 다시 취득한 주식을 시장에 매각함으로써 기동력 있는 자금
조달을 꾀할 수 있게 된다. 이러한 이유에서 오래전부터 상장법인에 대해서는
배당가능이익의 한도에서 자기주식을 취득하는 것을 허용하고 있었다(구(舊) 자
본시장과 금융투자업에 관한 법률(이하 "자본시장법")(2013. 4. 5. 법률 제11758호로
개정되기 전의 것) 제165조의2).

나. 개정상법의 태도

    2011년 개정상법 제341조는 일반적으로 자기주식취득을 전면적으로 허용하
되 이를 재원(財源)규제로 전환하여 배당가능이익을 한도로 자기주식 취득을 허

---

1) 송옥렬, 「상법강의」 제8판(홍문사, 2018), 862면.
2) 일반적으로 주당순이익(Earnings Per Share: EPS)이란 당 회계연도에 발생한 당기순이익을
   발행주식총수로 나눈 것을 의미하지만, 일반적으로 회계상 시장에서 주가를 결정짓는 EPS
   를 계산할 때에는 보통주 배당가능이익(배당가능이익에서 우선주에 대한 배당액을 공제
   한 금액)을 가중평균유통주식수로 나눈 값을 EPS로 많이 사용한다. 이를 Basic EPS라고도
   한다.
3) 임재연, 「회사법 I」 개정5판(박영사, 2018), 470면.

용하였다고 해석되고 있다. 그리고, 이러한 자기주식 취득을 허용하게 된 이유는 자기주식 취득은 본질적으로 회사의 재산을 주주에게 반환하는 것으로서 배당과 특별히 다르지 않으며, 특히 모든 주주에게 지분비율에 의하여 이루어지는 자기주식 취득은 주주 사이의 부의 이전의 불공정문제도 발생하지 아니하고 순수하게 회사재산 반환의 효과만 가져오기 때문이라고 한다.[4] 그리고, 이러한 법무부 상사법무과의 입장을 지지하는 학자도 있다.[5] 그러나, 이에 대해서는 개정상법 상으로도 자기주식취득의 규제가 크게 완화되기는 하였지만 이론적으로 상법상의 원칙은 여전히 자기주식의 취득금지라는 주장도 유력하게 제기되고 있다.[6]

이와 같이 개정상법상의 자기주식의 취득에 대한 규제태도가 원칙적 금지이면서 다만, 배당가능이익의 한도 내에서 예외적으로 이를 허용한 것이냐 아니면 재원에 대한 규제만을 제외하고 자기주식취득을 원칙적으로 허용한 것이냐에 대한 논쟁에 대해서는 이를 단순히 관념론적인 법해석상의 논쟁으로 치부할 수도 있겠지만, 구체적인 자기주식과 관련된 법률관계를 해석함에 있어서는 결론적으로 큰 차이를 가져올 수 있게 된다. 원칙적인 금지론자들은 회사의 자기주식취득은 어디까지나 예외적인 현상에 불과할 뿐이므로 비록 개정상법이 자기주식의 취득을 배당가능의 이익범위 내에서 허용하였다고 하더라도 이러한 허용규정의 적용범위는 가능하면 좁게 해석하려는 입장에 서게 되고, 반면에 원칙적 허용론자들은 회사의 자기주식 취득이 가지는 재무관리상의 독자적 기능에 주목하여 가능하면 회사가 자기주식을 이용하여 자유롭게 재무관리를 하는 것을 가능하면 넓게 허용하려는 경향이 있다. 그러나, 어느 견해를 취하든지 간에 자기주식에 관한 법률관계를 해석함에 있어 자기주식 취득으로 인하여 발생할 수 있는 폐해를 막으면서 기업의 효율적인 재무관리를 가능하게 하여야 한다는 점에는 논란의 여지가 없을 것이고, 그 결과 개정상법의 해석상 보다 중요한 것은 자기주식의 취득이 원칙적으로 금지되는지 허용되는지의 논쟁보다는 개별적인 자기주식과 관련된 법률관계를 해석함에 있어 금지의 논리와 허용의 논리를 종합적으로 고려하여 어떻게 하면 가장 구체적인 타당성이 있는 결론을 도출해 나가느냐 하

---

4) 정동윤 감수, 「상법 회사편 해설」(법무부, 2012), 105면.
5) 임재연, 전게서, 479면; 송옥렬, 전게서, 860면.
6) 이철송, 「회사법 강의」 제29판(박영사, 2021), 405면; 최준선, 「회사법」 제16판(삼영사, 2021), 308~309면.

는 것이다.

그렇지만, 적어도 개정상법과 관련한 입법자료를 놓고 보았을 때, 입법자가 배당가능이익으로 자기주식을 취득하는 것을 상장회사가 아닌 일반 상장회사에게도 확대하여 적용하였다고 하는 것은 주주에 대한 부의 분배수단의 일환으로 자기주식의 취득을 허용하되 재원규제나 자기주식 취득절차와 방법의 규제 및 처분의 공정성 확보 등으로 그 부작용을 방지하겠다는 취지인 것으로 이해되므로, 이하에서는 이에 따라 논의를 전개해 나가기로 한다.[7]

다. 자기주식의 회계처리방식에 대한 논의

최근 자기주식에 대한 회계처리에 대한 논의를 기초로 자기주식 취득, 처분 거래의 성격을 파악하려는 견해가 대두되고 있다.[8] 현재 회계기준 상 자기주식을 어떻게 회계처리할 것인지에 대하여 (i) 자기주식은 매각할 경우 자산 등의 현금증가가 수반되므로 자산으로 회계처리 하여야 한다는 자산설과 (ii) 자기주식은 실질적으로 자본의 환급 내지는 회사의 일부 청산이고 회사가 파산하거나 지급불능상태에 처하면 그 가치는 영이라는 점을 근거로 미발행주식으로 회계처리하여야 한다는 미발행 주식설이 대립하고 있다. 자산설의 경우 결국 자기주식을 별도의 재산으로 보는 견해라고 할 수 있고, 미발행주식설은 회사가 자기주식을 취득함으로써 유통주식수가 감소하고 실질적으로 자본이 환급되는 결과가 되므로 이를 자본의 감소거래로 회계처리하자는 견해이다. 이러한 의미에서 미발행주식설은 자본감소설이라고도 불린다.[9] 자산설의 경우 자기주식의 취득이나 처분으로 인해 발생한 손익은 일반 자산의 취득, 처분과 동일하게 회계상 인식되므로 자기주식 관련 거래는 당기손익에 반영되는 손익거래로 인식된다. 반면, 미발행주식설에 따를 때, 자기주식의 거래는 소유주와의 자본거래에서 발생하는 자본환급에 따른 손익으로서 자본거래로 인식된다.

이에 대해 한국채택국제회계기준(K-IFRS)는 자기주식은 자본의 차감항목으로 규정하면서 자산으로 인식할 수 없다고 규정하여 미발행주식설을 따르고 있고,

---

7) 정동윤 감수, 전게서, 104면.
8) 황남석, "상법상 배당가능이익에 의한 자기주식취득의 쟁점,"「상사법연구」제31권 제3호(한국상사법학회, 2012), 72면 이하.
9) 김동수·이민규·신철민, "자기주식의 회계처리와 세무상 쟁점의 검토,"「BFL」제87호(서울대학교 금융법센터, 2018. 1.), 78면.

실무상으로도 자기주식은 미발행주식으로 처리하는 데에 이론(異論)이 없는 것으로 보인다.

이러한 회계상의 논의에서 더 나아가 자기주식을 자산으로 파악하는 경우에는 자기주식의 취득 및 처분거래는 손익거래이고, 자기주식을 미발행주식으로 파악하는 경우에는 자기주식의 취득 및 처분거래는 자본거래에 해당한다는 전제하에,10) 자기주식의 처분을 자본거래의 일종인 신주발행과 유사한 점이 있는 것으로 보아 신주발행의 규제에 대한 여러 논리를 유추적용 하려는 견해들도 존재한다.

이러한 회계처리상의 논의가 논리필연적으로 자기주식의 법적 지위에 대한 특정한 결론 — 예컨대, 자기주식 처분은 손익거래이므로 신주발행과 유사한 규제를 받아야 하고, 자본거래로 보는 경우에는 신주발행에 대한 규제를 적용할 수 없다는 견해 — 에 이르게 되는 것은 아니다. 자기주식처분 규제의 필요 여부는 주주권의 보호나 사회정책적인 측면에서 별도로 논의되어야 하지 자기주식의 회계적 성격으로부터 논리필연적으로 도출되는 것은 아니기 때문이다. 그 결과, 이하에서는 일반적인 회계실무에 따라 자기주식은 미발행주식으로 회계처리한다는 입장에서 논의를 전개해 나가도록 한다.

라. 기업구조조정과 자기주식

상법 개정 이후 2010년대 후반 들어서 자기주식은 기업구조조정의 중요한 수단으로 이용되고 있다. 특히, 기업집단들의 지주회사 전환과정에서 특정회사가 자사주를 취득한 후, 인적분할을 통해 자기주식을 분할존속회사의 재산으로 배정하면서, 해당 자기주식에 대해 분할신설회사의 신주를 발행하면 특정회사의 기존 대주주는 인적분할을 통해 분할존속회사와 분할신설회사에 대한 지배권을 유지하면서, 추가로 분할이전에 의결권이 없는 자기주식에 대해 분할신설회사의 신주가 배정되어 분할 신설회사에 대한 기존 대주주의 지배권이 더욱 견고해지는 효과가 발생한다. 이후 다시 기존 대주주는 자기주식으로 배정받은 분할신설

---

10) 황남석, 전게논문, 72면에 따르면 이 경우 자본거래와 손익거래의 의미는 명확하지는 않지만 일반적으로 기업회계에서 사용되는 손익계산서에 직접 영향을 미치지 않는 소유주에게 배분하거나 소유주에게 출연하는 거래를 자본거래로, 손익계산에 직접적인 영향을 미치는 거래를 손익거래로 판단하는 것으로 보인다.

회사의 주식을 분할존속회사에 현물출자를 하면 분할존속회사에 대한 지배력도 추가로 강화할 수 있다.[11]

이와 같이 지주회사 전환 시 인적분할 과정에서 지주회사가 될 특정회사가 인적분할 이전에 자기주식의 비중이 높으면 높을수록 자회사에 대한 지배력이 높아지며, 실제로 국내 대기업들은 지주회사 전환과정에서 자기주식을 이용하여 기존 대주주의 지배력은 2배 이상 강화되는 것으로 보고되고 있다.[12][13]

이러한 인적분할 과정에서의 자사주에 대한 분할신주배정은 대주주가 자기자본을 투여하지 않고 회사의 자금으로 지분율을 높이는 데에 악용되고 있다는 비판이 제기되었고, 이에 따라 2016년 일부 의원들은 회사재산에 대한 분할대가지급을 금지하는 상법 개정안을 발의하기도 하였다. 그렇지만, 현재 이러한 개정안에 대한 거래계의 의견은 이러한 분할 시 자사주발급 규제에 대하여 해외투기자본에 대항할 수 있는 보호수단을 빼앗는 것이고, 주주들의 재산권의 본질을 침해하는 것이라면서 격렬하게 반발하고 있고, 학계에서도 분할과정에서만 자사주에 대한 신주발행을 금지하는 것은 다른 조직개편과의 형평성 측면에서 문제가 있다는 이유로 부정적인 견해가 다소 많은 것으로 보인다.[14]

마. 실제 자기주식의 취득 및 처분사유

현재 유가증권시장 (코스피) 상장법인들의 자기주식취득사유로는 (i) 주가안정 및 주주가치 제고, (ii) 경영권 보호, (iii) 영업양수도 및 합병과정에서의 주식매수청구권 행사를 통한 자기주식 취득 및 일반적인 거래과정에서의 자기주식 취득, (iv) 임직원 상여금 또는 성과급 지급, 우리사주조합을 위한 자사주 확보, (v) 인적분할을 통한 지주회사설립을 통한 주주지배권 강화, (vi) 자진상장폐지

---

11) 서울대 시장과 정부연구센터, "한국기업의 자사주 취득 및 보유에 관한 연구," 2019. 8. 58면 이하; 김홍기, "자기주식제도의 본질과 운용방안에 관한 연구 "「상사법연구」 제34권 제4호(한국상사법학회, 2021), 77면 이하

12) 김홍기, 전게서 78면

13) 실제 한진그룹은 지난 2013년 대한항공을 지주회사(한진칼)와 사업회사(대한항공)로 분할하면서, 한진칼에 대한항공의 자사주 주식 6.75%를 배정하였다. 이후 한진칼에 승계된 대한항공 자사주 6.75%에 대해서는 분할신설회사인 대한항공의 분할신주가 발행되었고, 이 과정에서 한진그룹 총수 일가는 기존에 보유한 대한항공 대주주지분율 9.87%에 인적분할로 생긴 대한항공 신주 지분(6.75%)를 합쳐 총 지분을 16.62%까지 늘릴 수 있었다,

14) 최근 상법의 주요쟁점과 해법 세미나, 이철송 [제2주제] 자기주식의결권 제한 검토 63면 이하 참조.

및 (vii) 민영화, 거래량 부족 또는 대물변제에 따른 자기주식 취득 등이 보고되고 있다. 한편, 자기주식 처분의 목적으로는 (i) 임직원 성과보상을 위한 자사주 지급, (ii) 자금확보, (iii) 주식거래활성화, (iv) 교환사채 발행을 위한 자사주 처분 등이 보고되고 있다.[15]

2. 자기주식의 취득

가. 규제의 구조

상법 제341조는 회사가 (i) 거래소에서 시세(時勢)가 있는 주식의 경우에는 거래소에서 취득하거나, (ii) 각 주주가 가진 주식 수에 따라 균등한 조건으로 취득하는 경우로 대통령령이 정하는 경우, 즉 주식취득의 절차가 공정하여 회사에 의해 주주들에게 자의적으로 회사의 부가 불평등하게 분배되는 것이 방지될 수 있는 경우에는 자기의 명의와 계산으로 자기의 주식을 취득할 수 있다고 규정한다. 다만, 자기주식을 취득하는 경우에 그 취득가액의 총액은 직전 결산기의 대차대조표상의 순자산액에서 제462조 제1항 각호의 금액을 뺀 금액, 즉 배당가능이익을 초과하지 못한다고 규정하고 있다. 그 결과, 배당가능이익의 범위 내에서 상법이 정한 자기주식취득절차를 준수하는 경우 회사는 자유로이 자기주식을 취득할 수 있다.

한편, 개정상법 제341조의2는 (i) 회사의 합병 또는 다른 회사의 영업전부의 양수로 인한 경우, (ii) 회사의 권리를 실행함에 있어 그 목적을 달성하기 위하여 필요한 경우, (iii) 단주(端株)의 처리를 위하여 필요한 경우 및 (iv) 주주가 주식매수청구권을 행사한 경우에는 상법 제341조에도 불구하고 자기주식을 취득할 수 있다고 규정하고 있다. 이는 결국 제341조의2 각호의 경우에는 회사는 제341조의 규제, 즉 배당가능이익에 의한 취득이라는 재원규제와 주주평등의 원칙에 따른 절차규제를 받지 아니하고 자기주식을 취득할 수 있음을 의미한다. 그리고, 이러한 자기주식취득 사유는 자기주식취득을 엄격하게 금지하고 있었던 구상법상 예외적으로 자기주식취득이 허용되는 사유 중 주식을 소각하기 위한

---

15) 서울대 시장과 정부연구센터, "한국기업의 자사주 취득 및 보유에 관한 연구," (2019. 8.), 51면 이하.

때를 제외하고 이를 그대로 가져온 것으로 배당가능이익을 재원으로 하지 않는 경우에도 회사가 부득이하게 자기주식을 취득할 수밖에 없는 경우이며, 그 결과 자기주식의 취득으로 인한 폐해가 발생할 가능성이 사실상 차단되는 경우라고 할 수 있다.[16]

그렇다면, 결국 개정상법상 자기주식의 취득은 다음과 같은 세 가지 범주로 나눌 수 있게 된다.

(1) 배당가능이익으로 상법이 정한 절차에 따라 취득하는 자기주식
(2) 상법 제341조의2 각호의 사유가 발생하여 회사가 취득하는 자기주식, 이 경우에는 상법 제341조에 따른 재원규제와 취득절차에 대한 규제를 받지 않는다.
(3) 위 (1)과 (2) 어느 사유에도 해당하지 아니하는 자기주식의 취득, 이러한 자기주식의 취득은 구상법과 마찬가지로 금지된다고 해석된다.

이하에서는 각각의 범주별로 자기주식 취득의 요건과 절차를 검토하기로 한다.

나. 배당가능이익에 의한 자기주식의 취득

1) 재원규제

상법 제341조에 따른 자기주식의 취득은 배당가능이익을 한도로 한다. 배당가능이익은 어차피 이익배당제도를 통하여 주주에게 반환이 가능하므로, 자기주식 취득의 재원으로 사용하여도 회사채권자의 이익이나 자본충실을 해할 염려가 없기 때문이다.

가) 배당가능이익의 의미

여기서 배당가능이익이란 상법 제341조 및 제462조 제1항에 따라 직전 결산기의 대차대조표상의 순자산액에서 상법 제462조 제1항 각호의 금액을 뺀 금액을 의미하며, 다음의 방식으로 계산된다.

대차대조표상 자산총액-(부채총액+자본금액+그 결산기까지 적립된 자본준비금과 이익준비금의 합계액+그 결산기에 적립하여야 할 이익준비금+미

---

16) 이철송, 전게서, 416면.

실현이익)

상법 제341조 단서는 "그 취득가액의 총액은 직전 결산기의 대차대조표상의 순자산액에서 제462조 제1항 각호의 금액을 뺀 금액을 초과하지 못한다"고 규정하고 있는데, 위 조항의 해석과 관련하여 상법 제462조 제1항 각호의 금액, 즉 이익준비금이나 자본 준비금 또는 미실현이익[17]도 역시 직전 결산기의 금액을 기준으로 하는지 아니면 자기주식취득 당시의 금액을 기준으로 하는지 의문이 있을 수 있다. 이는 주로 미실현이익은 그 평가시점에 따라 크게 변동할 수 있기 때문에 문제되는데, 이와 관련하여 법무부 상사법무과는 상법 제462조 제1항 각호의 금액 역시 직전결산기의 금액을 기준으로 계산한다는 입장을 표명하고 있다. 다만, 이와 같이 해석하는 경우 회계연도 중에 회사의 영업이익은 줄고 회사가 보유하고 있는 지분법 평가주식의 가치가 크게 상승한 경우 (지주회사의 경우 이러한 상황이 발생할 가능성이 있다)에는 상법 제341조에 따라 계산한 배당가능이익이 실제 회사가 자기주식을 취득할 때의 배당가능이익보다는 적어지게 되므로 채권자의 이익이나 자본충실을 해할 염려가 있는데, 이러한 경우에는 상법 제341조 제3항 및 제3항이 적용되므로 실질적으로는 자기주식취득당시의 금액을 기준으로 배당가능이익을 초과하여 자기주식을 취득한다면 이사는 이에 대해 손해배상책임을 부담할 가능성이 높아지게 된다.[18]

나) 자기주식 취득의 한도

상법 제341조 문언 단서는 단순히 자기주식취득 금액이 직전 결산기의 배당가능이익을 초과하지 못한다고만 규정하고 있다. 이는 단지 자기주식의 취득가액의 금액이 배당가능이익의 금액을 넘지 말라는 뜻으로 이해하여서는 아니 되

---

17) 참고로 미실현이익이란 회계원칙(제446조의2)에 따른 자산 및 부채에 대한 평가로 인해 증가한 대차대조표상의 순자산액을 의미한다(시행령 제19조). 따라서, 일반적으로 구상법 당시 실무상으로는 당기순이익에 포함된 미실현이익을 차감하지 아니하고 배당가능이익을 계산하고 있었으나 개정상법상으로는 이러한 미실현이익, 대표적으로는 회사가 보유하고 있는 다른 회사의 투자증권의 지분법 평가이익 등은 모두 배당가능이익에서 제외되어야 한다는 점에 유의할 필요가 있다. 다만, 상법 시행령 부칙 제6조에 따라 상법 시행령의 시행일 (2012. 7. 22.)이 속하는 사업연도까지 이익잉여금으로 순자산액에 반영한 미실현이익이 있는 경우에는 그 미실현이익은 개정규정에 따른 미실현이익에 포함되지 아니한 것으로 간주하여 회사에 발생할 수 있는 급격한 배당가능이익의 감소를 방지하고 있다. 그러나, 그 다음 사업연도부터는 설사 회사가 보유하고 있는 지분법 주식의 평가액이 추가로 증가한다고 하더라도 이를 배당가능이익으로 보아 자기주식취득의 재원으로 삼아서는 아니 된다.
18) 정동윤 감수, 전게서, 111면.

고, 배당가능이익을 사용해서 취득하여야 한다는 정도로 이해하면 충분할 것이다.19) 따라서, 배당가능이익으로 여러 회계연도에 거쳐 자기주식을 취득하였고, 이러한 자기주식의 취득금액 총계가 직전 결산기의 배당가능이익을 초과하였다고 하더라도 이는 상법 제341조 단서 위반은 아니다. 오히려, 현재 회계제도상 자기주식의 취득은 순자산의 감소를 가져오고, 그 결과 자동적으로 배당가능이익도 감소하므로, 실제 회사가 자기주식을 취득한 경우 회사의 배당가능이익은 직전 결산기의 배당가능이익보다 줄어 있을 가능성은 생각보다 빈번히 발생할 수 있으나, 그렇다고 하더라도 자기주식취득금액이 배당가능이익으로부터 얻어진 것인 경우에는 위법이 아니다.

또한, 상법은 특별히 자기주식 취득의 한도에 대한 규정을 두고 있지 않으므로, 배당가능이익만 충분하다면 이론적으로는 무제한으로 자기주식을 취득할 수 있다.20) 입법론상으로는 보완이 필요한 부분이기는 하지만, 현실적으로는 회사가 과소자본으로 인한 불이익을 겪게 되고, 회사가 주주총회나 이사회의 결의로 자기주식의 취득을 결의하였다고 하더라도 주식을 처분하는 개별주주가 동의하지 않는 이상 회사가 자기주식을 취득하는 것은 불가능하므로 위와 같은 문제가 발생할 가능성은 매우 낮을 것이다.

다) 재원규제 위반의 효과
(1) 원칙적 무효
회사가 재원규제를 위반하여 자기주식을 취득할 경우 이는 위법한 자기주식 취득으로서 원칙적으로 무효가 된다(자세히는 후술하는 위법한 자기주식 취득의 효력 부분 참조). 따라서, 회사가 자기주식을 취득한 금액이 직전 결산연도의 배당가능이익에도 못 미치는 경우에는 회사의 자기주식취득은 무효가 된다.

(2) 이사의 자본충실 책임
그렇지만, 상법 제341조 단서는 자기주식취득의 기준이 되는 배당가능이익을 직전 결산기의 배당가능이익으로 규정하고 있기 때문에, 경우에 따라서는 자기주식을 취득한 영업연도의 결산기의 최종 배당가능이익은 자기주식취득금액에 미치지 못하는 경우가 있게 된다. 즉, 직전 영업연도의 배당가능이익으로 판단

---

19) 이철송, 전게서, 411면.
20) 임재연, 전게서, 487면; 최준선, 전게서, 311면 각주 1).

하면 자기주식을 취득할 수 있는데, 해당 영업연도의 배당가능이익을 결산해 보면 자기주식의 취득금액이 그 해의 배당가능이익을 초과하는 경우가 생길 수 있다. 이러한 경우 상법 제341조 제3항과 제4항이 적용되는데 회사는 해당 영업연도의 결산기에 대차대조표상의 순자산액이 제462조 제1항 각호의 금액에 합계액에 미치지 못할 우려가 있는 경우, 즉 결손의 경우에는 자기주식취득을 하여서는 아니 되고, 해당 영업연도의 결산기에 결손의 우려가 있음에도 불구하고 회사가 자기주식을 취득한 경우 이사는 회사에 대하여 연대하여 그 미치지 못한 금액, 즉 결손금을 배상할 책임이 있다. 다만, 이사가 결손의 우려가 없다고 판단하는 때에 주의를 게을리하지 아니하였음을 증명한 경우에는 그러하지 아니하다. 이러한 이사의 책임은 결손의 우려를 예측하지 못한 이사의 과실을 기초로 한 과실 책임이기는 하지만, 이사가 이러한 결손의 우려가 없었음에 대해 증명책임을 부담하며, 이러한 점에서 제462조의3 제4항에 다른 중간배당에 대한 이사의 책임과 그 구조가 유사하다.[21] 이러한 제341조 제3항과 제4항의 해석과 관련하여서는 다음과 같은 점들이 문제가 된다.

(가) 적용의 범위

제341조 제3항과 제4항은 책임의 발생요건을 "해당 영업연도의 결산기에 대차대조표상의 순자산가액이 제462조 제1항 각호의 금액에 미달할 우려가 있는 경우 또는 미달할 경우," 즉 결손의 경우에만 한정하고 있기 때문에, 배당가능이익이 존재하기는 하나 회사의 이사가 이러한 배당가능이익을 초과하여 자기주식을 취득한 경우에는 제341조 제3항 및 제4항이 적용되는지가 불분명한 측면이 있다. 현재 이 부분에 대하여 명시적으로 다루고 있는 국내 문헌은 존재하지 아니하는 것으로 보이나, 자기주식의 취득은 회사채권자등 이해관계인에 피해를 주지 않고 자본충실의 원칙과 조화를 이루면서 해석되어야 한다는 점에서, 제341조 제3항과 제4항은 배당가능이익이 존재하기는 하나 자기주식취득금액이 배당가능이익을 초과하는 경우에도 유추적용 되어야 할 것이다.

(나) 책임의 한도

또한, 제341조 제4항의 법문상 이사는 회사에 대하여 결손금액을 모두 연대하여 배상하여야 하는 것처럼 규정되어 있지만, 제341조 제4항의 책임을 이사의

---

21) 이철송, 전게서, 415~416면; 임재연, 전게서, 487면 각주 350.

과실 책임으로 규정하고 있는 상법의 체계상 이사의 책임은 자기주식의 취득과 인과관계가 있는 범위 내로 한정되어야 할 것이므로, 그 결과 이사의 책임은 자기주식의 취득금액을 한도로 한다는 것이 일반적인 견해이다.[22]

(다) 자기주식 처분의 경우

회사가 직전 결산기의 배당가능이익의 범위 내에서 자기주식을 취득한 이후, 이를 처분하였을 경우, 처분금액이 취득금액보다 높은 경우에는 회사에 실제로 손해가 발생하지 아니하였으므로 이사의 책임은 발생하지 아니한다. 그러나, 처분금액이 취득금액에 못미쳐 처분손실이 발생하였을 경우에는 처분손실에 해당하는 금액에 대하여 역시 상법 제361조 제3항과 제4항이 적용된다.[23]

2) 절차규제

가) 주주총회 결의

배당가능이익으로 자기주식을 취득하기 위해서는 주주총회의 보통결의로 (i) 취득할 수 있는 주식의 종류 및 수, (ii) 취득가액의 총액의 한도 및 (iii) 1년을 초과하지 않는 범위 내에서 자기주식을 취득할 수 있는 기간을 정하여야 한다. 다만, 이사회의 결의로 이익배당을 이사회의 결의로 할 수 있다고 정하고 있는 경우에는 이사회결의로 주주총회 결의에 갈음할 수 있다. 이는 자기주식이 배당과 유사하게 주주들에게 회사의 부(富)를 분배하는 효과가 있다고 보아 자기주식의 취득의 결정권한을 이익배당의 경우와 동일하게 규정한 것이다.[24]

(1) 자기주식취득의 실행결의로서의 이사회 결의

상법이 주주총회의 결의 시에 취득기간과 취득금액의 한도를 정한 점에서도 알 수 있듯이, 주주총회 결의 이후 구체적인 자기주식의 취득은 대표이사 또는 이사회에 위임될 수 있다. 그런데, 이와 관련하여 상법 시행령 제10조 제1호는 주주총회에서 자기주식취득의 결의를 한 회사가 자기주식을 취득하려는 경우에는 이사회 결의로 (i) 자기주식 취득의 목적, (ii) 취득할 주식의 종류 및 수, (iii) 주식 1주를 취득하는 대가로 교부할 금전이나 그 밖의 재산(해당 회사의 주식은 제외한다. 이하 이 조에서 "금전등"이라 한다)의 내용 및 그 산정 방법,[25] (iv)

---

22) 이철송, 전게서, 416면; 임재연, 전게서, 487면; 송옥렬, 전게서 864면.
23) 이철송, 상게서, 416면; 임재연, 상게서, 487면.
24) 송옥렬, 전게서, 864면.

주식 취득의 대가로 교부할 금전등의 총액, (v) 20일 이상 60일 내의 범위에서 주식양도를 신청할 수 있는 기간(이하 이 조에서 "양도신청기간"이라 한다), (vi) 양도신청기간이 끝나는 날부터 1개월의 범위에서 양도의 대가로 금전등을 교부하는 시기와 그 밖에 주식 취득의 조건을 정하도록 하고, 이 경우 주식취득의 조건은 이사회가 결의할 때마다 균등하게 정하여야 한다고 규정하고 있다. 참고로, 여기서 위 (i) 내지 (iv)의 사항은 자기주식취득 시 반드시 이사회에서 결의되어야 하지만, (v)와 (vi)의 사항은 후술하듯이 회사가 상법 제341조 제1항 제2호의 방법으로 자기주식을 취득할 때에만 필요하다.

이러한 상법의 규정체계는 상장법인에 적용되는 자본시장법 제165조의3, 시행령 제176조의2 및 증권의 발행 및 공시등에 관한 규정(이하 "발행공시규정") 제5-1조에 따른 자기주식취득의 규정체계와는 다르다는 점에 유의할 필요가 있다. 즉, 발행공시규정 제5-1조에 따르면 상장법인은 자기주식 취득시 이사회 결의로 (i) 취득의 목적, (ii) 취득예정금액, (iii) 주식의 종류 및 수, (iv) 취득하고자 하는 주식의 가격, (v) 취득방법, (v) 취득하고자 하는 기간, (vi) 취득 후 보유하고자 하는 예상기간, (vii) 취득을 위탁할 투자중개업자의 명칭, (viii) 그 밖에 투자자 보호를 위하여 필요한 사항을 정하도록 하고 있어 이사회 결의만으로 자기주식을 취득할 수 있도록 하고 있는데, 상법의 경우에는 이익배당을 이사회 결의로 할 수 있는 회사가 아닌 이상 원칙적으로 자기주식을 취득하기 위하여 반드시 주주총회결의와 이사회결의를 별도로 거치도록 하고 있는 점에는 유의할 필요가 있다. 다만, 자기주식취득을 이사회결의로 할 수 있는 회사의 경우에는 상법 제341조 제2항의 결의와 상법 시행령 제10조 제1호의 결의를 하나의 이사회에서 하는 것은 무방할 것으로 판단된다.

그런데, 이러한 점은 보통 상장법인의 자기주식취득이 특정한 기간 동안 장내에서 시장평균가격으로 이루어지고, 구체적인 결제절차는 대표이사에게 위임된다는 점을 고려할 때에, 상법 시행령 제10조에 따른 자기주식취득 역시 자본시장법에 따른 자기주식취득과 유사하게 대표이사에게 위임될 수 있는지가 문제될 수 있다. 상법 시행령이 주주총회 결의 이후 별도의 이사회 결의를 거치도록

---

25) 이철송, 전게서, 411~412면을 참조하면 자기주식 취득의 대가로 회사가 발행한 다른 종류의 자기주식을 교부하는 것은 유의미한 거래이므로 이를 일률적으로 금지하는 것은 입법론상 보완이 필요하다고 한다.

하고 있는 점에 비추어 볼 때, 상법상 자기주식취득을 위해서는 자기주식취득 시마다 별도의 이사회결의가 있어야 한다고 해석할 수밖에 없을 것이나,[26] 이러한 이사회 의결로 대표이사에게 자기주식의 취득을 위임하는 것이 금지된다고까지 해석할 이유는 없다고 할 것이므로, 상법 시행령 제10조 제1호 각목의 결의사항이 구체적으로 적시된 경우라면 대표이사에게 자기주식 취득의 구체적 실행을 위임할 수 있을 것이다. 즉, 규정된 산식에 의하여 모든 주주들에게 균등한 조건으로 수차례에 걸쳐 대표이사에게 자기주식 취득을 위임하는 것은 허용된다고 할 것이다.

(2) 주주총회에서 결의된 자기주식취득의 철회가능성

주주총회에서 자기주식 취득을 결의한 경우, 원칙적으로, 이사회나 대표이사는 주주총회 결의에 따라 자기주식을 취득할 의무를 부담한다고 할 것이다. 그렇지만, 이사는 자기주식 취득의 구체적 실행에 따른 이사회 결의 시마다, 상법 제341조 제3항에 따라 회사가 당해 영업연도에 결손의 우려는 없는지 또는 주주총회에서 결의한 자기주식취득금액이 당해 영업연도의 예상배당가능이익을 초과할 우려는 없는지 경영판단에 의하여 자기주식취득 여부를 결정하여야 한다.[27] 비록 주주총회 결의가 있었다고 하더라도 이사가 상법 제341조 제3항 또는 제4항의 의무를 위반하거나 자기주식취득과 관련하여 이사의 법령, 정관위반이나 임무해태행위가 존재하는 경우, 그 이사가 회사 또는 제3자에 대하여 손해배상책임을 부담한다(제399조, 제401조).[28] 따라서, 주주총회에서 결의한 자기주식을 취득하는 것이 이사의 의무위반이 되는 경우 이사들은 이사회에서 주주총회에서 결의된 자기주식취득을 철회하는 것도 가능하다고 할 것이다. 그리고, 굳이 주주총회에서 결의된 자기주식의 취득결의가 위법에 달하는 하자는 없다고 하더라도 이사회나 주주총회 및 이사회로부터 자기주식의 취득을 위임받은 대표이사는 자신의 경영판단에 따라 회사에게 불리하다고 판단하는 경우에는 주주총회에서 위임을 받은 자기주식 취득을 자유로이 철회할 수 있을 것이다.

나) 취득의 방법

회사는 자기주식을 취득할 때에는 (i) 거래소의 시세 있는 주식의 경우에는

---

26) 이철송, 전게서, 414면.
27) 이철송, 상게서, 412면; 임재연, 전게서, 480면.
28) 임재연, 상게서, 480면.

거래소에서 취득하는 방법으로, (ii) 상환주식의 경우 외에 각 주주가 가진 주식 수에 따라 균등한 조건으로 취득하는 것으로서 대통령령으로 정하는 방법(이하 "균등조건 취득")으로 하여야 한다. 이는 주주평등의 원칙상 회사가 자기주식을 특정한 주주로부터만 임의적으로 취득하는 것을 방지하기 위한 규정이다. 따라서, 상환주식은 자기주식취득의 방법으로 회사가 취득할 수 없는데, 이는 상환주식의 내용으로 정하여진 상환의 기간이나 금액에 관한 제한을 자기주식취득의 방법으로 회피하는 것을 막기 위해서인 것으로 보인다. 예컨대, 상환주식의 상환기간이 발행 이후 3년째부터 허용이 되는데, 상환주식을 자기주식취득의 방법으로 취득하면, 상환기일 이전에 상환주식이 사실상 상환되는 효과를 가지게 되므로 이를 방지하기 위한 것이다. 각 내용을 설명하면 다음과 같다.

(1) 거래소 취득

"거래소의 시세 있는 주식"이란 자본시장법상 상장주식을 의미하고, 거래소에서 취득한다는 것은 장내 매수를 의미한다.[29] 따라서, 상법 제341조 제1항 제1호는 원칙적으로 주권상장법인에 대하여 적용이 된다. 그런데, 상법은 거래소에서 장내취득하기만 하면 자기주식을 취득하는 방법에 있어서 아무런 제한을 두고 있지 않기 때문에 주권상장법인에 관한 자기주식취득의 특례인 자본시장법 제165조의3과 상법 제341조 제1항 제1호는 다음과 같은 점에서 충돌이 있다.

발행공시규정 제5-5조는 자기주식취득을 위한 매수주문의 방법을 정하면서 그 가격을 장 개시 전에는 전일의 종가와 전일의 종가를 기준으로 5% 높은 가격의 범위내로 하고 있고, 매매거래 시간 중에는 그 가격을 (i) 매수주문시점의 최우선매수호가와 매수주문 직전시점까지 체결된 당일의 최고가 중 높은 가격과 (ii) 매수주문시점의 최우선매수호가와 매수주문직전의 가격 중 높은 가격까지의 10호가 가격단위 낮은 가격의 범위 이내로 하고 있다. 또한, 시간외 대량매매의 방법으로 자기주식을 취득하는 것은 발행공시규정 제5-5조 제2항에 따라 예외적인 경우에만 허용된다. 그러나, 상법은 이러한 제한을 두고 있지는 않기 때문에, 상장법인이 자본시장법에 정하여진 절차에 따라 자기주식을 취득하는 것이 아니고, 상법에 따라 자기주식을 취득하는 경우에는 이러한 자본시장법, 특히 발행공시규정에 따른 자기주식취득의 방법제한의 적용을 받지 않는지가 문제될

---

29) 임재연, 상게서, 481면.

수 있다. 2013년 개정된 자본시장법은 주권상장법인의 특례 규정을 상법 회사편에 우선하여 적용한다고 규정하였으므로, 상장법인이 발행공시규정의 제한을 회피하여 상법의 요건에 따라 자기주식을 취득할 수는 없을 것이다.[30]

이 외에, 구 자본시장법(2013. 4. 5. 법률 제11758호로 개정되기 전의 것) 제165조의2 제2항은 상장법인이 자기주식을 취득할 수 있는 방법을 별도로 정하여 두었는데, 여기에 상법 제341조 제1항 제2호에 따른 균등조건 취득의 방법은 별도로 규정되어 있지 않기 때문에 (다만, 공개매수의 방법은 상법과 자본시장법이 모두 허용하고 있다), 상장법인이 균등조건 취득의 방법에 따라 자기주식을 취득할 수 있는지의 문제가 발생할 수 있었다. 그러나, 아래에서 살펴보는 바와 같이 2013년 개정 자본시장법 제165조의3 제1항이 상법 제341조 제1항 제2호에 따른 방법을 수용함에 따라 입법적으로 이러한 문제가 해결되었다. 다만, 개별 주주들에게 통지 등을 하기 위해서는 사실상 주주총회개최와 마찬가지로 주주명부를 폐쇄하여 실질주주를 확정하는 절차를 거쳐야 할 것인데, 거래 실제상 상장법인이 이러한 번잡한 절차를 거쳐 자기주식을 취득하려 할지는 의문이다.

(2) 균등조건 취득

상법 시행령 제9조는 균등조건 취득의 방법으로 (i) 회사가 모든 주주에게 자기주식 취득의 통지 또는 공고를 하여 주식을 취득하는 방법과 (ii) 자본시장법에 따른 공개매수의 방법을 정하고 있다. 여기에서 공개매수를 통한 취득은 일반적인 공개매수절차와 특별히 다를 것이 없으므로 이와 관련한 설명은 생략하기로 하고, 위 (i)의 방법 및 절차에 대해 살펴보기로 한다.

(가) 이사회 결의 및 통지

균등조건 취득을 위해서는 상법 시행령 제10조 제1호에 의한 이사회 결의를 하면서, 즉 구체적인 자기주식 취득실행을 위한 이사회 결의를 하면서, 양도신청기간, 즉 이사회 결의 시 주주들로부터 자기주식을 취득하기로 결정한 20일 이상 60일 이내의 기간이 시작하는 날의 2주 전까지 각 주주에게 재무현황, 자기주식보유현황 및 상법 시행령 제10조 제1호에 따른 이사회 결의사항을 서면 또는 주주의 동의를 받아 전자문서로 통지하여야 한다. 무기명 주주에 대해서는 3주 전에 공고하여야 한다(시행령 제10조 제2호).

---

30)　증권법학회, 「자본시장법 주석서 I」 개정판(박영사, 2015), 820면.

(나) 주식양도 신청

회사에 주식을 양도하려는 주주는 양도신청기간이 끝나는 날까지 양도하려는 주식의 종류와 수를 적은 서면으로 주식양도를 신청하여야 한다(상법 시행령 제10조 제3호).

(다) 계약의 성립

주주가 서면으로 주식양도를 신청한 경우 회사와 주주 사이에는 양도신청기간이 종료하는 때에 주식양도계약이 성립하는 것으로 본다. 주주가 신청한 주식의 총수가 이사회 결의에서 정한 취득할 주식의 총수를 초과하는 경우 계약 성립의 범위는 취득할 주식의 총수를 신청한 주식의 총수로 나눈 수에 개별 주주가 양도신청을 한 주식의 수를 곱한 수(이 경우 끝수는 버린다)로 정한다(시행령 제10조 제4호).

이 경우, 다음과 같은 점들이 문제될 수 있다. (i) 일부 주주가 양도신청기간 내에 양도신청을 하지 않은 경우 양도신청을 하지 않은 주주를 무시하고 양도신청에 응한 주주들로부터만 이사회 결의에서 정한 자기주식 총수를 취득할 수 있는지가 문제되는데, 일단 주주들에게 자기주식취득의 기회를 부여한 이상 자기주식 취득에 대하여 명시적으로 동의한 주주들로부터만 자기주식을 취득하는 것은 허용되어야 할 것이다. (ii) 반대로, 이사회 결의에서 정한 자기주식취득의 총수보다 양도신청을 한 주주들의 주식수가 적은 경우에는 회사가 조건부 결의(자기주식의 취득 청약에 응하는 주주의 주식수가 이사회에서 결의한 취득수량에 미달하는 경우에는 자기주식취득에 대한 이사회결의 전체를 철회한다는 등의 조건부 결의)를 하였다는 등의 특별한 사정이 없는 이상 원칙적으로 회사가 양도신청을 한 주주들로부터 주식을 모두 취득하여야 할 것이다.

(라) 취득가격의 제한여부

상법 시행령 제10조 제1호 다목에 따르면 자기주식취득의 실행을 위한 이사회결의시에 회사는 주식 1주당 대가를 결정하도록 되어 있다. 그렇다면, 이러한 취득가격에 어떠한 제한이 있는지가 문제된다. 이에 대해 회사는 자기주식 취득시에 취득대가가 취득 시의 공정한 시장가치를 초과하지 않도록 하여야 한다는 견해가 일반적인 것으로 보인다.[31] 그러나, 회사의 자기주식 취득을 회사가 재

---

31) 이철송, 전게서, 413면; 임재연, 전게서, 488면.

산을 취득한다는 측면에서 바라보면 이사에게 회사가 자기주식을 공정한 시장가치에 따라 취득하도록 하여야 할 의무가 당연히 있겠지만, 자기주식취득을 통해 회사가 주주에게 이익을 환급한다는 측면에서 바라보면 모든 주주에게 그 기회가 균등하게 부여되고, 그 재원이 배당가능이익의 범위 내이기만 하다면 자기주식을 시가보다 비싼 가격으로 취득하는 것 역시 특별히 금지될 이유가 없다는 주장도 역시 가능할 수 있을 것이다. 다만, 현재 과세실무상 자기주식의 취득이나 처분의 경우 소각의사의 유무에 따라 양도소득세나 배당소득세를 과세하고 있다는 점을 고려하면, 과다한 세금부담에도 불구하고 위와 같은 내용의 자기주식 취득을 통한 과다한 주주에의 이익환급이 문제 될 가능성은 매우 낮을 것이다.

3) 공 시

자기주식을 취득한 회사는 지체 없이 취득 내용을 적은 자기주식 취득내역서를 본점에 6개월간 갖추어 두어야 한다. 이 경우 주주와 회사채권자는 영업시간 내에 언제든지 자기주식 취득내역서를 열람할 수 있으며, 회사가 정한 비용을 지급하고 그 서류의 등본이나 사본의 교부를 청구할 수 있다(상법 시행령 제9조 제2항). 이러한 주주나 채권자의 서류열람 및 교부 청구에 응하지 아니하였을 경우 회사는 상법 제635조 제4호에 따라 500만원 이하의 과태료에 처해질 수 있다.

다. 특정목적에 의한 자기주식의 취득

상법 제341조의2 각호는 상법 제341조에 따른 재원규제나 절차규제를 받지 아니하고 회사가 자기주식을 취득할 수 있는 경우를 열거하고 있다.[32] 이는 모두 회사가 운영과정에서 불가피하게 자기주식을 취득할 수밖에 없는 사항들로서 자기주식 취득의 폐단, 즉 자본충실의 저해와 출자 없는 지배구조의 가능의 우려가 없는 경우이다.

1) 회사의 합병 또는 다른 회사의 영업 전부의 양수로 인한 경우

합병 시 소멸회사가 존속회사의 주식을 가지고 있거나, 영업전부의 양도의

---

32) 최준선, 전게서, 312면.

경우 영업양도회사가 영업양수회사의 주식을 가지고 있는 경우이다. 조문이 영업전부의 양수로 인한 경우로 한정하고 있기 때문에 영업의 일부양도나 자산양수도의 경우 자기주식을 취득하기 위해서는 상법 제341조에 따라 취득하여야 한다. 한편, 합병 시 존속회사가 소멸회사의 주식을 보유하고 있는 경우는 상법 제341조의2에 의해 규율되는 것이 아니라 이를 포합주식이라 하여 포합주식에 대한 합병신주의 배정문제로 다루어지고 있다.

현재 우리나라에서 포합주식에 대하여 합병신주를 배정할 수 있는지에 관한 판례의 입장은 찾아볼 수 없고 학설상으로는 다음과 같은 견해가 대립하고 있다. 우선, (i) 포합주식에 대하여 합병신주를 배정하는 경우에는 발행회사가 스스로에 대하여 신주를 발행하여 주는 결과가 되고, (ii) 예외적으로 자기주식취득이 허용되는 사유는 제한적으로 해석하여야 하므로 "회사의 합병으로 인한 때"란 합병으로 인하여 소멸회사가 존속회사의 주식을 보유한 경우와 같이 포괄승계에 의하여 자기주식을 취득하는 경우에 제한되어야 한다는 점, (iii) 포합주식에 합병신주를 배정하더라도 어차피 상당한 기간 내에 이를 처분하여야 하므로 포합주식에 대한 합병신주배정을 허용하는 경우 불필요한 절차를 반복하게 된다는 점을 들어 포합주식에 대하여 합병신주를 배정할 수 없다는 견해가 있다(이하 "부정설").

이에 대하여 (i) 포합주식에 합병신주를 배정하더라도 이는 존속회사가 소멸회사에 대하여 가지고 있었던 주식이 합병에 의하여 다른 형태의 재산인 존속회사의 주식으로 바뀐 것에 불과하다는 점, (ii) 포합주식에 합병신주를 배정하는 경우에는 상당한 기간 내에 그와 같이 배정된 합병신주를 처분하여야 하고 그 처분대금은 자본준비금으로 적립하여야 하는데(제459조 제1항 제4호 참조), 포합주식에 합병신주를 배정하지 않을 경우에는 그에 상응하는 합병차익이 자본준비금의 형태로(제459조 제1항 제3호 참조) 회사에 유보된다는 점에서 차이가 없고, (iii) 포합주식에 합병신주를 배정하게 되는 계기는 어디까지나 합병으로 인한 것이므로 상법상 자기주식취득의 예외사유인 "회사의 합병으로 인한 때"에 해당한다고 볼 수 있다는 점에서 포합주식에 대하여 합병신주를 배정하는 것은 이론적으로 가능하다는 견해가 있다(이하 "긍정설").

배당가능이익과 관계없이 합병신주 배정의 방식으로 자기주식을 취득하는 상황은 방지되어야 한다는 점에서 부정설이 좀 더 논리적으로 타당한 것으로 보인다.33) 다만, 실무상으로는 포합주식에 대해서는 특별히 확립된 업무관행이나 이를 규율하는 판례, 유권해석 등이 존재하지는 않는 것으로 보이며, 그 결과 포합주식에 대하여 합병신주를 배정하지 않는 경우뿐만 아니라 합병신주가 배정되는 경우도 상당히 존재하는 것으로 보인다.

2) 회사의 권리를 실행함에 있어 그 목적을 달성하기 위하여 필요한 경우

회사가 채무자에 대하여 채권을 실행할 때에 채무자가 회사의 자기주식 이외에 특별한 재산을 가지고 있지 아니한 경우에는 상법 제341조의 규제를 받지 아니하고 자기주식을 취득할 수 있다. 판례는 회사가 채무자로부터 자기주식을 대물변제로 받거나 그 주식이 경매될 때 경락받는 경우에도 자기주식 취득이 허용되나, 채무자에게 회사의 주식 이외에 재산이 없는 때에 한하여 회사가 자기주식을 경락 또는 대물변제 등으로 취득할 수 있고, 채무자의 무자력은 자기주식을 취득하는 회사가 이를 입증하여야 한다고 한다.34)

이에 대해서는 자기주식을 경락받는 것은 자기주식의 새로운 유상취득이므로 상법 제341조의2 제2호에 의해 정당화되기는 어렵다는 견해가 있다.35) 확실히 대물변제의 경우와 같이 회사가 추가적인 출연을 하지 않는 경우라면 몰라도 경락과 같이 추가적인 출연을 하는 경우는 상법 제341조의2 제2호에 따라 정당화되기는 어려울 것이다.

실무상으로는 회사가 채권자로서 자기주식에 대해 가압류나 가처분 등의 보전처분을 하거나 압류 등의 강제집행절차를 취하는 것이 가능한지가 종종 문제되나, 가압류나 압류 등을 한다고 하여 회사가 자기주식을 취득하게 되는 것은 아니고 이후 집행절차에서 제3자에게 경매로 처분될 가능성이 있으므로 당연히 허용되고 판례에 의하여 요구되는 무자력 요건도 적용되지 않는다고 보아야 할 것이다. 다만, 회사가 향후 집행절차에서 자기주식 취득 시에는 무자력 요건이 적용된다.

3) 단주의 처리를 위하여 필요한 경우

회사의 신주발행이나 주식병합 등의 경우에 주주에게 1주미만의 주식이 배정

---

33) 임재연, 전게서, 490면.
34) 대법원 1977.3.8. 76다1292.
35) 이철송, 전게서, 417면.

되는 경우가 있다. 예컨대, 2인 주주로 이루어진 지분비율이 51:49인 회사가 50주의 신주를 발행하는 경우 주주들은 각각 25.5주와 24.5주를 배정받게 되는데, 이 경우 회사는 단주(端株)의 처리를 위하여 1주를 매입하여, 그 대금을 주주들에게 분배할 수 있다. 그렇지만, 단주가 발생할 수 있는 특정한 경우 예컨대 자본감소, 합병, 준비금의 자본전입, 주식배당 등의 경우에는 상법이 단주의 처리를 거래소의 시세 있는 주식의 경우는 거래소를 통한 매각으로, 거래소의 시세 없는 주식은 경매를 통하여 처분하도록 하고 있기 때문에(제443조 제1항, 제530조 제3항, 제461조 제2항, 제462조의2 제3항), 이러한 경우에까지 상법 제341조의2 제3호에 따라 회사가 자기주식을 취득할 수는 없었다. 그 결과, 단주의 처리를 위한 자기주식의 취득은 통상의 신주발행이나 전환주식, 전환사채의 전환 등과 같이 단주처리방법이 법정화되어 있지 않은 경우에만 허용된다고 해석된다.[36]

그렇지만, 종래 비상장회사의 경우 단주를 경매하는 것이 사실상 어렵고 절차도 번잡하기 때문에 자본감소나 합병 등의 경우 단주가 발생하여도 이를 회사가 취득하는 경우가 비일비재하였는데, 이러한 회사의 자기주식취득은 무효가 된다는 점에서 거래안전의 측면에서 문제가 되어 왔다.[37] 단주처리를 위하여 시장성이 없는 비상장회사의 소수지분을 경매에 붙이는 경우 결국 이를 경락받을 자는 대주주나 회사가 될 수밖에 없고, 이러한 단주를 회사가 취득하여도 특별히 자기주식의 취득으로 인한 폐해가 발생할 가능성이 높지 않은 만큼 입법론적으로는 고민이 필요한 부분인 것으로 판단된다.

4) 주주가 주식매수청구권을 행사하는 경우

합병, 영업양도, 주식교환 등 주주의 이해관계에 중대한 영향을 미치는 회사의 조직변경이 있는 경우 상법은 주주총회 특별결의를 거치도록 하고, 또한 이에 반대하는 주주들에게는 회사에게 자기의 주식을 양수할 수 있도록 하는 주식매수청구권을 부여하고 있다(제360조의5 제1항, 제374조의2 제1항, 제522조의3 제1항). 주주가 이러한 주식매수청구권을 행사한 경우 회사는 당연히 자기주식을

---

36) 이철송, 상계서, 417면; 임재연, 전게서, 490면.
37) 회사가 이를 제3자에게 처분하더라도 회사의 자기주식취득 자체가 무효이기 때문에 이를 양수한 제3자 역시 선의취득에 의하여 보호를 받지 않는 이상 권리를 가질 수 없게 된다. M&A 과정에서 매수인이 회사의 자기주식을 취득하더라도 이 부분에 대해서는 소유권을 가지지 못하게 된다.

취득할 수 있다. 회사가 상법 제335조에 따라 주식양도에 관하여 이사회의 승인을 받도록 하였는데, 이사회가 주식의 양도를 승인하지 않은 경우에도 주식의 양도인 또는 양수인은 회사에 대하여 양도상대방의 지정 또는 주식매수를 청구할 수 있고, 이 경우에도 자기주식 취득은 허용된다(제335조의2 제4항, 제335조의7).

이와 관련하여서는 채권자보호절차가 별도로 요구되지 아니하는 영업양도 등으로 인해 주식매수청구권이 행사될 때, 회사가 자본금결손상태에 있는지 여부를 불문하고 주식매수청구권행사로 인한 자기주식의 취득을 허용하는 것은 채권자 보호의 측면에서 문제가 있으므로, 회사가 자기주식을 취득할만큼 자기자본이 부족한 경우에는 주식매수청구권 발생원인이 되는 행위 자체를 할 수 없도록 하여야 한다는 견해가 있다.[38] 그렇지만, 실제로 자기자본이 부족하여, 자본결손에 이르게 된 경우 주식매수청구권의 행사가격은 사실상 0에 가깝게 산출될 수밖에 없을 것이고, 회사가 채무초과 상태임이 명백한 경우에는 채권자취소권 등의 제도(또는 회생절차나 파산절차에서의 부인권으로)로 채권자들이 책임재산을 확보할 수 있을 것이다.

5) 질취의 경우

상법 제341조의3은 회사는 발행주식총수의 20분의 1을 초과하여 자기주식에 질권을 설정할 수 없다고 규정하고 있다. 따라서, 위 규정을 반대해석하면, 20분의 1까지는 회사는 자유로이 자기주식을 질권의 목적으로 취득할 수 있다. 20분의 1을 넘어서 취득하려면 제341조의2 제1호나 제2호에 따라 합병이나 영업양수로 인하여 취득하거나 회사가 권리를 실행함에 있어 목적달성을 위하여 필요한 경우여야 한다. 이러한 실취(質取)에 대한 5% 제한규정은 주식의 양도담보의 경우에도 적용되는가? 질취의 경우 5% 한도 내에서 담보취득을 할 수 있도록 한 것은 질권의 경우 회사재산의 환급이 일어나지 아니하고, 주식의 소유권 역시 질권설정자에게 유보되기 때문이라는 점을 고려하면 적어도 외부적으로는 주식의 소유권이 회사에 이전되는 양도담보의 경우에까지 상법 제341조의3이 적용되기는 어려울 것으로 판단된다.

---

38) 최준선, "자기주식의 취득과 처분에 관한 약간의 문제,"「상장」, 2012. 7월호(한국상장사협의회, 2012), 31면; 최준선, 전게서, 313면.

6) 기타 해석상 허용되는 자기주식의 취득

자기주식 취득의 폐해가 발생할 여지가 없는 다음의 경우에는 상법 제341조의2 각호의 사유가 존재하지 않는 경우에도 재원규제나 절차규제를 받지 아니하고 회사가 자기주식을 취득할 수 있다고 해석된다. 일반적으로 (i) 무상으로 취득하는 경우, (ii) 위탁매매업자가 위탁자의 재산으로 자기주식을 매수하는 경우, (iii) 금융투자회사가 자기주식의 신탁을 인수하는 경우, (iv) 타인의 계산으로 취득하는 경우가 거론되고 있다.[39]

참고로 판례는 "(법령이) 명시적으로 자기주식의 취득을 허용하는 경우 외에, 회사가 자기주식을 무상으로 취득하는 경우 또는 타인의 계산으로 자기주식을 취득하는 경우 등과 같이, 회사의 자본적 기초를 위태롭게 하거나 주주 등의 이익을 해한다고 할 수 없는 것이 유형적으로 명백한 경우에도 자기주식의 취득이 예외적으로 허용되지만, 그 밖의 경우에 있어서는, 설령 회사 또는 주주나 회사 채권자 등에게 생길지도 모르는 중대한 손해를 회피하기 위하여 부득이 한 사정이 있다고 하더라도 자기주식의 취득은 허용되지 아니하는 것이고 위와 같은 금지규정에 위반하여 회사가 자기주식을 취득하는 것은 당연히 무효이다"라고 판시하여 해석상 자기주식 취득의 예외를 인정하는 것을 매우 엄격하게 보고 있다.[40] 이에 대해서는, 상법 개정으로 인하여 상법상 자기주식을 취득할 수 있는 허용범위가 넓어졌으므로 판례의 위와 같은 해석론이 유지될 수 있느냐라는 의문이 있을 수 있겠지만, 회사가 재원규제 및 절차규제를 위반하여 자기주식을 취득하는 것은 여전히 방지되어야 한다는 점에서 위 판례의 해석론은 개정상법에서도 유효하다고 보아야 할 것이다.

7) 상법 개정으로 인한 변경사항

가) 이익소각의 폐지

개정상법은 구 상법 제343조 제1항에 따른 정관규정에 의한 이익소각제도와 제343조의2에 따른 주주총회결의에 따른 주식소각제도를 폐지하였다. 이러한 이익소각제도의 폐지는 배당가능이익으로 자기주식을 취득하는 것을 원칙적으로

---

39) 이철송, 전게서, 418면; 임재연, 전게서, 491면; 송옥렬, 전게서, 868면.
40) 대법원 2003.5.16. 2001다44109.

허용한 이상, 별도로 배당가능이익으로 주식을 소각하기 위하여 자기주식을 취득할 수 있는 별도의 예외조항이 필요 없다는 데에 기인한 것이므로, 개정상법상 이익소각제도가 폐지되었다고 하여 이익으로 인한 주식소각이 불가능해 진 것은 아니다. 오히려, 개정상법의 태도는 회사가 배당가능이익으로 자기주식을 취득한 이후, 이를 소각하든지, 아니면 이를 다시 제3자에게 처분하든지 하는 것은 회사의 자유에 맡겨 두고 있다고 할 것이다. 이러한 의미에서 상법 제343조 제1항은 주식은 자본감소절차에 따라서만 소각할 수 있지만, 이사회 결의에 의하여 회사가 보유하는 자기주식을 소각하는 경우에는 그러하지 아니하다고 규정하고 있다.

따라서, 이익소각제도가 폐지되었다고 하더라도, 회사는 언제든지 이사회 결의만으로 보유하고 있는 자기주식을 소각하는 것이 가능하다. 이 경우, 자본감소 절차를 따를 필요가 없으므로 채권자보호절차가 필요 없음은 물론이다. 또한, 자기주식을 취득한 당시 배당가능이익이 존재하였으나 주식소각 당시에 배당가능이익이 없는 상태라고 하여도, 자기주식 취득 당시 이미 배당가능이익의 한도 내에서 이를 재원으로 하여 자기주식을 취득하였을 것이므로, 소각 당시 시점에 배당가능이익의 존재여부와 관계 없이 자기주식의 소각이 가능하다.[41] 다만, 위와 같은 결론은 회사가 배당가능이익으로 자기주식을 취득한 경우에만 정당화될 수 있는 것이므로, 상법 제341조의2에 따른 특정목적의 자기주식 취득과 같이 재원규제를 받지 않은 자기주식은 이사회 결의로 임의로 소각하는 것이 불가능하고, 이러한 특정목적으로 취득한 자기주식의 소각을 위해서는 자본감소 절차를 거쳐야 한다.[42] 위와 같은 통설적 견해에 대하여 이익소각의 범위에 대하여 다음과 같은 다양한 견해의 대립이 있다.

(1) 제1설: 무액면주식설

이에 대해서는 주식소각의 경우 주식이 소각됨으로 인하여 회사가 액면주식을 발행한 경우에는 자본금이 줄어들 수밖에 없고, 그 결과 회사의 자본금이 감소하게 되므로 개정상법상 이사회 결의에 의한 이익소각은 무액면주식을 발행한 회사, 즉 주식이 일부 소각되더라도 자본금이 변경되지 않는 회사에 대해서만 가능하고, 액면주식을 발행한 회사에 대해서는 회사는 여전히 자본감소의 절차

---

41) 정동윤 감수, 전게서, 121면.
42) 정동윤 감수, 전게서, 120면.

를 거칠 필요가 있다는 견해이다.[43]

(2) 제2설: 배당가능이익으로 취득한 자기주식설

이는 상법 제343조 제1항 단서는 배당가능이익을 재원으로 취득한 자기주식에만 적용되고, 그 외의 사유, 즉 특정목적으로 취득한 자기주식에는 적용되지 않는다는 견해이다. 배당가능이익으로 취득한 자기주식의 경우, 상환주식의 상환이나 과거 정관의 규정이나 주주총회 결의에 의한 이익소각의 경우에도 회사에 실제로 자본금이 유출되는 효과가 없는 경우에는 비록 회사의 재산이 주주에게 분배되고 그 결과 주식이 소멸되는 경우에도 자본감소절차를 거치지 않도록 하고 있었다는 점을 고려하면, 굳이 자본감소의 절차를 거칠 필요는 없으나, 그 외의 경우에는 자본충실의 원칙상 자본감소절차가 준수되어야 한다는 점을 근거로 한다.[44]

(3) 제3설: 무액면 주식 및 배당가능이익으로 취득한 액면주식설

무액면주식의 경우에는 특정목적에 의하여 취득한 자기주식을 소각하더라도 자본금이 감소하지 않고, 액면주식 중에는 배당가능이익으로 취득한 자기주식을 소각하는 경우 자본금이 감소하지 않는다는 전제하에 무액면 주식 및 배당가능이익으로 취득한 자기주식의 경우에는 이사회결의만으로 이익소각이 가능하고, 그 외의 경우에는 자본감소절차를 거쳐야 한다는 견해이다.[45]

(4) 제4설: 무제한설

자기주식이라면 그 취득원인 및 주식의 유형을 불문하고 이사회의 결의만으로 자기주식을 소각할 수 있다는 견해이다. 상법 제343조 제1항 단서가 특별히 자기주식의 취득원인을 제한하지 않고 있고, 회사재산이 유출되어 채권자의 이해관계에 영향을 미치는 시점은 자기주식을 취득하는 시점이며, 자기주식을 소각하는 시점에는 이익잉여금이나 자본잉여금을 감소시키는 회계처리만이 이루어지고, 회사의 재산에는 실질적으로 아무런 변동도 발생하지 않았다는 점을 근거로 한다.[46]

---

43) 이철송, 전게서, 457면; 황현영, "개정상법상 자기주식 관련 해석상, 실무상 쟁점 검토,"「법학연구」제23권 제2호(충남대학교 법학연구소, 2012), 154~155면.

44) 정찬형, 「상법강의(상)」제24판(박영사, 2021), 835면; 송옥렬, 전게서, 887면; 최준선, 전게논문, "자기주식의 취득과 처분에 관한 약간의 문제," 31면; 최준선, 전게서, 348~349면.

45) 정동윤 편집·권종호 집필, 「주석 상법」(회사 (II)), 한국사법행정학회, 496면; 한국상사법학회 편·오성근 집필, 「주식회사법대계 I」(법문사, 2016), 1078면; 임재연, 전게서, 562면.

(5) 소 결

개정상법 상 회사가 적법하게 자기주식을 취득하는 경우에는 배당가능이익으로 취득하든지 아니면 거래관계에서 불가피하게 별도의 현금유출이 수반되지 않은 상태로, 즉 자본충실의 원칙이 침해되지 않기 때문에 예외적으로 취득이 허용되는 경우이다. 그렇다면, 이를 소각하여도 회사 밖으로 현금이 특별히 유출되는 경우는 없다는 점에서 무제한설의 논리는 타당성이 있다. 즉, 엄밀히 말하면 위 제2설, 즉 배당가능이익으로 취득한 자기주식으로 이사회결의를 통한 이익소각의 범위를 한정하는 설은 자본충실의 원칙을 회사가 발행한 주식수에 상응하는 자본금의 규모가 확보되어야 한다는 (아니면 최소 자본금의 규모가 주식수 이상이어야 한다는) 전통적인 의미의 자본충실의 원칙을 전제하지 않는 한 성립하기 어려운 것이 사실이다. 즉, 순수하게 회사 외부로의 현금유출 여부를 판단기준으로 삼는 경우 굳이 특정목적에 의한 자기주식 취득의 경우 자본감소의 절차를 밟아야 하는 것은 불필요하게 보일 수도 있다. 이 경우 어차피 소각 시에는 회사외부로 현금이 유출되지는 않기 때문이다. 그렇지만, 개정상법 상으로도 회사 외부로 현금유출이 없는 주식병합 등을 통한 명목상의 감자에 대해서도 엄격한 자본감소절차를 거치게 하고 있는 이상, 아직까지 우리 상법은 전통적인 의미의 자본충실의 원칙을 고수하고 있는 것으로 판단되며, 이러한 측면에서는 여전히 제2설은 타당성을 가진다.

다만, 회사가 무액면 주식을 발행하였을 경우에는 특정목적에 의한 자기주식 취득의 경우에도 자본감소절차를 거치지 않고 이사회 결의만으로 소각이 가능한 것이 아닌지가 문제된다. 그러나, 무액면주식설을 취하는 경우에도 일던 특정목적으로 취득한 자기주식이 존재하는 경우 이를 소각하기 위해서는 취득재원에 상당하는 별도의 배당가능이익이 있어야 한다는 점에서 사실상 2설과 3설의 차이는 크지 않을 것이다. 결론적으로는 3설이 타당하나, 현재 국내에서 무액면주식을 발행하고 있는 회사가 거의 없는 관계로 사실상 실무에서 2설과 3설은 차이가 없을 것이다.

다만, 현재 제343조 제1항의 문언이 무액면주식설이 지적한 것처럼 무액면주식의 발행을 원칙으로 하고 있는 일본의 입법을 참고하는 과정에서 도입된 것은

46) 권기범, 「현대회사법론」(삼영사, 2015), 506~507면; 송옥렬, "자기주식의 경제적 실질과 그에 따른 법률관계," 「법경제학연구」 제1권 제1호(한국법경제학회, 2014), 65~67면.

사실이므로 입법론적으로는 배당가능이익으로 취득한 자기주식의 소각과 관련하여 좀 더 명확하게 규정하는 편이 바람직할 것이다.[47]

나) 이익소각의 절차

앞에서 살펴본 것처럼 회사가 배당가능이익으로 취득한 자기주식을 소각하는 데에는 이사회결의만 있으면 되기 때문에, 이사회결의에서 소각할 주식의 종류와 수 및 소각효력발생일을 정한 후, 소각의 효력이 발생하면 주권을 폐기하고, 주주명부나 예탁계좌부(주식이 증권예탁결제원에 예탁되었을 경우), 전자등록부(전자등록된 주식의 경우)에서 말소하면 충분하다. 상장회사의 경우에는 이를 별도로 공시하여야 한다(유가증권 시장공시규정 제7조, 제1항, 제2호 가목 (2), 코스닥시장공시규정 제6조 제1항 제2호 가목 (2) 참조)[48].

이러한 이익소각된 주식에 대해서는 소각된 주식의 재발행을 허용하면 이사회가 주식의 소각과 재발행을 반복하여 주주의 권리를 침해할 소지가 있으므로 재발행이 금지된다는 것이 통설이지만(금지설)[49], 이에 대해 우리 상법상으로는 주주의 신주인수권이 인정되므로 주식이 재발행되는 경우에도 원칙적으로 기존 주주의 지분율에는 영향이 없으므로 재발행가부를 판단함에 있어서는 주주보호보다는 자금조달의 기동성과 융통성이 우선되어야 하고, 발행예정주식총수는 기존에 발행되었다가 소각된 주식을 포함한 누적총수가 아니라 현재 발행된 주식총수를 기준으로 계산되어야 한다는 점에서 허용되어야 한다는 견해도 있다(허용설).[50]

개인적으로는 현행 상법에서 발행예정주식총수에 관한 정관규정이 주주의 권리를 보호하는 역할은 실무상 거의 사문화되었다고 보기 때문에, 허용설의 입장에 찬성한다.

---

47) 송옥렬, "개정상법상 자기주식취득과 주식소각," 「BFL」 제51호(서울대학교 금융법센터, 2012), 119면에 따르면 개정상법은 종래 복잡하게 규정되어 있었던 주식소각제도를 그 소각재원에 따라 자본금을 가지고 소각하는 것은 자본감소로 이익으로 소각하는 것은 자기주식소각으로 간단하게 정비하였다고 하나 법문만으로는 명확하지 않은 측면이 있다.
48) 이준탁·원혜수, "자기주식의 소각," 「BFL」 제87호(서울대학교 금융법센터, 2018. 1.), 52면.
49) 한국상사법학회 편·오성근 집필, 전게서, 1079~1080면; 송옥렬, 전게서, 893면; 정찬형, 전게서, 836면; 권기범, 전게서, 493면.
50) 이철송, "소각한 주식의 재발행 가능성," 「증권법연구」 제11권 제2호(한국증권법학회, 2010), 14~22면; 최준선, "개정상법상 자기주식의 취득과 처분," 「상사법연구」 제31권 제2호(한국상사법학회, 2012), 236면.

다) 주식매수선택권부여목적의 자기주식취득 허용 폐지

구 상법 제341조의2는 직원들이 부여받은 주식매수선택권을 행사한 경우, 회사가 회사의 주식을 교부할 수 있도록 배당가능이익의 범위 내에서 10%까지 자기주식을 취득하는 규정을 두고 있었으나, 자기주식의 취득이 배당가능이익의 범위 내에서 허용됨에 따라 이로 인한 규정은 불필요하므로 삭제되었다.

라) 소각목적의 자기주식취득

판례는 "회사의 대표이사와 이사 겸 주주인 갑 사이에 경영권을 둘러싸고 계속되어 온 분쟁을 근원적으로 해결하기 위하여 갑이 그의 주식소유지분에 상응하는 재산을 회사로부터 양수하여 회사와는 별도로 독자적인 영업을 하는 대신 회사는 갑의 주식을 양수하여 감소된 재산에 상응하는 주식을 소각시킴으로써 갑을 제외한 대표이사 등이 회사를 명실상부하게 소유 경영하기 위한 것이라면 회사가 자기주식을 유상으로 취득한다고 하더라도 그것은 주식을 소각하기 위한 때에 해당되어 무효라고 할 수 없다"고 하여,[51] 장래 소각목적으로 자기주식을 취득한 것의 유효성을 인정한 바 있다. 그러나, 개정상법에서는 소각목적으로 자기주식을 취득하는 경우에도 자기주식 취득절차의 규제, 즉 재원규제와 절차규제를 준수하여야 하고 소각목적으로 자기주식을 취득할 수 있다고 하는 이익소각에 대한 규정이 폐지되었으므로 위 판례의 정당성이 인정되기는 어려울 것이다.[52]

라. 자기주식의 지위

상법 제369조 제2항은 회사가 가진 자기주식은 의결권이 없다고 규정하고 있다. 또한, 상법 제371조 제1항은 의결권이 없는 자기주식을 주주총회 의결정족수의 계산에 있어서도 제외하도록 규정하고 있다. 이외에, 소수주주권이나 소제기권과 같은 공익권은 자기주식의 성질상 인정될 수 없다는 점에 대해 의견이 일치하고 있다.[53]

다만, 자익권에 대해서는 견해의 대립이 있으나, 일반적으로 부정하는 견해

---

51) 대법원 1992.4.14. 90다카22698.
52) 송옥렬, 전게서, 867면.
53) 이철송, 전게서, 425면; 송옥렬, 상게서, 868면.

가 통설이다. 다만, 종래 신주인수권에 대해서는 (i) 회사가 보유한 자기주식의 재산가치를 유지해야 한다는 전제 하에서 일반적으로 신주인수권을 인정하여야 한다는 견해, (ii) 준비금의 자본전입으로 인한 신주발행은 실질적으로 주식분할과 경제적 효과가 유사하므로 허용된다는 견해가 존재하여 왔으나, 통설은 신주인수권 역시 일반적으로 부정된다고 보고 있다. 이외에, 주식분할에 대해서도 (i) 주식분할은 종래의 주주권에 증폭을 가져오는 것이 아니고 동일성을 유지하면서 보다 작은 단위로 세분(細分)되는 것에 불과하므로 자기주식에 대해서도 주식분할은 허용된다는 견해54) 및 (ii) 주식분할이나 주식배당도 준비금에 의한 자본전입과 마찬가지로 자기주식에 따로 주식을 배정할 수 없다는 견해55)가 대립하고 있다.

그런데, 자기주식에 대하여 어떠한 경제적 이익이 분여(分與)될 경우, 이는 회사에 이익을 유보하는 것과 차이가 없게 된다. 따라서, 자기주식에 대해 회사에 경제적 이익을 부과하는 것은 사실상 무의미하고 이를 인정할 정책적 필요도 없다고 보아야 할 것이다. 그렇지만, 회사에 어떠한 경제적 이익이 부과되지 않는 경우, 즉 단순한 주식의 분할이나 병합의 경우에는 이를 부정할 이유가 없다고 할 것이다. 따라서, 주식에 대한 자익권, 즉 이익배당청구권이나, 잔여재산분배청구권, 신주인수권 (준비금의 자본전입으로 인한 신주발행 역시 준비금에 해당하는 금액을 신주로 바꾸어서 주주에게 지급하는 것이므로 자기주식에 대해서는 인정될 수 없을 것이다)은 인정되지 아니하나, 주식의 병합이나 주식분할과 같이 주주에게 경제적 이익을 분여하지 않는 경우에는 자기주식 역시 이의 대상이 된다고 할 것이다.

이러한 일반론에 추가하여 최근 실무에서 주로 논의되고 있는 자기주식의 지위에 관한 문제를 살펴보면 다음과 같다.

1) 의결권 수의 계산

상법 제371조 제1항은 주주총회의 결의에 관하여는 제334조의3 제1항(의결권의 배제, 제한에 관한 종류주식)과 제369조 제1항 및 제3항(회사가 가진 자기주식)의 의결권 없는 주식은 발행주식총수에 산입하지 아니한다고 규정하고 있다.

---

54) 이철송, 상게서, 425~426면.
55) 송옥렬, 전게서, 868면.

따라서, 일반적으로 자기주식은 의결권도 없고, 의결정족수의 기준이 되는 발행주식총수에도 포함되지 아니한다. 다만, 상장법인이 신탁을 통하여 자기주식을 취득하는 경우, 상장법인이 위탁자로서 신탁업자인 수탁자에게 자기주식의 취득을 신탁하면, 법적으로 자기주식의 소유권은 신탁업자에게 귀속되므로 이 경우에도 의결권이 인정되는지가 문제될 수 있다. 이에 관하여 자본시장법 제112조 제3항 제2호는 신탁업자가 취득한 상장회사의 자기주식도 의결권이 없다는 점을 명확하게 하고 있다. 이 경우에도 상법 제371조 제1항이 준용되어 신탁된 자기주식을 상장법인의 주주총회에서 발행주식총수에서 제외하는지는 명확하지는 않으나, 상장법인의 주주총회 실무상으로는 제외하는 것이 일반적인 관행으로 보인다.[56]

이외에, 소수주주권과 관련하여 의결권의 계산은 각 권리별로 조금씩 다른 경우가 많다. 예컨대, 주주제안권의 경우 "의결권 없는 주식을 제외한 발행주식총수의 3%"를 그 대상으로 하고, 그 결과 자기주식은 발행주식총수를 계산함에 있어 제외된다(제363조의2 제1항). 그렇지만, 주주총회 소집청구권의 경우 법문상 "발행주식총수의 3%이상"을 그 요건으로 하므로 발행주식총수에 자기주식을 산입한다(제366조 제1항).

다만, 이와 같이 법문에 따라 자기주식의 정족수 산입기준을 정하는 것과 관련하여서는 문언해석의 원칙상 불가피한 것이지만 소수주주권의 행사를 완화하는 정책적 측면 및 어차피 자기주식이 의결권이 없다는 점을 고려하면 일률적으로 자기주식은 발행주식총수에서 제외하는 것이 타당하고 현재의 상법의 태도는 입법론상 의문이라는 견해가 있다.[57]

한편, 대법원 2017.7.14. 자 2016마230 결정은 "사회사의 소수주주가 상법 제360조의25 제1항 (95% 이상 지배주주에 대한 주식매수청구)에 따라 모회사에게 주식매수청구를 한 경우에 모회사가 지배주주에 해당하는지 여부를 판단함에 있어, 상법 제360조의24 제1항은 회사의 발행주식총수를 기준으로 보유주식의 수의 비율을 산정하도록 규정할 뿐 발행주식총수의 범위에 제한을 두고 있지 않으므로 자회사의 자기주식은 발행주식총수에 포함되어야 한다. 또한 상법 제360조

---

56) 조현덕, 박병권, "자기주식의 법적 지위," 「BFL」 제87호(서울대학교 금융법센터, 2018. 1.), 7면.
57) 조현덕·박병권, 상게논문, 8면.

의24 제2항은 보유주식의 수를 산정할 때에는 모회사와 자회사가 보유한 주식을 합산하도록 규정할 뿐 자회사가 보유한 자기주식을 제외하도록 규정하고 있지 않으므로 자회사가 보유하고 있는 자기주식은 모회사의 보유주식에 합산되어야 한다."는 태도를 취하고 있다.

이러한 판례의 태도는 문언에 충실하게 별도로 "의결권 있는 발행주식 총수"라고 명시한 경우에는 자기주식을 제외시키고, 단순히 "발행주식총수"라고만 규정하는 경우에는 자기주식을 포함시키는 실무의 태도와도 일치하는 것으로 보인다. 그 결과 소수주주가 지배주주에 대한 주식매수청구권을 행사함에 있어서 대상회사인 자회사가 총 100주를 발행한 경우 지배주주가 자회사의 주식 70%를 소유하고, 자회사가 자기주식을 25% 소유하였다면, 지배주주의 지분율을 계산할 때에는 분모와 분자에 모두 자기주식을 합산하여 해당 사안에서 지배주주는 95% 지분율을 충족한 것이 된다.

다만 이에 대해서는 위와 같이 해석할 경우 소수주주 축출의 수단으로 악용될 우려가 있으므로 입법적으로 자기주식을 발행주식총수에서 배제하여야 한다는 견해가 유력하다.[58)

2) 질권설정, 양도담보, 담보신탁

자기주식에 대해 발행회사가 질권이나 담보신탁, 양도담보 등을 설정하였을 경우 자기주식에 대해 담보권자가 권리를 행사할 수 있느냐의 문제가 있다. 이와 관련하여 단순 질권의 경우 소유자는 여전히 발행회사이므로 자기주식성이 상실되지 않아 권리가 부활한다고 보기는 어렵지만, 담보신탁이나 양도담보의 경우에는 소유권이 법률적으로 발행회사에서 제3자로 변경되므로 이 경우에 자기주식성이 상실된다고 보아야 하는지의 문제가 있다. 이에 대해 확립된 실무례는 없는 것으로 보이지만 (i) 발행회사의 입장에서 실질적인 자금조달의 필요성, (ii) 의결권의 행사에 관한 당사자의 약정, (iii) 자기주식으로의 회복가능성 등을 종합적으로 판단하여야 한다는 견해가 있다.[59)

개인적으로는 이러한 경우 타인 명의의 회사주식의 자기주식성을 판단하는

---

58) 상법교수 15인, 「상법판례백선」(법문사, 2018), 827~830면, 노혁준, "상법 제360조의25에 의한 매수청구와 자기주식".
59) 조현덕・박병권, 전게논문, 9면.

기준, 즉 경제적 손익이 회사에 귀속되는지 여부에 대한 기준에 따라 자기주식성을 판단할 수밖에 없을 것으로 보인다.

3) 자기주식을 현물배당 또는 주식배당의 지급대상으로 활용할 수 있는지 여부

앞서 살펴본 바대로, 자기주식에 대해서 주식배당이나 현물배당은 불가능하다는 것이 일반적인 견해이다. 다만, 회사가 기왕에 자기주식을 가지고 있을 경우 이를 이용하여 주식배당이나 현물배당을 할 수 있는지는 별개의 문제이다. 주식배당의 경우 상법의 문언이 "새로이 발행하는 주식으로써" 하도록 규정하고 있으므로 이미 발행된 자기주식으로는 불가능하다고 해석하는 것이 일반적인 견해인 것으로 보인다.[60] 다만, 현물배당의 경우에는 이러한 제한이 없이 "금전 외의 재산으로써" 배당한다고 규정하고 있으므로, 역시 회사의 재산으로서의 성질을 갖는 자기주식도 현물배당의 대상이 될 수 있다고 보는 견해가 일반적인 것으로 보인다.[61]

그렇지만, 자기주식을 재산으로 회계처리하는 입장이라면 모르되, 현재와 같이 일종의 미발행주식으로 부의 자본조정항목으로 회계처리하는 경우, 사실상 자기주식을 상법상 배당가능이익, 즉 순자산액에 포함된다고 보기는 어려울 것이어서 사실상 제도적으로는 자기주식으로 현물배당을 하는 것도 어려울 것으로 보인다.[62]

한편, 앞서 논의한 자기주식의 지위는 회사가 적법하게 자기주식을 취득하였음을 전제로 하는 것이다. 회사가 위법하게 자기주식을 취득하였을 경우, 자기주식의 취득행위는 무효가 되므로, 회사는 당연히 주주로서의 어떠한 권리도 행사할 수 없게 되고, 회사는 양도인에게 주식을 반환하여야 하고, 양도인은 회사로부터 지급받은 대가를 반환하여야 한다. 이 경우 양도인은 불법원인급여를 이유로 지급받은 대가의 반환을 거부할 수 있는가? 판례는 민법 제746조의 불법의 원인이라 함은 그 원인되는 행위가 선량한 풍속, 기타 사회질서에 위반하는 경우를 말하는 것으로서 법률의 금지에 위반하는 경우라 할지라도 그것이 선량한 풍

---

60) 이철송, 전게서, 1015면, 1021면; 황현영, 전게논문, 188면.
61) 이철송, 상게서, 1015면; 황현영, 상게논문, 188면.
62) 조현덕·박병권, 전게논문, 11면은 이러한 회계상의 문제점을 지적하면서도 현물배당은 가능하다는 입장으로 보인다.

속 기타 사회질서에 위반하지 않는 경우에는 이에 해당하지 않는다고 하므로,[63] 양도인은 불법원인급여를 이유로 지급받은 대가의 반환을 거부할 수 없다.[64]

마. 위법한 자기주식의 취득

앞서 설명한 상법 제341조와 제341조의2에 따르지 않은 자기주식의 취득은 위법한 자기주식의 취득이 된다.

1) 적용범위

가) 재원규제, 절차규제 위반

회사가 재원규제를 위반하여 직전 결산연도의 배당가능이익을 초과하여 자기주식을 취득한 경우에는 이러한 자기주식의 취득은 무효가 된다. 배당가능이익이 아예 없는 경우에는 자기주식취득은 당연히 무효가 되겠지만, 자기주식취득 금액이 직전 결산연도의 배당가능이익을 초과하는 경우 일부무효가 되느냐의 문제가 있는데, 이를 명확히 다루고 있는 문헌은 국내에 존재하지 아니하는 것으로 보이나, 이 경우에도 자기주식 취득의 폐해는 인정되는 것이므로 일부무효를 인정하여야 할 것으로 보인다. 다만, 상법 제341조 제3항 및 제4항의 경우, 즉 직전 결산기에는 배당가능이익이 존재하였으나, 당해 영업연도 결산기에는 배당가능이익이 없거나 부족한 경우에는 상법이 특별히 이사의 자본충실책임을 별도로 규정하고 있는 점에 비추어, 이를 위법한 자기주식취득으로 무효가 된다고까지 해석하기는 어려울 것으로 보인다. 한편, 복수의 주주로부터 자기주식을 취득한 경우, 일부무효가 발생하면 개별주주들로부터 취득한 자기주식의 수에 안분비례하여 자기주식의 취득이 무효가 된다고 보아야 할 것이다. 마찬가지로, 절차규제에 위반하여 특정주주로부터 주식을 매입한 경우에도 자기주식취득은 위법한 자기주식 취득으로 무효가 된다고 하여야 할 것이다.

나) 타인명의 주식

상법 제341조 제1항은 회사는 재원규제와 절차규제를 받아 자기의 명의와 계산으로 자기주식을 취득할 수 있다고 규정하고 있다. 따라서, (i) 타인명의, 자기계산인 경우, (ii) 자기명의, 타인계산인 경우에는 자기주식 취득이 금지되는

---

63) 대법원 2010.12.9. 2010다57626, 57633.
64) 임재연, 전게서, 495면.

지 여부가 문제된다. 일단, 자기명의 타인계산인 경우에는 앞서 살펴보았듯이 자기주식 취득의 폐해가 없으므로 해석상 자기주식 취득의 예외가 인정된다. 그렇다면, 타인명의 자기계산 주식의 경우는 어떻게 되는가?

타인명의 회사계산 주식을 인정하게 되면, 회사는 거의 모든 경우에 자기주식 취득에 있어서의 절차규제를 위반하는 것이 되고(모든 주주에게 균등하게 취득기회를 주면서 타인명의로 자기주식을 취득하는 것은 사실상 불가능하다), 자기주식에 대하여 의결권이나 이익배당청구권이 제한되는 것을 회피할 수 있게 되므로 개정상법 하에서도 이는 여전히 종래와 같이 금지된다고 해석되어야 할 것이다.65)

참고로, 판례 역시 "비록 회사 아닌 제3자의 명의로 회사의 주식을 취득하더라도, 그 주식취득을 위한 자금이 회사의 출연에 의한 것이고 그 주식취득에 따른 손익이 회사에 귀속되는 경우라면, 상법 기타의 법률에서 규정하는 예외사유에 해당하지 않는 한, 그러한 주식의 취득은 회사의 계산으로 이루어져 회사의 자본적 기초를 위태롭게 할 우려가 있는 것으로서 상법 제341조가 금지하는 자기주식의 취득에 해당한다고 할 것이다"라고 판시하고 있다.66)

다) 회사의 계산에 의한 타인명의의 주식취득

앞서 살펴본 바와 같이 판례에 따르면 회사의 계산이 인정되기 위해서는 (i) 회사의 자금지원 및 (ii) 주식취득에 따른 손익이 회사에게 귀속되는 것이 필요하다. 여기서 주식취득에 따른 손익이 회사에게 귀속된다는 것은 주가의 하락에 따른 손실이나 상승에 대한 위험, 즉 투자위험을 실질적으로 회사가 부담한다는 의미로서, 판례는 회사로부터 대여 받은 자금으로 회사의 신주를 취득한 제3자가 취득한 신주에 대하여 회사에 질권을 설정하여 주고, 회사가 영업정지 등을 받는 사유가 발생하는 경우에는 그 전일자로 회사에 대하여 제3자가 주식의 매수를 청구할 수 있는 권리가 발생한 것으로 간주하고, 그 매수가격을 발행가액으로 하여 회사의 대출금채무(즉, 회사의 신주를 취득하기 위하여 회사가 빌려준 대출금의 상환채무)와 상계된 것으로 보고, 이자 등 일체의 채권은 회사가 포기하는 것으로 약정을 체결한 사안에서 이 경우 제3자의 주식취득은 회사의 계산에 의한 것이라고 인정한 바 있다.67) 이 경우, 제3자는 영업정지 등으로 인하여 회

---

65) 송옥렬, 전게서, 871면 역시 타인명의의 자기주식취득은 제341조의2가 정하는 특정목적이 없는 한 그 자체로 위법한 자기주식 취득이 된다고 한다.

66) 대법원 2003.5.16. 2001다44109.

사의 주식가치가 하락되는 경우에도 회사의 대출금채권과 자신의 환매채권을 상계함으로써 아무런 손해를 보지 않게 되고 결국, 주식가격 하락으로 인한 손해는 회사가 떠안게 되고 회사는 자신이 대여한 자금으로 제3자가 취득한 신주에 대하여 질권을 설정함으로써 회사주식에 대한 사실상의 통제력을 가질 수 있게 되기 때문이다.[68]

또 다른 판결에서는 종합금융회사인 발행회사가 다른 회사 1에게 회사 발행 신주 취득을 위한 자금을 대출하면, 다른 회사 2가 해당 대출 금원을 제공받아 종합금융회사의 신주를 취득하고, 대출금 상환을 위한 담보로 발행회사인 종합금융회사에 주식담보를 설정하여 주고 발행회사가 관할 당국으로부터 영업정지 처분결정을 받는 경우에 주식의 인수인인 회사 2는 위 인수한 종합금융회사 발행 주식의 소유권을 발행회사에 귀속시키면서, 자금을 빌린 인수인 회사의 대출금 상환의무를 소멸시키는 통지를 할 수 있으며 이로써 대출금의 상환이 완료된 것으로 한다는 내용의 약정을 한 사실을 두고 위 약정의 실질은 신주발행회사의 계산 아래 회사 2 명의로 신주를 인수하여 취득하는 것을 목적으로 하는 것으로서 자기주식취득을 금지한 상법에 위반된다고 판시하였다.[69]

그렇지만, 이러한 손익귀속의 약정 없이, 단순히 회사가 자금을 지원하고 이러한 자금지원으로 회사의 주식을 취득한 경우에는 회사의 계산이 인정되지 않는 것이라고 보는 것이 판례의 태도인 것으로 보인다.[70] 위 판례는 "甲주식회사 이사 등이 乙주식회사를 설립한 후 甲회사 최대 주주에게서 乙회사 명의로 甲회사 주식을 인수함으로써 乙회사를 통하여 甲회사를 지배하게 된 사안에서, 甲회사가 乙회사에 선급금을 지급하고, 乙회사가 주식 인수대금으로 사용할 자금을 대출받을 때 대출원리금 채무를 연대보증하는 방법으로 乙회사로 하여금 주식 인수대금을 마련할 수 있도록 각종 금융지원을 한 것을 비롯하여 甲회사

---

67) 대법원 2003.5.16. 2001다44109.
68) 다만, 이 경우 회사는 주가상승으로 인한 이익은 향유하지 못하게 되므로 모든 손익이 회사에게 귀속되는 것은 아니므로, 이 사건에서는 위험의 일부만 회사가 부담한다는 견해가 있다. 송옥렬, 전게서, 873면. 따라서, 현재 판례의 입장은 위험의 일부, 특히 주가하락으로 인한 위험이 회사에 귀속되면 회사의 계산을 인정하고 있다고 볼 수도 있다. 다만, 주가상승으로 인한 이익이 회사에게 귀속되지 않더라도 회사의 주식에 질권이 설정되어 있어 이러한 이익이 제3자에게 귀속되는 것도 아니라는 점에서 위 판례의 태도가 회사의 계산을 인정하기 위해서는 회사에 손실만 귀속되면 충분한지에 대해서는 의문이 있다.
69) 대법원 2007.7.26. 2006다33609.
70) 대법원 2011.4.28. 2009다23610.

이사 등이 甲회사의 중요한 영업부문과 재산을 乙회사에 부당하게 이전하는 방법으로 乙회사로 하여금 주식취득을 위한 자금을 마련하게 하고 이를 재원으로 위 주식을 취득하게 함으로써 결국 乙회사를 이용하여 甲회사를 지배하게 된 사정들만으로는, 乙회사가 위 주식 인수대금을 마련한 것이 甲회사의 출연에 의한 것이라는 점만을 인정할 수 있을 뿐, 甲회사 이사 등이 설립한 乙회사의 위 주식취득에 따른 손익이 甲회사에 귀속된다는 점을 인정할 수 없으므로, 乙회사의 위 주식취득이 甲회사의 계산에 의한 주식취득으로서 甲회사의 자본적 기초를 위태롭게 할 우려가 있는 경우로서 상법 제341조가 금지하는 자기주식의 취득에 해당한다고 볼 수 없다"고 판시하였다.

또한 하급심 판결 중에서는[71] 특정회사가 자기주식을 자회사로 설립한 해외 SPC(Special Purpose Company: 특수목적회사)에게 매도하면서. SPC가 양도받은 특정회사의 자기주식을 기초자산으로 하여 교환사채를 발행하고, 특정회사는 SPC가 발행한 교환사채의 원리금지급채무(상환할증금 포함)를 보증한 사안에서, 해외 SPC가 기초자산으로 보유한 회사의 주식은 특정회사가 회사의 계산으로 보유한 자기주식이 아니라고 한 사례가 존재한다, 이 결정이 교환사채의 발행과 관련하여 회사의 계산 해당여부를 상세하게 분석하지는 아니하였지만 특정회사의 교환사채 지급채무의 보증은 해외 SPC를 사용한 교환사채발행에 있어서 사채의 발행조건을 더 유리하게 하기 위하여 기초자산인 주식을 매도한 기업이 통상적으로 부담하는 의무이지[72], 보증을 이유로 회사가 SPC를 통하여 주식을 보유하는 상태가 회사의 계산으로 자기주식을 보유하는 것으로 보기는 어렵다는 취지로 판단한 것으로 보인다.

위와 같이 주식취득에 따른 손익이 회시에 귀속되는 경우에만 회사의 계산이 인정된다고 하는 판례의 태도는 학설의 일반적인 지지를 얻고 있는 것으로 보인다.[73] 따라서, 주식취득에 소요되는 자금을 회사가 제공하였더라도, 이와 같이 취득한 주식의 가격상승이나 하락으로 인한 손익이 회사에게 귀속된다고 볼 수 있는 경우가 아닌 한, 이를 위법한 자기주식의 취득으로 보기는 어렵다.

---

71) 서울북부지방법원 2007.10.25. 자 2007가합1082.
72) 박준, "타인명의의 자기주식취득과 회사의 계산," 「상사법연구」 제37권 제1호(한국상사법학회, 2018), 23면.
73) 이철송, 전게서, 408면; 송옥렬, 전게서, 872면.

라) 자기주식의 대차거래

주식의 대차거래는 대여자가 차입자에게 주식을 대여하고 차입자는 정하여진 만기에 또는 대여자가 반환을 요청하면 대여자에게 동종, 동량의 주식을 반환하는 방식으로 이루어진다. 차입자는 대여자에게 차입의 대가로 주식가치대비 일정비율로 결정되는 수수료를 지급하고, 반환의무를 이행하지 못할 위험에 대한 담보를 제공하며 차입한 주식에서 발생한 배당 및 기타 과실을 이전한다. 차입자는 대여기간 중 차입한 주식을 처분하더라도 이와 동일한 결과가 되도록 지급 또는 인도를 하여야 한다. 반대로 대여자는 차입자로부터 제공받은 담보에서 발생한 과실을 차입자에게 이전한다.[74] 이러한 대차거래는 차입공매도의 결제를 위해 주로 이용되고, 담보제공 목적으로 사용되기도 한다.

그런데, 회사가 자기주식으로 대차거래를 하는 것은 (i) 차입자가 회사에 차입한 주식의 가치를 이전하지 않고 해당 주식을 양도받아 주주가 되는 것이므로, 회사가 원래 주주가 되려면 지급하였어야 할 금액을 면제해주거나 매수대금을 무상으로 대여해준 것과 경제적으로 동일하다는 점에서 회사가 자금을 출연한 것과 동일하게 평가할 수 있고, (ii) 차입자가 차입주식을 계속 보유하면, 그 주식에 관한 경제적 손익이 발생하지 않고 차입주식으로 결제하는 공매도 거래를 하면 대상주식 가격의 하락에 비례하는 이익이 발생하므로, 즉 차입자의 경제적 손익은 차입한 주식가격과 무관하거나 음의 상관관계를 가지나, 자기주식을 대여한 회사는 대상주식의 가격변동 위험을 부담하고 그 주식에서 발생하는 현금이나 주식배당까지 온전히 보전받는다는 점에서 손익 역시 회사에게 귀속하므로 자기주식의 대차거래는 회사의 타인명의의 자기계산의 자기주식 취득에 준하여 무효라는 견해가 있다.[75]

주식의 공매도와 관련하여 대차거래가 악용되는 경우가 많고 자기주식의 대여를 허용할 경우 자기주식의 대여를 이용하여 자기주식에 관한 의결권 규제를 회피할 위험이 존재한다는 점에서 이러한 견해는 경청할 만한 것으로 보인다. 다만, 자기주식의 대차거래의 경우에도 차입자는 대여기간 종료 후 차입한 주식을 반환하여야 하는데, 이 때 주식가격의 등락에 따라서 독자적 이해관계를 가

---

74) 정재운, "자기주식과 대차거래," 「BFL」 제87호(서울대학교 금융법센터, 2018. 1.), 25면.
75) 정재운, 상게논문, 36면.

진다는 점에서, 즉 일반적인 경우와는 달리 차입자는 주식가격이 하락할 경우 이익을 보고, 상승할 경우 손해를 보는데 이 역시 특수한 손익관계의 일종으로서 그 경제적 손익이 차입자에게 귀속하는 것이지 회사에게 경제적 손익이 귀속하는 것은 아니라는 점에서 입법론적으로는 몰라도 현행법의 해석론으로 주장하기는 어려울 것으로 판단된다.

마) 기타 위법한 자기주식 취득에 준하여 금지되는 거래

통상 실무에서는 다음과 같은 사례들이 문제되고 있다.

(1) 신주인수권부사채, 전환사채 취득

자기사채는 자기주식과는 달리 자유롭게 취득할 수 있으므로, 회사는 자기가 발행한 신주인수권부 사채나 전환사채를 자유로이 취득할 수 있다. 이러한 사채 취득은 배당가능이익이 존재하지 아니하는 경우에도 가능하다. 결국 자기사채의 인수는 채무의 변제와 경제적 실질상 동일하기 때문이다. 그렇지만, 취득한 전환사채의 전환청구권이나 신주인수권을 행사하는 것은 자기주식취득의 폐해를 그대로 가져오므로 불가능하다고 보아야 한다.[76]

(2) 신주인수권증권 취득

신주인수권부사채의 신주인수권증권은 향후 신주인수권증권의 소지자가 회사에 대해 신주의 발행을 특정한 가격에 청구할 수 있는 권리가 화체(化體)된 유가증권이므로 이 역시 자기주식에 준하여 취득과 처분에 제한이 있다고 해석하여야 하는지가 문제 된다. 이에 관한 판례는 아직 존재하지 아니하나, 회사가 신주인수권증권을 취득하는 것 역시 향후 신주인수권증권이 행사되면 자기주식 취득과 동일한 효과가 발생하므로 자기주식의 취득과 동일한 제한을 가할 필요가 있다는 견해가 존재한다.[77]

그렇지만, 이러한 견해가 회사의 자기 신주인수권증권의 취득을 규제하여야 하는 논거로서 주금의 환급 방지를 통한 자본충실을 내세우고 있는 점을 고려할 때, 신주인수권증권 자체는 주식이 아니라 신주를 인수할 수 있는 권리가 화체된 유가증권에 불과한 것이므로 이를 주식과 동일시 할 수는 없으며, 신주인수권증권의 취득으로 인하여 자본충실을 해할 수 있는 점은 회사가 자신이 취득한

---

76) 이철송, 전게서, 409면.
77) 이철송, 상게서, 409면.

신주인수권을 행사하지 아니하고 신주인수권증권을 그대로 소각함으로써 방지될
수 있는 것으로 보인다.

한편, 상장법인에 대해서는 신주인수권증권의 취득 및 소각에 대하여는 자기
주식취득에 관한 공시가 아닌 자율공시 형태의 주요경영사항 공시가 이루어지고
있음에 비추어 볼 때, 신주인수권증권의 취득에 대하여는 자기주식의 취득에 관
한 상법 등 법령상의 규제는 별도로 적용하지 않는 것이 현행 금융감독원의 실
무인 것으로 판단된다.[78]

(3) 신주인수

구 상법은 자기주식 취득의 원칙적 금지, 예외적 허용이라는 규제체계를 취
하고 있었으므로, 회사의 자기주식취득을 금지하는 구 상법 제341조가 신주인수
에도 적용되느냐는 논의가 있었다. 판례[79] 및 통설은 이를 모두 긍정하였으며,
개정 상법 하에서도 명문의 규정은 없지만 회사가 자기주식을 신주로 인수하는
것은 일종의 가장납입으로서 금지된다고 할 것이다. 실제로 신주인수에 의한 자
기주식 취득은 회사의 계산으로 제3자가 취득하는 것을 제외하고는 상정하기 어
려울 것이다.

바) 담보취득

상법 제341조의3이 규정하는 바와 같이 자기주식에 관하여는 발행주식총수
의 5% 한도 내에서만 질권 설정이 가능하고, 이러한 상법이 가능한 질취허용범
위를 초과한, 즉 5%를 초과하여 자기주식에 설정한 질취의 효력은 어떻게 보아
야 하는지가 문제 된다. 역시 명시적으로 이를 논하는 국내문헌은 없는 것으로
보이지만 위법한 자기주식의 취득효과에 대한 논의를 준용하는 것으로 보인다.
양도담보의 경우에는 질취와 유사하게 보아 5% 한도를 적용받는 것이 아니라
일반적인 자기주식취득과 동일하게 보아야 한다는 점에 대해서는 이미 살펴본
바와 같다.

---

78) 2008. 2. 27. YNK 코리아가 500만주에 해당하는 워런트를, 2009. 9. 25. 유퍼트가 50억원
   에 해당하는 워런트를, 2009. 5. 15. 온세텔레콤이 764억원 상당의 신주인수권을, 2009. 8.
   5. 엔케이바이오가 약 100만주에 대한 신주인수권 증권을 소각한 사례가 발견된다.
79) 대법원 2003.5.6. 2001다44109.

2) 위법한 자기주식취득의 효과

위법한 자기주식 취득의 효과에 대해서는 종래 다음과 같이 견해가 대립하고 있었다. 상법 제341조 및 상법 제341조의2에 위반하여 이루어진 자기주식 취득에 대하여는 여기에서 살펴보는 바와 같이, 그 취득행위 자체의 효력이 문제됨과 동시에 자기주식 취득에 관여한 이사, 집행임원, 감사 등에 따라 벌칙이 적용될 수 있고(제625조, 제625조의2), 이로 인해 회사에 손해가 발생하였을 경우에는 이사 등은 회사에 대하여 손해배상책임을 부담한다(제399조 제1항).[80)]

가) 견해의 대립

(1) 무효설

자본충실의 저해 기타 자기주식의 취득으로 인한 위험의 방지에 중점을 두어 자기주식취득은 상대방의 선의, 악의를 불문하고 무효라는 견해이다.[81)]

(2) 유효설

자기주식의 취득이 위법한 경우에도 이사 등의 책임을 추궁할 수 있을 뿐이고, 취득자체의 효력에는 영향이 없다는 견해이다.

(3) 절충설

(i) 자기주식취득은 원칙적으로 무효이지만, 회사가 타인명의로 취득한 경우에는 상대방이 선의인 한 유효하다는 견해, (ii) 구 상법 제341조의 입법취지는 회사, 회사채권자 및 주주를 보호하기 위한 것이라는 전제 하에 자기주식을 양도한 주주는 선의, 악의를 불문하고 무효를 주장하지 못하고, 한편 거래안전의 고려에서 회사, 회사채권자 및 자기주식을 양도하지 않은 다른 주주도 양도인에게 악의가 없는 한 무효를 주장하지 못한다는 견해(즉, 원칙적으로 유효하고, 회사, 회사채권자 및 다른 주주들이 양도인이 악의인 경우에 한해 무효를 주장할 수 있다는 견해), (iii) 자기주식 취득은 양도인의 선의, 악의를 묻지 않고 무효이지만, 전득자나 압류채권자와 같은 선의의 제3자에게 대항하지 못한다고 해석하는 견해[82)]가 존재한다.

---

80) 이철송, 전게서, 418면.
81) 송옥렬, 전게서, 871면.
82) 이철송, 전게서, 420면.

(4) 유형별 분류설[83]

이는 자기주식취득의 효력을 유형별로 구분하여 (i) 절차적 요건을 구비하지 아니한 자기주식취득의 효력은 자기주식 취득 시 주주총회결의를 거치지 아니하였거나 주주총회 결의에 하자가 있는 경우로서 상대방이 선의·무과실인 경우에도 무효로 되고,[84][85] (ii) 회사가 상법에 따른 취득방법을 위반하였을 경우에는 무효이나 선의의 제3자에게는 무효를 주장할 수 없으며, (iii) 취득한도 위반, 즉 배당가능이익을 초과하여 취득한 경우도 무효라는 견해이다.

(5) 판례의 태도

판례는 자기주식취득 금지규정을 위반하여 이를 취득하는 것은 당연히 무효이며, 이를 화해의 내용으로 하였을 경우, 그 화해조항도 무효라고 하고 있어, 무효설의 입장을 취하고 있다.[86]

(6) 검   토

상법 개정 이전에 자기주식의 취득은 상장회사를 제외하고는 엄격하게 금지되어 있었고, 이러한 자기주식 취득금지는 자본충실의 구현을 위한 핵심적인 장치인 것으로 인식되어져 왔다. 이러한 입장에서 본다면, 출자환급의 방지를 통한 회사의 재산보호를 위해서는 적어도 논리적으로는 무효설이 타당하다고 할 수 있다. 유효설이나 절충설의 경우 자기주식에 관한 거래안전을 문제 삼고 있기는 하나, 적어도 구 상법 하에서는 구 상법 상 자기주식취득은 몇 가지 예외를 제외하고는 엄격하게 금지되어 있었기 때문에 자기주식을 직접 거래하는 자를 보호할 필요는 많지 않고, 회사로부터 자기주식을 취득하는 자 역시 선의취득 규정에 따라 별도의 보호를 받을 것인데, 선의취득이 인정되지 아니하는 경우에까지 별도로 자기주식을 취득한 제3자를 보호할 필요가 있는지는 의문이기 때문이다. 따라서, 이러한 관점에서 보면 위법한 자기주식 취득은 대부분 회사

---

83) 임재연, 전게서, 494면.
84) 다만, 법률상 이사회 결의를 요건으로 하는 경우에는 거래의 안전을 위하여 상대방이 선의, 무과실인 경우에는 그 거래행위는 유효하다는 것이 판례와 다수설의 입장이기 때문에, 자기주식 취득에 관한 이사회의 결의로써 주주총회의 결의에 갈음할 수 있는 경우, 주주총회 결의가 필요한 경우와 마찬가지로 이사회결의 없는 자기주식의 취득을 무효로 보아야 하는지에 관하여는 논란의 여지가 있다고 한다.
85) 대법원 1996.1.26. 94다42754.
86) 대법원 2003.5.16. 2001다44109; 1964.11.12. 64마719.

의 자본충실을 저해하는 것이기 때문에 무효설은 개정상법 하에서도 원칙적으로 타당하다고 보아야 할 것이다.

그러나, 개정상법 하에서는 배당가능이익으로 자기주식을 취득하는 것이 원칙적으로 허용되었기 때문에 무효설을 택할 정책적인 이유는 많이 퇴색하였다고 볼 수 있다. 원래 무효설의 정책적인 근거는 자기주식과 관련된 거래의 효력을 부정하여 자기주식 취득이 엄격하게 금지된 법제라면 몰라도, 개정상법 하에서는 자기주식과 관련된 위법의 태양이 (i) 배당가능이익이 없음에도 불구하고 자기주식을 취득하는 것, (ii) 주주총회 결의를 거치지 않거나 상법이 정한 균등취득조건에 위반하여 자기주식을 취득한 것 등으로 매우 다양화되었기 때문에, 자기주식을 양도하는 주주가 거래가 무효가 되는 것을 방지하기 위하여 이러한 사항을 모두 확인하여 거래를 할 것을 요구하는 것은 가혹한 측면이 있다. 따라서, 기존에 절충설에서 주장하는 것과는 다르게 선의로 자기주식을 회사에 양도한 자 역시 어느 정도는 보호할 필요가 있게 되었고, 이러한 측면에서 기존의 해석론은 재검토되어야 할 필요가 있을 것이다.[87]

나) 자기주식을 취득하는 채권행위의 효력

자기주식의 취득 원인행위로서 회사와 주주간에 매매, 교환 등의 채권적 합의가 이루어질 수 있는데, 이러한 채권행위는 처음으로부터 이행이 불가능한 것을 목적으로 한 것으로서 강행법규 위반으로 무효라는 견해가 있다.[88] 그렇지만, 자기주식 취득을 원칙적으로 금지하는 구 상법 하에서는 몰라도, 개정상법 하에서는 회사는 재원규제와 절차규제를 준수하는 한 자기주식을 취득할 수 있는 것이므로, 자기주식을 취득하는 채권적 합의 자체를 무효로 하기는 어려울 것이다. 따라서, 개정상법 하에서는 회사와 주주가 회사가 재원규제나 절차규제를 회피하여 자기주식을 취득하려는 사실을 알면서, 이러한 규제를 회피할 목적으로 자기주식취득 약정을 체결하는 특별한 경우가 아니라면 이를 무효라고 보기까지는 어려울 것이다.

---

87) 안성포, "자기주식취득의 허용에 다른 법적 쟁점," 「상사법연구」 제30권 제2호(한국상사법학회, 2011), 81면~82면은 배당가능이익 초과의 자기주식 취득은 유효로 보고 있다.

88) 이철송, 전게서, 419면; 참고로 대법원 2003.5.16. 2001다44109도 이와 같은 견해를 취하고 있다.

3. 자기주식의 처분

가. 규제의 구조

구 상법 제342조는 회사가 소각하기 위하여 취득한 자기주식의 경우에는 지체 없이 주식실효의 절차를 밟아야 하고, 그 외에 취득한 자기주식의 경우에는 상당한 시기에 이를 처분하여야 한다는 규정을 두고 있었다. 그러나, 개정상법 제342조는 회사가 보유하는 자기주식을 처분하는 경우에는 정관에 규정이 없는 것은 이사회가 결정한다고 규정하여 사실상 처분권한을 이사회에 위임하였다.

이러한 개정상법의 태도에 대하여 개정상법은 자기주식 취득이 배당가능이익으로 하는 경우와 배당가능이익과 상관없이 하는 경우로 이원화되었으므로, 취득의 요건과 절차, 취득 이후의 관리는 서로 다를 수밖에 없지만, 개정상법은 자기주식의 취득단계에서는 이원화된 구조를 취하고 있으나 이후의 보유 및 처분, 소각단계에서는 어떠한 경로로 취득한 것인지를 따지지 않고 규제를 일원화하고 있다면서, 입법론적으로는 마지막 처분, 소각단계까지 이원화된 구조를 취하는 것이 바람직할 것이라는 견해가 있다.[89] 즉, 입법론적으로는 배당가능이익으로 취득한 자기주식에 한하여 보유를 허용하고, 회사가 특정목적으로 취득한 자기주식은 배당가능이익한도 내에서의 취득이라는 제한이 적용되지 않아 자본충실을 해할 수 있으므로 종전과 같이 상당한 시기 내에 처분하도록 하여야 할 필요가 있다는 것이다.

그렇지만, 종래 구 상법 제342조의 상당한 시기 내에 처분할 의무의 해석과 관련하여 실무에서는 처분시기의 상당성은 처분 시의 주식의 가치, 회사의 지분구조 기타 제반사항을 고려하여 이사회가 결정할 사항이고, 이러한 해석에 기초하여 회사들은 이미 보유한 자기주식을 즉시 처분하지 아니하고 가장 유리한 가격과 조건으로 처분할 재량이 있다고 해석되어 왔다는 점을 고려하면 실무상으로는 구 상법의 해석과 개정상법의 내용과는 실질적으로 큰 차이가 없을 것이다. 다만, 입법론적으로는 특정목적에 의한 주식취득의 경우에는 자본시장법과 같이 구체적인 처분기한을 정하는 편이 바람직할 것이다.

---

89) 송옥렬, 전게서, 862면; 임재연, 전게서, 496면; 권재열, "개정상법상 주식 관련 제도의 개선내용과 향후과제,"「선진상사법률연구」 제56호(법무부, 2011), 23면.

나. 자기주식 처분의 절차

회사가 보유하고 있는 자기주식을 처분하기 위해서는 (i) 처분할 주식의 종류와 수, (ii) 처분할 주식의 처분가액과 대가의 지급일, (iii) 주식을 처분할 상대방 및 처분방법이 정관에 규정되어 있거나, 정관에 규정이 없으면 이사회가 이를 정하여야 한다. 그런데, 회사가 정관에서 취득한 자기주식이 주주 이외의 제3자에게 처분되어 지배구조가 교란되는 것을 막기 위해서 "회사가 취득한 자기주식은 주주에게만 처분할 수 있고, 이 경우 매매가격은 시가로 한다"로 규정하는 것과 같이 특별한 경우가 아닌 이상,[90] 자기주식처분에 관한 사항을 정관에 구체적으로 규정하기는 어려울 것이고, 그 결과 자기주식은 이사회 결의만 존재하면 이를 자유로이 처분할 수 있다. 다만, 자기주식의 처분에 대하여 이사회에 어디까지 내용형성의 자유가 인정되는지에 대해서는 다음과 같은 논의가 있다.

1) 처분절차의 하자

개정상법상 자기주식의 처분을 위해서는 정관에 규정된 처분절차를 준수하거나 이사회결의를 거쳐야 하므로, 이를 위반하였을 경우에는 절차상 하자있는 처분행위가 된다. 이러한 절차상 하자있는 처분행위에 대해서는 정관위반행위와 이사회결의를 거치지 않은 회사의 행위에 대한 논의가 그대로 적용된다. 따라서, 이사회결의를 거치지 않은 행위에 대해서는 거래 상대방이 그와 같은 이사회 결의가 없었음을 알았거나 알 수 있었을 경우가 아니라면 자기주식의 처분행위는 유효하다고 할 것이고, 이 경우 거래의 상대방이 이사회 결의가 없었음을 알았거나 알 수 있었음은 이를 주징하는 회사측이 입증하여야 한다.[91] 한편, 정관에 정하여진 자기주식 처분의 절차를 위반 하였을 경우에는 원칙적으로 무효이나 상대방은 선의취득 등에 의하여 보호를 받게 된다.

2) 처분가격의 불공정성

대부분의 학설은 자기주식의 취득 시와 마찬가지로 처분 시에도 이사는 회사

---

90) 2012. 8. 31. 현재 구체적으로 자기주식의 처분에 관한 사항을 정관에 규정한 기업은 매우 드문 것으로 보인다.

91) 대법원 2005.7.28. 2005다3649.

의 주식을 적정한 가격에 처분하여야 할 주의의무가 있다고 보고 있다.[92] 이사가 고의 또는 과실로 정당한 사유 없이 시가보다 낮은 가격으로 자기주식을 처분하는 경우에는 회사에 대해 상법 제399조에 따른 손해배상책임을 지게 된다. 이외에, 처분가격의 불공정이 대표권의 남용에 해당하는 경우에는, 회사는 상대방이 대표권 남용행위임을 알았거나 알 수 있었을 때에는 회사는 거래의 무효를 주장할 수 있다는 견해[93]가 있으나, 개정상법상 자기주식의 처분가액에 대해서는 이사회결의를 받도록 하고 있는 이상, 대표이사가 자기주식을 염가에 처분하는 행위는 대표권남용보다는 이사회결의를 거치지 않은 절차상 하자 있는 처분행위로 보아야 할 것이다.

3) 처분 상대방의 결정

상법은 자기주식의 취득에 있어서는 각 주주가 가진 주식 수에 비례하여 균등한 조건으로 취득하는 것을 원칙으로 하고 있으나, 처분에 관하여는 특별히 제한을 두지 않고 있다. 그렇지만, 자기주식의 처분은 경제적 실질상으로는 회사의 신주발행과 유사하기 때문에, 예컨대 적대적 M&A 상황에서 회사가 자기주식을 임의로 특정주주에게 처분할 수 있다고 한다면, 회사의 이사들이 주주가 회사에 대하여 가지는 비례적 지배관계를 침해할 수 있게 된다. 따라서, 자기주식의 처분에 있어서도 신주발행의 경우와 마찬가지로 주주의 자기주식인수권을 인정하여야 하는지에 대한 논의가 있다.

일단, 입법과정에서의 논의만을 놓고 보면 자기주식을 처분할 때에도 신주발행의 경우와 같이 주주들의 신주인수권을 인정하여야 하는 것인지, 즉 제3자에게 처분하는 경우에는 제3자배정에 의한 신주발행과 같이 상법 제418조 제2항의 요건(경영상 목적)이 요구되는지에 관하여는 논란이 있었는데, 결국 2011년 상법개정시 신주발행절차에 관한 규정을 명시적으로 준용하지는 아니하였다.[94]

---

92) 이철송, 전게서, 422면; 임재연, 전게서, 496면.

93) 임재연, 상게서, 497면.

94) 임의적인 자기주식처분을 규제하기 위하여 2006년 당초의 입법예고된 "상법 중 회사법개정법률안"에는 자기주식처분에 신주발행절차에 관한 규정을 준용하도록 규정하여 주주의 신주인수권과 유사하게 자기주식을 매수할 권리를 모든 주주가 소유주식수에 비례하여 평등하게 가졌으나, 2008년 개정안에서는 이러한 규정이 삭제되었다. 상법개정 후에도 이론적 또는 입법론으로는 자기주식 처분시에도 주주의 신주인수권을 인정하여야 한다는 견해가 있다(송옥렬, 전게서, 870면).

그렇다면, 위와 같은 개정상법의 태도를 고려할 때에 자기주식의 처분에 신주발행절차에 관한 규정은 유추적용되지 아니한다는 주장이 가능할 수도 있겠으나, 이에 대해서는 해석론으로 주주의 자기주식 인수에 대한 권리를 인정할 수 있는지에 대한 논의가 있다.

우선 회사가 보유하는 자기주식은 의결권이 제한되는데, 이를 제3자에게 처분하면 의결권이 부활하여 의결권행사가 가능한 주식 수가 증가하게 되므로 특정 주주의 지분이 확대되고 나머지 기존 주주들의 지분은 이에 따라 사실상 희석화된다는 점에서 그 효과는 신주발행과 유사하다. 그리고 기업회계기준상 자기주식의 취득과 처분은 신주발행과 동일하게 자본거래에 해당하며 자기주식처분이익도 자본잉여금으로 보고 있음에도 불구하고(기업회계기준 제33조 제3호), 자본거래의 상대방은 기존 주주 또는 잠재적 주주라고 보고, 자기주식처분의 상대방은 일반적인 제3자도 포함한다고 보는 것은 자기주식처분의 경제적 실질을 도외시한 것이므로, 자기주식의 처분을 손익거래 또는 개인법적 거래로만 보는 것은 적절하지 않다는 견해도 있다[95](유추적용 긍정설).

그러나, 회사가 자기주식을 보유하는 동안 일시적으로 의결권이 제한되어 다른 주주들은 그 기간 동안 실제로 보유하는 주식에 비하여 증대된 의결권을 행사할 수 있는 반사적 이익을 누려온 것인데, 이러한 이익을 누리지 못하게 되었다고 하여 자기주식의 처분을 제한하는 것은 회사의 자산에 대한 소유권 행사에 부당한 제약이 된다.[96] 또한 자기주식처분은 개인법적 거래로서 자본의 증가를 수반하지 않는 손익거래인 반면에, 신주발행은 단체법적 효과를 수반하는 거래로서 자본의 직접적인 증가를 수반하는 자본거래이므로 각각에 대한 법적 가치판단을 달리 할 필요가 있다는 견해도 있다[97](유추적용부정설).

이러한 유추적용긍정설이 지적하는 바와 같이 자기주식의 처분이 신주발행과 유사한 경제적 실질을 가진다는 점은 분명하다. 그렇지만, 비록 경제적으로는 자기주식의 처분이 신주의 발행과 유사한 실질을 가진다고 하더라도 이러한 사

---

95) 안성포, "자기주식취득의 허용에 다른 법적 쟁점,"「상사법연구」제30권 제2호(한국상사법학회, 2011), 96면, 권재열, 전게 "개정상법상 주식관련제도의 개선내용과 향후과제," 22면.
96) 서울중앙지방법원 2012.1.17. 자 2012카합23.
97) 이철송, "불공정한 자기주식거래의 효력 – 주식평등의 원칙과 관련하여 – ,"「증권법연구」제7권 제2호(한국증권법학회, 2006), 1면 이하; 문일봉, "자기주식처분과 관련된 가처분: 수원지방법원 성남지원 2007.1.30. 자 2007카합30 결정을 중심으로"「BFL」제23호(서울대학교 금융법센터, 2007), 97면.

유만으로 바로 신주발행에 대한 상법의 규정을 자기주식의 처분에 대해 유추적
용하여야 하는 논리필연적 근거가 되기는 어렵다고 할 것이다. 오히려, 개정상
법에서 자기주식의 처분에 대해 신주발행관련 규정을 명시적으로 유추적용 하도
록 하는 규정이 삭제되고, 제342조 제3호가 회사가 보유하는 자기주식을 처분하
는 경우 "주식을 처분할 상대방 및 처분방법"으로서 정관에 규정이 없는 것은
이사회가 결정한다고 규정할 뿐, 특별한 다른 규제를 하지 않는 점에 비추어 볼
때, 개정상법의 해석상으로는 만일 주주의 자기주식인수권을 인정하려면 별도의
정관규정이 존재하여야 할 것이고, 이러한 정관규정이 존재하지 않는 경우까지
자기주식의 처분에 신주발행절차에 관한 규정이 유추적용되어야 한다고 해석하
기는 어려울 것으로 보인다.

　　다만, 자기주식의 처분에 신주발행절차에 관한 규정이 유추적용되는지 여부
와는 별개의 문제로서, 경영권분쟁상황에서 경영권 방어를 위하여 자기주식을
처분하는 경우 경영권 방어 목적의 신주발행은 무효라는 신주발행무효의 법리를
적용할 것인지에 관하여도 논란이 있다. 자기주식은 의결권이 없으므로 회사가
자기주식을 보유하는 동안 경영권 도전세력의 주식취득을 방해할 수는 있어도
회사가 그 자기주식의 의결권을 행사할 수는 없다. 이에 따라 자기주식의 의결
권이 경영권 방어에 필요한 경우 회사가 적법하게 취득하여 보유하지만 의결권
을 행사할 수 없었던 자기주식을 우호적인 제3자에게 처분할 수도 있다. 이 점
에서 자기주식처분은 신주발행에 의한 경영권방어와 같은 기능을 하고 있는 반
면, 개정상법상 자기주식 처분방법에는 특별한 제한이 없으므로 회사는 거래소
(증권시장)에서 처분하든 직접거래에 의하여 처분하든 자유롭게 할 수 있다고 보
아야 할 것이다.[98]

　　다만, 일부 판례는 자기주식의 처분과 신주발행이 법적으로는 구별되는 개념
이지만 그 경제적 구조에 있어서는 유사하므로, 회사가 주주 전원을 상대로 처
분하는 경우가 아니면 제3자배정에 의한 신주발행과 같이 자기주식처분에 관하
여도 상법 제418조 제2항의 요건(경영상 목적)이 요구된다고 본다.[99] 반면에 다
른 판례는 자기주식의 처분은 이미 발행되어 있는 주식을 처분하는 것으로서 회

98) 임재연, 전게서, 193면.
99) 서울서부지방법원 2006.5.4. 자 2006카합393 결정 및 이 사건의 본안사건인 서울서부지방
　　법원 2006.6.29. 2005가합8262.

사의 총자산에는 아무런 변동이 없고, 기존 주주의 지분비율도 변동되지 않는다는 점에서 신주발행과 구별된다고 보고 있어 판례의 태도는 아직 통일되어 있지 않은 상황이다.[100] 그렇지만, 현재 주류적인 판례는 자기주식의 처분에 관하여 신주발행절차의 유추적용을 부정하고 있는 것으로 보인다.

4. 자본시장법상의 자기주식의 취득과 처분에 관한 특례

가. 상법과 자본시장법의 관계

상장법인에 대하여는 구 상법상 자기주식의 취득이 원칙적으로 금지되던 때부터, 자기주식이 가지는 재무전략적 측면으로서의 기능(자기주식 취득의 이익배당기능이나 주가부양수단으로서의 기능)과 적대적 M&A의 위협의 증가에 따른 방어수단의 필요성이 강조되면서, 1994년부터 구 증권거래법의 개정을 통하여 배당가능이익의 범위 내에서 자기주식을 취득하는 것이 허용되어 왔다.[101] 현재 자본시장법 제165조의3이 이를 규정하고 있다.

---

100) [수원지방법원 성남지원 2007.1.30. 자 2007카합30] "자기주식의 취득 및 처분에 관하여 규정하고 있는 증권거래법 제189조의2에서는, 상법에서와 달리 주권 상장법인 또는 코스닥 상장법인이 이익배당을 할 수 있는 한도 내에서 장내매수 또는 공개매수 등의 방법으로 자기주식을 취득하는 것을 허용하고, 다만 자기주식을 취득하거나 취득한 자기주식을 처분하고자 하는 경우에는 대통령령이 정하는 요건·절차 등 기준에 따라 자기주식의 취득 또는 처분 관련사항을 금융감독위원회와 거래소에 신고할 의무만 부과하고 있을 뿐, 자기주식의 취득 및 처분에 있어 정당한 목적이 있을 것을 요구하거나 정당한 목적이 없는 경우 무효가 될 수 있다는 점에 관하여는 규정하지 않고 있다. 한편 신주발행무효의 소의 경우, 주주·이사 또는 감사에 한하여 신주를 발행한 날로부터 6월 내에 소만으로 이를 주장할 수 있고, 무효판결의 효력이 제3자에게도 효력이 있는 등 요건·절차 및 효과에서 특수성을 가지므로 명문의 규정 없이 이를 유추적용하는 것은 신중하게 판단하여야 할 것인바, 자기주식을 제3자에게 처분하는 경우 의결권이 생겨 제3자가 우호세력인 경우 우호지분을 증가시켜 신주발행과 일부 유사한 효과를 가질 수 있다. 그러나 설령 그렇더라도 자기주식처분은 이미 발행되어 있는 주식을 처분하는 것으로서 회사의 총자산에는 아무런 변동이 없고, 기존 주주의 지분비율도 변동되지 않는다는 점에서 신주발행과 구별되므로 (한편 전환사채 발행의 경우 전환권을 행사하여 주식으로 전환될 수 있기 때문에 잠재적 주식의 성격을 갖는다는 점에서 신주발행과 유사하다), 이러한 점을 고려하면 경영권 방어 목적으로 자기주식을 처분하는 경우 신주발행의 소와 유사한 자기주식처분무효의 소를 인정하기는 어렵다고 할 것이다(다만, 민법상 의사표시의 하자가 있는 경우와 같이 자기주식처분행위 자체에 무효사유가 있는 경우에는 거래당사자들 중 일방이 무효확인의 소를 제기할 수 있으나, 신청인과 같이 자기주식처분의 거래당사자가 아닌 주주에게 무효확인의 이익을 인정하기는 어렵다)."

101) 증권법학회, 전게서, 817면.

이러한 자본시장법상의 자기주식취득 특례규정에 대하여 구 상법은 회사의 자기주식취득을 엄격히 금지하고 있었으므로, 상장법인이 자기주식을 취득하는 경우는 (i) 자본시장법에 따라 배당가능이익으로 취득하는 경우와 (ii) 상법에 따라 특정목적에 의하여 취득하는 경우로 나누어져 있었으며, 자본시장법 규정은 자기주식 취득을 원칙적으로 금지하는 상법규정을 상장법인에 대해서만 예외적으로 허용하는 특별규정인 것으로 이해되어 왔다. 그러나, 상법이 개정되어 원칙적으로 회사가 배당가능이익으로 자기주식을 취득하는 것이 가능해진 이상 상법과 자본시장법 사이의 관계는 다시 한 번 검토되어야 할 필요가 있다.

이와 관련하여, 자본시장법 제165조의2 제2항은 상장법인에 관하여 상장법인에 대한 특례를 정한 자본시장법 제3장의2가 상법 제3편에 우선하여 적용된다고 정하고 있다. 다만, 자본시장법에서 규정하고 있지 아니한 사항에 대하여 상법이 규정하고 있을 경우, 예컨대 자기주식의 취득에 따른 이사의 자본충실책임을 규정하고 있는 제341조 제3항과 제4항 등의 경우에는 자본시장법의 규정에 보충적으로 상법이 적용된다고 보아도 무방할 것이다.

한편 2013년 자본시장법 개정에서는 2011년 개정상법을 반영하여 자기주식에 관한 조항의 일부 정비가 이루어졌다.

나. 자기주식 취득의 재원과 방법

1) 재원규제

상장법인 역시 배당가능이익을 한도로 자기주식을 취득할 수 있다(자본시장법 제165조의3 제2항). 2013년 개정 전 자본시장법은 취득 이후 경영실적 부진 등으로 직전 사업연도 말의 자기주식 취득한도를 초과하여 자기주식을 보유하게 된 때에는 그 날로부터 3년 이내에 초과분을 처분하여야 한다고 규정하고 있었으나(구 자본시장법(2013. 4. 5. 법률 제11758호로 개정되기 전의 것) 제165조의2 제2항, 제5항), 개정 후 자본시장법은 2011년 개정상법과의 정합성을 위해 이러한 조항을 삭제하였다. 자기주식의 취득 또는 처분 기간은 이사회의 결의사항에 따른다(자본시장법 시행령 제176조의2 제1항 제1호, 발행공시규정 제5-1조 제1호 바목 및 제2호 바목). 처분의무 조항은 삭제되었지만, 취득한도금액을 초과하여 취득한 자기주식은 이사회결의로 상당한 기간 내에 처분해야 할 것이다.[102]

자기주식을 취득할 때 이사의 자본충실책임을 규정한 상법 제341조 제3항과 제4항은 자본시장법에 그 규정이 없으므로 상장법인에도 적용된다. 이와 관련하여, 12월 말 결산법인인 회사가 2013년 1월에 자기주식을 취득하고 2013년 3월 말에 정기주주총회를 통하여 재무제표를 확정할 경우, 상법에 따르면 자기주식을 취득할 1월 당시에는 직전 결산기의 배당가능이익은 2012년이 아니라 2011년의 배당가능이익이 될 수밖에 없고(자기주식을 취득할 2013년 1월 당시에는 2012년의 배당가능이익이 아직 확정되지 아니하였으므로),[103] 자기주식을 취득한 해당 영업연도는 2013년이므로 배당가능이익은 2011년과 2013년의 것을 비교하여야 하는 것인지 아니면 2011년과 2012년의 것을 비교하여야 하는 것인지 의문이 있다. 상법의 문언만을 놓고 보면 2011년도(직전결산기)와 2013년도(해당 영업연도)의 배당가능이익을 비교하여 이사의 자본충실책임을 판단할 수밖에 없을 것이다.

한편, 발행공시규정 제5-11조는 자기주식취득금액한도의 산정기준을 자세히 규정하고 있다. 그 계산방법은 상법과 특별히 다르지 않으나, 자기주식 신탁계약을 체결한 경우 및 자기주식을 처분한 경우와 관련한 여러 가지 계산상의 특칙이 존재하여 상장법인의 경우 구체적인 계산금액은 자본시장법에 따라 계산한 경우와 상법에 따라 계산한 경우가 달라질 수 있으므로 유의할 필요가 있다. 즉, 자본시장법은 상법상의 배당가능이익에 결산기말 이후의 자기주식을 취득한 금액과 처분한 금액을 반영하여 자기주식 취득금액 한도를 계산한다.

2) 자기주식 취득의 방법

2013년 자본시장법 개정에서는 2011년 개정상법을 반영하여, 상장법인의 자기주식 취득방법으로서 신탁계약에 의하는 경우 이외에 상법 제341조 제1항에 따른 방법을 수용하였다. 따라서, 상장법인은 자기주식을 자기명의로 직접취득하는 경우에는 (i) 거래소에서 취득하는 방법, (ii) 회사가 모든 주주에게 자기주식 취득의 통지 또는 공고를 하여 주식을 취득하는 방법 (iii) 자본시장법상 공개매수를 통해 취득하는 방법, (iv) 신탁계약에 따라 자기주식을 취득한 신탁업자로부터 신탁계약이 해지되거나 종료된 때 반환받는 방법으로 자기주식을 취득할

---

102) 증권법학회, 전게서, 825면.
103) 금감원 실무는 이와 같은 입장을 취하고 있다. 「금융감독원 기업공시실무안내」(2017. 12.), 58면.

수 있다(자본시장법 제165조의3 제1항).

한편, 상장법인은 자기주식을 타인명의로 간접취득할 수도 있는데, 상장법인은 신탁업자와 자기주식 신탁계약을 체결함으로써 자기주식을 신탁회사의 명의로 취득할 수 있다(자본시장법 제165조의3 제1항, 제4항).[104] 이는 상법이 타인명의 회사계산의 자기주식취득을 원칙적으로 금지하고 있는 데에 대한 특칙이 된다. 신탁계약을 체결하는 경우에 신탁업자는 자기주식을 거래소에서 취득하거나, 공개매수 또는 모든 주주에게 취득의 통지 또는 공고하는 방법으로 취득하여야 한다(자본시장법 제165조의3 제1항 제2호, 상법 제341조 제1항).[105] 금융감독원의 실무는 자기주식 신탁계약의 자기주식 매매주문으로 발생할 수 있는 가격왜곡 현상을 최소화하기 위하여 자기주식을 직접 취득·처분할 때 적용되는 제한을 동일하게 적용하며, 다만 일일 주문수량은 발행주식총수의 1% 이내로 제한한다.[106]

다. 자기주식의 처분의 방법

자본시장법은 상법과 마찬가지로 특별히 자기주식의 처분에 관한 사항을 규정하고 있지는 아니하다. 따라서, 앞서 살펴본 상법상의 자기주식 처분에 관한 논의는 대체로 자본시장법상 상장법인의 자기주식의 처분에 관하여도 그대로 적용된다. 다만, 아래에서 살펴보는 바와 같이 역시 자기주식의 장내처분과 관련하여 시장왜곡이나 불공정거래 방지를 위한 제한이 존재한다. 참고로, 금융감독원의 실무는 자본시장법상 자기주식의 취득은 모든 주주에게 매도할 수 있는 기회를 공평하게 주어야 한다는 주주평등의 원칙상 거래소시장 등을 통한 경쟁매매만 허용하지만, 자본시장법은 자기주식의 처분에 관하여는 명시적인 규정이 없어 이러한 원칙을 엄격히 적용할 필요가 없으므로 장내처분뿐만 아니라 장외

---

104) 참고로, (구)증권거래법에서는 자기주식의 특정금전신탁뿐만 아니라 자기주식펀드(계약형, 법인형)도 허용되었으나, 자본시장법에서 사모단독펀드를 배제함에 따라 펀드를 통한 자기주식의 취득은 불가능하다. 「금융감독원 기업공시실무안내」(2011. 7.), 302면.

105) 증권법학회, 전게서, 823면. 한편, 「금융감독원 기업공시실무안내」(2017. 12.), 63면은 '신탁계약을 통하여 자기주식을 취득하는 경우 유가증권시장(코스닥시장)을 통하거나 공개매수의 방법만 허용'한다고 서술하고 있으나, 이는 개정 전 자본시장법 시행 당시 발간된 「금융감독원 기업공시실무안내」(2011. 7.), 307면의 서술을 그대로 옮기면서 발생한 오류로 보인다.

106) 「금융감독원 기업공시실무안내」(2017. 12.), 63면.

처분도 가능하다고 한다. 또한, 장외처분의 경우 거래소시장을 통한 매도의 경우와는 달리 수량과 매도가격에 대한 제한도 없으므로, 원칙적으로 수량과 매도가격 역시 당사자들의 합의에 의하여 정해지게 되나, 발행공시규정이 장내매도의 경우 가격제한 규정을 둔 취지를 고려해 볼 때, 이에 상응하는 합리적인 가격이어야 할 것이고, 처분가격이나 처분시기가 불합리할 경우 불공정거래행위나 이사의 배임행위 등이 문제될 수 있다고 한다.[107]

라. 자기주식취득 및 처분의 절차와 공시

1) 이사회 결의

자본시장법 시행령 제176조의2 제1항은 자기주식의 취득 및 처분은 (자기주식 신탁계약의 체결 및 해지 포함) 이사회 결의에 의하도록 하고 있으며, 발행공시규정 제5-1조 및 제5-2조는 자기주식의 직접취득 및 처분, 신탁계약 체결 및 해지의 경우 각각 이사회가 결의할 사항을 정하고 있다. 이는 상법 제341조 및 시행령 제10조에 대한 특칙이 되므로, 상장법인은 이사회결의만으로 자기주식을 취득할 수 있다.

2) 공 시[108]

자본시장법은 상장법인이 자기주식의 취득과 관련하여 문제 될 수 있는 회사의 내부정보를 이용한 불법내부자거래를 방지하고, 감독당국이 그 취득과 처분에 관한 절차준수 여부를 확인하도록 하기 위해 다양한 공시의무를 부과하고 있다. 그 내용은 다음과 같다.

상장법인은 자기주식을 취득·처분할 깃을 이사회에서 결의한 때에는 그 다음 날까지 주요사항보고서를 제출해야 한다(자본시장법 제161조 제1항 제8호). 이와 관련하여 금융감독원의 실무는 자본시장법에 따른 자기주식의 취득 또는 처분 이외에 상법 등에 따른 자기주식의 취득·처분의 경우, 예컨대 주식매수청구권의 행사에 따라 취득한 자기주식의 처분 등에도 주요사항보고서를 제출하도록 하고 있으므로 유의할 필요가 있다.

---

107) 「금융감독원 기업공시실무안내」(2017. 12.), 152면.
108) 「금융감독원 기업공시실무안내」(2017. 12.), 58면.

〈표 1〉 자기주식의 취득 · 처분 관련 공시

신고서의 구분	제출대상법인	제출사유 및 기한
주요사항보고서	사업보고서 제출대상법인	상법 및 자본시장법 등에 따라 자기주식의 취득 · 처분(신탁계약의 체결 · 해지)에 관한 결의가 있는 날의 다음 날까지
자기주식취득 결과보고서	주권상장법인 (외국법인 등은 제외)	자본시장법 제165의2 또는 제165의3에 따른 자기주식의 취득(처분)을 완료한 때 또는 주요사항보고서에 기재한 자기주식을 취득(처분)하고자 하는 기간이 만료된 날부터 5일 이내
자기주식처분 결과보고서		
신탁계약에 의한 취득상황보고서		신탁계약을 체결한 후 3개월이 경과한 때 그 날부터 5일 이내
신탁계약해지 결과보고서		신탁계약을 해지하거나 신탁계약이 기간만료로 종료한 때에는 신탁계약이 해지 또는 종료된 날부터 5일 이내

다만, 합병, 영업양수, 주식매수 청구권, 단주처리 등에 의한 자기주식취득은 자기주식취득에 대한 별도의 결의가 있다고 보기 어렵고, 단지 다른 행위에 자기주식취득이 수반되는 것에 불과하므로, 자기주식 취득에 대한 주요사항보고 제출의무는 없다.

또한, 주권상장법인은 자본시장법 제165조의2에 따른 자기주식의 취득(처분)을 완료하거나 취득(처분)기간이 만료한 때에는 그 날부터 5일 이내에 취득(처분) 결과 보고서를(발행공시규정 제5-8조 제1항, 제5-9조 제1항), 신탁계약을 체결한 후 3개월이 경과한 때에는 신탁계약에 의한 취득상황보고서를(발행공시규정 제5-10조 제1항), 그리고 신탁 계약을 해지하는 이사회결의를 한 때에는 신탁계약을 해지한 날부터 5일 이내에 신탁계약해지결과보고서를(발행공시규정 제5-10조 제2항) 제출하여야 한다. 이때 5일은 영업일 기준이 아니나, 기간 말일이 공휴일(임시공휴일 포함)인 경우 익일로 연기된다. 다만, 상법에 따른 자기주식의 취득 · 처분의 경우에는 결과보고서 등을 제출할 의무는 없다.

3) 취득의 기간과 관련한 제한

상장법인은 주요사항보고서를 금융위원회에 제출한 날로부터 3일이 경과한 날로부터 3개월 이내에 금융위가 정하여 공시하는 방법으로 증권시장에서 자기주식을 취득하여야 한다(자본시장법 시행령 제176조의2 제3항). 발행공시규정은 이에 따라 다음과 같은 자기주식 취득기간의 제한을 두고 있다. 우선 상장법인은 신고한 자기주식의 취득을 완료하고 취득결과보고서를 제출한 경우에 한하여 자기주식 취득에 관하여 새로운 이사회 결의를 할 수 있으며, (ii) 신고한 취득기간 이내에 결의한 취득신고주식수를 모두 취득하지 못한 경우에는 해당 취득기간 만료 후 1개월이 경과하여야 새로운 이사회결의를 할 수 있다(발행공시규정 제5-4조 제1항 본문). 다만, 보통주를 취득하기 위하여 취득에 관한 이사회 결의를 하였으나 다시 상법에 따른 의결권 없는 종류주식을 취득하고자 하는 경우에는 위 제한에 구애받지 아니하고, 즉 신고한 취득기간 이내에도 별도의 이사회 결의로 자기주식을 취득할 수 있다(동 조항 단서). 또한, 주식매수선택권의 부여를 위하여 자기주식을 취득하는 경우에도 일정한 요건을 갖춘 경우에는 위 제한을 받지 않는다(발행공시규정 제5-4조 제2항).

또한, 자기주식의 취득·처분(신탁계약의 체결·해지)으로 인하여 인위적인 시장가격의 왜곡이 발생하거나, 미공개 정보를 이용한 매매거래가 발생 되지 않도록 다음의 기간 동안에는 자기주식의 취득·처분(신탁계약의 체결·해지)을 제한하고 있다(자본시장법 시행령 제176조의2 제2항).

1) (i) 다른 법인과의 합병에 관한 이사회결의일로부터 과거 1개월 동안 및 (ii) 유상증자 신주배정기준일(일반공모의 경우 청약일) 1개월 전부터는 청약일까지의 기간 동안에는 자기주식의 취득 및 처분이 금지된다. 상장법인이 자기주식을 취득하여 주가에 영향을 미침으로써 합병이나 신주발행 시의 기준가격의 공정한 산정을 저해할 우려가 있기 때문이다.

2) 준비금의 자본전입에 관한 이사회결의일부터 신주배정기준일까지의 기간 동안에도 자기주식의 취득 및 처분은 금지된다. 신주발행과 관련하여 기존에 공시한 사항의 변경이 초래되기 때문이다.

3) 또한, (i) 자본시장법 제205조 제1항에 따른 시장조성 예정기간에 자기주식을 취득(처분)하는 것, (iii) 미공개중요정보가 공개되기 전까지의 기간에 자기주식을 취득(처분)하는 것, (iii) 자기주식의 취득(신탁계약등의 체결) 후 6개월 내에 이를 처분(해지)하는 것, (iv) 자기주식의 처분(신탁계약등의 해지) 이후 3개월 동안 이를 취득(체결)하는 것도 금지된다. 증권시장에서의 불공정 거래나 빈번한 취득·처분으로 인한 시장가격의 왜곡이 발생할 가능성이 있기 때문이다.[109] 자

기주식을 취득·처분한 후 처분·취득이 금지되는 기간의 기산점은 취득·처분기간 중 실제 거래가 이루어진 날이 아니라 신고한 취득·처분기간이 만료한 날이지만, 취득·처분기간 만료 전에 취득·처분신고서상 취득·처분수량을 모두 취득·처분한 경우에는 취득·처분기간 만료전이라도 실제 취득·처분완료일, 즉 매수·매도결제일(매매체결일+2영업일)이 기산점이 된다.[110]

4) 이 외에, 금융감독원 실무는 비록 명문의 규정은 없지만 (i) 주요사항보고서 제출 이후 주요사항보고서에 기재된 취득기간, 취득방법, 수량 등을 변경하는 것은 투자자의 투자판단에 영향을 미치는 중요한 사항을 변경하는 것이므로 허용되지 않는다는 입장[111]이고, (ii) 앞서 설명한 것처럼 신고한 자기주식취득기간 중에 취득수량을 증가시키거나 별도의 자기주식 취득을 위한 주요사항보고서를 제출하는 것은 발행공시규정 제5-4조 제1항에 의하여 허용되지 아니하지만[112], 유사한 경제적 효과를 가져옴에도 불구하고 자기주식의 신탁계약기간 도중 별도의 신탁계약을 체결하면서 주요사항보고서를 제출하는 것은 자본시장법이 신탁계약 체결 이후 6개월 이내에 이를 해지하거나, 신탁계약 해지 이후 3개월 내에 신규신탁계약을 체결하는 것을 금지하고 있을 뿐, 이를 명문으로 금지하지 않고 있다는 이유로 이를 허용하고 있음에 유의할 필요가 있다.[113]

---

109) 다만, 다음의 경우 (iii), (iv)의 제한은 적용되지 아니한다(자본시장법 시행령 제176조의2 제2항 제6호 단서).
 (1) 임직원 (계열사 임직원 제외)에 대한 상여금으로 자기주식을 교부하는 경우
 (2) 주식매수선택권의 행사에 응하여 자기주식을 교부하는 경우
 (3) 한도를 초과한 자기주식을 처분하는 경우
 (4) 임직원에 대한 퇴직금·공로금·장려금 등으로 자기주식을 지급하는 경우
 (5) 근로복지기본법에 따른 우리사주조합에 처분하는 경우
 (6) 법령 또는 채무이행을 위하여 불가피하게 처분하는 경우
 (7) 공기업의 민영화를 위하여 자기주식 교환사채권을 발행하는 경우
 (8) 국가 또는 예금자보호법에 따른 예금보험공사로부터 자기주식을 취득한 기업이 그 주식과 교환을 청구할 수 있는 교환사채권을 발행하는 경우
 (9) 취득결과보고서 제출 후 자기주식을 기초로 해외DR을 발행하기 위하여 자기주식을 처분하는 경우
 (10) 자기주식 신탁계약이 해지 또는 종료되면서 자기주식을 현물로 반환받는 경우
 위 예외사유 중 (6), 즉 법령 또는 채무이행을 위하여 불가피한 경우와 관련하여 금융감독원은 약정체결 당시에 이미 자기주식의 취득 및 처분을 예정하고 있는 경우, 즉 회사가 자기주식을 취득하여 처분할 것을 제3자와 약정하는 경우에는 위 예외가 적용되지 않는다고 보고 있다(「금융감독원 기업공시실무안내」(2017. 12.), 75면).
110) 「금융감독원 기업공시실무안내」(2017. 12.), 154면.
111) 「금융감독원 기업공시실무안내」(2017. 12.), 151면.
112) 「금융감독원 기업공시실무안내」(2017. 12.), 157면.

4) 자기주식 매매주문과 관련한 제한

자본시장법은 상장법인이 자기주식을 취득이나 처분할 때에는 그 주문방법에 따라 시장에서의 시세에 큰 영향을 줄 수 있으므로 그 주문 방법을 제한하고 있다 (발행공시규정 제5-5조 및 제5-9조). 자기주식을 취득하거나 처분하면서 시가보다 훨씬 높은 호가를 불러서 가격 왜곡현상이 발생하는 것을 방지하기 위해서이다.

가) 장내매매의 경우

자기주식의 장내매매의 경우 주문방법은 다음 표와 같다.[114]

〈표 2〉 자기주식의 장내매매 주문방법

구 분	자기주식 취득(규정 §5-5)	자기주식 처분(규정 §5-9)
주문시간	장 개시 동시호가 참여가능 매매거래시간 중 신규주문 가능(정정주문 포함) ※ 장종료 30분전까지만 인정	좌 동
주문가격	〈동시호가〉 전일종가~전일종가+5% 장중호가(정정주문 포함) 〈매매거래시간 중〉 거래소의 증권시장업무규정에서 정하는 가격 (당해종목의 직전체결가격과 최우선매수호가 중 높은 가격 ± 5호가가격단위)의 범위 이내	〈동시호가〉 전일종가~전일종가－2호가 장중호가(정정주문 포함) 〈매매거래시간 중〉 거래소의 증권시장업무규정에서 정하는 가격(당해종목의 직전체결가격과 최우선매수호가 중 낮은 가격 ± 5호가가격단위)의 범위 이내
일일주문 수량	[①과 ② 중 많은 수량]과 발행주식총수의 1% 중 적은 수량 ① 취득신고주식수이 10% ② 신고서 제출 전 1월간 일평균거래량의 25%	좌 동
매매주문 공시	주문일 전일의 장 종료 후 즉시 주문위탁 증권회사를 통하여 거래소에 신고	좌 동
주문위탁	주문을 위탁할 증권회사를 총 5사 이내로 제한 (1일 주문위탁은 1증권사로 제한)	좌 동

---

113) 「금융감독원 기업공시실무안내」(2017. 12.), 158면.
114) 「금융감독원 기업공시실무안내」(2017. 12.), 62면에서 전재.

나) 시간외대량매매의 경우

원칙적으로 상장법인이 시간외대량매매의 방법으로 자기주식을 취득하는 것은 금지되며, 발행공시규정 제5-5조 제2항에 따라 정부 등이 50% 이상 출자한 법인으로부터 자기주식을 매수하는 경우와 정부가 공공목적을 위하여 금융위에 요청하여 금융위가 승인한 경우에만 예외적으로 시간외대량매매에 의한 자기주식취득이 가능하다. 시간외대량매매의 방법으로 자기주식을 처분하고자 하는 경우 매도호가는 당일 종가를 기준으로 5/100 낮은 가격과 5/100 높은 가격의 범위 이내로 하여야 한다(발행공시규정 제5-9조 제6항). 다만, 상법 제341조의2에 따라 특정목적으로 취득한 자기주식(가령, 주식매수청구권 행사로 인해 취득한 자기주식)을 시간외 대량매매의 방법으로 처분하고자 하는 경우에는 매도호가를 당일 종가 기준 ±5%의 범위 이내로 하는 제한이 적용되지 않는다.

다) 특례조치

증권거래소가 시장상황 급변 등으로 투자자보호와 시장안정을 위하여 즉각적인 조치가 필요하다고 판단하는 경우 주권상장법인은 발행공시규정이 1일 매수주문 수량을 제한하고 있음에도 불구하고 취득신고서상의 취득신고수량의 100%까지 취득할 수 있다. 다만, 증권거래소가 상기 특례조치를 취하거나 변경할 경우 금융위원장의 승인을 받아야 한다(발행공시규정 제5-6조).

5) 자기주식의 지위

상장법인이 적법하게 취득한 자기주식의 지위는 상법상 적법하게 취득한 자기주식의 지위와 동일하다. 따라서, 앞서 살펴본 바와 같이 일체의 사익권과 공익권의 행사가 정지되며, 상장법인이 제3자에게 처분할 때에 그 권리가 되살아난다.

6) 위법한 자기주식 취득의 효력

자본시장법상의 규제를 위반하여 취득한 자기주식취득행위의 효력은 상법과 같이 당연히 무효인가? 상법위반과 마찬가지로 무효라고 보는 견해도 존재하지만,[115] 자기주식취득을 무효로 했을 때에 거래의 안전상의 문제와 취득한 자기

---

115) 임재연, 전게서, 499면은 자본시장법 위반 자기주식 취득의 효력에 대하여 무효라고 보고 있다.

주식 중 재원규제를 위반한 자기주식과 그렇지 아니한 자기주식을 구별하기가 현실적으로 어렵다는 이유로 유효라는 견해도 유력하며, 취득방법에 대한 규제 위반과 취득한도에 대한 재원규제 위반의 경우를 나누어 전자의 경우는 무효, 후자의 경우에는 사실상 유효라고 볼 수밖에 없다는 견해도 존재한다.[116] 논리 적으로 보면, 자본시장법의 규제를 위반하여 주주들이 회사에 주식을 매각할 공 평할 기회가 침해되거나, 회사가 재원규제를 위반한 경우에는 상법과 마찬가지 로 무효라고 보아야 할 것이다. 그렇지만, 자기주식취득의 대부분을 차지하는 장내취득의 경우 현재 증권거래시스템 하에서는 매도인별 매수 주식수조차 특정 할 수 없어서 자기주식 취득을 무효로 본다고 하더라도 이를 원상회복할 현실적 인 방법이 존재하지 아니한다는 점에 대해서는 유의할 필요가 있다.[117] 이 경우 사실상 거래를 무효화시킬 수 있는 방법은 존재하지 아니할 것이다.

7) 취득한 자기주식의 소각 가능여부

앞서 살펴본 바와 같이 개정상법상으로 이익소각이 폐지됨에 따라 회사가 취 득한 자기주식을 소각할 때에 (i) 이사회결의만으로 가능한지 아니면 (ii) 이사 회 결의로 인한 소각은 무액면 주식의 경우만 가능하고 액면주식의 소각의 경우 에는 자본감소절차를 거쳐야 하는지에 대한 견해의 대립이 있다. 앞서 살펴본 바와 같이 회사는 언제든지 이사회 결의만으로 보유하고 있는 자기주식을 소각 하는 것이 가능하다고 보는 것이 타당하다. 개정상법에 따라 상장법인의 이익소 각이 비상장법인 보다 제한되는 것을 해소하기 위해 구 자본시장법(2013. 4. 5. 법률 제11758호로 개정되기 전의 것) 제165조의3을 전면개정하여 자본시장법상 이익소각 제도도 폐지되었다. 따라서 상장법인의 경우에도 상법 규정에 따라 취 득한 자기주식을 소각하는 것이 가능하다고 보아야 할 것이다.

마. 자기주식의 취득 및 처분과 미공개중요정보 이용행위

자기주식의 취득 및 처분에 있어서도 자본시장법 제174조의 미공개중요정보 의 이용행위가 금지되는지 여부가 문제될 수 있다. 대체로 상장법인은 재무관리 를 위하여 자기주식이 저평가되어있을 때 시장에서 매수하여, 시장에서 높은 평

---

116) 증권법학회, 전게서, 825면.
117) 임재연, 전게서, 499면.

가를 받을 때에 처분하려는 경향이 있다. 그런데, 이러한 과정에서 상장법인의 자기주식을 취득 및 처분하는 담당자들은 특정 취득 및 처분 시점에 회사의 주가가 저평가 또는 고평가받도록 만드는 회사의 경영정보를 보유할 개연성(蓋然性)이 상당하고, 이러한 중요 경영정보들은 자본시장법 제174조의 미공개중요정보에 해당하는 경우가 많다. 따라서, 자기주식의 취득 및 처분시점에 항시적으로 미공개중요정보를 보유할 수밖에 없는 상장법인에 미공개중요정보 규제를 엄격하게 적용한다면 사실상 상장회사의 자기주식 취득과 처분을 금지하거나 적어도 사후적인 제재나 조사위험으로 인하여 상장법인이 자기주식 취득 및 처분을 재무관리의 수단으로 원활하게 이용하지 못하게 될 가능성이 있다.[118]

따라서, 이와 관련하여 자기주식의 취득 및 처분제도와 미공개중요정보 규제를 어떻게 조화시킬 것인지가 문제된다. 이와 관련하여 자기주식의 취득 및 처분과 관련하여서도 미공개중요정보 규제는 적용되지만 자본시장법 상 자기주식의 취득 및 처분과 관련된 절차규제 및 공시규제를 준수하는 취득 및 처분의 경우에는 미공개정보의 이용행위는 본질적으로 정보수령자의 개인적, 주관적 관점에서 이를 판단할 수밖에 없으므로 금지되는 미공개정보의 이용행위로 보기 어렵다는 미국 SEC의 예정된 예외 매매거래(Prearranged trading) 원칙을 원용하는 견해가 유력하다.[119]

5. 근로복지기본법상의 자기주식의 취득에 대한 특례

비상장법인인 우리사주제도 실시회사는 우리사주의 환금을 보장하기 위하여 필요한 경우 우리사주조합원 또는 퇴직하는 우리사주조합원의 우리사주를 자기의 계산으로 취득할 수 있다. 이러한 근로복지기본법 상의 자기주식의 취득과 관련하여서는 상법상의 재원규제나 절차규제의 적용을 받지 않는다(근로복지기본법 제45조 제2항). 이 경우 취득한 주식은 (i) 우리사주조합에 출연하거나, (ii) 이를 이사회 결의에 의하여 상당한 시기에 처분하거나, (iii) 이사회 결의에 의하여 소각(消却)하도록 되어 있다.

---

118) 김대식 · 황현일, "자기주식 취득, 처분가 미공개중요정보 이용행위," 「BFL」 제87호(서울대학교 금융법센터, 2018. 1.), 68면.
119) 김대식 · 황현일, 상계논문, 75~76면.

6. 자기주식과 과세

가. 자사주 매입의 세무상 유효성

원칙적으로 내국법인이 주주에게 우회적으로 자금을 지원할 목적이 없이 상법 제341조에 따라 주주로부터 자기주식을 취득하면서 지급한 금액은 법인세법시행령 제53조 제1항의 업무무관가지급금에 해당하지는 않는 것으로 판단된다(법규법인 2013-171, 2013. 8. 1.). 다만, 내국법인이 자기주식거래를 가장하여 법인보유자금을 대표자가 인출하는 방식으로 활용하는 경우에 해당한다고 인정된다면 실질과세원칙에 따라 이를 업무무관가지급금거래로 볼 수 있고(서면법규-168, 2014. 2. 25.), 조세심판원 역시 같은 취지에서 자기주식 취득대금을 업무무관가지급금으로 인정하고 있다(조심2016서1700, 2016. 7. 7.). 이와 같이 자기주식거래가 인정이자 익금산입, 업무무관가지급금에 대응하는 차입금의 지급이자 손금불산입 등 세법상 불이익이 있을 수 있다.

나. 양도소득세와 배당소득세

일단, 내국법인의 자사주매입이 세무상 유효한 것으로 판단되면, 즉 업무무관가지급금거래로 판단되지 않으면, 이후 법인이 주주로부터 주식을 매입하여 소각하는 경우 그에 따라 발생하는 주주의 소득이 주식의 양도로 인한 양도소득에 해당하는지 또는 자본의 환급으로 인한 배당소득에 해당하는지 여부는 그 거래의 실질내용에 따라 판단하는 것이며, 이 경우 매매의 경위와 목적, 계약체결과 대금결제의 빙법 등에 비추어 그 매매가 법인의 주식소각이나 자본감소 절차의 일환으로 이루어진 것인 경우에는 배당소득으로 보고, 단순한 주식매매인 경우에는 양도소득으로 보아 과세하게 된다(법규재산 2014-456, 2014. 10. 15.).

이와 관련하여 법원은 주식의 매도가 자산거래인 주식의 양도에 해당하는지 또는 자본거래인 주식의 소각 내지 자본의 환급에 해당하는지는 법률행위 해석의 문제로서 그 거래의 내용과 당사자의 의사를 기초로 하여 판단하여야 할 것이지만, 실질과세의 원칙상 단순히 당해 계약서의 내용이나 형식에만 의존할 것이 아니라, 당사자의 의사와 계약체결의 경위, 대금의 결정방법, 거래의 경과 등 거래의 전체과정을 실질적으로 파악하여 판단하여야 한다면서,[120] i) 자사주매입에 관한 이사회 의사록이나 주식매입계약서 등에 자사주를 매입하여 소각할 계획임이 기재된 경우, ii) 주주 역시 회사가 자사주 매입 후 소각할 계획임을 알았던 경우, iii) 자사주 매입 이후 실제로 단기간 내에 주식소각이 이루어진 경우 등을 자본거래(자본의 환급)에 해당하는 근거로 판시한 바 있다.[121]

Ⅳ. 주식의 담보 김 희 철*

1. 서 설

주식은 교환가치, 즉 재산가치와 양도성이 보장되므로 담보의 목적이 될 수 있다. 주식담보의 방법은 민법상 전형적 담보물권에 해당하는 '질권설정'뿐만 아니라, 비전형담보계약인 '양도담보'로도 가능하다. 주식에 대한 질권설정(즉 주식질)에 대하여 상법은 주권발행을 전제로 약식질(제338조)과 등록질(제340조)의 방법을 정하고 있다. 상장회사의 주식에 대하여는 「자본시장과 금융투자업에 관한 법률」에서 특칙을 정하고 있다.[1]

동산과 채권의 담보방법에 관한 여러 문제점들[2]을 보완하기 위하여 2012년

---

120) 대법원 2010.10.28. 2008두19628 등 참조.

121) 서울행정법원 2014.12.19. 2014구합65486; 서울행정법원 2014.9.26. 2014구합8742; 서울행정법원 2013.10.17. 2013구합3689; 창원지방법원 2012.6.7. 2011구합523 등.

 * 원광대학교 법학전문대학원 교수

 1) 예컨대, 투자매매업자나 투자중개업자는 해당 투자매매업자나 투자중개업자에게 증권 매매거래계좌를 개설하고 있는 자에 대하여 증권의 매매를 위한 매수대금을 융자하거나 매도하려는 증권을 대여하는 방법이나, 해당 투자매매업자나 투자중개업자에 증권을 예탁하고 있는 자에 대하여 그 증권을 담보로 금전을 융자하는 방법으로 투자자에게 신용을 공여할 수 있지만(자본시장법 시행령 제69조 제1항), 투자매매업자는 증권의 인수일부터 3개월 이내에 투자자에게 그 증권을 매수하게 하기 위하여 금전의 융자, 그 밖의 신용공여를 하지 못한다(자본시장법 제72조 제1항). 또한 투자매매업자나 투자중개업자는 투자자의 신용상태 및 종목별 거래상황 등을 고려하여 신용공여금액의 140% 이상에 상당하는 담보를 징구하여야 한다.

 2) 동산에 민법상의 질권을 설정하여 자금을 조달하려면 담보권자에게 점유를 이전하여야 하므로(민법 제330조, 제332조) 담보권설정자는 질권 설정의 목적물인 동산으로 영업을 하지 못하게 되고, 담보권자의 입장에서도 담보목적물의 점유로 인한 보관 및 관리 비용이 발생할 수 있다. 이러한 이유로 실무에서는 점유개정(민법 제189조)을 주로 활용한다. 동산물권을 양도하는 경우에 양수인을 간접점유자로 하고 양도인이 직접점유자로서 당해 동산의 점유를 계속하는 것이다. 그러나 점유개정은 공시방법이 불완전하고 선의취득의 인정과 관련

6월 11일부터 「동산·채권 등의 담보에 관한 법률」을 시행하여 동산 및 채권을 부동산처럼 법원 등기소에 담보등기를 할 수 있게 함으로써 동산의 점유이전 없이도 담보설정이 가능하고, 이러한 등기로써 제3자 대항요건을 갖출 수 있도록 하고 있다. 그러나 주식이나 사채에 대한 담보권 설정은 「동산·채권 등의 담보에 관한 법률」의 적용 대상이 아니므로 여전히 「민법」·「상법」·「자본시장과 금융투자업에 관한 법률」이 적용되며, 2019년 9월 16일 「주식·사채 등의 전자등록에 관한 법률」(이하 '전자증권법'이라 함)의 시행으로 상장회사의 주식은 반드시 전자등록을 하여야 하고, 주식질에 관한 사항도 전자증권법의 적용을 받게 된다.

먼저 상법 회사편 및 전자증권법에 의한 주식질 및 판례가 인정하는 양도담보를 살펴본 후, 금융기관의 주식담보대출에 관한 실무 및 이와 관련된 법적 논점을 살펴본다.

2. 주식의 입질

상법은 주식질의 방법으로 약식질(제338조)과 등록질(제340조)을 정하고 있다. 주식의 입질은 양도가능한 주식의 재산적 가치만을 대상으로 하는 것이므로, 질권설정자인 주주는 입질 후에도 여전히 주주로서의 지위를 가지고 의결권 등의 공익권을 행사할 수 있다. 그러나 주식의 가치변형물이나 주식으로부터 발생하는 경제적 이익은 질권자의 질권을 충당하는데 사용된다.

가. 주식질의 종류

1) 약식질

가) 성립요건

주식을 질권의 목적으로 하는 '질권 설정의 합의'와 '주권의 교부'로 약식질이

되어 안정적이지 못하다는 단점이 있다. 한편, 채권에 질권을 설정하여 자금을 조달하는 경우에는, 채권이 무체물이기 때문에 동산담보에서와 같은 점유 이전과 관련된 문제는 없지만, 채권에 담보권이 설정되었음을 제3자에게 공시할 수 있는 효과적인 방법의 결여로 인하여 채권양도에 따른 제3자에 대한 대항요건이 별도로 요구되고 있는바(민법 제346조, 제349조, 제450조), 채무가 특정되지 않은 장래채권의 경우 통지가 불가능하며, 집합채권의 경우 그 발생과 소멸의 반복에 따라 일일이 확정일자 있는 통지 또는 승낙을 요하는 번거로움으로 인하여 금융의 수단으로 활용되는데 어려움이 있다.

성립한다(제338조 제1항). '주권의 교부'는 '현실의 인도'만을 의미하는 것이 아니라 간이인도(민법 제188조 제2항)나 반환청구권의 양도(민법 제190조)도 허용된다.[3] 그러나 질권설정자에 의한 대리점유를 금지하고 있는 민법 제332조에 의하여 점유개정(민법 제189조)을 통한 질권 설정은 불가능하다. 그러므로 질권자는 질권설정자로 하여금 질물의 점유를 하게 하지 못한다.

나) 대항요건

질권자는 계속하여 주권을 점유하지 아니하면 그 질권으로써 제3자에게 대항하지 못한다(제338조 제2항). 즉 주권의 계속적인 점유는 제3자에 대한 대항요건이다. 제3자란 예컨대 당해 주식의 발행회사·동일주식에 관하여 이중으로 권리를 양도한 자·압류채권자 등을 의미한다. 그러므로 약식질의 경우 질권자에게 인정되는 주권발행회사에 대한 권리주장을 위하여도 주권의 점유가 필요하다.

2) 등록질

가) 성립요건

등록질의 경우에는 당사자간의 질권 설정의 합의와 질권자에 대한 주권의 교부 외에, 질권설정자인 주주의 청구에 의하여 질권자의 성명과 주소를 주주명부에 덧붙여 쓰고 그 성명을 주권에 적어야 한다(제340조 제1항). 이러한 상법의 정함과는 달리 학설에서는 주주명부에 질권자의 성명과 주소를 부기한 경우에는 주권에 그 성명을 기재하지 아니하여도 등록질의 효력이 있다고 본다. 그러나 주권에 그 성명을 기재함으로써 제3자의 선의취득이 불가하다는 점에서 효력의 차이는 있다. 주주명부의 기재는 질권설정자의 청구에 의하여 회사가 하는데(제340조 제1항), 회사는 주주명부 폐쇄기간 중과 같은 정당한 사유 없이는 이를 거

---

3) "주식의 질권설정에 필요한 요건인 주권의 점유를 이전하는 방법으로는 현실 인도(교부) 외에 간이인도나 반환청구권 양도도 허용되고, 주권을 제3자에게 보관시킨 경우 주권을 간접점유하고 있는 질권설정자가 반환청구권 양도에 의하여 주권의 점유를 이전하려면 질권자에게 자신의 점유매개자인 제3자에 대한 반환청구권을 양도하여야 하고, 이 경우 대항요건으로서 제3자의 승낙 또는 질권설정자의 제3자에 대한 통지를 갖추어야 한다. 그리고 이러한 법리는 제3자가 다시 타인에게 주권을 보관시킴으로써 점유매개관계가 중첩적으로 이루어진 경우에도 마찬가지로 적용되므로, 최상위 간접점유자인 질권설정자는 질권자에게 자신의 점유매개자인 제3자에 대한 반환청구권을 양도하고 대항요건으로서 제3자의 승낙 또는 제3자에 대한 통지를 갖추면 충분하며, 직접점유자인 타인의 승낙이나 그에 대한 질권설정자 또는 제3자의 통지까지 갖출 필요는 없다. 대법원 2012.8.23. 2012다34764; 2000.9.8. 99다58471.

절하지 못한다.

나) 대항요건

(1) 회사에 대한 대항요건

등록질의 회사에 대한 대항요건은 주주명부의 기재이다. 즉 주주명부에 부기한 질권자가 자기의 실질적 권리를 증명하지 아니하고도 회사에 대하여 권리를 행사할 수 있다. 회사는 등록질권자의 권리행사를 위하여 주주명부에 기재된 질권자에게 통지하여야 할 뿐만 아니라, 주주명부에 기재된 질권자에게 지급·기타의 급부를 함으로써 악의 또는 중대한 과실이 없는 한 면책된다.

(2) 제3자에 대한 대항요건

회사 이외의 제3자에 대한 등록질권자의 대항요건은 주권의 계속적 점유이다(제338조 제2항).

3) 전자증권법에 의한 주식질

가) 비상장 주식회사

비상장 주식회사는 주권을 발행하는 대신 정관으로 정하는 바에 따라 전자등록기관(현재는 예탁결제원이 유일하다)의 전자등록부(전자증권법 제2조 제3항의 '전자등록계좌부'를 의미함)에 주식을 등록할 수 있다(제356조의2 제1항). 이 경우 전자등록부에 등록된 주식의 양도나 입질은 전자등록부에 등록을 하여야만 효력이 발생한다(제356조의2 제2항). 전자등록부에 주식을 등록한 자는 그 등록된 주식에 대한 권리를 적법하게 보유한 것으로 추정하며, 이러한 전자등록부를 선의(善意)로, 그리고 중대한 과실 없이 신뢰하고 제2항의 등록에 따라 권리를 취득한 자는 그 권리를 적법하게 취득한다(제356조의2 제3항).

나) 상장 주식회사

상장주식회사의 주식은 전자등록을 하여야 하며, 기존에 예탁되어 있는 상장주식은 2019. 9. 16.자로 전자등록된 것으로 간주된다(전자증권법 부칙 제3조 제1항). 전자등록주식을 양도하는 경우에는 전자증권법 제30조에 따른 계좌간 대체의 전자등록을 하여야 그 효력이 발생한다(전자증권법 제35조 제2항). 전자등록주식을 질권의 목적으로 하는 경우에는 질권 설정의 전자등록(전자증권법 제31조)을 하여야 입질의 효력이 발생한다(전자증권법 제35조 제3항). 이 경우 「상법」 제

340조제1항에 따른 주식의 등록질(登錄質)의 경우 질권자의 성명을 주권에 기재하는 것에 대해서는 그 성명을 전자등록계좌부에 전자등록하는 것으로 갈음한다(전자증권법 제35조 제3항). 전자등록계좌부에 전자등록된 자는 해당 전자등록주식등에 대하여 전자등록된 권리를 적법하게 가지는 것으로 추정한다(전자증권법 제35조 제1항). 선의(善意)로 중대한 과실 없이 전자등록계좌부의 권리 내용을 신뢰하고 소유자 또는 질권자로 전자등록된 자는 해당 전자등록주식등에 대한 권리를 적법하게 취득한다(전자증권법 제35조 제5항).

나. 주식질의 효력과 행사방법

1) 주식질의 공통적 효력

주식질은 민법상 질권의 일반원칙에 따라 유치권(민법 제355조, 제335조), 우선변제권(민법 제355조, 제329조), 전질권(민법 제355조, 제336조), 물상대위권(민법 제355조, 제342조)의 효력이 인정된다.

상법에서는 주식의 가치변형물에 대한 물상대위권의 보충적 특칙을 두고 있다, 즉 주식의 소각·병합·분할 또는 전환이 있는 때에는 이로 인하여 종전 주주가 받을 금전이나 주식(제339조)·신주의 발행무효판결로 인한 납입반환금(제432조 제3항)·법정준비금의 자본금 전입시의 무상신주와 단주처분대금(제461조 제7항)·주식교환으로 완전자회사가 되는 회사의 주주들이 받는 주식(제360조의11)·주식이전으로 완전자회사가 되는 회사의 주주들이 받는 주식(제360조의22)에 대하여도, 약식질과 등록질 모두 물상대위권이 미친다.

2) 등록질에 인정되는 효력

등록질의 경우는 물상대위이외에도 주주명부상 주주로 등재된 주주의 주식으로부터 발생하는 자익권의 행사가 가능한 바, 그 행사를 통하여 질권자의 채권에 대한 우선변제권을 인정한다. 즉 등록질권자는 회사로부터 이익배당, 잔여재산의 분배 등을 받아 다른 채권자에 우선하여 자기채권의 변제에 충당할수 있다(제340조 제1항). 또한 등록질권의 경우 주식배당으로 교부되는 주식에도 질권이 미친다(제462조의2 제6항).

3) 등록질에 인정되는 효력으로 불명확한 경우

상법에서는 등록질의 효력으로 이익배당청구권과 잔여재산의 분배청구권은 정하고 있지만, 신주인수권에 대하여는 정함이 없다. 신주인수권은 별도의 주금 납입이 필요하므로 주식의 가치변형물로서 물상대위의 대상으로 보기 어렵고, 과실수취권(민 제343, 제323)의 범주에 포함시키기도 어렵다. 즉 등록질의 효력으로 보기도 어렵고, 약식질의 효력에 포함시키기도 어렵다.

4) 약식질에 인정되는 효력으로 불명확한 경우

전술한 바와 같이 이익배당, 잔여재산의 분배, 주식배당은 등록질에만 인정된다. 약식질에도 인정될 수 있는가? 민법상 질권에 인정되는 물상대위권의 범위는 질물의 가치변형물인 바, 이익배당, 잔여재산의 분배, 주식배당이 주식의 가치변형물에 해당한다면 질권의 일반적 효력으로 보아 약식질에도 적용됨을 주장할 수 있을 것이다. 또는 민법상 질권에 준용되는 유치권자의 과실수취권(민 제343, 제323)에 해당한다면 질권의 일반적 효력으로 보아 약식질에도 적용됨을 주장할 수 있을 것이다.

이익배당청구권을 약식질의 효력으로 긍정하는 견해는 이익배당을 주식의 과실로 파악한 것이고, 주식배당청구권을 약식질의 효력으로 긍정하는 견해는 주식배당을 주식의 가치변형물(주식분할)로 보아 물상대위권의 범주에 포함시키거나 또는 이를 주식의 과실(이익배당)로 보아 질권자의 과실수취권의 범주에 포함시킨 것이다. 잔여재산분배청구권을 약식질의 효력으로 긍정하는 견해는 잔여재산의 분배를 주식의 가치변형물로 보아 물상대위의 범주에 포함시킨 것이다.

주주명부상 주주에게 인정되는 이익배당청구권, 잔여재산분배청구권, 주식배당청구권, 신주인수권 등은 주주명부에 등재되지 아니한 약식질권자가 회사를 상대로 직접 청구할 수 있는가의 문제가 있다.

5) 행사방법

주식질의 효력에 따라 인정되는 권리의 행사는 약식질과 등록질의 행사방법의 차이가 있다. 등록질권자는 이러한 금전의 지급 또는 주식을 교부하는 회사를 상대로 직접청구할 수 있다(제340조 제1항). 이에 반하여 약식질권자는 지급되는 금전 또는 교부되는 주식을 먼저 압류한 이후에 권리를 행사할 수 있다(민

제342조). 다만, 물상대위의 목적물을 주주명부를 기준으로 지급하는 것이 아니라, 주권과 교환하여 지급하는 경우에는 질권자가 주권을 점유하고 있으므로 굳이 압류가 필요없다고 볼 수 도 있다.

3. 주식의 양도담보

양도담보는 채권을 담보할 목적으로 채무자나 제3자가 갖는 권리(주로 물건의 소유권)을 채권자에게 이전하는 형식으로 채권자가 그 목적물로부터 우선변제를 받는 담보제도이다. 판례는 주식양도담보 설정자와 양도담보권자간에 별도의 정함이 없는 경우에는 신탁행위로 보아 주식의 소유권 이전을 인정하면서도,[4] 이와는 달리 당사자간에 담보목적이외의 권리 행사를 하지 않기로 하는 약정이 있는 경우에는 양도담보권자의 의결권 행사를 위한 주주로서의 지위를 부인한다.[5]

가. 주식양도담보의 종류

1) 약식양도담보

주주명부의 명의개서를 하지 아니하고 당사자간의 소유권이전약정과 주권인도로 성립되는 약식양도담보의 경우는, 외형상 약식질과 구분이 곤란하며, 주주명부의 기재가 없으므로 원칙적으로 회사를 상대로 한 주주권행사가 어렵다.[6] 약식양도담보의 경우에도 추후 양도담보권자가 회사에 대하여 그 취득의 승인을 청구할 수 있다(제335조의7 제1항).

2) 등록양도담보

등록양도담보는 양도담보설정의 합의와 주권의 인도이외에 소유권 이전을 위한 주주명부의 명의개서를 요하게 된다. 다만 회사의 성립 후 6개월이 경과한

---

4) "주식 양도담보의 경우 양도담보권자가 대외적으로 주식의 소유권자라 할 것이므로, 양도담보 설정자로서는 그 후 양도담보권자로부터 담보 주식을 매수한 자에 대하여는 특별한 사정이 없는 한 그 소유권을 주장할 수 없는 법리라 할 것이고……"(대법원 1995.7.28. 93다61338).

5) "주식인수대금채무를 연대보증한 자가 담보목적으로 위 주식을 취득하기로 한 경우에 있어 회사 등과 사이에 주식인수대금의 잔금지급기일까지는 담보목적이외의 권리 행사를 하지 않기로 약정한 점 등의 사정을 참작하면 위 주식인수대금 지급시까지는 그 의결권을 행사할 수 있는 주주로서의 지위에 있지 않다……"(대법원 1992.5.12. 90다8862).

6) 대법원 2017.3.23. 2015다248342 전원합의체.

후에도 주권이 발행되지 아니한 경우에는 당사자간의 합의만으로 성립한다.7) 등록양도담보의 경우 양도담보권자가 주주명부상의 주주인 바, 이후 피담보채무가 변제로 소멸하였더라도 주식의 반환을 청구하는 등의 조치가 없어 양도담보권자가 여전히 주주명부상 주주로 기재되었다면 이 경우 회사가 그 주주권 행사를 부인할 수 없다.8) 그러나 당사자간에 담보목적이외의 권리 행사를 하지 않기로 하는 약정이 있는 경우에는 양도담보권자의 의결권 행사를 위한 주주로서의 지위를 부인한다.9) 그러므로 당사자간의 달리 정함이 없는 경우, 등록양도담보권자는 회사에 대하여 주주로서의 지위를 가지고 자익권뿐만 아니라 의결권 등의 공익권도 행사할 수 있다.

나. 주식양도담보의 효력

양도담보권자는 유치권(민법 제335조, 제355조)·전질권(민법 제355조, 제336조)·우선변제권(민법 제355조, 제329조)·물상대위권(제339조) 등의 권리를 행사할 수 있는 점은 주식질의 질권자의 권리와 유사하다. 양도담보방식을 취하는 경우 질권과는 달리 점유개정을 할 수 있고,10) 경매의 불편함에서도 자유로울 수 있다.11)

다. 주식양도담보의 대항요건

제3자에 대한 대항요건은 주권의 점유이다(제336조 제1항). 주식양도의 경우 회사에 대한 대항요건은 주주명부의 명의개서이므로(제337조), 양도담보를 회사에 대하여 대항하기 위한 요건도 마찬가지로 주주명부의 명의개서가 된다. 그러므로 등록양노담보는 회사에 대한 대항요건을 갖춘 것이 된다. 주식의 약식양도담보의 경우에는 명의개서가 없으므로 담보권자가 회사에 대하여 주주임을 주장하지 못한다(제337조 제1항). 주주명부는 대세효가 없으므로 제3자에게 대항하기

---

7) 대법원 1995.7.28. 93다61338.
8) 대법원 2020.6.11. 자 2020마5263.
9) "주식인수대금채무를 연대보증한 자가 담보목적으로 위 주식을 취득하기로 한 경우에 있어 회사 등과 사이에 주식인수대금의 잔금지급기일까지는 담보목적이외의 권리 행사를 하지 않기로 약정한 점 등의 사정을 참작하면 위 주식인수대금 지급시까지는 그 의결권을 행사할 수 있는 주주로서의 지위에 있지 않다……"(대법원 1992.5.12. 90다8862).
10) 대법원 2000.6.23. 99다65066.
11) 대법원 1994.5.13. 93다21910.

위하여는 주권을 계속 점유하여야 한다.

4. 주식담보의 제한

가. 권리주

질권은 물건의 교환가치를 지배하는 담보물권이므로 담보물의 '재산적 가치'와 '양도성'을 전제로 하는 바, 상법상 회사에 대하여 주식 양도인과 양수인간의 양도의 효력이 부정되는 특수한 경우인 '권리주'(제319조)는 질권자와 질권설정자 이외에 회사에 대한 효력은 없다고 보아야 할 것이다.

나. 주권발행전의 주식의 담보

주권이 발행되지 않은 주식에 대한 질권설정 또는 양도담보의 성립은 당사자 이외에 회사에 대한 효력은 없다(제335조 제3항). 주권발행 전의 주식에 대한 질권설정은 민법상의 권리질(민법 제345조)에 의한다.[12] 채권담보의 목적으로 이루어진 주식양도 약정 당시에 회사의 성립 후 이미 6개월이 경과하였음에도 불구하고 주권이 발행되지 않은 상태에 있었다면, 그 약정은 바로 주식의 양도담보로서의 효력을 갖는다.[13]

다. 자기주식 질권취득의 제한

원칙적으로 회사는 발행주식총수의 20분의 1을 초과하여 자기주식을 질권의 목적으로 받지 못한다(제341조의3). 예외적으로 회사의 합병 또는 다른 회사 영업전부의 양수로 인한 때와 회사의 권리를 실행함에 있어 그 목적을 달성하기 위하여 필요한 때에는 20분의 1을 초과하여 자기주식을 취득할 수 있다(제341조의3 단서).

---

12) "주권발행 전의 주식에 대한 양도도 인정되고, 주권발행 전 주식의 담보제공을 금하는 법률규정도 없으므로 주권발행 전 주식에 대한 질권설정도 가능하다고 할 것이지만, 상법 제338조 제1항은 기명주식을 질권의 목적으로 하는 때에는 주권을 교부하여야 한다고 규정하고 있으나, 이는 주권이 발행된 기명주식의 경우에 해당하는 규정이라고 해석함이 상당하므로, 주권발행 전의 주식 입질에 관하여는 상법 제338조 제1항의 규정이 아니라 권리질권설정의 일반원칙인 민법 제345조로 돌아가 그 권리의 양도방법에 의하여 질권을 설정할 수 있다고 보아야 한다"고 결정한 바 있다(대법원 2000.8.16. 자 99그1).

13) 대법원 1995.7.28. 93다61338.

자기주식의 질권취득 제한규정을 위반하였을 경우에 이사는 상법상의 형사제재를 받고(제625조 제2호), 경우에 따라서는 손해배상책임을 진다(제399조, 제401조). 그러나 20분의 1을 초과하여 취득한 자기주식의 처리문제에 대하여는 사법상 규정이 없다.

라. 자회사의 모회사 주식 질취

또한 자회사에 의한 모회사 주식취득이 금지되는 것과 마찬가지로, 자회사가 모회사의 주식을 질취하는 것도 상법 제341조의2를 적용하여야 하는가에 대하여 이를 부정하는 견해, 긍정하는 견해, 그리고 100% 모자회사관계가 있는 때에만 자기주식의 질취로 보아야 한다는 견해가 있다.[14)

5. 주식담보대출 실무 및 법적 논점

증권회사 주식담보대출은 비상장회사의 예탁증권 또는 전자증권법에 따른 상장회사의 전자등록주식을 담보로 한다.[15) 은행의 주식담보대출은 대부분 상장회사의 전자등록주식을 대상으로 한다. 증권회사와 은행의 상장회사 주식담보대출의 실무 및 법적 논점은 다음과 같다.

가. 증권회사의 주식담보대출 실무

「자본시장과 금융투자업에 관한 법률」에서 증권회사에게 주식담보대출업무를 취급할 수 있도록 정하고 있다. 증권회사는 "증권과 관련하여 금전의 융자 또는 증권의 대여의 방법으로 투자자에게 신용을 공여할 수 있다"(자본시장과 금융투자업에 관한 법률 제72조 제1항). 이에 따른 신용공여의 기준 및 방법은 (ㄱ) 증권회사에 증권매매거래계좌를 개설하고 있는 자에 대하여 증권의 매매를 위한 매수대금을 융자하거나 매도하려는 증권을 대여하는 방법, 또는 (ㄴ) 증권을 예탁하고 있는 자에 대하여 그 증권을 담보로 금전을 융자하는 방법 중 어느 하나에

---

14) 권기범, 「현대회사법론」제8판 (삼영사, 2021), 577면.
15) 과거에는 보험회사도 증권사와 유사한 주식담보대출을 시행하였으나, 보험사가 고객의 주식거래내역 및 증권계좌정보를 조회하는 것이 「금융실명거래 및 비밀보장에 관한 법률」에 저촉될 소지가 있다는 금융감독당국의 행정지도에 따라 현재는 주식담보대출을 하지 않고 있다.

해당하는 방법으로 투자자에게 신용을 공여할 수 있다(자본시장과 금융투자업에 관한 법률 시행령 제69조 제1항 제1호 및 제2호).

이에 근거하여 증권회사에서는 증권매매거래계좌를 개설하고 있는 고객에게 증권을 담보로 대출을 시행하고 있다. 증권회사 주식담보대출의 특징은 '담보유지비율(최저담보비율)'과 '반대매매'이다. 즉 채무자가 '담보유지비율'을 유지하지 못할 경우에 증권회사가 일방적으로 담보물을 '반대매매'로 처분할 수 있는 것을 조건으로 하는 내용(처분승인조항)을 대출약정서에 포함하고 있다.[16)]

담보유지비율을 단순하게 설명하면 다음과 같다.[17)] 담보설정자인 주식투자자가 보유하고 있는 주식의 총가치가 140만원이고, 이를 담보로 하여 100만원을 주식담보대출로 받게 되었다고 가정해보자. 만일 대출계약에서 정해진 담보유지비율이 대출금의 140% 이상이면, 담보설정자는 주식평가액과 예수금의 합산금액을 140만원 이상으로 유지하여야 한다. 그러나 주식을 매도하고 예수금을 인출하거나 또는 주식을 매도하지 아니하였더라도 보유(또는 매수)한 주식의 주가가 하락하여 담보유지비율이 140% 이하로 낮아지게 되면, 증권회사는 비율유지를 위하여 추가담보를 요구한다. 예수금을 늘리는 등 담보를 추가납입하지 아니하였을 경우에는 증권회사에서 담보주식을 매도하여 대출금을 상환한다. 이를 흔히 반대매매라고 한다. 만기에 채무상환요구를 받고도 채무를 상환하지 아니하였을 경우에도 마찬가지이다.

나. 은행의 주식담보대출 실무

은행 주식담보대출의 특징은 은행 내규에서 소위 '정규담보'라는 것을 정하고 있다는 점이다. 정규담보는 '주식 발행인의 신용등급'과 '담보취득방식'이라는 두 가지 요소에 의하여 결정된다. 즉 은행 실무에서의 정규담보란 '담보물의 환가성 및 안정성이 높은 담보물로서, 당해 금융기관의 내규에서 정하고 있는 담보취득방법에 따라서 취득한 담보'를 의미한다. 이러한 정규담보는 담보여신가능액의

---

16) 또는 증권회사가 질권이 설정된 예탁증권이 담보유지비율에 미달됨을 고객에게 통보하고 담보물충당을 요청한 후, 고객이 담보물 충당을 하지 아니하는 경우에 반대매매로 처분한다는 내용을 포함하고 있다.

17) 실제로는 많은 증권회사에서 위험관리를 위하여 담보유지비율의 산정을 증권종목증거금율에 따라 차등비율로 적용하고 있으며, 이를 기초로 하여 담보유지비율의 산정을 위한 별도의 계산공식을 정하고 있다.

산정이나 담보비율을 계산함에 있어서 이를 산입한다.[18]

은행마다 내부 기준에 차이가 있을 수 있지만, 대체로 코스피 상장기업으로서 신용등급 BB- 이상, 코스닥 상장기업은 A- 이상인 주식회사가 발행한 주식은 정규담보에 해당할 수 있는 담보이다. 그러나 이러한 주식이라도 정규담보가되기 위하여는 담보취득방식도 은행 내규에 따라서 이루어져야 하는바, 대부분의 은행 내규에서는 상법상의 약식질과 관습법 및 판례에서 인정하는 양도담보를 정규담보 취득방식에서 배제하고 있다. 그러므로 은행실무상 정규담보의 취득방식은 전자증권법상의 등록질로 제한된다.

이러한 질권 설정이외에도 은행은 질권설정자에게 처분승낙서를 별도로 요구한다. 처분승낙서는 "채무가 상환되지 아니하거나 여신거래기본약관에 의하여기한의 이익이 상실된 경우 채무자의 동의 없이 일반적으로 적당하다고 인정되는 방법으로 본인소유의 주식을 처분하고 재비용을 공제한 나머지 금액으로 채무변제에 충당할 것을 승낙"하는 것을 주된 내용으로 한다. 처분승낙서를 근거로 하여 질권설정자의 채무불이행시 질권이 설정된 주식을 매도하여 채권을 실현한다.

다. 법적 논점

1) 비상장주식담보의 법적 기반

예탁결제원에 예탁된 비상장주식에 질권을 설정하기 위하여 (질권설정자인 예탁자의 투자자뿐만 아니라) 질권자인 증권회사도 예탁결제원에 계좌를 개설하여야한다(자본시장과 금융투자업에 관한 법률 제309조 제1항). 실권자의 질권 행사의 청구가 있는 경우 예탁결제원은 예탁한 증권과 동일종목으로 동일수량을 질권자의계좌로 이전하는 방법을 취하기 때문이다.

예탁결제원은 예탁받은 비상장 주권을 다른 예탁자가 예탁한 주권과 종류 종목별로 혼합보관할 수 있다(자본시장과 금융투자업에 관한 법률 제309조 제4항). 이경우 예탁주권의 보관방법은 임치(혼장임치)[19]라고 볼 수 있다.

---

18) 정규담보가 아닌 경우를 견질담보(또는 평가외담보)라고 한다. 견질담보는 담보물의 환가성이나 안정성이 부족한 담보이거나, 또는 정규담보의 대상임에도 불구하고 금융기관 내규에서 정한 담보취득방법에 따라 취득하지 않은 담보를 의미한다. 이러한 견질담보는 담보비율에 산입하지 아니하며, 참고담보비율을 산정하고자 하는 경우에는 금융기관 내규에 의하여담보물을 평가한 경우에만 산입한다.

예탁자계좌부와 (자본시장과 금융투자업에 관한 법률 제310조 제1항에 의하여 작성되는) 투자자계좌부에 기재된 자는 각각 그 증권등을 점유하는 것으로 본다(자본시장과 금융투자업에 관한 법률 제311조 제1항). 투자자계좌부 또는 예탁자계좌부에 질권설정을 목적으로 질물(質物)인 뜻과 질권자를 기재한 경우에는 증권등의 교부가 있었던 것으로 본다(자본시장과 금융투자업에 관한 법률 제311조 제2항).

예탁자의 투자자와 예탁자는 주권에 대하여 공유지분을 가지는 것으로 추정한다(자본시장과 금융투자업에 관한 법률 제312조 제1항). 예탁자의 투자자나 그 질권자는 예탁자에 대하여, 예탁자는 예탁결제원에 대하여 언제든지 공유지분에 해당하는 예탁증권등의 반환을 청구할 수 있는 바, 이 경우 질권의 목적으로 되어 있는 예탁증권등에 대하여는 질권자의 동의를 필요로 한다(자본시장과 금융투자업에 관한 법률 제312조 제1항).

이러한 법적 기반을 토대로 하여 증권사가 비상장주식에 대한 담보대출을 수행하게 된다.

2) 유질계약의 허용 여부

증권회사의 예탁증권담보대출에서 반대매매가 이루어질 경우에 질권자 일방에게는 상행위가 되지만, 질권설정자에게는 상행위가되지 아니하는 경우에도 상법 제59조에 따라 민법 제339조의 유질계약금지규정이 적용되지 않는가? 은행 주식담보대출의 경우에도 사전에 처분승낙서를 받고, 만기에 대출금미상환시 경매가 아닌 방법으로 주식을 처분하는 것이 질권자 일방에게는 상행위가 되지만, 질권설정자에게는 상행위가되지 아니하는 경우에도 상법 제59조에 따라 민법 제339조의 유질계약금지규정이 적용되지 않는가?

상법 제59조는 민법상 유질계약은 상행위로 인하여 생긴 채권을 담보하기 위하여 설정한 질권에는 적용하지 않음을 정하고 있는 바, 당사자 일방에게 상행위로 인하여 생긴 채권인 경우에도 동 조문이 적용될 수 있는가에 대하여 판례는 이를 긍정하고 있다.[20][21]

---

19) 이철송, 「회사법강의」(제28판), 박영사 2020. 470면.

20) 甲 상호저축은행이 乙에게 주식계좌를 담보로 대출을 하면서 乙과 체결한 여신거래약정 중 '고객이 담보비율 유지의무를 위반하는 경우 고객의 추가 동의 없이 질권이 설정된 주식을 매매하여 대출원리금에 충당할 수 있다'고 정한 조항이 유질계약 금지를 정한 민법 제339조에 반하는지 문제된 사안에서, "甲 은행은 주식회사로서 상인이고, 상인인 甲 은행이 대출을 하는 것은 상인의 영업을 위한 행위에 해당하여 상행위에 속하므로, 甲 은행이 乙에

Ⅴ. 주식의 소각·분할·병합   오 성 근*

1. 주식의 소각

가. 개 념

주식의 소각(redemption of shares)은 회사의 존속 중에 발행 주식 일부를 절대적으로 소멸시키는 회사의 행위이다. 주식의 소각은 회사의 규모를 줄이거나 새로운 자본금을 형성하기 위한 전단계로서 특히 유용하다. 주식의 소각은 '회사의 존속 중에 발행주식 일부'를 소멸시키는 점에서 회사의 해산 시에 모든 주식을 소멸시키는 것과 구별되며, '주식자체'를 소멸시키는 점에서 주식을 소멸시키지 않고 이를 표창하는 유가증권인 주권만을 무효처리하는 주권의 제권판결(제360조)[1] 및 신주인수인의 자격만을 실효시키는 실권절차(제307조)와도 구별된다.[2]

주식이 소각되면 주주의 자격이 절대적으로 소멸하고, 자본금이 감소될 수 있다는 점에서 주주와 채권자에게 중요한 이해관계가 있다. 그러므로 주식소각에는 일정한 규제가 필요하다.

---

* 제주대학교 법학전문대학원 교수

내한 내출금 채권을 남보하기 위해 설정한 질권에는 상법 제59조에 따라 민법 제339조가 적용되지 않는다"(의정부지법 고양지원 2011.10.7. 2011가합1439).

21) "질권설정계약에 포함된 유질약정이 상법 제59조에 따라 유효하기 위해서는 질권설정계약의 피담보채권이 상행위로 인하여 생긴 채권이면 충분하고, 질권설정자가 상인이어야 하는 것은 아니다. 또한 상법 제3조는 "당사자 중 그 1인의 행위가 상행위인 때에는 전원에 대하여 본법을 적용한다."라고 정하고 있으므로, 일방적 상행위로 생긴 채권을 담보하기 위한 질권에 대해서도 유질약정을 허용한 상법 제59조가 적용된다"(대법원 2017.7.18. 2017다207499).

1) 김정호, 「회사법」 제6판(법문사, 2021), 286면; 안택식, 「회사법강의」(형설출판사, 2012), 241면; 김두진, 「회사법강의」 개정판(동방문화사, 2019), 224면.

2) 최준선, 「회사법」 제15판(삼영사, 2021), 350면; 대법원 2002.12.24. 2002다54691; 1999.7.23. 99다14808; 1991.4.30. 90마672. 주주권은 주식의 양도나 소각 등 법률에 정하여진 사유에 의하여서만 상실되고 단순히 당사자 사이의 특약이나 주주권 포기의 의사표시만으로 상실되지 아니하며 다른 특별한 사정이 없는 한 그 행사가 제한되지도 아니한다.

나. 방 법

주식의 소각은 해당주식 주주의 동의를 요하는지의 여부에 따라 동의를 요하는 임의소각과 그렇지 아니한 강제소각, 회사가 주식소각의 대가를 지급하는지의 여부에 따라 유상소각과 무상소각으로 나뉜다. 임의·강제소각과 유상·무상소각이 서로 조합을 이루어 주식을 소각할 수 있다. 그러나 자기의 주식을 무상으로 소각하는데 동의하는 주주를 상정하기는 어려우므로[3] 임의·유상소각, 강제·유상소각, 강제·무상소각 등 세 가지 조합이 보통이다.

주식의 소각은 어떠한 방법에 의하더라도 주주평등의 원칙이 지켜져야 한다. 강제소각의 경우에는 주주의 소유주식에 비례하여 소각하여야 하며, 임의소각의 경우에도 소각하여야 할 주식보다 소각을 희망하는 주식이 많을 때에는 소각을 원하는 주식 수에 비례하여 소각하여야 한다. 다만 강제소각의 방법으로 추첨을 할 수 있는지에 대하여는 학설의 대립이 있다. 다수설은 추첨의 경우에도 기회의 평등을 주는 것이므로 허용된다고 하는데 비하여,[4] 소수설은 주주 지위의 변동을 초래하는 중대한 법률관계를 사행적 방법으로 해결하는 것은 주주들에게 실질적 평등을 줄 수 없기 때문에 주주평등의 원칙에 반한다고 한다.[5] 개인적으로는 소수설에 찬성한다.

다. 유 형

1) 2011년 개정 전 유형

2011년 4월 14일 상법 개정 전 주식소각의 유형은 ① 자본금의 감소를 초래하는 것으로서 자본금감소의 규정에 따라서 하는 소각(개정전 제343조 제1항 본

---

3) 다만 친족 간의 증여의 방법으로는 이용될 수 있다. 그것은 甲회사의 주식을 父가 33.3%, 子가 66.7%를 소유하고 있는 경우 父의 주식을 소각함에 있어 임의·무상소각의 조합을 활용한다면 甲회사의 재산 3분의 1을 父가 子에게 증여한 것과 같은 효과를 발생시키기 때문이다. 이로 인하여 「상속세 및 증여세법」 제39조의2는 이를 증여로 보고 과세하고 있다 (이철송, 「회사법강의」 제29판(박영사, 2021), 960면에서 재인용).

4) 김건식·노혁준·천경훈, 「회사법」 제5판(박영사, 2021), 237면; 정찬형, 「상법강의(상)」 제24판(박영사, 2021), 1195면; 최기원, 「상법학신론」(박영사, 2014), 669면; 박상조, 「신회사법론」(형설출판사, 2000), 764면; 손주찬, 「상법(상)」 제15보정판(박영사, 2004), 692면; 정동윤, 「상법(상)」 제6판(법문사, 2012), 807면; 이기수·최병규, 「회사법」 제11판(박영사, 2019), 704면.

5) 이철송, 전게서, 960면.

문), ② 자본금의 감소를 초래하지 않는 이익소각으로서 ㉠ 정관의 규정에 따라 배당 가능한 이익으로써 하는 소각(개정전 제343조 제1항 단서), ㉡ 정기주주총회의 특별결의에 의하여 배당 가능한 이익으로 하는 소각(개정 전 제343조의2), ㉢ 이익배당에 관하여 우선적 내용이 있는 종류의 주식에 대하여 이익으로써 하는 소각, 즉 상환주식소각만을 소각하는 경우(제345조) 등 네 가지가 있었다. 이 중 ㉠과 ㉡은 주식 일반을 대상으로 하여 배당가능이익으로써 소각한다는 점에서 차이가 없다. 1962년 상법 제정 시에는 ㉠의 유형만을 규정하고 있었으나, 이 유형에서 말하는 정관을 원시정관만을 의미한다는 해석이 우세하여 현실적인 이용이 어려운 문제점이 발생함에 따라 2001년 7월 개정시 ㉡의 유형을 도입하게 되었다. ㉢은 이익소각의 한 유형이기는 하지만, 발행 시부터 소각이 예정되어 있는 주식이라는 점에서 특수한 형태라고 할 수 있다.

2) 2011년 개정 후 유형

2011년 4월 개정상법은 주식소각에 관한 규정을 적지 아니하게 개정하였다. 우선 개정상법은 개정 전과 같이 자본금 감소에 관한 규정에 따른 소각(제343조 제1항 본문)과 상환주식의 소각제도는 승계하였으나, 정관의 규정에 따른 이익소각 및 주주총회의 특별결의에 의한 이익소각은 폐지하였다. 다만, 예외적으로 이사회의 결의에 의하여 회사가 보유하는 자기주식의 소각을 신설하였다(제343조 제1항 단서). 그리고 무액면주식의 소각은 자본금감소를 수반하지 않는 소각의 유형으로 인정하여야 하기 때문에 개정상법 하의 주식소각의 유형은 개정 전과는 내용이 다르지만 네 가지 유형으로 분류할 수 있다.

3) 자본금감소규정에 의한 소각

가) 의 의

상법은 자본금감소에 관한 규정에 따라서만 주식을 소각할 수 있도록 하고 있다(제343조 제1항 본문). 개정 전 상법은 자기주식의 취득사유 중의 하나로 "주식을 소각하기 위한 때"를 들고 있었으나(개정전 제341조 제1호), 개정 상법은 이를 삭제하였다. 따라서 소각을 위한 자기주식의 취득도 배당가능이익의 범위 내에서 하여야 한다(제341조 제1항). 그리하여 상법상 자본금감소에 관한 규정에 따라서만 주식을 소각할 수 있다는 규정은 소각을 위하여 자기주식을 취득할 수 있다는 뜻이 아니라 자본금감소의 절차와 같이 주주총회의 특별결의(제438조 제1항, 제434조)와 채권자보호절차를 밟아야 한다는 의미이다.

나) 적용범위

상법상 주식회사의 자본금은 액면주식을 발행하는 경우에는 「발행주식의 액면총액」이고(제451조 제1항), 무액면주식을 발행하는 경우에는 「주식 발행가액의 2분의 1 이상의 금액으로서 이사회에서 자본금으로 계상하기로 한 금액의 총액」이다(제451조 제2항). 따라서 액면주식의 소각은 발행주식수를 감소시켜 자본금의 감소를 수반하지만, 무액면주식의 소각은 발행주식수가 감소하더라도 자본금의 감소를 수반하지는 않는다. 이러한 점에서 액면주식의 소각의 경우에는 주주총회의 특별결의와 채권자보호절차를 밟을 필요가 있으나, 무액면주식의 경우에는 그러하지 않다. 그럼에도 불구하고 개정상법이 개정 전 상법 제343조 제1항의 본문을 그대로 명시하고 있는 것은 무액면제도를 도입한 사실을 간과한 입법이다.

결국 상법 제343조 제1항 본문에 따른 주식소각은 액면주식에만 적용된다고 보아야 하기 때문에 동 조항은 수정되어 적용되어야 한다.[6]

다) 절 차

자본금감소에 관한 규정에 따라서 주식을 소각하는 경우(제341조 제1항 본문)에는 먼저 주주총회의 특별결의를 거쳐야 한다. 이 결의에서는 소각의 방법을 구체적으로 정하여야 한다(제438조 제1항, 제439조 제1항). 주주총회의 소집을 위한 통지와 공고(제363조)에는 자본금감소에 관한 의안의 요령도 기재되어야 한다(제438조 제3항).

자본감소를 위하여 주식을 소각하는 경우에는 채권자에 대한 담보액과 자본금에 속하는 재산이 감소되므로 채권자의 이해관계에 직접적인 영향을 미치게 된다. 그리하여 상법은 채권자보호절차를 거치도록 하고 있고, 그러하지 않는 경우에는 과태료를 부과하고 있다(제439조 제2항·제3항, 제635조 제1항 제14호). 그리고 소각을 위하여는 주식병합절차에서와 같이 주주들로부터 주권을 회수하여야 하므로 주주에 대한 주권제출의 공고·통지절차가 요구된다(제343조 제2항,

---

6) 최준선, "개정이 시급한 상법(회사법) 규정에 대한 연구," 「기업법연구」 제26권 제1호(한국기업법학회, 2012), 26면.

제440조). 회사는 주식의 병합과 같이 1월 이상의 기간을 정하여 그 뜻과 그 기간 내에 주권을 회사에 제출할 것을 공고하고, 주주명부에 기재된 주주와 질권자에게는 각별로 그 통지를 하여야 한다.

라) 효 력

주식소각의 효력은 위의 기간이 만료한 때에 생기는데, 다만 채권자보호절차가 종료하지 아니한 때에는 그 절차가 종료한 때에 효력이 발생한다(제343조 제2항, 제441조, 제232조). 다만 주권제출의 공고·통지규정(제440조), 주식소각의 효력규정(제441조)은 강제병합에 관한 규정이므로 임의소각에는 적용되지 아니한다. 그리고 유상소각의 경우에도 단주가 발생할 수 있으므로 단주처리에 관한 제443조 및 제444조 역시 준용규정에 포함되는 입법적 보완이 요구된다.

4) 자기주식의 소각

가) 적용대상

상법은 자본금감소에 관한 규정에 따른 주식소각에 대한 예외로서 이사회의 결의만으로 자기주식을 소각할 수 있도록 하고 있다(제343조 제1항 단서). 개정전 상법에서 규정하고 있던 이익소각(개정전 제343조 제1항, 제343조의2, 제345조)은 배당가능이익의 범위 내에서 소각을 하는 것이기 때문에 발행주식수가 감소하지만 자본금에는 영향이 없었다. 따라서 이익소각은 자본금을 발행주식의 액면총액이라는 규정(제451조 제1항)의 예외현상이라고 해석하는 것이 통설이었다. 그러나 개정상법은 이러한 적용대상을 설정하지 않고 있기 때문에 이에 대한 다양한 해석이 전개되고 있다.

(1) 무액면주식에 한정된다는 견해

이 견해에 따르면, 상법 제343조 제1항의 단서는 자본감소절차를 따르지 아니하고 이사회결의만으로 주식을 소각할 수 있는 예외를 설정할 목적에서 둔 규정인데, 이는 무액면주식에 대하여만 적용하여야 하고 액면주식에는 적용할 수 없다고 한다.[7] 그 이유는 다음과 같다. 즉 무액면주식을 발행할 경우 주식 발행가액의 일부 또는 전부를 자본금에 계상하고 난 후에는 자본금은 주식의 수와 연관을 갖지 않으므로 자기주식을 소각하더라도 자본금에는 영향이 없다. 또한

---

7) 이철송, 전게서, 456면.

자기주식을 소각할 경우 회사의 발행주식수가 감소하여 그 효과는 모든 주주에게 비례적으로 미치므로 주주의 새로운 이해문제를 일으키지 않고, 회사의 자산이 유출되는 것이 아니므로 회사채권자의 이해와도 무관하다는 것이다.

그러나 액면주식을 발행하는 경우에는 자본금은 발행주식의 액면총액(제451조 제1항)이므로 주식의 소각은 바로 자본금의 감소를 뜻하고, 자본금의 감소는 주주와 채권자에게 중대한 이해가 걸리므로 이를 이사회의 결의만으로 실행할 수는 없다고 한다. 그러므로 상법 제343조 제1항 단서는 자본금의 감소를 수반하지 않는 자기주식의 소각, 즉 무액면주식의 소각에만 적용되고 액면주식의 소각은 동 조항 본문의 적용을 받아 자본금감소에 관한 규정에 따라 주주총회의 특별결의로 하여야 한다는 것이다.

이 견해는 액면주식소각의 경우에도 배당가능이익에 의한 소각은 자본금의 감소를 수반하지 않고, 이때 발행주식총수와 자본금 간에 괴리가 생긴다는 통설의 입장에 부합하지 않는다.

(2) 일반취득과 특정목적 취득을 구분하는 견해

이 견해는 제341조에 따른 자기주식취득의 경우와 제341조의2의 특정목적에 의한 자기주식취득을 구분하여 제341조의2 특정목적에 의하여 취득한 자기주식은 배당가능이익으로 취득한 것이 아니므로 소각을 위하여는 제341조 제1항 본문에 의거 자본금감소에 관한 규정에 따라서 소각하여야 한다고 한다.[8] 이 견해는 일반적인 자기주식의 취득과 특정목적에 의한 자기주식의 취득을 구분하지 않고 이사회의 결의로 주식소각을 할 수 있도록 한 것은 입법의 불비이므로 보완이 필요하다고 한다.

그러나 이러한 견해는 무액면주식의 경우에는 특정목적에 의하여 취득한 자기주식을 소각하여도 자본금이 감소하지 않는다는 점을 설명하기에 어렵다.

(3) 자본거래와 손익거래를 구분하는 견해

이 견해에 따르면 회사가 손익거래로 취득한 자기주식의 소각은 회사와 그 거래상대방 간의 개인법적 거래에 속하는 영역이어서 정관의 규정이 없으면 이사회결의로 자유롭게 처분하거나 소각할 수 있지만(제343조 제1항 단서), 자본거래로 취득하여 보유하는 자기주식의 소각은 자본금감소에 관한 규정에 준하여

---

8) 송옥렬, 「상법강의」 제11판(홍문사, 2021), 898면.

소각하여야 한다.[9)]

그러나 이 견해에 대하여는 손익거래로 취득한 자기주식과 자본거래로 취득한 자기주식이 구분되어 존재하는 것이 아니므로 그 전제의 타당성에 의문이 제기될 수 있다.

나) 자기주식의 범위

액면주식은 제341조 제3항에 의거 배당가능이익으로 취득한 자기주식이어야 한다. 이에 비하여 무액면주식은 상법 제341조 제1항에 의거한 배당가능이익으로 취득한 자기주식이든 상법 제341조의2 특정목적에 의하여 재원규제를 받지 않고 취득한 자기주식취득이든 어느 것이나 이사회의 결의에 의하여 소각할 수 있다.

다) 배당가능이익

회사가 자기주식을 취득할 때 배당가능이익의 범위 내에서 취득하였다면 소각 시점에서는 배당가능이익이 없더라도 자기주식을 소각할 수 있다는 것이 통설이다.

라) 절차 및 효력발생

(1) 절 차

상법은 자기주식의 소각에 위한 절차에 관하여 별도의 규정을 두지 않고 있다. 회사가 보유한 주식을 소각하는 것이고, 제343조 제2항의 규정이 적용되지 않으므로 소각을 위한 공고·통지(제440조), 채권자보호절차(제441조, 제232조)를 거칠 필요가 없다. 따라서 이사회가 소각할 주식의 종류와 수 및 효력발생일을 결정하여야 하고 회사는 소각 대상 주식의 유통을 방지하기 위하여 주권을 폐기하고 주주명부 또는 전자등록부에서 말소하여야 한다.

(2) 효력발생

기술한 바와 같이 자본금감소에 관한 규정에 따라 주식소각을 한 경우에는 주주총회의 특별결의, 채권자보호절차 및 자본금감소의 실행절차가 모두 종료한 때에 그 효력이 발생한다. 상환주식의 상환, 자기주식의 소각의 경우에는 위와

---

9) 안성포, "자기주식취득의 허용에 다른 법적 쟁점," 「상사법연구」 제30권 제2호(한국상사법학회, 2011), 99면.

같은 규정이 준용되지 않고, 회사가 소각을 위하여 취득한 주식을 소멸시킨 때 효력이 발생한다.

라. 효 과

액면주식의 경우 자본금은 액면주식의 총액이므로 자본금감소절차에 따라 액면주식이 소각되고 발행주식총수가 감소되면 자본금도 감소된다. 그러나 배당가능이익에 의한 주식소각의 경우에는 발생주식총수가 감소하지만 자본금은 감소하지 않고 발행주식총수와 자본금 간에 예외현상이 발생한다. 무액면주식은 일단 발행이 되면 자본금과는 무관하므로 소각에 의하여 자본금의 감소를 수반하지는 않는다.

마. 주식의 재발행

주식을 소각하면 현재의 발행주식총수가 감소하고 발행예정주식총수의 미발행분이 증가한다. 이에 따라 증가한 미발행분에 대하여 통상의 신주발행절차를 밟아 재발행할 수 있는지의 여부가 문제된다. 이와 같은 문제는 상환주식을 상환한 경우와 주식의 병합으로 자본이 감소한 경우에도 발생한다. 통설은 소각한 주식은 이미 활용된 수권주식이므로 미발행분에서 제외하여야 한다고 하여 재발행불가설을 취하고 있다.[10)]

이에 따르면 재발행을 허용하면 이사회가 이를 남용하여 소각과 발행을 반복하여 주주들의 권리를 침해하게 된다. 그리고 상환주식의 경우에는 발행회사의 배당가능이익으로 소각하게 되므로 이의 재발행을 허용하게 되면 그만큼 주주들의 배당이익을 줄이게 되는 문제점도 발생하게 된다. 이와 같이 통설은 정관에서 정한 발행예정주식총수를 주주가 이사회에 발행을 수권한 주식수의 누적최대치로 보고, 일단 이사회에서 발행을 결정하여 발행한 주식이 소각에 의하여 소멸하게 되었더라도 구 부분에 관한 수권은 기능을 다한 것이기 때문에 소각된 주식을 재발행할 수는 없다고 한다.

---

10) 이범찬·임충희·이영종·김지환, 「상법강의」 제2판(삼영사, 2018), 218면; 김정호, 전게서, 163면; 최기원, 전게서, 671면; 정찬형, 전게서, 1195면; 손주찬, 전게서, 695면; 임홍근, 「회사법」(법문사, 2001), 319~320면; 정동윤, 전게서, 529면; 장덕조, 「회사법」 제5판(법문사, 2020), 210면; 홍복기·박세화, 「회사법강의」 제8판(법문사, 2021), 217면; 권기범, 「현대회사법론」 제8판(삼영사, 2021), 562면; 정경영, 「상법학쟁점」 (박영사, 2016), 28면.

이에 대하여 소수설인 재발행가능설은 발행예정주식총수를 회사가 현 시점에서 발행할 수 있는 주식수의 최대치를 의미하는 것으로 보고 있다. 발행가능한 주식총수를 계산하기 위하여 발행예정주식총수로부터 차감하여야 할 발행주식총수란 과거부터 누적적으로 산출되는 주식의 총수가 아니라 현재 발행한 주식의 총수를 의미하는 것이라고 한다. 따라서 소각된 주식은 발행예정주식총수 중 미발행주식수를 구성하기 때문에 재발행이 가능하다고 한다.[11] 이 학설은 일본의 소수설이기도 하다.[12] 일본의 통설[13]과 판례[14]는 재발행불가설을 취하고 있다. 재발행가능설은 신주발행권의 남용으로 인하여 주주가 입게 되는 피해와 자본조달의 기동성, 원활성에 의하여 주주가 얻게 되는 이익을 비교하여 판단한다면 후자의 이익이 보다 중요하다고 보아 재발행이 가능하다고 한다.[15]

생각건대 자기주식취득과 처분이 제462조 배당가능이익의 범위 내에서 자유롭게 되었지만, 자기주식의 처분과 신주발행에 대하여 별도로 규제를 받도록 하고 있는 현행 상법 하에서는 이사회가 주식의 소각과 재발행을 반복할 수 있도록 하는 것은 문제가 있다고 본다.

2. 주식의 분할

가. 의   의

주식의 분할(share splits, split-ups)이란 10주를 20주로 하는 것과 같이 발행주식수를 세분화하는 회사의 행위를 말한다. 주식분할은 주식병합의 역의 형태로 자본금과 회사재산에 변동이 생기지 않기 때문에 10주를 20주로 분할하면 1주의 경제적 가치는 50퍼센트 하락하게 된다. 그러나 주주가 소유하게 되는 주식의 수량이 그에 비례하여 2배 증가하기 때문에 주주의 실질적 재산적 가치에는 변동이 없게 된다. 그리고 상장주식과 같이 시장가격이 있는 주식에 대하여 1주당 당기순이익, 순자산가치 및 배당액 등을 종래대로 유지할 자신이 있는 회

---

11) 김건식·노혁준·천경훈, 전게서, 237면; 이철송, 전게서, 441면; 최준선, 전게서, 352면.
12) 矢沢惇, "株式の消却−特に償還株式について,"「企業法の諸問題」(商事法務研究会, 1981), 162面; 江頭憲治郎,「株式会社法」(有斐閣, 2010), 258面.
13) 江頭憲治郎·門口正人외 4인,「会社法大系2」(青林書院, 2008), 57面 각주 8).
14) 最高裁判所, 昭和40. 3. 18. 判例時報 413号, 75面.
15) 임재연,「회사법Ⅰ」(박영사, 2012), 533면.

사가 주식분할을 하는 경우에는 1주의 가격은 주식분할에 따른 이론가격만큼 하락하지는 않는다. 따라서 주식분할은 주식의 시장가격이 매우 높거나 유동성이 낮은 회사에서는 1주의 시장가격을 인하하여 그와 같은 문제점을 해결할 목적으로 활용되는 경우가 많다. 때로는 자본시장법상 내부자거래(동법 제174조)나 시세조종행위(동법 제176조)와 결부되어 사회적 문제를 야기하는 부작용도 있다.

나. 액면주식과 무액면주식의 차이

주식분할은 액면주식과 무액면주식의 경우 그 의미가 각각 다르다. 액면주식의 분할은 일반적으로 말하는 액면분할을 의미한다. 10주를 20주로 분할하였다는 것은 액면가 5,000원을 2,500원으로 인하시키고 발행주식수는 2배 증가시켰다는 의미이다. 액면주식을 발행하는 경우 주식회사의 자본금은 「발행주식의 액면총액」(제451조 제1항)이므로 액면분할에 따른 자본금에는 변동이 없게 된다.

무액면주식을 발행하는 경우의 회사자본금은 「주식 발행가액의 2분의 1 이상의 금액으로서 이사회에서 자본금으로 계상하기로 한 금액의 총액」이다(제451조 제2항). 즉 무액면주식에는 액면이 없기 때문에 무액면주식의 분할은 자본금 및 자산에는 변동이 없고 단지 발행주식총수만을 증가시키게 된다. 다만 기존에 발행한 주식수에 추가하여 증가시키는 것이 아니고 세분화하는 것이다.

다. 요 건

1) 주주총회의 특별결의

주식을 분할하기 위하여는 주주총회의 특별결의가 있어야 한다(제329조의2). 주주총회의 특별결의는 출석한 주주의 의결권의 3분의 2 이상의 수와 발행주식총수의 3분의 1 이상의 수로써 하여야 한다(제434조). 무액면주식을 분할하는 경우 무액면주식은 정관의 절대적 기재사항인 액면가(제289조 제1항 제4호)가 없는 주식이므로 발행예정주식총수의 범위(제289조 제1항 제3호) 내에서는 정관변경이 없게 됨에도 불구하고 주주총회 특별결의를 하나의 요건으로 하고 있다. 액면주식을 분할하는 경우에는 정관변경을 하여야 하므로 주주총회의 특별결의를 거쳐야 한다.

2) 정관변경

주식을 분할함에 있어서의 정관변경은 두 가지 방향에서 필요하다. 액면주식을 제분할하는 경우에는 정관의 절대적 기재사항인 액면가를 변경하여야 하고 발행예정주식총수(제289조 제1항 제3호) 중 미발행분이 분할을 하는데 충분하지 아니한 경우에도 정관변경을 하여야 한다. 무액면주식을 분할함에 있어서는 발행예정주식총수 중 미발행분이 주식을 분할하는데 충분하지 아니한 경우에는 정관을 변경하여야 한다.

3) 액면주식의 분할금액의 제한

액면주식을 분할하는 경우에는 분할 후의 액면주식 1주의 금액은 100원 이상으로 하여야 한다(제329조의2 제2항, 제329조 제3항). 이러한 제한을 제외하고는 액면가를 자유롭게 인하할 수 있다. 그 결과 단주가 발생하는 경우에는 후술하는 제443조에 의거하여 처리하여야 한다.

라. 절   차

1) 공고·통지

주식을 분할하는 경우에 회사는 1월 이상의 기간을 정하여 그 뜻과 그 기간 내에 주권을 회사에 제출할 것을 공고하고 주주명부에 기재된 주주와 질권자에 대하여는 각별로 그 통지를 하여야 한다(제329조의2 제3항, 제440조). 이 공고는 주식분할로 인한 권리의 변동사항을 주주와 질권자들에게 알리는데 그 목적이 있으므로 수권을 발행하지 않은 회사도 같은 공고를 하여야 한다.[16] 회사는 이 공고와 함께 분할된 주식을 취득할 자를 미리 정하기 위하여 기준일(제354조 제1항)을 설정할 수 있다고 본다. 기준일은 주주명부의 기재를 정지시키지 않고서도 주주 또는 질권자로서 권리를 행사할 자를 확정할 수 있기 때문에 주주명부를 폐쇄하는 것보다 간편한 업무처리를 할 수 있다는 장점이 있다.

2) 이의최고절차 및 주권의 교부

주식을 분할하는 경우에는 주권의 기재사항 중 발행예정주식총수, 액면주식

---

16) 이철송, 전게서, 461면.

의 경우 1주의 금액 또는 회사의 성립 후 발행된 주식의 발행연월일 등(제356조 제3호 내지 제5호)이 변경될 수 있으므로 주주가 제출한 주권에 갈음하여 새로운 주권을 교부하여야 한다. 그리하여 상법은 주식을 분할하는 경우에 구주권을 회사에 제출할 수 없는 자가 있는 때에는 회사로 하여금 그 자의 청구에 의하여 3월 이상의 기간을 정하고 이해관계인에 대하여 그 주권에 대한 이의가 있으면 그 기간 내에 제출할 뜻을 공고하고 그 기간이 경과한 후에 신주권을 청구자에게 교부할 수 있도록 하고 있다(제329조의2 제3항, 제442조 제1항).

3) 단주의 처리

주식분할의 결과 1주 미만의 단주가 생기는 경우에는 그 부분에 대하여 발행한 신주를 경매하여 각 주수에 따라 그 대금을 종전의 주주에게 지급하여야 한다. 그러나 거래소의 시세있는 주식은 거래소를 통하여 매각하고, 거래소의 시세없는 주식은 법원의 허가를 받아 경매외의 방법으로 매각할 수 있다(제329조의2 제3항, 제443조 제1항).

상법의 규정은 없으나 단주의 매각대금을 지급함에 있어서는 구주권과 상환하여야 한다고 본다. 그리고 기술한 이해관계자의 이의최고절차 및 주권의 교부에 관한 규정(제442조 제1항)은 단주를 처리함에 있어서도 동일하게 적용된다.

마. 효 력

주식분할의 효력은 주권제출기간, 즉 주주에 대한 공고기간이 만료한 때에 생긴다(제329조의2 제3항). 그러나 무액면주식의 경우에는 주주가 주권을 제출할 필요가 없고, 회사가 추가로 주권을 발행하여 주면 족하다. 주식분할에 따라 회사의 발행주식총수는 증가한다. 그리고 구주식에 대한 질권은 물상대위에 의하여 신주에 대하여도 행사할 수 있다. 회사는 효력발생 후 각 주주의 주식 수 등을 주주명부에 기재하여야 한다.

한편 공고와 함께 기준일을 설정하는 경우에는 주주명부에 기재된 주주가 분할의 효력발생일에 기준일에 갖는 주식 수에 분할비율을 곱한 수의 주식을 취득한다고 본다. 따라서 분할의 기준일과 분할의 효력발생일은 동일한 일자인 경우가 일반적이지만, 별도의 일자를 정하더라도 무방하다고 본다.

바. 효 과

주식분할의 결과 주주의 소유주식수는 비례적으로 증가하게 되므로 각 주주의 지분에는 변동이 없다. 회사의 자본금이나 재산에도 영향이 없다. 자기주식도 분할의 효과가 발행하므로 주식 수가 증가한다.

이와 같이 주식분할을 하는 경우에는 등기사항인 발행주식의 총수(제317조 제2항 제3호)에 변동을 가져오므로 변경등기를 하여야 한다. 상업등기법은 주식분할로 인한 변경등기의 신청서에는 상법 제440조에 따라 공고를 하였음을 증명하는 서면을 첨부하도록 규정하고 있다(동법 제87조 제1항, 제2항). 다만 구주권의 제출에 관한 상법 제440조 내지 제442조의 규정은 무액면주식의 분할에는 적용되지 아니하므로 상법등기법도 보완을 할 필요가 있다.[17]

사. 절차위반 등의 효과

주식분할을 위한 주주총회의 결의에 하자가 있거나 분할절차에 하자가 있는 경우에는 소급효가 제한되는 형성의 소에 의하여 해결되어야 한다고 본다.[18] 그이유는 주식분할을 무효로 다루어야 할 경우에는 분할로 인하여 발행한 주식 전부가 무효가 되어 분할 전의 상태로 돌아가야 하므로 모든 주주에게 획일 확정이 요구되고, 분할 후에 형성된 법률관계를 소급해서 부정해서는 아니 되기 때문이다. 따라서 신주발행무효의 소에 관한 제429조 내지 제431조의 규정을 유추적용하여야 한다고 본다.[19] 다만, 신주발행무효의 판결이 확정된 때의 주주에 대한 주금의 반환에 관한 규정인 제432조는 주식분할의 무효와는 관련이 없으므로 유추적용할 수 없다.

---

17) 임재연, 전게서, 317면.
18) 江頭憲治郞, 전게서, 276面 참조. 일본 회사법 제838조, 제289조는 "주식회사의 성립 후의 주식의 발행"을 신주발행 무효확인의 소의 대상으로 규정하고 있다. 이에 따라 통상의 신주발행이 아니라 주식분할의 경우에도 제838조, 제289조의 적용대상이라고 보는 것이 통설이다.
19) 이철송, 전게서, 464면; 김건식·노혁준·천경훈, 전게서, 244면

3. 주식의 병합

가. 의   의

주식의 병합(reverse share splits; share split-down)이란 수개의 주식을 합하여 그보다 그 보다 적은 수의 주식으로 하는 회사의 행위를 말한다. 예를 들어 10주를 1주로 하는 것을 말한다. 주식의 병합은 각 주주의 소유주식수를 일률적이고 안분비례적으로 감소시키기 때문에 각 주주의 지분에는 변동이 없다.

외국에서는 주식병합은 일정한 병합비율로 주식 수를 감소시키지만 그에 따라 액면가가 인상되므로 회사의 자본금 및 재산에는 영향이 없다고 해석하는 경우도 있지만,[20] 회사법은 제4장 제6절「자본금의 감소」편에 주식병합에 관한 규정을 둠으로써 자본금감소의 방법으로 하도록 하고 있다. 다만 우리나라의 경우에도 외국과 같이 주식병합비율만큼 액면금액을 인상하는 방식의 주식병합도 인정된다고 본다.

나. 기   능

주식병합을 통한 자본금의 감소는 일반적으로 회사의 결손이 크게 발생하여 회사의 대외적 신용도가 하락하고 그 주가도 정상수준이하인 경우에 자본금액과 회사재산을 일치시켜주기 위한 것이다. 즉 주식병합은 경영부실로 인하여 주가가 정상적인 수준에서 크게 하락하는 경우에 주당순자산을 액면금액 이상으로 회복시켜 주가의 정상화를 추구할 수 있는 기능을 한다. 그리고 합병당사회사간의 재산상태가 다른 경우에도 주식의 병합이 필요하다.

다. 요   건

1) 주주총회의 특별결의

주식병합 시 주주총회의 특별결의는 액면주식을 병합하는 경우에 필요하다. 상법은 주식분할(제329조의2 제1항)과 달리 주주총회의 특별결의를 요하는 규정

---

20) 江頭憲治郎, 전게서, 266面; 江頭憲治郎·門口正人외 4인, 전게서, 193面. 일본에서의 해석론은 예를 들어 액면가 5,000원인 주식 2주를 1주로 병합하게 되면 액면가가 10,000원으로 인상되는 경우를 상정한 것이다.

을 두고 있지 않지만, 액면가를 변동시키지 않은 상태에서 주식을 병합하는 경우에는 발행주식수의 감소로 자본금의 감소를 수반하므로 자본금의 감소에 관한 주주총회의 특별결의(제438조 제1항)를 거쳐야 한다. 그리고 자본금의 감소 없이 액면금액을 인상시키는 방법으로 주식을 병합하는 경우에는 정관의 절대적 기재사항인 1주의 금액(제289조 제1항 제4호)을 변경하여야 하므로 정관변경을 위한 특별결의를 요한다.

2) 이사회의 결의

주식병합 시 이사회의 결의는 무액면주식을 병합하는 경우에 필요하다고 본다. 무액면주식도 주식의 유통수를 줄임으로써 주당순자산가격을 향상시키기 위한 방법으로 주식병합을 할 수 있다. 다만 무액면주식을 발행한 회사의 자본금은 「주식 발행가액의 2분의 1 이상의 금액으로서 이사회에서 자본금으로 계상하기로 한 금액의 총액」이므로, 무액면주식을 병합하게 되더라도 자본금과 주식수의 관계가 없게 된다. 따라서 무액면주식의 병합은 이사회의 결의로서 족하고, 주주총회를 요건으로 하지 않는다고 본다. 다만 무액면주식의 병합과 동시에 자본금을 감소시키는 경우에는 자본금감소에 관한 규정(제438조, 제434조)에 따라 주주총회의 특별결의를 요건으로 한다.

3) 정관변경

액면주식을 변경하는 경우에는 정관의 절대적 기재사항인 1주의 금액(제289조 제1항 제4호)을 변경하여야 하므로 정관변경을 하여야 한다. 무액면주식의 경우에는 액면금액의 변경이라는 요건을 요하지 아니하므로 정관을 변경할 필요가 없다.

라. 절   차

1) 공고 · 통지

주권을 발행한 주식을 병합하는 경우에 회사는 1월 이상의 기간을 정하여 그 뜻과 그 기간 내에 주권을 회사에 제출할 것을 공고하고 주주명부에 기재된 주주와 질권자에 대하여는 각별로 그 통지를 하여야 한다(제440조). 회사는 이 공고와 함께 분할된 주식을 취득할 자를 미리 정하기 위하여 기준일(제354조 제

1항)을 설정할 수 있다고 본다. 기준일은 주주명부의 기재를 정지시키지 않고서도 주주 또는 질권자로서 권리를 행사할 자를 확정할 수 있기 때문에 주주명부를 폐쇄하는 것보다 간편한 업무처리를 할 수 있다는 장점이 있다.

한편 전자등록주식을 병합하는 경우에는 주권을 제출할 수 없기 때문에 주권을 발행한 주식의 병합절차는 적용될 수 없다. 이 경우 회사는 주식을 병합할 날(병합기준일)을 정하고, 병합기준일에 주식이 병합된다는 뜻을 그 날부터 2주 전까지 공고하고 주주명부에 기재된 주주와 질권자에게는 개별적으로 그 통지를 하여야 한다(전자증권법 제65조 제1항). 전자등록된 주식의 병합은 병합기준일에 효력이 생긴다. 다만, 채권자보호절차(제232조)가 종료되지 아니한 경우에는 그 종료된 때에 효력이 생긴다(전자증권법 제65조 제2항).

2) 이의최고절차 및 주권의 교부

주식을 병합하는 경우에는 주권의 기재사항 중 액면주식의 경우 1주의 금액 또는 회사의 성립 후 발행된 주식의 발행연월일 등(제356조 제3호 내지 제5호)이 변경될 수 있으므로 주주가 제출한 주권에 갈음하여 새로운 주권을 교부하여야 한다. 그리하여 상법은 주식을 병합하는 경우에 구주권을 회사에 제출할 수 없는 자가 있는 때에는 회사로 하여금 그 자의 청구에 의하여 3월 이상의 기간을 정하고 이해관계인에 대하여 그 주권에 대한 이의가 있으면 그 기간 내에 제출할 뜻을 공고하고 그 기간이 경과한 후에 신주권을 청구자에게 교부할 수 있도록 하고 있다(제442조 제1항).

공고의 비용은 청구자의 부담으로 하고(제442조 제2항), 단주의 금액을 배분하는 경우에도 회사에 주권을 제출할 수 없는 자가 있는 때에는 같은 절차를 밟아야 한다(제443조 제2항, 제444조).

3) 단주의 처리

주식병합의 결과 1주 미만의 단주가 생기는 경우에는 그 부분에 대하여 발행한 신주를 경매하여 각 주수에 따라 그 대금을 종전의 주주에게 지급하여야 한다. 그러나 거래소의 시세 있는 주식은 거래소를 통하여 매각하고, 거래소의 시세 없는 주식은 법원의 허가를 받아 경매 외의 방법으로 매각할 수 있다(제443조 제1항).

상법의 규정은 없으나 단주의 매각대금을 지급함에 있어서는 구주권과 상환하여야 한다고 본다. 그리고 기술한 이해관계자의 이의최고절차 및 주권의 교부에 관한 규정(제442조 제1항)은 단주를 처리함에 있어서도 동일하게 적용된다.

4) 채권자보호절차

액면주식의 경우 액면금액을 변동시키지 않는 주식병합, 액면금액을 변동시키더라도 병합비율에 미치지 못하는 금액으로 변동시키는 주식병합의 경우에는 자본금이 감소하므로 채권자보호절차를 밟아야 한다(제439조, 제232조). 무액면주식의 경우에도 주식병합과 동시에 자본금을 감소하게 되면 채권자보호절차를 밟아야 한다고 본다. 다만 결손의 보전을 위하여 자본금을 감소하는 경우에는 그러하지 않다(제439조 제2항).

따라서 회사는 주식병합의 결의가 있은 날부터 2주내에 회사채권자에 대하여 병합에 이의가 있으면 일정한 기간 내에 이를 제출할 것을 공고하고 알고 있는 채권자에 대하여는 따로따로 이를 최고하여야 한다. 이 경우 그 기간은 1월 이상이어야 한다. 만약 채권자가 해당 기간 내에 이의를 제출하지 아니한 때에는 주식병합을 승인한 것으로 본다. 이의를 제출한 채권자가 있는 때에는 회사는 그 채권자에 대하여 변제 또는 상당한 담보를 제공하거나 이를 목적으로 하여 상당한 재산을 신탁회사에 신탁하여야 한다(제439조, 제232조).

마. 주권 불제출의 효과

일부주주가 주권제출기간 내에 주권을 제출하지 않더라도 주식병합을 진행할 수 있다. 즉 주주명부를 근거로 주식을 병합하고 추후 구주권과 교환하여 신주권을 교부하면 된다.

바. 변경등기

주식병합을 하는 경우에는 등기사항인 발행주식총수(제317조 제2항 제3호)가 감소할 수 있으므로 변경등기를 하여야 한다. 주식병합으로 인한 변경등기의 신청서에는 제440조에 따른 공고를 하였음을 증명하는 서면을 첨부하여야 한다(상업등기법 제87조 제1항).

사. 효 력

1) 효력발생시기

주식병합의 효력은 주권제출기간이 만료한 때에 발생한다(제441조). 그러나 채권자의 이의기간 및 이의에 따른 변제 등 후속절차가 종료하지 아니한 때에는 그 기간 또는 절차가 종료한 때에 효력이 발생한다(제441조 단서). 이에 따라 구주식은 소멸하고 구주권 또한 실효된다.

주식병합 효력의 발생은 주주의 주권제출유무와는 무관하다.

2) 병합전후의 동일성

주식병합이 효력이 발생하면 회사는 신주권을 발행하게 되고, 주주는 병합된 만큼의 감소된 수의 신주권을 교부받게 되는바, 이에 따라 교환된 주권은 병합 전의 주식을 여전히 표창하면서 그와 동일성을 유지한다.[21] 따라서 구주식의 질권자는 병합에 의하여 주주가 받을 신주식과 금전에 대하여 질권을 행사할 수 있다(제339조).[22]

3) 주식병합무효의 소

상법은 주식병합의 하자를 다투는 소에 관한 규정을 두지 않고 있다. 그리하여 판례는 자본감소를 수반하는 위법한 주식병합에 대하여는 감자무효의 소를 제기할 수 있다고 한다. 즉 주식병합을 통한 자본금감소에 이의가 있는 주주·이사·감사·청산인·파산관재인 또는 자본금의 감소를 승인하지 않은 채권자는 자본금감소로 인한 변경등기가 된 날부터 6개월 내에 자본금감소 무효의 소를 제기할 수 있다(445조).[23] 이에 비하여 자본금감소를 수반하지 않는 위법한 주식병합에 대하여는 법률관계를 신속하고 획일적으로 확정하기 위하여 제445조를 유추적용하고 있다.[24]

그러나 주식병합의 실체가 없음에도 주식병합의 등기가 되어 있는 외관이 존재하는 경우 등과 같이 주식병합의 절차적·실체적 하자가 극히 중대하여 주식

---

21) 대법원 2005.6.23. 2004다51887; 1994.12.13. 93다49482.
22) 김건식·노혁준·천경훈, 전게서, 242면; 최기원·김동민, 전게서, 673면.
23) 대법원 2020.11.26. 2018다283315.
24) 대법원 2009.12.24. 2008다15520.

병합이 존재하지 않는다고 볼 수 있는 때에는, 주식병합 무효의 소와는 달리 출소기간의 제한에 구애됨이 없이 그 외관 등을 제거하기 위하여 주식병합 부존재 확인의 소를 제기하거나 다른 법률관계에 관한 소송에서 선결문제로서 주식병합의 부존재를 주장할 수 있다.[25]

---

25) 대법원 2009.12.24. 2008다15520.

판례색인

사항색인

[ㅈ]

株式會社法大系 Ⅰ [제4판]

2013년 2월 20일 초판 발행
2016년 2월 15일 제2판 발행
2019년 2월 25일 제3판 발행
2022년 3월 15일 제4판 1쇄 발행

편저자 한 국 상 사 법 학 회
발 행 인 배   효   선

발행처 도서
        출판   法 文 社

주 소 10881 경기도 파주시 회동길 37-29
등 록 1957년 12월 12일/제2-76호(윤)
전 화 (031)955-6500~6 FAX (031)955-6525
E-mail (영업) bms@bobmunsa.co.kr
        (편집) edit66@bobmunsa.co.kr
홈페이지 http://www.bobmunsa.co.kr
조 판 법 문 사 전 산 실

정가 270,000원(Ⅰ·Ⅱ·Ⅲ권)   ISBN 978-89-18-91279-0